la sele[illegible] gourmet

www.laselecciondelgourmet.com

Edición

Cada detalle cuenta para perfeccionar esta guía y convertirla en su mejor compañero de viaje. Encontrará imágenes y precisas informaciones de más de 500 restaurantes recomendados. Un mosaico de personalidades y recorridos, talentos consagrados y emergentes que nos hacen progresar hacia un mundo mejor.

En circunstancias como las actuales, es precisamente cuando resulta más importante que nunca destacar aquellos valores de constancia, trabajo, estabilidad y reconocer trayectorias de éxito.

Queremos agradecer el profesionalismo y entrega de todos los restauradores que otorgan a esta obra su identidad única, gracias también a los usuarios por su confianza y fidelidad.

Esta información actualizada ofrece amistoso consejo para disfrutar del refinado placer de la buena mesa en cualquier punto de nuestra geografía. El objetivo sigue siendo el mismo: hacer de su visita una experiencia placentera e inolvidable.

la selección del
gourmet

Edita UNIMEDIOS, S.L.

Depósito legal: B.25011-2011 ISBN: 978-84-933020-8-5
Impresión: ROTOBIGSA - Diseño y Preimpresión: TRAMA TECNIC

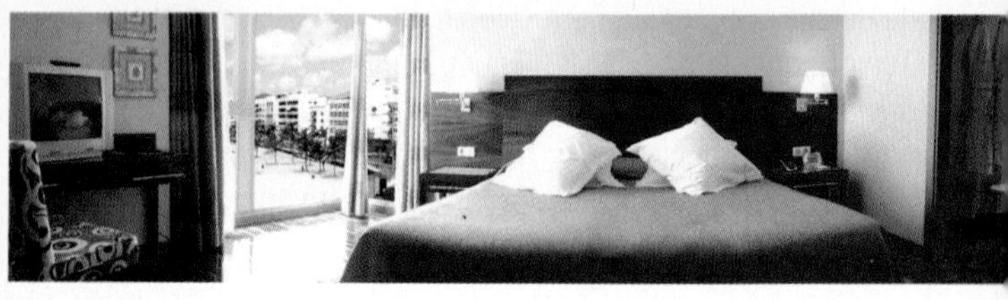

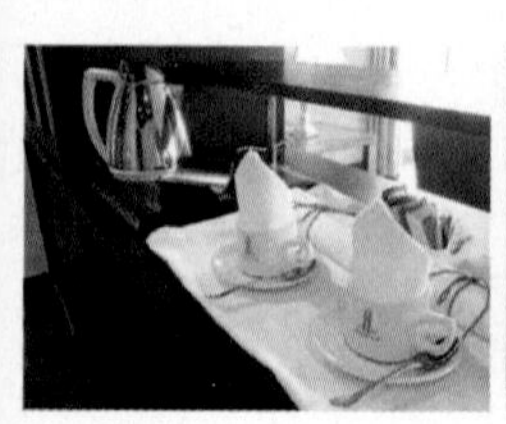

GAH
Arrecife Gran Hotel
LANZAROTE

Índice

26 Andalucía

ALMERÍA
La Gruta 30
Casa Sevilla 32

El Ejido
La Costa 34

Vera
Terraza Carmona.... 36
Juan Moreno.... 38

CÁDIZ
La Bodega....40
El Faro.... 42

Algeciras
Las Barcas....44

Barbate
El Campero.... 46
El Espigón del Puerto....48

Los Barrios-Palmones
Mesón El Copo....50

Chiclana
Popeye.... 52

Jerez de la Frontera
El Bosque....54
Venta Antonio....56

La Línea
La Marina....58

El Puerto de Santa María
Aponiente 60

Zahara de los Atunes
El Retinto....62

CÓRDOBA
El Caballo Rojo....64
El Churrasco....66
Cuevas Romanas....68
Mesón del Toro....70

Cabra
Mesón del Vizconde....72

GRANADA
Carmen de San Miguel....74
El Cenador....76
Chikito....78
Cunini....80

Baza
Las Conchas....82

Cenes de la Vega
Ruta del Veleta....84

Castillo de Tajarja
El Olivo de Miguel y Celia....86

HUELVA
La Marina del Puerto.... 88
Portichuelo....90

Isla Cristina
Casa Rufino.... 92

El Rocío
Aires de Doñana.... 94

MÁLAGA
El Chinitas.... 96
El Envero....98
Limonar 40....100
Montana....102

Estepona
Las Brasas de Alberto....104

Fuengirola
Charolais........................ 106
Girol............................ 108

Marbella
Calima..........................110
La Meridiana del Alabardero..112
Santiago.........................114
Skina............................116

Mijas
El Padrastro.....................118

Ronda
Pedro Romero..................120
Tragabuches....................122

Torremolinos
La Langosta.....................124
Med..............................126

SEVILLA
La Albahaca.....................128
Becerrita.........................130
Casa Modesto Gran Plaza...132
Casa Robles.....................134
Corral del Agua................136
Egaña-Oriza....................138
Juliá-Los Monos...............140
Río Grande......................142

Dos Hermanas
Los Baltazares.................144

Ginés
Asador Almansa...............146

Los Palacios
Manolo Mayo...................148

Otros restaurantes............150

152 **Aragón**

HUESCA
Gastrológica..................154
La Taberna de Lillas Pastia...156

Barbastro
El Portal del Somontano......158

Benasque
La Parrilla......................160

Esquedas
Venta del Sotón...............162

Sallent de Gállego
Casa Socotor...................164

ZARAGOZA
Albarracín.......................166
El Chalet.........................168
Novodabo........................170
El Real...........................172
La Rinconada de Lorenzo....174
La Senda.........................176
Otros restaurantes...........178

180 **Asturias**

Oviedo
Casa Conrado..................182
La Corrada del Obispo.......184
Marisquería Bocamar........186

Biedes
Casa Edelmiro.................188

Cangas de Onís
El Campanu....................190

Gijón
Las Delicias....................192
La Solana.......................194

Pancar-Llanes
El Retiro....................196

Prendes
Casa Gerardo....................198

La Salgar-Arriondas
Casa Marcial....................200

Tapia de Casariego
El Álamo.................... 202

Tazones
Rompeolas.................... 204

Otros restaurantes....................206

208 **Baleares**

IBIZA
Ca N'Alfredo....................210
El Cigarral.................... 212

San Antonio
Es Pi d'Or-O'Pazo.................... 214

Santa Eulàlia
Celler Can Pere....................216

MALLORCA
Palma de Mallorca
Caballito de Mar....................218
Gran Dragón....................220
Santa Eulàlia....................222

Alcudia
Mesón Los Patos.................... 224

Cala Bona
Sa Punta....................226

Deiá
El Olivo....................228
Es Racó d'es Teix....................230

Estellencs
Montimar....................232

Paguera
La Gran Tortuga.................... 234

Puerto de Alcudia
Jardín.................... 236

Puerto de Pollença
Stay....................238

Sineu
Son Toreo....................240

Valldemossa
Hotel Rest. Valldemossa....242

MENORCA
Mahón
Gregal....................244

Es Migjorn Gran
Ca Na Pilar....................246

Fornells
S'Ancora....................248

Otros restaurantes....................250

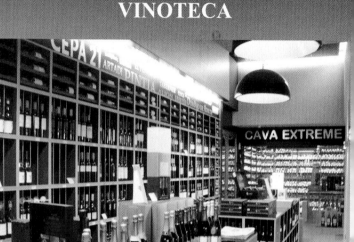

Canarias

LANZAROTE

Arrecife

Altamar-Arrecife Gran Hotel..254
Castillo de San José...........256

Mácher

La Tegala...................... 258

Playa Blanca

Casa Brígida...................260
La Chalanita....................262

Puerto del Carmen

Arena.........................264
Tex-Mex La Avenida.........266

Yaiza

Bodegas Stratvs...............268
Maríateresa..................270

LA PALMA

Barlovento

La Palma Romántica..........272

GRAN CANARIA

Las Palmas

La Alquitara...................274
La Butaca......................276
El Churrasco.................. 278
Minotauro.................... 280

Cruz de Tejeda

Hotel Rural El Refugio........282

Maspalomas

El Senador................... 284

Playa del Inglés

El Gaucho......................286
El Poncho......................288
El Portalón....................290

San Agustín

Anno Domini...................292

TENERIFE

Santa Cruz

Jardín de Tacoronte/
Hotel Silken Atlántida..........294
El Coto de Antonio........... 296
El Gusto por el Vino..........298

Los Abrigos

Placeres.......................300

La Camella

El Lajar de Bello..............302

Costa Adeje

La Nonna..................... 304

Guamasa

Acaymo.......................306
Los Limoneros...............308
El Tablón de la Canela.......310

La Laguna

La Hoya del Camello........312
Sorgin Gorri...................314

La Orotava

Lucas Maes..................316

Playa de Las Américas

Mesón Castellano............318

Puerto de la Cruz

El Duende......................320
La Gañanía................... 322
Kafka..........................324

Mil Sabores.................... 326
Regulo.......................... 328

Santa Úrsula
Taller de D. Diego Alvarez.....330

Torviscas Alto
Azulón..........................332

Vilaflor
El Sarmiento de Vilaflor......334
Hotel Spa Villalba............336

Otros restaurantes........... 338
Bodegas de Vilaflor...........340

342 Cantabria

Santander
El Serbal..........................344

Ampuero
Solana...........................346

Cabezón de la Sal-Ruente
Casa Nacho Gonzalez.........348

Escalante
San Román de Escalante.....350

Fontibre
Fuentebro.......................352

Noja
Sambal..........................354

Puente Arce
El Nuevo Molino...............356

San Vicente de la Barquera
Annua............................358

Otros restaurantes...........360

362 Castilla La Mancha

ALBACETE
Casa Paco........................366
Don Gil............................368
Mesón Las Rejas.............370
La Mezquita...................372

Almansa
El Rincón de Pedro..........374

Villarrobledo
Azafrán...........................376

CIUDAD REAL
Hotel Guadiana /
Rte.El Rincón de Cervantes..378
Hotel Paraíso/
Rte.Sándalo...................380

Alcázar de San Juan
Asador Javi.....................382

Almagro
El Corregidor..................384
Hostería de Almagro
Valdeolivo........................386

Carrión de Calatrava
Casa Pepe.......................388

Criptana
Cueva La Martina.............390

Puertollano
El Comendador...............392

Tomelloso
Alhambra........................394

CUENCA
Figón del Huécar
(Figón de Pedro)..................396

Cañete
La Muralla..........................398

Las Pedroñeras
Las Rejas...........................400

GUADALAJARA
La Comanda.......................402

TOLEDO
Asador Palencia de Lara......404
La Ermita............................406
El Palacete.........................408

Illescas
El Bohío..............................410

Manzaneque
El Rincón del Cojo.............412

Miguel Esteban
El Labriego.........................414

Mora
La Zafra..............................416

Quintanar de la Orden
El Almirez........................ 418
Granero........................... 420

Tembleque
La Chimenea de Turleque...422

Otros restaurantes.............424

426 Castilla y León

ÁVILA
Arévalo
Asador Siboney..................430

BURGOS
Casa Ojeda........................432
La Vianda......................... 434

Aranda de Duero
Mesón El Pastor..................436

Miranda de Ebro
La Fundición..................... 438

LEÓN
Bodega Regia.....................440
Cenador Rua Nova..............442
Palacio Jabalquinto............444

Astorga
Serrano..............................446

Jiménez de Jamuz
Bodega El Capricho............448

Ponferrada
Menta y Canela..................450

PALENCIA
Casa Lucio.........................452
Pepe's................................454

Cervera de Pisuerga
Asador Gasolina.................456

Fromista
Hostería de Los Palmeros...458

SALAMANCA
Asador Arandino..............460
Casa Paca....................462

Béjar
La Corrobla..................464

Cabrerizos
La Galantina.................466

SEGOVIA
Mesón de Cándido.............468

Carbonero el Mayor
Mesón Riscal.................470

Pedraza
La Olma......................472

San Rafael
Azabache.....................474

Valsaín
El Torreón...................476

SORIA
Baluarte.....................478
Rincón de San Juan...........480

VALLADOLID
Aquarium.....................482
La Criolla...................484
María........................486
El Mesón de Ángel Cuadrado.488
El Olivo.....................490
Patio........................ 492
Ramiro's.....................494
Trigo........................496
La Viña de Patxi.............498

Fuensaldaña
Las Cortes...................500

Medina del Campo
Continental..................502

Quintanilla de Onésimo
Hotel Arzuaga................504

Villanueva de Duero
Bodega Las Tinajas...........506

ZAMORA
El Rincón de Antonio.........508

Benavente
El Ermitaño..................510

Otros restaurantes...........512

514 Cataluña

BARCELONA
Abac.........................518
Beltxenea....................520
Bistrot BCN..................522
Bonanova.....................524
El Cafè d'en Víctor..........526
Can Solé.....................528
Casanovas....................530
Las 5 Villas.................532
Donosti Asador Sidrería...534
La Dama......................536
Dopazo.......................538
Drolma.......................540
Irati........................ 542
Lasarte......................544
Lluçanés.................... 546
Neichel......................548
L'Office.....................550

m mas

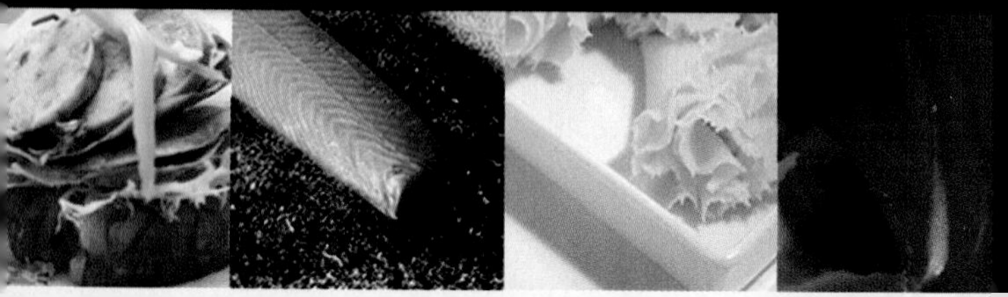

El Puchero de Baralantra......552
Routa........................554
Sagardi......................556
Salamanca....................558
La Taverna del Clínic.........560
Via Veneto....................562

Provincia de Barcelona

Calldetenes
Can Jubany....................564

Castelldefels
La Canasta....................566
La Gioconda...................568
El Péndulo....................570

Hospitalet de Llobregat
Evo...........................572

Manresa
Aligué........................574

Molins de Rei
Can Tintorer.................. 576

Parets del Vallés
El Jardí......................578

Sant Andreu de Llavaneres
Can Jaume.....................580
El Italiano...................582
El Racó del Navegant..........584

Sant Celoni
Can Fabes.....................586

Sant Pol de Mar
Sant Pau......................588

Sant Sadurni d'Anoia
Sol i Vi 590

Sitges
Can Laury 592

Tavernoles
Fussimanya....................594

GIRONA
El Celler de Can Roca.......596
Can Blanco....................598

Avinyonet de Puigventós
Mas Pau.......................600

Begur
Turandot......................602

Blanes
El Ventall....................604

Breda
Fonda Montseny................606

Cadaqués
Es Balconet...................608

Caldes de Malavella
Delicius/Hotel Balneario
Vichy Catalán.................610

Campllong
Can Xiquet....................612

Darnius
Mas Salelles..................614

Empuriabrava
El Celler de Can Serra........616

único
casa canut
HOTEL GASTRONÒMIC
Louis XVI
Ha
Landare
Simplice
Ceccotti
Bertoia
Louis XVI
Halitax

Esclanyà
Sa Papil.la.......................618

Figueres
Hotel Travé.......................620

Fontanilles
L'Àgora.......................622

Gualta
Tritón.......................624

Llagostera
Ca La María.......................626

Llançà
Miramar.......................628

Llívia
Trumfes.......................630

Lloret de Mar
Mas Romeu.......................632
El Trull.......................634

Palol de Revardit
Can Mià.......................636

Platja d'Aro
Aradi.......................638
Hotel Costa Brava/
Rte.Can Poldo.......................640

Pont de Molins
El Molí.......................642

Port de la Selva
L'Escata.......................644

Riells i Viabrea (Montseny)
Can Pijaume.......................646

Roses
El Bulli.......................648
La Llar.......................650

S'Agaró
Hostal de La Gavina.......................652
Hotel S'Agaró /
Rte. Sa Conca.......................654

Sant Feliu de Boada
Can Bach.......................656

Tossa de Mar
Can Pini.......................658

Ventolà - Ribes de Freser
Anna.......................660

TARRAGONA
Calafell
Giorgio.......................662

Cambrils
Joan Gatell.......................664

Deltebre
Delta Hotel....................... 666

Falset
Quinoa.......................668

Montbrió del Camp
Hotel Termes Montbrió.......670

Otros restaurantes.......................672

Texturas y Relieves
Isabel Riera Masó

Contemplar la obra de Isabel Riera es sumergirse en un universo de trabajo continuado, preciso, constante e inalterable. Es mostrar al espectador "ARTESANÍA" dentro del arte.
La dureza y perdurabilidad de la piedra simboliza resistencia, tenacidad y constancia, sin dejar de tener connotaciones espirituales.
Casas, puentes, calles, rincones urbanos íntimos y silenciosos, llenos de flores y de luz, en una clara apariencia vital. La ausencia de figuras también nos muestra la soledad del ser humano en búsqueda de la paz interior.
La inmutabilidad de la piedra, firme y estática, se sublima pictóricamente con una gama de colores naturales, simple y homogénea, realzada por una pincelada suelta, pequeña y ágil. El amor y vehemencia por las piedras, identifican plenamente a Isabel Riera, simbolizando solidez de valores espirituales y firme creencia en los principios morales.

Marta Teixidó · *Crítica de Arte* · *Marzo 2011*

Estudio: 654 54 96 58. isabel-riera@hotmail.com - www.armarxante.com

674 Extremadura

BADAJOZ

Aldebarán....................676

Marchivirito....................678

El Sigar....................680

Almendral

Rocamador....................682

Mérida

Nicolás....................684

Olivenza

Palacio Arteaga....................686

Zafra

Barbacana....................688

CÁCERES

Atrio....................690

Homarus....................692

Palacio de Los Golfines....................694

La Tahona....................696

Plasencia

Hotel Alfonso VIII....................698

Rincón Extremeño....................700

Trujillo

Hotel Las Cigüeñas....................702

Corral del Rey....................704

Otros restaurantes....................706

708 Galicia

LA CORUÑA

Coral....................710

Marisquería El-10....................712

Cambre

O Larpeiro....................714

Finisterre

Casa Velay....................716

Fiobre-Bergondo

A Cabana....................718

Oleiros

Comei Bebei....................720

Sada

Manel....................722

Santa Cruz-Oleiros

Los Manzanos....................724

Santiago de Compostela

Don Quijote....................726

Pazo de Adrán....................728

La Tacita d'Juan....................730

LUGO

Casa Grande de Nadela....................732

La Palloza....................734

Verruga....................736

Cervo

Pousada o Almacén....................738

Monforte de Lemos

O Grelo....................740

PONTEVEDRA

Vigo

Durán.........................742
Ébano.........................744
Casa Moncho...................746
O Forno.......................748

Chapela

Casa Pinales..................750

Nigrán

Los Abetos....................752

Porriño

Asador Manolo.................754

Otros restaurantes............756

758 **Madrid**

Arce..........................760
Casa Lucio....................762
El Chaflán....................764
La Cocina de María Luisa....766
Criado-Tres Mares.............768
Dantxari......................770
Diverxo.......................772
Don Pelayo....................774
Gobolem.......................776
Goizeko Wellington............778
Horcher.......................780
La Huerta de Lleida...........782
Jaizkibel.....................784
El Jamón y El Churrasco.......786
Jockey........................788
Lhardy........................790
La Manduca de Azagra..........792
O'Pazo........................794
Paulino de Quevedo............796
Piñera........................798
Ramón Freixa..................800
El Rincón de Esteban..........802
Sant Celoni...................804
Sergi Arola Gastro............806
La Terraza del Casino.........808
La Trainera...................810
Zalacaín......................812

Comunidad de Madrid

Boadilla del Monte

La Cañada.....................814
La Lonja de Boadilla..........816

Collado Mediano

El Rincón de la Abuela........818

Colmenar Viejo

Madrigal......................820

Galapagar

La Santina....................822
Viva Galicia..................824

Griñón

El Mesón de Griñón............826

Moralzarzal

Cenador de Salvador...........828

Navacerrada

Felipe........................830
El Racó.......................832

Pozuelo de Alarcón

La Taberna de Elia............834
Urrechu.......................836
Zurito........................838

Las Rozas

Gobolem.......................840

San Agustín del Guadalix
Araceli........................842

San Sebastián de los Reyes
Anduriña........................844

Torrelodones
El Orbayu........................846

Otros restaurantes............848

850 **Murcia**

Alborada 852
La Cabaña (en El Palmar)....854
Hostería Palacete
Rural La Seda....................856

Cabo de Palos
El Mosqui........................858

Cartagena
Arqua............................860

Espinardo
Paco Alfonso X.................862

Lo Pagán-San Pedro del Pinatar
Venezuela.......................864

Otros restaurantes............866

868 **Navarra**

Pamplona
Alhambra........................870
Josetxo..........................872

Tudela
Beethoven......................874

Sangüesa
Hotel-Rte. Yamaguchi.........876

Tafalla
Tubal............................878

Otros restaurantes...........880

882 **La Rioja**

Logroño
Kabanova.......................884

Haro
Beethoven II....................886

Otros restaurantes...........888

890 **Comunidad Valenciana**

ALICANTE
Emilio...........................892
Maestral........................894
Nou Manolín....................896

Denia
Can Broch.......................898
Peix & Brases..................900

Elche
La Finca.........................902

Ibi
Serafines.......................904

Javea
Los Remos La Nao...........906

Moraira
Antoniet........................908

Torrevieja
El Puerto.......................910

CASTELLÓN
Arbequina......................912

Alcossebre
Can Roig......................914
Sancho Panza..................916

Benicarló
El Cortijo-Hnos. Rico..........918

Burriana
La Regentamar................920

Morella
Daluan......................... 922
Vinatea....................... 924

VALENCIA
Arrop-Ricard Camarena.......926
Borja Azcutia...................928
Ca Sento........................930
Los Naranjos..................932
Sangonereta...................934
Taberna Alkázar...............936

Beniparrell
Casa Quiquet...................938

Benisanó
Rioja 940

Cullera
Casa Salvador..................942
Eliana Albiach..................944

Playa Daimús
Manolo..........................946

Requena
Mesón del Vino................948

Otros restaurantes............950

952 País Vasco

Guipuzcoa
Akelare.........................954
Arzak...........................956
Martín Berasategui............958
Mugaritz........................960

Vizcaya
Azurmendi.....................962

Otros restaurantes...........964

966 Andorra

Escaldes-Engordany
Hotel A Casa Canut...........968
Hotel Roc Blanc...............970
Marquet Gourmeterie........972
La Tagliatella...................974

Andorra La Vella
Celler d'en Toni...............976

978 Francia

ROSELLÓN
Collioure
La Balette.......................980
Les Templiers..................982

Font-Romeu
Casino Font-Romeu..........984

Port-Vendres
Chez Pujol......................986

Saillagouse
Can Planes......................988

RHÔNE ALPES
Bresson-Grenoble
Chavant.........................990

992 Portugal

LISBOA
Clara............................994

996 a 1.006 Mapas

la selección del gourmet

Almería

Fiestas Patronales: Fiestas de la Virgen del Mar, última semana de agosto.
Carnavales en febrero. Semana Santa. Cruces de Mayo.
Museos y monumentos: Alcazaba, Catedral, Mercado Central, Plaza Vieja.
Oficina de Turismo: Parque Nicolás Salmerón, s/n. Tel. 950 274 355.

Cádiz

Fiestas Patronales: Carnavales en febrero. Ferias tradicionales del caballo, el toro y la vendimia.
Museos y monumentos: Museo de Cádiz, Murallas y Puertas de Tierra, Catedral (s.XVIII).
Oficina de Turismo: Plaza de San Juan de Dios, 11. Tel. 956 241 001.

Córdoba

Fiestas Patronales: San Rafael Arcángel (24 octubre).
Museos y monumentos: Mezquita Catedral, Alcázar de los Reyes Cristianos, Museo Arqueológico Provincial, Museo de Julio Romero de Torres, Ruinas de Medina Azahara, Sinagoga.
Oficina de Turismo: Plaza Judá Levi, s/n. Tel. 957 200 522.

Granada

Fiestas Patronales: Nuestra Señora de las Angustias, último domingo de septiembre.
Museos y monumentos: Alhambra, Generalife, Catedral, Alcaicería, Cartuja.
Oficina de Turismo: Mariana Pineda, s/n. Tel. 958 221 022 y Plaza Mariana Pineda. Tel. 958 247 128.

Huelva

Fiestas Patronales: San Sebastián, 20 de enero. Virgen de la Cinta, 8 de septiembre.
Fiestas Colombinas, la primera semana de agosto.
Museos y monumentos: Barrio Reina Victoria, Catedral de Huelva, Iglesias de San Pedro y de la Concepción, Monumento a Cristobal Colón, Museo Arqueológico.
Oficina de Turismo: Avda. de Alemania, 12. Tel. 959 257 403.

Jaén

Fiestas Patronales: Nuestra Señora de la Capilla, 11 de junio. Feria de San Lucas, 18 de octubre. Romería de Santa Catalina, 25 de noviembre.
Lumbres de San Antón, noche del 16 de enero. Semana Santa.
Museos y monumentos: Catedral, Capilla de San Andrés, Arco de San Lorenzo, Museo Internacional de Arte Naif.
Oficina de Turismo: Arquitecto Bergés, 1. Tel. 953 222 737.

Málaga

Fiestas Patronales: Virgen de la Victoria, 8 de septiembre. Fiestas excepcionales en Semana Santa. Feria de Málaga a mediados de agosto.
Museos y monumentos: Alcazaba, Castillo de Gibralfaro, Catedral, Iglesia de Sagrario, Museo de Bellas Artes, Museo Diocesano de Arte Sacro, Museo Catedralicio.
Oficina de Turismo: C/Pasaje de Chinitas, 4. Tel. 952 213 445.

Sevilla

Fiestas Patronales: Feria de Sevilla (dos semanas después de Semana Santa).
Museos y monumentos: Reales Alcázares, Torre del Oro, Santa Iglesia Catedral, Barrio de Santa Cruz, Museo Arqueológico Provincial, Museo de Arte Contemporáneo, Museo de Bellas Artes.
Oficina de Turismo: Avda. Constitución, 21B. Tel. 954 221 404

La variedad de paisajes y accidentes geográficos que forman Andalucía le confieren una diversidad tal que genera un abanico de formas que van desde el cálido valle del Guadalquivir a las frondosas tierras de media montaña, pasando por paisajes volcánicos como el desierto de Tabernas o por el de las blancas cumbres de Sierra Nevada.
Todo este conjunto ofrece una amalgama de ofertas turísticas, desde la monumentalidad de los grandes núcleos al tipismo de los pequeños pueblos, fuente continua de inspiración de todo tipo de artistas.
Actualmente, Andalucía es una comunidad moderna, dotada de grandes infraestructuras, pero a la vez mantiene un exquisito cuidado en conservar sus raíces y en mantener el importante patrimonio histórico y cultural heredado de sus antepasados.
Andalucía, en definitiva, se consolida como principal destino vacacional de los españoles y uno de los principales para los extranjeros.

Guía de Hoteles

Almería

GRAN HOTEL ALMERIA****	Av. Reina Regente, 8	950 238 011	www.citymar.com
AC ALMERIA****	Plaza Flores, 5	950 234 999	www.ac-hotels.com
TERRAZA CARMONA***	Mar, 1 (Vera)	950 390 760	www.terrazacarmona.com

Cádiz

PT DE CADIZ****	Duque de Nájera, 9	902 547 979	www.paradores.es
PLAYA VICTORIA****	Ingeniero La Cierva, 4	956 205 100	www.palafoxhoteles.com
SENATOR CADIZ****	Rubio y Díaz, 1	956 200 202	www.hotelspasenatorcadiz.com

Córdoba

AC CORDOBA PALACIO*****	Pº de la Victoria, s/n	957 760 452	www.ac-hotels.com
PALACIO DEL BAILIO*****	De las Casas Deza, 10-12	957 498 993	www.hospes.com
CORDOBA CENTER****	Libertad, s/n	957 758 000	www.hotelescenter.es

Granada

PALACIO DE STA PAULA*****	Gran Vía Colón, 31	958 805 740	www.ac-hotels.com
ALHAMBRA PALACE****	García de Paredes, 1	958 221 468	www.h-alhambrapalace.es
MELIA GRANADA****	Ángel Ganivet, 7	958 227 400	www.solmelia.com

Huelva

NH LUZ HUELVA****	Alameda Sundheim, 26	959 250 011	www.nh-hoteles.es
TARTESSOS****	Av. Alonso Pinzón, 13	959 282 711	www.eurostarstartessos.com
MONTE CONQUERO***	Pablo Rada, 10	959 285 500	www.hotelesmonte.com

Jaén

INFANTA CRISTINA****	Av. Madrid, s/n	953 263 040	www.hotelinfantacristina.com
PT DE JAEN****	Castillo Sta. Catalina, s/n	953 230 000	www.paradores.es
CONDESTABLE IRANZO***	Pº de la Estación, 32	953 222 800	www.hotelcondestableiranzo.es

Málaga

CASTILLO STA CATALINA****	Ramos Carrión, 38	952 212 700	www.castillodesantacatalina.com
AC MALAGA PALACIO****	Cortina del Muelle, 1	952 215 185	www.ac-hotels.com
GRAN MELIA DON PEPE*****	José Meliá, s/n(Marbella)	952 770 300	www.gran-melia-don-pepe.com

Sevilla

ALFONSO XIII*****	San Fernando, 2	954 917 000	www.hotel-alfonsoxiii.com
GRAN MELIA COLON*****	Canalejas, 1	954 505 599	www.gran-melia-colon.com
EME FUSION*****	Alemanes, 27	954 560 000	www.emecatedralhotel.com
DOÑA MANUELA	Catalina Ribera, 2	954 546 400	www.hoteldmanuela.com
MANOLO MAYO	Av. Sevilla,29(Los Palacios)	955 811 086	www.manolomayo.com
BALCON DE ANDALUCIA	Av. de Andalucía, 23(Estepa)	955 912 680	www.balcondeandalucia.com

La cocina andaluza

La situación geográfica y el potencial agroclimático de Andalucía han sido las claves de su infinita riqueza alimentaria. Múltiples son los sabores de Andalucía. Limoneros, naranjos, higueras, almendros, campos de trigo y girasoles, viñas, huertas y olivares, rebaños de ovejas y cabras, cerdos y vacas por sus dehesas dan color y personalidad propia a esta tierra.

Sus productos agrarios son además el resultado de una agricultura extensiva, respetuosa con el medio natural. Andalucía, síntesis de culturas centenarias, comparte con toda la región mediterránea un estilo propio de dieta, la mediterránea, basada en ricos potajes, frituras, guisos, pescados, chacinas, quesos, dulces, frutas, ensaladas. Los principales componentes de esta dieta son, junto con los cereales y las leguminosas, frutas y hortalizas, el aceite de oliva, el vino y el pan, que componen la trilogía básica mediterránea.

La Gruta

Un restaurante asador único

Está situado en un paraje excepcional, a tan sólo cuatro kilómetros de Almería, dirección a Aguadulce, en un trozo de costa impresionante con sus montañas cortadas verticalmente sobre el mar. Este peculiar restaurante se ubica en unas auténticas grutas donde existió antaño una cantera para la extracción de piedra. Al elogio de esta singular decoración natural y de su evocador y enigmático ambiente, hay que sumar la gran labor desarrollada por el equipo de jóvenes profesionales capitaneado por Nicolás Martínez Navas.

Cocina

La elaboración de toda la gama de carnes, rigurosamente seleccionadas, llega a la perfección: el trabajo minucioso del horno y de la parrilla, la calidad de la leña, la temperatura exacta de la brasa y miles de horas de experiencia permiten conseguir el punto exacto deseado para que la pieza, que el comensal puede escoger en el expositor, entregue al paladar todo la riqueza de su sabor.

Más de treinta años al servicio de Almería

Fundado en 1976, La Gruta ofrece instalaciones completas: cuatro grutas-comedores, idóneas tanto para comidas de empresa, convenciones o presentaciones como para celebraciones familiares. Se cuidan todos los detalles y todo está pensado para el disfrute del comensal. Al final de la velada, queda la tertulia y la charla reposada con estas paredes de roca como testigos silenciosos. A la salida, entrada la noche, se contempla un mar salpicado de lucecitas de balandros que faenan en frente y a un lado, la vista panorámica y nocturna de la bahía de Aguadulce.

Nueva terraza exterior con vistas al mar

LA GRUTA'S SPECIALITIES

Grilled vegetables
Smoked specialities
Cured ham and cold sausages from Jabugo (of acorn-fed iberian pigs)
Liver pâté
Rib of beef
Argentinian meat
Loin of venison
Roast suckling pig and leg of kid
Marinated fried partridge
Wide range of salt cod specialities
Creative desserts
We bake our bread ourselves

La Gruta

Localidad: Almería (04002).
Dirección: Ctra. Nacional 340, km. 436 (a 4 km. de Almería)
Teléfonos: 950 239 335 - 950 263 235 Fax: 950 275 627
E-mail: lagruta@cajamar.es www.asadorlagruta.com
Parking: Propio y vigilado.
Días de cierre y vacaciones: Cerrado domingos.
Decoración: Restaurante situado en unas auténticas grutas frente al mar en un paraje excepcional: "El Bello Rincón".
Ambiente: Público medio-alto.
Bodega: Carta de vinos muy completa y espléndida bodega climatizada, que se puede visitar. Todas las denominaciones de origen de España y selección de los mejores "Châteaux" y añadas de Francia.
Hombres y nombres: Director: Nicolás Martínez Navas. Chef: Antonio Millón Marín. Maitre: Rafael León. Repostería: Miguel Angel Martínez.
Otros datos de interés: Cuatro grutas-comedores, con capacidad total hasta 300 personas. Es de recalcar la tranqulidad y el relax espiritual que emanan de estas paredes rocosas. Local apto para presentaciones o fiestas.
Tarjetas: Todas.

ESPECIALIDADES LA GRUTA

Parrillada de verduras
Ahumados
Charcutería de Jabugo
Paté de hígado entero
Chuletón de buey
Carnes argentinas
Lomo de ciervo
Cochinillo y pierna de cabrito al horno
Perdiz escabechada
Bacalaos en todas sus preparaciones
Repostería creativa
Elaboración propia de pan

Casa Sevilla

Tradición y renovación forman una amable simbiosis en este restaurante clásico en la capital de Almería desde que Juan José Bautista abriera el primer Casa Sevilla en 1958, en la calle Granada. Su hijo, Manuel Bautista tomó las riendas en 1994 año en el que el restaurante se trasladó a su ubicación actual.

Los tonos cálidos reciben al comensal desde la fachada y la barra, hasta cada uno de los salones. A caballo entre una taberna típicamente andaluza y una decoración castellana el objetivo es que el cliente se sienta a gusto, desde que atraviesa la puerta hasta que sale por la misma. Cuatro salones, incluidos dos privados, pueden albergar hasta noventa comensales.

Casa Sevilla ha dejado ya de ser un típico establecimiento de tapas para ofrecer una cocina seria y con rigor, sin abandonar lo que siempre ha prevalecido en la casa, la calidad de los productos, comprobable desde las tapas de su barra. El degustador de buenos caldos tiene la posibilidad de elegir entre una extensa carta de vinos acompañados de exquisiteces. Es el anticipo de lo que vendrá después.

Al menos una vez al mes, se organizan catas comentadas y se ofrece un menú degustación en esta especie de club del vino. Estos clientes comentan tal o cual plato y tras este ejercicio de democracia gastronómica, los elegidos pasan a formar parte de la carta habitual de la temporada. Casa Sevilla ha llevado a cabo una importante remodelación de sus instalaciones, dando mayor protagonismo a la cocina con equipos de última tecnología. En constante proceso de mejora de la calidad, ha sido **galardonado con la Q de Calidad Turística.**

Justo enfrente del restaurante: **la vinoteca**, para saborear la cocina de Casa Sevilla de forma más informal. Anexo, **nuevos salones privados** con cocina independiente. Capacidad para 8 comensales cada uno y todos los adelantos técnicos: wifi, pantalla de plasma... y terraza modernizada para tapeo y picoteo.

CASA SEVILLA'S SPECIALITIES

Market cookery with a creative touch
Business menu and gastronomic menu 34 €
All dishes from the à la carte are also served as half portion
Anchovies from the Cantabrian coast with exclusive "raf" tomatoes
Foie gras on toast with caramelised onions and raisins
Cannelloni of cèpe mushrooms and Norway lobsters
Salt cod Almerian style
Wild turbot stuffed with seafood and vegetables
Tuna belly flaps marinated in soy with sauce of pounded almonds, garlic and olive oil
Meat from Valle del Esla
Hamburguer of Mallard duck with peach sauce, mustard ice cream and Parmesan shavings
Curd cheese sponge with yogurt ice cream
Coffee in different textures with brandy, ice cream of balsamic vinegar and parmesan cheese
Chocolate parfait

Casa Sevilla

Localidad: Almería (04004)
Dirección: C/. Rueda López (Galería Comercial Almericentro), junto a la Rambla
Teléfonos: 950 272 912 y fax: 950 230 451
E-mail: restaurante@casa-sevilla.com
www.casa-sevilla.com
Parking: Gratuito para los clientes, debajo del Restaurante.
Propietario: Manuel Bautista Navarro.
Días de cierre y vacaciones: Domingos todo el día y lunes noches. Vacaciones la primera quincena de Agosto.
Decoración: Mezcla de estilos sevillano y castellano.
Ambiente: Comidas de empresa, público de Almería y visitantes.
Bodega: Excepcional. Unas 900 referencias perfectamente catalogadas en una espléndida carta. Combina lo clásico con las últimas tendencias. Piezas de colección: Petrus 94 y 95, Pingus 96.
Hombres y nombres: Jefe de cocina: Francisco Escoriza Gutiérrez
Sala: Manuel Bautista
Otros datos de interés: Restaurante de referencia en Almería: un lugar para sibaritas. Instalaciones completas: dos salones privados (16 y 8 personas) con entrada independiente y barra para tapeo y aperitivos. Precio medio a la carta: 40 €.
Tarjetas: Todas.

ESPECIALIDADES CASA SEVILLA

Cocina de mercado con toques creativos
Menú Empresa y Menú Degustación: 34 €
Todos los platos de la carta se pueden degustar en medias raciones
Anchoas del Cantábrico acompañadas con el exclusivo tomate raf
Tosta de foie con cebolla caramelizada y pasas
Canelones de boletus y cigalas
Bacalao a la almeriense
Rodaballo salvaje relleno de marisco y verdura
Ventresca de atún macerada en soja con crema de ajoblanco
Carnes del Valle del Esla
Solomillo de ternera al foie de pato
Hamburguesa de pato azulón con salsa de melocotón, helado de mostaza y lascas de parmesano
Bizcocho de cuajada con helado de yogur
Textura de café con brandy, helado balsámico y parmesano
Semifrío de chocolate

Receta La Costa

Róbalo salvaje a 65º, jugo y pulpa de mejillones y crujiente de algas

Ingredientes:
Para el róbalo: 4 raciones de róbalo de 180 gr. y aceite de brasa.
Para el jugo de mejillones: 2 kg. de mejillones, 1 rama de apio y 250 ml. de agua mineral.
Para la pulpa de mejillones: los mejillones limpios y 250 ml. de jugo de mejillones.
Para el crujiente de algas: 700 cl. de agua mineral, 50 gr. de alga kombu liofilizada, 65 gr. de arroz basmati, 10 gr. de polvo de alga kombu, 10 gr. de atún seco, sal y pimienta.
Además, brotes de albahaca limón y flores.
Elaboración:
Para el róbalo (lubina): Precintar en bolsa de vacío, de una en una, las raciones de lubina con sal y un poco de aceite de brasas. Poner al baño maría a 65º durante 14 minutos.
Para el jugo de mejillones: Limpiar de larvas y suciedades los mejillones. Colocar en una cacerola lo suficientemente amplia los mejillones, la rama de apio y el agua mineral. Abrir justo los mejillones, recuperar el caldo pasado por una extremeña.
Para la pulpa de mejillones: Una vez limpios los mejillones de toda imperfección, triturar en thermomix a máxima velocidad junto con el agua mineral durante tres minutos.
Para el crujiente de algas kombu: Trocear con tijeras en pequeños trozos las algas, añadir el agua junto con el arroz. Cocer desde frío a fuego bajo durante 18 ó 20 minutos. Fuera del fuego, infusionar durante 3 ó 4 minutos el polvo de cambu, el atún liofilizado, la sal y la pimienta. Triturar en la thermomix lo mas fino posible, extender en exopat y meter al horno durante dos horas a 70º.
Cortar a trozos irregulares y freír en aceite a 150 º. Dar la forma que se desee.
Emplatado: Extender una línea del extracto de mejillones, colocar el róbalo bien seco, disponer el caldo de mejillones ligado alrededor del róbalo y terminar con el crujiente de algas, las flores y brotes de albahaca limón.

LA COSTA'S SPECIALITIES

Fresh fish, shellfish and crustacean specialities
Two gastronomic menus
Olives stuffed with jelly of dry martini
Tartare of clams with ginger ice cream and jelly of oloroso sherry
Boiled lobster with raf tomato
Toast with squid and onion soup
Sea bass with mussel sauce and fried seaweed
Fillets of red mullets with oyster mushrooms and cocks' combs
Sucking pig with purée of Spanish hot-pot
Rosé-roasted pigeon and rice with the giblets
Goat's milk cheese with apple compote and mint sorbet
Pineapple in different textures with yogurt ice cream
Poor knight of brioche with apple ice cream and foam of Tokay wine

La Costa

Localidad: El Ejido (04700 Almería)
Dirección: Bulevar de El Ejido (antigua Carretera de Málaga).
Teléfonos: 950 481 777 y 950 481 440 Fax: 950 483 266
E-mail: info@restaurantelacosta.com
www.restaurantelacosta.com
Parking: Fácil aparcamiento.
Propietario: Familia Alvarez.
Días de cierre y vacaciones: Abierto cada día del año, excepto martes noche y domingos todo el día.
Decoración: Muy actual, combinando piedra, madera, cobre,...
Ambiente: Todos los públicos, muchas comidas de empresa.
Bodega: Climatizada junto al comedor principal. Completa y actualizada.
Hombres y nombres: Director: José Alvarez
Restaurante atendido por la propia familia.
Otros datos de interés: El restaurante emblemático de El Ejido, instalaciones nuevas: comedores y cocina. Dos salones con capacidad total hasta 120 personas, posibilidad de banquetes. Viveros de langostas y mariscos.
Tarjetas: Todas.

ESPECIALIDADES LA COSTA

Cocina elaborada con acento en pescados y mariscos
Dos menús Degustación
Aceitunas gordales rellenas de gelatina de dry martini
Tartar de almejas con helado de jengibre y gelatina de oloroso
Bogavante cocido con esponja de tomate raff
Tosta frita con calamar y sopa de cebolla
Róbalo confitado con salsa de mejillones y alga frita
Lomo de salmonete con setas y crestas de gallo
Cochinillo con puré de cocido
Pichón sangrante con arroz de sus menudillos
Queso de cabra con compota de manzana y sorbete de menta
Piña en texturas con helado de yogur
Torrija de brioche con helado de manzana y espuma de tokai

Terraza Carmona

Calidad y respeto a la tradición

Terraza Carmona comenzó a atender a sus primeros amigos y clientes en 1947, de la mano de Ginés Carmona y Beatriz Gallardo, en una terraza de cine de verano donde se hacían verbenas y otros eventos al aire libre, de ahí el nombre de Terraza Carmona.

Antonio Carmona Gallardo se hace cargo del negocio muy joven y en 1980 inaugura un hotel de dos estrellas ubicado en dicha terraza. En 1991 reforma las instalaciones, amplia los salones y el hotel (48 habitaciones) y consigue la categoría de tres estrellas.

La calidad y el respeto a la tradición son las señas de identidad de esta casa entrañable, la cocina tradicional y de mercado sus ingredientes cotidianos. Actualmente, la tercera generación de la familia Carmona dedica todo su esfuerzo en conservar estas premisas con un valor añadido: trato sencillo, amable y respetuoso.

Terraza Carmona ha abanderado la cocina almeriense por medio mundo, por aquí han pasado famosos artistas de ámbito nacional e internacional. Además ha merecido numerosos premios y reconocimientos. Asimismo, sus prestigiosas jornadas gastronómicas "El Toro Bravo en la Cocina" dan fe de su constante interés por la "Fiesta Nacional" y la cocina española. Antonio Carmona hijo dirige esta cocina que prestigia la rica y variada gastronomía almeriense.

En noviembre 2008 se celebraron los actos conmemorativos de su 60º aniversario, con la presentación de un libro que recoge toda la trayectoria de esta histórica casa.

En su afán de superación constante, Terraza Carmona ha llevado a cabo una completa remodelación de sus instalaciones de cocina, más de 400 m² de superficie dotadas con las últimas tecnologías, totalmente domotizada, una **de las mejores instalaciones de cocina de toda Andalucía**.

TERRAZA CARMONA'S SPECIALITIES

Regional almerian cookery, especially from Levante with creative cooking for nowadays' taste

"Ajo colorao" from La Almicar: boiled skate with a spicy & garlicky purée of boiled red peppers & potatoes, served with maize croquettes

Aubergines stuffed with anchovies and shrimps

Meatballs in sauce Vera's style

"Torticas" with products from Vera

Fillet of beef with walnut and date stuffing

Fillets of red sea-bream with venus clams

Roasted pig's cheeks

Red mullets in a sauce of oil & vinegar with pounded garlic & almonds

Date sponge

Soaked tart from "Las Mínimas"

Roll with cream of fig filling

Terraza Carmona

Localidad: Vera (04620 Almería)
Dirección: C/ del Mar, 1.
Teléfonos: 950 390 760 - 950 390 188
E-mail: terrazacarmona@terrazacarmona.com
www.terrazacarmona.com
Parking: Propio.
Propietario: Antonio Carmona Gallardo.
Días de cierre y vacaciones: Lunes. Vacaciones 2ª y 3ª semana de enero.
Decoración: Mediterránea, tipo ibicenca-naïf.
Ambiente: Clase media alta.
Bodega: Espectacular. Acondicionada para catas y reuniones.
Hombres y nombres: Jefe de cocina, Antonio Carmona Baraza; Maitre, Ginés Carmona Baraza.
Otros datos de interés: Amplios salones para bodas, banquetes y congresos.
Hotel (***), con teléfono directo, TV color, hilo musical, climatizado. Decoración familiar en las habitaciones. Galardonado con el Premio Nacional Andalucía de Turismo, otorgado por la Junta de Andalucía.
Tarjetas: American Express, Visa, Mastercard, Dinners Club.

ESPECIALIDADES TERRAZA CARMONA

Cocina regional almeriense, en especial del Levante con aportación de nuevos platos de creación propia adaptados al gusto actual
Ajo colorao de La Almicar con raya
Berenjenas rellenas de anchoas y gambas
Guiso de pelotas a la Veratense
Torticas de avio de Vera
Solomillo relleno de nueces y dátiles
Filetes de pargo con chirlas
Quijada de cerdo al horno
Salmonetes al ajo blanco
Bizcocho de dátiles
Tarta borracha de "Las Mínimas"
Tronco de crema de higos

Juan Moreno

Trayectoria ejemplar

Juan Moreno es un experimentado profesional, de larga y prolífica trayectoria ampliamente reconocida en la restauración regional. Adquirió sus primeros conocimientos en la Escuela de Hostelería y ha trabajado en diferentes zonas de la geografía española como Palma de Mallorca, Castellón, Alicante y el levante almeriense, también pasó por Suiza además de su etapa en Vera Hotel durante 17 años. Juan Moreno ha sido pionero en organizar Jornadas Gastronómicas y es autor del libro "Cocina de Almería". Radio Turismo le concedió el Plato de Oro y el Premio Nacional de Gastronomía.

En agosto 2006 inaugura este establecimiento en Vera con notable éxito, recibiendo el Premio "Al Andalus" de Gastronomía al mejor restaurante de Andalucía 2009, otorgado por la Federación Andaluza de Gastronomía. También consigue galardones como las Medallas de Oro de la Costa del Sol 2010 y Foro de Europa, además ha sido distinguido por el Ayuntamiento de Vera con el "Sol de Oro" y Premio a la Trayectoria Profesional.

Juan Moreno en un enamorado de su profesión, trabaja con mucho cariño. La carta tiene en cuenta los productos de temporada, armonizando tradición y modernidad. La diversidad de su cocina abarca desde fórmulas más convencionales a propuestas más depuradas de toques claramente innovadores. Buena parte de su despensa se surte del cercano Puerto de Garrucha.

Modernas instalaciones, tanto en cocina como en sala, diáfanas, elegantes y bien iluminadas. Alberga diversos salones privados para la celebración de comidas, cenas o reuniones privadas que requieran máximo confort y privacidad, ideal para largas sobremesas. Un equipo estable garantiza un servicio familiar, profesional y personalizado dirigido por Miguel Moreno. Además, el restaurante Juan Moreno organiza diversas jornadas gastronómicas a lo largo del año: verduras y pescados (octubre), caza (enero) y arroces (junio).

JUAN MORENO'S SPECIALITIES

Updated cookery from Almeria with a personal touch
Elaborated dishes and recommendations of the day
The à la carte menu changes according to the market offer
Three menus including wine:
Of the day: 20 €, Seasonal: 39 €, Gourmet: 52.55 €
Barbecued vegetables from Almeria with their shoots
Cannelloni of beef with parmesan cheese
Back of hake in an earthenware dish
Gently-cooked chunk of salt cod with vegetables
Oxtail stew
Braised partridge
Cheese cake with rich cream caramel
Mille-feuille gateau with cream and warm chocolate

Juan Moreno

Localidad: Vera (04620 Almería)
Dirección: Ctra. de Ronda, Bloque 3 (cerca Plaza de Toros)
Teléfonos: 950 393 051
E-mail: morenoteruel@cajamar.es
www.restaurantejuanmoreno.es
Parking: Fácil aparcamiento.
Propietario: Familia Moreno.
Días de cierre y vacaciones: Cerrado domingos todo el día y lunes noche.
Decoración: Neoclásica, techos altos, elegante funcionalidad.
Ambiente: Empresas, políticos, profesionales...
Bodega: Selección de vinos españoles y algunos del mundo.
Hombres y nombres: Jefe de cocina: Juan Moreno. 2º Jefe de cocina: Ana Campoy. Jefe de sala: Miguel Moreno.
Otros datos de interés: Restaurante inaugurado en agosto 2006 galardonado con la Q de Calidad Turística por segundo año consecutivo. Tres salones privados para 8, 8 y 12 personas.
Tarjetas: Visa y Mastercard.

ESPECIALIDADES JUAN MORENO

Cocina almeriense actualizada
con toques de autor, platos elaborados y sugerencias del día
La carta cambia según productos de temporada
Tres Menús con vino incluido:
Del Día: 20 €, Temporada: 39 €, Gourmet: 52,55 €
Verduras almerienses barbacoa y semillas germinadas
Canelones de buey al parmesano
Lomo de merluza en cazuela
Tronco de bacalao confitado con fritá de verduras
Rabo de toro
Codorniz estofada
Pastel de queso con tocino de cielo
Milhojas a la crema con chocolate caliente

Receta La Bodega

Pollo a la canilla

Ingredientes para 4 personas: 1 pollo "tomatero" (de campo) de 1 kilo aproximadamente, vino amontillado, ajo, guindilla y sal.

Elaboración: Limpiar y cortar el pollo en trozos muy pequeños, dejando la piel. Macerar con todos los ingredientes durante un par de días. Freírlo a una temperatura muy alta hasta conseguir una piel crujiente.

Servir con una copa de manzanilla.

LA BODEGA'S SPECIALITIES

Cookery with fresh products from the sea and the market
Large à la Carte menu
Cheese salad
Cured ham of acorn-fed Iberian pigs, sausages, air-dried loin of pork, assorted cheeses
La Bodega's chicken speciality
Fresh fish from the bay: gilthead bream, sole, red bream
Meagre in saffron sauce
Wide range of shellfishes and crustaceans
Deep-fried fish: small hakes, red mullets, squids, pygmy squids...
Grilled lamb cutlets
Roast lamb
Joints of beef
All desserts are home made: apple custard cup, cottage cheese tart

La Bodega

Localidad: Cádiz (11.011)
Dirección: Paseo Marítimo, 23.
Teléfonos: 956 275 904 Fax. 956 260 403
Parking: servicio de aparcacoches y aparcamiento cercano
Propietario: Antonio García Saltares y familia
Días de cierre y vacaciones: abierto cada día del año.
Decoración: recreando una bodega andaluza con fotografías antiguas, carteles taurinos...
Ambiente: muy variado. Restaurante muy concurrido. Bodega suficiente
Bodega: principalmente vinos de la tierra, Rioja, Ribera del Duero y Catalanes
Hombres y nombres: Veinte personas a su servicio
Otros datos de interés: Tercera generación dedicada a la restauración en Cádiz. Dos comedores con capacidad total hasta 200 personas, terraza con vistas al mar y a la playa y barra. Servicio de catering para banquetes y bodas en toda la provincia. Acogedora terraza.
Tarjetas: Todas

ESPECIALIDADES LA BODEGA

Cocina marinera y de mercado
Amplia carta
Ensalada de queso o de melba
Jamón ibérico de bellota, chacinas, caña de lomo y quesos variados
Pollo a la canilla de La Bodega
Pescados de la bahía: dorada, lenguado de estero, urta...
Corvina al azafrán
Amplia gama de mariscos
Fritura: pijota, salmonetitos, calamares, puntillitas...
Chuletitas de cordero
Cordero asado
Carnes rojas
Todos los postres son caseros: flan de manzana, tarta de requesón

El Faro

Símbolo de la cocina gaditana

Inmejorablemente situado, El Faro se ubica en La Viña, mítico barrio de pescadores en el corazón del Cádiz antiguo que debe su nombre a la construcción de la Iglesia de la Palma sobre los terrenos de una viña.

Próximo también a la Playa de La Caleta, donde las puestas de sol resultan incomparables, y las fortalezas de Santa Catalina y San Sebastián, es precisamente en este último castillo, situado sobre una pequeña isla, donde por la noche brilla la luz del faro que da nombre al establecimiento.

La historia del restaurante tiene nombre propio: Gonzalo Córdoba. Comenzó en este mismo lugar en una taberna, sirviendo copitas de vino de la tierra acompañado de la tapita de pescaíto frito o en adobo, calamares, puntillitas, boquerones o de las insuperables tortillas de camarones.

Pero todo esto no llenaba sus anhelos y pretensiones y se lanzó a un proceso creativo de recuperación de la culinaria casera que sólo mostraba en la intimidad y se dejaba adivinar en las tapas de cocina. Desde entonces hasta hoy, Gonzalo Córboba y su familia llevan toda una vida dedicada a difundir las excelencias de la cocina gaditana.

EL FARO'S SPECIALITIES

Shrimp omelette

Clams with spinach and brandy from Jerez

Deep-fried fish assortment Cadiz style

Baked fish in a salt crust

Sea-bream Rota style

Homemade pastries and confectionery

El Faro

Localidad: Cádiz (11.002)
Dirección: San Félix, 15. Esq. Venezuela
Teléfonos: 956 211 068 - 956 225 858 - Fax 956 212 188
E-mail:info@elfarodecadiz.com www.elfarodecadiz.com
Parking: A 200 m., y garaje con aparcador.
Propietario: Maite Córdoba Serrano.
Días de cierre y vacaciones: Noche del 24 de diciembre
Decoración: Castellano-andaluza
Ambiente: Muy familiar y comidas de empresas.
Bodega: Jerez, Rioja, Cataluña, Navarra y Ribera del Duero.
Hombres y nombres: Chef:Manuel Ojeda. Maitres: Francisco Marente y José Nuñez. Sumiller: Antonio Bernal.
Otros datos de interés: Situado en el corazón del Barrio de la Viña, hoy por hoy es el punto de encuentro gastronómico de la clientela local y visitantes. Se puede visitar la cocina. Servicio de cocina rápido en la barra (tapas y raciones)
Tarjetas: Todas.

ESPECIALIDADES EL FARO

Tortilla de camarones de Salinas

Almejas con espinacas al brandy de Jerez

Fritura de pescados a la gaditana

Pescado a la sal

Urta a la roteña

Repostería casera

Receta Las Barcas

Verduras gratinadas con yogurt

Ingredientes para 4 personas: calabaza, calabacín, apio, zanahoria, champiñones, setas, nabos, etc ...

Preparación: cocer las verduras de forma individual y saltear con ajo una vez mezcladas.

Mezclar 100 gr. de queso Filadelfia, 1/2 yogurt y 2 cucharadas de nata fresca. Batir y cubrir las verduras con esta crema.

Espolvorear con queso rallado Emmental y gratinar. Listo para servir.

El restaurante se puede localizar en el sistema GPS de navegación por satélite. www.guiagps.com

LAS BARCAS' SPECIALITIES

Upadated classical cookery with own ideas
Fresh seasonal vegetables
Fresh fish acc. to the market offer (grilled, baked, with garlic)
King-size prawns with aubergines in champagne sauce
Baked cabbage parcels
Salt-cold in garkicky sauce or Biscayan style
Barbecued beef cuts
Home-made desserts
Fig parfait
Apple pudding with custard cream
"Tocino de cielo" (kind of rich cream caramel)

Las Barcas

Localidad: Algeciras (11207 Cádiz)
Dirección: Urbanización Villa Rosa-Ctra. a Getares.
Teléfonos: 956 600 258 - Fax: 956 574 591
Parking: Fácil aparcamiento.
Propietario: El Figón de San García, S.C.A.
Días de cierre y vacaciones: Cerrado lunes todo el día y domingos noche. Vacaciones en Agosto.
Decoración: Clásica, castellano-andaluza. Ladrillo visto y maderas.
Ambiente: Principalmente empresas y servicios..
Bodega: Suficiente, con representación de las principales D. O.
Hombres y nombres: Jefe de cocina: José España Beneroso. 2º Jefe de cocina: Miguel España Beneroso Maitre: Miguel Ruzafa
Otros datos de interés: Restaurante situado frente al nuevo puerto deportivo "El Saladillo". Cada año, organiza jornadas gastronómicas en Octubre-Noviembre: "Bacalaos", "cocina segoviana", etc. Dispone de salones privados.
Tarjetas: Todas.

ESPECIALIDADES LAS BARCAS

Cocina clásica actualizada y de autor
Verduras frescas cocinadas (durante todo el año)
Pescados frescos de mercado diario
(espalda, plancha, horno, ...)
Langostinos con berenjenas al cava
Rollitos de col gratinados
Bacalao pil-pil o vizcaina
Carnes de buey a la parrilla
Postres artesanales de elaboración propia
Biscuit glacé de higos
Pudding de manzana con natillas
Tocino de cielo

Receta El Campero

Láminas finas de ventresca con regañás de mojama, trampantojo de queso payoyo aderezado con aceite ahumado de atún salvaje de almadraba

Ingredientes:

Para regañás de mojama: 750 gr. de harina floja, 30 gr. de levadura deshidratada, 280 gr. de huevos, 250 gr. de aceite picual Oro Bailén, 20 gr. de sal, 65 gr. de azúcar, 125 gr. de leche, mojama (almadraba) C/S y sésamo C/S.

Para falso huevo de queso payoyo: 300 gr. de queso payoyo, 25 gr. de caldo de puchero, 200 gr. de orejones, 10 gr. de jengibre, 100 gr. de almíbar de azafrán y 450 gr. de baño de tuétano de atún.

Para aceite de atún ahumado: 300 gr. de aceite picual Oro de Bailén y 100 gr. de tronco de atún.

Elaboración:

Regañás de mojama: Calentar la leche a 70º, disolver la levadura y el azúcar. Dejar en reposo 4 horas en frío a 4º. Amasar la harina con el aceite, el sésamo y la sal, incorporar lentamente la mezcla anterior. Cuando despegue de las paredes dejar de incorporar leche. Si es preciso, amasar durante 5 minutos, velocidad 3 en kichent con forma de pala. Fermentar la masa durante 4 horas a 30º rompiendo la masa 3 veces. Estirar con la forma deseada. Incorporar la mojama cortada en daditos y hornear a 180º con un 10% de humedad durante 6 minutos.

Falso huevo: Mezclar el queso payoyo en vaso americano con el caldo de puchero hasta formar una crema fina y homogénea, que servirá como simulación de clara de huevo. Para la falsa yema, marcar una crema con mucha densidad de jugo de orejones infusionada con el almíbar de azafrán y jengibre. Congelar la crema densa de orejones en forma de yemas. Introducir en moldes de huevo la crema de queso con la yema previamente congelada. Dejar reposar 24 horas en congelador. Desmoldar y bañar en un gel de tuétano de atún.

Aceite de atún ahumado: Marinar en sal el tronco de atún durante 24 horas. Colocar la pipa ahumadora en recipiente hermético y dar toques de humo a la elaboración anterior en intervalos de 2 horas. Infusionar una vez terminado el proceso anterior en bolsa de vacio el aceite junto al atún a 70º durante 6 horas.

Buscamos UMAMI (el 5º sabor): Plasmar la diversificación de los sabores de un producto único, el atún de almadraba, desde el crudo con cortes finos de una ventresca, donde la infiltración salina de grasa es plasmante. Un hilo conductor de sabor, el aceite confitado de un tronco ahumado, la reexaltación de la salazón de mojama en algo representativo de Andalucía, la regañá y una conjunción con notas equilibradas unificándose el conjunto con el paso del ácido a dulce del falso huevo payoyo.

EL CAMPERO'S SPECIALITIES

Regional cookery
Red tuna prepared in 15 different ways
(Sashimi of tuna, carpaccio, fish roe, air-dried, etc...)
Gastronomic menu with red tuna
Tuna belly flaps, grilled or baked
Grilled tuna steak
Chick pea & tuna belly flap stew (typical from Barbate)
Grilled head of tuna
Sea bream, red bream, gilthead bream, red mullets, grouper
(with peppers and onions, with seaweed, in wine sauce, grilled)
Spiny lobster, lobster, Norway lobster, clams, prawns
Homemade desserts

El Campero

Localidad: Barbate (11160 Cádiz).
Dirección: Avda. Constitución, s/n.
Teléfonos: 956 432 300. www.restauranteelcampero.es
Parking: Fácil aparcamiento.
Días de cierre y vacaciones: De septiembre a mayo: cerrado lunes. Resto del año abierto cada día. Vacaciones 2ª quincena de noviembre y 2ª quincena de enero.
Decoración: Comedor de diseño muy actual, capacidad hasta 80 comensales.
Ambiente: Negocios, políticos,...público andaluz principalmente y madrileño en verano.
Bodega: Unas 100 referencias de vino: Riojas, Riberas del Duero, Ruedas, Catalanes, Gallegos, blancos, tintos, finos y manzanillas de la tierra.
Hombres y nombres: Dirección: José Melero Sanchez y Josefa Narváez.
Jefe de cocina: Jose Manuel Nuñez. Jefe de sala: Salvador Cardoso Santos.
Otros datos de interés: Restaurante abierto desde el año 1994. Dispone de terraza de verano, climatización interior, barra para tapeo, comidas informales y dos comedores.
Tarjetas: Todas.

ESPECIALIDADES EL CAMPERO

Cocina del Estrecho
Atún rojo de almadraba en más de 15 preparaciones distintas;
(Sashimi de atún, carpaccio, huevas secas, mojama,...)
Menú degustación de atún rojo.
Ventresca fresca a la plancha o al horno
Corazón de atún a la plancha
Buche de atún con garbanzos (guiso típico de Barbate)
Morrillo de atún a la plancha
Urtas, bocinegros, doradas, salmonetes, meros
(a la roteña, a la crema de ortigas, al vino fino, a la plancha)
Langosta, bogavante, cigalas, almejas, gambas...
Postres caseros.

El Espigón del Puerto

Cocina y entorno marinero

Ubicado en un entorno marinero por los cuatro costados, en pleno Puerto Deportivo de Barbate, este restaurante trabaja para convertirse en uno de los referentes de la zona. Bajo la dirección de Ascensión García, el asesoramiento culinario de Gerardo Ortega y el toque en la cocina del maestro cocinero Pepe Jodar. El Espigón del Puerto tiene como filosofía redescubrir e interpretar la gastronomía local, en especial el atún de Almadraba y los pescados del Estrecho, así como platos emblemáticos como el crujiente de tarantelo (hojas de brick rellenas de atún, cebolleta y queso) o el arroz caldoso con galeras.

La carta armoniza lo mejor de la cocina mediterránea, marinera y popular, con algunas especialidades de la cocina japonesa creativa, buscando un equilibrio basado en la calidad de las materias primas y una esmerada presentación. Además, dispone de vitrina-expositor con los pescados frescos del día y una cuidada selección de aceites de oliva virgen, aquí todos los platos se preparan con aceite de oliva virgen extra.

Desde su espléndida terraza se puede contemplar una de las más hermosas vistas de la Almadraba de Barbate – probablemente El Espigón del Puerto sea el restaurante situado más cerca de una almadraba en todo el mundo-. El escenario es excepcional: rodeado de barcos y con las mejores puestas de sol de la localidad.

También podrá visitar la Almadraba y para los amantes de la pesca deportiva existe la posibilidad de vivir una experiencia única: pasar un día de pesca en un barco equipado con los sistemas más modernos y seguros o simplemente dar un paseo por el mar.

EL ESPIGÓN DEL PUERTO'S SPECIALITIES

Fresh fish from the Straits of Gibraltar
(sea bass, sole, couch's sea bream, spotted red bream, red-banded sea bream,...)
Tuna from Almadraba (Carpaccio, tartare, belly flaps, back,
oven-baked tuna rolls with warm lime gelatine
brick parcels with tuna, spring onions and cheese)
Vegetables with tuna salad
Rice with mantis shrimps
Giant scarlet prawns and Norway lobsters
Squids fished with special weighted squid claws
Deep-fried sea anemones
Rib steak, fillet or sirloin steak of retinto beef
Chocolate-flavoured custard cup of yolks and syrup
Pudding and cream caramel of the house

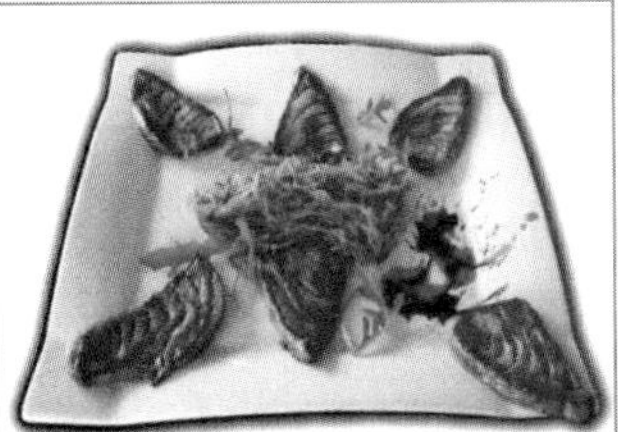

El Espigón del Puerto

Localidad: Barbate (11160 Cádiz)
Dirección: Puerto Deportivo de Barbate (edificio comercial junto a torre de control)
Teléfonos: 956 454 414
E-mail: info@elespigondelpuerto.com
www.elespigondelpuerto.com
Parking: Amplio aparcamiento gratuito.
Propietario: Ascensión García Andrade.
Días de cierre y vacaciones: Cerrado lunes. En julio y agosto abierto cada día.
Decoración: Funcional con toques marineros. Magníficas vistas panorámicas a los barcos y las mejores puestas de sol de Barbate.
Ambiente: Relajante.
Bodega: Caldos blancos de la tierra y pequeña selección de vinos nacionales.
Hombres y nombres: Asesor Gastronómico: Gerardo Ortega. Un equipo involucrado con el proyecto.
Otros datos de interés: Abierto desde el 15 de marzo 2009, ofrece terraza y comedor, ambos con capacidad para 40/50 personas. Además, cafetería, servicio de catering a los barcos y exposición permanente de obras de pintores de la zona. Posibilidad de alquiler de barcos para paseo o pesca.
Tarjetas: Todas

ESPECIALIDADES EL ESPIGÓN DEL PUERTO

Pescados frescos del Estrecho
(lubina, lenguado, bocinegro, besugo, urta, pargo...)
Atún de Almadraba (carpaccio, tartar, barriga, morrillo, rollitos de atún al horno con gelatina caliente de lima, hojas de brick rellenas de atún, cebolleta y queso)
Piriñaca de pulpo
Arroz con galeras
Carabineros y cigalas
Calamar de potera
Ortigas fritas
Carne de retinto (chuletón, solomillo, entrecot)
Tocino de cielo de chocolate
Pudín y flan de la casa

Mesón El Copo

Exaltación del Campo de Gibraltar

En el mes de junio 2012 se celebra en la provincia de Cádiz el XXXIX Capítulo de la Asociación de Restaurantes de Buena Mesa organizado por el restaurante El Copo. Encuentro con un centenar de los restaurantes con más prestigio a nivel nacional, bajo el lema "tradición, familia y buen hacer". La celebración de este evento centrado en el Campo de Gibraltar tiene una gran importancia para esta zona, Cádiz y Andalucía porque va a ser visitada durante tres días por más de 200 destacados profesionales. Los menús ofrecidos en estos días incluirán platos típicos y productos gaditanos con Denominación de Origen.

El fundador y alma mater de Mesón El Copo, **Manuel Moreno**, empezó su trayectoria en el mundo de la restauración con tan sólo 12 años. Generosamente, ha dedicado su vida al trabajo y también a su familia. Auténtico embajador de la comarca, recibió en el trigésimo aniversario de su restaurante el reconocimiento especial de la Mancomunidad de Municipios del Campo de Gibraltar por su labor de divulgación de la gastronomía de esta tierra y su promoción turística en muchos lugares de España y de Europa. "Ha paseado el campo de Gibraltar por todo el mundo".

Manolo es el patriarca de una saga que tiene garantía de continuidad con sus hijas, **Isabel, Gema, Vanesa y Estrella**. El propósito es mantener la tradición e incorporar las últimas tendencias gastronómicas. Aquí, el comensal disfruta de los sabores de antaño y de novedosas sensaciones. En constante mejora, todos los días se crean platos nuevos, la carta se renueva cada temporada. Vanesa Moreno, en formación permanente, elabora el pan en esta casa desde el verano 2009: un pan totalmente natural de aproximadamente un kilo, amasado a mano, sin máquinas, conservantes ni química, además de deliciosos helados artesanos de creación propia: hierbabuena, matalauva, polvorón o el cremoso de arroz con leche.

La Junta de Andalucía ha escogido quince de los mejores restaurantes de la Comunidad para elaborar un menú de cocina ecológica, Mesón El Copo ha sido el primero certificado por el CAAE (Comité Andaluz de Agricultura Ecológica). Pertenece a Jóvenes Restauradores de Europa, el 15 de marzo 2010 celebró la Asamblea Nacional en sus instalaciones. Además, es miembro de otras prestigiosas asociaciones gastronómicas: Club de Oro de la Cocina Andaluza, Eurotoques, Cofradía de la Buena Mesa, Cofradía del Ciento, Agras...

MESON EL COPO'S SPECIALITIES

Seaweed and shrimp cakes
Sea-anemone fried in olive oil
Egg en cocotte, Périgourdine sauce and truffle
Curd of squid and cheese au gratin
Partridge salad
Soles, red mullets, hake, grouper or swordfish
Monkfish, sea bream, dogfish, John Dory, red fish or Pandora
Spotted red bream from Tarifa with garlic
Tuna en papillote
Spider crab
Juicy rice, octopus and prawn pot
Calf's sweetbreads in portwine and seaweed sauce
Special oxtail stew
Every day, 27 homemade desserts

Mesón El Copo

Localidad: **Palmones (Los Barrios-Campo de Gibraltar) a 5 km. de Algeciras.**
Dirección: Autovía Cádiz-Málaga km.111 (Salida Palmones).
Teléfonos: **956 677 710 - 619 061 567 Fax: 956 677 786.**
E-mail: elcopo@elcopo.es www.elcopo.es
Parking: Aparca el portero.
Propietario: Manuel Moreno Rojas.
Días de cierre y vacaciones: Abierto todo el año excepto domingos noche.
Decoración: Nautica, marinera y taurina. Viveros propios.
Ambiente: Selecto y variado.
Bodega: Muy extensa, selección de Reservas y Grandes Reservas, vinos jóvenes de todas las regiones de España.
Hombres y nombres: Jefe de cocina: Luís Pérez Lozano. 2º Jefe de cocina: Camilo Correro. Pastelería: Vanesa Moreno. Jefes de sala: Manuel Moreno y su hija Isabel Mari . Sommelier: Gema Moreno Sánchez. Jefa de Barra: Estrella Moreno
Otros datos de interés: Compra diaria de pescados y mariscos, expuestos al comensal en vitrinas y viveros. Flotilla de barquitos pequeños faenando en exclusiva para el restaurante. Salones privados. Camarotes desde 4 a 90 personas. Bar y nueva terraza. Cartas en inglés y francés.
Tarjetas: Todas.

ESPECIALIDADES MESÓN EL COPO

Tortitas de algas del mar y camarones
Ortigas del mar fritas al aceite de oliva 0'4º
Huevo en cocotte, salsa perigourdine y trufa
Cuajadera de calamares con queso al gratén
Ensalada de perdiz
Lenguados, salmonetes, merluza, mero o pez espada
Rape, urta, rosada, San Pedro, gallineta o breca
Boraces de Tarifa a la espalda, al ajo pescador
Atún en papillotte
Changurro de centollo
Arroz caldoso guisado con pulpo y gambas
Mollejas de ternera al vino de Oporto y salsa de algas del mar
Rabo de buey de la Ruta del Toro, estilo barreño
Cada día, variación de 27 postres artesanales

Popeye

Al pie del cañón

Situado en la carretera antigua de la Barrosa, en un entorno natural a dos minutos de la playa, esta casa dirigida por la familia Mayo, lleva desde 1970 al "pie del cañón". El restaurante Popeye es el lugar idóneo para disfrutar del fastuoso despliegue de géneros de la bahía de Cádiz, recién extraídos del mar.

Popeye dispone cada día de una amplísima oferta de mariscos y pescados, todos frescos, a la vista en un magnífico expositor, las mejores piezas de cada especie (bogavantes, carabineros, langostinos, doradas, lubinas, lenguados...). Además, de la cocina salen sabrosos guisos, caldos marineros, deliciosos arroces, carnes de primera para los carnívoros y como colofón, la dulce tentación de la repostería casera.

El restaurante Popeye es la mejor y más sólida opción en Chiclana, el comensal queda fascinado ante la impresionante calidad de las materias primas suministradas diariamente por botes de pesca propios que surcan las aguas de Sancti Petri. Un repertorio tan completo como atractivo, ideal **para darse un buen homenaje**.

POPEYE'S SPECIALITIES

Fish & seafood specialities

Fish, shellfish and crustaceans from Sancti Petri

Rice specialities: with lobster, with prawns, with scarlet prawns

Hot pots

Fish & seafood casseroles

Noodle and prawn pot

Gilthead bream, sea bass, sole

Beef and game specialities

Carmen's pastries

Popeye

Localidad: Chiclana (11130 Cádiz)
Dirección: Ctra. Antigua de la Barrosa, s/n
Teléfonos: 956 494 424 www.restaurantepopeye.com
Parking: Propio
Propietario: Tomás Mayo
Días de cierre y vacaciones: Abierto cada día. Vacaciones: 20 días en invierno
Decoración: Marinera, con viveros propios de langostas, bogavantes y pescados
Ambiente: Negocios, familiar y turismo dependiendo de la época del año
Bodega: Vinos blancos de la tierra, Ribera del Duero, Rioja, Penedés, Toro, Albariño...
Hombres y nombres: Jefe de cocina: Francis Mayo. Maitres: Miguel Venega y Tomás Mayo.
Otros datos de interés: Restaurante fundado en 1970, cinco camarotes desde 30 hasta 350 personas. Dispone de botes de pesca que diariamente le suministran pescados y mariscos de Sancti Petri. Servicio de catering para grupos a partir de 100 comensales, salón para celebraciones hasta 350 p. y 3.000 m2 de jardines.
Tarjetas: Todas

ESPECIALIDADES POPEYE

Cocina marinera

Pescados y mariscos de Sancti Petri

Arroces: con bogavante, con langostinos, con carabineros

Potajes caseros

Guisos marineros

Fideos con langostinos

Dorada, lubina, lenguado

Carnes de retinto y caza

La repostería de Carmen

Alfonso Catering

Alfonso Catering es una empresa con más de 40 años de experiencia y dedicación a los servicios integrales de hostelería, dando soluciones para todo tipo de eventos, tanto empresariales como sociales, independientemente del número de comensales, atendiéndole en España y en el extranjero. Los pequeños detalles son la base para lograr un ambiente cautivador que, junto al protagonismo de una cocina tan personal como reconocida, marcan el estilo propio de la casa.

Alfonso Catering presta un amplio servicio de catering y ambientación en todo acontecimiento o celebración, ya sea en cualquiera de sus instalaciones o incluso en su casa particular.

Dispone de Casas en exclusiva en Sevilla: Casa Pilatos, Torre de la Reina y Señorío de Gines; en **Granada**: Torre del Rey; en **Jerez**: Restaurante "El Bosque", Museo Taurino, Dehesa Bolaños y Cerro Obregón; en **Cádiz**: Casino Gaditano; en **El Puerto de Santa María**: Bodega Alameda y Bodega Santa María; en el **Campo de Gibraltar**: La Almoguera y en **a**: Bodegas Vélez.

Debido a la diversidad de actividades empresariales, Alfonso Catering ha sabido adaptarse a las más exigentes demandas del mercado actual. Son muchos los factores que influyen en estos eventos empresariales, como puede ser el perfil o las características del propio acontecimiento: Ferias comerciales, Congresos, Convenciones, Incentivos, Presentaciones de productos y jornadas de Trabajo, entre otros.

Alfonso Catering está muy ligado a los Grandes Eventos, siendo la empresa proveedora oficial de los servicios integrales de hostelería en diversas convocatorias; entre las cuales se pueden destacar: Expo 92, Mundial de Fórmula 1, Mundial de Motociclismo, Volvo Masters, Ryder Cup, World Golf American Express, WEG 2002, Copa de la Uefa Sevilla 2003, Copa del Mundo de Golf Sevilla 2004.

Para Congresos, Convenciones y actos sociales:

Departamento Comercial

Tlfno: 902 319 000 Fax: 956 319 008

E-mail: recepcion@alfonsocatering.es

www.alfonsocatering.es

EL BOSQUE'S SPECIALITIES

Updated Andalusian cookery with fresh regional produce and wines from Jerez

Lollo rosso salad with prawns from Sanlúcar, scallops and season's fruit with mustard dressing

Gazpacho of smoked fish with layered slice of cottage cheese and quince jelly

Risotto with cured Serrano ham, shiitake mushrooms and truffle scent

Fillet of sea bass cooked at low temperature with a light sauce of cured Iberian ham

Layered slice of tuna with sea-anemone sauce and boiled potatoes

Boned bull tail after our own recipe with rice

Pork cheeks stuffed with foie gras of duck

Chocolate cardinal with toffee surprise and redcurrant coulis

Timbale of glazed meringue with seasonal fruit

El Bosque

Localidad: Jerez de la Frontera (Cádiz).
Dirección: Avda. Alcalde Álvaro Domecq, 26.
Teléfonos: 956 307 030. Fax: 956 308 008
Parking: Sin problemas.
Días de cierre y vacaciones: Cerrado domingos, festivos y lunes noche.
Decoración: Elegante, con temas ecuestres.
Ambiente: Público selecto: bodegas, empresas, políticos, famosos, etc
Bodega: Muy completa, bien cuidada y seleccionada (25.000 botellas aprox.)
Hombres y nombres: Jefes de cocina: César Rodríguez y Manuel Córdoba; Maitre; Cristóbal Cañas.
Otros datos de interés: Restaurante ubicado a pie del parque González Hontoria donde se celebra la famosa feria del caballo. Salones con capacidad desde 10 hasta 250 personas, carpas, bodega y pequeño comedor privado. EL BOSQUE pertenece a la importante empresa ALFONSO CATERING, especializada en catering de alto nivel en toda España y el extranjero (congresos, convenciones y actos sociales)
Tarjetas: Todas.

ESPECIALIDADES EL BOSQUE

Cocina andaluza actualizada
con materias primas de la bahía de Cádiz y los vinos de Jerez
Ensalada de lollo-rosso con langostinos de Sanlúcar, vieiras y frutos de temporada a la reducción de mostaza de Sichuán
Gazpacho de ahumados con milhojas de queso fresco y membrillo
Risotto de jamón serrano y shitake al aroma de trufas melanosporum
Lomo de lubina cocida a baja temperatura con salsa ligera de jamón ibérico
Milhojas de atún de almadraba con salsa de ortiguillas y patatas al vapor
Rabo de toro deshuesado al estilo de El Bosque con arroz de los molineros
Meloso de carrillada ibérica relleno de foie de pato
Cardenal de chocolate con sorpresa de toffe y coulís de grosellas
Timbal de merengue dorado con frutas de temporada

Receta Venta Antonio

Urta a la Roteña

Ingredientes para 12 personas: 5 kg. de urta, 1 kg de cebolla, 200 gr de harina, 150 gr de azúcar molido, 100 gr de sal fina, 6 pimientos verdes 5 tomates naturales, 1/2 litro de vino de jérez, 1 dl de aceite, sal y pimienta.

Preparación: Sacar los lomos de la urta y filetear. Hacer un fumet con las espinas de la urta y reservar. Cortar los pimientos verdes y la cebolla en juliana. Poner en un recipiente con el aceite de oliva dejandolo a fuego suave hasta que esté tierno. No debe tomar color. Agregar el tomate pelado,picado muy fino o pasado por la máquina, sazonar con sal y el azúcar molido.

Terminar de cocer todo junto y apartar del fuego. Salpimentar y enharinar los filetes de urta colocándolos sobre una placa o cazuela de barro con un poco de roteña o fondo de manera que no queden muy juntos. Llevar al fuego y agregar el vino de Jérez, dejar reducir unos 5 minutos y añadir un poco de fumet y el resto de la roteña. Meter en el horno y terminar.

La mar de confianza

VENTA ANTONIO'S SPECIALITIES

Andalusian cookery with fresh regional products
Fish & seafood stews
Rice with seafood
Crustaceans, shellfish and fish from the Bay
(king-size prawns, prawns, Norway lobsters, lobster, spiny lobster, clams)
Sea bream Rota's style
Cured ham and sausages from the "Sierra de Cadiz"
Cured ham from Jabugo
Veal, lamb and loin of pork
Home-made desserts
"Tocino de cielo": kind of rich cream caramel

Venta Antonio

Localidad: **Jerez de la Frontera (14408 Cádiz).**
Dirección: Ctra. Jerez-Sanlúcar (a 5 km. de Jerez)
Teléfonos: **956 140 535 - 956 141 403**
www.restauranteventantonio.com
Parking: Propio y vigilado.
Propietario: Familia García Chica.
Días de cierre y vacaciones: Abierto cada día.
Decoración: Andaluza. Varios comedores, jardines de verano y terraza cubierta.
Ambiente: Selecto: bodegas, empresas, turismo...
Bodega: Muy jerezana. Vinos de Jerez, manzanillas de Sanlúcar y Riojas tintos.
Hombres y nombres: Cocinera; Rosario Chica; Maitre, Antonio García (hijo). Gerente, Manuel García. Jefe de sala: Paco García.
Otros datos de interés: Buena relación calidad precio. Debido a su capacidad e instalaciones el establecimiento está especializado en convenciones, bodas, bautizos y comuniones. Primer premio de Gastronomía Hostelsur. En 1997, Doña Rosario Chica Valenzuela ha sido galardonada con la "Insignia de Oro" otorgada por la Federación de Empresas de Hostelería de la provincia de Cádiz (Horeca).
Tarjetas: Visa, 4B, Maestro, Dinner's Club, Mastercard y Tarjeta 6000.

ESPECIALIDADES VENTA ANTONIO

Cocina andaluza con productos naturales de la zona

Guisos marineros

Arroz a la marinera

Mariscos y pescados de la Bahía

(langostinos, gambas, cigalas, bogavante, langosta, almejas de corral, ...)

Urta a la roteña

Chacina de la Sierra de Cádiz

Jamón de Jabugo

Ternera, cordero y lomo de cerdo

Postres caseros (tocino de cielo, ...)

La Marina

Referencia de La Linea

El restaurante La Marina se puede considerar como "el primer restaurante del Mediterráneo a babor, viniendo del Atlántico". Presenta una carta extensa, fruto de los puertos de mar, acogiéndose a las excelencias de los productos del Estrecho y de la rica vega del Campo de Gibraltar. Se conserva fiel al rito y a la tradición del entrañable merendero de verano y las sardinas, preparadas como siempre por un pescador y a la orilla del mar. Como merecido homenaje al trabajo del establecimiento a lo largo de más de 60 años y su aportación a la revitalización de la zona, ha recibido la Medalla de Oro de la ciudad de La Línea de la Concepción, otorgada a la familia Caparrós por su trayectoria al servicio del turismo y la buena gastronomía.

Historia

Aquí el abuelo de los actuales propietarios, pescador, preparaba al mismo tiempo que repasaba sus artes, palangres y copos, un plato ancestral y el único que podía ofrecer con tan humildes medios: las sardinas al espeto, faenadas por él mismo la noche anterior. En los años 50, La Marina se transforma en popular merendero de verano. Fue Don Cayetano Caparrós, marino mercante de profesión, el creador de este entrañable merendero estival, donde descansaba de las largas travesías invernales y quien a mediados de los 70, decide en compañía de su esposa Doña Concepción en los fogones, crear el restaurante actual con una carta extensa y mediterránea. La Marina es el restaurante decano de la ciudad y, hoy por hoy, **el único referente que tiene La Línea de la Concepción en el exterior.**

Evolución

La Marina ha evolucionado, hoy conviven en perfecta armonía dos tipos de cocina: la tradicional de toda la vida, no en vano el restaurante ha cumplido más de **60 años** y una cocina muy actual.

Han sido muchas las nuevas aportaciones: menús degustación, remodelación de las instalaciones de cocina con las últimas tecnologías, bodega a la vista y salón privado para 30 personas.

La Marina es un importante buque gastronómico: capacidad del restaurante 180 comensales más 100 en la **terraza de verano con una carta especial**, 25 personas trabajando, algunas más en verano.

LA MARINA'S SPECIALITIES

Daily specialities prepared with fresh fish:
sea bream, turbot, red mullets and sole
Business menu, Monday to Friday: 25 €
Family menu on Sundays and bank holidays: 20/25 €
Sardines and all kind of fish on skewer
Lukewarm salad of small mackerel and roasted bell peppers
Salt cod au gratin with garlic & honey mousseline
Marinated tuna in fat
Fish stews
Sirloin steak with grilled tomato and potatoes au gratin
Lamb cutlets on a couscous layer, caramelised onions and raisins
Updated traditional dishes of the Straits of Gibraltar region:
Salad of flying fish
Scrambled eggs with shrimps and sea anemones, crustacean sauce
Chocolate in three different textures

La Marina

Localidad: **La Línea de la Concepción (Campo de Gibraltar - 11.300 Cádiz)**
Dirección: Paseo Marítimo, s/n.
Teléfonos: **956 171 531 - Fax: 956 176 007**
E-mail: lamarina@rest-lamarina.es
www.rest-lamarina.es
Parking: Propio y vigilado.
Propietario: La Marina , S.L.
Días de cierre y vacaciones: Abierto todos los días. No cierra nunca.
Decoración: Estilo marinero con magníficas vistas al mar y al Peñón.
Ambiente: Empresarial y familiar.
Bodega: Nueva vinoteca con 260 referencias de vinos españoles, además de vinos franceses, italianos, chilenos, australianos, Nueva Zelanda y champagnes.
Hombres y nombres: Jefe de cocina: Salvador Lobato. Maitre: Manuel Cárdenas. Sumiller: Joaquín Traverso. Jefe de barra: José Allegue.
Otros datos de interés: Restaurante decano en el campo de Gibraltar. Gran terraza de verano sobre la orilla del mar, donde se pueden degustar las tradicionales "sardinas al espeto", asadas en la misma playa. Expositor de pescado sobre lecho de hielo y acuario de crustáceos. Amplia barra con carta de tapas.
Tarjetas: Todas.

ESPECIALIDADES LA MARINA

Se elaboran sugerencias del día con pescado fresco de palangre:
pargo, rodaballo, salmonete y lenguado
Menú Ejecutivo, de lunes a viernes: 25 €
Menú Familiar, domingos y festivos: 20/25 €
Además de las sardinas, todo tipo de pescados al espeto
Ensalada templada de melva canutera y pimientos asados
Bacalao gratinado con muselina de ajo y miel
Atún marinado en manteca
Guisos de pescados
Entrecot de ternera con tomate grillé y patatas al gratén
Chuletitas de cordero sobre lecho de cous-cous, cebolla caramelizada y pasas
Platos de la cocina tradicional del Estrecho, recuperados y actualizados:
Ensalada de "volaores"
Revuelto de gambas y ortiguillas con salsa de marisco
Texturas de tres chocolates

Aponiente

Pasión por la cocina andalusí

Tras 15 años de experiencia habiendo completado su formación en famosos restaurantes de Sevilla, Burdeos, Miami, Barcelona y Toledo, Ángel León se ha instalado en El Puerto de Santa María para realizar la cocina que siempre imaginó, convirtiendo su restaurante Aponiente en epicentro de sus sueños y creaciones. Aquí desarrolla una culinaria apegada al entorno, enraizada en las materias primas más próximas, las que le ofrece la despensa gaditana y el norte de África.

En esta época de fusiones, Ángel León lucha por una de las mas naturales: la mezcla de gastronomía magrebí con la cocina tradicional andaluza, por el bagaje común de ambas. Es una de las vías que ha adoptado para revitalizar la cocina del sur. Lo importante para él debe ser siempre el sabor. Actualiza con pasión, realismo y acierto la gastronomía de la bahía de Cádiz, dignificando pescados humildes, fusionando los alimentos del Sur de España y los del Magreb.

Para ello, utiliza sus propias técnicas, muy avanzadas e innovadoras, a veces provocadoras, como integrar el sabor de los pescados con el humo de algunas maderas (pescados asados con madera de bota centenaria o carbón de hueso de aceituna) o la máquina "clarimax": mediante algas diatomeas se clarifican los caldos eliminando las grasas. Propuestas arriesgadas y revolucionarias que han merecido la atención del mundo de la gastronomía.

Aponiente dispone de una loable bodega destacando una selección de vinos jerezanos por copas, algunos grandes tintos españoles y diversas referencias internacionales de calidad.

APONIENTE'S SPECIALITIES

Cookery with first-choice produce, the flavours of the Cadiz Bay with a Moroccan touch and own techniques
Garlicky tomato purée thickened with bread and olive oil emulsion, topped with ham, crisp bread and tuna crumbs
Sardines marinated in Moroccan lemon, tomato lacquered with sherry vinegar
Oyster on a refreshing glasswort mojito
Shrimps with emulsion of gelatinous camomile veil
Carpaccio of venison and scarlet prawns with salad and goat cheese "Payoyo"
Meagre on meat juice and smoke-scented oil
Fish of the day roasted on olive pits, coquina shell juice, roasted vegetables
First-choice red tuna breaded in Moroccan spices and dressed on couscous
Cheeks of Iberian pork on cauliflower purée "al dente" and wheat with oloroso sherry
Lamb marinated in milk and cinnamon, dates with spices and bacon powder
Tea granité with jasmine sorbet
Milk with biscuits

Aponiente

Localidad: **El Puerto de Santa María (11500 Cádiz)**
Dirección: C/ Puerto Escondido, 6. Ribera del Marisco.
Teléfonos: **956 851 870. www.aponiente.com**
Parking: Aparcamiento público a 5 minutos.
Propietario: Ángel León.
Días de cierre y vacaciones: Cerrado domingos noche y lunes. En julio y agosto, abierto cada día.
Decoración: Casa tradicional transformada en un restaurante de vanguardia. Cocina a la vista.
Ambiente: Un paseo gastronómico cargado de sensibilidad, pasión y amor hacia esta tierra...
Bodega: Finos, manzanillas, amontillados, olorosos, Pedro Ximénez...Vinos de Castilla y León, Andalucía, Cataluña, Aragón y La Rioja. Vinos franceses de Burdeos, Borgoña y valle del Ródano.
Hombres y nombres: Director y Jefe de cocina: Ángel León. Maitre y Sumiller: Juan Ruiz.
Otros datos de interés: Abierto desde mayo 2007, representa las más avanzadas técnicas gastronómicas en la Bahía de Cádiz. Capacidad reducida, sólo 30 comensales y agradable barra para tapeo y comidas informales.
Tarjetas: Todas, excepto American Express

ESPECIALIDADES APONIENTE

Cocina de producto, los sabores de la Bahía de Cádiz con toques magrebíes y técnicas propias
Salmorejo asado con migas de jamón, pan crujiente y atún
Regaña de sardinas marinadas en limón marroquí y tomate lacado en vinagre de Jerez
Ostión sobre mojito refrescante de Salicornia
Cartucho de camarones con emulsión de velo de manzanilla
Carpaccio de venado y carabineros, ensalada de cristal marilum, queso payoyo
Corvina sobre jugo de matanza, humo de 300 años de solera
Pescado del día asado en hueso de aceituna, jugo de coquinas, verduras asadas
Atún rojo de almadraba empanado en especias magrebíes, sobre cous-cous
Carrillera ibérica con puré de coliflor al dente y guiso de trigo al oloroso
Cordero infusionado en leche y canela con dátiles especiados y polvo de bacon
Granizado de té con sorbete de jazmín
Leche con galletas

El Retinto

Asociación Gastronómica

Esta casa está especializada en carnes de retinto, raza autóctona que se extiende desde Extremadura hasta Málaga. En Cádiz, este tesoro gastronómico cuenta con una importante cabaña en la zona de La Janda y Campo de Gibraltar. Inmejorables características genéticas de la raza, alimentación natural a base de leche materna e hierba fresca además de estrictos controles, son la base de la magnífica calidad de esta carne tierna, jugosa y sabrosa, de un color rosado intenso muy alejado de la apariencia pálida y acuosa de las carnes industriales. La carne de retinto, es hoy por hoy, una de las mejores carnes de vacuno que podemos encontrar en España, no sólo por sus excelentes cualidades organolépticas y garantías, sino también por sus sistemas de producción que permiten adecuado aprovechamiento de los recursos naturales y mantenimiento de los ecosistemas en que se desenvuelve la raza retinta.

Gerardo Ortega y Pepe Jodar son dos experimentados profesionales, su exitosa trayectoria los avala. Gerardo, hombre viajado y culto, amigo incondicional de sus amigos, es un reconocido asesor culinario. Pepe posee la Medalla al Mérito Naval después de ejercer como cocinero durante muchos años en las instalaciones de El Retín, en Barbate. En este nuevo proyecto gastronómico, presentan una cocina con personalidad definida, la calidad está siempre garantizada. La estrella de la casa es la parrilla alimentada con carbón de encina. Aquí se asan las piezas de retinto: lomo bajo, alto, solomillo y chuletones. También se pueden degustar todas las partes del animal: guisos de carne, arroz con retinto, casquería...sin olvidar el atún de almadraba, arroces tradicionales o caza en temporada. El escenario desborda autenticidad: ambientación original inspirada en el mundo del toro y del caballo: espuelas, borlajes de enganche, sillas de montar, zajones...detalles taurinos y de caza recopilados de una colección privada.

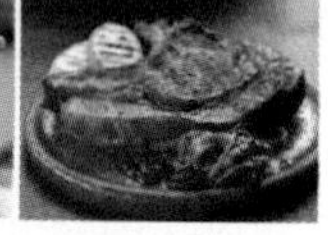

EL RETINTO'S SPECIALITIES

Cuts of "retinto" beef from the oak-charcoal grill:
Fillet, sirloin and rib steaks, oxtail
Carpaccio of "retinto" beef with Parmesan cheese and capers
Tuna steak grilled on a tile over oak-charcoal
Scrambled eggs with golden thistle
Sizzling spicy garlicky shrimps
Rice specialities with land and sea produce
Homemade traditional stews
Fresh tuna and fish from the Straits of Gibraltar
Chocolate-flavoured cream caramel prepared with syrup instead of milk
Almond dessert

El Retinto

Localidad: Zahara de los Atunes (11393 Cádiz)
Dirección: Ramón del Valle Inclán, 1
Teléfonos: 956 457 244
E-mail: elretinto@hotmail.com
Parking: Aparcamiento público a 100 m.
Presidente de la Asociación Gastronómica El Retinto: Gerardo Ortega Ayala,
Vicepresidente: Pepe Jodar Oliva.
Días de cierre y vacaciones: Cerrado lunes.
Decoración: Muy personal. El mundo del toro y el caballo.
Ambiente: Creado para empresarios, negocios, ganaderos y taurinos.
Bodega: Selección de los vinos más demandados. Etiquetas clásicas y toques de modernidad. Blancos y tintos de la tierra de Cádiz, Rioja y Ribera del Duero.
Hombres y nombres: Asesor Gastronómico: Gerardo Ortega. Maestro Cocinero: Pepe Jodar, distinguido con la medalla al Mérito Naval por su labor en los fogones.
Otros datos de interés: Un lugar para poder conversar con tranquilidad. Agradable terraza. Gerardo Ortega y Pepe Jodar han ganado el Concurso a la Tapa más innovadora de la Ruta Micológica en Barbate 2010.
Tarjetas: Todas excepto American Express.

ESPECIALIDADES EL RETINTO

Carnes de retinto en todas sus modalidades
hechas a la parrilla de carbón de encina:
solomillo, entrecot, chuletón, rabo de toro
Carpaccio de retinto con parmesano y alcaparras
Morillo de atún rojo a la teja, elaborado al carbón de encina
Revuelto de tagarninas
Camarones al ajillo
Arroces de campo y marineros
Guisos tradicionales caseros
Atún de Almadraba y pescados del Estrecho
Tocino de cielo de chocolate
Postre de turrón

El Caballo Rojo

Pionero de la gastronomía cordobesa

Cuando se habla de El Caballo Rojo es ineludible hacer referencia al "patrón", alma máter, fundador y propietario, José García Marín, conocido popularmente como "Pepe". Con esfuerzo, tesón y alma inquieta, en 1962 Pepe ve cumplido su sueño de convertirse en restaurador al crear el antiguo Caballo Rojo en la calle Deanes, situado en el barrio de la Judería de Córdoba.

Diez años más tarde se trasladaría al actual local, junto a la fachada principal de la Mezquita, una casa de nueva construcción con capacidad para trescientas personas. Entonces nace un eslogan afortunado "Para comer: Córdoba". A partir de ese momento su fama ha ido aumentando a pasos agigantados dando de comer a Reyes, Jefes de Estado, Presidentes de Gobierno, representantes del mundo de la cultura, las letras, la economía, la política, etc.

En la actualidad, la 2ª generación de la familia está presente en distintos ámbitos de la empresa manteniendo su filosofía inicial: la elaboración de una cocina española, sefardí y mozárabe, recuperando los ancestrales guisos andalusíes e interpretando magistralmente recetas pretéritas que la herencia de las distintas culturas dejaron sobre estas tierras.

Primor en la elaboración de los platos, servicio atento que ha sabido encontrar el punto de equilibrio entre la formalidad profesional y la proverbial amabilidad que se le reconoce y honestidad profesional han situado a El Caballo Rojo como una referencia imprescindible de la cultura culinaria andaluza.

EL CABALLO ROJO'S SPECIALITIES

Mozarabian and traditional specialities
Menu of the day according to the market offer
Braise bull's tail
Braised lamb with honey
Monkfish mozarabian style
Casserole of asparagus from Córdoba
Andalusian "Salmorejo": sauce of pureed tomatoes with garlic, oil and vinegar, topped with chopped hard-boiled eggs
Artichokes Montilla's style
Swordfish sephardic style
Partridge "Ciryab"
"Suspiros de Almanzor" (kind of light madeleines)
Fresh homemade confectionery, pastries and bread

El Caballo Rojo

Localidad: Córdoba (14003)
Dirección: Cardenal Herrero, 28
Teléfonos: 957 475 375 - 957 478 001 Fax: 957 474 742
E-mail: elcaballorojo@elcaballorojo.com
www.elcaballorojo.com
Parking: Aparcamiento concertado con el Hotel Maimónides. Aparcacoches.
Propietario: José García Marín.
Días de cierre y vacaciones: Ninguno. Abierto todo el año.
Decoración: Típica andaluza.
Ambiente: Muy variado.
Bodega: Vino de la casa de la Ribera del Duero y selección de Montilla Moriles.
Hombres y nombres: Jefe de cocina: Pedro Aguilera. Maitre: Rafael Reyes López. Sumiller: Antonio Doblado.
Otros datos de interés: El Caballo Rojo es el restaurante más famoso de Andalucía: Medalla de Oro de la ciudad de Córdoba, Medalla de plata de la Junta de Andalucía. Cafetería y bar para raciones y tapas.
Tarjetas: American Express, Visa, Diners, Mastercard.

ESPECIALIDADES EL CABALLO ROJO

Especialidades mozárabes y tradicionales
Menú del día según mercado
Rabo de toro
Cordero a la miel
Rape Mozárabe
Cazuela con espárragos de Córdoba
Salmorejo andaluz
Alcachofas a la montillana
Pez espada sefardita
Perdiz Ciryab
Suspiros de Almanzor
Reposteria y pan elaborados a diario

Hospedería de El Churrasco

Alojamiento con encanto en Córdoba

Rafael Carrillo, profesional incansable, ha inaugurado un hotel con encanto en pleno corazón de la Judería cordobesa, Patrimonio de la Humanidad. Un conjunto de casas rehabilitadas unidas a través de diferentes patios, típicamente cordobeses, con gran abundancia de plantas. Estas originales instalaciones cuentan con 9 habitaciones, 2 refrescantes patios, 2 salones y una terraza solarium con vistas a la Mezquita Catedral.

Todas las habitaciones son diferentes, disponen de ordenador con conexión a internet y muebles de estilo. Instalaciones comunes elegantes, realzadas por antigüedades. Su magnífica ubicación lo convierte en el lugar ideal para realizar visitas a todas las joyas culturales y puntos de interés de Córdoba: numerosos museos e iglesias donde poder contemplar una profusión de tesoros artísticos.

C/ Romero, 38 Córdoba Tlf: 957 29 48 08 Fax: 957 42 16 61

EL CHURRASCO'S SPECIALITIES

Cold white gazpacho soup of pine nuts

Crisp aubergines with salmorejo sauce (tomato)

Small broad beans with cured ham and fried eggs

Monkfish with fried garlic

High-sea turbot with saffrony sauce

Fillet steak in basil-flavoured sauce

Churrasco from Cordoba (fillet of pork with Arabian sauce)

Stewed bull tail

Rib of beef steak grilled on the oak-fired barbecue

Crisp slice of gin tonic with lemon sorbet and Cordovan cake

El Churrasco

"Un restaurante - museo en la ciudad de los califas"

Localidad: Córdoba (14003)
Dirección: C/ Romero, 16 (Barrio de la Judería)
Teléfonos: 957 290 819 - Fax: 957 294 081
E-mail: elchurrasco@elchurrasco.com www.elchurrasco.com
Parking: Personal encargado de aparcar.
Propietario: Rafael Carrillo.
Días de cierre y vacaciones: Cerrado día 1 de Enero, jueves y viernes Santo, 24 de Octubre, 24, 25 y 31 de Diciembre. Vacaciones en Agosto.
Decoración: Una casa judía con decoración mudéjar del siglo XIV y cuadros de pintura cordobesa del siglo XIX y actual.
Ambiente: Amantes del buen comer.
Bodega: Justo al lado del restaurante, Rafael Carrillo ha abierto otra casa judía como bodega-museo del vino. Excelente selección de reservas.
Hombres y nombres: Jefe de cocina: Rafael Carrillo. Maitre: Rafael Madueño.
Otros datos de interés: Más de 30 años de solera. Pertenece al Club de Oro de la Mesa Andaluza, a Estancias de España, a la Cofradía del Ciento, a la Buena Mesa y a Jóvenes Restauradores de Europa. Premio Alimentos de España 98.
Tarjetas: Todas

ESPECIALIDADES EL CHURRASCO

Gazpacho blanco de piñones

Berenjenas crujientes con salmorejo

Habitas del tiempo con jamón y huevos fritos rotos

Rape negro a la bilbaina

Rodaballo salvaje al azafrán

Solomillo de ternera en salsa al perfume de albahaca

Churrasco cordobés (solomillo ibérico con salsa árabe)

Rabo de toro

Chuletón de vaca del Valle de Los Pedroches al carbón de encina

Croustillante de gin-tonic con sorbete de limón y pastel cordobés

Cuevas Romanas

Un lugar único en Andalucía

Las Cuevas Romanas del Cerro Aulagar, descubiertas en 1929, son uno de los hallazgos arqueológicos cordobeses más relevantes de los últimos tiempos. Por su proximidad con la vía que unía las capitales de "Emérita y Corduba", todo indica que sirvieron como cantera para el abastecimiento de material utilizado en la construcción de monumentos en la Colonia Patricia "Corduba" y en períodos posteriores(Islámico, Bajomedieval, etc).

Excavada en calcarenita miocénica y areniscas blancas, la Cantera del Cerro "Augular" constituye, sin duda, uno de los ejemplos más relevantes y monumentales de la península.

Con toda probabilidad de origen romano, ésta es equiparable a las canteras de toba del tipo "fossae" de la región del "Latiún", como son los casos de la Gruta Oscura o la de "Aniene", en las que se aprecian las grandes salas y galerías originadas por la extracción de enormes bloques de piedra.

La cantera del Cerro de Aulagar cuenta al menos con una gran sala y diversas galerías. Resulta fácil apreciar los elementos propios en este tipo de yacimientos: marcas de herramientas de cantería, desgaje de bloques de gran volumen, frente de cantera, pilares desbastados para sostén del elemento horizontal, huellas de fuego perteneciente a lámparas de aceite (lucernas, candiles...).

Este monumento es un caso único en la región.

Fernando Penco Valenzuela
Arqueólogo

Bajo la misma dirección, **Taberna cordobesa en la Judería:**
TABERNA CASA SALINAS. Puerta de Almodóvar, s/n. T. 957 290 846

CUEVAS ROMANAS' SPECIALITIES

Creative traditional cookery from Cordoba
Gastronomic menu (between 8 & 11 courses: 47 € including wine)
The à la carte menu changes twice a year
Seasonal recommendations
Grilled fresh vegetables
Aubergines with garlicky tomato purée
Duck liver with orange sauce
Scrambled eggs with broad beans, potatoes, ham
Salt-cod Mozarabic style
Baked gilthead bream with shellfish
Oxtail stew with fried eggs
Roast leg of lamb with glazed young vegetables
Rice pudding with white chocolate
Chocolate symphony

ANDALUCIA

Cuevas Romanas

Localidad: Córdoba (14.014)
Dirección: Carretera Badajoz-Granada, km. 265
Urbanización La Colina. C/ Las Cuevas s/n.
Teléfonos: 957 324 318 Fax: 957 324 205
E-mail: info@cuevasromanas.com
www.cuevasromanas.com
Parking: Amplio aparcamiento gratuito
Director: Manuel Pérez Romera
Días de cierre y vacaciones: Cerrado miércoles. Abierto todo el año
Decoración: Una antigua casa de cortijo con techos mudéjar y antigüedades recreando un ambiente de época
Ambiente: Empresas y ejecutivos durante la semana, familiar los fines de semana
Bodega: Amplia. Somontano, Toro, Guadiana, vinos de Valencia, Rioja, Ribera del Duero y vinos andaluces de autor.
Hombres y nombres: Jefe de cocina: Francisco Urbano. Jefe de sala: Pablo Pozo.
Otros datos de interés: Un lugar único donde se funden gastronomía, historia y arqueología . Sugerente cocina tradicional cordobesa en un entorno cargado de historia y belleza: canteras romanas con más de 1900 años de antigüedad (donde se pueden celebrar banquetes) y amplios jardines.
Tarjetas: Todas

ESPECIALIDADES CUEVAS ROMANAS

Cocina tradicional cordobesa con toques de autor
Menú degustación (entre 8 y 11 platos: 47 € con vino)
La carta cambia 2 veces al año
Sugerencias según temporada
Parrillada de verduras naturales a la plancha
Berenjenas con salmorejo
Foie de pato a la naranja
Revuelto campero
Bacalao mozárabe
Dorada al horno con conchas marinas
Rabo de toro con huevos fritos rotos
Pierna de cordero asada con verduritas glaseadas
Arroz con leche, chocolate blanco
Sinfonía de chocolates

Mesón del Toro

Por la puerta grande

Mesón del Toro se encuentra en la calle Fuente de los Picadores en Córdoba, muy próximo a la Avenida del Brillante, a través de la cual se llega al centro histórico y comercial de la ciudad. Antonio Madueño León, el propietario, restaurador vocacional que ostenta más de 40 años de profesión, dirige este entrañable restaurante, una de las mesas más recomendables de la capital cordobesa.

Desde su inauguración en el año 1984, con dedicación y entusiasmo, Antonio, con el apoyo de su esposa Carmen, ha conseguido convertir esta casa en uno de los mejores restaurantes de Córdoba. Al frente de una plantilla estable, persigue la calidad total y la artesanía culinaria. Aquí el comensal disfruta de las mejores recetas de la cocina tradicional cordobesa y andaluza.

Productos siempre frescos y de temporada. Guisos, verduras, pescados, carnes rojas gallegas, ibéricos y ternera del Valle de los Pedroches, el encinar adehesado situado al norte de la provincia que alterna el cultivo de cereal con el aprovechamiento ganadero de los pastos, proporcionando excelente ganado vacuno, magníficos ibéricos criados con bellotas y sabrosos corderos. Mención aparte para su deliciosa repostería casera.

La decoración y ambientación de Mesón del Toro reflejan su espíritu taurino. En sus paredes se pueden observar innumerables recuerdos personales de toreros y otros personajes del mundo del toro que figuran entre su fiel y nutrida clientela. Año tras año, celebra la entrega del premio al mejor toro de la Feria de Córdoba. Con capacidad total hasta 120 comensales, esta casa ofrece espacios modulables para la celebración de reuniones de empresa, desayunos de trabajo, presentaciones de productos o acontecimientos familiares.

MESON DEL TORO'S SPECIALITIES

Traditional cookery from Cordoba
Cured ham from Valle de los Pedroches
Salmorejo: Garlicky tomato purée thickened with bread and olive oil emulsion, topped with chopped eggs
Oxtail stew
Beef cuts from the charcoal barbecue
Fresh fish of the day: chargrilled, baked or grilled
Noodles with clams
Rice specialities
White bean stew with partridge or lobster
Potatoes with cuttlefish
Cheese "Marantona Reserva"
All desserts are homemade:
Tiramisù, cheesecake, chocolate gateau, mango mille feuille

Mesón del Toro

Localidad: Córdoba (14006)
Dirección: C/ Fuente de los Picadores, 1 (El Brillante, zona residencial de Córdoba)
Teléfonos: 957 280 503 - 957 270 547
E-mail: reservas@mesondeltoro.es
www.restaurantemesondeltoro.com
Parking: Fácil aparcamiento.
Propietario: Antonio Madueño León.
Días de cierre y vacaciones: Cerrado domingo noche y lunes todo el día. Vacaciones 15 días en agosto.
Decoración: Taurina. Antigua bodega acondicionada en restaurante.
Ambiente: Clientela fiel y aficionados al mundo del toro.
Bodega: Vinos de la tierra y representación de las principales denominaciones de origen españolas.
Hombres y nombres: Jefe de cocina: Francisco Boyer Aguayo. Jefe de sala: Francisco Berlanga auxiliado por Sidi Asman.
Otros datos de interés: Este restaurante fundado en 1984 es un clásico en Córdoba. Salón privado modulable, capacidad total hasta 60 comensales y gran terraza. Huerto propio que le abastece de hortalizas y verduras.
Tarjetas: Todas.

ESPECIALIDADES MESÓN DEL TORO

Cocina tradicional cordobesa
Jamón del Valle de los Pedroches
Salmorejo cordobés
Rabo de toro
Carnes rojas a la brasa de carbón vegetal
Pescados del día a la brasa, horno o parrilla
Fideos con almejas
Arroces
Judías con perdiz o con bogavante
Papas con choco
Queso Marantona Reserva
Todos los postres son caseros:
tiramisú, tarta de queso, de chocolate, milhojas de mango...

Receta Mesón del Vizconde

Corazones de alcachofas al aroma de hierba-buena

Ingredientes para 6 personas: 12 alcachofas, 4 cucharadas de harina, 1/2 l. de vino Fino de la tierra, 1 cebolla, 3 dientes de ajo, 1 limón, aceite, sal, 1/2 l. de jugo de asado, 2 ramas de hierba-buena, 20 gr. de jamón cortado en juliana.

Preparación: Limpiar las alcachofas quitándoles los rabos y las hojas más duras, dejando sólo el corazón. Se colocan en una cacerola, rociadas con jugo de limón y cubiertas de agua durante 35 minutos. Calentar el aceite en una sartén, rehogar la cebolla y los ajos, agregar las alcachofas ya cocidas, el Fino, el jugo de carne y la rama de hierba-buena. Dejar hervir durante 5 minutos.

Presentación del plato: Colocar las alcachofas en el plato formando una corona. Rociar la salsa sobre las alcachofas, colocar el jamón juliana en el centro de las mismas y adornar con una ramita de hierba-buena.

Nuevas instalaciones, dispone de comedores privados con gran flexibilidad organizativa desde 8 hasta 50 comensales. Huerto propio donde se cultivan verduras ecológicas.

SPECIALITIES OF MESÓN DEL VIZCONDE

Large offer of shellfish, crustaceans and fresh fish
Small red "piquillos" peppers stuffed with pork cheeks
Scrambled eggs with leek and saffrony salt-cod
Hake "pil-pil" on a bed of "pisto"
("Pil-Pil": hake flakes stired with garlicky olive oil until creamy - kind of brandade)
("Pisto": stewed vegetables - kind of ratatouille)
Braised calf's tongue with young broad beans from Cabra
Roast lamb with thyme and rosemary
Raisin mousse with almond cream
Sweet potato cake with warm chocolate
Quince jelly with cheese

Mesón del Vizconde

Localidad: **Cabra (14940 Córdoba).**
Dirección: Martín Belda, 26 (Centro Ciudad).
Teléfonos: **957 521 702.**
Parking: Sin problemas.
Propietario: Juan Valladares Espinar.
Días de cierre y vacaciones: Martes. Vacaciones en julio.
Decoración: Elegante mesón andaluz.
Ambiente: Familiar.
Bodega: Completa carta de Riojas y nueva lista de vinos, etiquetas clásicas y nuevas generaciones.
Hombres y nombres: Jefes de cocina: Carmen Jiménez Pavón y su hija Mari Carmen Valladares. Jefe de sala: José Torres Onieva.
Otros datos de interés: Restaurante con 40 años de solera y tradición. Gran expositor de mariscos. Salón para banquetes en pleno centro de la Subbética: Salón Carmen para 550 personas (T. 957 524 708) con terraza de verano, jardines para bodas y 4000 m de aparcamiento. Totalmente equipado para cualquier tipo de celebración. Restaurante galardonado con el Master Internacional de Empresas, el Collar de Oro de la Gastronomía Española y el Premio Gastronómico otorgado en París.

ESPECIALIDADES MESÓN DEL VIZCONDE

Gran surtido de mariscos y pescados frescos
Pimientos del piquillo rellenos de carrillada
Revuelto de puerro con bacalao al azafrán
Lomos de merluza al pil-pil con fondo de pisto
Lengua de ternera estofada y habitas de Cabra
Cordero asado al tomillo y al romero
Espuma de pasas a la crema de turrón
Tarta de batata con chocolate caliente
Dulce de membrillo casero con queso

Receta Carmen de San Miguel

Plátano al ron con bizcocho caliente y espuma de cardamomo

Ingredientes para 4 personas: 8 plátanos de Canarias medianos, 1 l. de agua, ½ l. de ron Francisco Montero Martín (de Motril), 1 kg. de azúcar moreno.

Elaboración de los plátanos: Con el ron y el azúcar moreno, confeccionar un jarabe en el cual se cocinan los plátanos durante aproximadamente 6 minutos, a fuego muy suave: 40-50º. Apartar y dejar reposar y enfriar 24 horas.

Elaboración del bizcocho: 8 huevos, 500 gr. de harina, 300 gr. de mantequilla, 4 plátanos y 1 chorrito de ron. Montar los huevos, añadir la mantequilla tipo pomada (apartando 50 gr. para saltear los plátanos), añadiéndole un toque de pimienta de Jamaica. Incorporar todo a la mantequilla y a los huevos, con los 500 gr. de harina y 25 gr. de levadura. Hornear a 200º durante 20/25 minutos.

Espuma de cardamomo: ½ l. de agua, 3 cucharadas de azúcar, 1 rama de vainilla, 6 ó 8 granos de cardamomo. Infusionarlo todo, añadiéndole 4 hojas de gelatina e introducir después al sifón.

Montaje del plato: Calentar un trozo de bizcocho, colocar encima un plátano. Colar el bizcocho con el mismo jarabe del plátano y terminar con un poquito de espuma de cardamomo.

CARMEN DE SAN MIGUEL'S SPECIALITIES

Nowadays Andalucian cuisine

Gastronomic menu (55 €)

Recommendations of the day (fish and meat)

Salad of fried marinated rabbit with pineapple sorbet and green-mustard dressing

Onion soup with goat cheese au gratin

John Dory (fish) with saffron sauce and juicy green rice

Fried salt cod on a light Basque sauce with herbed aioli sauce au gratin

Gently-roasted sucking pig with vanilla and honey sauce

Cream of white and dark chocolate, mango & Martini sorbet, ginger winegum

Sorbet of Cuba libre with lemon foam

Carmen de San Miguel

Localidad: Granada (18.009)
Dirección: Plaza Torres Bermejas, 3. Alhambra.
Teléfonos: 958 226 723 Fax 958 229 029
www.carmensanmiguel.com
Días de cierre y vacaciones: Domingos todo el día. Abierto todo el año.
Decoración: Restaurante ubicado en un típico Carmen granadino del siglo XVIII, en pleno corazón de la Alhambra mundialmente conocida como una de las siete maravillas del mundo. La casa ha sido perfectamente restaurada en los años 60. Magníficas vistas panorámicas a Granada y Sierra Nevada.
Ambiente: Gastrónomos y sibaritas.
Bodega: Unas 160 referencias con los mejores vinos de Granada y casi todas las D.O. de España, con su correspondiente comentario en la carta de vinos. Vino recomendado: Herencia Remondo, Finca la Montesa
Hombres y nombres: Jefe de cocina: Jorge Matas.
Otros datos de interés: Comedor principal para 50 personas, mirador, dos salones privados (20 pax cada uno), terraza de verano y jardines. Cada año en marzo: Jornadas Gastronómicas de "Aromas y sabores Andalucies". Nueva carta de arroces.
Tarjetas: Todas.

ESPECIALIDADES CARMEN DE SAN MIGUEL

Joven cocina andaluza
Menú Degustación (55 €)
Sugerencias del día (pescados y carnes)
Ensalada de conejo en escabeche con sorbete de piña y vinagreta de mostaza verde
Sopa de cebolla gratinada con queso de cabra
San Pedro con salsa de azafrán y arroz cremoso verde
Bacalao frito sobre vizcaína ligera y gratinado con ali-oli de hierba
Cochinillo confitado a la vainilla con salsa de miel
Cremoso de chocolate blanco y negro con sorbete de mango-martini y gominola de jengibre
Sorbete de cuba libre con espuma de limón

Receta El Cenador

Pastel de verduras

Ingredientes para 12 personas: 1 kg. de coliflor, 1 kg. de habichuelas verdes, 1 kg. de espinacas, 1 kg. de berenjenas.

Preparación: Cocer todas las verduras por separado y escurrirlas. Rehogar con ajo frito, añadir 8 huevos y cocer al baño maría en un molde redondo.

Desmoldar y servir con salsa de tomate o de bechamel caliente.

EL CENADOR'S SPECIALITIES

Camembert salad

Vegetable pudding

"Pastela moruna" (sweet & sour flaky patty)

Baby squids in sauce of their own ink

Pig's trotters with almond sauce

Partridge and pheasant (seasonal)

Blackberry mousse

Marc de Champagne sorbet

El Cenador

Localidad: Granada (18012)

Dirección: Avda Doctor Olóriz, 13-15 (próximo a la Plaza de Toros)

Teléfonos: 958 277 039 - 958 209 724

Parking: Cercano (aparcamiento La Caleta)

Propietario: Javier Fernandez Figares

Dias de cierre y vacaciones: Domingos y festivos. Vacaciones en Agosto.

Decoración: Al estilo de una casa granadina tradicional

Ambiente: Ejecutivos y empresas principalmente

Bodega: Suficiente

Hombres y nombres: Jefa de cocina Cristina Suso

Otros datos de interés: Restaurante fundado en 1985, capacidad reducida, ambiente familiar y buena relación calidad-precio (precio medio 21/24 € aproximadamente)

Tarjetas: American Express, Visa, Master Card, 4B

ESPECIALIDADES EL CENADOR

Ensalada de Camembert

Pastel de verduras

Pastela moruna

Chipirones en su tinta

Manos de cerdo en salsa de almendras

Perdiz y faisán (en temporada)

Mousse de zarzamora

Sorbete de Marc de Champagne

Chikito

35 años haciendo amigos

En la plaza del Campillo Alto, rodeado de fuentes, historia y cultura, Chikito ha cumplido 35 años promocionando la gastronomía tradicional granadina y andaluza. Para celebrar esta efeméride, celebró unas Jornadas Gastronómicas con un Menú Degustación confeccionado por grandes chefs de Granada en memoria del fallecido Antonio Torres, jefe de cocina durante 32 años de este emblemático restaurante. En la presentación de este menú aniversario, Chikito se vistió de gala. Un acto en el que Luis Oruezábal ejerció de perfecto anfitrión para lo más granado de la vida política y social de la ciudad. Su alcalde, José Torres Hurtado, nombró al restaurante embajador de Granada ante el mundo.

Esta casa está involucrada en todos los acontecimientos importantes de la ciudad, destacando su apuesta por el deporte en general y, muy especialmente, por el futbol. Para reconocerle esta labor, la Asociación de la Prensa Deportiva de Granada rindió homenaje a Luis Oruezábal durante la gala del deporte 2011. La sorpresa final fue la presencia de la Copa del Mundo en las instalaciones del restaurante. Otras distinciones recibidas a lo largo de su trayectoria son el Premio al Prestigio Turístico de Granada otorgado por el Excelentísimo Ayuntamiento de la ciudad y Premio Cámara de Comercio a la Responsabilidad Social y Empresarial.

Gastronomía, deporte y amistad forman parte de la vida de Luis, una vida dedicada al trabajo, con el afán de superación, ilusión y ganas del primer día. Junto a Rafael Torres y un magnífico equipo de profesionales que destacan por su cercanía y buen hacer, ha conseguido que Chikito sea uno de los baluartes de la gastronomía granadina. Lugar elegido por astronautas del Discovery, Premios Nobel y Cervantes, políticos, artistas, periodistas y deportistas de élite, así como personalidades del mundo del toreo, cine o teatro -la lista es interminable-, este establecimiento forma parte del paisaje de Granada.

CHIKITO'S SPECIALITIES

Shrimps from Motril
Duck liver with apple slices and portwine sauce
Monkfish medallion in Mozarabic sauce
Salt cod with sweet peppers
Organic caviar "Riofrío"
Medallion of smoked sturgeon with virgin olive oil
Fillet of sea bass with fine herbs
Tenderloin of Iberian pork with basil sauce
Fillet of lamb with spices
Braised bull's tail
Fillet steak "Nazarí"
"Piononos" (typical dessert - caramelised custard cream roulades)
Home-made tarts and pastries

Chikito

Localidad: Granada (18009).
Dirección: Plza. del Campillo, 9 (Centro Ciudad, junto fuente de Las Batallas).
Teléfonos: 958 223 364 - Fax 958 223 755.
E-mail:chikito@restaurantechikito.com
www.restaurantechikito.com
Parking: A 20 m. (parking Puerta Real).
Propietario: Luis Oruezabal.
Días de cierre y vacaciones: Miércoles todo el día. No cierra por vacaciones.
Decoración: Típica andaluza, paredes decoradas con fotografías de los muchos famosos que frecuentan el establecimiento.
Ambiente: Local muy concurrido, muy buen ambiente.
Bodega: Atractiva lista de vinos a precios moderados.
Hombres y nombres: Chef de cocina, Rafael Torres López; Jefes de sala: Luis Oruezabal y sus hijos Diego y Daniel.
Otros datos de interés: Restaurante atendido directamente por sus propietarios tanto en cocina como en la sala. Es el antiguo café Alameda, lugar famoso por las tertulias de Federico García Lorca, Falla y otros intelectuales de la época. Barra muy animada con excelentes tapas de cocina y pergola de estilo romántico para disfrutar de su aperitivo o cena al aire libre.
Tarjetas: Todas.

ESPECIALIDADES CHIKITO

Quisquillas de Motril
Foie con láminas de manzana y salsa al Oporto
Suprema de rape con salsa mozárabe
Bacalao con bresa de pimientos
Caviar ecológico de Riofrío
Solomillo de esturión ahumado al aceite de oliva virgen
Lomo de lubina a las finas hierbas
Solomillo de cerdo ibérico con salsa de albahaca
Solomillo de cordero al perfume de especies
Rabo de toro
Solomillo nazarí
Piononos (postre típico)
Tartas de repostería casera

Receta Cunini

Caldereta de arroz, pescado y marisco

Ingredientes para 2 personas: 2 dientes de ajo, 1 pimiento verde, 1cebolla pequeña, 3 cucharadas de tomate triturado, 1 pimiento morrón, 50 gr. de guisantes, 2 granos de pimienta, una pizca de tomillo molido, unas hebras de azafrán, 200 gr. de arroz, 200 gr. de rape fresco, 200 gr. de gambas peladas, 2 cigalas medianas, 150 gr. de almejas, 6 gambas con su piel, 6 mejillones.

Preparación: En una cazuela de barro, con la verdura se hace el sofrito y seguidamente se introduce el pescado y el marisco. Se rehoga con el sofrito y se vierte el caldo de haber cocido las espinas de rape. Con la pimienta, el diente de ajo, un poquito de perejil, el tomillo molido y el azafrán se hace un majado.

Se introduce todo en la cazuela y dejamos hervir durante 2 minutos; seguidamente se echa el arroz y se mantiene a fuego vivo, hasta que esté en su punto. Se sirve en la misma cazuela de barro en que se ha preparado.

CUNINI'S SPECIALITIES

Deep-fried young fishes from Granada's coast

Prawns and Norway lobsters from Motril

Crustaceans and shellfish from the Cantabrian coast

Clams, oysters and spider crabs from the Galician coast

Fish baked in a salt crust

Rice, fish & seafood ragoût

Fish & seafood casserole

Home-made desserts

Cunini

Localidad: Granada
Dirección: Pl. de la Pescadería
Teléfonos: 958 250 777 - 958 267 587 Fax: 958 250 777
E-mail: cunini@hotmail.es www.marisqueriacunini.com
Propietario: Restaurante Cunini, Comunidad de bienes
Decoración: Instalaciones totalmente renovadas y ampliadas. Capacidad hasta 70 comensales y posibilidad de salón privado hasta 25.
Ambiente: Tranquilo y recogido.
Bodega: Buena selección de vinos.
Hombres y nombres: Jefe de cocina: José rosales; Maitre: Pedro Oblaré; Jefe de barra: Manolo ; Relaciones Públicas: Aparicio Heredia.
Otros datos de interés: Fundado en 1955, CUNINI es uno de los restaurantes más emblemáticos de Granada. Su éxito está basado en la calidad de las materias primas que ofrece. Situado en el mismo centro de Granada, la Catedral, Alcaicería y Capilla Real forman su entorno. Barra con gran solera en Granada (tapas, raciones,...) Dispone de comedor-terraza de verano para comidas y cenas, a espaldas de la Catedral.
Tarjetas: Las principales.

ESPECIALIDADES CUNINI

Frituras de pescaditos de la costa granadina

Gambas y cigalas de Motril

Mariscos del cantábrico

Almejas, ostras y centollos de las costas gallegas

Pescados a la sal

Caldereta de arroz, pescado y marisco

Zarzuela de mariscos y pescados

Postres caseros

Jardines Las Conchas

El Altiplano granadino, gastronomía y turismo rural

Bajo la dirección de Julio Martínez Vera y Ana Martínez Doméne, dos profesionales autodidactas, Las Conchas se ha convertido en el restaurante emblemático del Altiplano granadino. Trabajan para situar a su establecimiento y su comarca en el mapa gastronómico y turístico de España. Las Conchas presenta una selección de los mejores platos de la cocina local y nacional, variada y cuidada oferta para descubrir platos de la culinaria tradicional bastetana y otras creaciones más innovadoras.

Durante la última semana de octubre y la festividad de todos los Santos, organiza sus afamadas Jornadas Gastronómicas y Enológicas, en la que participan restaurantes emblemáticos de Andalucía, España y Europa. Con más de 3500 m^2 de superficie total, estas modernas y confortables instalaciones han sido concebidas para lograr la mayor comodidad y satisfacción del cliente con una atención personalizada. Son aptas para todo tipo de servicios: salón a la carta, salones para banquetes o eventos singulares que requieran gran flexibilidad organizativa, jardines con abundancia de rosales, árboles, plantas aromáticas, lago artificial y aparcamiento sin barreras arquitectónicas.

Baza

Baza, patria de la célebre Dama que toma su nombre, se encuentra situada en el Altiplano granadino, a 100 km. de Granada, 50 de Guadix, 180 de Almería, 150 de Murcia y 100 de Vera, todos estos destinos comunicados por autovía. Esta ciudad de apacibles callejuelas moriscas con casas abalconadas posee una gran riqueza cultural, artística, histórica y una desconocida tradición gastronómica: jamones, cordero, vino, aceite...

Son famosas sus Casas Cueva, excavadas desde hace siglos, que se han adaptado actualmente para su uso como alojamiento rural. Baza es un excelente destino para todos aquellos viajeros que aprecian el interior y la sierra, el Parque Natural Sierra de Baza con sus prados de alta montaña, numerosos arroyos, fuentes y manantiales, es un hermoso paraje que merece la visita. El pasado árabe se refleja en los Baños árabes restaurados, otros atractivos turísticos son el Museo Arqueológico de Baza o los yacimientos arqueológicos más antiguos de Europa.

LAS CONCHAS' SPECIALITIES

Traditional regional cookery with a personal touch
Tasting menu (35 €, wines included)
Eggs with foie gras, oyster mushrooms and onions
Fried marinated tuna
Roast lamb
Rabbit ragout with potatoes and vegetables
"Gachastortas" Meat & vegetable stew with dough round
"Gurupina": regional stew
Crustaceans and shellfish from Garrucha and Galicia
Salt cod with confit tomatoes
Chocolate coulant with tutti-frutti ice cream
Crêpe with fresh pineapple
Amaretto parfait
Pastries and confectionery of "Hermanas Dominicas de Baza"

Las Conchas

Localidad: Baza (18800 Granada)
Dirección: Ctra. de Caniles km. 6
Teléfonos: 958 704 144 - 610 702 039
E-mail: julio@restaurantelasconchas.com
www.restaurantelasconchas.com
Parking: Amplio aparcamiento propio.
Propietario: Julio Martínez Vera y Ana Martínez Doméne.
Días de cierre y vacaciones: Cerrado domingos noche y lunes todo el día.
Decoración: Espaciosas y modernas instalaciones rodeadas de cuidados jardines.
Ambiente: El restaurante emblemático del Altiplano granadino.
Bodega: 800 botellas con las mejores etiquetas del mercado. Acento en los vinos de la tierra de Granada.
Hombres y nombres: Director: Julio Martínez. Jefe de cocina: Ana Doméne.
Otros datos de interés: Salón a la carta con capacidad hasta 170 comensales y también salones para banquetes hasta 700 con gran flexibilidad organizativa. Terraza, muy agradable en las noches de verano.
Tarjetas: Todas.

ESPECIALIDADES LAS CONCHAS

Cocina tradicional autóctona con toques de autor
Menú Degustación del Altiplano (35 €, todo incluido)
Huevos cortijeros (con foie, setas y cebolleta)
Atún en escabeche
Cordero segureño
Gurullos con conejo
Gachastortas
Gurupina
Mariscos de Garrucha y gallegos
Bacalao con tomate confitado
Volcán "Dama de Baza"
Crep de piña natural
Parfait de amaretto
Repostería de las Hermanas Dominicas de Baza

Ruta del Veleta

Nobleza andaluza

En una armoniosa construcción de ladrillo visto y entre dos montes verdes y frescos desde los que llega el frío viento de Sierra Nevada, encontramos el restaurante Ruta del Veleta de Cenes de la Vega, a tan solo 5 km. de Granada, dirección a Sierra Nevada.

La grandiosa renovación llevada a cabo ha convertido el edificio en uno de los más atractivos de Andalucía. Un proyecto espectacular donde se han cuidado todos los detalles: impresionante escalera de alabastro que conduce a la primera planta, magnífica bodega y terrazas de vista sin igual.

El prestigio de Ruta del Veleta, amén de sus instalaciones, surge de los fogones que lidera José Pedraza donde la actividad es frenética. Un funcionamiento perfecto. Todos en la cocina saben su cometido y la comunicación es milimétrica. En la sala, el engranaje responde a la perfección y Miguel Pedraza supervisa exigente cada movimiento.

La carta propone recetas autóctonas con pinceladas de autor. Riesgos medidos con equilibrio, fruto de la amplia experiencia.

Nuevos espacios

La bodega ha experimentado una importante obra de remodelación y ocupa un lugar de honor en las nuevas instalaciones. Se han utilizado maderas nobles, solerías rescatadas de antiguas calles granadinas y enormes portones restaurados. En este lugar tan singular, rodeado de vinos y brandies, antigüedades y objetos de arte, encontramos un exclusivo comedor privado para las reuniones más especiales que dispone de todas las comodidades como la entrada independiente o los aseos propios.

Ruta del Veleta dispone también de un elegante piano-bar y de una deliciosa terraza de verano **al mejor estilo palaciego andaluz**.

RUTA DEL VELETA'S SPECIALITIES

Garlicky tomato purée with cockles, ice cream of pounded almonds, garlic, olive oil
Layered slice of goose liver, caramelised green apple, goat cheese, quince jelly and oil of toasted pine nuts
Pineapple crown with prawns, caramel of sweet Pedro Ximénez sherry, toasted maize and sunflower seeds
Grilled turbot with garlic chives
Fillet of salt cod on a layer of cod brandade, lukewarm coulis of red paprika and garlicky olive oil emulsion
Roast sucking pig Pedraza's style
Braised duck breast on a light apple cream, crisp banana flake and orange reduction
Terrine of boned bull tail cooked with oloroso sherry, fig raviolis
Light caramel custard with walnut & honey sponge, cherimoya ice cream and cocoa crystal

Ruta del Veleta

Localidad: Cenes de la Vega (Granada)
Dirección: Carretera de Sierra Nevada, km. 5,500.
(Nuevo acceso Ronda-Sur, salida Cenes de la Vega, dirección Sierra Nevada).
Teléfonos: 958 486 134 - 958 486 381 Fax 958 486 293.
E-mail: info@rutadelveleta.com www.rutadelveleta.com
Parking: Propio y gratuito.
Propietarios: Miguel Pedraza Velázquez y José Pedraza Velázquez
Días de cierre y vacaciones: Domingos noche. Abierto todo el año.
Decoración: Castellano-andaluza con cerámica granadina. Variada en cada comedor y salitas privadas.
Ambiente: Empresarios y hombres de negocios, políticos, cenas de sociedad.
Bodega: Amplia y cuidadosamente atendida. Nueva bodega con comedor privado.
Hombres y nombres: Jefe de cocina: José Pedraza Velázquez. Maitre : Francisco Fernández Pozo.
Otros datos de interés: Una de las instalaciones más impresionantes de España. Bajo la misma dirección: Rte. Ruta del Veleta en Sierra Nevada. Pradollano (Ed. Bulgaria), Monachín (Sierra Nevada). Tel. 958 481 201 - 958 481 228.
Tarjetas: Todas.

ESPECIALIDADES RUTA DEL VELETA

Salmorejo con berberechos, helado de ajoblanco
Milhojas de foie de oca con manzana verde caramelizada, queso de cabra, dulce de membrillo y aceite de piñón tostado
Turbante de piña con langostinos, caramelo de P.X., maíz tostado y semillas de girasol
Rodaballo a la parrilla con ajetes
Lomo de bacalao sobre lecho de brandada, coulis templado de pimiento choricero y pil pil
Cochinillo asado al estilo Pedraza
Pechugita de pato braseada sobre crema ligera de manzana, crujiente de plátano y reducción de naranja
Tarrina de rabo de toro deshuesado al vino oloroso, ravioli de higos
Natillas ligeras de caramelo con bizcocho de nueces y miel, helado de chirimoya y cristal de cacao

El Olivo de Miguel y Celia

Solomillo de cerdo émincé con salsa El Olivo

Ingredientes para 2 personas: 1 solomillo de 600 gr., 1 cebolleta tierna, 2 chalotas, 2 pimiento verdes, 100 gr. de champiñón laminado, 50 gr. de aceitunas cortadas en rodajas (negra arbequina y ojiblanca), 50 cl. de vino tinto, 1 copa de coñac para flambear, 1 copa de vino de Málaga, 100 cl. de jugo de carne y 2 cucharadas soperas de aceite de oliva virgen.

Elaboración: Limpiar el solomillo, cortarlo en émincé (en láminas muy finas), limpiar el pimiento y la cebolleta, cortar el champiñón en láminas. Saltear la cebolleta y el pimiento verde, una vez salteado, poner el champiñón. Saltear el émincé vuelta y vuelta, incorporar el vino tinto y reducir. Flambear con el coñac, poner la aceituna en rodaja, mojar con jugo de carne y en el último momento, rociar con el vino de Málaga. Dejar cocer unos segundos y servir.

EL OLIVO DE MIGUEL Y CELIA'S SPECIALITIES

Classical Spanish cuisine with a French touch
Market cookery
The à la carte menu changes every week
Poached egg with salt cod brandade à la Benedictine
Young broad beans and blood sausage balls
Tournedos of fresh salmon stuffed with soubise sauce and cabbage Flemish style
Flamiche (French pie) with seasonal wild mushrooms and dumplings of free-range chicken
Rissolé chiffonade (strips) of pig's trotters with star anise scent
Moussaka of aubergines with carved leg of lamb
Saltimbocca of fillet of beef
Ragout of rabbit with mustard, cane syrup, dried fruit and Californian raisins
Cake of Belgian chocolate with strawberries from Huelva
Homemade artisan ice creams

El Olivo de Miguel y Celia

Localidad: Castillo de Tajarja (18.329 Granada)
Dirección: C/ Constitución, 12
Teléfonos: 958 557 493
Parking: Fácil aparcamiento
Propietario: Miguel García Ayala y Celia Santiago
Días de cierre y vacaciones: Cerrado lunes. Vacaciones del 20 de diciembre al 15 de enero.
Decoración: Confortable casa andaluza con nuevo salón privado decorado con maderas nobles y acuarelas de la pintora granadina Mª Teresa Aguilera Barea.
Ambiente: Selecto y gastronómico con un trato familiar
Bodega: Corta y cuidadosamente seleccionada
Hombres y nombres: Jefe de cocina: Miguel García Ayala. Celia atiende personalmente a los comensales
Otros datos de interés: Restaurante ubicado en un tranquilo pueblo andaluz que conserva todo su encanto árabe (restos de muralla), a 30 km. de Granada (20 km. de autovía dirección Málaga y 10 km. de carretera rural para disfrutar la naturaleza viva: caza de pelo y pluma). Es preferible reservar mesa
Tarjetas: Todas excepto American Express

ESPECIALIDADES EL OLIVO DE MIGUEL Y CELIA

Cocina clásica española con toques franceses
Cocina de mercado
Cada semana se cambia la carta
Huevos poché con brandada de bacalao à la Benedictine
Habitas tiernas de nuestra vega y albondiguillas de morcilla de Guejar
Tournedos de salmón fresco, relleno soubise y col de invierno à la Flamande
Flamiche de setas de temporada y sus quenelles de ave de corral tian
Rissolé de manitas de cerdo en chifonada y perfume de anís estrellado
Berenjenas tiernas de nuestra vega, laminado de gigot de cordero en musaka
Saltimbocca de solomillo de buey
Guiso de conejo a la mostaza, miel de caña, frutos secos y uvas de California
Tarta de chocolate belga con fresa de Huelva
Helados artesanos de elaboración propia

La Marina del Puerto

La mejor ubicación de Huelva

Este restaurante presenta una inmejorable ubicación e instalaciones, un singular y moderno edificio en el puerto de la capital onubense, en un lugar conocido como Glorieta de Las Canoas. Justo enfrente del paraje natural Marismas del Oriel, con preciosas vistas sobre la ría de Huelva, las puestas de sol son mágicas.

La Marina del Puerto, de distinguido estilo contemporáneo, se distribuye en tres plantas. Planta baja: barra con salón y terraza para raciones, tapas de cocina, comidas ligeras e informales. En el primer piso: noble comedor a la carta con capacidad para 70/80 comensales. En segunda planta: salón reservado con equipos audiovisuales para eventos hasta 24 personas.

La Marina del Puerto es un fiel representante de la cocina onubense. Con la siempre generosa despensa de esta tierra ha confeccionado una carta eminentemente marinera donde no pueden faltar arroces, sabrosos guisos, mariscos y pescados de la costa -expuestos en una vistosa vitrina- además de carnes, chacinas de la sierra y los famosos jamones de Jabugo. Una propuesta gastronómica donde prima la honradez y el género fresco es protagonista, con preparaciones que respetan su sabor y jugosidad. Aquí se come bien sin que se dispare la cuenta, el precio medio a la carta se sitúa entre 35 y 40 €.

Juan Prat, trabajador incansable, proviene de la **Cervecería-Marisquería La Marina (Avda. de Italia, 20. T. 959 259 692)**, que sigue regentando desde julio del año 2000. Esta concurrida casa está situada cerca de la estación de Renfe y del Mercado de Abastos, en el mismo centro de la capital onubense. Mariscos plancha o cocidos, mariscos concha, guisos marineros, pescadito frito y aliños. Servicio dinámico, cercano y eficiente, calidad a precio ajustado y tienda donde poder adquirir todos los productos. Dispone de una amplia y confortable terraza y acogedor salón de decoración marinera. Es el lugar indicado para tapear con los amigos, comer con la familia, grupos...

LA MARINA DEL PUERTO'S SPECIALITIES

Cookery from Huelva with sea & market produce
Recommendations of the day
Fried marinated tuna belly flaps
Fresh crustaceans and shellfish
(boiled, grilled, in a salt coat)
Rice specialities and stews
(brothy rice with scarlet prawns, with lobster, juicy rice with wild rabbit)
Fresh fish: fried, grilled, baked or in a salt coat
Fillet of meagre à la marinière or with peppers and onions
Monkfish medallions in Tio Pepe sherry sauce
Chargrilled or roast meat cuts
Cut of Iberian pork with port sauce
Fillet steak with sauce of sweet Pedro Ximénez sherry
Almond mousse with Luis Felipe brandy
Chestnut pudding with vanilla ice cream

La Marina del Puerto

Localidad: Huelva (21001)
Dirección: Puerto de Huelva. Muelle de Levante. Glorieta de las Canoas
Teléfonos: 959 245 217
E-mail: info@lamarinadelpuerto.com
www.lamarinadelpuerto.com
Parking: Aparcamiento propio.
Propietario: Juan Prat Hurtado.
Días de cierre y vacaciones: Cerrado domingos noche. En verano, domingos todo el día.
Decoración: Junto al mar, moderno edificio de tres plantas sobre la ría de Huelva.
Ambiente: El restaurante más emblemático de Huelva.
Bodega: Casi un centenar de referencias. Vinos de Huelva, Catalanes, Riojas, Ribera, Rueda, Gallegos.
Hombres y nombres: Encargado: David Gómez Valiente. Una veintena de profesionales a su servicio.
Otros datos de interés: Magníficas instalaciones a escasa distancia del centro de Huelva, idóneas para presentaciones o cualquier tipo de evento.
Tarjetas: Todas.

ESPECIALIDADES LA MARINA DEL PUERTO

Cocina onubense, marinera y de mercado
Sugerencias del día
Ventresca de atún en escabeche
Mariscos
(cocidos, a la plancha, a la sal, de concha)
Arroces y guisos
(caldoso de carabineros, con bogavante, meloso de conejo de campo...)
Pescados fritos, a la plancha, al horno o a la sal
Lomo de corvina a la marinera o a la roteña
Medallón de rape al Tío Pepe
Carnes a la brasa o al horno
Secreto ibérico al Oporto
Solomillo de ternera al Pedro Ximénez
Mousse de turrón al Luis Felipe
Pudin de castaña con helado de vainilla

Portichuelo

Cocina onubense

Situado en el cogollo de Huelva, próximo al Gran Teatro, Portichuelo es un abanderado de la cocina tradicional onubense y goza de gran prestigio en la ciudad. Estas elegantes instalaciones son el lugar ideal para darse un buen homenaje: ambiente familiar, eficiente servicio, precios contenidos y por supuesto, una carta generosa y abundante con los más selectos géneros del mar y la sierra.

No puede faltar el jamón, de muchos quilates, por supuesto de cerdo ibérico de pura raza, perfectamente curado como muestra su color e intenso aroma, el tocino se funde al simple contacto con la piel del dorso de la mano. La oferta destaca por la calidad y frescura de los productos autóctonos interpretados en elaboraciones sencillas, plenas de sabor y con toques de originalidad como sus famosas albóndigas de choco.

La esencia de la cocina onubense está representada en los mariscos -langostinos, gamba blanca de la costa con el inconfundible color sonrosado de su lomo al cocerse, además de langostas, cigalas, coquinas y otros productos del mar que llegan a la mesa en su punto óptimo-, gran despliegue de pescados en diversas preparaciones -atunes, corvinas, lenguados...de la Costa de Huelva, desde Ayamonte a Punta Umbría- y los sabrosos guisos.

La marca Portichuelo, presente desde hace 25 años en Huelva y provincia, es un valor consolidado de la gastronomía onubense, un restaurante muy concurrido que recrea con fidelidad las costumbres culinarias de una tierra respetuosa con su historia, geografía y amor por el arte de los fogones.

PORTICHUELO'S SPECIALITIES

Traditional cookery from Huelva
Scrambled eggs of the house (a must)
Cuttlefish balls, small salt cod omelettes, tuna with onions
Cuttlefish, wedge sole, small hakes, sea anemones
Pâté of foie gras, first-choice cured ham, air-dried loin of beef
Prawns, coquina shells, clams
Sole, gilthead bream, sea bass, swordfish
Monkfish, meagre, tuna, salt cod
Cuts of Iberian pork
Veal cheeks in sauce
Bull tail
Roast leg or shoulder of lamb
Oven-roasted neck-end or tenderloin of Iberian pork
Wide range of home made desserts

Portichuelo

Localidad: Huelva (21001)
Dirección: C/ Vázquez López, 15
Teléfonos: 959 245 768 - 959 104 444 - 662 698 767
www.restauranteportichuelo.com
Parking: Varios aparcamientos públicos al lado.
Propietario: Manuel Gómez Costa.
Días de cierre y vacaciones: Cerrado domingos noche y lunes. En verano, cerrado domingos.
Decoración: Elegantes instalaciones en pleno centro de Huelva.
Ambiente: Agradable. Calidad y servicio.
Bodega: A la vista del público. 80 referencias: vinos de Huelva, las principales D.O. españolas, además de caldos portugueses y chilenos.
Hombres y nombres: Jefe de cocina: Ana Hidalgo Trillo. Sala: Manuel Gómez Costa.
Otros datos de interés: Casa fundada en el año 2005. Amplia zona de barra, salón con capacidad para 60 personas y terraza. **Nuevo Portichuelo Sur** en Avda. Villa de Madrid, s/n. (Huelva). T. 959 106 814 - 678 564 816.
www.restauranteportichuelosur.com Salones privados.
Tarjetas: Todas.

ESPECIALIDADES PORTICHUELO

Cocina tradicional onubense
Revuelto de la casa "obligatorio"
Albóndigas de choco, tortillitas de bacalao, atún encebollado,
Choco, acedías, pijotas, ortiguillas
Paté de foie, jamón de bellota, caña de lomo
Gambas, coquinas, almejas
Lenguado, dorada, lubina, pez espada
Rape, corvina, atún, bacalao
Presa y secreto ibérico
Carrilleras en salsa
Rabo de toro
Pierna o brazuelo de cordero
Presa o solomillo ibérico al horno
Gran variedad de postres caseros

Receta Casa Rufino

Aija de atún en aceite de oliva, con ajo y perejil

Ingredientes para 4 personas: 100 gr. de aija, ajo y perejil picados muy finos y aceite de oliva en abundancia.

Preparación: desalar y cortar en filetes muy finos la aija. Disponer los filetes en un plato, espolvorear con el ajo y el perejil y regar con un generoso chorro de aceite de oliva.

Vino recomendado: "Vino del Condado de Huelva" (D. O.).

Este restaurante es promotor y defensor a ultranza de la cocina isleña (casi 50 años de trayectoria). Posibilidad de abrir por las noches, exclusivamente para grupos, previa reserva. Salón privado para 15 personas y agradable terraza-porche a 50 metros de la playa. Poseedor de muchos premios y condecoraciones. Pertenece a Eurotoques.

CASA RUFINO'S SPECIALITIES

Creative cookery of Isla Cristina with products from the Ocean
Special course of the house
(eight different fish dishes with eight sauces, for 4 persons)
Fresh fish, crustaceans and shellfish from our coast
Octopus pudding
Goose liver with essence of sweet Pedro-Ximénez-sherry
Leek foam with prawns
Vegetable ratatouille with strips of cuttlefish
Head and neck of meagre
Baked tuna belly flaps
Fish stews: spotted dogfish, tope, skate, meagre belly flaps
Grilled fresh fish at choice
Rib of beef steak, sirloin steak, veal cutlet, steak of loin of veal
Tenderloin of pork, fillet of veal, ostrich
Shoulder of Iberian pig
Desserts: cream or cheese tart, chestnut pudding, yolk and sugar whisk

Casa Rufino

Localidad: Isla Cristina (21410 Huelva)
Dirección: Avda. de la Playa, s/n. Playa Central.
Teléfonos: 959 330 810 - Fax: 959 343 470
E- mail: jsrufino@restauranterufino.com
www.restauranterufino.com
Parking: Propio, enfrente.
Propietario: José Antonio Zaiño Goyé.
Días de cierre y vacaciones: Abierto cada día, sólo al mediodía, excepto Semana Santa y verano. Vacaciones del 22 de Diciembre al 1 de Febrero.
Decoración: Andaluza-modernista, con un porche cubierto.
Ambiente: Selecto.
Bodega: Casi todas las denominaciones de origen. "Condado de Huelva", "Tierras de Cádiz", Rioja, Penedés, Albariño, Rueda, Somontano, Valdepeñas, Ribera del Duero y vinos portugueses.
Hombres y nombres: Jefe de cocina: José Antonio Zaiño. Jefes de sala: Ana Rodríguez y Antonio Rasco.
Otros datos de interés: José Antonio Zaiño imparte cursos en el centro de formación ocupacional de Isla Antilla.
Tarjetas: Todas.

ESPECIALIDADES CASA RUFINO

Cocina isleña de autor con productos del Atlántico
"Tonteo" especial de la casa
(ocho platos de pescados variados con ocho salsas diferentes: menú degustación para 4 personas)
Pescados y mariscos de la costa
Terrina de pulpo
Foie de oca artesano con reducción de Pedro Ximénez
Espuma de puerros con langostinos
Pisto de verduras con espagueti de choco
Morrillo de corvina
Barriga de atún al horno
Guisos de pinta roja, cazón, raya, ventresca de corvina
Toda la gama de pescados frescos a la plancha
Chuletón y lomo de buey y de ternera
Solomillo de cerdo, de ternera y de avestruz
Presa paleta de cerdo ibérico
Postres: tarta de nata o de queso, pudding de castañas, huevos mole

El Rocío

La aldea más famosa

La aldea del Rocío pertenece al término municipal de Almonte, de cuya población dista unos 15 kilómetros. Casas blancas y calles de tierra presididas por el Santuario de la Virgen del Rocío configuran este escenario que, en Pentecostés, se ve desbordado de gentes y de fe. La Marisma y los aires de Doñana se funden en este espacio mágico, intersección de caminos, en el que toda expresión está referida a la Blanca Paloma. Lugares destacados en la aldea almonteña son el Paseo Marismeño, frente a la ermita, la Plaza del Acebuchal, que recibe el nombre de los olivos silvestres y el Puente de Ajolí o Puente del Rey.

Con la primavera instalada en los campos, en la aldea del Rocío tiene lugar una de las peregrinaciones marianas más importantes del mundo. Más de un millón de personas llegadas de toda Andalucía, de España y del extranjero participan en la Romería, un mar de fieles ansiosos de rozar siguiera un varal de la Virgen, la Reina de las Marismas, razón primera y última de este camino que aúna devoción y fiesta.

Enclaves privilegiados, bañados de humedales, salpicados de altos pinos, de romero, hierbabuena, dunas, montes y marismas ven desfilar hacia la aldea las diferentes hermandades y peregrinos, creando un microcosmos de misterio y fe, de fiesta en movimiento, de ceremonia de convivencia.

El Rocío, nombrada Aldea Internacional del Caballo en 1992, tiene la mayor concentración de équidos de Europa durante La Romería. Es de destacar el tradicional acontecimiento ecuestre conocido como "La Saca de las Yeguas", que se celebra desde hace siglos el 26 de junio.

AIRES DE DOÑANA'S SPECIALITIES

Doñana's gastronomy

Pâté of goose liver

Sea anemones

Steamed wedge shells

Fresh shellfish and crustaceans

Grilled sole, caught by trammel net, with olive oil

Beef after our own recipe

Duck with rice

Kid casserole with aubergine

Sponge gateau with custard and cream

Honey cake

Aires de Doñana

Localidad: El Rocío (21750 Huelva) a 15 km de Almonte
Dirección: Avda. de la Canaliega, 1
Teléfonos: 959 442 289 Fax: 959 442 719
Parking: Aparcamiento propio
Propietario: Manuel Espina Larios
Días de cierre y vacaciones: Cerrado lunes
Decoración: Recreación de una choza con todas las comodidades.
Ambiente: Un lugar emblemático frecuentado por toreros, artistas, personalidades y famosos.
Bodega: Finos y manzanillas, D.O. Condado de Huelva, Rioja, Ribera del Duero, selección de otras zonas, cavas, espumosos y champagnes
Hombres y nombres: Jefe de cocina: Francisco Pérez Larios. Sala: Manuel Espina Larios
Otros datos de interés: Privilegiada situación frente al Parque Nacional de Doñana y la Ermita del Rocío. Gran terraza panorámica con magníficas vistas.
Tarjetas: Las principales

ESPECIALIDADES AIRES DE DOÑANA

Gastronomía de Doñana
Paté de hígado de ansar
Ortiguillas de La Rocina
Coquinas al vapor
Mariscos frescos
Lenguado de trasmallo a la plancha con aceite de oliva
Ternera mostrenca "al sabor de la casa de los guardas"
Pato con arroz
Cabrito lechal guisado en cazuela y pulpa de berenjena
Tarta Doñana
Tarta de meloja

El Chinitas

Sabor a Málaga

Venir al restaurante "El Chinitas" es mucho más que disfrutar de una buena comida o cena. Es **reencontrarse con la historia malagueña...** Ubicado en el centro histórico de Málaga, su nombre es recuperado del famoso café-teatro de la Málaga de principios de siglo que frecuentaban artistas, toreros, literatos y poetas, como Federico García Lorca.

Su fachada, típica malagueña, tiene unos mosaicos de la artista Amparo Ruiz de Luna, en la que refleja los dibujos del "cenachero", el "biznaguero", una poesía de García Lorca, otra alegórica de Matías Prats, así como el escudo de la ciudad, etc...

Su decoración interior es de estilo andaluz, con artesonados de madera de la época en los techos, con mosaicos en sus zócalos y pinturas y retratos de artistas de la ciudad en las paredes, con una colección de pinturas propias de cualquier museo.

Su gastronomía se basa principalmente en los productos de la tierra y en la dieta mediterránea. Una carta, sugerente e imaginativa, en un marco rústico y acogedor.

Las instalaciones son aptas para cualquier tipo de celebración. Cuenta con salones privados, amplia bodega de vinos y una soleada terraza de verano.
"El Chinitas" ha sido galardonado con numerosos premios y reconocimientos: "Arco de Europa", "La Estrella de Oro Internacional" a la calidad, Trofeo al mejor servicio y calidad Andaluza, año 1990, Miembro Fundador de la Asociación Gastronómica y Culinaria de Andalucía y Premio Gastrosur'99 Gastronomía y Turismo.

EL CHINITAS' SPECIALITIES

"Vineyard A. B." soup with "amontillado" sherry

Cured ham and cured loin of pork (bestly cured meat of acorn-fed iberian pigs)

Fried local fish: fresh anchovies, baby squids, small red mullets

Typical cookery from the Málaga area

Salad of horse mackerels with onions

Small squids with broad beans

Shrimp omelette with duo of anchovies

First-quality veal cuts

Fillet steak in sweet Malaga-wine sauce

Home-made desserts: Rich cream caramel with almond ice cream

El Chinitas

Localidad: **Málaga (29016). Centro ciudad.**
Dirección: Moreno Monroy, 4-6
(junto a C/Larios y Oficina de Turismo en pasaje Chinitas).
Teléfonos: **952 210 972 - 952 226 440.**
E-mail:chinitas@arrakis.es www.elchinitas.com
Parking: Le gestionamos su aparcamiento en los parkings públicos (a 200 metros).
Gerencia: Sánchez Rosso
Días de cierre y vacaciones: No cierra nunca.
Decoración: Edificio de principios de siglo rehabilitado como restaurante. Decoración típicamente andaluza: azulejos y maderas. Gran colección de cuadros.
Ambiente: Típico y emblemático, toda la esencia de Málaga
Bodega: Muy amplia. Selección de Riojas y vinos de Valladolid.
Hombres y nombres: Jefe de cocina: Marco González. Director: Ángel Sánchez Rosso.
Otros datos de interés: El edificio consta de 3 plantas. Planta baja: comedor y barra. Primera planta: comedores, Ronda (hasta 50 pax.). Antequera (hasta 20) y Cortes de la Frontera (hasta 12). Segunda planta: salón Vélez-Málaga (hasta 70 personas). Restaurante frecuentado por artistas y personalidades, siendo el primer rubricante del libro de oro: Don Severo Ochoa.
Tarjetas: Todas.

ESPECIALIDADES EL CHINITAS

Sopa viña A.B.

Jamón y lomo ibérico de bellota de excelente curación

Pescados fritos de la bahía: boquerones, calamarcitos, salmonetitos

Cocina típica malagueña

Ensalada de jureles encebollados

Calamaritos con habas

Tortillita de camarones y matrimonio de anchoas y boquerones

Finas carnes de ternera

Solomillo de ternera al vino Málaga

Postres de la casa: tocino de cielo con helado de turrón

El Envero

Festival de productos

Situado en la zona oeste de Málaga, poco antes de llegar a Los Guindos, al pie del Parque Mediterráneo y a unos cien metros del Paseo Marítimo, El Envero es uno de los mejores destinos gastronómicos de la capital malagueña.

Este restaurante destila calidad por los cuatro costados agasajando al comensal un impresionante despliegue de productos de mar y montaña, sabiamente combinados y con perfectos puntos de cocción. Cocina versátil y variada, sabores nítidos y auténticos, mariscos con mayúsculas, productos ibéricos de lujo, excelsos pescados del día en diversas preparaciones y espléndidos asados conforman una carta propia a satisfacer al público más exigente.

Las completas instalaciones están decoradas en armoniosa sintonía con el mundo vitivinícola: amplia barra, cómoda y elegante, para tapear en un ambiente cálido y acogedor y varios salones que destacan por su comodidad y buen gusto. Un equipo formado por profesionales de gran experiencia garantizan un trato siempre personalizado.

El término Envero explica el cambio de coloración que toma la uva cuando comienza a madurar, pasando del verde primaveral al tono dorado y rojizo del verano. El nombre no es casual. En cada rincón, en cada motivo de esta casa, se respira cultura y pasión por el vino. Puede presumir de contar con una de las bodegas más completas y actualizadas de Málaga, perfecto acompañamiento para el elogio y gloria al mejor producto que profesa El Envero.

EL ENVERO'S SPECIALITIES

Seafood restaurant – Grill, cookery with the best produce

Menus for big and small appetite

Cured pork specialities "Joselito"

Fresh shellfish and crustaceans from the Bay and from Galicia:

Shrimps, prawns, king-size prawns, lobster, spiny lobster,

oysters, goose barnacles...

Fish in a salt coat, baked or grilled: sea bass, couch's sea bream, red bream, turbot

Lamb: shoulder, leg, cutlets

Grilled fillet steak

Rib steak of beef

Roast sucking pig

Home made pastries and confectionery: curd cheese tart, tiramisù

El Envero

Localidad: Málaga (29004)
Dirección: C/ Luis Barahona de Soto, 6 - 8 (junto Parque Oeste).
Teléfonos: 952 237 948. Fax: 952 243 139.
E-mail: el-envero@hotmail.com
www.restauranteelenvero.es
Propietario: José Pérez y Francisco Quesada.
Días de cierre y vacaciones: Cerrado domingos. Vacaciones: 15 días en septiembre.
Decoración: Dispone de cinco comedores en un estilo clásico-moderno (fumadores-no fumadores).
Ambiente: Predominan las comidas de negocios.
Bodega: Completa, en constante actualización. Todas las denominaciones de origen españolas, vinos de Francia, de Chile...
Hombres y nombres: Director: José Pérez. Jefe de cocina: José Antonio Rodríguez. Responsable de eventos: Francisco Quesada.
Otros datos de interés: Abierto desde agosto 2004, este restaurante ofrece una de las mejores instalaciones de Málaga. Posibilidad de salones privados desde 15 hasta 30 comensales.
Tarjetas: Todas

ESPECIALIDADES EL ENVERO

Marisquería – Asador, cocina de producto
Menús flexibles para todos los apetitos
Surtido de ibéricos Joselito
Mariscos frescos de la Bahía y de Galicia:
quisquillas, gambas, langostinos, bogavante, langosta, ostras, percebes...
Pescados a la sal, al horno, a la parrilla:
lubina, pargo, urta, rodaballo
Cordero: paletilla, pierna, chuletitas
Solomillo a la brasa
Chuletón de vacuno
Cochinillo al horno
Repostería de elaboración propia: tarta de cuajada, tiramisú

Limonar 40

Un lugar perfecto

Las instalaciones

Este magnífico complejo que ocupa las tres plantas del Palacio de Lira, dispone de completas instalaciones aptas para cualquier comida, cena, acontecimiento o celebración representativa: el restaurante a la carta, tres salones reservados con capacidades desde 6 hasta 30 comensales, un exclusivo apartamento-suite de 400 m2 en ático con gimnasio, sauna, jacuzzi y 9000 m2 de cuidados jardines. El conjunto se caracteriza por su personal altamente cualificado en todos los niveles. La cocina conjuga con maestría los sabores tradicionales con la nueva cocina más contemporánea.

Centro de Negocios

Limonar 40 pone a disposición de su selecta clientela un nuevo Centro de Negocios que cuenta con cuatro salones para congresos, seminarios, reuniones y comidas de empresa que junto a su magnífico restaurante convierten a este Palacio en el lugar perfecto para eventos de todo tipo, siempre con un alto nivel de calidad y servicio. Desde desayunos por la mañana, coffee break, comidas en los salones privados...los salones disponen de distintas capacidades desde reservados a partir de 6 hasta salas para 50 personas. Todos los reservados cuentan con una privacidad total y un gran aseo. Cualquier acontecimiento se ve realzado por el marco incomparable en el que se encuentra ubicado el Palacio. Estas características convierten al Palacio de Lira en el mejor Centro de Negocios de Málaga y posiblemente de toda Andalucía.

Servicios a domicilio

El establecimiento dispone de especialistas de gran renombre en la ciudad de Málaga para servicios a domicilio. Todos ellos con una amplia experiencia y maestría en el sector de la restauración, tanto en cocina como en pastelería, para la cual esta casa disfruta de la profesionalidad y sabiduría de uno de los nombres más importantes en la capital malagueña desde hace más de 50 años. Representa una opción privilegiada para los que buscan un servicio de gran exclusividad y modernidad.

SPECIALITIES OF LIMONAR 40

New Andalusian and Mediterranean cuisine
The à la carte menu changes according to the season
Tasting menu: 50 €
Menu "Alta Expresión" with the according wines: 90 €
Flageolet beans with season's mushrooms and seafood
"Gazpachuelo" (kind of soup from Malaga)
Tuna in pepper sauce, soy in textures and sprouts
Toasted vermicelli noodles with prawns and aioli of red "piquillos" peppers
Artichokes with prawns and scallops, purée of celeriac and crisp leek flakes
Monkfish à la broche, mussel & green asparagus soup
Roast rack of lamb, French beans tossed with cured ham, thyme juice
Gently-roasted sucking pig with cinnamon and potatoes
Chocolate delights with orange sorbet
Crêpes Suzette with vanilla ice cream

Limonar 40

Localidad: Málaga (29016)
Dirección: Paseo del Limonar, 40. Palacio de Lira.
Teléfonos: 952 060 225. E-mail: martac@limonar40.com
www.limonar40.com
Parking: Aparcamiento propio.
Propietario: Pedro Gaspar Díaz y Marta Cañete Rodríguez-Sedano.
Días de cierre y vacaciones: Cerrado domingos y lunes noche.
Decoración: Palacio del S. XVIII rodeado de bellos jardines. Antigua y noble casa de verano lujosamente rehabilitada.
Ambiente: Ideal para comidas de negocios o para una inolvidable velada familiar o romántica.
Bodega: Propia en sótano con una extensa y exclusiva selección de vinos y un comedor para servicios especiales hasta 30 personas.
Hombres y nombres: Directora: Marta Cañete. Jefe de cocina: Javier Hernández. 2º de cocina: Alejandro Santana. Maitre: Sucre Lachiri.
Otros datos de interés: Inaugurado como restaurante en marzo 2004, en una de las zonas más señoriales de Málaga, es un lugar único para disfrutar de una refinada mesa en un marco excepcional.
Tarjetas: Las usuales.

ESPECIALIDADES LIMONAR 40

Nueva cocina andaluza y mediterránea
La carta cambia según la estación
Menú Degustación: 50 €
Menú Alta Expresión con bodega (maridaje): 90 €
Verdinas estofadas con setas de temporada y marisco
Gazpachuelo tradicional malagueño
Atún a la pimienta, soja texturizada y mezcla de germinados
Fideos tostados con langostinos y ali-oli de pimientos del piquillo
Alcachofas con gambas y vieiras, puré de raíz de apio y chips de puerro
Rape a la broche, sopa ligada de mejillones y trigueros
Costillar de cordero asado, judías verdes salteadas con jamón, jugo de tomillo eucalipto
Lechón ibérico confitado a la canela con motero de patatas
Delicias de chocolate con sorbete de naranja Tres Leones (Málaga)
Crepes Suzette con helado de vainilla Chivite (Navarra)

Montana

Homenaje al producto

Situado en el emblemático barrio malagueño de la Victoria, en un bello edificio de finales del siglo XIX exquisitamente rehabilitado, el restaurante Montana ocupa un conjunto arquitectónico decorado en tonos cálidos y realzado por evocaciones históricas y culturales.

En este cuidado entorno se apuesta por una cocina con base tradicional, manteniendo las raíces de la gastronomía malagueña y poniendo especial énfasis en los productos de temporada. Se imprimen las cartas diariamente, lo que permite mantener un alto nivel de calidad.

En esta culinaria es relevante la técnica: puntos de cocción cortos y exactos, métodos para utilizar los jugos de los productos..., pero lo más importante son los géneros, que deben ser autóctonos, de temporada y de producción propia o ajena, pero siempre rigurosamente seleccionados.

Todo ello complementado con una bodega basada en la pluralidad y presencia de caldos de diversos horizontes que intenta recoger los vinos más representativos de las más importantes procedencias vinícolas de España. Además, cartas de vinos dulces y espirituosos, aguas nacionales e internacionales, tés e infusiones y una amplia selección de aceites y vinagres. Es el lugar ideal para placenteras sobremesas con todos los complementos, incluido el carro de puros habanos y dominicanos.

La mayor prioridad es la atención al cliente y su plena satisfacción por lo que **Montana crea un nuevo espacio para poder disfrutar de esta cocina en pequeñas degustaciones o tapas.**

MONTANA'S SPECIALITIES

Market and seasonal cookery
Updated traditional cookery
Every day a different menu
Tasting menu (about 55 €)
Chilled garlic & almond soup with liquorice and clams
Truffled free-range egg with creamy potato purée, dry sausage from Malaga and cockles
Salt cod with garlicky olive oil emulsion and chickpea stew
Turbot cooked on one side, pig's trotters, asparagus & vegetable stew
Roast shoulder of lamb from Burgos with dried tomatoes and cauliflower in different textures
Rosé-roasted pigeon with rice
Raisin & carrot sponge with rum ice cream
Chocolate in different textures "Montana"

Montana

Localidad: Málaga (29012)
Dirección: Compás de la Victoria, 5. Junto Santuario de la Victoria.
Teléfonos: 952 651 244 y 952 263 281.
E-mail: info@restaurantemontana.es
www.restaurantemontana.es
Parking: Aparcamiento propio y gratuito para los clientes con aparcacoches.
Propietario: Virginia Comino.
Días de cierre y vacaciones: Cerrado lunes todo el día y noches de domingo, martes y miércoles.
Decoración: Espaciosas y modernas instalaciones con varios salones decorados en un elegante estilo actual y un delicioso patio interior ajardinado para almuerzos y cenas de verano. Esta casa fue la sede de una embajada.
Ambiente: Placentero. Cocina natural, servicio atento y calidad.
Bodega: La amplia y escogida carta de vinos se fundamenta en la diversidad de procedencias. 300 entradas perfectamente ordenadas y referenciadas, medio centenar en formato Mágnum.
Hombres y nombres: Director: Pepe Nalda.
Otros datos de interés: Un joven equipo de profesionales al frente de este restaurante novedoso y dinámico. Dos plantas con ascensor, aseo en cada planta y salón-vip para sobremesas. Tres salones privados con capacidad desde 6 hasta 20.
Tarjetas: Todas.

ESPECIALIDADES MONTANA

Cocina de mercado y temporada
La tradición puesta al día
La carta cambia todos los días
Menú Degustación (alrededor de 55 €)
Ajoblanco de regaliz y conchas finas
Huevo de corral trufado con patata cremosa, salchichón de Málaga y berberechos
Lomo de bacalao con pil pil de incienso y guiso de garbanzos
Rodaballo unilateral, guiso de manitas y porrilla de espárragos
Paletilla de cordero de Burgos con tomate seco y coliflor en texturas
Pichón de sangre en su justo punto con su arroz
Bizcocho de pasas y zanahoria con helado de ron de Motril
Texturas de chocolate Montana

Las Brasas de Alberto

Vitalista y cabal

Ángel Ibáñez, nacido en Madrid y afincado en la Costa del Sol desde hace 20 años, proviene de una familia involucrada con la hostelería. Maestro cortador de jamón, es un joven profesional con vocación. Inauguró este restaurante en el año 2007, a la temprana edad de 24 años. En constante evolución y con ganas de aprender, Ángel acude a ferias y eventos a fin de mejorar sus conocimientos y el nivel gastronómico de su casa.

Las Brasas de Alberto, en pleno centro de Estepona, es un restaurante joven, de buenas hechuras, que apuesta por una cocina de género sustentada en materias primas escogidas, generosas raciones y precios adaptados a los tiempos. Como su propio nombre indica, el producto estrella son las carnes nacionales a la brasa, de diversas procedencias, cuidadosamente preparadas según mandan los cánones. Aquí se respeta la calidad intrínseca de estas primorosas carnes, poniendo en valor sustancia, tersura y aromas al calor de la brasa y del fuego, manteniendo todas sus esencias y sabor natural. El placentero resultado es una carne tierna, jugosa y sabrosa.

Estepona

Estepona es la localidad de la Costa del Sol que mejor ha sabido mantener sus costumbres y tradiciones. Marinera y campesina, cosmopolita y rural, antigua y moderna, mar y sierra, compagina perfectamente sus excelentes playas con la maravillosa Sierra Bermeja, uno de los últimos reductos de pinsapos en Europa. Desde Peñas Blancas, se puede divisar el litoral mediterráneo, Ceuta y el norte de África. La costa de Estepona, baja y arenosa, se extiende a lo largo de más de 21 km. con 17 playas y más de 300 días de sol al año. Además, conserva valiosos monumentos como la Torre del Reloj, numerosas torres almenaras, el Castillo San Luis y la Iglesia de los Remedios. Otros atractivos turísticos son los Museos Municipales ubicados en la original Plaza de toros de Estepona, su folklore y fiestas.

LAS BRASAS DE ALBERTO'S SPECIALITIES

Basque and market cookery
Chargrilled cuts of national animals
Other meat cuts on request (Valle del Esla, Kobe...)
Recommendations of the day
Cured ham Sánchez Romero Carvajal
Clams from Carril with prawns
Salt cod Basque style, rod-caught hake, hake tongues in garlicky olive oil emulsion
Sweetbreads
Pancakes with spider crab and American sauce
Rib steak of Galician beef
Fillet steak with foie gras
Warm chocolate gateau with vanilla ice cream
Cheesecake with mango and wild berries

Las Brasas de Alberto

Localidad: Estepona (29680 Málaga)

Dirección: C/ Caridad, 9 (Plazoleta Ortiz)

Teléfonos: 951 703 317

Parking: Aparcamiento público "Zapallito" gratuito para los clientes.

Propietario: Ángel Ibáñez.

Días de cierre y vacaciones: Abierto todo el año excepto lunes.

Decoración: Acogedor comedor de estilo rústico.

Ambiente: Simpático restaurante en pleno centro de Estepona.

Bodega: Predominan los vinos de Rioja y Ribera del Duero.

Hombres y nombres: Jefe de cocina: José María Sustaeta. Sala: Ángel Ibáñez.

Otros datos de interés: En pleno centro de Estepona, este restaurante practica una honesta cocina de género a precios ajustados. Precio medio a la carta: 30/35 €. Brasas de carbón vegetal.

Tarjetas: Todas excepto Diners Club.

ESPECIALIDADES LAS BRASAS DE ALBERTO

Cocina vasca y de mercado
Carnes nacionales a la brasa
(avileña negra, buey gallego, morucha de Salamanca)
Otras carnes por encargo (Valle del Esla, Kobe...)
Sugerencias del día
Jamón Sánchez Romero Carvajal
Almejas de carril con gambas
Bacalao vizcaína, Merluza de pincho, Cocochas al pil pil
Mollejitas de lechal
Crepes de changurro salsa americana
Chuletón de buey gallego
Solomillo al foie
Tarta de chocolate caliente con helado de vainilla
Pastel de queso con mango y frutas silvestres

Charolais

Establecimiento modélico

En julio de 1994, Florentino Morillo Doblas inaugura este restaurante enclavado en el centro de la Costa del Sol. Alumno aventajado de Miriam y Pedro Bolinaga, comienza su andadura influenciado por los conocimientos culinarios de sus maestros, con reminiscencias de la cocina vasca y recetas típicas andaluzas procedentes de la cocina tradicional de su familia afincada en Humilladero.

Su pasión por el vino le lleva a abrir el negocio con más de 100 referencias en su bodega. Siempre inquieto, experimenta con nuevos caldos, introduciendo conocidas marcas y etiquetas de renombre.

Actualmente, Charolais ofrece una cocina de calidad, tradicional y de temporada, con ligeros toques innovadores, pero sin estridencias innecesarias, un acertado concepto culinario con pinceladas de la cocina vasca y muchas otras de la cocina tradicional andaluza. Sus fogones se nutren de excelentes géneros, carnes seleccionadas en origen, verduras y los mejores productos frescos del mercado. "Aquí se torea con hondura y con verdad".

El vino sigue siendo protagonista de esta casa, con cerca de medio millar de selectas referencias de las diferentes denominaciones de origen españolas y del resto del mundo que permiten un perfecto maridaje entre vinos y platos. Cuenta con una cava climatizada con los mejores caldos en condiciones de temperatura óptimas.

El precio medio de una comida o cena en el restaurante ronda los 40 €. Para completar su oferta, Charolais dispone también en anexo de un moderno espacio dedicado a las tapas, una flamante bodega para pinchos, vinos ó comidas informales, un lugar para quedar bien por un ticket medio de 15 €.

Nueva terraza andaluza con vegetación, capacidad para 80 comensales, justo al lado del restaurante. Carta del restaurante y picoteo: pinchos, tabla de quesos o ibéricos, carta de puros, gin-tonics y copas. Abierta todo el año.

CHAROLAIS' SPECIALITIES

Traditional cookery with season's produce
with Andalusian and Basque touch
Spider crab
Baby squids cooked in their own ink
Gazpacho "porra" from Antequera
Salt cod in garlicky olive oil emulsion
Hake in green herb sauce with clams
Oxtail stew
Sucking lamb cutlets
Roast sucking pig
Rib steak of beef
Custard cup of yolks and syrup
"Bienmesabe" from Antequera (almond dessert)

Charolais

Localidad: Fuengirola (29640 Málaga)
Dirección: C/ Larga, 14 – 16 (a espaldas de Correos)
Teléfonos: 952 475 441 www.bodegacharolais.com
Parking: Aparcamiento público a un minuto, en Plaza Constitución.
Propietario: Florentino Morillo Doblas.
Días de cierre y vacaciones: Abierto todos los días, excepto lunes.
Decoración: Dos ambientes: moderna bodega para tapas, vinos ó comidas informales y confortables comedores.
Ambiente: Acogedor. Una mesa de calidad con una bodega para sorprender.
Bodega: Climatizada. Un punto fuerte de la casa: más de 300 etiquetas, 11.000 botellas. Cavas, champagnes y posibilidad de vinos por copas.
Hombres y nombres: Jefe de sala: Salvador Pérez. Jefe de cocina: Jesús Bosque.
Otros datos de interés: Un restaurante de referencia en la Costa del Sol. Instalaciones completas: salón privado para eventos hasta 50 comensales y sala de catas. Un jueves al mes, catas de vino con bodegueros.
Tarjetas: Todas.

ESPECIALIDADES CHAROLAIS

Cocina tradicional y de temporada con toques andaluces y vascos
Changurro
Chipirones en su tinta
Porra antequerana
Bacalao al pil pil
Merluza en salsa verde con almejas
Rabo de toro
Chuletas de cordero lechal
Lechón ibérico asado al horno
Chuletón de buey
Tocino de cielo
Bienmesabe antequerano

Girol

Cocina contemporánea

Situado en el famoso barrio de los Boliches en Fuengirola, Girol es un restaurante familiar que abrió sus puertas en 2006. Los hermanos Carmona, apoyados por sus padres Antonio y Josefina, han creado un original y distinguido enclave gastronómico en plena Costa del Sol. A pesar de su juventud, poseen una amplia experiencia en el mundo de la restauración. Antonio Carmona inicio su formación con tan sólo 16 años. Posteriormente desempeñó diferentes labores en restaurantes y hoteles de Málaga y Canarias. Juanjo Carmona ha trabajado en numerosos establecimientos de Fuengirola, otras localidades de la provincia y Sevilla, además de perfeccionarse en cocina creativa durante un año en el norte de España.

Estos fogones fusionan sabores mediterráneos con toques de imaginación e innovación. Practican una cocina contemporánea enraizada en la tradición andaluza. Aquí, se apuesta por el producto, esforzándose por encontrar las más valiosas materias primas. Culinaria sutil y reflexiva, ligera y equilibrada, a veces compleja sin perder su autenticidad, refinadas creaciones que destacan por su elegancia, buen gusto y excelente presentación. Esta casa es conocida y sigue ganando adeptos cada día por su buen hacer, profesionalidad y amabilidad del servicio. La familia Carmona recibe a los comensales con el esmero del anfitrión que recibe amigos en su propia casa, desplegando ilusión, sensatez y honestidad.

GIROL'S SPECIALITIES

Updated Mediterranean cookery

Tasting menu: 48 €

Short tasting menu: 32.50 €

Yogurt cream with green mustard, avocado, basil and vegetable sprouts

Chilled Andalusian gazpacho with grilled octopus

Fillets of red mullets gently-cooked in olive oil, rice with seaweed

Black rice (coloured with squid ink) with cuttlefish, tomato and a light lemon foam

Neck-end of Iberian pork in Canarian marinade with small unskinned potatoes

Roast sucking lamb and wheat cooked with Roquefort cheese

Duck magret with oyster mushrooms, cardoons and mustard sauce

Grilled fillet or rib steak of beef

Chocolate custard, hazelnut praliné, cinnamon ice cream and cookies

Poor knights with ice cream of aromatic herbs

Girol

Localidad: Fuengirola (29640 Málaga)
Dirección: Avda. de Las Salinas, 10 (Barrio Los Boliches)
Teléfonos: 952 660 268 **E-mail:** restaurantegirol@yahoo.es
www.restaurantegirol.com
Parking: Aparcamiento público a 5 mns. en Avda. de los Boliches.
Propietario: Familia Carmona.
Días de cierre y vacaciones: Abierto cada día en junio, julio y agosto. Resto del año, cerrado domingo todo el día y lunes mediodía.
Decoración: Amplio comedor de estilo moderno. Las claraboyas proporcionan mucha luz natural.
Ambiente: Restaurante gastronómico de atención familiar.
Bodega: Variada. Representación de casi todas las D.O. españolas y selección de vinos de Europa.
Hombres y nombres: Gerente: Juan Antonio Carmona. Jefes de cocina: Juanjo y Antonio Carmona. Jefa de sala: Josefina Arana.
Otros datos de interés: Este restaurante abierto desde diciembre 2006 está recomendado por las principales guías gastronómicas. Terraza.
Tarjetas: Todas excepto American Express.

ESPECIALIDADES GIROL

Cocina mediterránea actualizada
Menú Degustación: 48 €
Menú Degustación corto: 32,50 €
Crema de yogur a la mostaza verde, aguacate, albahaca y brotes tiernos
Gazpacho andaluz con pulpo a la parrilla
Lomos de salmonete confitados en aceite de oliva al carbón y arroz con algas
Arroz negro, choco, tomate y aire de limón
Presa ibérica en adobo canario y patatas arrugadas
Cordero lechal asado, con trigo guisado al Roquefort
Magret de pato asado con setas, cardo de cultivo, salsa de mostaza
Solomillo o chuletón a la parrilla
Natilla de chocolate, praliné de avellana, helado de canela y galletas
Torrijas de leche especiada con helado de hierbas aromáticas

Calima

Oasis de creatividad

Dani García, joven cocinero marbellí nacido en 1975, inicia sus estudios de cocina a la temprana edad de 18 años en la Escuela de Hostelería de Málaga "La Cónsula". En 1996 emprende una etapa de aprendizaje en el restaurante de Martín Berasategui en Lasarte. Tras su formación con el restaurador vasco trabaja en diferentes restaurantes de la provincia de Málaga. Posteriormente, desempeña las funciones de jefe de cocina en Tragabuches de Ronda. En agosto de 2005 inaugura Calima, privilegiado espacio gastronómico de innovador diseño, cuidada iluminación, contrastes de claros-oscuros y cocina a la vista donde ejerce como director de orquesta de un equipo siempre afinado.

La cocina de Calima se basa en contrastes, rescatando raíces tradicionales de la cocina andaluza, a las que aplica, con seguridad y maestría, la tecnología actual más sofisticada y avanzada: cocciones a baja temperatura, elaboraciones con nitrógeno...Juega con texturas, contraposiciones de sabores, de temperaturas, aunando lo ancestral con la vanguardia más sorprendente. La peculiar filosofía gastronómica de Dani García se resume en la siguiente frase "sobre una base de tradición, verter sabores contrapuestos y singulares, agregar una cucharada de matices intensos, una pizca de talento y una ramita de innovación. Añadir a la mezcla texturas desconcertantes y espolvorear con ilusión".

Desde su inauguración, Calima se ha consagrado como uno de los mejores restaurantes de España. Su chef, Dani García ha sido reconocido con numerosos galardones como el Premio Nacional de Gastronomía y el prestigioso "Chef L'Avenir", mejor cocinero joven de Europa.

CALIMA'S SPECIALITIES

Ultramodern cuisine with traditional Andalusian flavours
Menu Experience:
Cream horns, Cornet of toro tuna belly
Almond cake and foie gras with yuzu (citrus fruit), Egg without egg
My first yogurt, Kebab of tuna round
Box of brochettes, Nigiris of shrimps from Motril
Purée of livers with onions and sherry
Smashed squid croquettes, Salt-cod salad nitro
Ceviche of clams, Frozen pine nuts
Marinated belly flap of tope shark with emulsion
Vegetable pot from Ronda with dumpling of toro tuna belly
Popcorn of lychee and roses, Passion for passion
Minty peach

Calima

Localidad: Marbella (29602 Málaga)
Dirección: C/José Meliá, s/n (Hotel Gran Meliá Don Pepe)
Teléfonos: 952 764 252 www.restaurantecalima.com
E-mail: restaurante.calima@solmelia.com
Parking: Aparcamiento propio.
Días de cierre y vacaciones: Cierra domingo, lunes, mediodías de martes a jueves y de noviembre a marzo.
Decoración: Edificio de estética minimalista anexo al hotel, espléndida terraza sobre el mar.
Ambiente: Espectacular puesta en escena.
Bodega: Muy completa, referencias nacionales, internacionales e interesante carta de cavas y champagnes.
Hombres y nombres: Chef: Dani García. Jefe de sala y sumiller: Antonio Ramírez.
Otros datos de interés: Situado en el hotel Gran Meliá Don Pepe, en el Paseo Marítimo de Marbella, a 20 metros de la playa y con vistas al Mediterráneo. El chef Dani García es uno de los baluartes de la gastronomía andaluza contemporánea. Espacio para tapas maridadas con exclusivos champagnes.
Tarjetas: Las principales.

ESPECIALIDADES CALIMA

Cocina de vanguardia sobre sabores tradicionales andaluces
Menú Experience:
Canutillos de crema, Cucurucho de toro de Barbate
Tarta de turrón y foie con yuzu, Huevo sin huevo
Mi primer yogurt, Kebak de galette de atún guisado
Caja de espetos, Nigiris de quisquillas de Motril
Parmentier de higaditos encebollados al Jerez
Croquetas rotas de calamar de pota, Pipirrana nitro de bacalao
Ceviche de conchas finas, Piñones helados
Ventresca de cazón y emulsión en adobo,
Cocido rondeño y dumpling de toro
Palomita de lichi y rosas, Pasión por pasión
Melocotón de hierbaluisa

La Meridiana del Alabardero

Aires nuevos

Ubicado cerca de la Mezquita y dentro del ambiente marbellí más elitista, La Meridiana ha simbolizado durante muchos años el restaurante de mayor lujo de la ciudad, un lugar emblemático y punto de encuentro de aquella Marbella donde la flor y nata de una nueva sociedad se vestía de glamour paseando por Puerto Banús.

En mayo 2009, el Grupo Lezama incorporó La Meridiana a su prestigiosa cadena con la intención de recuperar la antigua fama del restaurante y situarlo como una referencia gastronómica ineludible en Marbella.

Para liderar este nuevo proyecto, han llegado dos magníficos profesionales procedentes del Alabardero Resort, el hotel que el propio grupo tenía en San Pedro de Alcántara: el chef Benjamín Alloza y el maitre-sumiller José Barra.

La renovada propuesta culinaria armoniza la alta cocina clásica y tradicional española con las técnicas más avanzadas. El resultado son creaciones elegantes e intuitivas, rebosantes de creatividad, belleza estética, buen gusto y sensibilidad.

Desde su reapertura, lo que comenzó siendo una arriesgada aventura gastronómica se ha consolidado en tan corto periodo de tiempo como una de las mejores mesas de toda la Costa del Sol, los días de esplendor han vuelto a esta casa que intenta recuperar la esencia de un espacio mítico.

SPECIALITIES OF LA MERIDIANA DEL ALABARDERO

Updated cookery on a classical basis

Salad of rabbit loins with mustard à l'ancienne

Parmesan ravioli with pesto on carpaccio of porcini

Juicy rice with free-rang cock, wild mushrooms and truffle

Gently-cooked salt cod with Basque sauce and garlicky cod sounds

Monkfish medallion, potato purée in olive crust and cuttlefish sticks

Crisp duck, braised pineapple, mango & foie gras sauce

Grilled lamb cutlets, garlicky almond & bread sauce, confit artichokes

White chocolate soufflé with Grand-Marnier

Cheese assortment

La Meridiana del Alabardero

Localidad: Marbella (29600)
Dirección: Camino de la Cruz, s/n
Teléfonos: 952 776 190 - 650 468 467
E-mail: info@lameridiana.es www.lameridiana.es
Parking: Aparcamiento propio.
Propietario: Grupo Lezama.
Días de cierre y vacaciones: Abierto cada día. Sábados y domingos sólo cenas.
Decoración: Art Decó.
Ambiente: Restaurante emblemático de la Milla de Oro marbellí.
Bodega: Notable, con una óptima relación calidad-precio.
Hombres y nombres: Jefe de cocina: Benjamín Alloza. Maitre-sumiller: José Barra.
Otros datos de interés: Desde mayo 2009, el Grupo Lezama dirige este restaurante rodeado de un frondoso jardín, piscina y terraza acristalada. Servicio de catering para todo tipo de eventos.
Tarjetas: Todas

ESPECIALIDADES LA MERIDIANA DEL ALABARDERO

Cocina de fundamento clásico convenientemente renovada
Ensalada de lomo de conejo a la mostaza antigua
Ravioli de parmesano al pesto sobre carpaccio de hongos
Arroz meloso de gallo de corral, setas y trufa
Bacalao confitado con vizcaína ligera y sus callos al ajillo
Lomo de rape, puré de patata en costra de aceitunas y sticks de choco
Crujiente de pato, piña estofada, salsa de mango y foie
Chuletitas de cordero lechal, ajopollo malagueño y alcachofas confitadas
Soufflé de chocolate blanco al Grand Marnier
Surtido de quesos

Santiago

Institución en Marbella

Situado en un lugar privilegiado, frente al mar en el corazón del Paseo Marítimo, el restaurante Santiago lleva medio siglo al servicio de la restauración marbellí y es todo un clásico de la gastronomía en España. Por esta casa pasan personajes de actualidad, magnates, escritores y artistas internacionales, es punto de encuentro de la alta sociedad nacional y foránea.

Este restaurante es, ante todo, la creación personal y vitalicia de un excelente profesional y brillante empresario hostelero, Santiago Domínguez. La maestría con que dirige su negocio le ha supuesto numerosos galardones: Medalla al Mérito Turístico, Blasón de Turismo de Castilla y León otorgado por la Junta de Castilla y León, Placa de Plata de la Junta de Andalucía...distinguido con la Q de calidad desde el año 2010.

Se trata, sin duda, de un auténtico emporio gastronómico que ofrece los mejores pescados y mariscos del norte y del sur que llegan a diario, además de una sana y exquisita cocina donde conviven tradición e innovación en perfecta armonía con interesantes sugerencias fuera de carta. Placer y salud: la Fundación Española del Corazón ha seleccionado al restaurante Santiago por su cocina cardiosaludable. También está certificado por el CAAE (Comité Andaluz de Agricultura Ecológica).

Elegantes instalaciones de decoración neoclásica, acogedores y confortables salones con mucha luz natural, terrazas con vistas a la playa situada a pocos metros de las mesas, espléndida barra y espectacular bodega con casi un millar de entradas, cerca de cien mil botellas -la mejor de Andalucía y posiblemente de España-. Pertenece a Agras, la Asociación Gastronómica de Restaurantes y Sumilleres de Andalucía.

En el mismo edificio, entrada por Avenida del Mar, "las Tapas y los Guisos de Santiago" y **nueva Ostrería para degustar ostras y champagnes**, además de una carta variada a precios imbatibles.

SANTIAGO'S SPECIALITIES

Carpaccio of white tuna with soy sauce
Octopus on a purée with tempura vegetables
White beans with clams
Lukewarm duck salad with redcurrant sauce
Tartar of sea bass
Rice & lobster pot
Ragout of meagre with clams and white beans
Salt cod in green herb sauce with seafood and chive essence
Lightly marinated partridge with vegetables and truffle dressing
Roast sucking pig
Cheese basket
Artisan desserts

ANDALUCIA

Santiago

Localidad: Marbella

Dirección: Avda. Duque de Ahumada, 5 (antiguo Pº Marítimo).

Teléfonos: 952 770 078 - 952 774 339 - Fax: 952 824 503

E-mail: reservas@restaurantesantiago.com

www.restaurantesantiago.com

Parking: Dos aparcamientos públicos a un minuto: Avda. del Mar y Puerto Deportivo

Propietario: Santiago Domínguez Miguel.

Decoración: Marinera.

Ambiente: Selecto. Salones privados.

Bodega: La mejor bodega de Andalucía y posiblemente de España.

Hombres y nombres: Jefe de cocina: Eusebio Checa. Maitre y sumiller: Salvador. Jefe de Barra: Rafael Domínguez.

Otros datos de interés: Pertenece a "La Buena Mesa". Condecorado con la "Medalla al Mérito Turístico".

Tarjetas: Visa, American Express y Diner's.

ESPECIALIDADES SANTIAGO

Carpaccio de bonito a la salsa de soja

Pulpo asado sobre puré con verduras en tempura

Alubias blancas con almejas

Ensalada de pato templado con salsa de grosellas

Tartar de lubina

Arroz con bogavante

Guiso de corvina con almejas y judiones

Bacalao en salsa verde con extracto de mariscos y cebollino

Perdiz con verduras en semiescabeche aliñado con vinagre de trufas

Cochinillo al horno

La canastilla de quesos

Postres artesanales

Skina

Sabrosa creatividad

Marcos Granda inauguró Skina en el año 2005 en pleno centro histórico de Marbella. Es un restaurante singular tanto por su diminuto tamaño como por su concepto de cocina diferente por estos pagos. Aquí, el comensal viene a sorprenderse. Todos los esfuerzos, identidad y trabajo apuntan a este objetivo. Esta original apuesta revisita la culinaria mediterránea, descifrando sabores de la gastronomía tradicional andaluza, interpretada en clave de modernidad, creatividad y vanguardia a raudales.

Carta dinámica, cambia según la estación, con un máximo respeto a los productos del lugar. Sus creaciones se inspiran en Andalucía, el mar, las flores, la ficción, el trigo, el dulce...Formulaciones muchas veces arriesgadas y rompedoras, diseñadas y ejecutadas con materias primas de la huerta andaluza, del Mediterráneo y la sierra malagueña. Culinaria de sensaciones y placeres, siempre atrevida, mezcla de contrastes y presentaciones contemporáneas, refinamiento y minimalismo.

Destaca su espectacular bodega acristalada, un listado elegido desde el sentimiento, el alma y el corazón, en constante actualización. Skina ofrece un salón interior con cinco mesas y capacidad aproximada de quince personas, además de una coqueta terraza. Producto, diversión, servicio personalizado e innovación omnipresente...aparecen perfectamente conjugados para brindar una experiencia gastronómica a los cinco sentidos en un refugio muy íntimo, todo aderezado con pasión y dedicación.

SKINA'S SPECIALITIES

Creative Mediterranean and also modern cuisine
A la carte menu: 78.90 €
Tasting menu: 74.90 €
Foie gras nitro, figs and rosé Martini
Seafood salad: Vision of the beach
Pot of horse mackerels, Norway lobster and cock combs
Grilled scallop with cannelloni of olive oil and turnip
Baked meagre en papillote, tomato soup and fritters of shrimp omelette
Cut of beef grilled on live vine shoot coal, foie gras fritters and braised chicory
Farmyard pigeon with glazed carrots and chocolate
Our apricot yogurt
Chocolate Zen

Skina

Localidad: Marbella (29600 Málaga)
Dirección: C/ Aduar, 12 (casco histórico)
Teléfonos: 952 765 277 - 647 971 868
E-mail: restauranteskina@staff.com
www.restauranteskina.com
Parking: Aparcamiento del mercado al lado.
Propietario: Marcos Granda.
Días de cierre y vacaciones: Cerrado sábados mediodía, domingos y lunes todo el día. Vacaciones 3 semanas en enero y 1 semana en junio (semana de Feria en Marbella).
Decoración: Reducido comedor con bodega vista.
Ambiente: Íntimo, cálido e innovador.
Bodega: Alrededor de 900 referencias, vinos españoles y de diferente partes del mundo.
Hombres y nombres: Jefe de sala y sumiller: Marcos Granda. Jefe de cocina: Mauro Barreiro.
Otros datos de interés: Un restaurante singular, con identidad y alma, repleto de pequeños detalles que marcan la diferencia. Una cocina moderna, minimalista y lúdica. Se aconseja reservar mesa.
Tarjetas: Todas.

ESPECIALIDADES SKINA

Cocina mediterránea creativa y de vanguardia
Menú a la Carta: 78,90 €
Menú Degustación: 74,90 €
Foie nitro, higos y martini-rosa
Ensalada de moluscos: visión de la playa
Puchero de chicharros, cigala y crestas de gallo
Vieira rustida con canelón de aceite de oliva y nabo dulce
Corvina asada en papel, sopa de tomate y buñuelos de tortilla de camarones
Buey en brasas de sarmiento, buñuelos de foie y endivias braseadas
Pichón de granja con zanahorias glaseadas y chocolate
Nuestro yogur de albaricoque
Chocolate zen

Receta El Padrastro

Rodaballo confitado a baja temperatura en aceite de humo, cristales de guiso de setas, compota de kalamansi y carpaccio de papada ibérica

Para la compota: 1 kg. de pulpa de kalamansi (boiron), 660 gr. de gajos de limón natural, 10 unidades de piel de limón rallado y 400 gr. de azúcar moreno.

Cocer la pulpa. Una vez reducida, añadir la ralladura de limón y el azúcar. Guisar las setas y una vez deshidratadas, mezclarlas con el caramelo y estirar. Macerar la papada durante 48 horas y, a continuación, confitar durante 4 horas en horno a baja temperatura (alrededor de 80 º).

Para el caramelo de setas: 1 ramillete aromático y vino oloroso.

Para la papada ibérica: Macerar y confitar.

Para el montaje del plato: 250 gr. de rodaballo, 33 cl. de aceite de humo, 50 gr. de compota de kalamansi, 4 porciones de cristales de estofado de setas, 50 gr. de papada ibérica y para decorar, tomillo y cebollino.

Marcar el rodaballo, dejando la parte blanca de la carne lo más dorada y vistosa posible. Una vez marcado, introducirlo en una bolsa al vacío con aceite de humo, sellarla y meter al baño maría a 65/70 º unos 4 minutos para que aromatice el pescado y le llegue calor al centro. Cortar unas seis lonchas de papada lo más finamente posible para poner de base al centro del plato, añadir un poco de sal maldon. Sobre la papada, a modo de milhojas, poner una porción de pescado, sobre éste un poco de compota, sobre la porción de compota una porción de cristal de estofado de setas y repetir estos pasos 2 veces más. Terminar con el lomo de pescado como última capa y por encima añadir a modo de decoración un poco de cebollino picado y una ramita de tomillo fresco.

EL PADRASTRO'S SPECIALITIES

Creative cuisine

Summer and winter carte

Flaky pastry slice with seafood and lobster in saffron sauce

Foie gras rolls with herbs and fig preserve

Marinated fillet of tuna with avocado tartare, citrus fruit & ginger dressing

Carpaccio of beef with caper emulsion

Confit fillet of salt cod with pork dewlap and warm Vichyssoise

Baked turbot on a thyme-scented tomato layer with dried fruit

Roast duck magret with caramelised apple and wild berry sauce

Roast leg of lamb in herb coat

Walnut sponge with cheese & honey cream

White chocolate soup with pistachio crumbs and hazelnut ice cream

El Padrastro

Localidad: Mijas-Pueblo (Málaga)
Dirección: Pª del Compás, 22 (frente aparcamiento principal)
Teléfonos: 952 485 000 Fax: 952 591 016
E-mail:info@elpadrastro.com www.elpadrastro.com
Parking: Al lado
Propietario: Alberto Taltavull Sánchez
Días de cierre y vacaciones: No cierra nunca
Decoración: Comedor-mirador con magníficas vistas panorámicas a toda la costa y al pueblo de Mijas.
Ambiente: Cosmopolita y sibarita
Bodega: Muy amplia. Selección de vinos españoles y extranjeros.
Otros datos de interés: Restaurante con más de 30 años al servicio de los visitantes de la Costa del Sol. Salones privados, amplia terraza rodeando el restaurante con vistas al mar y a la sierra, piscina, servicio de bar. Local idóneo para grupos, presentaciones y celebraciones hasta 250 personas. Mijas típico pueblo blanco andaluz merece la visita.
Tarjetas: Todas.

ESPECIALIDADES EL PADRASTRO

Cocina de autor
Carta de verano y carta de invierno
Hojaldre de mariscos y bogavante con salsa de azafrán
Cilindros de foie con hierbas frescas y mermelada de higos
Lomo de atún marinado con tartar de aguacate, vinagreta de cítricos y jengibre
Carpaccio de ternera con emulsión de alcaparras
Lomo de bacalao confitado con panceta ibérica, vichyssoise caliente
Rodaballo asado sobre cama de tomate al perfume de tomillo y frutos secos
Magret de pato asado con manzana caramelizada y salsa de frutos del bosque
Pierna de cordero en costra de hierbas
Bizcocho de nueces con crema de queso y miel
Sopa de chocolate blanco con migas de pistacho y helado de avellanas

Pedro Romero

Nos adentramos en un establecimiento que lleva más de 35 años atiborrando especímenes humanos de ambos sexos y diversos continentes.

En los comienzos de la pitanza se remueven de alegría los jugos gástricos con una degustación de la sabrosa chacinería serrana.

Son los momentos del jamón de pata negra, el chorizo al vino blanco, la morcilla frita, la caña de lomo, extraidos amorosamente del cerdo ibérico criado con bellotas de las dehesas rondeñas y elaboradas con las sabias y viejas recetas de la cocina tradicional.

El oscuro tinto procede de cepas de la tierra y el dulce final se escapa de polvorientos tratados de viejos conventos de clausura.

Todo ello en la CIUDAD SOÑADA, todo ello como preludio de la visita a los rastros de culturas milenarias que haremos mañana en el inicio del atardecer.

Se hace conveniente un pequeño receso que nos permita disfrutar de la decoración, el buen sabor de la estética taurina que ha sabido construir, en la cuna del gran Pedro Romero, el restaurante más clásico de Ronda.

Y no hay que perder más tiempo sino ponernos inmediatamente a la tarea principal: El rabo de toro.

Rabo de toro "Pedro Romero"

Ingredientes para 6 personas: 2 ó 3 rabos (unos 2 kg.) cortados en rodajas de unos 3 ó 4 cm. de grosor, 2 puerros, 3 zanahorias medianas, 3 tomates, 2 cebollas, 2 pimientos, 3 ó 4 dientes de ajo, vino blanco y tinto, laurel, tomillo, orégano, romero, nuez moscada, pimienta negra en grano, sal y pimentón.

Preparación: Una vez cortado el rabo en rodajas, se colocan en una olla con las hierbas aromáticas, la sal y los ajos machacados. Se cubre con vino blanco (hacen falta unos 2l.), se añade 1/2 l. de vino tinto y se deja macerar en este adobo durante 24 horas.

Nosotros lo hacemos en olla a presión. Dependiendo de la dureza del mismo tardará unos 45 o 60 minutos.

No se le añade aceite por la cantidad de grasa que ya tiene el rabo. Si no tuviera mucha se añadirá un poco de aceite de oliva crudo. Una vez cocido, quitar el exceso de grasa y dejar reducir.

PEDRO ROMERO'S SPECIALITIES

Fried crumbs in the style of Ronda
Warm duck liver with grapes
Fried goat's milk cheese with apple compote
Duo of chilled soups: Andalusian gazpacho, garlicky almond soup (seasonal)
Braised cheeks of Iberian pork with wild mushrooms
Braised partridge with white beans
Bull tail as in Ronda
Oven-roasted lamb
Chilled strawberry soup and sweet Pedro Ximénez sherry with cheese ice cream
Almond ice cream
Fried creams with tangerine sauce
White chocolate cream with raspberries
Chestnuts in brandy

Pedro Romero

Localidad: Ronda (29400 Málaga).
Dirección: Virgen de la Paz, 18 (junto Correos).
Teléfonos: 952 871 110 - 952 874 731 Fax: 952 871 061.
E-mail: info@rpedroromero.com
www.rpedroromero.com
Parking: Al lado.
Propietario: Pedro Romero S.L.
Días de cierre y vacaciones: Ningún día al año.
Decoración: Ambiente taurino.
Ambiente: Internacional.
Bodega: Amplia bodega de vinos españoles y todos los vinos de Ronda.
Hombres y nombres: Jefe de cocina: Francisco Manuel González.
Sommelier: Tomás Mayo Sánchez. Jefe de comedor: Carlos Mayo Sánchez.
Otros datos de interés: Galardonado innumerables veces: Gallo de oro USA, Premio a la fama GALAX, Orden del Minero... El restaurante se puede localizar en el sistema GPS de navegación por satélite.
Tarjetas: American Express, Visa, Diner's, Mastercard, Eurocard, Access.

ESPECIALIDADES PEDRO ROMERO

Migas a la rondeña
Foie gras caliente con uvas
Queso de cabra frito y compota de manzana
Duo de sopas frías, gazpacho y ajo blanco (temporada)
Carrillada de cerdo ibérico estofada con setas
Perdíz estofada con judías
Rabo de toro a la rondeña
Cordero al horno
Sopa fría de fresas y Pedro Ximénez con helado de queso
Helado de almendras
Leche frita con salsa de mandarina
Crema de chocolate blanco con frambuesa
Castañas al brandy

Tragabuches

Nueva cocina andaluza

Manuel María López, empresario rondeño que representa la tercera generación de una saga de hosteleros, es el alma de Tragabuches, cuyo nombre rinde homenaje al primer gran bandolero rondeño, José Ulloa, que vivió por estos lares en el siglo XVIII. Personaje extraordinario que a lo largo de su azarosa vida fue torero de la célebre escuela de Pedro Romero.

La decoración, de estética minimalista, es un ejemplo de sensibilidad: blancos y negros, suelos de tarima, paredes de cristal, luces indirectas...una refinada puesta en escena para un restaurante que elabora alta cocina de autor en el corazón de Andalucía, a un costado de la Real Maestranza rondeña.

Tras más de diez años de trayectoria, esta casa, paradigma de la cocina emergente, con un gran bagaje técnico y capacidad creativa, se ha situado en la cúspide del competitivo panorama gastronómico nacional con numerosos premios y reconocimientos.

La cocina de Tragabuches adereza el recetario clásico andaluz con grandes dosis de innovación, adaptando los nuevos métodos de la alta cocina de vanguardia a los sabores de siempre. La inspiración del chef Walter Geist ahonda en la investigación de la cocina malagueña sin desvirtuar su personalidad, profundiza en la raíz culinaria local para presentar un abanico de elaboraciones ingeniosas y sutiles.

TRAGABUCHE'S SPECIALITIES

Innovative Andalusian cuisine
Tasting menu
Gazpacho and chilled soups
Chilled soup of almonds and garlic with smoked mackerel and herring caviar
Egg cooked at low temperature with cock comb and airy Parmesan foam
Scallop with juice of Norway lobster and truffle
Salt cod with its sounds
Dough round with sardines and coloured fat
Baked John Dory (fish) with Swiss chards
Free-range chicken with black butifarra sausage and tender spring onions
Cocoa & muscatel cloud with chocolate

ANDALUCIA

Tragabuches

Localidad: Ronda (29400 Málaga)
Dirección: C/ José Aparicio, 1
Teléfonos: 952 190 291. Fax: 952 878 641
E-mail: tragabuches@tragabuches.com
www.tragabuches.com
Parking: Aparcamiento cercano.
Propietario: Manuel María López.
Días de cierre y vacaciones: Cerrado domingos noche y lunes todo el día. Vacaciones: quince días en enero.
Decoración: Antigua casa del siglo XIX con elegante decoración minimalista.
Ambiente: Abanderado de la nueva cocina andaluza.
Bodega: Sorprendente. Más de 300 etiquetas, vinos de Ronda y andaluces, del resto de España y caldos extranjeros de interés.
Hombres y nombres: Chef: Walter Geist. Sumiller: Alberto Egea.
Otros datos de interés: En pleno corazón de Ronda, junto a la singular Plaza de Toros Real Maestranza, este restaurante rondeño goza de inmejorables vistas sobre la serranía.
Tarjetas: Las principales.

ESPECIALIDADES TRAGABUCHES

Cocina andaluza innovadora
Menú degustación
Gazpachos y sopas frías
Ajoblanco malagueño con caballa ahumada y caviar de arenque
Huevo a baja temperatura con cresta de gallo y aire de parmesano
Vieira con jugo de cigalas y trufa
Bacalao con sus callos
Coca de sardinas con manteca "colorá"
San Pedro asado con porrilla de acelgas
Pollo de corral con butifarra negra y cebolletas tiernas
Nube de cacao y moscatel con chocolates

Receta La Langosta

Nuestra langosta thermidor

Ingredientes (para 1 persona): Langosta fresca 400 ó 500 gr.

Preparación: Cocer durante 15 min. en agua del mar o muy salada. Cortar en dos mitades. Sacar la carne y hacer un ragout de langosta.

Volver a rellenar la cáscara con el ragout y cubrirla con salsa Bercy, gratinar con un poco de queso rayado y servir con arroz blanco.

LA LANGOSTA'S SPECIALITIES

Salad of lamb's lettuce with bacon and croutons
Prawns in scallop shell au gratin
Veal carpaccio with Parmesan cheese
Lobster bisque
Special lasagne with spiny lobster
Deep-fried fish assortment as in Malaga
Clams
Fresh fish baked in a salt crust or oven-baked
King-size prawns grilled with grove salt
Special seafood paella
Grilled seafood assortment
Chateaubriand with bearnaise sauce
Tagine stew of lamb
Fillets of sole Walewska
Hot cherries

La Langosta

Localidad: Torremolinos (29620 Málaga)
Dirección: Bulto, 53 (La Carihuela).
Teléfonos: 952 384 381 - Fax: 952 370 498
Parking: Al lado, en la plaza.
Propietario: Fritz Fröhlich.
Días de cierre y vacaciones: Abierto siempre.
Decoración: Dos viveros de langostas y pescado vivo. Vista a la playa y al mar.
Ambiente: Variado.
Bodega: Vino de la casa: "Palacio de Arganza" (León), tinto, blanco y rosado. Selección de vinos españoles, alemanes y franceses.
Hombres y nombres: Se atiende en seis idiomas.
Otros datos de interés: Restaurante ubicado frente a la playa, en el paseo marítimo del barrio típico de pescadores: LA CARIHUELA. Capacidad interior 80 personas. Capacidad terraza 80 personas. Carta en diez idiomas. Cada año, la casa entrega el "Premio Langosta" a personalidades que hayan destacado en el mundo del Turismo y la Cultura.
Tarjetas: Todas.

ESPECIALIDADES LA LANGOSTA

Ensalada de canónigos con bacon y picatostes
Concha gratinada con langostinos
Carpaccio de ternera con queso parmesano
Crema de langosta
Lasaña especial con langosta
Fritura Malagueña
Concha fina
Pescados frescos a la sal o al horno
Langostinos a la sal
Paella especial de mariscos
Parrillada especial de mariscos
Chateaubriand con salsa bearnesa
Cazuela de cordero "tagine"
Lenguado Waleska
Cerezas calientes

Med

Cerca del cielo

Este restaurante en constante evolución se ha convertido en una mesa de referencia de la Costa del Sol. Desde que Med abriera sus puertas en su original emplazamiento (el ático de un edificio), su ascenso ha sido imparable En la actualidad es uno de los restaurantes de cocina creativa más afamados de la provincia de Málaga. Su estética, su decoración muy personal, sus espléndidas vistas sobre el mar y la ciudad, su espectacular terraza de verano con una confortable sillería de mimbre conforman un conjunto único en Torremolinos.

Comer en Med, en este ambiente placentero, es una grata experiencia. Adentrarse en la carta de este establecimiento es penetrar en un mundo de sensaciones gustativas: imaginación y vanguardia, creatividad y fusión, pero con sabores siempre reconocibles y un cuidado exquisito en el trato de las materias primas, aquí no caben los sobresaltos culinarios. Richard Alcayde, el joven chef, que sin embargo cuenta con una sólida formación, ha convencido a los parroquianos con un virtuosismo basado en la sensatez y la honestidad. En la actualidad, se ha hecho cargo del restaurante y trabaja en plena libertad.

La bodega es otra de las estrellas de la casa, la oferta es amplia y los vinos se sirven en su temperatura correcta, algo que tantas veces se descuida.
Med es un restaurante que, desde su mismo nombre, rinde homenaje a este Mediterráneo que da vida a la zona. Cenar a la luz de las velas, bajo la brisa marina y contemplar la luna reflejándose sobre el mar Mare Nostrum es uno de los grandes placeres que proporciona este restaurante.

MED'S SPECIALITIES

Mediterranean cookery with a personal touch
The à la carte menu changes every season
The Chef's tasting menu (about 50 €)
Foie gras with lemon toffee and sugared muesli
Salad of smoked eel, cheese powder, trout caviar, pumpkin strands in syrup and yoghurt dressing
Chunk of salt cod with petals of red onions, spinach, garlic chives and miso air
Scallops with artichokes in two cooking procedures, pork dewlap and soft almond nougat
Knuckle of lamb cooked at low temperature with crunchy crumbs and blood pudding purée
Poached rack of lamb with spiced meringue milk
Meat cuts grilled on the charcoal-fired barbecue
Cookies in different textures (foam, ice cream, sponge and coulis)
Banana & lime with iced strawberries and coconut air
Bounty-jet (coconut air, chocolate ice cream, salted coffee powder, cocoa beans and dried fruits)

Med

Localidad: Torremolinos (29620 Málaga)
Dirección: Las Mercedes, 12 2º. Balcón de San Miguel
Teléfonos: 952 058 830 Fax. 952 057 103
E-mail: richardalcayde@hotmail.com
www.restaurantemed.com
Parking: A 500 metros, en Plaza de Andalucía
Propietario: Richard Alcayde y Sandra Bravo
Días de cierre y vacaciones: Abierto todos los días. Vacaciones la segunda quincena de noviembre
Decoración: Restaurante ubicado en la planta ático del edificio, con magníficas vistas panorámicas a la bahía de Málaga
Ambiente: Elegante y cosmopolita.
Bodega: Renovada y actualizada, 200 referencias en constante rotación. Nuevos vinos de autor y referencias poco conocidas, buscando la mejor relación calidad-precio. Selección de vinos de postre, carta de aguas y de infusiones.
Hombres y nombres: Jefe de cocina: Richard Alcayde. Jefa de sala: Sandra Bravo. Sumiller: Juan Miguel Moreno.
Otros datos de interés: Cálido salón acristalado sobre el Mediterráneo y en verano, una amplia terraza al mar. Capacidad total hasta 150 comensales
Tarjetas: Todas, excepto American Express y Diners Club.

ESPECIALIDADES MED

Cocina mediterránea de autor
La carta cambia en cada temporada
Menú-degustación del chef (alrededor de 50 €)
Taco de foie con toffe de limón y muesli garrapiñado
Ensalada de anguila ahumada, polvo de queso, huevas de trucha, cabello de ángel y vinagreta de yogurt
Tacos de bacalao con pétalos de cebolla roja al carbón, espinaca baby, ajos tiernos y aire de miso
Vieiras limpias con alcachofas en dos cocciones, papada de cerdo y turrón de Jijona
Zancarrón de cordero a baja temperatura con migas crujientes y puré de morcilla
Carré de cordero infusionado con leche merengada de especias
Parrilla de carbón vegetal con carnes nacionales
Las texturas de las galletas (espuma, helado, bizcocho y coulís)
Estofado de plátano y lima con fresa helada y aire de coco
Bounty-jet (aire de coco, helado de chocolate, polvo salado de café, habas de cacao y frutos secos)

Receta La Albahaca

Lomo de ciervo con salsa de hongos

Ingredientes: 200 gr. de lomo de ciervo por persona, vino tinto, vinagre de cava, verduras (cebolla, zanahoria, puerro, ajo y hierbas de Provenza), aceite de oliva, sal, pimienta y hongos.

Preparación: Limpiamos el lomo de pellejos y tendones, lo bridamos (bridar es atar con cuerda). Lo dejamos macerar en vino tinto con vinagre de cava, junto con las verduras, durante tres días aproximadamente. Ponemos a calentar una bandeja de horno con un poco de aceite. Salpimentamos el lomo y lo doramos por todo su exterior (rustido). A continuación lo introducimos en el horno ocho o diez minutos aproximadamente, de forma que nos quede sangrante.

Para la salsa: desgrasaremos la bandeja y saltearemos a continuación unos hongos, añadiendo parte del vino de la maceración, añadiendo una demi-glass de jugo de carne.

Presentación: Cortaremos el lomo a rodajas y lo disponemos alrededor del plato, colocando en el centro los hongos, y salteando a continuación.

LA ALBAHACA'S SPECIALITIES

The à la carte menu changes twice a year

Salad of baby squids with balsamic vinegar

Scrambled eggs with aubergines and marinated rabbit

Duck-stuffed courgettes au gratin with onion & ginger sauce

Saffrony salmon ragout with prawns

Gilthead bream with asparagus sauce and vinaigrette foam

Roast loin of lamb with its juice and season's vegetables

Roast neck of Iberian pork with lemon sauce and tomato vinaigrette

Bitter-orange foam with almond cream

Soufflé of dried figs and cava (Spanish champagne) with chocolate

La Albahaca

Localidad: Sevilla (41004)
Dirección: Pl. de Santa Cruz, 12
Teléfonos: 954 220 714 - 954 560 014 - Fax 954 561 204
E-mail: la-albahaca@terra.es
Propietaria: Vuelaluz, S.L.
Días de cierre y vacaciones: Domingos todo el día. No hace vacaciones.
Decoración: Casa Palacio de principios de siglo, catalogada por Bellas Artes. Conserva toda la atmósfera original. Patio cubierto sirviendo de hall y distribuidor.
Ambiente: Políticos, empresas, gente guapa.
Bodega: Vino de la casa: Viña Alberdi de Rioja Alta, especialmente embotellado para la casa. Riojas, blancos afrutados de Andalucía y representación de casi todo las D. O.
Hombres y nombres: Dirección y anfitrionas: Carmen y Lilia del Rey Jefe de Sala: Juan Guerra. Jefe de Cocina: Javier Muguruza.
Otros datos de interés: Bar de espera. 3 salones privados (rosa, azul y verde) hasta 12 personas, hasta 16 personas con mesa imperial, hasta 30 personas. Casa Palacio que responde a la más pura arquitectura sevillana. Ubicada en el corazón del Barrio de Santa Cruz (el mejor conservado y típico de Sevilla, antigua judería).
Tarjetas: Todas.

ESPECIALIDADES LA ALBAHACA

La carta cambia dos veces al año

Ensalada de chipirones al aceto de Módena

Revuelto de berenjenas con conejo en escabeche

Gratinado de calabacín relleno de pato, salsa de cebolla al jengibre

Ragout de salmón al azafrán con langostinos

Dorada con salsa de espárragos y espuma de vinagreta

Lomo de cordero asado en su jugo con verduras de temporada

Presa ibérica asada con salsa de limón y vinagreta de tomate

Espuma de naranjas amargas con crema de turrón

Soufflé de higos secos al cava con chocolate

Becerrita

Toda la esencia de Sevilla

Restaurante situado en la ronda histórica de la ciudad, en plena “Puerta Carmona”. Está ubicado en un singular edificio regionalista de principios del siglo pasado, obra del arquitecto José Espiau y Muñoz, el cual le marca impronta y carácter dentro del arte y la zona monumental donde se encuentra.

Historia

Cinco generaciones avalan la tradición de este restaurante cuyo alto nivel gastronómico está reconocido: ha representado a la ciudad de Sevilla en diversos eventos gastronómicos, tanto nacionales como internacionales. Inaugurado en enero de 1988, actualmente está regentado por Jesús María Becerra continuando la tradición que su padre Enrique iniciara en esta misma calle por los años cuarenta.

Cocina

La cocina de Becerrita se basa en la cocina andaluza y sevillana. Carnes, pescados y excelentes mariscos traídos diariamente desde sus puntos de origen. Fusiona las recetas de la cocina andaluza tradicional con otras de creación propia, además elabora sugerencias del día dependiendo del mercado y la estación. A resaltar el toque artesanal y casero de los panes y postres.

Tapas

En la barra, Becerrita ofrece una carta de tapas y raciones que se renuevan diariamente, amplia muestra de la cocina andaluza. Todo ello acompañado de excelentes vinos autóctonos y la calidad de la extensa bodega.

Salones privados

Ligados por nombre a la zona: Medinaceli, Don Enrique, Pilatos, Imperial, Puerta de Carmona y el salón principal. Salones informatizados y privados, a disposición de la clientela, con **capacidades desde 2 hasta 45 comensales.**

BECERRITA'S SPECIALITIES

Cured ham with quail egg
Baked prawns
Fried aubergine slices with salt cod and tomato purée
Bull tail croquettes
Carpaccio of wagyu beef (Kobe) with lamb's lettuce, pistachio nuts and cheese
Salad of raf tomatoes with tuna belly flaps
Chunk of wild sea bass with orange & thyme sauce
Baked fillet of meagre with potatoes
Cut of acorn-fed Iberian pig with mustard crisp
Entrecôte (to warm up on a hot plate)
Honey ice cream with caramelised walnuts
“Sweet sin” (rich custard cream cup, rice pudding, fritters, honey ice cream with walnuts)

Becerrita

Localidad: Sevilla (41003).
Dirección: C/. Recaredo, 9 (Ronda Histórica-Puerta Carmona).
Teléfonos: 954 412 057 **E-mail:** restaurante@becerrita.com
www.becerrita.com
Parking: Servicio privado de aparcacoches.
Propietario: Jesús María Becerra Gómez.
Días de cierre y vacaciones: Domingos noches.
Decoración: De nueva tendencia, dentro de un estilo andaluz actualizado sin perder el sabor tradicional del edificio. En su interior se funden la pintura regionalista con otra más contemporánea de pintores sevillanos.
Ambiente: Comidas de negocios y ambiente genuinamente sevillano.
Bodega: Más de 15.000 botellas con representación de casi todas las D.O. del país. Gran variedad de bodegas y añadas. Amplia carta de puros (cubanos, dominicanos y nacionales).
Hombres y nombres: Chef: Francisco Sánchez. Maître: Antonio Cruz Clavijo.
Otros datos de interés: Jesús María Becerra inició su actividad en Becerrita siguiendo una tradición familiar de más de cincuenta años, iniciada por su padre a pocos metros de este local.
Tarjetas: Todas.

ESPECIALIDADES BECERRITA

Caballitos de jamón con huevo de codorniz
Langostinos de trasmallo al horno
"Lascas" de berenjenas fritas con bacalao y salmorejo
Croquetas de cola de toro
Carpaccio de buey wagyu (kobe) con canónigos, pistachos y queso
Ensalada de tomate pata negra con pimentada y ventresca de bonito
Tronco de lubina salvaje con salsa de naranja y tomillo
Lomo de corvina al horno con patatas confitadas
Presa ibérica de bellota con mostaza crujiente
Lomo de buey cebón al plato
Helado de miel con nueces al caramelo
Dulce pecado

Casa Modesto Gran Plaza

Reuniones & Celebraciones

Casa Modesto Gran Plaza pertenece a la cadena de restaurantes Modesto, de reconocida y prestigiosa trayectoria en Sevilla. Es un establecimiento que conjuga armonía, exclusividad y una oferta culinaria de calidad para eventos y reuniones profesionales hasta 120 personas, previa reserva. Cuenta con dos espacios: Casa Modesto Gran Plaza: cocina de mercado, excelente materia prima y selecta carta de vinos. Elegante salón de celebraciones en la primera planta, coqueta terraza y cálida bodega subterránea como salón privado.

El segundo espacio es Modesto Lounge Club (Cocktail & Café Bar), **Sede oficial del Club Pasión Habanos, primer club de fumadores de puros de Andalucía**. Autentica embajada del Habano, dispone de una extensa y variada carta de bebidas y cigarros habanos. Cálida y sofisticada decoración, marco idóneo para reuniones, afterwork y ocio. Un privilegiado lugar donde vivir más intensamente el apasionante universo del Habano con una espectacular cava de más de 80 vitolas y un aforo sentado de 60 plazas. Espacio multimedia y zona wi-fi, dos salones privados como reservados del club, idóneos para reuniones, catas y comidas concertadas. Organiza catas de vinos, destilados, cafés, aguas y habanos, así como almuerzos y cenas maridaje, impartidas por su experto sommelier José Joaquín Cortés, Nariz de Oro de Andalucía 2005 y actual subcampeón del mundo "Habanosommelier".

Modesto tapas

Con esta nueva oferta, Modesto vuelve a sus orígenes, brindando un amplio repertorio de su mejor cocina a través de la tapa. Estratégicamente situado en la sevillanísima Puerta de la Carne, en plena confluencia de los Barrios de Santa Cruz y de la antigua Judería, frente a los Jardines de Murillo, es un rincón con encanto que disfruta de una amplia terraza. Cano y Cueto, 2, en los bajos del Hotel Doña Manuela. T. 954 546 421.

SPECIALITIES OF CASA MODESTO GRAN PLAZA

"Tapas" of national and Andalusian market cookery

Recommendations of the day

Layered slice of foie gras, fresh cheese and sour apple

Courgette lasagne with fish and seafood

Delight of cured ham and cut of Iberian pork

Fried artichokes with Norway lobster tails

Tenderloin of Iberian pork in pastry case

Curd with bitter orange

Homemade artisan ice creams

Casa Modesto Gran Plaza

Reuniones & Celebraciones

Localidad: Sevilla (41005)
Dirección: C/ Alfonso XI, 1 (esquina Gran Plaza)
Teléfonos: 954 925 504 – 954 925 539. Fax: 954 922 502
E-mail: modesto@modestorestaurantes.com
www.modestorestaurantes.com
Parking: Servicio de aparcacoches.
Propietario: Manuel Del Toro y Carmen Ornedo.
Decoración: Amplias y elegantes instalaciones. Columnas, cúpula central, vidrieras emplomadas y abundante luz natural.
Ambiente: Empresas y público sevillano principalmente
Bodega: Magnífica bodega climatizada que se puede visitar. Se utiliza para aperitivos. Casi 10.000 botellas perfectamente clasificadas con reservas de las mejores cosechas y algunos franceses seleccionados.
Hombres y nombres: Director y Sommelier: José Joaquín Cortés. Repostera: Raquel Del Toro.
Tarjetas: Todas.

ESPECIALIDADES CASA MODESTO GRAN PLAZA

Tapas de cocina de mercado, nacional y andaluza

Sugerencias del día

Milhojas de foie sobre queso fresco y manzana ácida

Lasaña de calabacín con pescado y marisco

Delicia serrana de jamón y secreto ibérico

Fritura de alcachofas con colitas de cigala

Mantecado de solomillo ibérico

Cuajada azahar con naranja amarga

Heladería artesana de elaboración propia

Robles Aljarafe

La gastronomía andaluza por excelencia

Robles Aljarafe es una hermosa edificación típica andaluza, repleta de detalles clásicos y buen gusto. Un ambiente idóneo para disfrutar de la buena mesa al más puro estilo sevillano. Conjuga una oferta gastronómica exigente con los gustos actuales, sin olvidar la elaboración de la receta tradicional.

Este complejo de amplios espacios, responde a las necesidades de cualquier tipo de celebración o evento, desde el Salón de las Bóvedas para 120 personas, al Salón de Banquetes para más de 400 comensales. A estos dos salones, se les suman dos magníficas terrazas a ambos lados del edificio central, para disfrutar de la agradable temperatura del Aljarafe sevillano.

Robles Aljarafe, está ubicado en el centro del Aljarafe sevillano, a cinco minutos y a cinco kilómetros del centro urbano de Sevilla, con una buena comunicación, al pasar la autovía Sevilla-Huelva que conecta con la SE-30 en todas direcciones.

Diariamente servicio a la carta. No cierra ningún día. Maitre: Enrique Ávila.

Chef de cocina: José Antonio Lora. Sumilier: Enrique Avila. Persona de contacto para bodas y celebraciones: Mari Carmen Pérez Pérez. (tlf. 954 213 150. Fax: 954 564 479. c/. Conteros, 2)

Robles Aljarafe: Ctra. de Bormujos, 2 - Castilleja de la Cuesta - Sevilla

Tlf.: 954 169 260 Fax: 954 169 262 www.casa-robles.com

Bajo la misma dirección: **Robles Placentines** "la Giralda de la cocina sevillana" C/Placentines, 2 Tel. 954 213 162

CASA ROBLES' SPECIALITIES

Andalusian-Sevillian cookery
Crustaceans and shellfish from Huelva (prawns, Norway lobsters, king size prawns, venus clams, lobster)
Deep fried fish assortment (fried hake and monkfish cubes, small red mullets, marinated fish, marinated anchovies, wedge soles, pigmy squids)
White asparagus from the Sevilla and Cordoba area
Grilled tuna belly flaps
Cured ham and cold sausages from Huelva (of acorn-fed iberian pigs living in the mountains near Huelva)
Andalusian cheese board
Scrambled eggs with brains and shrimps
Rice with lobster
Stews with sea products:Hake with cured Serrano ham,Monkfish with cèpes (boletus mushrooms), Meagre à la marinière, Red bream with garlic and sherry vinegar
Fillet of lamb with apricots
Entrecôte Sevillian style
Loin of venison with fruit compote
Laura Robles prepares daily more than 40 delicious desserts
Dessert "Infanta Cristina" in honor to the last Real wedding

Casa Robles

Localidad: Sevilla (41004)
Dirección: C/ Álvarez Quintero, 58 (zona peatonal, a 50 m. de la Catedral).
Teléfonos: 954 563 272 - 954 213 150
Parking: Cercanos en Plaza Nueva y Torre del Oro.
Propietario: Juan Robles.
Días de cierre y vacaciones: No cierra nunca.
Decoración: Sevillana, local muy ambientado.
Ambiente: Encuentro diario de artistas, poetas, toreros, políticos, periodistas, banqueros, público de Sevilla y, por proximidad a la Catedral, algunos turistas.
Bodega: Extensa, alrededor de 200 marcas diferentes españolas y extranjeras. Más de 10.000 botellas.
Hombres y nombres: Maitres: Manuel Vargas y Jose María Ciero. Jefes de barra: Manolo Domínguez y Pedro Giménez. Sumiller: Mariano Rodríguez. . Primer Chef: Eduardo Arteaga. Director: Pedro Robles. Repostería: Laura Robles. Administración: Antonio Jesús Calero.
Otros datos de interés: Agradable terraza en calle peatonal. Casa con más de 50 años de tradición en Sevilla. Representó la ciudad de Sevilla en el pabellón de Andalucía de la Exposición Universal. **10 Salones privados**. Pertenece a la Buena Mesa, Eurotoques, Club de Oro de la Mesa Andaluza, Jóvenes Restauradores de Europa, la cofradía del Ciento y Agras: Asociación gastronómica de Restaurantes y Sumilleres de Andalucía.
Tarjetas: Todas.

ESPECIALIDADES CASA ROBLES

Cocina andaluza-sevillana
Mariscos de Huelva (gambas, cigalas, langostinos, almeja y bogavante)
Pescaíto frito (taquitos de merluza, de rape, salmonetitos, adobo, boqueroncitos malagueños, pijotas o acedías, puntillitas)
Espárragos blancos de la sierra de Sevilla y Córdoba)
Ventresca de atún fresco a la plancha
Chacinas serranas de Huelva
Bandeja de quesos andaluces
Revuelto de seso y gambas
Arroz con bogavante
Guisos marineros: Rodaballo con verduras, merluza con jamón serrano, rape con boletus, corvina a la marinera, pargo al ajo y vinagre de Jerez
Solomillo de cordero con albaricoque
Entrecot a la sevillana
Lomo de venado con compota
Diariamente más de 40 exquisitos postres elaborados por Laura Robles
Postre "Infanta Cristina" dedicado a la última boda real

Corral del Agua

Oasis de serenidad

El origen de esta casa se remonta al siglo XVIII cuando el barrio sevillano de la Judería alcanzaba su máximo esplendor. Según una leyenda bastante documentada, este edificio y las casas colindantes fueron durante el siglo pasado La Hostería del Laurel, que inspiró el primer acto del **Don Juan Tenorio de Zorrilla**. En la actualidad, Corral del Agua se ha convertido en un emblemático restaurante que toma su nombre de la histórica Calle del Agua, uno de los rincones más característicos del barrio de Santa Cruz.

Esta casa, auténtico oasis en el corazón de la capital hispalense, se despliega en torno a una fuente central de mármol y a un típico pozo andaluz con la siguiente inscripción **"Dios te dé salud y gozo, y casa con corral y pozo"**.

El murmullo permanente y la abundante vegetación refrescan sus rincones y llenan de vida este espacio cargado de años y leyendas. Todas sus ventanas y puertas dan a un íntimo y florido patio-jardín, privilegiado comedor y el preferido de los visitantes.

Durante el día, el sol se asoma entre sus plantas y dibuja en los muros mágicos cuadros de luces y sombras. Por la noche, la luz de las velas y el sonido del agua crean la atmósfera perfecta para la intimidad y el sosiego.

Un marco acogedor y auténtico, decorado con paredes tapizadas en rosa palo, mobiliario antiguo de pino de Flandes y cuadros de época. Aquí se combinan felizmente armonía, elegancia y buena mesa. Corral del Agua ofrece una carta sugerente con las mejores especialidades de la genuina gastronomía andaluza.

La singularidad de este enclave en una de las zonas más nobles de Sevilla convierte a este restaurante en una inmejorable opción.

CORRAL DEL AGUA'S SPECIALITIES

"Salmorejo" (cold tomato sauce) with egg and ham
Salad of fried marinated quails
Chilled garlic & almond soup with raisins
Gilthead bream with Tio Pepe sauce
Pink ling on a layer of tomatoes, peppers and onions
Sea bass Basque style
Tenderloin of Iberian pork in brandy sauce
Oxtail stew of the house
Banana tart with orange custard
Home-made rich cream caramel of yolks and syrup
Pears in red wine

Corral del Agua

Localidad: Sevilla (41004)
Dirección: Callejón del Agua, 6.
Teléfonos: 954 224 841.
E-mail: info@corraldelagua.es - www.corraldelagua.es
Días de cierre y vacaciones: Domingos todo el día. En verano, lunes mediodía. Vacaciones desde el 10 de enero al 1 de febrero.
Decoración: Restaurante ubicado en la planta baja de una casa de arquitectura popular del siglo XVII con un jardín-comedor donde se sirven refrescantes almuerzos y cenas en primavera y verano.
Ambiente: Íntimo y romántico.
Bodega: Vino de la casa "Rioja Vega", blanco afrutado "Viña Galvana" Sanlucar de Barrameda. Excelentes caldos de la Rioja.
Hombres y mujeres: Director, Iñigo Ullmann del Vando; Jefe de sala, Abdel Alí Youssafi; Jefe de cocina, Antonio Lozano Naranjo.
Otros datos de interés: Capacidad interior: 60 comensales, jardín-comedor: 60 comensales. Ubicado en el corazón del Barrio de Santa Cruz el mejor conservado y más típico de Sevilla, antigua Judería. Salón privado para 20 comensales.
Tarjetas: Todas

ESPECIALIDADES CORRAL DEL AGUA

Salmorejo con guarnición de huevo y jamón
Ensalada de codornices en escabeche
Ajoblanco de almendras con pasas de corinto
Dorada al Tío Pepe
Rosada a la roteña
Lubina a la bilbaína
Solomillo de ibérico al brandy
Cola de toro al estilo del chef
Tarta de plátano con flan de naranja
Tocino de cielo casero
Peras al vino tinto

Egaña Oriza

Clasicismo renovado

En una casa señorial de 1926 situada en uno de los enclaves más bellos de la ciudad, junto a los muros del Alcázar de Sevilla, se encuentra el restaurante Egaña Oriza. Su salón principal ocupa un antiguo invernadero del que aún hoy perduran las elegantes columnas y traviesas de fundición, diseñadas siguiendo el estilo del arquitecto francés Eiffel. Amplio y luminoso, destaca la gran cristalera que permite el paso de luz natural y la creación de una atmósfera simplemente perfecta.

Egaña Oriza, tras las últimas reformas, inicia una nueva etapa: el local presenta una imagen más actualizada. En los fogones, se mantendrá la oferta tradicional de la casa pero con un toque moderno, acorde a los nuevos tiempos. Destaca la apertura de un novedoso espacio, el pequeño Oriza, tapas a precios más ajustados. Además, la oferta se completa con el Bar España y su terraza, la zona privada para grupos y el Kiosco para tentempiés y copas.

José María Egaña representa la cuarta generación de una saga de cocineros vascos. Técnico e intuitivo, elabora una cocina de mercado con detalles de autor, combinando las técnicas tradicionales de reminiscencias vascas con las espléndida variedad de la despensa andaluza. Integra el grupo de grandes cocineros vascos que han obtenido con sus conocimientos, inquietudes y su exigente labor el reconocimiento de la crítica especializada.

La cocina de Egaña, generosa y sutil, es un constante homenaje a la cocina del sabor. Basadas en una excelente materia prima en la que pescados y mariscos tienen especial protagonismo, desarrolla sugerentes propuestas interpretadas con la ancestral sabiduría del norte. La carta se renueva según la temporada, si bien mantiene platos que se han convertido en verdaderos clásicos.

EGAÑA ORIZA'S SPECIALITIES

Terrine of foie gras with toasted bread and honeyed pearls onions

Salad of scarlet prawns and smoked eel

Lobster salad with fine herbs and tartare sauce

Courgettes stuffed with oysters and seaweed tartare

Chilled garlicky almond soup with grapes, melon pearls and cured ham

Fillet of meagre (fish) with mustard-seed sauce and pasta

Pigeon from Bresse roasted à la minute with bread salad

Braised knuckle of lamb with courgettes and aubergines

Orange from "La Juliana" in different textures and chocolate stones

Wild strawberries with cheese ice cream in a tulip-shaped cookie

Egaña Oriza

Localidad: Sevilla (41.004)

Dirección: C/ San Fernando, 41

Teléfonos: 954 227 254 Fax: 954 502 727

E-mail: reservas@restauranteoriza.com

www.restauranteoriza.com

Propietario: José Mª Egaña Egaña.

Días de cíerre y vacacíones: Domingos. Agosto.

Decoración: Recreación de estructura industrial de fundición de principios de siglo. Amplio y acogedor

Ambiente: Selecto

Bodega: Amplia carta de vinos, tanto nacionales como extranjeros.

Hombres y nombres: Chef, José Mª Egaña Egaña; Sala, Mercedes Martínez Egaña.

Tarjetas: American Express, Visa, Dinner's, Eurocard, Mastercar, Air Plus

ESPECIALIDADES EGAÑA ORIZA

Terrina de foie-gras con sus tostas y cebollitas a la miel

Carabineros salteados con anguila ahumada en ensalada

Bogavante en ensalada a las finas hierbas con salsa tartara

Calabacines rellenos de ostras y tartar de algas

Ajoblanco con uvas y perlas de melón con jamón

Suprema de corvina a la mostaza de grano con pasta

Pichón de "Bresse" asado al momento en ensalada de pan

Jarrete de cordero estofado con calabacines y berenjenas

Naranja de "La Juliana" en textura y piedras de chocolate

Fresillas silvestres con helado de queso en tulipa

Juliá RestauranteR

Servicios de catering

La historia de la familia Juliá, restauradores sevillanos, comienza en 1915 con Cayetano García Carro regentando "El Café de París". Posteriormente fue su hija Pilar García, que ostenta la Medalla de Plata al Mérito en el Trabajo de Andalucía, junto con su marido Eduardo Juliá, los que promovieron los primeros servicios de catering y diferentes establecimientos de restauración en Sevilla. En la actualidad, el hijo menor de Doña Pilar, Rafael Juliá se convierte en el artífice principal de Juliá RestauranteR, empresa líder de catering en Andalucía y desarrollo de servicios de restauración para eventos y celebraciones.

El lema es la calidad total, adaptándose a las exigencias y necesidades del cliente. Este ha sido el objetivo prioritario, plenamente conseguido. Cuenta con un equipo de profesionales especializados, capaces de prestar el mejor asesoramiento a la hora de organizar cualquier tipo de acontecimiento: bodas, banquetes, recepciones oficiales, comidas de empresa, congresos...Un servicio integral que abarca desde la selección del entorno más idóneo hasta la elaboración de los platos más convenientes para el acto. Cuidar hasta el último detalle y el esmerado servicio que caracteriza a Juliá garantizan la completa seguridad de acertar.

JULIÁ LOS MONOS'S SPECIALITIES

Fried fish
Scrambled eggs
Scrambled eggs with garlic shoots
Paella
Marinated salmon with seaweed
Sea-bream Rota's style or in cognac sauce
Chicken in garlicky sauce
Confit of duck
Partridge Castilian style
Chocolate parfait with walnuts
Macaroon with raspberries
Juliá's parfait
Our Chef's chocolate mousse

Juliá - Los Monos

Localidad: Sevilla (41012).
Dirección: Avda, de Molini, 1 (esquina Avda. de La Palmera).
Teléfonos: 954 613 599 - 954 613 041
E-mail: rjulia@julia-catering.com www.julia-catering.com
Propietario: Pilar García Alonso y Rafael Juliá Garcia.
Días de cierre y vacaciones: Abierto sólo al mediodía.
Decoración: Elegante.
Ambiente: Variado: empresas, organismos oficiales,... más familiar y autóctono los fines de semana.
Bodega: Completa. Gran surtido de finos, manzanillas, olorosos, blancos, rosados, tintos, brandys, licores, whiskys, etc.
Hombres y nombres: Director: Rafael Juliá García, Jefe de cocina restaurante: Miguel Marín. Jefe de cocina catering: Rafael Solorzano. Maitre: José Ramírez.
Otros datos de interés: Restaurante con mucha tradición en Sevilla, pertenece a la Asociación de Gastronomía Andaluza. Dispone de servicio de cafetería con aperitivos fríos y calientes.
Primera organización de catering en Andalucía: todo tipo de congresos, recepciones y bodas. Sirvió el banquete de la boda de la Infanta Elena.
Tarjetas: Todas.

ESPECIALIDADES JULIÁ-LOS MONOS

Fritura de la casa
Revueltos variados
Revuelto de ajetes tiernos
Paella
Salmón marinado a las algas
Urta a la roteña o al coñac
Pollo al ajillo
Confit de pato
Perdíz de la casa a la castellana
Perfecto de chocolate con nueces
Macarrón glacé con frambuesas
Semi-frío estilo Juliá
Mousse de chocolate del chef

Río Grande

Breve historia

La aventura de Río Grande se inicia en 1956 con un pequeño local, una carta corta pero novedosa y una apuesta por que los sevillanos vencieran un doble obstáculo: comer en un restaurante y cruzar el río, que debía ser atravesado por un viejo puente de madera (poco después se construyó el actual Puente de San Telmo). El restaurante empezó a ser frecuentado por la aristocracia. También era sitio de reunión de la gente del teatro y del flamenco, así como del mundo del toro y del fútbol.

Un nuevo aire a la tradición

En mayo 2003, emprendió una nueva andadura con el cambio de propiedad, la dirección, la cocina y el servicio. En la actualidad, la inigualable vista de Sevilla, el gusto exquisito en la decoración y una cocina única se combinan con el más esmerado de los servicios.

La cocina de Río Grande se basa en la tradicional cocina marinera, realzada por una especial elaboración. El clasicismo está en los mariscos: las gambas de Huelva, las cigalas, las coquinas y las almejas. El comensal también puede disfrutar de preparaciones de actualidad y de vanguardia en pescados conjugados con salsas creativas. Los arroces y los postres merecen una atención especial.

Río Grande **es un lugar espectacular: goza de unas magníficas vistas al rio Guadalquivir, consta de más de 3.000m^2** y cuenta con un equipo compenetrado que se crece en los retos.

El gran espacio del que dispone Río Grande se divide en tres salones –uno dedicado a fumadores-, y la terraza. Cuenta también con un salón para celebraciones en el piso inferior y dispone de embarcadero propio. Ésto último muy útil para aquellos que quieran acercarse al restaurante, o degustar la cocina, en su propio barco, algo habitual sobre todo en la feria.

Terraza de verano. "Puerto de Cuba": música chill-out y copas.

RÍO GRANDE'S SPECIALITIES

Personalised cookery with sea products
Tartare of tuna
Carpaccio of prawns
"Gazpacho" creamed soup with Jabugo ham
Asparragus stuffed with clams, tuna, caviar and smoked salmon, Jabugo ham
Lobster ragout with red king-prawns, Jabugo ham, octopus and vegetables
Tuna loin with caramelised onion and deep fried green peppers
Dover sole fillets stuffed with monkfish and iberian ham with a sauce of goose foie-gras
Bull tail ragout in Ribera del Duero red wine sauce
Roasted baby lamb in Pedro Ximénez sauce
Beef fillet in Torta del Casar cheese sauce
Ice cream prepared with brandy Pedro de Valdivia
Lukewarm flaky pastry tart of apples with almond ice cream

Río Grande

Localidad: Sevilla (41.010)
Dirección: C/ Betis s/n (junto Plaza de Cuba)
Teléfonos: 954 273 956 Fax 954 279 846
www.riogrande-sevilla.com
Parking: Aparcamiento público al lado en la Plaza de Cuba
Propietario: Rio Grande Sevilla S.A.
Días de cierre y vacaciones: Abierto cada día del año
Decoración: En tonos blancos, espléndidas vistas a la ribera del Guadalquivir y la Torre del Oro. Minimalista e intimista.
Ambiente: Negocios entre semana, turismo selecto y público sevillano por las noches
Bodega: Alrededor de 110 referencias de vinos nacionales y del mundo
Hombres y nombres: Chef de cocina: José Luis Pérez. Gerente de servicio y sumiller: Fernando Vela. Responsable de eventos: Mari Carmen García.
Otros datos de interés: Nueva propiedad desde mayo 2003 para este restaurante emblemático de Sevilla fundado en 1956. Amplias y elegantes instalaciones: Salones privados, Salón de la Rosa (250 p.), Reina Sofía (180 p.), cafetería con terraza (120 p.), terraza acristalada Guadalquivir, jardín privado de 1000 m2 unido al salón de eventos y embarcadero propio.
Tarjetas: Todas

ESPECIALIDADES RÍO GRANDE

Cocina marinera de autor
Tartar de atún
Carpaccio de gambas
Crema de gazpacho con jamón de Jabugo
Espárragos rellenos de ventresca, almejas y caviar con salmón ahumado y jamón de Jabugo
Ragout de bogavante con carabineros, jamón de Jabugo, pulpo y verduritas
Medallones de bonito con cebolla caramelizada y pimientos verdes fritos
Lomos de lenguado rellenos de rape y jamón de Jabugo en salsa de foie de oca
Cola de toro al vino tinto de la Ribera del Duero
Brazuelo de cordero lechal salseado al Pedro Ximénez
Medallones de solomillo de buey en salsa de queso Torta del Casar
Helado al Brandy Pedro de Valdivia
Tarta hojaldrada de manzana templada con helado de turrón

Los Baltazares

Para sibaritas

Fundado en 1996, fue terraza de verano y se ha convertido en un restaurante de referencia gracias a la labor de un joven equipo comandado por los hermanos Juan Carlos y Javier Fernández Vera, siempre asesorados por el patriarca Antonio Fernández, apodado "Baltazar", que dio su nombre al restaurante.
Esta casa realiza un esfuerzo importante para evolucionar, tanto en instalaciones como en cocina, las novedades significativas son numerosas. Aquí, se trabaja con las mejores materias primas del mercado: carnes de Valle del Esla, entrecot de buey de Luismi -proveedor de los más rutilantes restaurantes-, cordero raza churra de Aranda de Duero y selección de pescados y mariscos de Isla Cristina. Además de este despliegue para gourmets, presenta infinidad de productos delicatessen y complementos de gama alta: vinos Petrus, Pingus, La Ermita..., 30 tipos de aceites de toda España, 65 clases de té, café de calidad 100% arábica y gran variedad de puros.
En Los Baltazares se apuesta por una cocina de calidad realzada por los generosos productos autóctonos, pescados y mariscos se elaboran con un toque de creatividad. La carta de vinos con las etiquetas más representativas y la repostería casera completan la oferta de este singular restaurante frecuentado por personalidades nacionales e internacionales de la vida empresarial, cultural, política, deportiva...
Coctelería.- Los Baltazares se ha llegado a calificar como "**embajada del gin-tonic en Andalucía**", dispone de la mayor colección de ginebras de España, 130 marcas "premium" para conseguir el combinado perfecto con máquina de enfriar las copas (menos 45° en tres segundos), además de rones, brandies, 8 colecciones completas de olorosos...
Dos Hermanas.- A tan sólo 12 km. de Sevilla, esta localidad de más de cien mil habitantes es la más poblada de la provincia, después de la capital. Estratégicamente situada en un importante nudo de comunicaciones ha experimentado en los últimos años un significativo crecimiento convirtiéndose en una gran ciudad residencial con excelentes servicios, industrias y rodeada de urbanizaciones. A pesar de este desarrollo, las calles de su casco antiguo conservan interesantes monumentos, edificios típicos de la arquitectura regional y un encanto especial donde el paseo sosegado y tranquilo por sus parques y jardines, como la Alquería del Pilar, es una auténtica delicia.

LOS BALTAZARES' SPECIALITIES

High-quality cuisine elaborated with the best regional produces
Wide range of ingredients
Fresh fish from Isla Cristina, shellfish and crustaceans from Huelva
Sevillian titbits: cuttlefish in ink sauce, spinach with chickpeas
Artichokes "Baltazares" (with cured ham and prawns)
Croquettes of meagre (fish)
Fresh anchovies from Santoña
All kinds of fish from our coast prepared as required
Lamb, oven-roasted or grilled on the charcoal-fired barbecue
Cuts of Galician beef
Caramelised banana with reduction of sweet Pedro-Ximenez wine
Caramelised lemon-custard roulades
Flaky pastry with cream and muscatel

Los Baltazares

Localidad: Dos Hermanas (41.700 Sevilla)
Dirección: Avda. Cristóbal Colón, 31
Teléfonos: 955 678 491
E-mail:javibaltazares@gmail.com
www.losbaltazares.com
Parking: Fácil aparcamiento en las inmediaciones y aparcacoches
Propietario: Juan Carlos y Javier Fernández Vera
Días de cierre y vacaciones: Cerrado domingos y noches de lunes, martes y miércoles. Vacaciones: una semana en mayo durante la feria de Dos Hermanas
Decoración: Confortable comedor interior y agradable terraza de verano
Ambiente: Público local y visitantes
Bodega: Amplia gama de vinos andaluces y selección de las principales D.O. y las bodegas más conocidas
Hombres y nombres: Jefe de cocina: Juan Carlos Fernández. Jefe de sala: Javier Fernández
Otros datos de interés: Carta de tapas de cocina, creativas y tradicionales. Servicio de catering.
Tarjetas: Todas

ESPECIALIDADES LOS BALTAZARES

Cocina de calidad elaborada con los mejores productos autóctonos
Extensa variación de géneros
Pescados de Isla Cristina y mariscos de Huelva
Tapas sevillanas: choco en su tinta, espinaca con garbanzo...
Alcachofas Baltazares (con taquitos de jamón y gambas)
Croquetas de corvina
Anchoas artesanales de Santoña
Toda clase de pescados de nuestra costa
en todas sus preparaciones, a gusto del comensal
Cordero raza churra al horno o en parrilla de carbón
Carnes de buey cebón gallego
Plátano caramelizado con reducción de Pedro Ximenez
Piononos fritos con crema casera de limón
Hojaldre con nata y moscatel

Asador Almansa

Decidida apuesta por la calidad

Si quiere apostar sobre seguro a la hora de comer, el restaurante Asador Almansa es una opción siempre fiable, propia a satisfacer todos los gustos y apetitos. Desde una parrillada de verduras, chistorras o surtido de casquerías de cordero entre otros entrantes, pasando por los guisos tradicionales de la abuela si se quiere algo de cuchara hasta la magnífica brasa donde se puede asarnos desde chuletitas de cordero hasta un rodaballo, sin olvidar el inmejorable chuletón de buey gallego. Para cerrar el festín, cualquiera de los postres caseros: arroz con leche, leche frita o la pequeña gran milhojas.

Asador Almansa combina los mejores géneros del mercado con la artesanía y originalidad de una empresa familiar cuyo objetivo es ofrecer a sus clientes la mayor calidad.

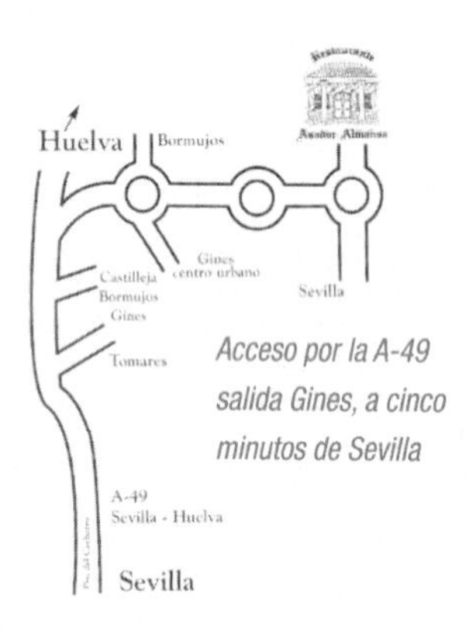

Acceso por la A-49 salida Gines, a cinco minutos de Sevilla

ASADOR ALMANSA'S SPECIALITIES

Small red capsicums stuffed with bull tail meat
Country bread sprinkled with olive oil and topped with cured ham
Lamb offal assortment
Hake cubes chef's style
Lukewarm sweetbread and prawn salad
Fish, crustaceans and shellfish from the Huelva coast
Calf's cheeks with pine nuts and almonds
Veal from Avila
Galician beef
Baby lamb "churra"
Home-made desserts and confectionery

Asador Almansa

Localidad: Gines (41960 Sevilla)
Dirección: Antigua Ctra. Sevilla-Huelva, km. 558 (junto gasolinera)
Teléfonos: 954 713 451 **Fax:** 954 713 955
E-mail: info@restaurantealmansa.com
www.restaurantealmansa.com
Parking: Fácil aparcamiento
Días de cierre y vacaciones: Domingos noche. La segunda quincena de agosto.
Decoración: Andaluza, acogedora y confortable
Ambiente: Empresas principalmente, más familiar los fines de semana
Bodega: Bien surtida, con representación de muchas denominaciones de origen
Hombres y nombres: Dirección: Javier Almansa
Otros datos de interés: Fundado en 1993. Dispone de un amplio jardín-comedor hasta 150 personas y un agradable salón con chimenea. En este restaurante se pueden degustar las famosas carnes que el legendario carnicero de La Alfalfa venía ofreciendo a sus clientes.
Tarjetas: Todas.

ESPECIALIDADES ASADOR ALMANSA

Pimiento del piquillo rellenos de cola de toro
Pan de pueblo con aceite de oliva y jamón
Surtido de casquería de cordero
Taquitos de merluza al chef
Ensalada templada de mollejas y langostinos
Pescados y mariscos de las costas de Huelva
Carrillada de ternera con piñones y almendras
Ternera natural de Avila
Buey cebón gallego
Cordero lechal raza churra
Repostería artesanal casera

Manolo Mayo

Espíritu familiar

Ubicado en una casa señorial, este restaurante inaugurado en 1963 defiende las esencias y buenas maneras de la cocina tradicional con sabrosos platos rescatados del recetario popular andaluz. La carta presenta recetas caseras de siempre, contundentes y seguras en la concepción, preparadas al amor de la lumbre, pero tratadas con apreciables técnicas actuales, todo ello sin perder su inconfundible sabor e identidad, delicada labor que llevan a cabo de manera impecable sus dos jefas de cocina, Loli Rincón y Mª Ángeles Duque desde 1983. La ejemplar trayectoria del establecimiento ha merecido diversos reconocimientos: Premio Andaluces del Turismo, otorgado por Hostelsur y la Consejería de la Junta de Andalucía, 1º Premio al mejor Conjunto de Tapas de la Feria de Sevilla y 1º Premio al mejor guiso de la Feria de la Tapa y Gastronomía de Sevilla (arroz con perdiz).

Eventos y celebraciones

Las instalaciones disponen también de grandes espacios perfectamente diseñados para cualquier tipo de evento: salones con capacidad para 380, 100, 50 y 20 comensales para banquetes o convenciones. Totalmente climatizados y con todos los servicios: megafonía, conexión wifi... además de aparcamiento propio. Ofrece también menús personalizados confeccionados de acuerdo a los deseos del cliente.

Manolo Mayo destaca por su servicio de catering con la infraestructura necesaria, personal cualificado, experiencia y profesionalidad requerida para un acontecimiento único. Además, la Finca Santa Clotilde situada en la Ctra. N. IV, km. 564,5, es un lugar idílico para actos al aire libre o en su magnífico salón acristalado.

Hotel

El antiguo hotel Manolo Mayo se inauguró en 1985. En el año 2004 se realizaron las obras de reconstrucción integral del edificio originario. Dispone de 45 habitaciones amplias y luminosas, de líneas modernas y elegantes, combinando las maderas con tonos cremas y azules y equipadas con todos los servicios.

MANOLO MAYO'S SPECIALITIES

Traditional and creative Andalusian cookery
Rice pot with partridge
Layered slice of salted and smoked fish
Oyster mushrooms tossed with bacon, shrimps, olive oil and paprika
Pork rolls with dates and saffron sauce
Fresh fish from the bay
Roast lamb
Leg of guinea fowl stuffed with mushrooms and foie-gras
Fillet steak with sauce of prunes and raisins
Home made desserts and confectionery:
assortment of more than 35 pastries, prepared daily
Special list for cigars and dessert wines

Manolo Mayo

Localidad: Los Palacios (41720 Sevilla)
Dirección: Avda. de Sevilla, 29 (centro población).
Teléfonos: 955 811 086 y 955 811 152 (y fax).
E-mail: restaurante@manolomayo.com
www.manolomayo.com
Parking: Aparcamiento propio.
Propietario: Hermanos Mayo Cabrera.
Días de cierre y vacaciones: Abierto todo el año.
Decoración: Andaluza. Ladrillos, maderas y azulejos.
Ambiente: Comidas de empresa, el mundo del caballo, público local, etc.
Bodega: Alrededor de 5.000 botellas.
Hombres y nombres: Restaurante atendido familiarmente por los dos hermanos y sus esposas. Cocina: Loli Rincón y Mª Angeles Duque, Sala: Jose Francisco y Fernando.
Otros datos de interés: Casa fundada en 1963, segunda generación. instalaciones idóneas para actos de empresa o familiares. Salón de banquetes hasta 450 personas. Dispone de 45 habitaciones.
Tarjetas: Todas.

ESPECIALIDADES MANOLO MAYO

Cocina andaluza, tradicional y creativa
Arroz con perdiz
Milhojas de salazón y ahumados
Setas con beicon y gambas al aceite de oliva y pimentón
Rollitos de presa ibérica con dátiles en salsa al azafrán
Pescados de la bahía
Lechazo churro al horno
Muslo de pintada relleno de setas y foie
Solomillo de ternera en salsa de ciruelas y pasas
Gran repostería casera: surtido de más de 35 tartas elaboradas a diario
Carta de puros y vinos generosos

CÁDIZ

El Puerto de Santa María: **EL FARO DEL PUERTO.**
Ctra. de Fuentebravía, km.0,5. Tel. 956 870 952
info@elfarodelpuerto.com www.elfarodelpuerto.com

Antigua casa señorial de recreo, rodeada de jardines y con huerta propia de hierbas aromáticas y verduras de temporada, donde Fernando Córdoba apuesta por una cocina fresca, saludable y con primordial atención a los productos de la región. Excelente bodega: 150 m^2 climatizados con más de 400 referencias de vinos de las principales denominaciones de origen.

CORDOBA

BODEGAS CAMPOS. Los Lineros, 32. Tel. 957 497 500. Fax: 957 490 318.
loreto@bodegascampos.com - www.bodegascampos.com

Mas de cien años de historia respaldan la trayectoria de esta bodega rehabilitada con acierto, respetando su estructura original. Especializada en gastronomía tradicional cordobesa, basa su cocina en la sencillez y la calidad de sus ingredientes, con algunos toques de innovación, deliciosos platos que poseen el aliciente de lo natural y auténtico.

HUELVA

LAS MEIGAS. Avda. Guatemala, 44. Tel. 959 271 958. Fax: 959 271 977.

Restaurante muy consolidado en Huelva, con bastantes años de experiencia, conjuga la culinaria gallega y onubense con oficio. Recetas galaicas y guisos típicos de la zona conviven en plena armonía en una oferta que destaca por su esmerada utilización de la materia prima, con interesantes sugerencias.

Punta Umbría: **EL PARAÍSO. Ctra. Huelva-El Portil-El Rompido.**
Tel. 959 312 756. info@restauranteelparaiso.com
www.restauranteelparaiso.com

Su emplazamiento, junto al Paraje Natural Marismas del Odiel en un entorno rodeado de naturaleza, y la calidad de su cocina especializada en la despensa regional onubense, con acento en pescados frescos, avalan el prestigio que posee en toda la provincia. Carta de vinos muy extensa y repostería casera.

MALAGA

CAFÉ DE PARIS. Vélez Málaga, s/n. Tel. 952 225 043. Fax: 952 603 864.
cafedeparis@rcafedeparis.com - www.rcafedeparis.com

José Carlos García apuesta por creaciones insólitas y modernas, todas las nuevas formas culinarias están presentes en su recoleto comedor. Diseño gastronómico tanto en los fogones como en la disposición de los platos. A partir de la despensa local logra recetas imaginativas, con las técnicas más avanzadas. Selecta carta de vinos, con referencias extranjeras, y sala de catas. En proyecto, su traslado al muelle Uno del Puerto de Málaga.

Marbella: **EL LAGO. Av. Las Cumbres, s/n. Urb. Elviria Hills. Tel. 952 832 371. restaurante@restauranteellago.com - www.restauranteellago.com**

Un equipo joven, formado en su gran mayoría en la Escuela de Hostelería de Málaga La Cónsula, ha conseguido situar a este restaurante en la cúspide de la restauración andaluza. Cocina de autor en un marco incomparable, junto a un lago y un campo de golf. Bodega con más de 300 referencias nacionales en constante renovación con las últimas tendencias del mercado.

LA HACIENDA. Ctra. Cádiz, km.193 (salida Las Chapas). Tel. 952 831 267. Fax: 952 833 328.info@restaurantelahacienda.com www.restaurantelahacienda.com

Villa romántica y acogedora con todo el encanto de épocas pasadas. La familia Schiff continua la labor que emprendió su padre, el desaparecido Paul Schiff, con una gastronomía basada en el Mediterráneo, impregnada de sabores típicamente andaluces. Interesante menú degustación que cambia dependiendo de la estación

SEVILLA

ABANTAL. C/ Alcalde José de la Bandera, 7-9. Tel. 954 540 000. info@abantalrestaurante.es - www.abantalrestaurante.es

A un paso del casco antiguo con su impresionante legado monumental y de los centros de negocios de la Buhaira y Nervión, en un moderno comedor de estilo racionalista, se practica una cocina andaluza contemporánea, fusión de los sabores de la culinaria tradicional con novedosas técnicas. Creatividad, textura, presentación, estética y guarnición proponen una dimensión cosmopolita.

SANTO. C/ Alemanes, 27. (Hotel Eme Catedral). Tel. 954 561 020. santorestaurante@emecatedralhotel.com - www.emecatedralhotel.com

Situado en pleno corazón de Sevilla, frente a la Catedral y la Giralda, este hotel urbano y vanguardista acoge un nuevo proyecto del prolífico Martín Berasategui. Un singular espacio gastronómico de diseño minimalista que presenta una alta cocina de mercado fusionando las culturas gastronómicas de Andalucía con el virtuosismo y la personalidad del cocinero vasco.

Sanlúcar la Mayor: **LA ALQUERÍA. Virgen de las Nieves, s/n. (El Bulli Hotel Hacienda Benazuza). Tel. 955 703 344. www.elbullihotel.com**

Recrean las formulas originales de Ferran Adriá en esta preciosa hacienda, un auténtico lujo para los sentidos. Cocina sofisticada de influencia mediterránea, de sabores puros y refinados. Desbordante bodega, un mítico viaje desde Jerez a La Champagne, donde se pueden degustar vinos blancos y tintos de las mejores bodegas del mundo.

Aragón

Todo Aragón es un inmenso espacio natural: imponentes masas de roca que se alzan hasta el cielo, bosques de leyenda, nieves perpetuas sobre valles paradisíacos, lagos de montaña, intrincados cañones y barrancos, sierras de exuberante vegetación, dilatadas llanuras y estepas...Son de visita obligada, el Pirineo, las sierras Prepirenaicas, embalses y humedales como Mequinenza, los Galachos del Ebro, las estepas de Belchite y Monegros, el sistema Ibérico con el Parque Natural de la dehesa del Moncayo, la serranía de Albarracín, el Maestrazgo...
Aragón también reúne un patrimonio histórico milenario e impresionante. Huellas de la historia que han llegado hasta nuestros días en forma de templos, murallas, castillos y palacios de diversas épocas y culturas: el palacio de la Aljafería, el Monasterio de San Juan de la Peña, el palacio renacentista de la Lonja, el venerado templo neoclásico del Pilar, la catedral de la Seo, la catedral de Jaca, los cascos medievales de Albarracín, Aínsa, Daroca... y el legado del Camino de Santiago.
Es el mejor destino turístico para practicar deportes de aventura, la forma más sana de disfrutar de la naturaleza: senderismo, escalada, bicicleta de montaña, rutas ecuestres, rafting, descenso de cañones y el esquí en sus excelentes y numerosas estaciones.

Zaragoza

Fiestas Patronales: San Valero (29 de enero), con actos eminentemente religiosos, siendo típicos los roscones del Santo.
Museos y monumentos: Basílica del Pilar, La Seo de San Salvador, Museo Provincial, Museo Camón Aznar, Murallas romanas, Torreón de la Zuda, Iglesia de San Pablo, Palacio de la Aljafería, la Audiencia, Puerta del Carmen, Antigua Facultad de Medicina, Patio de la Infanta, La Lonja, Cartuja de Aula Dei, Iglesia de Santa Engracia, Mercado de Lanuza.
Oficina de Turismo: Plaza del Pilar, s/n. Tel. 976 393 537

La cocina aragonesa

La cocina aragonesa cuenta con unos productos naturales o elaborados de primera calidad, que al ser transformados en los fogones por un extenso recetario tradicional, llegan a la mesa presentados en creaciones con características propias de una cocina auténticamente regional.
Su variada orografía -desde las altas montañas del pirineo oscense hasta el inmenso llano del valle del Ebro, sin olvidar la Sierra de Teruel- contribuye a definir su cocina, naturalmente sencilla y rotunda, basada en la calidad de su excelente despensa: jamón curado de Teruel, verduras y frutas de la huerta, migas de pastor, el famoso ternasco, pescados del Cantábrico o Mediterráneo o autóctonos como la trucha o los cangrejos de río, los deliciosos postres...
Es la huerta quien da personalidad propia a esta tierra con el Ebro como eje principal, pero también al abrigo del Jalón, Cinca y otros ríos. Aragón puede presumir de unas magníficas verduras y frutas.
Si impresionante resulta la lista de productos que ofrece la tierra aragonesa, su ganadería tiene la misma calidad. El cordero es la carne emblemática de Aragón y como no, el ternasco. Entre los embutidos sobresale el jamón de Teruel, curado a una altitud media de 800 metros pasa por ser el mejor de cerdo blanco de España. En la mesa de otoño destaca la caza de pluma, perdices y codornices, y la caza mayor. Son también muy apreciados sus vinos como el de Somontano y Cariñena.

Huesca

PEDRO I DE ARAGON***	Av. Del Parque, 34	974 220 300	www.hotelpedroidearagon.com
MONASTERIO BOLTAÑA*****	Afueras, s/n (Boltaña)	974 508 000	www.barcelomonasteriodeboltana.es
CASA SOCOTOR	Vico, 9(Sallent Gállego)	974 488 240	www.casasocotor.com

Teruel

PT DE TERUEL***	Ctra. Sagunto-Burgos	978 601 800	www.paradores.es
REINA CRISTINA***	Pº del Óvalo, 1	978 606 860	www.hotelreinacristinateruel.com
CIUDAD DE TERUEL***	Polígono La Paz	978 618 618	www.spahotel.es

Zaragoza

PALAFOX*****	Marqués Casa Jiménez, s/n	976 237 700	www.palafoxhoteles.com
MELIA ZARAGOZA*****	Av. César Augusto, 13	976 430 100	www.melia-zaragoza.com
GOYA****	Cinco de Marzo, 5	976 229 331	www.palafoxhoteles.com

Gastrológica

Suma de conceptos

Sergio Azagra Cruces, personaje pasional y polifacético, nace en Huesca en 1975. Cocinero, escritor, colabora con medios de comunicación y con la universidad de Bellaterra (Barcelona) en el primer Máster de Gastronomía.

Trabajó con Juan Mari Arzak donde vive dos de los años más instructivos de su carrera, también en los restaurantes Navas, Albahaca y Bigarren de Huesca, Cachirulo de Zaragoza y Flor de Barbastro. El último proyecto desarrollado por el inquieto Sergio Azagra se llama Gastrológica, como reza una gran plancha de acero a la entrada del local, un edificio rehabilitado de la calle La Palma que esconde muchas sorpresas.

Cuenta con dos plantas, una multifuncional que alberga un espacio de investigación gastronómica y escuela, sala de exposiciones temporales, biblioteca con más de mil volúmenes y la cocina; la planta baja es el gastrobar donde cada mesa está presidida por una pantalla de plasma que retransmite en directo el proceso de elaboración de los platos gracias a un circuito cerrado que conecta con la cocina.

Gastronomía + Lógica = "Gastrológica". Esta sencilla operación explica la filosofía del nuevo espacio del cocinero Sergio Azagra. Se trata de un gastrobar, un novedoso concepto entre restaurante creativo y bar de tapas. Despliega audaces ideas sobre la cocina: la cocina democrática, la circunferencia y la cocina psicológica, tres conceptos que reúne Gastrológica.

Cocina democrática: acercar la creatividad culinaria a todos los públicos, raciones pequeñas y precios asequibles. Cocina de proximidad: desdramatiza el radicalismo del "kilómetro 0", "lo nuestro es la cocina del círculo porque el 80% de nuestros proveedores se localizan en un radio de 50 kilómetros". Cocina psicológica: "somos lo que comemos y comemos lo que vemos"

En Gastrológica los niños son bienvenidos, pueden disfrutar de un espacio propio y de una cocina adaptada para ellos con el Menú Niños.

Sergio Azagra es un habitual en los medios de comunicación regionales pero, cada vez más, lo es también en algunas emisoras, cabeceras y televisiones a nivel nacional. También centra sus energías en diferentes proyectos como la publicación de los libros "Setas, guía y recetas" y "Trufas, guía y recetas", el diseño de menaje para la hostelería bajo la marca Liplax y la transmisión de sus conocimientos a través de jornadas y cursos gastronómicos con los que pretende acercar su innovadora cocina de fusión al público en general.

GASTROLÓGICA'S SPECIALITIES

Seasonal, creative, healthy and ludic cookery
Three tasting menus:
Creative "tapas": 20 € - In the room: 40 € - Show cooking: 60 €
Pickled anchovies
Pork sausage from Graus filled with horn-of-plenty mushrooms, saffron and pineapple
Sushi of vegetables and sea produce
Potato, octopus, strawberry (with Liplax spoons in the middle)
Carpaccio of swordfish
Meat balls of Aragonese lamb
Sorbet of mojito

Gastrológica

Localidad: Huesca (22001)
Dirección: C/ Palma, 7 - C/ Goya, 8
Teléfonos: 974 111 974 **E-mail:** info@sergioazagra.com
www.sergioazagra.com www.gastrologica.es
Propietario: Sergio Azagra y Rebeca Torner.
Días de cierre y vacaciones: De junio a octubre, cerrado lunes. De noviembre a junio, cerrado domingos.
Decoración: Espacio multifuncional con gastrobar, biblioteca, cocina en directo, aula de cocina y sala de exposiciones.
Ambiente: Un público informado, con inquietudes gastronómicas, frecuenta este actual e innovador establecimiento.
Bodega: Desarrolla el concepto de vino "democrático" ofreciendo vinos en porrón, por copas o botellas a precios de supermercado.
Hombres y nombres: Responsable de cocina: Daniel Sarasa. Cocinero: Aziz Bourné.
Otros datos de interés: Sergio Azagra, con veinte años de experiencia en cocina, irrumpe con fuerza en el panorama gastronómico aragonés con este original y polivalente gastrobar, un concepto entre restaurante creativo y bar de tapas.
Tarjetas: Las principales.

ESPECIALIDADES GASTROLÓGICA

Cocina de temporada, creativa, saludable y lúdica
Tres Menús Degustación:
Tapas creativas: 20 € - En el aula: 40 € - Cozina en directo: 60 €
Anchoas en salmuera, crionizada
Longaniza de Graus rellena, trompetilla negra, azafran y piña (aragoneses por el mundo)
Sushi de la huerta y del mar (orientales)
Patata, pulpo, fresa (al centro, cucharadas Liplax)
Carpaccio de pez espada (chicha y pescado)
Albóndiga de ternasco de Aragón (chicha y pescado)
Sorbete de mojito

La Taberna de Lillas Pastia

Cocina de autor en Huesca

Lillas Pastia abrió sus puertas en 1995. Debe su nombre al dueño de la taberna donde se encuentra Carmen y Don José en la obra "Carmen" de Merimée. En el momento de la apertura del restaurante cumplía esta obra universal su 150 aniversario (1845).

Localizado en la planta baja del edificio más significativo del modernismo en Huesca, el Circulo Oscense o casino, esta casa ofrece el ambiente idóneo para disfrutar de una placentera aventura gastronómica. El viaje cuenta con un guía excepcional, Carmelo Bosque, uno de los grandes cocineros del panorama nacional.

Ningún detalle es fruto del azar. A la decoración exquisita, con un actual concepto del espacio, se suma una excelente acústica que favorece la relajación y un servicio sumamente profesional. El restaurante es, ante todo, un proyecto plenamente consolidado sobre una culinaria que lleva el sello indiscutible de su autor. Carmelo Bosque aporta ingenio, creatividad e innovación a su cocina, que conjuga perfectamente su cultura gastronómica arraigada en su tierra natal con las visiones y tendencias más creativas e innovadoras de la cocina contemporánea.

Carmelo Bosque siente pasión por la trufa que tiene una notable presencia en numerosas propuestas e incluso un menú degustación. La repostería, artesana, se presenta de forma sencilla y elegante y una interesante bodega, liderada por los somontanos, se renueva día a día con sugerentes incorporaciones.

SPECIALITIES OF LA TABERNA DE LILLAS PASTIA

The à la carte menu is frequently renewed

Menu of the day, gastronomic menu

Red, red (tomato, strawberries and roses)

"Guardia Civil" with pears, cucumber consommé ad parmesan salad

Oyster with peach, almonds and basil

Borage, pounded potato with saffron, mango, cassava, rock of toasted sesame and crackling

Scrambled eggs with tomato, cured ham shavings and basil

Salt cod with onion & saffron toffee, black-olive crumbs

Roast lamb shoulder with salsifies and black cherries

Cucumber, lemon, melon, ginger and yogurt

Coffee, orange & curry brownie with white chocolate cream

La Taberna de Lillas Pastia

Localidad: Huesca (22002).
Dirección: Plaza de Navarra, 4.
Teléfonos: 974 211 691. Fax: 974 214 458
E-mail: rest-lillas@terra.es www.lillaspastia.es
Parking: Aparcamiento concertado en Plaza Roma.
Propietario: Restauración Osca S.L.
Días de cierre y vacaciones: Domingos todo el día y lunes noche. Del 20 de octubre al 10 de noviembre.
Decoración: Una respetuosa restauración conjugada con un moderno concepto del espacio.
Ambiente: Variado y gastronómico.
Bodega: Gran surtido de caldos en cava climatizada.
Hombres y nombres: Jefe de cocina: Carmelo Bosque. Jefe de sala: José Maria Penilla.
Otros datos de interés: Privilegiado emplazamiento en los bajos del Casino de Huesca. Amplios espacios en torno a una escultura central, comedores privados y terraza.
Tarjetas: Las principales.

ESPECIALIDADES LA TABERNA DE LILLAS PASTIA

La carta se renueva con frecuencia
Menús diario y degustación
Rojo, rojo (tomate, fresas y rosas)
Guardia civil con peras escalibadas, consomé de pepino y ensalada de parmesano
Ostra con melocotón, almendricos y albahaca
Borrajas, patata chafada al azafrán, mango, roca de sésamo tostado y torrezno
Revuelto de tomate con lascas de jamón y albahaca
Bacalao con toffee de cebolla y azafrán, migas de aceituna negra
Paletilla de cordero, salsifis y cerveza negra
Pepino, limón, melón, jengibre y yogurt
Brownie de café, naranja, curry y crema de chocolate blanco

El Portal del Somontano

Situado en los accesos a Barbastro es un lugar de referencia en la vida comercial de la zona, un recinto singular con personalidad propia por las características del edificio y algunos elementos únicos de la arquitectura popular aragonesa.

El Rincón de la Buena Mesa.- El restaurante del complejo nos ofrece una cocina tradicional, propia de la zona del Somontano oscense pirenaico. Legumbres, pollos de corral, morcilla artesana y el cordero conocido aquí como ternasco y con denominación de origen. Todo un recetario de distintas formas de elaborarlo y presentarlo en la mesa con la textura especial de los animales jóvenes y tiernos. Las famosas y exquisitas chiretas elaboradas con las partes menos nobles del cordero, salmorejos, bacalao, longaniza...y también exquisita cocina de temporada.

La Bodega del Somontano.- Los tintos más complejos, los vinos dulces y moscateles más actuales, los champagnes franceses más carismáticos pueden comprarse en un entorno de auténtica bodega climatizada de forma natural. Junto a estos grandes vinos de todas las denominaciones de origen más importantes, los complementos ideales para acompañar a un buen obsequio: termómetros, catavinos y un gran surtido de adornos.

El Desván del Gourmet.- Los productos artesanos de la zona más sabrosos y auténticos tienen cabida en este particular desván para paladares entendidos: huevos sanos y excelentes, dulces típicos, licores y vinos aromatizados de los valles pirenaicos, jamón, embutidos, delicioso chocolate, pan y aceite de oliva virgen extra.

Cosas de Antaño.- El edificio está totalmente decorado con antigüedades y muebles rústicos que podrá adquirir si lo desea. Los muebles tradicionales recuperados, las tendencias actuales en decoración o las antigüedades más deslumbrantes harán las delicias de los aficionados a este género de mobiliario.

SPECIALITIES OF EL PORTAL DEL SOMONTANO

Typical regional cookery
Artichoke hearts with foie gras
"Chiretas de Barbastro" (pork offal with rice and paprika in a lamb tripe)
Roast lamb from Alto Aragon
Fried eggs with potatoes, peppers and fillet of beef
Breast and confit of duck, rib steak of beef
Fillet of hake in green herb sauce with mock elvers and clams
Turbot stuffed with oyster mushrooms, shrimps and truffle dressing
Cheese cake with tulip and ice cream of meringue milk
Pumpkin cake

El Portal del Somontano

Localidad: Barbastro (22.300 Huesca)
Dirección: Ctra. Tarragona-San Sebastián, km. 162
Teléfonos: 974 315 368 Fax: 974 315 315
E-mail: info@portal-somontano.com
www.portal-somontano.com
Parking: Amplio aparcamiento propio
Propietario: Mª Pilar Puertolas
Días de cierre y vacaciones: Abierto cada día al mediodía, viernes y sábados también cenas. En agosto, abierto cada día para comidas y cenas
Decoración: Todos los objetos de la decoración están a la venta
Ambiente: Amantes de la gastronomía típica del Somontano y de las antigüedades, coleccionistas, reuniones de empresa...
Bodega: Todos los vinos y añadas de las bodegas del Somontano, además de vinos de Campo de Borja, Cariñena, Rioja, Ribera del Duero, Cavas y Champagnes.
Hombres y nombres: Directora: Mª Pilar Puertolas. Jefe de sala: Carmen Barrasa.
Otros datos de interés: Tres comedores con capacidad para 70, 80 y 100 personas y sala de reuniones equipada con medios audiovisuales. Además del restaurante, este complejo consta de: tienda-gourmet, bodega, cafetería y la mayor oferta de antigüedades de Barbastro
Tarjetas: Todas

ESPECIALIDADES EL PORTAL DEL SOMONTANO

Cocina típica de la comarca

Centros de alcachofas al foie

Chiretas de Barbastro

Ternasco del Alto Aragón

Huevos estupendos

Magret, confit, chuletón

Suprema de merluza en salsa verde, con gulas y almejas

Rodaballo relleno de setas con gambas y vinagreta de trufas

Tarta de queso con tulipa y helado de leche merengada

Pastillo de calabaza

Benasque

Cabecera y capital histórica del valle que lleva su mismo nombre, está situada a 1140 m. de altitud en un entorno natural prodigioso. Benasque conjuga perfectamente la conservación de la estructura de su casco histórico con el desarrollo como centro hotelero y turístico del valle.

En el casco antiguo podemos encontrar edificaciones de cierto valor arquitectónico (Palacio de los Condes de Ribagorza, Casa Faure, Casa Juste, etc.) Así como escudos heráldicos, detalles renacentistas y arcadas góticas. Su iglesia, dedicada a San Marcial engloba diferentes estilos desde el románico hasta el gótico.

En Benasque se ha conservado, gracias a la inaccesibilidad de su orografía, el benasqués o patués, variedad nororiental del aragonés.

El valle de Benasque, situado en una zona más oriental del Pirineo aragonés, posee el conjunto montañoso más importante de los Pirineos: La Maladeta, con numerosas cumbres que superan los 3000 m. (Pico Aneto 3404 metros). Distribuidos por el valle existen también múltiples cascadas y más de 95 lagos de origen glaciar.

Cuenta con innumerables posibilidades para disfrutar del esquí en todas sus especialidades: alpino en la estación de esquí de Cerler y el nórdico en la estación de esquí de Llanos del Hospital. Además del esquí, se pueden realizar variadas actividades: rutas culturales y paisajísticas por los pueblos del valle, escalada, senderismo y otras actividades deportivas.

Su proximidad a los picos más altos del Pirineo, su escuela de Alta Montaña, sus estaciones de esquí y su turismo rural, hacen de Benasque una villa única para actividades de media y alta montaña, ideal para unas vacaciones en cualquier época del año.

LA PARRILLA'S SPECIALITIES

The à la carte menu offers traditional grandmother's cookery

and specialities of her grandson Benito

The à la Carte menu changes twice a year

Cream of pumpkin soup with seafood and iodine-flavoured foam

Turbot on a "pisto" (Spanish ratatouille) layer with foie-gras of duck

Roast boned pigeon with bitter cocoa, leaned against a fluid white-chocolate cookie

"Olla podrida" (Spanish stew) and stuffed courgettes

Pineapple potpourri after our own idea

Creamy orange tart filled with Baileys ice cream and hazelnut sauce

La Parrilla

Localidad: Benasque (22440 Huesca).
Dirección: Carretera de Francia, s/n.
Teléfonos: 974 551 134 y 974 551 438.
Parking: Fácil aparcamiento
Propietario: La Parrilla Benasque, S. L.
Días de cierre y vacaciones: Cerrado domingos noches, excepto en temporada (de Diciembre a Abril y de Junio a Septiembre). Vacaciones 2ª semana de Septiembre.
Decoración: Rústica.
Ambiente: Agradable y acogedor.
Bodega: Seleccionada.
Hombres y nombres: Jefe de cocina: Benito. Jefe de sala: Santi.
Otros datos de interés: Restaurante de tradición familiar, "la cocina de la abuela", tres generaciones Benito. Dispone de 3 comedores para 20, 40 y 80 personas. Carta de puros y de licores.
Tarjetas: Sólo Visa.

ESPECIALIDADES LA PARRILLA

En la carta se compaginan perfectamente la cocina tradicional de la abuela con la cocina de autor elaborada por el nieto (Benito)

La carta cambia dos veces al año

Crema de calabaza con frutos de mar y espuma iodada

Rodaballo con fondo de pisto y mi-cuit de pato

Pichón asado y deshuesado al cacao amargo, apoyado en una galleta fluida de chocolate blanco

Olla podrida y calabacines rellenos

Nuestras diferentes maneras de entender la piña

Tarta cremosa de naranja rellena con helado de Baileys y salsa de avellana

Venta del Sotón

Señorío aragonés

En un enclave idílico, una zona privilegiada del oeste de la provincia de Huesca, Venta del Sotón cuenta con su propio y peculiar romance; en él se asegura que es "adonde mejor se chanta de todo Alto Aragón", algo sencillo de comprobar nada más atravesar la puerta y pasar a sus comedores sencillos y acogedores, decorados en un elegante estilo regional, con vigas de madera, objetos antiguos y pinturas escogidas. Y es que La Venta del Sotón tiene mucha historia entre sus paredes.... todo comienza en 1964 cuando D. León Acín, patriarca de la familia, se fija en un terreno cercano a la gasolinera que regentaba por aquel entonces en Esquedas, a 14 km. de Huesca. En septiembre de 1967 abre sus puertas la Venta del Sotón con Doña Pepita Boned (esposa de D. León) y tres de sus hijos: Luis, Lorenzo y Jesús al frente.

En sus comienzos había 6 mesas, 8 metros cuadrados de cocina y una carta muy sencilla: ensalada aragonesa, sopas de ajo, longaniza, chorizo, costillas a la brasa y algún que otro guiso de Doña Pepita. Poco a poco, con mucho esfuerzo, la demanda y la necesidad de avanzar con los tiempos hizo que se fuera ampliando y profesionalizando. También D. Luis Acín y D. Jesús Acín fueron tomando sus propios proyectos empresariales, quedando D. Lorenzo Acín al frente, siempre con una idea clara "la calidad tiene que estar por encima de todo". Ahora es Ana, la hija de D. Lorenzo, la que continúa con la misma idea y la ilusión que le inculcó su padre junto a un equipo humano que apuesta por el buen hacer. Y por supuesto la infatigable Doña Pepita sigue poniendo su granito de arena.

La carta recoge platos vanguardistas, sin descuidar la cocina regional y la clásica. La oferta se remata con una excelente y variadísima carta de vinos, gracias a una extensa bodega de más de 15.000 botellas. Esta cocina de alcurnia, ligada al entorno, se ve realzada por el servicio de sala, de escuela clásica: elaboraciones y emplatados delante del comensal y exquisito tratamiento del vino: carritos, decantadores, envinado de copas...una ejecutoria ejemplar. Además, degustación de aceites de oliva de variedades autóctonas del Alto Aragón y alta coctelería. Con el paso del tiempo, Venta del Sotón ha ampliado sus instalaciones, en la actualidad dispone de comedor a la carta, tres comedores privados, tres salones para eventos sociales, bodas, banquetes y una cocina de 500 m2. En sus más de 40 años de trayectoria, esta casa ha sido galardonada con innumerables premios y pertenece a diversas asociaciones gastronómicas de prestigio. Con talento y trabajo, Ana Acín, también delegada europea de Jóvenes Restauradores, lleva las riendas con firmeza y propósitos definidos.

VENTA DEL SOTÓN'S SPECIALITIES

Creative haute cuisine from Aragon
Three menus: Regional (31 €), La Venta (about 45 €)
Tasting menu Lorenzo Acín (122 €, with caviar and champagne)
The à la carte menu changes 3 or 4 times a year
Lukewarm lobster salad with apple, walnuts, tomato and cured ham from Teruel
Norway lobster tail with caramelised pork dewlap, mango, tomato & basil dressing
Tagliatelle with anchovies and smoked salmon in sauce of cheese from Aragon
Chargrilled octopus with potato purée, oil of first-choice paprika and parsley
Chargrilled turbot with vegetable assortment
Salt cod with a light aioli of garlic chives au gratin, on ratatouille with black olives
Medallion of rump of beef with sauce of cheese from Sierra de Guara
Marinated venison cutlets and strawberries with green peppercorns
Roast farmyard pigeon, sweet violet sauce and crumbs of baked vitelotte potato
Home made curd with wild berries
White-chocolate & yoghourt soup with baked fruit and a light sponge

Venta del Sotón

Localidad: Esquedas (22810 Huesca)
Dirección: Ctra. A-132 (Huesca - Puente La Reina), km. 14
Teléfonos: 974 270 241 - Fax: 974 270 161
E-mail: restaurante@ventadelsoton.com
www.ventadelsoton.com
Parking: Aparcamiento propio.
Propietario: Ana Acín Viu.
Días de cierre y vacaciones: Cerrado domingos noche, lunes todo el día y martes noche. Vacaciones del 7 de enero al 7 de febrero.
Decoración: Venta gastronómica recubierta de hiedra, con tejados de pizarra y gran chimenea circular.
Ambiente: Sosegado y sibarita. Tradición, calidad e innovación.
Bodega: Un punto fuerte de la casa, alrededor de 400 etiquetas con acento en vinos de Somontano, Rioja y Ribera del Duero. Además, otros caldos aragoneses, españoles, franceses, californianos, argentinos, australianos, vinos dulces y algunas joyas enológicas.
Hombres y nombres: Directora y jefe de sala: Ana Acín. Jefe de cocina: José María Larramona. Maitre y sumiller: Víctor Ortiz.
Otros datos de interés: A 14 km. de Huesca, dirección a Pamplona, esta casa fundada en 1967 forma parte de la historia gastronómica de Aragón. A poca distancia, la Colegiata de Santa María La Mayor en el pueblo de Bolea y un poco más arriba el Castillo de Loarre, el castillo románico mejor conservado de España.
Tarjetas: Todas.

ESPECIALIDADES VENTA DEL SOTÓN

Alta cocina regional aragonesa e innovadora
Tres Menús: Regional (31 €), La Venta (alrededor de 45 €)
Degustación Lorenzo Acín (122 €, con caviar y champagne)
La carta cambia 3/4 veces al año
Ensalada templada de bogavante con manzana, nueces, tomate y jamón de Teruel D.O.
Tronco de cigala con papada ibérica caramelizada y vinagreta de mango, tomate y albahaca
Tallarines con arenques y salmón ahumado en salsa de quesos aragoneses
Pulpo a la brasa con puré fino de patata, aceite de pimentón de La Vera y perejil
Rodaballo a la brasa al Orio con verduritas variadas
Bacalao gratinado con alioli ligero de ajos tiernos, sobre pisto con oliva negra del bajo Aragón
Medallón de cadera de vaca con salsa de quesos de la Sierra de Guara
Chuletitas de corzo del Pirineo aragonés, marinadas y acompañadas de fresones a la pimienta verde
Pichón de caserío al horno, salsa dulce de violetas y arena de patata vitelotte asada
Cuajada de La Venta con frutos del bosque
Sopa de chocolate blanco y yogur con frutas asadas y bizcocho ligero

Casa Socotor

Casa Socotor está emplazado en uno de los edificios más antiguos de Sallent de Gállego, típico pueblo del Pirineo Aragonés, cabeza del Valle de Tena, enclavado en un espléndido paraje natural a los pies del embalse de Lanuza y el río Aguas Limpias. Al fondo se alzan los majestuosos volúmenes de Peña Foratata generando una estampa envidiable.

Uno de los atractivos de Sallent es su situación privilegiada, **muy próxima a la estación de esquí de Formigal** y punto de partida de numerosos excursiones donde por sus silenciosos caminos podremos admirar magníficos paisajes.

El hotel restaurante Casa Socotor fue construido en el siglo XVI, sus primeras referencias escritas datan de 1216, cuando el Papa Inocencio III registró todas las posesiones del monasterio –hospital de Santa Cristina de Somport-; una de las tres casas pertenecientes al monasterio era el "hospital de Cabana Socotor".

Juan Carlos Arrudi ha heredado esta casa familiar después de varias generaciones. Hoy el edificio se compone de un pequeño comedor, decorado con antigüedades como el reloj francés, el recibidor del zapán y una alacena de 1827. En este histórico entorno, Arrudi desarrolla una cocina asentada en los tres principios fundamentales para construir una **buena gastronomía**: materia prima, técnica culinaria y tradición.
El hotel **dispone de 8 habitaciones** (6 dobles y 2 junior suite) ambientadas armoniosamente a caballo entre el pasado y el presente más colorista, cada una de ellas con identidad propia y dotadas de todos los servicios.

CASA SOCOTOR'S SPECIALITIES

Creative and market cookery
All dishes are also served as half portions
Gastronomic menu (60 € wine included)
Asparagus with truffle mayonnaise au gratin
Savoury pudding of courgettes and truffled wild boar with goose mousse
Eggs with foie gras in apple nest
Salt cod in a garlicky olive oil emulsion with cèpe mushrooms
Hake Socotor (baked on a tomato and onion layer, crisp potato and courgette, fried chives)
Fillets of turbot stuffed with spider crab, squid ink and saffron sauce
Ragout of venison with apples, onions and raspberries
Rack of lamb with label quality cooked in olive oil from Bajo Aragon
Tatin tart with custard
Vodka & orange jelly
Chocolate black & white

Casa Socotor

Localidad: Sallent de Gállego (22.640 Huesca) a 3 km. de Formigal
Dirección: C/ Vico, 9
Teléfonos: 974 488 240 (tlf. y fax) 974 488 057
E-mail: socotor@lospirineos.com
www.casasocotor.com
Parking: Fácil aparcamiento
Propietario: Juan Carlos Arrudi y Tani Ara
Días de cierre y vacaciones: Restaurante y Hotel abierto cada día del año. Vacaciones: en mayo.
Decoración: Rústica y elegante, mezclando el estilo pirineaico tradicional con las últimas tendencias
Ambiente: Público medio-alto. Trato personal y directo
Bodega: Con especial atención a todas las referencias de Aragón (Somontano, Cariñena, Campo de Borja y Calatayud), además de vinos de Rioja, Ribera del Duero, Franceses, Chilenos, Australianos, Cavas, Champagnes y vinos dulces
Hombres y nombres: Jefe de cocina: Juan Carlos Arrudi. Jefa de sala: Tani Ara
Otros datos de interés: El primer restaurante de Aragón distinguido con la Q de calidad. Placa al Mérito Turístico 2003. Capacidad para 30 comensales, es imprescindible reservar. Hotel * * con encanto, confortable e íntimo, 8 dormitorios.
Tarjetas: Todas

ESPECIALIDADES CASA SOCOTOR

Cocina creativa y de mercado
Todos los platos de la carta se pueden servir también en medias raciones
Menú-Degustación (60 € vino incluido)
Espárragos gratinados con mahonesa de trufa
Pastel de calabacín y jabalí trufado con mousse de oca
Huevos rotos con foie en nido de manzana
Bacalao al pil pil de boletus
Merluza Socotor
Lomos de rodaballo rellenos de changurro con tinta de calamar y salsa de azafrán
Corzo en guiso de manzanas, cebollas y chorolones (frambuesas del Valle)
Carré de ternasco D.O. confitado en aceite de oliva del Bajo Aragón
Tarta tatín con crema
Vodka con naranja en gelée
Chocolate blanco y negro

Albarracín

Nuestra cocina

Se basa en la recuperación y actualización del recetario aragonés, manteniendo los sabores naturales de los productos de nuestra tierra: jamones y quesos de Teruel, setas y embutidos del Pirineo, ternasco de Aragón, aceites de oliva virgen del Bajo Aragón, ...

Realizamos nuestra aportación a la renovación gastronómica de Zaragoza con una cocina prolífica y autodidacta, elaborada con ilusión y creatividad, en constante evolución y perfeccionada día a día. Maridaje de buen gusto entre tradición y modernidad. Entendemos que la buena cocina no debe ser privilegio de unos pocos y por ello ofrecemos un amplio abanico de alternativas.

"Primer Premio de Coquinaria Cesarea" (I Concurso Nacional de Cocina Profesional de las Setas y los Hongos-2002).

ALBARRACIN'S SPECIALITIES

Aragonese cookery of nowadays
Salad of anchovies from Santoña in virgin olive oil,
green apple and confit tomatoes
Scrambled eggs with seasonal wild mushrooms, cured ham and free-range eggs
Artichokes in a gelatinous salt-cod stew, pumpkin & saffron cream
Head, neck and back of hake roasted with garlic,
green asparagus and shiitake in balsamic vinegar marinade
Baked tuna belly flaps, tomato terrine, garlic and vegetable sprouts
Free-range chicken in spicy marinade with spring onions
Fillet steak with honey of white truffle from Alba, cheese polenta
and chestnuts in wine juice
Strawberries in raspberry juice with ice cream of fruit tea
Ravioli of pineapple, chocolate and mint with coconut & rum soup
Aragonese cheese assortment
Special menu for coffee, herbal teas and liqueurs

Albarracín

Localidad: Zaragoza (50004)
Dirección: Plaza del Carmen, 1-2-3
Teléfonos: 976 158 100 - 976 212 852 Fax: 976 214 520
E-mail: info@parrillaalbarracin.com
www.parrillaalbarracin.com
Parking: Varios en la zona.
Propietario: Juan Banqueri.
Días de cierre y vacaciones: Cerrado lunes.
Decoración: Al estilo de una típica bodega aragonesa.
Ambiente: Muy variado.
Bodega: Amplia. Más de 400 referencias de vinos españoles.
Hombres y nombres: Jefe de cocina: Juan Banqueri.
Otros datos de interés: Restaurante fundado en 1991, capacidad para 130 personas. Salón privado y terraza de verano. Posibilidad de menús gastronómicos a medida.
Tarjetas: Todas.

ESPECIALIDADES ALBARRACIN

Cocina aragonesa actual
Ensalada de anchoas de Santoña en aceite de oliva virgen, manzana verde y tomatitos confitados
Revuelto de setas de temporada, jamón ibérico y huevos de corral
Alcachofas de la Ribera en guiso gelatinoso de bacalao, crema de calabaza y azafrán
Lomo o cogote de merluza asado con refrito de ajos, espárragos trigueros y shitakes en escabeche de Módena
Ventresca de atún Toro asada, terrina de tomates, ajada gallega y brotes tiernos
Pollo de corral en escabeche especiado con cebolletas
Solomillo de vaca a la miel de trufa blanca de Alba, polenta de queso y castañas al jugo de garnacha del Campo de Borja
Fresas maceradas en jugo de frambuesas y helado de té de frutas
Raviolis de piña, chocolate y menta con sopa de coco y ron
Surtido de quesos de Aragón
Carta de cafés, infusiones y licores

El Chalet

Nueva imagen

Este coqueto chalet situado en el centro de Zaragoza, muy cercano a la Plaza de San Francisco, al parque grande y al campo de futbol, se ha consolidado como **uno de los mejores restaurantes de Zaragoza**.

Ubicado en una calle tranquila, apartada y paralela a la gran avenida Fernando El Católico, el cuidado exterior prologa la elegancia de su interior. Valla y portón de forja encierran un jardincillo que nos encamina hacia la entrada, protegida por una marquesina acristalada que realza su fachada.

El Chalet ha culminado una **deliciosa renovación de sus instalaciones**. Se ha apostado por nuevos matices y colores, más modernos y contemporáneos, en sus paredes, techos, cortinas, sillas, mantelería...y una nueva iluminación logrando un espacio más luminoso y sensación de amplitud.

Esta nueva imagen conforma un ambiente refinado, siempre cálido y acogedor, un lugar idílico tanto para sorprender a la pareja como señorial para comidas de negocios, pequeños eventos o celebraciones.

El Chalet dispone de un agradable e íntimo jardín-comedor para primavera y verano, varios salones: Aranda (24 personas), Cristalera (12-14), Ejea (20) y Castejón (26) y un distinguido bar de espera.

Ángel Conde elabora una cocina de mercado, en constante evolución, creativa y autodidacta. Nuevas propuestas aplicando nuevas técnicas a las materias primas de inmejorable calidad. Una culinaria propia a sorprender a todo tipo de comensal.

Los productos reciben un tratamiento magistral, cuidando proporciones y puntos de cocción tanto en platos sencillos como en creaciones más elaboradas, buscando el equilibrio necesario.

Este emblemático restaurante, visita obligada para los gourmets, aporta a Zaragoza una nueva imagen de la gastronomía.

Organiza jornadas gastronómicas: "el bacalao y la cuaresma" (marzo) o "el cazador y las setas" (noviembre).

EL CHALET'S SPECIALITIES

Personalised cookery with Aragonese produce and updated old recipes
Menu in steady evolution according to the market offer and the season
Tasting menu with dishes from the à la carte menu: 50 €, wines included
Business luncheon menu Monday to Friday: 30 € wines included
Salad of salt cod flakes with spider crab dressing
Cuttlefish and artichokes with seafood bisque and Venere rice
Grilled monkfish, horn-of-plenty mushrooms with onions and concassé tomatoes
Fillet of meagre, risotto with mussels and saffron
Roast rack of lamb, the loin, the tripe and garlic shoots
Duck liver, marinated peach and anise curd
Chocolate & mango ganache with ice cream of violets
Pineapple and vanilla, lime sorbet and sugared pistachio nuts

El Chalet

Localidad: Zaragoza (50006)
Dirección: Santa Teresa, 25
Teléfonos: 976 569 104 (tlf. y fax)
www.elchaletrestaurante.es
Parking: A 100 mts, en la Plaza San Francisco.
Propietario: Ángel Conde y Angelines Murillo.
Decoración: Muy cálida. Agradable chalet deliciosamente acondicionado.
Ambiente: Negocios, comidas familiares, parejas (celebraciones, aniversarios...).
Bodega: Interesante, numerosas referencias de Aragón y Rioja.
Hombres y nombres: Jefe de cocina: Ángel Conde.
Otros datos de interés: Ángel Conde, avalado por una extensa trayectoria profesional está al frente de este singular restaurante. Cuidadas y completas instalaciones en pleno centro de Zaragoza: terraza de verano y varios salones privados de 10 a 30 personas.
Tarjetas: Todas.

ESPECIALIDADES EL CHALET

Cocina personal sobre base de productos aragoneses
y recetas antiguas actualizadas
Carta en constante evolución según mercado y temporada
Menú Degustación con platos de la carta: 50 €, bodega incluida
Menú Ejecutivo, de Lunes a Viernes mediodía 30 €, bodega incluida
Ensalada de láminas de bacalao y vinagreta de centollo
Sepia y alcachofas con bisque de marisco y arroz venere
Rape plancha, trompeta negra encebollada y tomate concassé
Filete de corvina, risotto de mejillones y azafrán
Costilla asada de ternasco, lomo, sus callos y ajos tiernos
Hígado de pato, escabeche de melocotón y cuajada de anís
Ganache de choco-mango y helado de violetas
Piña y vainilla, sorbete de lima y pistachos garrapiñados

Novodabo

Nuevo concepto en Zaragoza

Situado junto al campo de futbol de La Romareda, Novodabo se ha consolidado desde su inauguración en diciembre 2007 como uno de los más firmes valores de la gastronomía en Zaragoza.

El joven chef aragonés David Boldova ha sido alumno de Pedro Subijana en el restaurante Akelare de San Sebastián donde aprendió los secretos del maestro vasco, referente de la cocina más innovadora. También fue discípulo de Ángel Conde y durante tres años ha sido jefe de cocina del afamado restaurante El Lago de Panticosa (hotel 5 estrellas, balneario y spa).

En Novodabo, Boldova ha creado un concepto global de la restauración, un proyecto que fusiona amor por la gastronomía y nuevos retos. Despliega todos sus conocimientos culinarios con una imaginativa carta inspirada en la cocina mediterránea, un recorrido desde la tradición a la vanguardia. Formulaciones creativas, sabores auténticos, olores, sentidos, felicidad, magia e inquebrantable empeño por intentar mejorar día a día son las bases de la filosofía culinaria de este restaurante de última generación.
La decoración de Novodabo presenta un estilo minimalista que llama la atención desde la entrada, el acceso se realiza a través de una zona de recepción separada. Aquí, se tiene en cuenta la comodidad del comensal: sala principal con mesas amplias y espaciadas y un salón para reuniones privadas completamente independiente e insonorizado. La atención a todos los detalles siempre está presente -toallitas de tela de uso individual en los baños, bolsitas con pasta de dientes y cepillo, toallita húmeda en la mesa antes de comer para limpiarse las manos...-.

El restaurante también ofrece cursos de cocina, catas de vino, maridajes y degustaciones de aceites (25 referencias en la carta).

NOVODABO'S SPECIALITIES

Traditional and ultramodern cookery
The à la carte menu changes according to the season
Tasting menu: 52 €
Recommendations of the day after the market offer
Carpaccio of octopus with confit potatoes and truffle
Tartare of tuna with yoghurt & cucumber cream, basil and olive oil ice cream
Fideuà (kind of paella with noodles instead of rice)
with cuttlefish and prawns, garlic and squid ink
Fried breadcrumbs in a modern way
Fresh fish: baked with white wine, in green herb sauce, en papillote, grilled
Hake with cocoa and fresh asparagus
Brick parcel of pig's trotters stuffed with lamb's brain
Roast lamb shoulder with peach jelly
Cheese assortment from the trolley
Pineapple roll filled with juicy rice with coconut

Novodabo

Localidad: Zaragoza (50009)
Dirección: Juan II de Aragón, 5 (junto al campo de futbol de La Romareda)
Teléfonos: 976 567 846 www.novodabo.com
Parking: Fácil estacionamiento y nuevo aparcamiento público al lado.
Propietario: David Boldova.
Días de cierre y vacaciones: Cerrado domingos noche y lunes todo el día.
Decoración: Luminoso comedor minimalista de líneas depuradas.
Ambiente: La novedad gastronómica de Zaragoza para disfrutar de una cocina lúdica y un trato amable.
Bodega: Joven, en rotación. Combina etiquetas clásicas y nuevos vinos de autor. Vinos de aperitivo y postre, cavas y champagnes.
Hombres y nombres: El Chef de cocina David Boldova capitanea un equipo de jóvenes profesionales tanto en cocina como en sala.
Otros datos de interés: Restaurante de última generación, inaugurado el 10 de diciembre 2007. Amplias instalaciones: comedor principal para 40 comensales, salón privado para 12/14, zona de recepción y nueva terraza para comidas y cenas informales. Música seleccionada.
Tarjetas: Las principales.

ESPECIALIDADES NOVODABO

Cocina tradicional y de vanguardia
La carta cambia en cada estación
Menú Degustación: 52 €
Sugerencias del día según mercado y longa
Carpaccio de pulpo con patata confitada y trufa
Tartar de atún con crema de yogurt y pepino, albahaca y helado de aceite de oliva
Fideuá de sepia y gambas con ali oli de tinta
Migas a la pastora "puestas al día"
Pescados frescos elaborados al gusto: orio, salsa verde, papillote, parrilla...
Merluza con cacao y espárragos naturales
Manitas de cerdo rellenas de sesos de ternasco en pasta brick
Paletilla de lechazo con gelée de melocotón de Maella
Carro de quesos con sus combinaciones
Canelón de piña con arroz cremoso de coco

El Real

En uno de los espacios más importantes del mundo cristiano, frente a la Basílica de Ntra. Sra. Del Pilar, patrona de la Hispanidad y al lado de la Catedral de El Salvador, la más antigua de España, se encuentran las instalaciones de El Real.

Desde la cafetería, situada en plena plaza del Pilar, el visitante se puede deleitar con las magníficas vistas que ofrece la plaza de las Catedrales a través de los grandes ventanales que componen su fachada y que permiten admirar uno de los conjuntos arquitectónicos más bellos del mundo.

Cuando entramos en El Real, intuimos que el edificio es muy especial, impresión que se confirma al bajar al restaurante, ubicado en el sótano, antiguas mazmorras del S.XV restauradas y decoradas con un gusto exquisito: el ladrillo y la piedra, los techos abovedados y la profusión de antigüedades lo convierten en un conjunto que sorprende al que lo visita por primera vez.

El Real ha querido recuperar a lo largo de estos años, tanto la cocina tradicional aragonesa, como algunos guisos de origen sefardí y mozárabe. El objetivo es conjugar esta cocina que surge en nuestros orígenes con las nuevas tendencias gastronómicas

EL REAL'S SPECIALITIES

Seasonal vegetables
Little gem salad filled with goat's milk cheese and walnuts in honeyed vinegar
Salad of foie-gras shavings, confit and cured breast of duck with balsamico vinegar
Quail salad with bitter wild-mushrooms mousseline
Scrambled eggs with forest mushrooms, foie-gras shavings and chives
Borage with salt cod and toasted almonds
Barbecued fish from the Northern coast
Rib of beef
Rib of genuine Aragonese lamb
Home-made pastries and confectionery
Flamed fried creams
Cheese & blueberry cake

El Real

Localidad: Zaragoza (50003).
Dirección: Alfonso I, 40 (esquina Plz. del Pilar).
Teléfonos: 976 298 808 y 976 295 929 www.elreal.org
Parking: En la misma Plaza del Pilar.
Propietario: Bat 40 S.L.
Días de cierre y vacaciones: Abierto cada día.
Decoración: Rústica y acogedora. Piedra vista, barricas...
Ambiente: Agradable y cordial.
Bodega: Dispone de enoteca propia con vinos de importación: franceses, italianos, California, Sudáfrica, Argentina, etc. y sala de catas.
Hombres y nombres: Director: Juan José Ainsa.
Otros datos de interés: Restaurante ubicado en una bodega del siglo XV restaurada, perteneciente al Palacio del Marqués de Ayerbe, consejero de Fernando El Católico.
Elegante cafeteria de estilo modernista con vistas a la Basílica del Pilar.
Salones privados (15 y 24 personas) y sala de catas.
Tarjetas: Todas.

ESPECIALIDADES EL REAL

Verduras frescas según temporada
Cogollos rellenos de queso de cabra y nueces al vinagre de miel
Ensalada de virutas de foie, jamón y confit de pato a la vinagreta de Módena
Ensalada de codorniz a la muselina ácida de hongos
Revuelto de setas silvestres y virutas de foie con cebollino
Borrajas guisadas con bacalao a las almendras tostadas
Pescados del Norte a la brasa
Chuletón de buey
Costillas de ternasco de Aragón
(con denominación de origen)
Repostería propia
Leche frita flambeada
Tarta de queso y arándanos

La Rinconada de Lorenzo

Fritada de conejo con caracoles

Ingredientes: 1 conejo, 1 cebolla grande, 2 pimientos verdes, 1 kg de tomate limpio, 200 gr. de caracoles, sal y aceite de oliva.

Preparación: Se trocea y fríe bien el conejo y se pasa a una cazuela. Se fríen bien los pimientos y cebollas cortados a trozos y se añade el tomate y los caracoles (purgados y limpios previamente). Se fríe durante 30 minutos y se sazona.

Crespillos de borraja

Ingredientes: 800 grs. de hojas tiernas de borraja, 300 gr. de harina, 200 gr. de azúcar, 2 huevos, leche y aceite de oliva para freír.

Preparación: De los cogollos de las borrajas se eligen las hojas más tiernas. Se prepara una pasta ligera con leche, azúcar, huevo y un poco de harina. Se rebozan las hojas de la borraja con esta pasta y se fríen en sartén, con abundante aceite muy caliente.
Cuando estén bien dorados, se sacan de la sartén con una espumadera y se espolvorean con azúcar molido.

LA RINCONADA DE LORENZO'S SPECIALITIES

Genuine specialities from Aragon
Stewed vegetable assortment
Fried bread dumplings with ham and grapes
Chickpea and lobster pot
Fresch fish from the northern coast
"Salmorejo": sauce of pureed tomatoes with garlic, oil and vinegar, topped with chopped hard-boiled eggs
Oven-roasted lamb and spring lamb
Rabbit with snails
Fried ham with tomatoes
Braised shank-end of lamb
Home-made desserts

La Rinconada de Lorenzo

Localidad: Zaragoza (50006).
Dirección: C/ La Salle, 3.
Teléfonos: 976 555 108 - Fax: 976 561 369
www.larinconadadelorenzo.com
Parking: Al lado en Plaza San Francisco.
Propietario: Hermanos Oscar y Javier Navascues.
Decoración: Azulejos con frescos de paisajes aragoneses.
Ambiente: Público medio alto.
Bodega: Amplia representación de las bodegas aragonesas.
Hombres y nombres: Chef de cocina, Ángel Hernández; Maitres, Oscar y Javier Navascues.
Otros datos de interés: Restaurante inaugurado en 1970 por el prestigioso jotero Lorenzo Navascues y su esposa Mari Cruz. Placa al Mérito Turístico y diploma al Mérito Turístico de la Diputación General de Aragón. Plato de Oro 2001. Salones privados hasta 70 personas. Amplia carta de puros habanos y dominicanos conservados en óptimas condiciones. Zona wifi gratuita para los clientes. Menú para celíacos y carta en Braille.
Tarjetas: Todas.

ESPECIALIDADES LA RINCONADA DE LORENZO

Platos típicos aragoneses
Menestra de verduras
Migas con jamón y uva
Garbanzos con bogavante
Pescados frescos del Cantábrico
Huevos al salmorejo
Ternasco y lechal asados al horno
Fritada de conejo con caracoles
Magras con tomate
Jarretes de ternasco guisados
Postres caseros

La Senda

Alta cocina informal

La Senda representa una bocanada de aire fresco en el panorama gastronómico zaragozano. Inaugurado en octubre 2007, este pequeño local situado en el popular barrio de Torrero, al sur de Zaragoza, destaca por su cocina creativa a precios de derribo. En la zona, se conoce a esta casa como el "Bulli del barrio".

El protagonista es el chef zaragozano David Baldrich, formado en la Escuela de Hostelería de Miralbueno. Posteriormente, realiza prácticas en La Granada y tras un breve paso por La Carambola se desplaza a Navarra donde ejerce como jefe de repostería en El Molino de Urdániz. Regresa a su ciudad natal para inaugurar La Senda con el afán de hacer cocina casera de calidad. La crisis le hace replantearse la línea de negocio ofreciendo menús degustación de cocina de vanguardia a precios cerrados, asequibles a todos.

Joven y sensato, muy trabajador, David despliega oficio e imaginación, técnica depurada y dominio de los fundamentos gastronómicos, aportando perfeccionismo a sus formulaciones: puntos de cocción, adecuadas temperaturas de servicio... Práctica con destreza una cocina creativa y de autor, muy elaborada, juegos de texturas, sabores y colores. Logra recetas de alta cocina realzando productos humildes, con ingredientes que cualquier persona puede encontrar en el mercado.

La Senda es un restaurante que se recomienda en Zaragoza. Por méritos propios, está en un momento de gracia en la ciudad. La mayoría de la clientela es fija. También lo visitan gentes informadas de Madrid o Barcelona. Este reconocimiento se sustenta en tres premisas básicas: oficio, humildad e insuperable relación calidad-precio.

LA SENDA'S SPECIALITIES

Creative market cuisine

Only tasting menu which is renewed 5 times a year: 30 €

For instance:

Hummus with anchovy, romesco sauce and ice cream of roasted pepper

Lukewarm pea pudding with sweet corn, rosé baby squid, maize foam, liquorice, vegetable soup

Poached egg with cured ham, béchamel with onion, porcini and potato ashes

Salmon on emulsion of smoked oil, dill foam and mock baby vegetables

Pork in different textures and potato with spices

Orange custard, meringue with butter and violet ice cream

La Senda

Localidad: Zaragoza (50007)

Dirección: C/ Fray Julián Garcés, 24 - Barrio Torrero, al lado Plaza de las Canteras

Teléfonos: 976 258 076

E-mail: restaurantelasenda@hotmail.com

Propietario: David Baldrich.

Días de cierre y vacaciones: Cerrado domingos. Vacaciones: tres semanas en agosto.

Decoración: Recoleto comedor gourmet para sólo 20 comensales y cafetería.

Ambiente: Informal, alta cocina a precios populares.

Bodega: Medio centenar de referencias, predominan los vinos de Aragón y La Rioja.

Hombres y nombres: Jefe de cocina: David Baldrich. 2º de cocina: Sara Lozano. Sala: Verónica y María.

Otros datos de interés: Debido al éxito de esta fórmula, se aconseja reservar. Exposiciones rotativas de obras de pintores y fotógrafos aragoneses.

Tarjetas: Las habituales.

ESPECIALIDADES LA SENDA

Cocina creativa de mercado

Sólo Menú Degustación, cambia 5 veces al año: 30 €

Ejemplo:

Humus con anchoa, salsa romesco y helado de pimiento asado

Pastel de guisante tibio con maíz, chipirón rosa, espuma de maíz dulce y regaliz de palo, sopa de verduras

Huevo escalfado con jamón, bechamel de cebolla, hongos y ceniza de patata

Salmón sobre emulsión de humo, espuma de eneldo y falsas verduras baby

Texturas de cerdo con patata a las especias

Natilla de naranja, merengue con mantequilla y helado de violeta

HUESCA

LAS TORRES. María Auxiliadora, 3. Tel. 974 228 213. Fax: 974 228 879. lastorres@lastorres-restaurante.com www.lastorres-restaurante.com

En un marco elegante con los fogones a la vista mediante una cristalera, la familia Abadía se inspira en el recetario aragonés para componer especialidades con detalles evolutivos. Ingeniosa culinaria de autor, plena de matices, entendiendo la buena mesa como un arte en el que junto con el gusto participan el resto de los sentidos.

AINSA. **CALLIZO. Plaza Mayor, s/n. Tel. 974 500 385.**

Ubicado en la Plaza Mayor de la villa medieval de Aínsa, Callizo está ubicado en una acogedora casona de piedra de rústica decoración con bodega del siglo XI y maravillosas vistas al Pirineo Aragonés. En este marco evocador se ofrece lo mejor de la gastronomía tradicional y de vanguardia, una amplia carta con platos de siempre y otros mas actualizados.

Barbastro: **FLOR. Goya, 3. Tel. 974 311 056. flor@restauranteflor.com - www.restauranteflor.com**

Enseña culinaria de Barbastro, la capital del Somontano aragonés, este restaurante situado en la vertiente izquierda del río Vero ofrece cocina de mercado utilizando como ingredientes principales las buenas materias primas que brinda la comarca. Magníficas instalaciones: salones privados y accesos independientes para celebraciones o reuniones de trabajo.

Jaca. **LA COCINA ARAGONESA. Paseo de la Constitución, 3 (entrada por C/. Cervantes, 5). Tel. 974 361 050. www.condeaznar.com**

Decorado al estilo tradicional aragonés con vigas de madera y suelo de barro cocido y piedra, este restaurante situado en el Hotel Conde Aznar presenta una cocina de mercado caracterizada por la cuidada selección del producto, variada y colorista carta y una elaboración contemporánea inspirada en las raíces de la cocina aragonesa. Salón privado y Jardín de Cristal, espacio anexo con vistas al jardín.

ZARAGOZA

BAL D'ONSERA. Blasón Aragonés, 6. Tel. 976 203 936. www.baldonsera.com

Regentado por el matrimonio formado por el cocinero aragonés Josechu Corella y la maitre vasca Carmen Arregui, se ha convertido en un referente de la gastronomía de la región. En pleno tubo zaragozano, representa la cocina joven aragonesa, culinaria de producto y de temporada en un ambiente minimalista. Capacidad reducida, se aconseja la reserva.

EL CACHIRULO. Autovía de Logroño, km.1,5. Tel. 976 460 146. Fax: 976 460 152. www.elcachirulo.es

Local de grandes dimensiones con una impecable trayectoria que le instala en uno de los puestos de honor de la restauración aragonesa. Los sabores ancestrales de la zona son puestos al día con acierto. Exquisita decoración, servicio de sala siempre dispuesto, gran bodega y elegantes salones para celebraciones.

GAYARRE. Ctra. Aeropuerto, 370. 50190 Garrapinillos Zaragoza. Tel. 976 344 386. Fax: 976 311 686. gayarre@restaurantegayarre.com - www.restaurantegayarre.com

El establecimiento que dirige Manuel Berbegal goza de un merecido prestigio en Zaragoza. Ubicado en un lujoso chalet en las afueras de la ciudad, rodeado de jardines, su chef Miguel Ángel Revuelto orienta su cocina hacia el valle del Ebro, con inspiraciones netamente regionales y aportaciones personales creativas, fruto de un laborioso proceso de exploración.

Villanueva de Gállego: **SELLA-LA VAL D'ONSELLA. Pilar Lorengar, 1. Tel. 976 180 388. sella@sellacomplejohostelero.com - www.sellacomplejohostelero.com**

Faraónico complejo hostelero con un restaurante a la carta de atrevido diseño arquitectónico. Culinaria en constante investigación sobre las nuevas tendencias, sin perder de vista el recetario clásico aragonés. Su bodega climatizada es probablemente una de las mejores de Aragón

Asturias

El Principado de Asturias, cuyo título se remonta al siglo XIV, es una Comunidad Autónoma uniprovincial con capital en Oviedo. Su orografía, muy rica y variada, llena de contrastes, permite disfrutar al visitante del mar y la montaña.
El occidente asturiano conforma un vasto territorio recomendable para quien busca tranquilidad y sosiego, un variado mosaico de rincones mágicos de piedra y pizarra, playas y acantilados, bosques, ríos salmoneros y recónditos puertos pesqueros.
Costa e interior se alternan en el centro norte de la región: zonas tan emblemáticas como Oviedo y alrededores, Gijón y Avilés... Una Asturias plural e interesante.
La inmensa riqueza de la Asturias interior está presente en el centro sur de la comunidad, que combina paisaje, cultura, gastronomía, tradición agrícola e industrial, arte, historia...
La zona oriental es la más conocida y emblemática del Principado: El Santuario de Covadonga, la ciudad de Cangas de Onís, los lagos de Enol y Ercina o los míticos Picos de Europa son tradicionales destinos turísticos de todos aquellos que visitan Asturias.

Oviedo

Fiestas Patronales: San Mateo, 21 de septiembre. Importante temporada de ópera. Día de América en Asturias.
Museos y monumentos: Catedral, Cámara Santa y cripta de Santa Leocadia, Santa María del Naranco, San Miguel de Lillo, Museo de Bellas Artes. Museo Arqueológico, Campo y parque de San Francisco, Monte Naranco.
Oficina de Turismo: Plaza de Alfonso II El Casto, 6. Tel. 985 213 385.

La cocina asturiana

La gastronomía asturiana tiene en sus extensas y profundas raíces, así como en las diversas condiciones ambientales de su territorio, verdadero paraíso natural, un sinfín de posibilidades, configurando una amplia oferta de indudable calidad, siempre refrendada por su tradicional y reconocida Cocina Regional, de enorme riqueza.
Cuenta con unas magníficas materias primas, unidas a la sutileza, variedad y exquisitez de un envidiable recetario de indiscutible personalidad, sin concesiones al artificio. Una cocina seria, sólida y completa, que se nutre de la abundante despensa que la generosa naturaleza circundante ofrece.
Los más de 300 km. de costa proporcionan numerosas especies de pescados y mariscos, preparados en exquisitas calderetas; los ríos son ricos en salmones y truchas; las praderas, siempre verdes, cobijan un abundante ganado, especialmente vacuno, que da lugar a una amplia oferta de carnes y quesos artesanales; los productos de la huerta son una delicia, así como la sidra, un magnífico y muy popular producto natural; la calidad de los embutidos derivados del cerdo son la base de apreciados "potes" en el interior de la región; o la abundante caza en las escarpadas y boscosas laderas de sus montañas.

Gijón

PT DE GIJON****	Isabel La Católica, s/n	985 370 511	www.paradores.es
PRINCIPE DE ASTURIAS****	Manso, 2	985 367 111	www.hotelprincipeasturias.com
HERNAN CORTES****	Fernández Vallín, 5	985 346 000	www.hotelhernancortes.es

Oviedo

DE LA RECONQUISTA*****	Gil de Jaz, 16	985 241 100	www.hoteldelareconquista.com
LIBRETTO****	Marqués Sta. Cruz, 12	985 202 004	www.librettohotel.com
GRAN HOTEL ESPAÑA****	Jovellanos, 2	985 220 596	www.granhotelespana.com

Receta Casa Conrado

Merluza del pinchu al aroma de manzana

Ingredientes para 4 personas: 4 lomos de merluza de 200 gr., 4 dientes de ajo, 1 cebolla picada fina y pochada, 12 almejas, 2 manzanas, 1 botellín de sidra natural, 1 cacillo de salsa de tomate, perejil, guindilla, harina, aceite y sal.

Elaboración: En una cazuela grande poner un poquito de aceite, el ajo y la guindilla. Cuando el ajo esté dorado echar la merluza (pasada por harina previamente) con la piel para abajo y añadir la cebolla, el tomate, un poco de harina, las almejas, la manzana y la sidra. Mover la cazuela un poco para que se mezcle todo y dejar cocer todo durante unos 10 minutos. Después espolvorear con el perejil picado. Tapar y dejar cocer 5 minutos más y ya está lista para servir.

CASA CONRADO'S SPECIALITIES

Salad of marinated skate

Pudding of rock fish and sea-urchin

White beans with clams

Tineo's Asturian hot-pot

Hake (caught with rod and line) with seafood

Baked turbot with potatoes

Farmyard chicken with young potatoes

Tripe Asturian style

Creamy rice pudding

Strawberry sorbet

Casa Conrado

Localidad: Oviedo (33002)
Dirección: Argüelles, 1
Teléfonos: 985 223 919 (y fax) - 985 225 793
E-mail: info@casaconrado.com www.casaconrado.com
Parking: Plaza de la Escandalera (a 100 m) y C/ Manuel García Conde (200 m)
Propietario: Conrado Antón Pertierra y familia.
Dias de cierre y vacaciones: Domingos y agosto
Decoración: Funcional
Ambiente: Empresarial, acogedor, familiar
Bodega: Muy extensa en vinos nacionales e internacionales
Hombres y nombres: Chef de cocina, Marcelino Niño; Director: Javier Antón.
Otros datos de interés: Ubicado en el centro histórico de Oviedo, a mitad de camino entre la Catedral y el Teatro Campoamor.
Tarjetas: Todas

ESPECIALIDADES CASA CONRADO

Ensalada de raya escabechada
Pastel de pescados de roca y oricios
Fabes con almejas
Pote asturiano al estilo de Tineo
Merluza del pincho mariscada
Rodaballo al horno con patatas
Pollo de aldea con patatinas
Callos a la asturiana
Crema de arroz con leche
Sorbete de fresas de candamo

Receta La Corrada del Obispo

Lubina sobre crema de espárragos y foie

Ingredientes para 4 personas: 4 lomos de lubina del Cantábrico de 200 gr., 1 manojo de espárragos blancos, 2 dl. de nata líquida, ½ cebolla, 1 dl. de aceite de oliva, 200 gr. de foie de pato fresco, 12 espárragos trigueros, 4 zanahorias, ½ l. de fumet y sal.

Para la crema: Rehogar la cebolla picada con aceite, una vez pochada añadir los espárragos troceados y el fumet. Dejar cocer durante 15 minutos y añadir la nata líquida, reducir 5 minutos, pasar por la turmix y colar. Poner a punto de sal. (Reservar).

Para la guarnición: Cocer los espárragos trigueros en agua con sal al dente. Cocer las zanahorias peladas en agua con sal.

El pescado: Los lomos de la lubina asarlos en sartén, sazonarlos con la piel hacia arriba, terminar al horno a 180º durante 5 minutos. El foie, cortarlo en rodajas y pasarlo por la misma sartén.

Montaje del plato: Saltear la base del plato con la crema de espárragos. Colocar las zanahorias y los espárragos verdes sobre la crema. Poner las rodajas de foie doradas sobre la crema y sobre estas la lubina asada al horno.
Decorar con un poco de perejil picado.

En anexo: Restaurante Marisquería CATU, también vinoteca.
C/ Canóniga, 16. T. 985 216 219

SPECIALITIES OF LA CORRADA DEL OBISPO

Market cookery, the à la carte menu changes every season
Asturian menu (about 30 €) and gastronomic menu (about 55 €)
Prawn and monkfish salad
Carpaccio of fillet of beef and of Asturian cheese
Blood sausage and prawns on brick foil
Baked sea bass from the Cantabrian coast with vegetables
Grilled monkfish with fried garlic
Pan-fried duck liver with figs and sauce of sweet Pedro-Ximenez-sherry
Wild boar with prune-custard cup and apple purée
Loin of venison with berry sauce
Braised partridge with wild rice
Sirloin steak
Curd cheese with berries
Baked apple with pineapple granité and sorbets
Special list for sweet dessert wines

La Corrada del Obispo

Localidad: Oviedo (33.003 Asturias)
Dirección: Canóniga, 18 (a espaldas de la Catedral, zona peatonal)
Teléfonos: 985 220 048 Fax. 985 204 779
Parking: Aparcamiento La Escandelera, a 5 minutos.
Propietario: Luis Solís García
Días de cierre y vacaciones: Cerrado domingos noches. Abierto todo el año.
Decoración: Combina el señorío de una casa palaciega del s. XVIII con elementos muy actuales.
Ambiente: Muros de roca que susurran entrañables historias pasadas, hierro forjado con carácter propio y las más nobles maderas en perfecta armonía consiguen crear un ambiente único, en el mismo centro del Oviedo antiguo... en el corazón de Vetusta.
Bodega: 400 referencias en vinos nacionales.
Hombres y nombres: Jefe de cocina: Juan Carlos Martínez Abascal.
Maitre: José María Fernández Cao.
Otros datos de interés: Amplio comedor con varios ambientes, un salón privado, elegante barra de espera y vistas a la Catedral.
Tarjetas: Las principales

ESPECIALIDADES LA CORRADA DEL OBISPO

Cocina de mercado, la carta cambia en cada temporada
Menú Asturiano (alrededor de 30 €) y Menú Degustación (alrededor de 55 €)
Ensalada de langostinos y rape
Carpaccio de solomillo y de queso asturiano
Morcilla y gambas sobre pasta brick
Lubina del Cantábrico asada con verduras
Cola de rape a la plancha con sofrito de ajos
Foie fresco a la plancha con higos al P.X.
Jabalí con flan de ciruelas y puré de manzana
Lomo de ciervo con salsa de bayas
Perdiz breseada con arroz salvaje
Entrecot de carne roja
Cuajada de « afuega'l pitu » con bayas
Manzana asada, granizado de piña y sorbetes
Carta de vinos dulces para postres

Bocamar

La marisquería de Oviedo

En el corazón comercial de Oviedo, próximo a la calle Uría, al Campo de San Francisco y al Corte Inglés, Bocamar es un restaurante-marisquería de moderno estilo marinero. Llamativo comedor bajo una luminosa claraboya piramidal, armonía en la distribución de volúmenes y colores, viejas fotos costumbristas y cuadros marineros. Una opción muy recomendable para darse un homenaje en la capital del Principado.

Manuel Fernández es un hostelero vocacional que ostenta una amplia trayectoria profesional. Con sólo quince años marchó a Madrid para labrarse un futuro. Ofició de camarero y de ayudante de cocina por varios establecimientos. Cuando vuelve a su tierra natal, inaugura Bocamar, para especializarse en pescados y mariscos.

Esta casa tiene personalidad propia y como premisas fundamentales: trabajo diario, excelencia del producto y preparaciones sencillas para respetar sabores y aromas originales. Aquí, los frutos del mar apenas precisan agua y sal, plancha u horno.

La profesionalidad y rigurosa selección de las mejores materias primas garantizan la calidad de su extensa carta. Aquí, el comensal gozoso encuentra todas las joyas del Cantábrico: insuperables mariscos y pescados salvajes traídos directamente de la lonja son la base de su cocina. Además, suculentas carnes, repostería casera y una bodega a la altura de las circunstancias, auténtico paraíso pare enófilos.

Bocamar es la marisquería de Oviedo. Esta casa y su excepcional género gozan de merecida fama. Entre sus clientes más famosos, Woody Allen cada vez que visita la ciudad. "Más vale vuelco de olla, que abrazo de moza".

MARISQUERIA BOCAMAR'S SPECIALITIES

Fresh fish, shellfish and crustaceans from the Bay of Biscay
Extensive range of seafood:
Clams, oysters, goose barnacles, shrimps, razor shells,
prawns, king-size prawns, lobster, spiny lobster, spider crab...
In season: elvers, sea urchins...
Fresh wild fish:
Sea bass, hake, monkfish, grouper, sole, turbot, spotted red bream...
(Grilled, baked, steamed, in a salt coat, with sauce)
Fillet and sirloin steaks
Home made tripe
Rice pudding
Home made tarts and gateaux
Apple preserve
Asturian cheese:
La Peral, Cabrales (blue-veined), Ahumado (smoked) de Pría "de las Tres Leches"

Marisquería Bocamar

Localidad: Oviedo (33004)
Dirección: Marqués de Pidal, 20 (junto Corte Inglés)
Teléfonos: 985 237 092 y 985 271 611 (tel y fax)
E-mail: bocamar@bocamar.es www.bocamar.es
Parking: Aparcamiento público cercano.
Propietario: Manuel Fernández Fernández.
Días de cierre y vacaciones: Abierto cada día del año excepto agosto.
Decoración: Amplias y cómodas instalaciones en un moderno estilo marinero.
Ambiente: En un enclave privilegiado del centro de Oviedo, es el restaurante especializado en pescados y mariscos. Profesionalidad y rigurosa selección de materias primas.
Bodega: Vinos clásicos. Blancos de Rueda, Albariños y Rias Baixas. Tintos de la Ribera del Duero, Rioja, Toro y La Mancha, selección de reservas, cavas y champagnes.
Hombres y nombres: Jefe de cocina. Juan Luis García. Maitre: Andrés Fernández.
Otros datos de interés: Dos ambientes. Comedor a la carta con capacidad hasta 120 comensales, posibilidad de banquetes, dos salones privados (10 y 30 p.) y también cervecería-bar para picoteo, tapas, raciones y vinos.
Tarjetas: Todas excepto American Express

ESPECIALIDADES MARISQUERIA BOCAMAR

Pescados y mariscos del Cantábrico
Toda la gama de frutos del mar:
almejas, ostras, percebes, quisquillas, navajas,
gambas, langostinos, bogavante, langosta, centollo...
En temporada: angulas, oricios...
Todos los pescados son de alta mar:
lubina, merluza, pixín, mero,
lenguado, rodaballo, besugo...
(plancha, horno, al vapor, a la sal, en salsa)
Solomillo y entrecot
Callos caseros
Arroz con leche
Tartas de elaboración propia
Mermelada de manzana
Quesos asturianos:
La Peral, Cabrales, Ahumado de Pría "de las Tres Leches"

Casa Edelmiro

Premio Nacional de Hostelería

El restaurante Casa Edelmiro ha sido galardonado como Mejor Empresa Hostelera comprometida con la calidad en la 3ª Edición de los prestigiosos Premios FEHR (Premios Nacionales de Hostelería 2009). Estos premios reconocen y otorgan un sello de calidad y prestigio, referencia entre las empresas hosteleras. Grandes y pequeños empresarios, proveedores, clientes y, en definitiva, amigos de la hostelería se dieron cita una vez más con motivo de la gran fiesta española del sector. Entre los premiados, personajes y entidades de la talla de Plácido Arango del Grupo Vips, Luis Lezama del Grupo Lezama, Juli Soler, copropietario de El Bulli...

José Ramón Blanco agradeció el honor de recoger este importante premio y subrayó la decidida apuesta por la alta calidad de Casa Edelmiro, fundado en 1890 (4ª generación), un restaurante de gastronomía regional situado a las afueras de Oviedo en plena naturaleza. El Concejo de Las Regueras es un incomparable paraje que destaca por la belleza de su paisaje, un terreno irregular salpicado de pueblos y caseríos en el que se conjugan armoniosamente pequeños valles con montañas de escasa altura.

Casa Edelmiro es un restaurante familiar, atendido por los propietarios. Dispone de completas instalaciones: salón principal con capacidad para 100 personas, comedores privados, terraza de verano, terraza cubierta hasta 100 comensales, apta para celebraciones y reuniones (de abril a septiembre) y parque infantil.

CASA EDELMIRO'S SPECIALITIES

First choice offer with fresh products

Regional haute cuisine

"Fabada". Asturian haricot bean & pork stew

Eggs in "Biedes" style

Fillet steak with garlicky La Peral-cheese sauce

"Cachopo" of the house (kind of Cordon Bleu)

Hake with seafood

Salt cod specialities at choice

Almond custard cup

Almondy ice-cream tart

Home-made pastries

Casa Edelmiro

Localidad: Biedes-Las Regueras (33190 Asturias)
Dirección: Biedes (a 12 Km. de Oviedo)
Teléfonos: 985 799 492 y 985 799 011 (Tel. y Fax)
E-mail:contacto@casaedelmiro.com
www.casaedelmiro.com
Parking: Propio.
Propietario: José Ramón Blanco.
Días de cierre y vacaciones: Martes. Vacaciones la 1ª quincena de agosto.
Decoración: Típica asturiana.
Ambiente: Selecto y relajado.
Bodega: Todos los vinos de La Rioja. Selección de vinos extranjeros. Vino recomendado: "Barón de Ley" (Rioja Reserva).
Hombres y nombres: Jefa de cocina: Mari Carmen Blanco. 2ª Jefa de cocina: Silvia Blanco. Maestra repostera: Carmen Blanco. Maitre y Sommelier: David Blanco Blanco. 2º maitre: Carlos Braña auxiliado por María José.
Otros datos de interés: Pertenece al Círculo de Restaurantes Centenarios de España. Galardonado con la Q de calidad. Plato de Oro "Premio Nacional de Gastronomía".
Tarjetas: Visa, Cajastur y 4B.

ESPECIALIDADES CASA EDELMIRO

Selecta carta con productos del día

Alta cocina regional

Fabada

Huevos rotos de Biedes

Solomillo al queso La Peral

"Cachopo" de la casa

Merluza mariscada

Bacalao al gusto

Flan de almendras

Tarta helada de turrón

Repostería propia

El Campanu

Sidrería Marisquería

En El Campanu, los verdaderos protagonistas de la fiesta son pescados y mariscos frescos de postín. Es el único restaurante de Cangas de Onís que ofrece diariamente de diez a catorce clases de pescados que se compran directamente a barcos y pescadores o en la cercana rula de Ribadesella, lo que le permite apostar por una incuestionable calidad y variedad a precios imbatibles.

Otro de los puntos fuertes de la casa es la sidra: aquí se encuentran las dos o tres mejores marcas de sidra asturiana, destacando la famosa Foncueva. Sensatez, profesionalidad, gusto por el trabajo bien hecho y reverencia por el producto son los pilares de este nuevo Campanu. La premisa es tratar al cliente a cuerpo de rey.

El Campanu en Ribadesella

Situado en el mismo puerto de Ribadesella, este restaurante ofrece la misma cocina, alta calidad de género y precios asequibles que su hermano menor de Cangas. Regentado por José Manuel Mori "El Marqués", prestigioso pescador que no escatima a la hora de prepararse para la jornada de pesca y la gastronomía asociada a ella. Está considerado como uno de los mejores pescadores asturianos de salmón y tiene en su palmarés personal nada menos que cinco "Campanus", el primer salmón de la temporada. Su pasión por la gastronomía autóctona, su amplia experiencia como gastrónomo aventajado y su excelsa despensa, han convertido El Campanu en una parada culinaria ineludible en el oriente asturiano.

Marqués de Argüelles, 9. Ribadesella. T. 985 860 358 – 670 603 694

EL CAMPANU'S SPECIALITIES

Lobster salad from Ribadesella
Octopus tossed with prawns and green wild asparagus
Flageolet beans from Ardisana with seafood
Asturian salmon casserole
Rice specialities: with lobster, with octopus and velvet crab, with squids in their own ink, with oyster mushrooms and prawns, with cockles, shrimps and monkfish or with pheasant
Rod-caught fish, baked or grilled: spotted red bream, scorpion fish, monkfish, hake
Medallions of fish from the Bay of Biscay with foie gras
Seafood: clams, lobster, velvet crab, spiny lobster, spider crab, goose barnacles, brown crab, razor shells, scallops, oysters
Chargrilled beef cuts and game; venison, wild boar
Roast sucking lamb and pig
Lukewarm almond sponge with ice cream
Pancakes filled with cream and chocolate

El Campanu

Localidad: Cangas de Onís (33550 Asturias)
Dirección: Puente Romano, 4
Teléfonos: 985 947 446 – 660 324 727
Parking: Fácil aparcamiento.
Propietario: Borja Martínez Díaz y José Manuel Mori Cuesta.
Días de cierre y vacaciones: Cerrado jueves. Vacaciones: del 15 de enero al 15 de febrero.
Decoración: Recoleto y luminoso comedor con vistas al famoso Puente Romano.
Ambiente: Mucha clientela local, numerosos pescadores, cazadores...y gentes de buen vivir.
Bodega: Acertada selección de vinos. Rioja, Ribera del Duero, Navarra, Bierzo, Somontano, Toro. Generosos, cavas y champagnes.
Hombres y nombres: Borja Martínez, el director-maitre, atiende personalmente a sus comensales.
Otros datos de interés: Nueva sidrería y marisquería abierta en Cangas de Onís desde abril 2008. Acuario de mariscos y agradable terraza de verano junto al Puente Romano.
Tarjetas: Las principales.

ESPECIALIDADES EL CAMPANU

Ensalada de bogavante de Ribadesella
Pulpo salteado con langostinos y trigueros
Verdines de Ardisana con marisco
Marmitaco de salmón asturiano
Arroces: con bogavante, con pulpo de pedreru y andariques, con calamares en su tinta, con setas y langostinos, con berberechos, gambas y rape o con faisán
Pescados de anzuelo al horno o a la plancha: besugo, lubina, cabracho, rape, merluza...
Lomos de pescados del Cantábrico al foie
Mariscos: almeja fina y almeja de cuchillo, bogavante, nécora, langosta, centollo, percebes, buey de mar, navajas, zamburiñas, ostras
Carnes rojas a la parrilla y carnes de caza: ciervo, jabalí
Lechazo y cochinillo al horno
Financier: bizcocho de almendra templado con helado
Frixuelos rellenos de nata y chocolate

Las Delicias

Mirando al futuro

En el distinguido entorno residencial de Somió se encuentran estas magníficas instalaciones optimizadas por una rehabilitación integral que duró 6 meses. El resultado refleja un cuidado equilibrio entre tradición y vanguardia. El exterior de estilo sobrio y elegante, típico de la arquitectura asturiana, armoniza con una distribución del espacio tan racional como imaginativa, que se distribuye en tres plantas:

- Planta baja: comedor a la carta Don Pelayo, 2 comedores privados con capacidad para 10 comensales cada uno (se pueden juntar), salón Versalles para 200 personas y elegante bar-cafetería para cócteles, picoteo, vinos. Todo equipado con audio-video, wifi, adsl...
- Primera planta: comedor privado La Galería para 28 comensales, salón Miguel Ángel apto para cualquier tipo de eventos empresariales o familiares con las últimas tecnologías.
- Segunda planta: salón comedor abuhardillado hasta 48 personas, el más íntimo, aquí las noches son mágicas.
- Espacios Exteriores: varias terrazas y parque infantil con 1300 m2 de jardines arbolados, para comidas y cenas de verano con el mejor ambiente.

Las Delicias presenta una gran flexibilidad organizativa, es el lugar adecuado para acoger los eventos más diversos: reuniones de trabajo, cualquier tipo de celebración o sobremesas con todo el tiempo por delante.

Esta casa tiene como objetivo la excelencia y la exclusividad. Aquí se pueden degustar los productos más aristocráticos: caviar iraní “triple cero”, foie, langostas del Cantábrico, champagnes...La diferencia se aprecia en cada detalle, desde la vajilla o la mantelería hasta las cartas de aguas, de chocolates, de puros o menús para celiacos y vegetarianos. Cada planta dispone de baños de diseño avanzado y todas las instalaciones son asequibles para personas con movilidad reducida.

Las Delicias es un proyecto de vanguardia que definitivamente mira al futuro.

LAS DELICIAS' SPECIALITIES

Haute cuisine, very elaborated, on a traditional basis with modern techniques and know how
The à la carte menu changes every season
Recommendations of the day
Tasting menu
Layered slice of caramelised foie gras and lightly smoked salmon, sour apple and spring onion sauce
Juicy “black” rice (coloured with squid ink) with baby squids, spring onions, bone marrow and parsley oil
Marinated anchovies with apple water, in jelly with tomato & vodka emulsion, the roe and anise
Fresh fish according to the market offer
Fillet of beef with creamy potato, light mustard sauce with vegetable shoots and Périgourdine sauce
Roast rack of lamb with fresh pasta, reduction of cured Iberian ham and gaufrette potatoes
Ravioli of pineapple and coconut with chilled tea of reinette apple and vanilla
Chilled coffee with milk, hazelnut & chocolate spread and whiskey granité

ASTURIAS

Las Delicias

Localidad: Somió - Gijón (33203 Asturias)

Dirección: Camino de las Dalias, 80.

Teléfonos: 985 360 227. Fax: 985 130 095

E-mail: info@restaurantelasdelicias.com

www.restaurantelasdelicias.com

Parking: Amplio aparcamiento propio.

Días de cierre y vacaciones: Cerrado lunes. Vacaciones en enero.

Decoración: Un escenario distinto para cada ocasión. Desde la elegancia clásica al minimalismo de inspiración oriental.

Ambiente: Atractivo, exclusivo y funcional.

Bodega: Alrededor de 500 etiquetas, un recorrido por las mejores denominaciones de España y del mundo. Carta de vinos dulces.

Otros datos de interés: Las instalaciones completamente modernizadas aportan un aire renovado a este referente de la restauración en Asturias.

Tarjetas: Las principales.

ESPECIALIDADES LAS DELICIAS

Alta cocina
muy elaborada, fundamentada en la tradición
con técnicas y conceptos actuales
La carta cambia en cada estación
Sugerencias del día
Gran Menú Degustación
Milhojas caramelizado de foie y salmón ligeramente ahumado, manzana ácida y salsa de cebolletas
Arroz negro y cremoso de chipirón, cebolletas, tuétano y aceite de perejil
Boquerones escabechados en agua de manzana,
en gelatina con emulsión de tomate y vodka, sus huevas y algunos anisados
Pescados frescos según lonja
Solomillo de buey con crema de patata bonita, crema ligera de mostaza y germinados, salsa Périgueux
Carré de cordero lechal con pasta fresca en reducción de ibéricos y rejilla de patata
Ravioli de piña y coco con té frío de manzana reineta con vainilla
Café con leche helado, untuoso de avellanas y chocolate, granizado de whiskey

Receta La Solana

Salteado de langostinos frescos con mollejas de lechal en su jugo, espárragos verdes y rebozuelos

Ingredientes: Langostinos frescos, patatas, nata, mantequilla, huesos de lechal, 1 ajo puerro, 1 cebolla, 1 zanahoria, 1 l. de vino tinto, mollejas de lechal, espárragos verdes y rebozuelos.

Preparaciones:
Para el jugo de cordero: se tuestan los huesos con las hortalizas, añadir el vino tinto, cubrir de agua y poner a cocer unas 12 h. aproximadamente.
Para el parmantier: cocer las patatas y triturar en termomix añadiendo un chorrito de nata y mantequilla.
Para los espárragos: cocer en agua con sal durante un minuto y luego pasar brevemente por una salteadora.

Montaje: poner una cucharada del parmantier, colocar las mollejas brevemente salteadas, salsear por encima con su jugo, colocar los rebozuelos y los espárragos verdes y poner encima los langostinos

LA SOLANA'S SPECIALITIES

Updated regional Asturian cookery

Gastronomic 8-course menu

The à la carte offer and the menu change every season

Sea-urchins in different textures with apple jelly

Baked sea bass with potato purée, cèpes and chicken juice

Royale of foie gras, truffle jelly, ice cream of cèpe mushrooms

Roast rack of lamb in its juice with purée of pineapple and oyster mushrooms

Coconut ice cream with white-chocolate & yoghurt foam

Frozen cream of blue-veined cheese from cabrales with apple and grape jelly

ASTURIAS

La Solana

Localidad: Mareo - Gijón (33390 Asturias)
Dirección: Ctra. Centro Asturiano, s/n
Teléfonos: 985 168 186 E-mail:apeanes@telecable.es
www.restaurantelasolana.com
Parking: Aparcamiento propio
Días de cierre y vacaciones: Cerrado domingos noche y lunes
Decoración: Una elegante casona asturiana del siglo XIX, con espléndidas vistas a las praderías de Mareo.
Ambiente: La tranquilidad del entorno se alia con la comodidad de las estancias para crear una cálida mezcla de distinción y buena mesa. El lugar invita a reuniones y encuentros reposados
Bodega: Actual, viva y dinámica. Alrededor de 200 referencias, novedades y vinos tradicionales
Hombres y nombres: Jefe de cocina: Gonzalo Pañeda. Jefe de sala y sumiller: Antonio Pérez "Toni"
Otros datos de interés: Un nuevo estilo de cocina y una cuidada atención constituyen una sugerente referencia gastronómica. Una de las mejores instalaciones de Gijón: seis comedores con diferentes capacidades (desde 4 / 5 hasta 50 p.), dos terrazas - jardín
Tarjetas: Todas

ESPECIALIDADES LA SOLANA

Cocina regional asturiana y renovada

Menú-Degustación: 8 platos

La carta y el menú cambian en cada estación

Oricios en textura con gelatina de manzana

Lubina asada con puré de patata, hongos y jugo de pitu

Royal de foie-gras, gelatina de trufa, crema helada de hongos

Carré de cordero asado en su jugo, con puré de piña y setas

Helado de coco con espuma de chocolate blanco y yogurt

Crema helada de Cabrales con manzana y gelatina de uvas

El Retiro

Evolución sucesoria

A un kilómetro de Llanes, la población más turística del oriente asturiano, a un paso del mar y del monte, a 30 minutos de Cangas de Onís y una hora de Oviedo, dirección a Cantabria, se encuentra esta casa que ha sabido evolucionar felizmente. Fue bar-tienda durante más de setenta años, hace tres décadas se convirtió en casa de comidas, aún hoy conserva su barra, de popular sidrería de las de toda la vida.

En la actualidad, El Retiro ha emprendido un camino de recuperación y adaptación a los tiempos, evolucionando hacia una culinaria elaborada y actualizada. El artífice es el joven chef Ricardo Sotres, nacido en noviembre de 1985. Tras realizar estudios de Hostelería, completó una ilustrada y maratoniana formación con algunos santones del belén como Casa Marcial (Arriondas), Ca Sento (Valencia) o Las Rejas (Las Pedroñeras).

Con un don innegable y gran pasión por los fogones, Sotres regresa al negocio familiar aportando su visión personal a la gastronomía asturiana, poniéndola al día sobre una base de productos frescos de la zona: pescados y mariscos, pollos de corral, setas en temporada... configura refinadas y delicadas creaciones. Esta nueva etapa augura éxitos y reconocimientos. Sorprende encontrar en este caserío este restaurante de cocina evolutiva realizada con sensatez y honestidad.

EL RETIRO'S SPECIALITIES

Every season a new à la carte menu

Tasting menu: 35 €

Traditional cookery:

"Fabada" (white bean ragout, kind of cassoulet)

Rice with free-range chicken

Tripe of the house

Norway lobster in a salt coat

Updated cookery:

Oyster with apple, rocket salad and basil

Scallops with potato, air-dried beef and asparagus

Salt cod with ragout of its sounds, chickpeas and saffron

Roast pigeon with shallots and creamy potatoes

Rice pudding

Mascarpone with pineapple and coffee

El Retiro

Localidad: Pancar - Llanes (33509 Asturias)
Dirección: A 1 km. de Llanes
Teléfonos: 985 400 240 www.restaurantebarelretiro.com
Parking: Fácil aparcamiento.
Propietario: Rosa María Sotres.
Días de cierre y vacaciones: Cerrado lunes. Vacaciones: segundas quincenas de enero y noviembre.
Decoración: Rústica. Casa de piedra con zona de bar-sidrería, comedor con paredes de roca natural y terraza.
Ambiente: Rural. Paz, sosiego y naturaleza.
Bodega: Variada, vinos de Rioja, Ribera del Duero, Galicia, Cataluña, Castilla y León, Castilla-La Mancha, Andalucía.
Hombres y nombres: Jefe de cocina: Ricardo Sotres. Jefa de sala: Rosa María Sotres.
Otros datos de interés: Desde junio 2010, esta "casa de comidas" familiar del oriente asturiano ha iniciado una nueva etapa ofreciendo una cocina de autor construida sobre la formación y personalidad de Ricardo Sotres.
Tarjetas: Las principales.

ESPECIALIDADES EL RETIRO

La carta cambia por temporada
Menú Degustación: 35 €
Cocina tradicional:
Fabada con pantruque
Arroz con pollo de corral (Pitu de Caleya)
Callos caseros
Cigala en costra de sal
Cocina actualizada:
Ostras con manzana, rúcula y albahaca
Vieiras con patata, cecina y espárrago
Bacalao con guiso de sus callos, garbanzos y azafrán
Pichón asado con chalotas y crema de patata
Arroz con leche
Mascarpone con piña y café

Casa Gerardo

Evolución de la saga familiar

Casa Gerardo data de 1882, cuando el bisabuelo de Pedro Morán abre el establecimiento como venta-casa de postas y lugar de parada de las diligencias. Posteriormente, hereda el negocio Gerardo, su yerno, que da nombre al restaurante y lo transforma en casa de comidas. Transmite su innata inteligencia por el arte culinario y la afición por los fogones a su hija Ángeles. Durante esta tercera generación se sientan los pilares del actual Casa Gerardo.

A finales de los setenta, Pedro Morán, hijo de Ángeles, asume la dirección del negocio y llegan los reconocimientos al más alto nivel. En los últimos años, se ha incorporado la quinta generación, Marcos Morán, que junto con su padre dan continuidad a una saga tal vez única en la restauración española.

Hoy en día, Casa Gerardo representa una perfecta simbiosis entre la tradición -los sabores del terruño- y las más contemporáneas técnica culinarias. Tomando como base la cocina asturiana de siempre sus fogones siempre reflejan una serena creatividad, una comedida evolución, con nuevas ideas pero manteniendo el patrimonio esencial de la casa. Aquí, se siente verdadera pasión por el producto en estado puro, con livianas condimentaciones y afinadas cocciones.

La investigación y el estudio de las mejores combinaciones, la calidad de las materias primas y el compromiso profesional por dar bien de comer son los pilares fundamentales sobre los que se asienta la filosofía gastronómica de una familia ejemplar.

CASA GERARDO'S SPECIALITIES

Traditional and innovating cookery
Tasting, Gastronomic and Gourmet menus
Chargrilled octopus, marzipan of paprika, chopped citrus fruit
Chargrilled shrimps, dried bread, roses and pistachio nuts
Egg with squid and eucalyptus
"Fabada de Prendes" (white bean stew with meat)
White beans with clams
Hake, walnuts and seaweed
Sea bass on a cockle emulsion
"Pitu de Caleya" (chicken ragout)
Pork dewlap, chickpea juice and aromatic leaves
Roast cuts of beef
Apple with perfume "Alquitara del Obispo"
Rice custard with burnt milk

Casa Gerardo

Localidad: Prendes (33438 Asturias)
Dirección: Ctra. AS-19, km. 9 (a 9 km. de Gijón)
Teléfonos: 985 887 797 – 985 887 798
E-mail: info@casa-gerardo.com www.casa-gerardo.com
Parking: Aparcamiento propio.
Propietario: Familia Morán.
Días de cierre y vacaciones: Abierto al mediodía excepto lunes, cenas sólo viernes y sábados. Vacaciones: 15 días en enero.
Decoración: Instalaciones totalmente actualizadas.
Ambiente: Una imprescindible referencia gastronómica en un incomparable marco natural.
Bodega: Acristalada y climatizada. Las mejores etiquetas de las principales denominaciones y champagnes.
Hombres y nombres: Jefes de cocina: Pedro y Marcos Morán.
Otros datos de interés: Casa centenaria, más de 125 años de historia. Elegantes comedores y amplia cocina, más de 250 m2, equipada con las últimas tecnologías y con vistas a la sala.
Tarjetas: Todas.

ESPECIALIDADES CASA GERARDO

Cocina tradicional e innovadora
Menús Degustación, Gastronómico y Gourmet
Pulpo a la brasa, mazapán de pimentón, picada de cítricos
Quisquillas brasa, panes secos, rosas y pistachos
Huevo con calamar y eucalipto
Fabada de Prendes
Fabes con almejas
Merluza, nuez y algas
Lubina sobre emulsión de berberechos
Pitu de Caleya
Corte de papada ibérica, jugo de garbanzos, hojas aromáticas
Falda y caña de ternera asada
Manzana con perfume "Alquitara del Obispo"
Crema de arroz con leche requemada

Casa Marcial

Reinterpretación de la cocina asturiana

Casa Marcial está situada en una deliciosa casona rural de la aldea de La Salgar, con el incomparable paisaje de los Picos de Europa enfrente y la bravura del Cantábrico a sus espaldas.

Nacho Manzano se inicia profesionalmente en los fogones de Casa Víctor. En 1993 decide abrir su propio restaurante en un bucólico paraje donde reinterpreta a su manera el universo gastronómico asturiano, lo que permite a los comensales acercarse a los sabores de siempre desde una perspectiva innovadora. Casa Marcial ofrece una de las cocinas más divertidas y sorprendentes del norte de España.

Investigador infatigable, Nacho Manzano practica una culinaria creativa, original e imaginativa con una fuerte impronta asturiana. Con capacidad intelectual, sensibilidad, ilusión y pasión construye composiciones de una ligereza encomiable y muy personales, que destacan por su genial sencillez. Posee un don innato para transmitir sabores armónicos y refinados, conjugar viandas, fusionar géneros asturianos y foráneos. Una alta cocina de autor y de temporada, siempre ingeniosa y sosegada, que contempla con admiración al producto autóctono.

Por el nivel de su cocina ha sido galardonado con numerosos premios y reconocimientos a nivel nacional e internacional, Nacho Manzano continúa su progresión imparable que le ha llevado a ser considerado como uno de los mejores.

CASA MARCIAL'S SPECIALITIES

Imaginative cookery with fresh produce on an Asturian basis
Menu of Starters, Classical dishes and Gastronomic
Home made cured ham croquettes
"Fabada" (kind of cassoulet with white beans and meat)
Rice with chicken ragout
Foie gras, mint, hazelnuts, green, smoked & sour touch
Chickpea purée with grilled cheeks and cod sounds
Hake with purée, sugar peas, clams and a light lemon dressing
Duck in its own juice, cooked in two different ways, pear cream
Roast pigeon, wheat risotto with bone marrow and truffle
Anise and mint with citrus fruit and fresh fruit
Ocumare chocolate, ice cream of honey, saffron and citrus fruit
Custard cup of muscovado sugar syrup and yolks with apple, rocket and black-olive crystal

Casa Marcial

Localidad: La Salgar-Arriondas (33540 Asturias)
Dirección: La Salgar, s/n (a 4 km. del centro urbano de Arriondas)
Teléfonos: 985 840 991 E-mail: info@casamarcial.com
www.casamarcial.com
Parking: Aparcamiento propio.
Propietario: Nacho Manzano.
Días de cierre y vacaciones: Cierra domingos noche y lunes en verano. Resto del año, abierto sólo al mediodía y noches de viernes y sábados. Vacaciones: del 7 de enero al 20 de febrero.
Decoración: Recoleta casa rural situada en un hermoso paraje rodeado de verdes praderas.
Ambiente: Lugar de culto y parada obligada para los amantes de la buena mesa.
Bodega: En constante actualización, más de 200 etiquetas de todas las D.O. Selección de licores y destilados. Carta de puros.
Hombres y nombres: Jefe de cocina: Nacho Manzano. Sala: Olga y Sandra Manzano.
Otros datos de interés: Nacho Manzano inauguró en 1993 esta casa, una de las artífices de la revolución culinaria asturiana. Terraza y huerto anexo. Conviene reservar los fines de semana.
Tarjetas: Todas

ESPECIALIDADES CASA MARCIAL

Cocina imaginativa y de producto con raíces asturianas
Menú de Entradas, Clásicos y Gastronómico
Croquetas de jamón caseras
Fabada asturiana
Arroz con pitu de caleya
Foie, hierba luisa, avellanas, toques verdes, ahumados y amargos
Puré de garbanzos, con carrillera a la parrilla y callos de bacalao
Merluza con su parmentier, tirabeques, almejas y vinagreta suave de limón
Pato en su jugo en dos cocciones y crema de pera
Pichón asado, risotto de trigo, tuétano y trufa
Anís y menta con cítricos y frutas
Chocolate Ocumare, helado de miel, azafrán y cítricos
Tocinillo de muscovado, manzana, rúcula y cristal de aceituna negra

Tapia de Casariego

Mar y montaña

En pleno corazón de la costa verde, salpicada al norte por el mar Cantábrico, **a 2 horas de Santiago de Compostela y hora y media de Oviedo**, se encuentra Tapia de Casariego con una gran variedad de recursos naturales. Dentro de ellos, podemos distinguir los de mar y montaña. En cuanto a la costa, destaca "El Faro de Tapia", único faro asturiano localizado en una isla y el mirador de "Os Cañois", con una magnífica vista del puerto. Entre los de montaña sobresale "El Pico Faro".

Hoy en día Tapia se ha convertido en un lugar turístico por excelencia en el occidente asturiano. Lo tiene todo: mar, montaña, construcciones monumentales y costumbres legadas por sus antepasados. Se puede disfrutar de unos días de playa, de la montaña con sus colores verdes y marrones que forman un paraíso de encanto especial, del buen ambiente nocturno y de la degustación de maravillosos y sabrosos platos típicos. También del Club de Golf "Cierro Grande", situado en Rapalcuarto, Ctra. Nacional de Oviedo a La Coruña, km. 545,5. La cuota de asociación es una de las más asequibles de España.

Tapia posee numerosas playas de increíble belleza, desde playas tranquilas de fina y blanca arena hasta otras más salvajes para intrépidos y amantes del surf.

El turismo activo está muy presente en la localidad. Entre los deportes acuáticos que se pueden practicar están el surf, el windsurf, canoas, kayak, pesca, submarinismo...Otra posibilidad muy atractiva son las rutas de senderismo para entrar en contacto directo con la naturaleza y conocer de primera mano las tradiciones y costumbres de la zona. Para ello, Tapia le ofrece un buen número de alojamientos rurales, buena muestra de la arquitectura popular de la zona.

Villa gastronómica por excelencia, dada su ubicación geográfica limitando con el mar y la montaña, cuenta con unas excelentes carnes y los más exquisitos pescados y mariscos, sin olvidarnos de los productos de la huerta.

EL ÁLAMO'S SPECIALITIES

Seafood pudding

Seafood-stuffed capsicums

White bean stew with clams

Seafood paella

Grilled fish and seafood assortment

Sirloin steak with Cabrales-cheese sauce

Wild boar stew hunter's style

Wide range of crustaceans, shellfish and fish from the Cantabrian coast

Home-made desserts

ASTURIAS

El Álamo

Localidad: Rapalcuarto - Tapia de Casariego (Asturias).
Dirección: Ctra. General 634 (Asturias-Galicia)
Teléfonos: 985 628 649 - Telf. y Fax: 985 472 649
E-mail: sfm00002@teleline.es
www.restauranteelalamo.com
Parking: Aparcamiento propio.
Propietario: Santiago Fernández Martínez
Días de cierre y vacaciones: Martes noche.
Decoración: Funcional
Ambiente: Acogedor
Bodega: Amplia, predominando Riojas y blancos gallegos.
Hombres y nombres: Jefe de cocina: Santiago. Jefe de comedor: Pedro
Otros datos de interés: Ubicado en un bello entorno natural, con varias pequeñas playas en las proximidades. Dispone de un salón para grupos hasta 100 personas.
Tarjetas: American Express, Visa, Diner's, 4B y 6000.

ESPECIALIDADES EL ÁLAMO

Paté de mariscos
Pimientos rellenos de mariscos
Fabas con almejas
Paellas de mariscos
Parrillada de pescados y mariscos
Entrecot al Cabrales
Jabalí a la cazadora
Gran variación en mariscos frescos (cetarea propia) y pescados del Cantábrico
Postres caseros

Rompeolas

En primera línea

En el centro de Asturias, en plena Comarca de la Sidra y a orillas del mar Cantábrico, se esconde el singular pueblo marinero de Tazones, con sabor a sidra, mariscos y pescados. Coquetas y sencillas casas marineras conforman la villa. Este pequeño espacio de color ostenta el título de Conjunto Histórico Artístico del Principado de Asturias.

En Tazones, el Rompeolas es toda una institución. Fundado en 1965, en primera línea de costa, sigue ofreciendo género de primera, puntos de cocción milimétricos y platos marineros preparados con tiempo, sabiduría y cariño. Una visita para recordar.

El Rompeolas es sinónimo de calidad, profesionalidad y buena cocina. El local reboza familiaridad, género de primera y gusto marinero, así como asturianía por los cuatro costados. Su excelente cocina cuenta con los pescados y mariscos del cercano Cantábrico que baña Tazones, nutriéndose de la pesca autóctona, cuando al atardecer llegan las embarcaciones a puerto, cargadas con bugres, centollos, lubina, chopa y pixín. Todo un lujo ya que pida lo que pida, no puede equivocarse. Es una visita para recordar.

El Rompeolas ha sido merecedor del Premio a la Mejor Sidrería 2006, otorgado por la asociación de críticos de Asturias.

ROMPEOLAS' SPECIALITIES

Goose barnacles, clams, slipper lobsters, shrimps

Spider crab, spiny lobster, lobster, velvet crabs

Monkfish, hake, large-eye dentex bream, black sea bream,

spotted red bream, sea bass, gilthead bream

Fish and sea food casseroles (on request)

Scorpion fish with potatoes

Entrecôte steak (beef with label from Valle de Esla)

Home-made desserts; cream caramel, rice pudding

Rompeolas

Localidad: Tazones-Villaviciosa (33.315 Asturias)
Teléfonos: 985 897 013 www.puertodetazones.com
Parking: Fácil aparcamiento
Propietario: José Martínez Varas
Días de cierre y vacaciones: Cerrado martes. Vacaciones: 20 días en Navidad y 20 días en junio.
Decoración: Típico chigre asturiano frente al mar. Con una agradable terraza
Ambiente: Campechano, una casa de comidas ilustrada en un encantador pueblo marinero
Bodega: Selección de caldos de Rioja, Ribera del Duero, Somontano, Galicia...
Hombres y nombres: Director: José Martínez. Cocina: Georgina Cardín y Toya Hortal. Sala: Mª del Mar González
Otros datos de interés: A 5 minutos de Villaviciosa, merece la pena visitar Tazones que conserva todo el encanto y la autenticidad de antaño.
Tarjetas: Las principales

ESPECIALIDADES ROMPEOLAS

Percebes, almejas, santiaguiños, quisquillas

Centollo, langosta, bogavante, nécoras

Rape, merluza, rubiel, chopa,

besugo, lubina y dorada

Guisos marineros (por encargo)

Tiñoso con patatas

Entrecot de buey (Valle del Esla)

Postres caseros: flan, arroz con leche...

OVIEDO

CASA FERMIN. San Francisco, 8. Tel. 985 216 452. info@casafermin.com - www.casafermin.com

Luis Alberto Martínez ejecuta una cocina que ha ido evolucionando con los tiempos, combinando las mejores técnicas culinarias del presente y del pasado. Los sabores nunca se enmascaran con sofisticados ingredientes, en su carta mandan los mejores productos de temporada, frescos y en lo mejor de su ciclo vital.

Gijón: VINATERIA LUCENSE. Aguado, 30. Tel. 984 399 355

En la zona de la playa, encontramos este moderno espacio especializado en vinos, pinchos elaborados y tapas de cocina creativas. Animada barra para disfrutar y atractiva carta de vinos, seleccionada con criterio -más de un centenar de referencias, todas con alta puntuación- con vinos por copas (crianza), botellas (reservas) y magnums. Permite improvisar un picoteo casual muy satisfactorio.

Arriondas: EL CORRAL DEL INDIANU. Avda. Europa, 14. Tel. 985 841 072 restaurante@elcorraldelindianu.com - www.elcorraldelindianu.com

En un atractivo marco rústico con decoración moderna, José Antonio Campoviejo desborda creatividad, rescatando el más arraigado recetario tradicional, lo que propicia una cocina asturiana actualizada con platos audaces que rayan a un alto nivel. Servicio de sala y carta de vinos a la misma altura.

Avilés: **KOLDO MIRANDA. La Cruz de Illas, 20. Tel. 985 511 446. www.restaurantekoldomiranda.com**

Antigua quintana asturiana del siglo XVIII primorosamente rehabilitada y reconvertida en un restaurante de acentuado diseño vanguardista donde predominan la madera, la piedra, el cristal y estructuras metálicas. Cocina tradicional y de mercado que se abastece de los puertos de mar, mercados, caseríos, valles y huertas del Principado. Más de 800 etiquetas de vinos españoles y caldos emergentes del viejo y nuevo mundo.

Ribadesella: **LA HUERTONA. Ctra. de La Piconera, s/n. A 2 km. de Ribadesella. Tel. 985 860 553. www.restaurantelahuertona.com**

Situado en un bello paraje, este amplio y luminoso restaurante posee unas apacibles y bucólicas vistas sobre la parte alta de la ría y sus viejos huertos. Su equilibrada filosofía culinaria aúna con sensatez la mejor tradición asturiana con los más modernos conceptos creativos. Materias primas escogidas, bodega cuidosamente seleccionada y magnífica sidra.

Salinas: **REAL BALNEARIO. Avda. Juan Sitges, 3 (a 3 km. de Avilés). Tel. 985 518 613. Fax: 985 50 25 24 - www.realbalneario.com**

Situado al pie de la playa de Salinas, con unas hermosas vistas sobre el mar, este local con encanto aglutina lo clásico y lo vanguardista con una lujosa cocina en la que prima una rigurosa selección de materias primas de inmejorable calidad, destacando los pescados y mariscos.

Baleares

La comunidad de las Baleares engloba los territorios insulares mediterráneos. Son más de 5000 Km2 de islas e islotes, agrupados históricamente bajo el nombre de Baleares, con dos islas mayores: Mallorca y Menorca, y las Pitiusas, las dos pequeñas: Ibiza y Formentera. A pesar de su origen común, la insularidad actúa sobre ellas de forma distinta definiendo tres mundos distintos en el mismo universo mediterráneo.

Las Islas Baleares, uno de los destinos turísticos más importantes del mundo, son conocidas sobre todo por sus valores paisajísticos aunque también poseen un patrimonio monumental de primer orden.

Mallorca es la que ofrece más diversidad de paisajes: la Sierra de Tramuntana donde sus promontorios, acantilados y pequeñas calas se suceden al ritmo que establece la naturaleza, las Cuevas del Drac, la península de Formentor, el Plá... Menorca, la más alejada del litoral peninsular, es una isla llana de limpias y transparentes calas, donde destaca el magnífico puerto natural de Mahón.

Completan la oferta turística de las Baleares, las islas de Ibiza y Formentera, donde los fondos de rocas, algas y arena se combinan para dar esa infinita gama de verdes que invitan al baño.

Palma de Mallorca

Fiestas Patronales: San Sebastián, 20 de enero, fiestas populares. "Foguerons" (pequeñas hogueras) alrededor de las cuales se degustan productos típicos (P. Mayor y de Cort); entrega de premios Ciudad de Mallorca, Cabalgatas de los Reyes Magos, 5 de enero. Sa Rua. Carnaval: fiesta en la playa de la Palma. Festival de Teatro (mayo), Festival de Jazz (julio). Fiesta del Estandarte, 31 de diciembre.

Museos y monumentos: Museo de la Catedral, Museo Diocesano, Museo Municipal de Historia de la ciudad, Museo del Patrimonio Nacional, Museo Krekovic, Catedral, Palacio de la Almudaina, Basílica de San Francisco,Castillo de Bellver, Consulado del mar, Arco de la Almudaina, Casa Consistorial, Baños árabes, Iglesia de Santa Cruz, Iglesia de Santa Eulalia, Palacio de la Diputación.

Oficina de Turismo de Mallorca: Plaza Reina, 2. Tel. 971 712 216

Oficina de Turismo de Palma: Caseta Plaza España. Tel. 971 711 527.

La cocina balear

En tiempos pasados la cocina balear fue opulenta y exquisita, gracias al uso de dos productos básicos: el aceite de oliva y la manteca de cerdo. Combina sabiamente la sencillez con la originalidad y los ingredientes son frescos y simples.
La cocina de las islas , con los excelentes frutos que le da la tierra y el mar, ofrece un muy interesante y variado panorama gastronómico: a la bondad del clima responde la tierra con unas espléndidas verduras y hortalizas, son muy sabrosos sus embutidos procedentes del "Porc Negre", raza autóctona de cerdo balear y el mar mediterráneo ofrece un verdadero paraíso de pescados y mariscos.
Esta cocina ancestral ha sabido mantener intacto el valor de su tradición culinaria pese al cambio que ha supuesto la masiva presencia de turistas llegados de todo el mundo. Recetas tradicionales se han conservado tales como las sopas mallorquinas, la caldereta de langosta, los caracoles con sobrasada, el arroz a la marinera y los dos productos más representativos de las Baleares, dos auténticas exquisiteces dignas de un auténtico gourmet: la sobrasada, el embutido por excelencia, y la ensaimada, uno de los dulces más apreciados.

Palma de Mallorca

ARABELLA GOLF*****	Vinagrella, s/n	971 787 100	www.starwoodhotels.com
GRAN MELIA VICTORIA*****	Av. Joan Miro, 21	971 732 542	www.solmelia.com
CA SA GALESA*****	Miramar, 8	971 715 400	www.palaciocasagalesa.com
LA RESIDENCIA*****	Son Canals, s/n (Deià)	971 639 011	www.hotellaresidencia.es
VALLDEMOSSA*****	Valldemossa	971 612 626	www.valldemossahotel.com

Menorca

En Ciutadella:			
LA QUINTA*****	Son Xoriguer, s/n	971 055 000	www.laquintamenorca.com
MORVEDRA NOU****	Sant Joan de Misa	971 359 521	www.morvedranou.es

Ibiza

GRAN HOTEL*****	Pº Juan Carlos, I	971 806 806	www.ibizagranhotel.com
MIRADOR DALT VILA*****	Plaza España, 4	971 303 045	www.hotelmiradoribiza.com

Receta Ca n'Alfredo

Flaó ibicenco

Ingredientes para 4 personas

Para la masa: 175 gr. de mantequilla, 1 huevo, 250 gr. de harina, 50 gr. de azúcar y una pizca de sal.

Para el relleno: 500 gr. de queso fresco, 500 gr. de azúcar, 1 vaso de leche, 5 huevos, 1 copa de anís, 4 hojas de hierbabuena, 1 cucharadita de matalahúva y 100 gr. de azúcar glasé.

Elaboración de la masa: Mezclar la mantequilla a temperatura ambiente con la sal y el azúcar. Añadir poco a poco la harina y, por último, el huevo. Amasar despacio. Cuando los ingredientes estén mezclados, dejar reposar tapada en la nevera. Untar con mantequilla un molde de pastel, forrar el mismo con la masa, pincharla con un tenedor y reservar.

Elaboración del relleno: En un cuenco poner el queso fresco, los huevos, el azúcar y el anís. Batir hasta conseguir una mezcla homogénea e incorporar la leche tibia. Perfumar con hierbabuena picada muy fina y matalahúva. Cuando se obtenga una mezcla uniforme, verter encima de la masa del molde y llevar al horno a 180º durante unos 40 minutos. Una vez frío, desmoldar y decorar con azúcar glasé.

CA N'ALFREDO'S SPECIALITIES

Mediterranean cookery with specialities from Ibiza
Large à la carte menu
Updated traditional recipes from Ibiza
Fresh fish from the island coast
The farmer's salad
Tartare of tuna or amber jack
Layered slice of foie gras and apple
Rice and paella specialities
Different fish stews
Grouper and monkfish ragout
Baked John Dory (fish)
Pig's trotters stuffed with cèpe mushrooms
Desserts: fig pudding, "flaó" (cheese & mint cake), "greixonera" (caramel-bread pudding)

Ca n'Alfredo

Localidad: Ibiza (07800)
Dirección: Passeig Vara de Rey, 16.
Teléfonos: 971 311 274. Fax: 971 318 510.
Parking: Zona azul (gratis de 14 a 17 horas).
Propietario: Joan y Catalina Riera.
Días de cierre y vacaciones: Cerrado lunes. Vacaciones: 1ª quincena de mayo y 2ª quincena de noviembre.
Decoración: Modernista. Galería de fotos de los muchos famosos que frecuentan esta casa.
Ambiente: Lugareños y celebridades disfrutan de la culta y elegante hospitalidad de esta casa.
Bodega: Extensa. Vinos de Baleares (Ibiza, Mallorca, Menorca y Formentera), Cataluña, Aragón, Galicia, Castilla, Rioja, Ribera del Duero, Navarra, cavas, champagnes y vinos dulces de postre.
Hombres y nombres: Director y anfitrión: Joan Riera. Jefa de cocina: Catalina Riera.
Otros datos de interés: Fundado en 1934 y situado en el paseo más popular de Ibiza, es toda una institución para disfrutar de la tradición culinaria de la isla. Comedor interior para 40 comensales y terraza para 20. Se aconseja reservar mesa.
Tarjetas: Todas.

ESPECIALIDADES CA N'ALFREDO

Cocina ibicenca y mediterránea
Amplia carta
Recuperación y actualización del recetario ibicenco
Todos los pescados son de la isla
Ensalada payesa
Tartar de bonito o de serviola
Milhojas de foie y manzana
Arroces y paellas
"Bullit", guisado o suquet de pescados
Ragout de mero y rape
Gallo de San Pedro al horno
Manitas de cerdo rellenas de ceps
Postres: puding de higos, "flaó y greixonera"...

Receta El Cigarral

Rape guisado con pebrassos, patato y sobrasada

Ingredientes para 4 personas: 1 kg. de rape limpio en 8 rodajas, 300 gr. de pebrassos (setas), 400 gr. de patato, 100 gr. de sobrasada de tripa fina, ½ cebolla, 1 tomate maduro, 4 dientes de ajo, 100 ml. de aceite de oliva, 50 ml. de vino blanco, harina, sal, azafrán en hebra y caldo de pescado.

Ingredientes para el caldo de pescado y aprovechamiento para otros platos: la cabeza del rape y todo el despiece del mismo, 1 puerro, 1 apio, 1 tomate maduro, 4 dientes de ajo, 3 hojas de laurel y 3 litros de agua.

Elaboración del caldo: Cocer todos los ingredientes durante 40 minutos y pasar después por un colador.

Elaboración: Pelar el patato y freír durante cuatro minutos. Añadir la cebolla y el ajo picado fino. Pasados dos minutos, echar las setas troceadas y sofreírlas un momento. A continuación, salar y harinar ligeramente el rape e incorporarlo a todo lo anterior. Dejar al fuego un instante y añadir el vino. Transcurridos dos minutos echar el azafrán y el caldo de pescado. Dejar que rompa a cocer y cubrir el rape con el tomate triturado y ocho rodajas de sobrasada. Pasar al horno durante seis minutos a 270º.

El rape tiene que pesar entero con cabeza 3 kg.
Tiempo de elaboración: 25 minutos.

EL CIGARRAL'S SPECIALITIES

Traditional family cookery
with own recipes and a creative touch
A la carte menu according to the season
Special offers of the day
Seafood-stuffed asparagus
Fresh fish from our coast
White beans from La Granja with clams
Asturian meat
Game from Montes de Toledo
Pig's trotters with salt cod
Desserts of the house

El Cigarral

Localidad: **Ibiza (07800)**
Dirección: C/ Fray Vicente Nicolás, 9.
Teléfonos: **971 311 246 (y fax).**
Parking: Aparcamiento público al lado (C/ Ignacio Wallis).
Propietario: Pedro Ortiz Zazo y Consuelo Angulo Rodríguez.
Días de cierre y vacaciones: Cerrado domingos. Vacaciones del 11 al 31 de mayo.
Decoración: Provenzal, con oleos, tapices, cerámicas y profusión de plantas naturales.
Ambiente: Familiar y acogedor.
Bodega: Más de 200 referencias. Vinos españoles y franceses.
Hombres y nombres: Jefe de cocina: Pedro Ortiz Zazo. 2º de cocina: José Ramón Martín Castro. Jefe de sala: Consuelo Angulo Rodríguez. Sumiller: David Ortiz Angulo.
Otros datos de interés: Restaurante atendido por la familia Ortiz-Angulo. Lugar de referencia para los amantes de la buena mesa. Situado en el centro de Ibiza, a cinco minutos del puerto, dispone de comedor para 60 personas y salón privado de 8 a 12 comensales. Organiza jornadas de caza (1ª quincena de febrero) y del bacalao (2ª quincena de noviembre).
Tarjetas: Todas.

ESPECIALIDADES EL CIGARRAL

Cocina tradicional de corte casero
con elaboraciones propias y toques creativos
La carta se adapta a la estación
Sugerencias diarias
Espárragos rellenos de marisco
Pescados de la costa
Judiones de la Granja con almejas
Carnes asturianas
Caza de los Montes de Toledo
Manos de cerdo con lomos de bacalao
Originales postres

Receta Es Pi d'Or - O'Pazo

Garbanzos con almejas

Ingredientes: 400 gr. de garbanzos, 1 cebolla, 2 tomates, ½ vaso de vino blanco, 16 almejas grandes, 4 cucharadas de aceite de oliva, pimienta, sal, 1 rebanada de pan frito, 25 gr. de avellanas tostadas, 1 diente de ajo, 1 cucharada de perejil picado y unas hebras de azafrán.

Elaboración: Dejar los garbanzos en remojo con agua templada y sal durante unas 12 horas.

Calentar agua en una olla y antes de que empiece a hervir, añadir los garbanzos (tienen que quedar cubiertos). Cuando los garbanzos estén cocidos (el tiempo de cocción variará dependiendo del tipo de olla elegida), sazonarlos, enfriar y escurrir.

Dejar las almejas en remojo con agua salada. Picar la cebolla y sofreír en una cazuela de barro con aceite durante 4 minutos. Agregar los tomates pelados y troceados y proseguir durante 15 minutos más. Regar con el vino y dejar que se evapore.

Machacar la rebanada de pan frito junto con las avellanas, el ajo, el perejil y las hebras de azafrán. Diluir con un poco de agua de cocer los garbanzos y añadir al sofrito. Agregar los garbanzos a la cazuela y cocerlo todo junto unos 5 minutos.

Añadir las almejas y proseguir la cocción durante 5 ó 6 minutos más o hasta que las almejas se abran.

ES PI D'OR - O'PAZO'S SPECIALITIES

Galician cookery with the best ingredients
Wide range of seafood:
Clams, sea cucumber, prawns, oysters, spider crab, lobster, spiny lobster
Recommendations of the day
Chick pea & clam stew
Clams or scallops Galician style
Lobster "Alvaro Cunqueiro"
Hake stuffed with "tetilla" cheese
Monkfish, turbot of gilthead bream in a salt coat
Galician meat
Roast lamb
Fig ice cream, almond tart, profiteroles, baked alaska
"Queimada" (flamed punch made from Galician wine spirit with lemon peel, cinnamon)

Es Pi d'Or - O'Pazo

Localidad: San Antonio (07820 Ibiza)
Dirección: Cala Gració (frente Hotel Stella Maris).
Teléfonos: 971 342 872 y 971 346 454.
Parking: Aparcamiento propio en la misma finca.
Propietario: Amadeo Gil Seoane.
Días de cierre y vacaciones: Abierto cada día excepto lunes en invierno. Vacaciones del 15 de diciembre al 15 de febrero.
Decoración: Elegante chalet ibicenco rodeado de naturaleza.
Ambiente: El lugar adecuado para darse un "buen homenaje".
Bodega: Blancos de Galicia, Penedés, Ampurdán, Rueda y Borgoña. Tintos del Priorato, Rioja, Ribera del Duero y Burdeos.
Hombres y nombres: Jefe de cocina: Amadeo Gil Salas.
Otros datos de interés: Es el restaurante de pescados y mariscos frescos en Ibiza. Déjese recomendar por Amadeo Gil, hombre culto y viajado, que ostenta más de 40 años de profesión en la isla.
Tarjetas: Todas, excepto Diner's.

ESPECIALIDADES ES PI D'OR - O'PAZO

Cocina gallega de producto
Toda la gama de mariscos:
almejas, espardenyes, gambas, ostras, centollos, bogavantes, langostas
Sugerencias del día
Garbanzos con almejas
Almejas o vieiras a la gallega
Bogavante "a lo Alvaro Cunqueiro"
Merluza rellena con queso tetilla
Rape, rodaballo, dorada a la sal
Carnes gallegas
Cordero asado
Helado de higos, tarta de Santiago, profiteroles, Soufflé Alaska
Queimada gallega

Receta Celler Can Pere

Caldereta de langosta

Ingredientes para 4 personas: 1 langosta viva de 1,5 kg. aproximadamente, 16 rebanadas finas de pan blanco sin sal, 1 cebolla grande, 3 tomates grandes maduros, 2 dientes de ajo, brotes de perejil fresco, 5 tazas del caldo de cocción de la langosta, 2 cucharaditas de brandy, 2 tacitas de aceite de oliva, sal y pimienta.

Elaboración: Atar la langosta e introducirla en una olla con seis tazas y media de agua hirviendo. Cocerla durante 15 minutos, apartarla del fuego y dejar enfriar. Reservar el caldo.

Trocear la langosta, a poder ser con las manos. Pelar y cortar los ajos, el tomate y la cebolla en trozos menudos. Calentar aceite en una cazuela de barro y rehogar la cebolla sin dejar de mover. Antes de que tome color, agregar el tomate y los ajos. Continuar moviendo hasta conseguir una fritura jugosa.

Incorporar entonces el perejil picado y los trozos de langosta. Cuando haya cocido durante 5 minutos, agregar el caldo reservado, salpimentar y hervir durante 25 minutos a fuego vivo.

Calentar un poco de aceite en un cazo y rehogar el tomate restante a fuego lento hasta que se confite. Colar la salsa y agregarla junto con el brandy a la cazuela. Dejar cocer durante 5 minutos más.

CELLER CAN PERE'S SPECIALITIES

Mediterranean and international cookery
Fresh seafood
Spiny lobsters, lobsters, clams, oysters...
Paellas, fish & seafood casseroles
Spiny lobster stew
Fresh fish baked in the oven
Grouper in the style of Ibiza
Monkfish with clams from Carril
Roast sucking pig and lamb
"Greixonera" (caramel and bread pudding)
Iced soufflé

Celler Can Pere

Localidad: Santa Eulalia del Río (07840 Ibiza)
Dirección: C/ San Vicente, 32 – C/ San Jaime, 63.
Teléfonos: 971 330 056.
Parking: Fácil aparcamiento.
Propietario: Francisco Tur Mari.
Días de cierre y vacaciones: Abierto cada día, excepto jueves al mediodía en verano y jueves todo el día en invierno. Vacaciones del 15 de enero al 1 de abril.
Decoración: Al estilo de un antiguo celler balear.
Ambiente: Interesante mezcla de público local, nacional y extranjero.
Bodega: Completa. Representación de las principales denominaciones de origen. Cavas y champagnes.
Hombres y nombres: Director: Francisco Tur Mari.
Otros datos de interés: En el corazón de la zona comercial de Santa Eulalia, dispone de dos terrazas de verano y entrada por dos calles. Tres salas independientes con capacidad para 20, 30 y 90 comensales. Vivero de mariscos. Esta casa ostenta más de 40 años de tradición y buen hacer.
Tarjetas: Visa y Mastercard.

ESPECIALIDADES CELLER CAN PERE

Cocina mediterránea e internacional
Marisco vivo:
langostas, bogavantes, almejas, ostras...
Paellas y zarzuelas
Caldereta de langosta
Pescados frescos al horno
Mero al estilo ibicenco
Rape con almejas de carril
Cochinillo y cordero asados
"Greixonera"
Soufflé helado

Caballito de Mar

Liderazgo e innovación

Este restaurante familiar está ubicado en una de las zonas más emblemáticas y señoriales de Palma de Mallorca, el Paseo Sagrera, junto a la Plaza de la Lonja y al lado del muelle de pescadores, a pocos metros de la Catedral. En esta nueva etapa, la 3ª generación -con Toni Gil al frente- ha conseguido mantener los estándares de calidad y servicio a precio justo a la vez que ha llevado a cabo un proceso renovador aportando nuevas ideas, tecnología y brillo al recetario autóctono.

Aquí se encuentra una equilibrada simbiosis entre tradición y novedad, tanto en la cocina como en el ambiente. Por un lado, los tesoros del mar de toda la vida y, por otro, formulaciones más innovadoras con un elegante toque de modernidad.

Caballito de Mar ofrece amplios y actualizados espacios, en constante evolución, distribuidos en 3 plantas, además de 2 terrazas: Sagrera y Lonja (frente a la histórica lonja de mar donde se vendía el pescado) y una magnífica sala vip con capacidad hasta 20 personas, completamente equipada, el lugar apropiado para aperitivos, sobremesas, presentaciones, ruedas de prensa...También se han renovado las instalaciones de cocina.

Esta casa se distingue por su servicio eficaz y diligente a cargo de personal mallorquín, goza desde hace muchos años de una plantilla estable. Un restaurante de inconfundible personalidad frecuentado por el "todo Palma". A destacar la gran tripulación de este buque insignia de la gastronomía palmesana: 30 profesionales a su servicio en verano y 20 en invierno.

CABALLITO DE MAR'S SPECIALITIES

The tradition:

Fresh fish from the fish market prepared as you order

Fried John Dory with onion

Lobster casserole

Baked sea bass in a salt coat

Tartar steak

Majorcan almond sponge with almond ice cream

The evolution:

Ravioli filled with foie gras and oyster mushrooms with black truffle

Fried eggs with confit potato and foie gras cream

Monkfish on flaky pastry slice with Majorcan red prawn and scallops

Lobster-stuffed Guinea fowl with American sauce

Crunchy meringue with passion fruit sorbet

Caballito de Mar

Localidad: Palma de Mallorca (07012)
Dirección: Passeig de Sagrera, 5 (entre casco viejo y muelle pesquero)
Teléfonos: 971 721 074 – 971 495 685 (y fax)
www.caballitodemar.info
Parking: Aparcamiento enfrente.
Propietario: Toni y Cristina Gil.
Días de cierre y vacaciones: De mayo a octubre abierto cada día. De octubre a mayo cerrado lunes.
Decoración: Amplias y actualizadas instalaciones.
Ambiente: Un lugar para ver y ser visto.
Bodega: Nueva bodega acristalada y climatizada, en constante rotación y crecimiento, con vinos escogidos buscando siempre la mejor calidad a precios ajustados.
Hombres y nombres: Director-maitre: Guillermo Cabot. Jefe de cocina: Julio Arrua. Pastelería y repostería: Paul Monty.
Otros datos de interés: Un restaurante de referencia en Palma de Mallorca, estratégicamente situado entre el muelle pesquero y el casco histórico de la ciudad (el más grande y mejor conservado de Europa). Vivero de langostas.
Tarjetas: Todas.

ESPECIALIDADES CABALLITO DE MAR

La tradición:
Pescados de lonja elaborados al gusto del cliente
Gallo frito con cebolla
Caldereta de langosta
Lubina a la sal
Steak Tartar
Gató casero con helado de almendras
La evolución:
Raviolis rellenos de foie y setas con trufa negra
Huevos fritos con patata confitada y crema de foie
Rape sobre hojaldre con gamba roja mallorquina y vieiras
Pintada rellena de bogavante con salsa americana
Merengue crujiente con sorbete de fruta de la pasión

Gran Dragón

Embajador de la gastronomía china

Antonio Yoh sigue al pie del cañón en Gran Dragón, el primer restaurante chino de Palma de Mallorca. Llegó a Madrid en 1969 cuando su padre fue destinado a la embajada. En esta época la comunidad china en España contaba con 80 almas. Posteriormente echó raíces en Palma, fue el primer empresario chino de la isla. A lo largo de los años ha convertido este lujoso restaurante oriental en toda una institución de la vida social mallorquina. Es, por méritos propios, un destacado representante de la comunidad china de Palma.

Toni Yoh supervisa y dirige la cocina con mano firme, es el responsable de elevar las ancestrales recetas de su país a los primeros puestos gastronómicos. Gran Dragón ha merecido los mejores comentarios de la prensa nacional especializada catalogándolo como uno de los más sobresalientes ejemplos de la cocina china en Europa. En su dilatada trayectoria ha sido galardonado con numerosos premios.

La decoración del comedor, de estilo oriental y realzada con valiosos elementos auténticos, proporciona una sugerente puesta en escena: cuadros, tapices de Oriente, mesas lacadas, paredes revestidas con telas chinas...Este amplio local ofrece la posibilidad inclusive de realizar todo tipo de eventos familiares o empresariales. Dispone de un salón privado para 40 personas.

Gran Dragón es uno de los restaurantes más emblemáticos de Palma de Mallorca. La extensa carta aúna calidad y tradición a precios asequibles, conjugando la milenaria cocina china con influencias de la culinaria actual. La gran variedad de recetas elaboradas con productos de primera se ve realzada por un trato siempre personalizado, en un ambiente tan ameno como placentero. Un lugar para quedar bien.

El Dragón es el símbolo de la cultura china. *"El Dragón es el rey del aire, manda e impone su ley, siempre orientada hacia el bien".*

GRAN DRAGÓN'S SPECIALITIES

Seaweed soup with seafood

Monkfish "Tsie-Chuan" style

Peking duck

Fillet steak chinese style

(sauce with bamboo shoots, field & chinese mushrooms)

Ice-cream with walnuts

Gran Dragón

Localidad: Palma de Mallorca (07011)
Dirección: Ruiz de Alda, 5 (junto Policia Nacional)
Teléfonos: 971 280 200 - Fax: 971 280 200
Propietario: Antonio Yoh
Días de cierre y vacaciones: Abierto todo el año
Decoración: Oriental, muy personal y lujosa
Ambiente: Empresarial y familiar
Bodega: Muy extensa, selección de Reservas.
Hombres y nombres: Antonio Yoh supervisa y dirige personalmente la cocina.
Otros datos de interés: Salón privado hasta 40 personas. Oscar 1988 a la mejor cocina china (Roma). Unico restaurante chino en España que pertenece a la "Chaîne des Rotisseurs". Primer premio en Estoril (Portugal). Bajo la misma dirección: Gran Dragón. C/ Joan Miró, 146, Palma de Mallorca. Tel 971 701 717
Tarjetas: Todas.

ESPECIALIDADES GRAN DRAGÓN

Sopa de algas marinas con mariscos

Rape al estilo de "Tsie-Chuan"

Pato a la pekinesa

Solomillo al estilo chino

(con salsa de setas, bambú y champiñones chinos)

Helado con nueces

Santa Eulàlia

Regreso al futuro

Ubicado en un antiguo edificio del casco histórico de Palma, este restaurante conjuga un local repleto de historia, la pasión por el arte y una clara apuesta por la modernidad.

La puesta en escena es magnífica: la nobleza de la piedra viva, bóvedas, pinturas de prestigiosos artistas y agradables iluminaciones indirectas ponen en valor una refinada cocina donde conviven técnica, creatividad y armonía.

La espléndida despensa de Mallorca sirve de soporte a una acertada reinterpretación del recetario tradicional, en clave de vanguardismo creativo, con incursiones en el mestizaje y la fusión, sin perder nunca las raíces mediterráneas.

La carta que cambia cada 2 ó 3 meses, marca la diferencia en cuanto a intenciones. Nuevas ideas, cocciones precisas y combinaciones atrevidas garantizan la originalidad de esta cocina. Ligereza, riqueza de matices, cromatismo en la presentación de los platos y formulaciones siempre notables conforman un estilo propio.

Juventud, ilusión y ganas de agradar son factores omnipresentes en esta casa que merece la visita.

SANTA EULÀLIA'S SPECIALITIES

Modern Mediterranean cookery

The à la carte menu changes every 2 or 3 months

Crushed eggs with foie gras and truffle scent

Juicy rice with porcini, airy parmesan foam and grilled cèpes

Turbot with squid & courgette tagliatelle, lukewarm sea urchin dressing

Gently-cooked salt cod with emulsion of yellow peppers, confit onions and fried crumbs

Fillet steak with melted goat cheese, spring onions, spinach and cheese

Goat kid shoulder roasted at low temperature with potato salad

Chocolate trilogy with cookie crumbs

Lukewarm brownie with tangerine ice cream

Santa Eulàlia

Localidad: Palma de Mallorca (07001)
Dirección: Carrer de L´Església de Santa Eulàlia, 7 (Casco histórico)
Teléfonos: 971 715 717 www.restaurantesantaeulalia.com
Parking: Aparcamiento público a 100 metros "Plaza Mayor".
Propietario: Jesús María Alonso.
Días de cierre y vacaciones: Cerrado domingos y festivos. Abierto todo el año.
Decoración: Espectacular comedor con paredes de más de 300 años de antigüedad realzadas por toques vanguardistas, mobiliario de diseño y oleos del pintor mallorquín Rafa Forteza.
Ambiente: El todo Palma.
Bodega: Un centenar de referencias en la carta con pequeña nota de cata y comentarios de cada vino.
Hombres y nombres: Dirección de cocina: Imanol Barragán y un equipo joven.
Otros datos de interés: Este restaurante, abierto el año 2005, representa la novedad gastronómica en pleno corazón del barrio histórico de Palma. Precio medio: 35/40 €. Carta en español, catalán, inglés y alemán. Capacidad reducida: salón principal y elegante privado hasta 12 comensales. En la primera planta, tapas-bar abierto todo el día con dos menús (14 € y 21 €).
Tarjetas: Todas.

ESPECIALIDADES SANTA EULÀLIA

Cocina mediterránea actual
La carta cambia cada 2 / 3 meses
Huevos rotos con foie-gras y perfume de tartufo
Risotto cremoso de hongos con aire de parmesano y ceps a la parrilla
Rodaballo con tallarines de calamar, calabacín y vinagreta templada de erizo de mar
Bacalao confitado con emulsión de pimientos amarillos, cebolla confitada y migas de pan frito
Solomillo de ternera con queso de cabra fundido, salteado de cebollitas tiernas, espinacas y queso
Paletilla de cabrito lechal asado a baja temperatura con ensalada de patata
Trilogía del chocolate con migas de galletas
Milhoja de brownie templado con helado de mandarina

Mesón Los Patos

Auténtica cocina tradicional mallorquina

Historia

Apenas iniciado el año 1976, la familia Font-Barceló adquirió la finca de "Ses Eres", de s'Albufera, un antiguo almacén secadero de arroz y los terrenos colindantes. Inmediatamente, a buen ritmo, comenzaron las obras de reforma para convertir aquel venerable edificio en "Bar-Terraza-Restaurante", al que bautizaron con el nombre de Mesón Los Patos, teniendo en cuenta el entorno natural, el peculiar paisaje de acequias y cañaverales y la fauna de la zona: la sabrosa y huidiza anguila y el emblemático pato de estos parajes.

El restaurante fue inaugurado el 12 de septiembre del mismo año con la presencia del afable Gabriel Font padre en el comedor, su esposa Leonor Barceló en la cocina y la de sus hijos Jaume, Gabriel y Kika.

Filosofía

Desde el instante mismo de la apertura, por la impronta personal y don de gentes de Gabriel Font padre, el Mesón Los Patos se ha caracterizado por el trato directo, cálido, amable que recibe el cliente. Hoy es Gabriel Font hijo, quien continúa esa consideración individualizada, difícil equilibrio entre cordialidad y respeto, atención personal y cortesía exquisita.

A todas estas cualidades se une la cuidadosa preparación de sus recetas, primicias del lugar y de la época del año, sabrosas, variadas y auténticamente mallorquinas. El arte culinario y el buen hacer en los fogones durante más de tres décadas se muestra en las mejores materias primas, pescados frescos, distintas clases de arroz y carnes de primerísima calidad.

Pegado al Parque Natural de S'Albufera, cerca del litoral y del bullicio de la zona costera, pero paradójicamente apartado y aislado de esta zona que, con su ajetreo turístico, a veces fatiga a los que saben apreciar el plácido silencio de la naturaleza y el rotundo sabor de unos platos bien condimentados. El secreto es sencillo: es la vieja sabiduría gastronómica de las madres combinada con la vertiente humanística de la restauración.

Instalaciones

El Meson Los Patos dispone de 4 salones interiores, terraza cubierta y terraza descubierta. Posibilidad de banquetes, congresos, bodas desde 20/25 en los saloncitos hasta 220 personas tanto en espacios interiores como exteriores.

En los terrenos adyacentes a esta entrañable casa, más de 3000 m^2, se han diseñado espacios ajardinados, parques de juegos infantiles, parking exclusivo para los clientes y un pequeño huerto, trabajado con amor, que provee al restaurante.

Cada año, en noviembre, organiza jornadas gastronómicas de la anguila.

MESÓN LOS PATOS' SPECIALITIES

Traditional Majorcan cookery
Fresh fish, shellfish and crustaceans
Eight different eel specialities
Fresh fish from our coast
Majorcan soups
"Tumbet" (aubergine, peppers, tomatoes, potatoes)
Pig's trotters
Paella without bones (also to take away)
Red prawns or prawns from Soller
Home made tarts, ice creams, sorbets, coulants

Mesón Los Patos

Localidad: Alcudia-Bahía de Alcudia (Mallorca)
Dirección: Camí de Ca'n Blau, 42 (junto Hospital General de Muro)
Teléfonos: 971 890 265
www.mesonlospatos.com
Parking: Aparcamiento propio.
Propietario: Familia Font-Barceló.
Días de cierre y vacaciones: Cerrado martes. Vacaciones del 6 de enero al 20 de febrero.
Decoración: Antiguo almacén secadero de arroz reconvertido en restaurante. Varios salones, terraza y jardín.
Ambiente: El restaurante más tradicional del norte de Mallorca.
Bodega: Vinos de Mallorca, Rioja y Ribera del Duero. Cada mes, selección de vinos recomendados.
Hombres y nombres: Dirección de cocina: Leonor Barceló. Chef de cocina: José Magán. Dirección : Gabriel Font. Jefe de sala: Jesús Gallego.
Otros datos de interés: Fundado en 1976, conserva toda la autenticidad y el sabor de antaño (techos altos con vigas, gran chimenea...). Un enclave privilegiado para disfrutar de la gastronomía y del genuino ambiente mallorquín.
Tarjetas: Todas.

ESPECIALIDADES MESÓN LOS PATOS

Cocina tradicional mallorquina
Pescados y mariscos frescos
Anguila en ocho preparaciones
Pescados frescos traídos a diario por barcas de la bahía
Sopas mallorquinas
Tumbet
Manitas de cerdo
Paella ciega, también para llevar
Gamba roja o gamba de Soller
Tartas y helados caseros, sorbetes, coulants...

Receta Sa Punta

Soufflé caliente de chocolate amargo

Ingredientes: 44 yemas de huevo, 5 claras, 600 gr. de chocolate amargo y 600 gr. de mantequilla.

Elaboración: Montar las yemas a baño maría (fuego indirecto) hasta lograr escribir un "8". En la medida de lo posible, no detener el batido.

Montar las claras a punto de nieve. Fundir el chocolate y la mantequilla juntos. Mezclar todos los ingredientes y remover con espátula. Rellenar los moldes previamente encamisados con harina y mantequilla (solamente hasta la mitad). Cocer a 180º durante 9 minutos aproximadamente.

Con estas medidas, el resultado serán unas 24 unidades de un delicioso soufflé de chocolate.

El restaurante Sa Punta acaparó los primeros lugares en la entrega de premios del "Cala Millor Fusión de Pintxos 2010", resultando vencedor tanto en la categoría de mejor restaurante como en la de mejor chef.
En cada estación, se organizan cenas-maridaje con la participación de diferentes bodegas y gran afluencia de público: gourmets, periodistas... También catas comentadas y ***Menús Gourmets a partir de 25€****.*

SA PUNTA'S SPECIALITIES

Creative Mediterranean cookery
Majorcan specialities on request
Vegetarian specialities
Oysters in different textures and tastes
Marinated foie gras with vegetables, fruits in balsamic vinegar coat
Free-rang eggs with salt cod, leek cream and oyster mushrooms
Fresh fish from Majorca' coast
Carpaccio or fillet of Kobe beef
Cut of Iberian pork with cured ham
Parfait of Bailey's liqueur
Half-frozen sabayon with red berries
Home made pastries and confectionery

Sa Punta

Localidad: Cala Bona - Port Verd (07552 Mallorca)
Dirección: Plaza Revolt de Sa Punta
Teléfonos: 971 585 378 - 629 689 007
E-mail:sapunta@live.com www.sapuntarestaurant.com
Parking: Aparcamiento en la puerta.
Propietario: Familia Nadal.
Días de cierre y vacaciones: Cerrado miércoles. Vacaciones en enero y febrero.
Decoración: Antigua casa mallorquina deliciosamente restaurada. Paredes de piedra, vigas, chimenea...
Ambiente: Público local, residentes y turismo informado.
Bodega: Vinoteca climatizada, atendida por el sumiller Sion D'Espí. Atesora unas 300 referencias de los mejores vinos españoles e internacionales. Cava de puros.
Hombres y nombres: Director-Maitre: Aurelio Ucendo. Cocineros: Los hermanos Pedro y Luis Martín. Sumilleres: Miguel Raúl Gómez Díaz y Nicole Maresova. Jefe de barra: José Leiderman Cruz González
Otros datos de interés: Al mediodía, pequeña carta y grill; por la noche, cenas gastronómicas. Una de las mejores terrazas de Mallorca, verdadero balcón sobre el mar. Salones privados, cafetería con repostería propia y música en vivo en verano. Posibilidad de celebraciones hasta 120 personas.
Tarjetas: Todas.

ESPECIALIDADES SA PUNTA

Cocina creativa mediterránea
Especialidades mallorquinas, previa reserva
Especialidades vegetarianas
Ostras en texturas y sabores
Foie escabechado con verduras y frutas en costra de aceto balsámico
Huevos de corral con bacalao, crema de puerros y setas
Pescados del litoral mallorquín
Carpaccio o solomillo de kobe
Secreto ibérico al jabugo
Parfait de Bailey's
Sabayón semi-helado con frutos rojos
Repostería propia

El Olivo

Hotel la Residencia

El restaurante El Olivo está situado en el Hotel La Residencia *****, uno de los más hermosos y singulares hoteles de la isla. Las instalaciones del restaurante ocupan lo que en su día fue la almazara de Son Moragues y aún hoy se conserva la antigua prensa.

En uno de los marcos más exclusivos y románticos de Mallorca, el chef Guillermo Méndez ofrece una cocina de marcado carácter mediterráneo y que transmite un perfecto equilibrio entre la tradición y la modernidad.

Es todo un lujo degustar sus siempre sorprendentes especialidades a la luz de las velas (los múltiples candelabros recubiertos de cera crean un ambiente muy acogedor) o en su magnífica terraza con vistas al pueblo.

La excelencia de la cocina y el entorno, la interesante bodega y el servicio impecable, siempre atento a las peticiones de la elegante clientela, hacen de El Olivo un lugar inolvidable.

EL OLIVO'S SPECIALITIES

Two gastronomic menus (renewed daily)
The à la carte menu changes according to the season
Lobster and smoked duck with orange on pumpkin purée and Idiazabal cheese
Quails stuffed with sweetbreads, dressed on herbed couscous with truffle sauce
Grilled fish assortment, Bomba rice with citrus fruit in crusts with herbed oil
Spotted red bream on terrine of confit fennel with seafood sauce and grilled vegetables
Duckling breast in brine poached in champagne, on potato purée with black-truffle scent
Three cuts of lamb in different crusts on aubergine caviar with rosemary sauce
Gratin of mango, gently stewed in balsamic vinegar, with fruit müsli and yoghurt ice cream
Verbena infusion with citronella ice cream, caramel of pepper and agar-agar of green tea

El Olivo

Localidad: Deià (07179 Mallorca)
Dirección: Son Canals, s/n. Hotel La Residencia.
Teléfonos: 971 639 392
E-mail: reservas@hotel-laresidencia.com
www.hotel-laresidencia.com
Parking: Propio.
Propietario: Orient Express Hotels
Días de cierre y vacaciones: Abierto cada día.
Decoración: En una antigua finca mallorquina; muebles antiguos, maderas nobles, rodeado de jardines. Se dispone de 65 habitaciones de lujo.
Ambiente: El mejor ambiente de la isla.
Bodega: Muy extensa, vinos nacionales, franceses y alemanes.
Hombres y nombres: Chef de cocina: Guillermo Méndez. Maitre: José Pajón. Sumiller: Eva Nadal.
Otros datos de interés: Situado en la parte más privilegiada de la isla.
Tarjetas: Todas.

ESPECIALIDADES EL OLIVO

Dos menús degustación (cambian diariamente)
La carta cambia según temporada
Bogavante y pato ahumado con naranja sobre puré de calabaza, queso de Idiazábal
Codornices rellenas de mollejas sobre Cous Cous de hierbas en salsa de trufas
Parrillada de diferentes pescados sobre arroz Bomba de cítricos en costras variadas y aceite de hierbas
Besugo con ajos sobre terrina de hinojo, confitado en salsa de frutos de mar y verduras a la plancha
Pechuga de Caneton en salmuera "pochada" en cava sobre puré de patatas aromatizado con trufas negras
Tres cortes de cordero en diferentes costras sobre caviar de berenjena y salsa de romero
Gratén de mango confitado en balsámico con müesli de frutas y helado de yogur
Infusión de hierba luisa con helado de citronela, caramelo de pimienta larga y agar-agar de te verde

Deià

La joya de Mallorca

Situado en la costa noroccidental de la isla, este pequeño municipio es **uno de los lugares más hermosos y atractivos de Mallorca**. Las casas de piedra, escalonadas a lo largo de una colina en la Sierra de Teix, y la belleza del paisaje forman un conjunto armonioso de gran encanto, donde las infraestructuras turísticas han respetado su singularidad arquitectónica.

Este entorno idílico, su vida tranquila y sosegada, cautivaron a lo largo de los siglos a **numerosos personajes ilustres** desde el Archiduque Luis Salvador, que adquirió la mayoría de las grandes posesiones que aún hoy se conservan e hizo construir numerosos miradores con espléndidas panorámicas, hasta el compositor Manuel de Falla, los pintores Leman, Junyer o Russinyol o los poetas Laura Riding y Robert Graves. Este último permaneció en el pueblo hasta su fallecimiento y descansa en el cementerio municipal.

Este cementerio tiene el privilegio de ser el más hermoso de Mallorca, con una vista magnífica sobre la montaña y el torrente que desemboca en el mar. Basta repasar las originales inscripciones de las lápidas para comprender la **dimensión universal de esta localidad**, con nombres de todas las nacionalidades, pintores y artistas.

El Puig des Teix marca con sus 1064 metros el punto más elevado del termino municipal. La sierra del mismo nombre posee rincones de infinita belleza por los que parece no haber pasado el tiempo.

Actualmente, Deià posee una población de 850 habitantes que combinan sabiamente la agricultura, la artesanía y las artes plásticas con el turismo controlado, respetando su impresionante marco paisajístico, activo que sus ciudadanos desean preservar como fuente inagotable de riqueza.

ES RACÓ D'ES TEIX'S SPECIALITIES

Creative haute cuisine with emphasis on the local produce
Gastronomic menu (changing every week, about 90 €)
Terrine of foie gras and quail with apple, shallots and beans
Lobster medallion and red mullets with rock samphire and artichokes
Risotto with oyster mushrooms and artichokes
Fillets of red mullets with caviar and creamed smoked potatoes
Sea bass in parsley & lemon coat with peppers and pumpkin
Fillet of hake, lobster and smoked duck breast
Veal cheeks with balsamic vinegar, thyme and bone marrow
Rabbit medallion and dove breast with champagne & mustard foam
Chocolate sponge with mango and balsamic caramel
Upside down apple tart Tatin with vanilla ice cream and black pepper

BALEARES

Es Racó d'es Teix

Localidad: Deià (07179 Mallorca)
Dirección: C/ De sa Vinya Vella, 6
Teléfonos: 971 639 501 (y fax)
Parking: Algunas plazas de aparcamiento en la misma puerta.
Propietario: Leonor Payeras y Josef Sauerschell.
Días de cierre y vacaciones: Cerrado lunes y martes. Vacaciones: de mediados de noviembre hasta primeros de febrero.
Decoración: Típica casa mallorquina de piedra y una deliciosa terraza con increíbles vistas a la Serra Tramuntana.
Ambiente: Gastrónomos refinados y público exigente. Un lugar para sibaritas.
Bodega: Selección de vinos mallorquines y otras denominaciones de España y Francia. Cavas y Champagnes.
Hombres y nombres: Jefe de cocina: Josef Sauerschell. Maitre: Leonor Payeras. Sumiller: Sandra.
Otros datos de interés: Josef Sauerschell, maestro cocinero afincado en Mallorca desde 1985, abrió su propio restaurante el año 2000, en el pueblo más bello de Mallorca.
Tarjetas: Las principales.

ESPECIALIDADES ES RACÓ D'ES TEIX

Alta cocina creativa, resaltando la calidad de los productos locales
Menú-Degustación (cambia cada semana, alrededor de 90 €)
Terrina de foie gras y codorniz con manzana, chalotas y judías
Medallón de bogavante y salmonetes con passe-piere y alcachofas
Risotto de setas y alcachofas
Filetes de salmonetes con caviar y crema de patatas ahumada
Lubina en costra de perejil y limón con pimientos y calabaza
Lomo de merluza, bogavante y pechuga de pollo ahumada
Carrilleras de ternera al balsámico con tomillo y tuétano
Medallón de conejo y pechuga de paloma con espuma de cava y mostaza
Bizcocho de chocolate con mango y caramelo de bálsamo
Tarta tatin de manzana con helado de vainilla y pimienta negra

Estellencs

Mallorca rural y apacible

Situada en una de las rutas más atractivas y rústicas de la isla, en plena Sierra de Tramuntana y a pocos kilómetros del mar, encontramos esta tranquila localidad de pocos habitantes donde se puede apreciar la belleza de una Mallorca rural y apacible.

Declarada Bien de Interés Cultural (BIC) de la Sierra de Tramuntana, Estellencs invita a dedicar un buen rato a pasear por sus antiguas calles, estrechas y de pronunciadas pendientes, con todo el sabor de antaño.

El pueblo goza de algunas joyas como sus antiguos Rentadors, reformados y conservados en todo su esplendor, símbolo de un estilo de vida no muy lejano, o la Torre del Alemany, una antigua atalaya de vigilancia, que recuerda otros tiempos cuando el mar era portador de enemigos e invasores.

Desde el casco urbano se puede divisar una bonita panorámica del Valle de Estellencs, extendiéndose hasta donde alcanza la vista, desembocando en la paradisíaca Cala de Estellencs. La paz y la belleza mediterránea que transmite esta pequeña localidad bien merece la visita.

MONTIMAR'S SPECIALITIES

Mallorcan cookery with fresh products from land and sea (vegetables, meat, fish) with a special own creative touch
Offers of the day
Vegetable croquettes
Majorcan lamb fry
Grilled fresh fish with "Tumbet"
(baked vegetable mix: aubergines, bell peppers, onions, tomatoes)
Salt cod Majorcan style
Roast Majorcan lamb
Tenderloin of pork with caper sauce
Roast suckling pig from Majorca
Spinach stuffed peppers
Apricot with jam filling
"Graixonera": Almond pudding
Home-made jams

Montimar

Localidad: Estellencs (Mallorca)
(Costa norte - Serra Tramuntana)
Dirección: Plaça Constitució, 7.
Teléfonos: 971 618 576
Propietario: Guillem Femenias.
Días de cierre y vacaciones: Lunes todo el día. Vacaciones en diciembre y enero.
Decoración: Antigua casa mallorquina acondicionada como restaurante.
Ambiente: Residentes en Mallorca principalmente y turismo español y extranjero. Amantes de la tranquilidad.
Bodega: Gama de vinos blancos de elaboración propia: Ambari, Ambrat y Ambrasía (monovarietales malvasía) y selección de otras denominaciones.
Hombres y nombres: Chef de cocina: Guillem Femenias; Jefa de Sala: Margarita Vidal Palmer.
Otros datos de interés: Dos comedores de 20 plazas cada uno, con decoración rústica mallorquina. Terraza de verano. El patrón está en los fogones.
Tarjetas: Visa, Eurocard, Master Card, Diners

ESPECIALIDADES MONTIMAR

Cocina mallorquina con productos frescos de la tierra y del mar (verduras, pescados y carnes) y un especial toque personal de creatividad
Sugerencias del día
Croquetas de verduras
Frito mallorquín de cordero
Pescados del día a la parrilla con tumbet
Bacalao a la mallorquina
Cordero mallorquín al horno
Solomillo de cerdo con salsa de alcaparras
Lechona mallorquina al horno
Pimientos rellenos de espinacas
Albaricoques rellenos de mermelada
Graixonera (pudding de almendras)
Confituras de elaboración propia

La Gran Tortuga

Gastronomía en azul

Es un gran restaurante clásico de Mallorca, muy conocido por la calidad de su cocina y su servicio amable, atento y muy profesional. Del buen nombre de esta casa, en cuanto a ambientación y gastronomía, se han encargado Agustín Durán y Antonio Soriano hasta darle una fama merecida y ganada a pulso.

Aquí en La Gran Tortuga se puede almorzar o cenar en la terraza durante todo el año con el mar de frente, en un ambiente tranquilo, relajado y elegante, mientras se goza de un paisaje impresionante. La Gran Tortuga es como un enorme barco anclado en un acantilado desde donde se puede observar la singular bahía de Paguera y las islas Malgrat que rasgan la línea del horizonte.

Antonio Soriano, al frente de los fogones, elabora como nadie platos tradicionales de siempre y también formulaciones con un toque moderno, una oferta variada, coherente y siempre sorprendente.

Agustín Durán ostenta una dilatada carrera y es uno de los más ilustres director-maitre de Mallorca. Sabe aconsejar como nadie, con sabiduría y sutilidad, los platos más acordes con las apetencias y gustos del comensal. Con sencillez, buen tono y capacidad de adaptación, también sabe escuchar, es un placer hablar con él y disfrutar de su compañía. Por sus cualidades innatas y sobre todo profesionales, en todo momento transmite la mejor imagen de este gran restaurante clásico de Mallorca. Analiza la situación y responde a los deseos de sus clientes. Atento a todos los detalles desde la cordialidad a la puesta en escena para que uno se sienta feliz.

LA GRAN TORTUGA'S SPECIALITIES

Creative Mediterranean cookery with seasonal produce
Tasting menu: 5 courses plus dessert, about 50 €
Wide range of "tapas" (one of the most important on Majorca)
Terrine of foie gras of duck in courgette & pumpkin compote with ginger
Marinated sardines with raspberries and cheese from Mahon
Cannelloni of Norway lobsters with mushrooms and spinach
Fillet of salt cod with honeyed aioli au gratin
Wild sea bass in a salt coat
Medallions of fillet of beef with foie gras of duck
Duckling breast with cranberries
Fillet of beef Asiatic style
Rack of lamb in its juice
Rib of beef
Chocolate, oil, bread and salt
Crème brûlée of milk caramel spread with strawberries
Terrine of foie gras of duck in courgette & pumpkin compote with ginger

La Gran Tortuga

Localidad: Paguera (07160 Mallorca)
Dirección: Aldea Cala Fornells, 1
Teléfonos: 971 686 023 Fax: 971 685 220
E-mail: reservas@lagrantortuga.net
www.lagrantortuga.net
Propietario: Duarso, S.L.
Decoración: Uno de los restaurantes más soberbios del litoral Sur-Oeste de Mallorca, para almorzar o cenar al lado del mar.
Ambiente: Relajado, tranquilo y selecto.
Bodega: Propia y climatizada. Los vinos se sirven a la temperatura adecuada. Referencias clásicas y presencia de las nuevas tendencias y vinos de autor. Colección de maltas y brandies.
Hombres y nombres: Jefe de cocina: Antonio Soriano Demingo. Gerente-Director de Sala: Agustín Durán Gutiérrez.
Otros datos de interés: Restaurante dominando la Bahía de Paguera, con magníficas vistas panorámicas sobre el mar y como telón de fondo: las islas Malgrat. Terrazas. Una refinada cocina en constante evolución desde 1974. Vivero de langosta.
Tarjetas: Todas.

ESPECIALIDADES LA GRAN TORTUGA

Cocina mediterránea de mercado y de autor
Menú-Degustación: 5 platos y postre, alrededor de 50 €
Carta de tapas (una de las más premiadas de Mallorca)
Terrina de foie-gras de pato en compota de calabacín y naranja con jenjibre
Sardinas marinadas con frambuesa y queso de Mahón
Canelón de cigalas y setas con espinacas
Lomo de bacalao gratinado con ali-oli de miel
Lubina salvaje a la sal
Medallones de solomillo de ternera con foie-gras de pato
Magret de pato con salsa de arándanos
Solomillo de ternera al estilo asiático
Carré de cordero en su jugo
Chuletón de buey
Chocolate, aceite, pan y sal
Crema quemada de dulce de leche con fresas

Jardín

Modernidad culinaria con personalidad

En la primavera de 1996, la familia de Castro inauguró el restaurante Jardín, en el enclave paradisíaco del Puerto de Alcudia. En la actualidad, **los hermanos Daniel y Macarena de Castro**, respectivamente al frente de la sala y la cocina, siguen haciendo las cosas bien, sin prisas, con cariño y dedicación, respeto y verdadera profesionalidad.

El buen gusto está presente en todos los detalles de este pulido escenario: el rigor en la elección de las materias primas, sabiduría en la recomendación de los vinos y trato siempre superlativo. Tanto en las sugerencias de la carta como en los equilibrados menús degustación, el restaurante Jardín conjuga la más alta calidad en todos los aspectos con una ambición renovadora que le diferencia.

Macarena de Castro, a pesar de su juventud, con personalidad, firmeza y trabajo se ha convertido en una experta cocinera. Marca la pauta de una cocina de vanguardia, feliz interpretación que adapta el recetario tradicional de Mallorca a los tiempos actuales. Una partitura propia a seducir los paladares más exigentes con sabores nítidos, géneros nobles, nuevas ideas y presentaciones estéticas, cromáticas e imaginativas.

El restaurante Jardín también ofrece **servicio de catering a toda la isla** para pequeños y grandes eventos **con el mismo nivel gastronómico que el restaurante**. La filosofía y el objetivo están muy definidos: sobrepasar las expectativas. También dispone de diferentes fincas para servicios exteriores. Posibilidad de celebraciones en el propio restaurante hasta 160 comensales.

JARDÍN'S SPECIALITIES

Modern haute cuisine
Adaptation of the traditional Majorcan cookery
Short menu "Pollentia" (5 courses, 55 €)
Large menu "Talaia" (8 courses, 80 €)
The à carte menu changes every season
Snails in their juice with aioli
Dough round with foie gras and roasted bell peppers
"Fideuà" (kind of paella with noodles instead of rice) with seafood and red mullet fillets
Hake Majorcan style with prawns and port
Roast sucking pig with apple and spiced aubergine
Pigeon with creamy potato and a hint of bitter orange
Ensaimada (typical of Majorca) with Majorcan liqueur, crème brûlée and ice cream of meringue milk
Strawberries in citrus fruit marinade with mascarpone cheese and coconut ice cream

Jardín

Localidad: Puerto de Alcudia (07410 Mallorca)
Dirección: C/ Tritones, s/n
Teléfonos: 971 892 391 E-mail: info@restaurantejardin.com
www.restaurantejardin.com
Parking: Fácil aparcamiento.
Propietario: Familia de Castro.
Días de cierre y vacaciones: En verano, desde mayo hasta septiembre, abierto cada día excepto lunes. Resto del año, abierto sólo viernes, sábado y domingo.
Decoración: Nuevo comedor gastronómico para 50 comensales en la planta superior. Un lujo minimalista de diseño avanzado, tonos claros, grandes ventanales y ascensor. Mesas grandes y separadas.
Ambiente: Un espacio apetecible para un segmento elitista.
Bodega: Gran carta de vinos, más de 100 páginas con 300 entradas perfectamente referenciadas por su denominación de origen y el correspondiente comentario.
Hombres y nombres: Jefa de cocina: Macarena de Castro. Director: Daniel de Castro. Sumiller: Antonio Alvarado.
Otros datos de interés: Fantástica terraza ajardinada donde las noches son mágicas a la luz de antorchas y velas.
Tarjetas: Todas.

ESPECIALIDADES JARDÍN

Alta cocina moderna,
adaptación de la cocina tradicional mallorquina
Menú Corto "Pollentia" (5 platos, 55 €)
Menú Largo "Talaia" (8 platos, 80 €)
La carta cambia en cada estación
Caracoles en su jugo con ali-oli
Coca de foie con pimientos asados
Fideuá de marisco con lomo de salmonete
Merluza a la mallorquina con gambas y Oporto
Cochinillo al horno con manzana y berenjena especiada
Pichón con cremoso de patata y toques de naranja amarga
Ensaimada frita con licor de palo, crema quemada y helado de leche merengada
Fresas maceradas en cítricos con mascarpone y helado de coco

Receta Stay

Raviolis rellenos de perdiz con salsa de ceps

Ingredientes para la pasta de raviolis: 1 kg. de harina, 8 huevos, sal, un poco de aceite y un poco de agua.

Ingredientes para el relleno: Perdices deshuesadas, cebollas y champiñones.

Preparación: Saltear todos los ingredientes del relleno, poner a punto de sal y pimienta, añadir un poco de vino blanco. Pasar por la picadora hasta formar una masa espesa.

Confeccionar los raviolis: Una hoja de pasta debajo, el relleno y una hoja de pasta arriba. Con un tenedor, apretar alrededor de los raviolis para cerrarlos a fin que no se abran al cocerlos. Hervir con agua unos cuantos minutos y saltear luego con mantequilla, agua y sal.

Para la salsa: Limpiar los ceps, cortados en rodajas, saltear un poco de chalota con ceps, sazonar al gusto y añadir un poco de buen vino blanco, una gota de jerez, salsa demi-glass y nata.
Reducir todo hasta que la salsa coja consistencia. Regar con esta salsa los raviolis ya hechos y colocados en el plato. Listo para servir.

STAY'S SPECIALITIES

Mallorcan-spanish and french cookery
Menu of the day (33,80 € changes weekly)
Foie gras of duck
Fresh fish tartare (chopped raw fish with seasoning)
Fried octopus Mallorcan style
Sizzling spicy garlic prawns
Fresh fish, crustaceans and shellfishes
Spring-lamb cutlets
First-quality veal meat
Iced almond parfait with hot rich chocolate sauce
Pears stuffed with marzipan and almonds

Stay

Localidad: Puerto de Pollença (Mallorca).
Dirección: Estación Marítima.
Teléfonos: 971 864 013 - 971 867 083 - Fax: 971 868 166
www.stayrestaurant.com
Parking: Al lado.
Propietario: José María Gassó.
Días de cierre y vacaciones: No cierra nunca.
Decoración: Actual y contemporánea con madera, cristal y hierro. Espacio, mucha luz y magníficas vistas a la bahía de Pollença.
Ambiente: Público medio alto, residentes en Mallorca y turismo.
Bodega: Variada; vinos mallorquines, catalanes, gallegos, Rueda y Riojas.
Hombres y nombres: Chef de cocina: Jonny Hermann. Maitre: Paco Caballero.
Otros datos de interés: Instalaciones nuevas. Durante el año 2005 se ha derruido el antiguo edificio y se ha construido de nuevo. Gran terraza sobre el mar durante los meses de verano. Pan y pastelería artesana elaborados por el jefe pastelero.
Tarjetas: Todas, excepto Diners.

ESPECIALIDADES STAY

Cocina mallorquina-española y francesa
Menú del día (33,80 € cambia cada semana)
Foie-gras de pato
Tartare de pescados frescos
Frite de pulpo a la mallorquina
Gambas al ajillo
Todo tipo de pescados y mariscos frescos
Chuletitas de cordero lechal
Carne de ternera de 1ª calidad
Biscuit semifrío de almendras con salsa de chocolate trufado caliente
Peras rellenas de mazapán y almendras

Sineu

Sineu es uno de los pueblos más antiguos y con más carácter del interior de Mallorca. La historia privilegió a esta Villa al convertirla en propiedad del rey tras el reparto de territorios que se realizó por la conquista de la isla. La presencia de reyes y una nobleza en la Edad Media la convirtieron en una capital, prueba de lo cual son sus edificios como palacios, conventos o la propia iglesia con dimensiones de catedral.
Sineu es un pueblo noble y recio, que tras permanecer largo tiempo en el olvido que era propio a toda la comarca de "es Pla", resurge ahora con nuevos bríos, "descubierto" por quienes huyen de las zonas turísticas.

Celler Son Toreo

El nombre de Son Toreo viene de Son Torrelló, que correspondía a una familia que fue la primera propietaria del edificio, apellido vinculado al pueblo desde hace más de siete siglos y que posee su propio escudo, compuesto por un toro negro atado a una torre de color natural en fondo dorado. El edificio es una antigua casa señorial. El historiador Mossen Bartolomeu Mulet, mantiene que esta casa existe desde los tiempos del Rey Jaime I. Edificado sobre una superficie de 1.800 metros que ocupa toda una manzana, está compuesto por planta baja y dos pisos que fueron construidos con toda probabilidad en el siglo XVI.
En el sótano se encuentra "el celler" nombre con que así se le denomina en Mallorca al lugar donde se almacenaba el vino. El de Son Toreo fue lugar de reunión y tertúlia de los moros antes de la conquista; posteriormente el celler fue lugar de venta y taberna que además era hostal donde se podía comer los días de mercado.
En 1931 entró como inquilina la familia Alomar y lo convirtió en restaurante hasta 1978 cuando se trasladó el restaurante al piso superior que corresponde con la planta baja de la casa propiamente dicha con arcos de piedra y otros elementos del más puro estilo mallorquín. El comedor dispone de 96 plazas con mesas rústicas y techos contruídos sobre vigas de madera.

CELLER SON TOREO'S SPECIALITIES

Genuine Mallorcan specialities
Market cookery
Mallorcan fry
Roast suckling pig
Tongue with capers
"Arroz brut" (a rice speciality)
Tripe in sauce
Meat balls
Roast shoulder of lamb

Celler Son Toreo

Localidad: **Sineu (07510 Mallorca).**
Dirección: C/ Son Torelló, 1.
Teléfonos: **971 520 138 - Fax: 971 520 661**
Parking: Sin problemas.
Propietario: Familia Fuster-Alomar.
Días de cierre y vacaciones: Cerrado lunes no festivos. No cierra por vacaciones.
Decoración: Antiguo caserón señorial convertido en amplio restaurante del más puro estilo mallorquín.
Ambiente: Público local, turismo nacional y extranjero. Trato familiar.
Bodega: Variada: vinos mallorquines, catalanes, Ribera del Duero, etc.
Hombres y nombres: Cocinera: Francisca Alomar Frau. Sala: Joana Fuster Alomar.
Otros datos de interés: Una de las casas más antiguas de Sineu, en 1242 vivía en esta casa: Fray Berengario Torelló, es tan antigua como la villa misma y ya existía en tiempos del Rey Jaume I. Restaurante avalado por una solera de tres generaciones. Cada miércoles, se celebra la feria-mercado de Sineu con gran afluencia de público.
Tarjetas: Todas.

ESPECIALIDADES CELLER SON TOREO

Platos típicos mallorquines
Cocina de mercado
Frito mallorquín
Sopas mallorquinas
Lechona al horno
Lengua con alcaparras
Arroz brut
Callos
Guisado de albóndigas
Paletilla al horno

Valldemossa

Una estancia inolvidable

Dos casas de piedra del siglo XIX en un montículo elevado sobre el valle, son el origen de este pequeño y lujoso hotel, construido a base de una cuidada y respetuosa restauración, acabada en el año 2004. Desde sus habitaciones, terrazas, salones y comedor se disfruta de las mejores paronámicas del valle y una vista a la famosa Bahía de Palma.

La finca, en la que tradicionalmente se cultivan diez cuarteradas de olivos y naranjos, ofrece tranquilidad, serenidad y la posibilidad de pasear por ella disfrutando de su carácter rural, muy cerca de la cordillera de Tramuntana y montañas como el Teix y Fátima. El complejo perteneció al antiguo patrimonio de la Cartuja de Valldemossa en la que se hospedaron **Frédéric Chopin y George Sand, que pasearon por los mismo lugares.**

El hotel se aparta del concepto comercial tanto como se acerca a lo que es un hogar para recibir a los amigos y alojarles como si descansaran en su propia casa de campo. La decoración de cada habitación se ha realizado a base de muebles antiguos y exclusivos así como obras de arte de artistas mallorquines de primera línea. Solarium privado en cada junior suite. Las habitaciones no están numeradas sino que se identifican con el nombre de ilustres visitantes que eligieron Mallorca. Piscina exterior, amplia y cómoda, en medio de los hermosos jardines, completada por un bar. Piscina interior climatizada, de espectacular decoración. Sauna y jacuzzi. Servicios de spa con tratamientos de belleza y masajes. Posibilidad de organizar cócteles, recepciones, presentaciones y cualquier acontecimiento o fiesta con sus invitados en un ambiente elegante y lleno de encanto.

" El más hermoso lugar del mundo "
Frédéric Chopin

VALLDEMOSSA'S SPECIALITIES

Creative cuisine
The à la carte menu changes according to the season
Gastronomic menu
Tomato soup, Norway lobsters, oregano custard cup and hibiscus powder
Tagliolini en papillote with porcini and foie gras of duck
Lightly-smoked sea bass, truffled potato, spinach, aioli flake and crisp pine nuts
Turbot in citrus fruit infusion, crunchy vegetable round, pumpkin cream with lemon thyme and wild rice
Lamb, liquorice, sweet potato purée and vegetable stew with green pepper
Fillet of veal in oat coat, blackcurrant sauce, juicy rice with sugar peas
Cottage cheese with lemon, cinnamon, honey and blackberries
Rice pudding foam, anise baba and cinnamon ice cream

Valldemossa

Localidad: Valldemossa (07170 Mallorca)
Dirección: Ctra. Vieja de Valldemossa, s/n
Teléfonos: 971 612 626 **Fax:** 971 612 625
E-mail: info@valldemossahotel.com
www.valldemossahotel.com

Parking: Propio.
Dirección: Lucila Siquier.
Días de cierre y vacaciones: Abierto todo el año.
Decoración: Uno de los lugares más hermosos de Mallorca.
Ambiente: Absoluta tranquilidad e inmejorable servicio en un entorno idílico.
Bodega: Selección de 120 referencias.
Hombres y nombres: Jefe de cocina: Manuel Pereira Castillo. Maitre: Daniela Wittig.
Otros datos de interés: El hotel Valldemossa es una antigua casa mallorquina de piedra, de más de 100 años de antigüedad, convertida en un lujoso hotel rústico con gran personalidad. Doce habitaciones (9 junior suites y 3 dobles). Pertenece a la prestigiosa asociación "Relais et Châteaux". Organiza banquetes y reuniones hasta 80 p.
Tarjetas: Todas.

ESPECIALIDADES VALLDEMOSSA

Cocina innovadora
La carta cambia por temporada
Menú-Degustación
Sopa de tomates, cigalas, flan de orégano y polvo de hibiscus
Tagliolini en papillote con ceps y foie de pato
Lubina ligeramente ahumada, patata trufada, espinacas, teja de all i oli y piñones crujientes
Rodaballo en infusión de cítricos, coca crujiente de verduras, crema de calabaza al tomillo limonero y arroz salvaje
Cordero, regaliz, puré de batata y sanfaina a la pimienta verde
Ternera blanca, solomillo en costra de avena, salsa de cassís, arroz meloso de tirabeques
Requesón con limón, canela, miel de eucaliptos y fondo de moras
Espuma de arroz con leche, borracho de anís y helado de canela

Receta Gregal

Dolmades (hojas de parra rellenas)

Lavar bien las hojas para quitar la sal.

Ingredientes: 60 hojas de parra, 1 kg. y medio de carne de ternera picada, 2 cebollas picadas, 250 gr. de arroz, 2 cucharadas soperas de eneldo, 3 cucharadas soperas de hierbabuena, 2 cucharadas soperas de perejil picado, 1/2 l. de aceite de oliva (o girasol), 1 cucharada de canela, sal y pimienta.

Preparación: Hacer una mezcla con la carne picada, las cebollas picadas, el arroz, eneldo, hierbabuena, perejil, canela, sal, pimienta y aceite. Poner una cucharadita de relleno en cada hoja de parra y doblar por los lados formando un rollo, de forma que no sobresalga el relleno.

Colocar los dolmades en circulos formando diferentes capas. Añadir caldo de carne para cubrir los dolmades y tapar con un plato, para que no se abran y suban. Hervir a fuego lento durante aproximadamente 1 hora. Se puede hacer un avgolemono (salsa de huevo y limón) con el caldo, 2 huevos batidos y el zumo de 2 limones, añadido a cada litro de caldo. Con un poco de harina de maiz también puede asegurarse que la salsa no se separe.

GREGAL'S SPECIALITIES

Cookery of Menorca and international specialities
Fresh fish, crustacean and shellfish specialities
Salad of scallops with Modena's balsamic vinegar
Pudding of "escalivada" (baked sweet peppers, aubergines and onions) with anchovy sauce
"Dolmades": rolled vine leaves with rice & meat stuffing, lemon sauce
"Espardenyes" (Sea cucumber, fresh trepang),
"Escupinyes": wart venus shells,
"Ortigas de mar": eyed electric ray
Fish baked in a salt crust or oven-roasted
Red scorpion fish with shrimp and squid stuffing
Roast lamb with mint
Duckling breast with strawberry sauce
Spiny lobster hot-pot
Cheesecake with honey
Chocolate symphony
Walnut and caramel tart with toffee sauce

Gregal

Localidad: Puerto de Mahón (Menorca)

Dirección: Moll de Llevant, 306

Teléfonos: 971 366 606

Parking: Varios en la zona

Propietario: Constantino Charamis

Dias de cierre y vacaciones: No cierra nunca

Decoración: Conservando todo el sabor original de una casa de pescadores del puerto de Mahón. Excelentes vistas al puerto.

Ambiente: Cosmopolita.

Bodega: Muy extensa, vinos españoles y franceses.

Hombres y nombres: Jefe de sala: Juan Sánchez;

Otros datos de interés: Restaurante totalmente climatizado, situado junto al mar, frente a los yates. Viveros propios a la vista del público.

ESPECIALIDADES GREGAL

Cocina menorquina e internacional
Gran especialidad en pescados y mariscos frescos
Ensalada de vieiras al vinagre de Modena
Pastel de escalivada al coulis de anchoas
Dolmades (hojas de parra rellenas de arroz y carne con salsa de limón)
Espardenyes, escupinyes, ortigas de mar...
Toda clase de pescados a la sal, al horno
Escorpora (cap Roig) rellena de gambas y calamares
Cordero asado a la menta
Magret de pato en salsa de fresas
Caldereta de langosta
Pastel de queso fresco y miel
Sinfoma de chocolate
Tarta de nueces y caramelo con salsa de toffee

Receta Ca Na Pilar

Medallones de rape con salsa de cangrejos

Ingredientes para 4 personas: 1 kg. de rape, 1 dl. de vino blanco, 1 hoja de salvia, 50 gr. de mantequilla.

Para la crema de cangrejos: 2 cebollas, 2 zanahorias, 2 puerros, 2 ramitas de apio, 1 kg. de tomates pelados, 1 kg. de cangrejos.

Preparación: Ponemos los medallones de rape en una sartén con la mantequilla, el vino blanco y una hojita de salvia, lo tapamos y lo introducimos en el horno 10 min. a 220º.

Preparación de la salsa de cangrejos: Haremos un sofrito con la cebolla y demás ingredientes; una vez listo añadimos los cangrejos y 2 litros de fumet de pescado, dejándolo reducir a la mitad. Después se tritura todo y se pasa por el chino.

Ponemos en un cazo la crema de cangrejos, 2 dl. de nata, añadiendo sal y pimienta, lo calentamos todo rápidamente y lo vertemos sobre el rape, después de 3 min. está listo para servir.

CA NA PILAR'S SPECIALITIES

Traditional and creative Mediterranean cookery
Spring onions with prawn mousseline
Seafood salad with saffrony dressing
Aubergines Minorcan style
First choice clams from carril in Spanish champagne sauce
Fresh fish from our coasts
Our tasty spiny lobster casserole (on request, min. 2 persons)
Monkfish with crab sauce
Loin of lamb with hunter's sauce and seasonal vegetables
Fillet steak with mustard sauce or sauce of matured cheese from Mahon
Chickpeas with prawns and basil dressing
Roasted rosemary - flavoured native kid
Homemade desserts
Date parfait
Banana ice-cream
Melon sorbet and sparkling wine with melissa (lemon balm)
Caramelised peaches

Ca Na Pilar

Localidad: Es Migjorn Gran (07749 Menorca).
Dirección: Ctra. Migjorn a Mercadal, 1.
Teléfonos: 971 370 212.
Parking: Fácil aparcamiento en los alrededores.
Propietario: Pilar Madrid.
Días de cierre y vacaciones: Abierto a partir de Semana Santa hasta finales de octubre y durante los meses de invierno abierto los fines de semana. Cierre semanal: miércoles. Desde el 15 de julio al 15 de septiembre abierto todos los días.
Decoración: Casa típica menorquina de comienzos del sigloXVIII.
Ambiente: Cosmopolita y elegante.
Bodega: Buena selección de vinos catalanes, Riojas, Riberas del Duero y cavas. Unas 30 referencias aprox. Como vino de casa, se ofrecen varios vinos alternativamente.
Hombres y nombres: Jefe de cocina: Juana Camps.
Otros datos de interés: Se aconseja reservar mesa. Pequeño salón privado (hasta 8 personas) y deliciosa terraza para cenas. Pilar Madrid después de una sólida formación en el extranjero se ha establecido en Menorca.
Tarjetas: Visa, Eurocard, Mastercard, 6000.

ESPECIALIDADES CA NA PILAR

Cocina mediterránea tradicional e innovadora
Cebollas tiernas a la mousselina de gambas
Ensalada de marisco con una vinagreta de azafrán
Berenjenas a la menorquina
Almejas de carril al cava
Pescado fresco de la isla
Exquisita caldereta de langosta (por encargo, a partir de 2 personas)
Rape con salsa de cangrejo
Lomo de cordero con salsa cazadora y verduras del tiempo
Solomillo de ternera con salsa de mostaza o de queso añejo de Mahón
Garbanzos con gambas a la vinagreta de albahaca
Cabrito de las islas horneado al romero
Postres caseros
Biscuit de dátiles
Helado de plátano
Sorbete de melón y cava con melisa
Melocotones caramelizados

Receta S'Ancora

Calamares rellenos al horno estilo menorquín

Limpiar los calamares separando las cabezas, las cuales se pasaran por la máquina trituradora. En un sofrito de cebolla, nuez moscada y laurel, sofreír el calamar triturado añadiendo un poco de sobrasada, y rellenar los calamares.

En una palangana poner un lecho de cebolla cortada en juliana, una capa gruesa de patatas cortadas en panadera y encima los calamares. Salpimentar con pan rallado, pimentón, ajo y perejil. Regarlo con aceite y ponerle 1 l. de leche.

Se pueden añadir tomates cortados por la mitad y hornear durante aproximadamente 1 hora.

S'ANCORA'S SPECIALITIES

Fornells' lobster hot-pot

The best lobster with any preparation

Spiny lobster with onions

Fresh local fish, crustaceans and shellfishes

Fish casserole

Rice and seafood hot-pot

Cuts of grass-fed animals

Home-made desserts

S'Ancora

Localidad: **Fornells (Menorca).**
Dirección: Passeig Marítim, 7 y 8.
Teléfonos: **971 376 670.**
Parking: Fácil.
Propietario: Hermanos Riera Garriga.
Días de cierre y vacaciones: Domingos noche. No cierra por vacaciones.
Decoración: Marinera, espacio, plantas verdes y mucha luz.
Ambiente: Público menorquín y turismo español.
Bodega: Seleccionada.
Hombres y nombres: Directora, Catalina Riera; Maitre, Bartolomé Martí.
Otros datos de interés: Restaurante ubicado en primera línea, frente al mar.
Más de 20 años de prestigio en Fornells. Dos comedores (uno privado), gran terraza.
Tarjetas: Todas.

ESPECIALIDADES S'ANCORA

Caldereta de langosta de Fornells

La mejor langosta en todas sus preparaciones

Langosta encebollada

Pescados y mariscos frescos de Menorca

Panadera de pescados

Arroz caldoso con marisco

Carnes de res de pasto

Postres caseros

MALLORCA

Palma de Mallorca: **SIMPLY FOSH. Carrer de la Missió, 7A. Tel. 971 720 114. reservas@simplyfosh.com - www.simplyfosh.com**

Marc Fosh se ha trasladado al Refectori del Hotel Convent de la Missió para ofrecer una versión más ligera, relajada y asequible de su alta cocina mediterránea. Un nuevo concepto adaptado a los tiempos actuales, una culinaria tradicional siempre aderezada con toques modernos a precios ajustados en un ambiente más informal.

Cala Ratjada: **SES ROTGES. Rafael Blanes, 21 (a 3 km. de Capdepera). Tel. 971 563 108. restaurante@sesrotges.com - www.sesrotges.com**

Situada al nordeste de la isla, en esta idílica finca mallorquina dotada de una bella terraza, Gérard Tétard y su hijo William ofrecen una renovada cocina de mercado, de gran personalidad y con ciertas reminiscencias francesas. Espléndida pastelería casera y cuidada carta de vinos, cavas y vinos dulces.

Llucmajor: **ZARANDA. Cami de Sa Torre, km. 8,7. (Hotel Hilton Sa Torre). Tel. 971 010 450. zaranda@zaranda.es - www.zaranda.es**

Elegante finca del siglo XIV reconvertida en lujoso hotel rural entre campos de encinas, olivos y almendros, a escasos kilómetros de la costa sur de Mallorca. En este privilegiado entorno, Fernando Pérez Arellano se sumerge en la riqueza gastronómica del archipiélago balear y construye una propuesta gastronómica de gran técnica, dominio de las materias primas y elegantes creaciones.

Portals Nous: **TRISTAN. Puerto Portals, local 1. Torre Capitanía (a 8 km. de Palma). Tel. 971 675 547. info@grupotristan.com - www.grupotristan.com**

Distinguido local, frente al Puerto Deportivo, en el que Gerhard Schwaiger sigue apostando por una cocina de autor en constante evolución, con sorprendentes platos plenos de audacia. Un lugar para sibaritas donde todo se encuentra a la altura esperada.

Portocolom: **CELLER SA SINIA. Pescadors, 25. (a 12 km. de Felanitx). Tel. 971 824 323.**

Una de las grandes mesas de Baleares, visita inevitable para todos los gourmets y celebridades de paso por la isla. Exquisito recetario marinero y fastuoso despliegue de profesionalidad en un comedor distribuido en varios espacios, con techos abovedados y tabiques en madera.

Sa Coma. **ES MOLÍ D'EN BOU. Carrer Liles, s/n. Tel. 971 569 663. info@esmolidenbou.es - www.esmolidenbou.es**

En su nuevo emplazamiento, el Hotel Protur Sa Coma Playa, Tomeu Caldentey mantiene su misma filosofía, sigue apostando por una cocina creativa y sencilla, una visión muy personal de la gastronomía con formulaciones que, partiendo de las recetas autóctonas mallorquinas, experimentan una acertada renovación. Terraza y lounge-bar.

Santa María del Camí: **BACCHUS. Ctra. Vieja Santa María-Alaró, km. 4. Tel. 971 140 261. readshotel@readshotel.com - www.readshotel.com**

Sus grandiosos arcos de 30 pies de altura, sus paredes decoradas con impresionantes frescos al estilo de los maestros italianos de los siglos XVII y XVIII y la cocina de su chef, Felix Eschrich, hacen que la velada en este restaurante se convierta en una experiencia única.

Sóller: **BENS D'AVALL. Urb. Costa Deià. Tel. 971 632 381. info@bensdavall.com - www.bensdavall.com**

En la carretera de Sóller a Deià, en una hermosa urbanización rodeada de naturaleza y con una agradable terraza sobre el mar, Benito Vicens muestra una profunda exaltación por los productos de la comarca para conseguir una cocina transparente, de sabores y olores distinguibles, limpios e identificables.

MENORCA

Ciutadella. **AQUARIUM. Paseo Portixol. El Lago de Cala'n Bosch Tel. 971 387 442. www.grupomoga.com**

Fundado en 2004, un espectacular marco con amplios espacios, decoración refinada y detallista y un magnífico acuario de 12 metros de largo con fauna autóctona de Menorca. Aquí se despliega una cocina mediterránea -pescados, mariscos y arroces- de alta calidad con una esmerada presentación. Servicio cordial y amable, extensa carta de vinos y de puros.

Canarias

Las Islas Canarias están situadas en el Océano Atlántico, a unas dos horas y media en avión desde cualquier aeropuerto español y a unas cuatro horas desde las principales capitales europeas.
Canarias posee 257 km de playas de gran variedad cromática donde disfrutar todo el año de temperaturas en torno a los 22°, incluso en invierno. Sus costas presentan en las islas occidentales numerosos acantilados y barrancos de formas caprichosas; en cambio, en las orientales dejan una estela de arenas blancas y amarillas. El mar se convierte en Canarias en un parque temático natural, gozan de condiciones inmejorables para la práctica de cualquier deporte marino.
Las islas tienen una naturaleza prodigiosa. Los bosques de pinos frondosos y de laurisilvas escalan las cumbres, coronadas casi siempre por impresionantes cráteres volcánicos. Así sucede en los Parques Nacionales del Teide, de la Caldera de Taburiente y de Garajonay. La geografía de Canarias es la de sus volcanes que aparecen repartidos por todo el territorio.
Canarias ofrece diversión para todos, el ocio tiene múltiples manifestaciones: discotecas, casinos, salas de fiesta, festivales de música latina y étnica, los famosos Carnavales de Santa Cruz y Las Palmas, parques temáticos, jardines botánicos, alojamientos rurales...

Canarias

Museos y monumentos: (En Santa Cruz de Tenerife): Iglesia Parroquial Nuestra Señora de la Concepción, Castillo de Paso Alto, Museo Municipal, Museo Arqueológico, Museo de Ciencias Naturales, Palacio de Carta, Iglesia Parroquial de San Francisco, Circulo de Bellas Artes. (En Las Palmas): Casa de Colón, Pueblo Canario, Catedral, Castillo de la Luz, Museo Canario, Casa de Pérez-Galdós, Gabinete Literario, Iglesia- Catedral de Arucas, Casa-Museo Gourie
Oficinas de Turismo:
En Las Palmas: León y Castillo, 17. T. 928 219 600
En Tenerife: Plaza de España s/n. Cabildo Insular. T. 922 239 800
En Puerto de la Cruz: Plaza de Europa s/n. Tel. 922 386 000
En Lanzarote: Blas Carrera Felipe. T. 928 81 17 62. Arrecife-Lanzarote
En La Palma: O' Daly, 22. T. 922 412 106
En Fuerteventura: Avda. de la Constitución, 5. Tel. 928 530 844.
Pto. Rosario-Fuerteventura.

La cocina canaria

Las llamadas Islas Afortunadas cuentan con el privilegio de su clima y ubicación. La cocina popular canaria es variada con preparaciones nacidas en las islas y otras resultado del mestizaje de las aportaciones de los diversos colonos. Son platos únicos, de resistencia, contundentes y rotundos. Todo ello basado en unas materias primas naturales, aromáticas y originales. Los protagonistas son los guisos, los pescados locales enriquecidos por las "papas arrugas" y los suculentos y variados mojos, las frutas, los dulces y quesos.

En Canarias las patatas se llaman "papas", indispensables en su cocina. Se acompañan de mojo rojo o verde. La cocina autóctona de raíz guanche y rural viene representada por guisos presididos por el gofio (harina de cereales) que podría denominarse como el pan canario. Es amplísimo el abanico de pescados de las costas: sama, cherne, chicharros, viejas, salmonetes... De los guisos marinos se lleva la palma el sancocho, guiso de pescado en salazón. Una tierra fértil y unos microclimas variadísimos dan pie a todo tipo de frutas, legumbres y hortalizas. El plátano es el rey, símbolo de los frutos canarios, de los que existen casi cien clases distintas. Se consume en crudo y cocinado como base de helados, batidos, en ensalada... La repostería canaria esta muy desarrollada. La caña de azúcar, cultivada desde los guanches, la miel, el gofio, las almendras son la base de dulces exquisitos como las rapaduras y marquesotes palmeros.

Las Palmas

SANTA CATALINA*****	León y Castillo, 227	928 243 040	www.hotelsantacatalina.com
En Playa del Inglés			
SOL BARBACAN****	Av. Tirajana, 27	928 772 030	www.solmelia.com
En Cruz de Tejeda			
HOTEL RURAL EL REGUGIO	Cruz de Tejeda, s/n	928 666 513	www.hotelruralelrefugio.com

Tenerife

En San Miguel de Abona SAN BLAS*****	Ctra. Los Abrigos	922 749 010	www.sanblas.eu
En Santa Cruz SILKEN ATLANTIDA****	Av. 3 de Mayo	922 294 500	www.hoteles-silken.com
En Vilaflor			
SPA VILLALBA****	Ctra. San Roque,s/n	922 709 930	www.hotelesreveron.com

Lanzarote

En Arrecife			
ARRECIFE GRAN HOTEL*****	Parque Islas Canarias,s/n	928 800 000	www.arrecifehoteles.com
En Yaiza			
FINCA LAS SALINAS	La Cuesta, 17	928 830 325	www.fincasalinas.com

La Palma

En Barlovento			
LA PALMA ROMANTICA***	Topo de las Llanadas	922 186 221	www.hotellapalmaromantica.com

Arrecife Gran Hotel *****

Bienvenidos

Arrecife Gran Hotel es el hotel de lujo por excelencia de la ciudad de Arrecife. Este hotel de cinco estrellas se levanta majestuosamente **junto al mar** sobre la Playa de El Reducto, rodeado de un extenso parque, abriendo la ciudad al mar.

Con un estilo modernista, estructura acristalada, símbolo de las **últimas innovaciones arquitectónicas**, donde la funcionalidad, comodidad y refinamiento nos transportan a un escenario de lujo y descanso.

Las fantásticas vistas al mar, la excelente gastronomía, el esmerado trato del personal, los paseos por la playa y la ciudad, harán que pueda disfrutar al más alto nivel.

Las habitaciones están distribuidas en 52 Dobles, 104 Suites y 4 Suites Imperiales, combinando la elegancia clásica de la madera y el mármol, con el agradable confort de los equipamientos más modernos. Todas ellas con conexión a Internet, televisión vía satélite, escritorio, minibar, caja de seguridad, aire acondicionado, teléfono en dormitorio y baño.

Gastronomía

La cocina mediterránea e internacional hará que su visita sea una sorpresa para sus sentidos. En sus distintos bares podrá degustar su bebida más deseada disfrutando de un selecto y animado ambiente. Disfrutar de la mejor cocina en el restaurante Altamar en un marco lleno de encanto y colorido, con vistas al mar o de los mejores cafés y cócteles en el Pub Star´s City en un estupendo ambiente, con exclusivas vistas, amenizado con la música más actual.

Congresos

El Arrecife Gran Hotel es un lugar privilegiado para realizar eventos. A ello contribuyen unas instalaciones con una superficie total de 600 m^2 para reuniones, repartidos en **6 salones**. Cada uno de ellos cuenta con los equipamientos audiovisuales necesarios, amplias zonas para la realización de coffee breaks, cócteles, almuerzos de trabajo…

Además, como casarse es quizá el momento más importante e irrepetible de nuestras vidas pueden organizarle su **banquete de bodas** para que sea el mejor día de su vida, con atenciones especiales.

Centro SPA

El **Aquaspa** dispone de un circuito de hidroterapia con agua tratada a base de sales minerales, a una temperatura de 36º C, sauna, baño turco, termas, duchas de hidromasaje…

A un completo y moderno **Urban Spa** se le unen los servicios del Centro Wellness. Con una amplia carta de masajes, estética facial y corporal, tratamientos específicos…Todos los tratamientos son personalizados y atendidos por un equipo de profesionales para conseguir unos resultados óptimos.

El mejor antídoto contra el estrés es el relax, por eso se ha creado el **SPAcio** donde, utilizando técnicas milenarias de relajación combinadas con unas modernas instalaciones de hidroterapia, llegará a un estado de paz y armonía infinito. Cuidando el cuerpo y el alma.

Otros servicios

Piscina exterior climatizada, piscina para niños, zona de hamacas para disfrutar del sol, peluquería, joyería, servicio de envío y recepción de fax, conexión a Internet completamente gratuito en todo el establecimiento.

Recepción y servicio de habitaciones las 24 horas del día, parada de taxis frente al hotel y parking con tarifas especiales para los clientes.

ALTAMAR'S SPECIALITIES

Traditional cookery
under the influence of Northern Spain and Southern France
Avocado & prawn timbale with cocktail sauce
Stone bass & walnut croquettes
Chilled avocado soup Tijuana
Lamb-stuffed ravioli with sage butter
Prawn-stuffed squids à la marinière
Gilthead bream medallion on juicy rice with clams
Stone bass with saffron mojo sauce, "gofio" (puree of toasted maize flour) and sweet potato
Lacquered chicken breast, shiitake mushrooms and turnip
Grilled duck magret with red berry sauce
Fillet of beef on green asparagus, Pont-Neuf potatoes, muscatel wine reduction and sesame seeds
Cheese tartlet, chocolate brownie
Home-made apple flaky pastry tart

Altamar

Localidad: Arrecife (35.500 Lanzarote)
Dirección: Parque Islas Canarias s/n (planta 17 de Arrecife Gran Hotel)
Teléfonos: 928 800 000 Fax: 928 805 906
E-mail:info@arrecifehoteles.com www.arrecifehoteles.com
Parking: Aparcamiento en los bajos del edificio
Propietario: Arrecife Hoteles s.l.
Días de cierre y vacaciones: Abierto cada día
Decoración: Extraordinario comedor panorámico totalmente acristalado, con vistas al mar desde cualquier punto y cuatro terrazas cubiertas (planta 17 del hotel).
Ambiente: Lugar de encuentro social en Lanzarote
Bodega: Amplia carta de vinos con sus correspondientes notas de cata
Hombres y nombres: Jefe de cocina: José Antonio Díaz.
Otros datos de interés: Ascensor panorámico de cristal directo para subir al restaurante. Capacidad: 140 comensales. Menús especiales para grupos hasta 30 personas en el restaurante y hasta 200 en el salón de banquetes.
Tarjetas: Mastercard, Visa, American Express y Maestro.

ESPECIALIDADES ALTAMAR

Cocina tradicional
con influencias del norte de España y de la Francia meridional
Timbal de aguacate y langostinos con salsa rosa
Croquetas de cherne con nueces
Sopa fría de aguacate Tijuana
Raviolis rellenos de cordero con mantequilla de salvia
Calamares rellenos con langostinos a la marinera
Lomito de dorada sobre arroz meloso de almejas
Cherne al mojo de azafrán, gofio y batata
Pechuga de pollo laqueado, setas shitake y nabo
Magret de pato a la parrilla con salsa de frutos rojos
Solomillo de cebón sobre espárragos trigueros,
papas Puente Nuevo, reducción de moscatel y sésamo
Tartita de queso cremoso, Brownie de chocolate,
Hojaldre de manzana casero

Castillo de San José

Museo Internacional de Arte Contemporáneo

El Castillo de San José fue construido entre 1776 y 1779, en la marina próxima a Arrecife, para avistar la llegada de piratas a la isla, y de paso, para dar trabajo a los lanzaroteños, especialmente necesitados tras las erupciones de mitad de siglo. El rey Carlos III mandó construir lo que la imaginación popular acabaría denominando "Fortaleza del Hambre". Su arquitecto Claudio Lisle la situó en los aledaños del puerto de Arrecife y posteriormente fue utilizada como almacén de pólvora.

Tras un siglo de abandono, César Manrique despertó en las autoridades el interés por recuperarlo y convertirlo en un Museo de Arte Contemporáneo, dentro de su política de convertir Lanzarote en un destino turístico con atractivas ofertas de todo tipo. Para empezar, Manrique limpió el terreno, un descampado polvoriento y pedregoso, y diseñó una explanada frontal que pone de manifiesto la fuerza del edificio y que informa de la esencia del recinto artístico al castillo con la exhibición de algunas piezas de escultura moderna. Al pie de los cimientos, ante el mar, construyó un restaurante abierto al océano mediante una cristalera que ocupa todo el frontis.

Los accesos al castillo son dos, uno en la parte superior, que da directamente a las salas de exposiciones tras traspasar un puente levadizo y otro que lleva al restaurante, a través de una escalera abrupta limitada por vegetación isleña.

La fortaleza fue transformada por César Manrique en uno de los museos de Arte Contemporáneo más importantes del archipiélago canario, cuyos fondos muestran fielmente las corrientes artísticas y los movimientos vanguardistas del siglo XX. Las salas del museo exhiben pinturas de Tápies, Alechinski, Millares, Óscar Domínguez, Antonio González, entre otros. El Castillo es escenario habitual de exposiciones itinerantes, conferencias, mesas redondas y encuentros de los gestores locales con los medios de comunicación para el anuncio de eventos de envergadura. Fue en su seno donde el Príncipe Felipe, en su primera visita oficial a la isla, se reunió con los representantes de los sectores sociales, económicos y culturales lanzaroteños.

El Castillo contiene además un elegante restaurante con vistas al puerto de Naos y el muelle de Los Mármoles, con cocina internacional y especialidades locales. Desde las lámparas a los asientos de cuero, cada pieza del mobiliario y la decoración fue seleccionada por el artista lanzaroteño para convertir el recinto en un espacio que es mucho más que un simple restaurante. Hay que sugerir al visitante que no olvide bajar a conocer los servicios del restaurante Castillo de San José, una zona tan admirable como el resto del inmueble. Las cristaleras a nivel del mar, las plantas, la música y la luz a raudales convierten el cuarto de baño en toda una obra de arte.

SPECIALITIES OF CASTILLO DE SAN JOSÉ

Market cookery
Spiny lobster salad with vinaigrette dressing of crustaceans and balsamic vinegar
Smoked cod with roasted vegetables and olive purée
Sautéed oyster mushrooms and prawns with cured ham
Baked salmon with cream spinach
Stone-bass with prawns and thyme-scented beef juice
Grilled squids with coriander sauce
Duck breast with cane syrup and caramelised apples
Spit-roasted chateaubriand (min. 2 persons)
Fillet-ends of beef with avocado sauce
Ice cream of burnt maize flour with Canarian almond cream
Fig parfait with chocolate sauce
Flambé bananas with cane rum (min. 2 persons)

Castillo de San José

Localidad: Arrecife (35500 Lanzarote).
Dirección: Puerto de Naos, s/n.
Teléfonos: 928 812 321 - Fax: 928 803 701.
Parking: Propio, vigilado.
Propietario: Cabildo Insular de Lanzarote
Días de cierre y vacaciones: Abierto cada día del año.
Decoración: Fortaleza del siglo XVII, acondicionada y decorada por César Manrique. Museo Internacional de Arte Contemporáneo.
Ambiente: Público español principalmente. Por este restaurante emblemático, pasan casi todas las personalidades que visitan Lanzarote.
Bodega: Suficiente. Vinos canarios (Grifo, Vega de Yuco, Mozaga).
Hombres y nombres: Maitres: Elario Tejera Berrier y Nicolás Eugenio Feo. Jefe de cocina: Juan Cabrera Morales. Director: Leopoldo Arrocha Arrocha.
Otros datos de interés: Vistas panorámicas al puerto y Arrecife. Jardines. Posibilidad de banquetes hasta 120 personas. Servicio de barra de 11 h. a 1 h. Madrugada. Restaurante abierto de 13 h. a 16 h. y de 20 h. a 23 h. Más de 25 años de tradición.
Tarjetas: Todas.

ESPECIALIDADES CASTILLO DE SAN JOSÉ

Cocina de mercado
Ensalada de langosta, vinagreta de crustáceos y modena
Bacalao ahumado con verduras escalivadas y olivada
Setas y langostinos salteados con jamón ibérico
Salmón horneado con espinacas a la crema
Cherne con langostinos y jugo de buey al tomillo
Calamares saharianos a la plancha con mojo de cilantro
Magro de pato con miel de caña, manzanas caramelizadas
Chateaubriand asado a la broche (mínimo dos personas)
Puntas de solomillo salteadas con salsa de aguacates
Helado de gofio con bienmesabe
Biscuit de higos con salsa de chocolate
Plátanos flambeados al ron de caña (mínimo dos personas)

La Tegala

Evolución de la cocina canaria

Cuatro años ha dedicado a gestar su nuevo proyecto Antonio Hernández, en su permanente búsqueda de la perfección. Su sueño, un nuevo restaurante de cocina canaria de calidad en un marco que conjuga modernidad y clase, se ha hecho realidad. Situado en Mácher, con excelentes vistas de Fuerteventura, está dotado con las últimas tecnologías y orientado al empresariado local y al turismo más exigente.

Magníficas instalaciones que constan de una barra de diseño para tapas, vinos y comidas ligeras (presidida por un imponente mural del pintor lanzaroteño Juan Gopar), tres salones en diferentes estilos (capacidad para 40 comensales y dos privados para 12 personas cada uno), totalmente climatizados frío-calor, vistas panorámicas al campo de Lanzarote así como a la vecina isla majorera. La casa está ubicada en una parcela de grandes dimensiones con jardines y aparcamiento propio.

Esta ineludible parada gastronómica cuida todos los detalles: mantelería de lino, fina vajilla, cubertería muy actual, cómodos sillones de cuero y excepcionales baños, amplios y luminosos, una verdadera obra de arte. Ambiente selecto que requiere vestimenta adecuada y capacidad reducida para un alto nivel de calidad y servicio.

Restaurante recomendado por las principales guías gastronómicas.

LA TEGALA'S SPECIALITIES

Canarian cookery
Association between native produce and modern cookery
Gently-cooked specialities with a special touch
The à la carte menu changes every two months
Daily recommendations according to the season and the market offer
Different gastronomic menus, harmonizing health and delight
Soups and stews
Fresh fish from our coast
Kid and rabbit
Home-made desserts

La Tegala

Localidad: Mácher (35571 Lanzarote)
Dirección: Ctra. de Tías a Yaiza, nº 60, (próximo a la rotonda de Mácher)
Teléfonos: 928 524 524 Fax: 928 524 522
E-mail: info@lategala.com - www.lategala.com
Parking: Gran aparcamiento propio
Propietario: Familia Hernández Ramírez
Días de cierre y vacaciones: Cerrado domingos todo el día y lunes al mediodía.
Decoración: Una de las mejores obras arquitectónicas de Canarias.Construcción vanguardista y últimas tecnologías.
Ambiente: Público medio alto, predomina la clientela local (residentes, empresarios...) y gentes de la península
Bodega: Amplia bodega subterránea con su mesa de cata, entrada independiente y baños propios. Alrededor de 200 vinos regionales y de toda España
Hombres y nombres: Un equipo dirigido por Antonio Hernández, muchos años vinculado al famoso restaurante La Era (Yaiza).
Otros datos de interés: Restaurante ubicado en un lugar estratégico: a 10 minutos del aeropuerto, próximo a Puerto del Carmen, Puerto Calero y el nuevo campo de golf de Tías
Tarjetas: Todas

ESPECIALIDADES LA TEGALA

Cocina canaria de estilo
Maridaje entre el producto autóctono y la nueva cocina
Platos con carácter que cuecen a fuego lento
La carta cambia cada dos meses
Sugerencias diarias según estación y mercado
Varios Menús-Degustación, armonizando salud y placer
Platos de cuchara
Pescados frescos de la isla
Cabrito y conejo
Postres de elaboración propia

Aromas Yaiza

Pedro Santana

Pedro Santana es un cocinero vocacional y autodidacta que se ha criado entre fogones. Desde niño ha sentido pasión por este oficio. Proviene de una familia local de hosteleros, en el restaurante de su madre adquirió sus primeros conocimientos, luego progresó a base de estudios y experiencia, también se ha perfeccionado en Madrid, Barcelona y País Vasco. Con este bagaje ha encontrado su propia expresión culinaria.

Su interpretación personal se refleja en una cocina moderna, sensitiva y meticulosa, de sabores limpios y finos aromas, alejada de fuegos de artificio que disfrazan la autenticidad de las materias primas escogidas.

Pedro Santana lleva la dirección gastronómica de este acogedor restaurante para gourmets situado en el casco urbano de Playa Blanca. Aromas Yaiza ofrece una cocina creativa y de mercado, con tendencias actuales sin olvidar las raíces canarias, una mesa refinada a precios contenidos. Tiene el mérito de abrir poco a poco la mente y el paladar de sus paisanos.

Aquí el comensal disfruta de un depurado estilo, delicado y armonioso, siempre presidido por el buen gusto, un recetario intemporal convenientemente actualizado, de elegante clasicismo, apoyado en un género primoroso. Una carta apta a satisfacer a cualquier gastrónomo que aprecie la distinción en la cocina. A destacar, el menú degustación elegido por el chef, alrededor de 30 €.

Aromas Yaiza. C/ La Laja, 1 (a espaldas de Correos). Playa Blanca.
Reservas: 928 349 691. E-mail:restaurantearomas@gmail.com

CASA BRIGIDA'S SPECIALITIES

Canarian creative cookery with sea produce
Octopus with broad beans and cured Iberian ham
Fish fry
Small unskinned potatoes with Canarian red and green "mojo" sauces
Brothy rice & scarlet prawn pot
Baked fillet of imperial blackfish on vegetable stew
Roast squid with coriander sauce
Chateaubriand with Béarnaise sauce
Carved entrecote steak served on a hot earthenware plate
Lukewarm apple flaky pastry tart
Cheese mousse with red berries
"Bienmesabe" (Canarian almond cream) with vanilla ice cream

Casa Brígida

Localidad: Playa Blanca (35570 Lanzarote)
Dirección: Puerto Deportivo Marina Rubicón
Teléfonos: 928 519 190
Parking: Aparcamiento del puerto, gratuito.
Propietario: Pedro Santana Camacho.
Días de cierre y vacaciones: Abierto cada día del año. Cocina ininterrumpida de 13 a 23 h.
Decoración: Al estilo de un patio canario con madera, plantas verdes y piedra volcánica.
Ambiente: Público local y turismo informado.
Bodega: Vinos de Lanzarote, La Rioja, Ribera del Duero, Cataluña, Somontano...
Hombres y nombres: Jefe de cocina: Pedro Santana.
Otros datos de interés: Ubicado en el Puerto Deportivo Marina Rubicón, la "zona vip" de Lanzarote. Vistas al mar y a los barcos. El patrón, en formación permanente, está en los fogones.
Tarjetas: Visa, Mastercard, Maestro.

ESPECIALIDADES CASA BRIGIDA

Cocina marinera, canaria y creativa
Pulpo salteado con habas y jamón ibérico
Frito mixto marinero
Papas arrugadas con mojo rojo y verde
Arroz caldoso con carabineros
Lomo de pámpano al horno sobre pisto de verduras
Calamar asado con un aliño de cilantro
Chateaubriand de res con salsa bearnesa
Lomo alto de buey fileteado y servido en plato de barro caliente
Hojaldre de manzana templado
Mousse de queso con salteado de frutos rojos
Bienmesabe con helado de vainilla

La Chalanita

Genuino sabor de Playa Blanca

José Arencibia y Román Lobo, después de 15 años al frente de Almacén de la Sal, son bien conocidos por los visitantes regulares de Playa Blanca. En verano 2009, deciden abrir su propio restaurante, un comedor coqueto y acogedor ubicado en el Paseo Marítimo de Playa Blanca, en los aledaños del pueblo antiguo, que a su vez tiene otra entrada por la calle superior paralela, la principal calle comercial y peatonal de la población.

Desde su salón, se contempla una de las mejores panorámicas con preciosas vistas a la isla de Lobos, costa norte de Fuerteventura...Corralejo en todo su esplendor lumínico durante la noche y las playas de Papagayo, además del espectáculo siempre renovado de los ferries que operan constantemente entre Lanzarote y Fuerteventura.

La Chalanita significa "barca de remos", son los pequeños botes que tienen los pescadores canarios, siempre dispuestos a llevar el marisco y el pescado más fresco a su mesa. José y Román conocen los mejores proveedores en Lanzarote y esto se aprecia en esta casa. Las elaboraciones son sencillas, pero de la más alta calidad. Destaca el pescado capturado en los alrededores y recién salido del agua.

Aquí, se puede disfrutar también de numerosas preparaciones en sala: carnes flambeadas, crepes suzettes, fresas a la pimienta verde, plátanos flambeados al ron canario...José y Román están siempre pendientes de los gustos y bienestar de sus comensales, además los precios son asequibles a todos los bolsillos.

¡Dios bendiga a esta casa!

LA CHALANITA'S SPECIALITIES

Fresh shellfish, crustaceans and fish from our coast:
Stone bass, couch sea bream, dentex bream, parrot fish...
Cured Iberian ham
Assortment of artisan Canarian cheese
Salad of tuna belly flaps, tomato and avocado
Salmon smoked in Uga (Lanzarote)
Red tuna with confit onions and soy sauce
Grilled fillet of salt cod with young vegetables
Fillet steak in sauce of sweet Pedro Ximénez sherry with cured ham shavings
Cut of Iberian pork with red berry sauce
Confit leg of duck with fig sauce
Paella, fideuà (kind of paella prepared with noodles instead of rice)
Rice specialities
Vegetarian food
Tiramisù of strawberries
Chocolate truffle with custard

La Chalanita

Localidad: Playa Blanca (35570 Lanzarote)

Dirección: Avda. Marítima, 73

Teléfonos: 928 517 022

Parking: Sin problemas.

Propietario: José Arencibia y Román Lobo.

Días de cierre y vacaciones: Cerrado martes. Vacaciones en junio.

Decoración: Comedor-mirador sobre el Atlántico.

Ambiente: Frente al mar, el genuino sabor de Playa Blanca.

Bodega: Vinos de Lanzarote, Canarias y la península.

Hombres y nombres: José y Román atienden personalmente a sus clientes.

Otros datos de interés: Coqueta terraza en el paseo marítimo peatonal de Playa Blanca.

Tarjetas: Todas, excepto American Express

ESPECIALIDADES LA CHALANITA

Mariscos y pescados frescos de la isla:
cherne, bocinegro, sama, vieja...
Jamón ibérico
Surtido de quesos canarios artesanales
Ensalada de ventresca de bonito con tomate y aguacate
Salmón ahumado de Uga
Atún rojo con cebolla confitada y salsa de soja
Lomo de bacalao a la parrilla con verduritas
Solomillo de buey al Pedro Ximénez con virutas de jamón
Presa ibérica con salsa de frutos rojos
Confit de pato con salsa de higos
Paellas, fideuás y arroces
Platos para vegetarianos
Tiramisú de fresas
Trufón de chocolate con crema inglesa

Arena

Estilo propio

Luis León Romero, sin lugar a dudas el chef más conocido y popular de Lanzarote, ejerce ahora en el restaurante Arena, situado en la zona alta del Puerto del Carmen. Ha escogido un escenario ideal para aquellos que buscan intimidad y confort para su culinaria exclusiva. En estas instalaciones con mucho empaque, propone una oferta de nivel para el público local y el turismo de calidad. Arena es lugar de reunión para gastrónomos y gourmands, aficionados a la relajada y placentera sobremesa.

A la hora de priorizar sobre los secretos de una buena cocina, el chef lo tiene claro: calidad de los géneros empleados. Desde los fogones de su cocina, Luis León da protagonismo a la materia prima, el producto por encima de todo. Siempre dentro de una elegante sencillez, formula y ejecuta platos creativos al gusto de su ferviente clientela, que le suele seguir allá donde va.

Luis León lleva más de 40 años, toda una vida dedicada a su profesión. En Lanzarote, ha creado escuela con su hijo Roberto y un fiel equipo de colaboradores que le acompañan. Para él la atención de sala ha de ser exquisita. Quizá un buen servicio no haga ganar clientes, pero seguro que un servicio deficiente hace perderlos. La atención personalizada al comensal, el asesoramiento sobre los productos del día, la elección de un buen vino...todo ello cuenta para que desde el principio hasta el final el almuerzo o la cena sea un éxito.

Luis León prefiere la cocina sencilla, lejos de artilugios y técnicas que tanta polémica han generado últimamente. Además, se muestra partidario de raciones generosas para saciar cualquier apetito y de precios al alcance del gourmet medio. Marca tendencia con su estilo muy personal, con rúbrica propia.

ARENA'S SPECIALITIES

Market haute cuisine

Tasting menus (between 45 and 60 €)

Carpaccio of prawns with orange salt, red capsicum and virgin olive oil

Scallops with courgette, orange sauce and lard

Braised chunk of hake

Salt cod in garlicky olive oil emulsion with lemon scent and grated lime

Medallions of fillet of beef in rosé pepper sauce with cherry scent

Roast sucking pig and lamb

Chocolate in different textures

Mango parfait with a liquid raspberry centre

Arena

Localidad: Puerto del Carmen (35510 Lanzarote)

Dirección: C/ Del Janubio, s/n - Los Mojones

Teléfonos: 928 515 782 **E-mail:** chef.luisleon@gmail.com

Parking: Fácil aparcamiento (zona residencial).

Días de cierre y vacaciones: Abierto cada día de 12 h. a 23 h., excepto lunes.

Decoración: Elegante villa con una terraza alrededor de la piscina.

Ambiente: Relajante y romántico. Armonía entre arte y gastronomía.

Bodega: Acristalada en el comedor. Selección de vinos españoles, algunos canarios y surafricanos, cavas y champagnes.

Hombres y nombres: Dirección y jefe de cocina: Luis León Romero, auxiliado por su hijo Roberto y su equipo.

Otros datos de interés: Luis León Romero, cocinero emblemático de la isla, se ha trasladado a estas impecables instalaciones en el Puerto del Carmen. Los Mojones es la mejor urbanización de Lanzarote. Una mesa refinada para un público exigente.

Tarjetas: Las principales.

ESPECIALIDADES ARENA

Alta cocina de mercado

Menús Degustación (entre 45 y 60 €)

Carpaccio de gambas con sal de naranja, pimiento rojo y aceite de oliva virgen

Vieiras con calabacín, salsa de naranja y rancio de ibérico

Tronco de merluza braseado

Bacalao con pil pil de limón y ralladura de lima

Medallones de solomillo a la pimienta rosa y aroma de cerezas

Cochinillo y cordero asado

Texturas de chocolate

Parfait de mango con corazón liquido de frambuesa

Receta La Avenida Tex-Mex

Fondue bourguignonne

Ingredientes: 200 gr. de carne de buey o vaca por persona, de las partes tiernas (lomo alto, rumsteack, etc), ½ l. de aceite.

Preparación: cortar la carne en cubos de 2 a 3 cm. de lado.
En el cazo especial para fondues poner el aceite a calentar y llevarlo a la mesa cuando esté bien caliente (no deberá echar humo aunque conviene que esté caliente durante toda la comida).

Cada comensal meterá, pinchada en un pincho especial, la carne en el aceite y dejará que se haga hasta que esté a su gusto. Esta fondue se acompaña de varias salsas según los gustos. Puede también acompañarse con ensaladas, patatas cocidas al horno o arroz.

SPECIALITIES OF LA AVENIDA TEX-MEX

Mexican and international cookery
Tex-mex salad with roast beef
Nachos (Crisp tortilla chips with melted cheese and frijole beans)
Guacamole (avocado puree with nachos)
Red enchilada (two tortillas filled with chicken and vegetables, sauce and cheese)
King-size prawns "Acapulco"
To-day's fresh fish
Grilled sole
Sirloin steak with almonds
T-Bone steak with garlic and spicy paprika powder
Fillet steak General Santana (2 pers.)
(Chateaubriand with Pastor sauce, frijole beans, baked potato and chips)
Fondue bourguignonne (2 pers.)
Mango fruit mousse
Flambés bananas or strawberries
Tropical fruits (2 pers.)

La Avenida Tex-Mex

Localidad: Puerto del Carmen (35510 Lanzarote)

Dirección: Avenida de las Playas, 27

Teléfonos: 928 513 500

Propietario: José Antonio Tejera Bareto.

Días de cierre y vacaciones: Abierto cada día del año.

Decoración: Cálida, tonos salmón y plantas verdes naturales. Mucho espacio.

Ambiente: Agradable.

Bodega: Completa en vinos españoles.

Otros datos de interés: Gran Terraza con vistas al mar. Este restaurante trabaja con excelentes materias primas siendo el mejor representante de la cocina tejana mexicana.

Tarjetas: Todas.

ESPECIALIDADES LA AVENIDA TEX-MEX

Cocina mejicana e internacional
Ensalada Tex-Mex con roast-beef
Nachos
(Crujientes triangulos de tortitas de maiz con gueso fundido y frijoles)
Guacamoles (Puré de aguacate con triangulos de nachos)
Enchilada roja
(Dos tortas de maiz, rellenas de pollo y verduras, salsa y queso) I
Langostinos Acapulco
Pescado fresco del dia
Lenguado a la parrilla
Entrecot a la almendra
T-Bone Steak arriero (con ajos y pimentón picante)
Solomillo General Santana (2 p.)
(El clasico chateaubriand con salsa Pastor, frijoles y patatas al horno y fritas)
Fondue Bourguignone (2 p.)
Mousse de mango
Bananas o fresas flambé
Frutas tropicales (2 p.)

Bodegas Stratvs

Fuego, tierra y viento convertidos en vino

La Bodega.- A orillas del árido Parque Nacional de Timanfaya, Bodegas Stratvs nace con una misión muy clara: preservar y potenciar la tradición vitivinícola de Lanzarote, potenciando el desarrollo rural de la zona de La Geria. Tradición e innovación se mezclan, desde el respeto al medio-ambiente, contribuyendo a la mejora del nivel de los vinos de Lanzarote mediante el uso de las tecnologías más modernas e instalaciones totalmente informatizadas. El proyecto de Stratvs, dirigido por el enólogo gomero Alberto González Plasencia, es innovador y pionero. La bodega, con más de 2500 m^2 y una arquitectura que se adapta al peculiar paisaje, dispone de los más avanzados equipos, permitiendo de esta forma extraer las mejores cualidades de la uva y elaborar vinos de calidad, de una especial tipicidad, elegantes, sabrosos y ricos en matices.

Visita guiada.- De lunes a domingos, con reserva previa, se puede visitar el corazón de la bodega durante una hora, acompañados de expertos guías para conocer en directo el proceso de elaboración de los vinos de Stratvs así como todas las instalaciones.

Sala de catas.- Una sala especial para catas donde se puede realizar también todo tipo de eventos, reuniones, presentaciones de productos...

Tienda Gourmet.- En este espacio, una casona canaria restaurada, además de contar con los vinos de la bodega y los quesos de la Finca de Uga, puede encontrar una amplia gama de productos gourmets de alta calidad (de 9 a 20 h.).

Bodegas Stratvs, aparte de difundir la vitivinicultura de Lanzarote y singularizar los productos Stratvs, representa una iniciativa excepcional, única en la isla y una estrategia comercial original.

SPECIALITIES OF RESTAURANTE TERRAZA-GRILL

Wrinkled small unskinned black potatoes with "almogrote" (Canarian cheese spread) and mojo sauces

Goat stew (animals from our own farm in Uga)

Stone bass on a puree of roasted peppers with potatoes

Fried chunks of goat kid marinated with coriander and garlic chives

SPECIALITIES OF RESTAURANTE GASTRONOMICO EL ALJIBE DEL OBISPO

Grilled organic vegetables with seasonal mushrooms and cured duck breast, served with egg cooked at low temperature and Vulcano cheese from Uga

Juicy rice pot with fish from Lanzarote, seafood and saffron with scallop coral powder

Braised veal cheeks with roasted peppers and blood sausage with onions

Braised strawberries with Sichuan pepper, raspberry sorbet and mock biscuit

Restaurante Terraza-Grill

Restaurant Gastronómico El Aljibe del Obispo

Localidad: Yaiza (35570 Lanzarote)
Dirección: Ctra. La Geria, km. 18
Teléfonos: 928 809 977 - 630 085 197. Fax: 928 524 651
E-mail: bodega@stratvs.com www.stratvs.com
Parking: Aparcamiento propio.
Días de cierre y vacaciones: Abierto cada día, excepto lunes.
Decoración: Piedra volcánica, hierro y madera se combinan en una arquitectura avanzada.
Ambiente: Una visita ineludible en Lanzarote.
Bodega: Los vinos de prestigio, con personalidad propia, elaborados por Bodegas Stratvs han sido distinguidos con numerosos premios y galardones.
Hombres y nombres: Jefe de cocina Rte. Terraza Grill: Nauzet Santana. Jefe de cocina Rte. El Aljibe del Obispo: Bruno Rosa. Maitre: Joaquín Sánchez. Sumiller: Gustavo Palomo.
Otros datos de interés: Restaurantes situados en la propia bodega para disfrutar de la gastronomía canaria en un escenario único o celebrar un acontecimiento especial. Dos ambientes y dos ofertas gastronómicas: al mediodía, terraza-grill con horno canario, ambiente informal; para cenas, elegante comedor ambientado en el antiguo aljibe con arcos de piedra y cocina canaria creativa.
Tarjetas: Todas excepto American Express.

ESPECIALIDADES RESTAURANTE TERRAZA-GRILL

Papitas negras arrugadas con almogrote y mojos de la casa
Compuesto de cabra de nuestra Finca de Uga
Cherne sobre crema de pimientos asados con papas yema de huevo
Cabrito frito macerado en pesto de cilantro y ajetes

ESPECIALIDADES RESTAURANTE GASTRONÓMICO EL ALJIBE DEL OBISPO

Parrillada de verduras biológicas con setas de temporada y jamón de pato, acompañado con huevo a baja temperatura y queso Vulcano de la Finca de Uga
Arroz meloso de pescado de Lanzarote, marisco y azafrán con polvo de coral de vieiras
Carrilleras de ternera de nuestra finca estofadas con pimientos asados y morcillas de cebolla
Estofado de fresas con pimienta de Sichuan, sorbete de frambuesas y falso bizcocho

Finca de Las Salinas

Este espléndido hotel rural, antigua mansión del siglo XVIII, rebosa creatividad. Fue adquirida por D. Jaime Lleó, que se dedicaba a la exportación de sal entre otros negocios. A principios de los años noventa, D. Gonzalo Lleó se hizo cargo de la finca y se preocupó de que el paso del tiempo no hiciera mella en ella.

Alojamiento

Situado en el hermoso pueblo de Yaiza, al sur de Lanzarote y lejos de los grandes centros turísticos, se encuentra el Hotel Rural Finca de Las Salinas. Rodeado de un entorno natural y apacible, el disfrute de la tranquilidad es casi una tarea obligada. Su decoración mimada y colores alegres ayudan a dibujar un cuadro casi perfecto. Dispone de 19 habitaciones dobles (5 suites). Un lugar ideal para el descanso.

Gastronomía

El hotel dispone de dos magníficos restaurantes donde degustar platos de una cuidada cocina de autor: la Bodega Dongonzalo y el restaurante Mariateresa, asesorados por el **prestigioso chef Joachim Koerper**, maestro de alta cocina mediterránea, conocido internacionalmente por su dominio y virtuosismo culinario lleno de aromas y colores. Joachim Koerper, con 5 estrellas Michelín en su haber, aporta su particular mezcla de sabores y texturas usando como base el excelente producto de la zona. Un concepto perfeccionista, de gran técnica y fundamentos clásicos que se reinventan a sí mismos.

Congresos

Se inauguró un espacio dedicado a congresos y reuniones, ubicado en el antiguo taller de carpintería, equipado con las más modernas tecnologías. Capacidad máxima hasta 50 personas.

Spa Las Salinas

María del Carmen Lleó, nieta y propietaria en la actualidad, ha decidido junto al arquitecto Ángel García Puertas hacer la estancia más agradable con la creación de este nuevo spa en un antiguo corral de patos de la finca. Ofrece desde circuitos termales, saunas y jacuzzi hasta complejas terapias orientales para rostro y cuerpo. Todo está pensado para cuidar el cliente al máximo.

MARIATERESA'S SPECIALITIES

A la carte menu in steady evolution

Tartar of smoked salmon from Uga with horseradish and ginger

Terrine of foie gras with banana chutney and curry from Madras

Salad of prawns from Huelva with orange dressing

Monkfish casserole 2009

Fillet of couch sea bream with chorizo, confit tomato and olives

Baked sea bass in a salt coat (salt from Janubio)

Rabbit with basil, tagliatelle and carrots au gratin

Goat kid cooked in two ways, glazed pearl onions, polenta and white truffle oil

Duck magret in orange sauce with potato & mango mix

Crisp banana with vanilla ice cream and Jamaican pepper

Mocha crème brûlée with pistachio ice cream

Chocolate custard with vanilla ice cream and saffron sauce

Mariateresa

Localidad: Yaiza (35570 Lanzarote)
Dirección: La Cuesta de Los Molinos, 6
Teléfonos: 928 830 325 - 928 830 326
E-mail: fincasalinas@hotmail.com
www.fincasalinas.com
Parking: Aparcamiento privado.
Propietario: Maria del Carmen Lleó.
Días de cierre y vacaciones: Cerrado domingos.
Decoración: Con todo lujo de detalles.
Ambiente: Íntimo y tranquilo.
Bodega: Selecta y vinos propios o seleccionados por Joachim Koerper
Hombres y nombres: Director: Santiago Espada. Asesor gastronómico y dirección de cocina: Joachim Koerper. Jefe de cocina: José Francisco Manrique "Chiqui".
Otros datos de interés: Situado junto al Parque Nacional de Timanfaya y al bellísimo pueblo de Yaiza. Dispone de zonas habilitadas para minusválidos y fumadores.

ESPECIALIDADES MARIATERESA

Carta en constante evolución
Tartar de salmón de Uga con rábanos y jengibre
Terrina de foie gras con chutney de plátano al curry de Madrás
Ensalada de gambas de Huelva con vinagreta de naranja de la Finca Las Salinas
Suquet de rape 2009
Filete de bocinegro con chorizo, tomate confitado y aceitunas
Lubina del Atlántico a la sal de Janubio
Lo mejor del conejo con albahaca, tallarines y gratinado de zanahorias
Cabrito en dos cocciones, cebollitas glaseadas y polenta, aceite de trufa blanca
Magret de pato en salsa de naranja con salteado de patatas y mango
Crujiente de plátano con helado de vainilla y pimienta de Jamaica
Crema quemada de café con helado de pistacho
Cremoso de chocolate con helado de vainilla y salsa de azafrán

La Palma Romántica

Hotel de montaña situado a unos 600 m. de altitud y a 1.000 metros del núcleo de Barlovento, con una inmejorable panorámica hacia el mar y hacia las cumbres.

Individualistas, amantes de la naturaleza, la tranquilidad y la buena cocina, encontrarán en este hotel el lugar ideal para pasar sus vacaciones.

La Palma Romántica les ofrece: restaurante con chimenea, bodega rústica; salas: de televisión, juegos, reuniones y conferencias, tenis, sauna, observatorio astronómico popular, piscinas: exterior e interior climatizada, jacuzzi, boutique, gimnasio, solárium, bolera y organización de excursiones a los puntos más atractivos de la isla.

Medalla de Plata al Mérito Turístico 1990 y 1993.

LA PALMA ROMANTICA'S SPECIALITIES

Canarian cookery:
Goat kid, maize flour with fish stock, Canarian stew
International cookery:
Fondue Bourguignonne, fillet steak in mushroom sauce
Flambé:
Spiny lobster tail, monkfish of the house, prawns
Vegetarian cookery:
Vegetable mix, brown rice,
rösti potatoes with cheese, salad "Romántica"
Desserts:
Cottage cheese with fruits and walnuts
Dessert of the house: fruit salad, ice cream and liqueur

La Palma Romántica

Localidad: Barlovento (38726 La Palma)
Dirección: Topo de las Llanadas.
Teléfonos: 922 186 221 Fax: 922 186 400
E-mail: palmarom@intercom.es
www.intercom.es/sisentis/palmarom
Parking: Propio.
Propietario: Hoppners Rodríguez.
Días de cierre y vacaciones: Abierto cada día del año.
Decoración: Muy cálida en un estilo rústico.
Ambiente: Amantes de la tranquilidad. Excepcional panorámica sobre el océano y el núcleo de Barlovento.
Bodega: Unas 50 referencias.
Otros datos de interés: Este hotel con encanto, de tan sólo 42 habitaciones, dispone de instalaciones muy completas: piscina interior y exterior, jacuzzi, baños turcos, masajes, tenis y observatorio astronómico. Organiza excursiones a pie (senderismo). Posibilidad de alquilar casas rurales en las inmediaciones, utilizando los servicios del hotel.
Tarjetas: Visa, Master Card y Eurocard.

ESPECIALIDADES LA PALMA ROMÁNTICA

Cocina canaria:
cabrito, escaldón, puchero
Cocina internacional:
fondue bourguignonne, solomillo salsa de champiñones
Flambeados:
cola de langosta, rape a la romántica, langostinos
Cocina vegetariana:
plato de verduras variadas, arroz integral
rösti con queso, ensalada romántica
Postres:
requesón con fruta y nueces,
postre de la casa: coctel de frutas, helado y licor

La Alquitara

Bohemio bistrot gourmet

Esta taberna ilustrada del céntrico barrio de Triana, el principal núcleo comercial y social de Las Palmas, disfruta de una ubicación estratégica: cerca del Cabildo de Gran Canaria (sede del Gobierno) y al lado del Centro de Artesanía Canario.

La Alquitara, de la mano de su chef-propietario Emilio Cabrera, presenta una culinaria de raíz vasco-canaria, siempre fiel al lema de la casa "la mejor calidad a precios razonables". Otro punto fuerte de su oferta gastronómica: su amplia variedad de tapas que junto a un ambiente tranquilo y desenfadado y un servicio atento redondean esta fórmula atractiva.

En estas instalaciones sencillas se degusta una cocina de estilo personal, propia a sorprender, realzada por una **impresionante bodega**. Es un buen lugar para tapear o comer con los amigos, pequeños grupos o comidas de parejas, un establecimiento apto para todos los públicos. Además, agradable terraza situada en una calle peatonal donde también se sirven comidas a la carta.

Ha sido merecedor de diferentes premios y reconocimientos internacionales e institucionales como el otorgado por el Cabildo de Gran Canaria y varios certámenes gastronómicos locales y regionales. Finalista Mejor Chef Profesional de Canarias 2010 y 3º Premio en Pravia (Asturias) Campeonato Nacional del Salmón.

En el corazón de Triana, el barrio gastronómico de Las Palmas, esta casa para estar a gusto y disfrutar es una visita obligada en la capital de la isla.

LA ALQUITARA'S SPECIALITIES

Traditional and creative cookery
Recommendations of the day
Tasting menu (25 €, including wine)
Small red "piquillo" peppers Timanfaya
Toast with foie gras
Smoked salmon timbale "in pressure of five atmospheres"
Fillet of beef Alquitara
Cannelloni of Canarian black pig with goat cheese "Flor de Guía", shiitake, porcini and white truffle from Lanzarote
Salt cod in garlicky olive oil emulsion or springtime style
Stone bass in garlic sauce
Sacher torte with white and dark chocolate ice cream
Mango sorbet

La Alquitara

Localidad: Las Palmas de Gran Canaria (35002)
Dirección: C/ Domingo J. Navarro, 9 (Triana)
Teléfonos: 928 384 959 - 665 544 816
E-mail: emilio665544816@hotmail.com
Parking: Aparcamiento público "San Telmo" a un minuto.
Propietario: Emilio Cabrera.
Días de cierre y vacaciones: Cerrado domingos (salvo reserva previa). Vacaciones: del 18 al 28 de febrero. Abierto de 13 a 24 h, cocina ininterrumpida excepto sábados.
Decoración: Al estilo de un bohemio bistrot gourmet.
Ambiente: Frecuentado por el "gotha" social y empresarial de Las Palmas.
Bodega: Excepcional, una de las mejores de Canarias, alrededor de 800 referencias. Posibilidad de vinos por copas. Amplia gama de destilados Premium.
Hombres y nombres: Jefe de cocina y alma: Emilio Cabrera.
Otros datos de interés: El patrón, cocinero vocacional y hombre de mundo, está al frente de los fogones trabajando para complacer a sus clientes "con la magia de los vinos y el arte en la cocina". Se aconseja reservar.
Tarjetas: Todas.

ESPECIALIDADES LA ALQUITARA

Cocina tradicional y creativa
Sugerencias del día
Menú Degustación (25 €, vino incluido)
Piquillo Timanfaya
Tosta de foie
Timbal de salmón marinado "en presión de cinco atmosferas"
Solomillo Alquitara
Canelón de cochino negro canario con queso Flor de Guía, setas shitake, boletus, ceps y trufa blanca de Lanzarote
Bacalao al pil pil o primavera
Cherne al ajo arriero
Tarta Sacher con helado de chocolates blanco y negro
Sorbete de mango natural

Receta La Butaca

Ceviche de pez espada, condimento de cilantro y puré de aceitunas negras

Ingredientes: 1 lomo de pez espada limpio, zumo de 2 limas, 3 ramas de cilantro, ½ diente de ajo picado muy pequeño, 1 chalota, 1 puntita picada de chile, ¼ de pimiento rojo picado y pelado, ¼ de pimiento verde picado y pelado, aceite de oliva virgen extra, 100 gr. de aceitunas negras hechas puré, sal y pimienta.

Elaboración: Cortar en escalopes de 1 cm. de grosor el pez espada y colocarlo en el plato como fondo. Salpimentar y echar el jugo de las limas. En un recipiente mezclar el resto de los ingredientes excepto el aceite y las aceitunas. Poner con cuidado sobre cada lomo la mezcla hasta cubrir la parte superior. Echar chorritos de aceite de oliva y el puré de aceitunas.

LA BUTACA'S SPECIALITIES

Creative cookery

The à la carte menu changes twice a year

All dishes are thought to be shared

Raw cut of Iberian pork with foie gras and flambé strawberries

Tartare of red tuna

Fillet of dentex bream with saffrony stock and mint-flavoured young vegetables

Chick-pea & potato stew with veal cheeks

Poulard breast with porcini stock

Strawberries with yogurt

Pistachio nuts with chocolate

La Butaca

Localidad: Las Palmas de Gran Canaria (35001)
Dirección: Alameda de Colón, 1 (edificio CICCA). Triana
Teléfonos: 928 431 383 **E-mail:** labutaca_fs@hotmail.com
Parking: Aparcamiento público Monopol a 5 minutos
Propietario: Fabio Santana
Días de cierre y vacaciones: Cerrado domingos y festivos. Vacaciones: en agosto
Decoración: Joven y minimalista
Ambiente: Público local y cosmopolita
Bodega: Penedés, Somontano, Ribera del Duero, Rioja y Canarias
Hombres y nombres: Director y jefe de cocina: Fabio Santana
Otros datos de interés: Este restaurante, abierto desde octubre 2004, pertenece a la nueva generación de la gastronomía canaria. Debido al éxito de público, es aconsejable reservar mesa, en especial los fines de semana. Precio medio a la carta: 25/30 €. Cada año, Fabio Santana realiza 2 ó 3 cursos de reciclaje y perfeccionamiento de alta cocina en la escuela Hoffman de Barcelona
Tarjetas: Todas

ESPECIALIDADES LA BUTACA

Cocina de autor

La carta cambia dos veces al año

Todos los platos están pensados para picar y compartir

Pluma ibérica cruda con foie y fresas flambeadas

Tartar de atún rojo

Lomo de sama con caldo de azafrán y verduritas mentoladas

Ropa vieja de carrillera de ternera

Suprema de pularda con caldo de boletus

Frambuesas con yogur

Pistacho con chocolate

El Churrasco

El arte del asado a la brasa

La pericia de Mario Gil, el propietario, y la maestría de sus asadores han conseguido crear el mejor asador argentino de Las Palmas de Gran Canaria, convirtiéndole en un verdadero templo gastronómico para amantes de la carne. Aquí la parrilla se utiliza como un instrumento de precisión, extrayendo todo el sabor y consiguiendo aromas espectaculares. Las brasas son importadas directamente de Argentina. En El Churrasco se puede apreciar la labor del asador que trabaja a la vista del público.

Hoy en día, esta casa ha alcanzado altas puntuaciones tanto en la comodidad, elegancia y versatilidad de sus instalaciones como en la calidad de sus propuestas por su perfecto dominio del asado y las excelentes carnes de la raza Aberdeen Angus. Las carnes de esta magnífica raza vacuna, originaria de Escocia y difundida en países ganaderos como Argentina llegan aquí con toda su fuerza, ternura y jugosidad. Estas carnes sanas, naturales, nutritivas y de excepcional sabor han adquirido tal fama que desde hace décadas son muy demandadas en los mercados más exigentes. Esta calidad es consecuencia de un ganado que crece libremente en limpios pastizales, las vacas sólo comen pasto y disfrutan de una gran extensión de campo. El animal camina y se alimenta de forma natural.

Mario Gil vive su oficio en busca de lo mejor para su fiel clientela, los resultados están a la vista.

EL CHURRASCO'S SPECIALITIES

Traditional Argentinian cookery

Grilled Provolone cheese

Creole patty

Grilled paprika-flavoured chorizo sausage

All meat from Argentine, standing out the Angus beef

Joints of Argentinian meat

Pancakes

Milk jam

El Churrasco

Localidad: Las Palmas de Gran Canaria (35010)
Dirección: Olof Palme, 33 (centro, a 50 mts. de la Plaza de España)
Teléfonos: 928 272 077
www.elchurrasco.com.es
Parking: En la Plaza de España
Propietario: Mario Gil
Días de cierre y vacaciones: Abierto todos los días del año
Decoración: En un lujoso estilo gaucho, cocina y parrilla a la vista
Ambiente: Selecto
Bodega: Muy completa, alrededor de 260 referencias de vinos españoles y del mundo
Hombres y nombres: Maestros asadores argentinos
Otros datos de interés: Este restaurante se ha convertido en lider en carnes argentinas en Las Palmas. Nuevas instalaciones, capacidad total hasta 160 comensales y salón privado para 20.
Tarjetas: Todas

ESPECIALIDADES EL CHURRASCO

Cocina tradicional argentina

Provolone: queso a la parrilla

Empanada criolla

Chorizos a la parrilla

Todas las carnes son argentinas destacando la raza Angus de primera calidad

Cortes argentinos:

Entraña, asado de tira, bife de chorizo

Panqueque

Dulce de leche

Minotauro

Joven y pasional

Este restaurante es representativo de la nueva generación gastronómica en la capital grancanaria. Disfruta de una privilegiada situación en la arteria principal de Vegueta, el magnífico casco antiguo de Las Palmas, que ofrece infinidad de monumentos al visitante y se caracteriza por sus calles estrechas y edificios históricos que le dan un aire aristocrático y medieval, ideal para placenteros paseos.

Minotauro es una interesante alternativa culinaria al lado del famoso Teatro Pérez Galdós, el mejor teatro de la isla, la Catedral y el mercado más emblemático de la ciudad. Iván Vera, una vez culminada su carrera futbolística, abrió este restaurante en el año 2007.

La respuesta ha sido positiva, tanto por la calidad de su cocina con sabores profundos, netos, étnicos, presentando siempre alguna agradable sorpresa, como por la excelente atención de Iván, maestro del ceremonial, que sabe aconsejar al comensal con acierto y entusiasmo comunicativo.

Juventud, garra e imaginación conforman una fórmula de futuro. Otra de las señas de identidad de esta casa son los precios comedidos, aquí se apuesta por ir hacia delante con paso firme, discurriendo por un sendero claramente renovador. En resumen, un recomendable restaurante gourmand, instalado por méritos propios en la división de honor de la gastronomía de Las Palmas.

MINOTAURO'S SPECIALITIES

Market cookery, traditional and modern
The à la carte menu changes according to seasons
Recommendations of the day
Business luncheon menu, Monday to Friday: 12 €
Early figs with cured ham and balsamic cream
Hummus and tabouleh
White bean stew with clams
Lentils Hindu style
Left over of octopus and prawns
Meat specialities:
Tartar steak, fillet steak Minotauro, cuts of Iberian pork
Fresh fish according to the market offer
Tatin tart with vanilla ice cream
Chocolate delights
Fresh fruit sorbets

Minotauro

Localidad: Las Palmas de Gran Canaria (35001)
Dirección: C/ Mendizábal, 19 (Vegueta)
Teléfonos: 928 332 670 – 610 713 154
Parking: Dos aparcamientos públicos al lado.
Propietario: Iván Vera.
Días de cierre y vacaciones: Cerrado domingos. Vacaciones: 2ª y 3ª semana de agosto.
Decoración: Local intimista distribuido en dos comedores. Armoniza estilo rústico y diseño contemporáneo con materiales nobles.
Ambiente: Al mediodía, frecuentado por profesionales y gentes de empresa, más informal por la noche.
Bodega: Buscando la mejor relación calidad-precio.
Hombres y nombres: Director y Maitre: Iván Vera.
Otros datos de interés: Posibilidad de menú degustación a partir de 4 comensales: alrededor de 30 € por persona (todo incluido) y menús-maridaje. Capacidad reducida, sólo 40 comensales, se aconseja reservar mesa. Barra para aperitivos y comidas ligeras.
Tarjetas: Todas excepto American Express.

ESPECIALIDADES MINOTAURO

Cocina de mercado
Combina tradición y modernidad
La carta cambia por temporadas
Sugerencias del día
Menú Ejecutivo, lunes a viernes mediodía: 12 €
Brevas con ibérico y crema balsámica
Plato libanés
Pochas con almejas
Lentejas hindúes
Ropa vieja de pulpo y langostino
Amplia variedad de carnes:
steak tartar, solomillo Minotauro, delicias ibéricas (presa, pluma)
Pescados del día según lonja
Tarta tatin con helado de vainilla
Delicias de chocolates
Sorbetes de frutas naturales

El Refugio

Hotel rural con encanto

Serán suficientes unos minutos para que el penetrante aroma de los pinos que nos rodean, permitan darse cuenta de que la civilización quedó atrás. Humos, ruidos, cemento y estrés serán tan solo un mal recuerdo y la realidad, la más sana realidad es la que puede alcanzar su vista.

Hablamos por supuesto del enclave turístico donde está situado el Hotel "EL REFUGIO", no sólo un establecimiento hotelero, sino un concepto alternativo de alojamiento turístico que integra a las personas con la naturaleza, identificando a los visitantes con un entorno que invita decididamente a disfrutar de la vida.

El Hotel "EL REFUGIO" se encuentra situado entre los municipios de Tejeda y San Mateo, un precioso entorno natural que conserva íntegras las antiguas costumbres y actividades tradicionales de los habitantes del interior de la isla de Gran Canaria. Gentes hospitalarias, amables, deseosas de compartir con el visitante su gastronomía, su historia, sus tradiciones y su artesanía, serán sus anfitriones. Desde el Hotel "EL REFUGIO" y a escasos minutos podrá integrarse en la placentera vida rural, pasear, recorrer los múltiples "Caminos Reales" que atraviesan sus paisajes, en definitiva disfrutar de la naturaleza en su estado más puro.

Turismo verde

Roque Nublo, Bentayga y El Fraile:

Acceso a pie, libre. El gran escritor español Unamuno definió esta zona de la isla, situada en el mismo centro geográfico, como "Tempestad Petrificada". La impresionante vista que configuran estos Roques encadenados sobrecogen al visitante por su belleza.

Caminos Reales.

Vías naturales acondicionadas para el turismo rural. Abarcan los lugares de mayor interés de la zona.

Bosques de pinos canarios.

Admire el majestuoso Pino Canario en bosques de inusitada belleza, con paradas especiales y miradores fotográficos.

Tejeda y San Mateo.

Estos pueblos ofrecen el carácter pintoresco de sus casas, de sus gentes y de sus tradiciones.

Fiesta del almendro en flor.

Media isla se da cita para cumplir con el rito, mitad pagano mitad religioso, de felicitarse por la llegada de la primavera. Si puede no debe perdérselo.

Turismo gastronómico

Excelentes muestras de la rica y variada cocina canaria que podrán degustar en su auténtico entorno y de las manos más expertas en el RESTAURANTE EL REFUGIO.

EL REFUGIO'S SPECIALITIES

Regional and local Canarian cookery

Canarian gastronomic menus for everybody's taste

Suckling lamb

Goat kid

Fried rabbit in spicy marinade

"Spoon" dishes (soups, hot pots)

Home-made desserts

Hotel Rural El Refugio

Localidad: Cruz de Tejeda (35.328 Gran Canaria)
Teléfonos: 928 666 513 928 666 188 Fax. 928 666 520
E-mail: info@hotelruralelrefugio.com
www.hotelruralelrefugio.com
Parking: Fácil aparcamiento (y aparcamiento propio para el hotel)
Propietario: Glofert S.L.
Días de cierre y vacaciones: Abierto todo el año.
Decoración: Un caserío al más puro estilo canario integrado en la naturaleza.
Ambiente: Encantador y romántico. Ideal para amantes de la naturaleza.
Bodega: Amplia y muy seleccionada. Predominan los vinos canarios, Ribera del Duero y Rioja.
Hombres y nombres: Gerente: Gloria de la Vega
Otros datos de interés: Situación privilegiada en el corazón de la isla de Gran Canaria. Punto de partida para senderistas. Cuenta con diez confortables habitaciones dobles equipadas con un exclusivo mobiliario artesanal, piscina,jardines, terraza y el restaurante oficial del Parque Natural Roque Nublo (50 años de trayectoria). Cinco comedores, capacidad total hasta 400 personas. Posibilidad de banquetes, bodas, comidas de empresa y celebraciones.
Tarjetas: Todas.

ESPECIALIDADES EL REFUGIO

Cocina regional canaria y de la zona

Menús degustación canarios para todos los apetitos

Cordero lechal

Cabrito

Conejo en salmorejo

Platos de cuchara

Postres caseros

Receta El Senador

Zarzuela de pescados y mariscos

Ingredientes para 4 personas: 1/2 kg. de merluza, 1/2 kg. de rape, 1/2 kg. de cherne, 2 piezas de calamares, 200 gr. de almejas, 400 gr. de mejillones, 4 piezas de langostinos, tomates, cebollas, ajos, sal, aceite, especies, pimientos rojos, pimienta, harina, fumé de pescado, etc.

Preparación: Con estos componentes básicos, prepararemos una marinera muy suave, añadiéndole un poco más de tomate natural.

Se pasa por harina el resto del pescado y marisco, lo colocaremos en un recipiente amplio y después de dorarlo, se flambea con un poquito de coñac y todo esto con muy poco tiempo de cocción le añadimos la salsa anterior para dejar unos minutos en el horno, hasta conseguir nuestro objetivo, decorar al gusto.

EL SENADOR'S SPECIALITIES

Specialities of the sea and international cookery
Fresh Canarian fish and fish from the Cantabrian sea
Rice pot with lobster or seafood
Paellas
Fish and seafood casserole
Spiny lobster casserole as in Menorca
Fresh meat
Lamb cutlets
Rib of beef
Roast lamb Segovian style
Dessert assortment
Homemade Catalonian crème brûlée

CANARIAS

El Senador

Localidad: Playa de Maspalomas (35100 Gran Canaria).
Dirección: Paseo del Faro, s/nº.
Teléfonos: 928 140 496 y 928 142 068
Propietario: Teodoro Garcia Gómez.
Días de cierre y vacaciones: Abierto cada día del año.
Decoración: Marinera. Elegante: maderas nobles y objetos náuticos.
Ambiente: Distendido por el día, más formal por la noche.
Bodega: Buena selección de caldos de la Rioja Alta y de la Ribera del Duero. Atesora algunas joyas: Vega Sicilia, ...
Hombres y nombres: Jefe de cocina: Manuel Piñeiro.
Otros datos de interés: Impresionantes instalaciones en primera linea de la incomparable playa de Maspalomas. El lugar ideal para disfrutar de un día junto al mar: hamacas para tomar el sol, bar de playa para tomar aperitivos, solarium, acceso directo a la playa y gran terraza. El restaurante EL SENADOR ofrece una carta completa con géneros de calidad y un servicio eficiente, una visita ineludible en el sur de Gran Canaria.
Tarjetas: Visa, Mastercard, Eurocard, Caja Canarias y American Express.

ESPECIALIDADES EL SENADOR

Cocina marinera e internacional
Pescados del país y del Cantábrico en todas sus preparaciones
Arroz con bogavante o a la marinera
Paellas
Zarzuela
Caldereta de langosta al estilo de Menorca
Carnes frescas
Chuletillas de cordero lechal
Chuletón de añojo
Cordero hecho al horno estilo segoviano
Surtido de postres
Crema catalana de la casa

El Gaucho

Para carnívoros en el sur grancanario

Cuando en marzo del año 2000 el empresario asturiano Julio Blanco decidió inaugurar El Gaucho, combinó con acierto dos ideas: construir un asador al estilo de los legendarios Txistu y Asador Donostiarra de Madrid y traerse a Gran Canaria en exclusiva **las mejores carnes asturianas** para asarlas a las brasas de aromáticas maderas y carbón.

Desde entonces, El Gaucho es un referente de la buena mesa del sur grancanario, un restaurante que deja huella y sorprende desde la primera visita. Su decoración, desprende un halo de misterio y romanticismo que lo convierte en especialmente acogedor, con techos abovedados de ladrillo, realzados por delicadas cascadas de pequeñas lucecitas, vidrieras con motivos religiosos e imágenes de angelitos, vírgenes y santos que le confieren un aire barroco que eleva el espíritu.

Algo de especial tendrá este restaurante cuando tanto el público local como los muchos famosos que pasan por la isla se quedan prendados de él y repiten la visita cada vez que pueden. De hecho, la casa guarda como un tesoro dos grandes libros de honor donde se pueden ver fotos y cariñosas dedicatorias recordando los buenos momentos vividos aquí por actores, cantantes y artistas nacionales e internacionales. También es frecuente ver a políticos e importantes empresarios. Todos saben que en El Gaucho se come de lujo.

Bajo la misma dirección:
CAFE L'OPERA.
Cafetería, Pastelería, Coctelería,
Pizzas y música en vivo.
Centro Comercial Plaza.
Playa del Inglés. **T. 928 730 057**

EL GAUCHO'S SPECIALITIES

Argentinian meat grilled on the wood-fired barbecue
Flambé specialities
American ribs with smoky sauce
(American barbecue sauce, dietetic, without fat or cholesterol, with smoke scent)
Fillet steak of Asturian beef
Paprika-flavoured chorizo sausage in cider sauce
Blue-veined cheese from Cabrales in cider
Roasted peppers with garlic
Barbecued blood & rice sausage
Sirloin steak or churrasco of Asturian beef
Rib of beef steak
Grilled meat assortment for 2 persons (our recommendation)
King-size prawns in champagne or in whisky sauce
Sole in white wine sauce
18 different desserts, all home-made

El Gaucho

Localidad: Playa del Inglés (35.100 Gran Canaria)
Dirección: Centro Comercial Metro (a espaldas del Templo Ecuménico)
Teléfonos: 928 778 215
Parking: Fácil aparcamiento
Propietario: Julio Blanco
Días de cierre y vacaciones: Solo cenas, abierto desde las 18h a 24h cada día del año.
Decoración: Castellano-manchega, muy personal y exuberante con reminiscencias góticas, incluyendo un altar dedicado a la Virgen de Covadonga, arreglos florales y elegantes vitrales.
Ambiente: Restaurante muy concurrido, público selecto y variado.
Bodega: Muy amplia. Selección de primeras marcas y las mejores añadas
Hombres y nombres: Dirección: José Guedez, Diego Mora y Manuel Valls.
Otros datos de interés: La satisfacción del cliente es la primera preocupación de esta casa. Techos totalmente corredizos para cenas debajo las estrellas en verano. Actuaciones en vivo (bossanova, tango, folklore y todo tipo de música).
Capacidad hasta 200 personas.
Tarjetas: Todas

ESPECIALIDADES EL GAUCHO

Carnes argentinas al grill (brasa de leña)
Carnes flambeadas
Costillas americanas con salsa de humo
(salsa barbacoa americana, dietética, sin grasa ni colesterol, con olor a humo)
Solomillo asturiano
Chorizos a la sidra
Queso de cabrales a la sidra
Pimientos asados al ajillo
Morcilla de arroz a la brasa
Entrecot o churrasco asturiano
Chuletón
Parrillada para dos personas (recomendada)
Langostinos al champán o al whisky
Lenguado al vino blanco
18 variedades de postres, todos de elaboración propia

Receta El Poncho

Filet Mignon

Ingredientes: 8 trozos de filetes (1/2 filete cada uno), 8 tiras de tocino, 3 dientes de ajo, 1 cucharada de cebolla picada, 1 cucharadita de salsa inglesa, sal y pimienta.

Elaboración: Cortar los trozos de carne un poco gruesos, rodearlos con una tira de tocino y detener con un palillo. Untarlos con los ajos exprimidos, la cebolla picada y la salsa inglesa. Dejar así en la nevera con algunas horas de anticipación.

En una cacerola caliente agregar un poco de margarina y una cucharada de aceite para freír los filetes ya listos. Una vez dorados de un lado, condimentar con sal y pimienta. Hacer lo mismo con el otro lado. Levantar un poco los filetes con dos cucharas para cocinar bien el tocino y no cocinar demasiado la carne para que no se endurezca. Estos filetes, así como todos los de vacuno, deben quedar rosados por dentro y dorados por fuera.

EL PONCHO'S SPECIALITIES

Specialities from the charcoal-fired barbecue
Fresh Spanish and Argentinian meat
Smoked salmon rolls with shrimp filling
Grilled provolone cheese with olive oil and oregano
Monkfish & prawn kebab with American sauce
Shallow-fried sea bass with fried garlic and a dash of vinegar
Grilled meat assortment
Roast shoulder of sucking lamb
Rack of lamb
Chateaubriand
Filets mignons
Rib steak of beef
Fillet steak in green pepper sauce

El Poncho

Localidad: Playa del Inglés (35100 Gran Canaria)
Dirección: Avda. de Tirajana, 14 (esquina Hotel Rey Carlos)
Teléfonos: 928 760 910 Fax: 928 776 384
www.elponcho-grancanaria.com
Parking: Fácil aparcamiento
Propietario: Grill El Poncho, s.l.
Días de cierre y vacaciones: Abierto cada día de 13 h. a 24 h., cocina ininterrumpida.
Decoración: Rústica, al estilo de la Pampa.
Ambiente: Cosmopolita. Servicio esmerado.
Bodega: Muy completa, vinos canarios y españoles.
Hombres y nombres: Jefe de cocina: David Mena Cabrera. Maître: Francisco Martínez Miguele.
Otros datos de interés: Magníficas instalaciones totalmente climatizadas, capacidad hasta 170 personas. Dos salones en dos alturas (fumadores y no fumadores), terraza de verano y elegante barra para aperitivos. Cenas amenizadas por un dúo del Paraguay.
Tarjetas: Todas, excepto American Express.

ESPECIALIDADES EL PONCHO

Grill-asador al carbón hecho de leña del bosque
Carnes frescas españolas y argentinas
Rollitos de salmón ahumado rellenos de gambas
Queso provolone a la parrilla con aceite de oliva y orégano
Brocheta de rape y langostinos con salsa americana
Lubina a la espalda
Parrillada de carnes
Paletilla de cordero lechal
Carré de cordero
Chateaubriand
Filet Mignon
Chuletón de buey
Solomillo a la pimienta verde

Sol Barbacán

Apartamentos y bungalows

Situación: De los cientos de hoteles, apartamentos y bungalows en el área turística de Gran Canaria, **Barbacán fue el primero en obtener el sello Q,** en marzo de 2005. Este moderno complejo de apartamentos y bungalows, está situado junto al centro turístico y comercial de la Playa del Inglés, a 6,5 kms. de la playa de Maspalomas y a 30 kms. del aeropuerto.
Acomodación: 57 bungalows que constan de 1 ó 2 habitaciones todos con amplio baño, salón con cocina americana, nevera, cocina eléctrica, cafetera, teléfono con línea directa, TV, terraza, jardines y solarium privado. 93 apartamentos que constan de 1 ó 2 habitaciones todos con baño, amplio salón con cocina americana, nevera, cocina eléctrica, cafetera, teléfono con línea directa, TV y espacioso balcón con vistas.
Gastronomía: Bufé de desayuno y cena. Amplio restaurante a la carta "El Portalón". Cocktail bar "Don Fernando". Grill Barbacoa. Bar piscina con servicio de snacks durante el almuerzo.
Servicios y facilidades: Tres piscinas exteriores, dos de ellas climatizadas y una para niños. Jacuzzi. Salón social y sala de T.V.
Supermercado con prensa diaria. Aire acondicionado en las zonas públicas. Parking.
Servicio de lavandería.
Deportes y entretenimientos: 2 pistas de tenis con césped artificial e iluminación. Ping-pong. Volleyball. Billar. Salón de animación. Mini-club. Zona de juegos para niños y adultos (petanca, tiro con arco, carabina) además de la organización de shows, concursos, juegos, mini disco a cargo de un profesional equipo de animadores.

Reservas: www.barbacan.es

EL PORTALÓN'S SPECIALITIES

Salad of bonito (tuna fish) and sweet peppers with horseradish vinaigrette

Seasonal vegetable assortment, sautéed "al dente"

Sea-bass baked in a salt crust

Bacalao (salt-cod) "Club Ranero"

Fillet steak in a Rioja-red-wine sauce

Duck à l'orange

Crêpes Suzette

Sorbets of tropical fruits

El Portalón

Localidad: Playa del Inglés (35100 Gran Canaria)
Dirección: Avda. de Tirajana, 27 (planta de calle SOL BARBACÁN)
Teléfonos: 928 772 030 - 928 772 130 - Fax: 928 761 852
www.barbacan.es
Parking: Propio.
Propietario: BARBACÁN, S.A.
Días de cierre y vacaciones: Abierto todo el año.
Decoración: Local moderno y espacioso, tonos suaves.
Ambiente: Distendido.
Bodega: Vinos catalanes, de La Rioja y de la Ribera del Duero principalmente.
Hombres y nombres: Chef de cocina: José Cruz Sainz; Maitre: José Pareja García.
Otros datos de interés: Agradable terraza para cenas en verano. Instalaciones totalmente actualizadas: restaurante, apartamentos y bungalows.
Tarjetas: American Express, Visa, Diner's.

ESPECIALIDADES EL PORTALÓN

Ensalada de bonito con pimientos naturales a la vinagreta de rábano

Menestra de verduras de temporada rebozada y salteada al dente

Lubina a la sal

Bacalao Club Ranero

Solomillo al vino de Rioja

Pato a la naranja

Crepes Suzette

Sorbetes de frutas tropicales

Receta Anno Domini

Mejillones gratinados a la provenzal

Ingredientes para 4 personas: 8 mejillones frescos y bien llenos por persona, 300 gr de mantequilla, 30 gr. de ajos y 15 gr. de chalotas (peso pelados), 1 manojo de perejil, sal, pimienta, Pernod (facultativo) y pan rallado.

Elaboración: Dejar que la mantequilla se ablandezca, a temperatura ambiente. Durante este tiempo, pelar chalotas y ajos (dejar un tiempo en agua, se pelarán más fácilmente) y picarlos muy finamente. Picar también el perejil.

Con una espátula de plástico mezclar la mantequilla en pomada, añadiendo sal y pimienta.

Es importante probar antes de añadir los ajos ya que luego no se percibiría el punto de sal.

Añadir ajos, chalotas y perejil, mezclar de forma homogénea. Incorporar un poco de Pernod para dar el toque especial de la casa. Reservar.

Lavar los mejillones quitando las incrustaciones en las conchas. Disponerlos en una sartén ancha con poco agua (para que no se peguen al principio) a fuego mediano, con una tapa.

Cuando hierva, quitar los mejillones uno por uno conforme se van abriendo, desechando los que no se abren (prever más de la cuenta).

Tirar la media concha que no hace falta y el biso de cada mejillón (filamento con el cual se fijan a las rocas). Recubrir los mejillones con la mantequilla de ajo, disponerlos en una cazuela o fuente, espolvorear con pan rallado y gratinar. Servir con baguette.

Los mejillones bien cubiertos de mantequilla se pueden perfectamente congelar, teniendo en cuenta que habrá que dejarlos más tiempo en el horno para descongelar, antes de gratinar.

ANNO DOMINI'S SPECIALITIES

French & Italian cuisine with flavourful and light sauce
Lobster bisque
Pan-fried foie gras of duck with boletus mushrooms, pine nuts, quail eggs and cherry tomatoes
Green asparagus tips with strips and sauce of smoked salmon
Pan-fried foie gras of duck on a layer of confit apples and flaky pastry with sauce of sweet Pedro Ximénez sherry
Snails à la Bourguignonne
Tagliatelle in cream sauce with boletus mushrooms and truffles
Potpourri of the sea in dill sauce
Sea bass in mustard seed sauce or with Maldon salt and basil oil
Lamb's sweetbreads in morel sauce
Duck specialities (à l'orange, magret, confit)
Roast rack of lamb with thyme
Thin veal slices in Marsala or mushroom sauce
Tournedos with pan-fried foie gras and port sauce with truffles
Home-made Tatin tart with vanilla ice cream
Mango sorbet with raspberry coulis and mango slices

Anno Domini

Localidad: San Agustín (35.100 Maspalomas-Gran Canaria)

Dirección: Centro comercial San Agustín (Planta 2. Locales 82-85).

Teléfonos: 928 762 915 www.restaurantannodomini.com

Parking: Fácil.

Propietario: Jacques Truyol.

Días de cierre y vacaciones: Abierto cada día del 1° de octubre hasta 30 de abril y agosto (excepto domingos de agosto y octubre). Sólo cenas de 18.30 h a 23.30 h.

Decoración: Tipo bistrot francés.

Ambiente: Clase media alta y gastrónomos.

Bodega: Vinos españoles y selección de vinos franceses e italianos.

Hombres y nombres: Jefe de cocina, Jacques Truyol (el propietario).

Otros datos de interés: Servicio en terraza. Aire acondicionado. Terraza-salón para fumadores. Restaurante con 20 años de tradición.

Tarjetas: American Express, Visa, Diner's, Mastercard, Tarjeta 6000.

ESPECIALIDADES ANNO DOMINI

Especialidades francesas e italianas con salsas sabrosas y ligeras
Bisque de langosta
Ensalada con foie de pato a la plancha, boletus edulis, piñones, huevos de codorniz y tomates cherry
Puntas de espárragos verdes con salsa y tiras de salmón ahumado
Foie de pato a la plancha sobre manzanas confitadas y hojaldre con salsa al P.X.
Caracoles a la bourguignonne
Tallarines en salsa de nata con boletus edulis y trufas
Popurrí del mar al eneldo
Lubina a la mostaza antigua o con sal Maldon y aceite virgen de albahaca
Mollejas de cordero con salsa de colmenillas
Especialidades en pato (a la naranja, magret, confit)
Carré de cordero asado al tomillo
Escalopines de ternera lechal al marsala o con salsa de champiñones
Tournedos con foie de pato a la plancha y salsa de oporto con trufas
Tarta Tatin casera con helado de vainilla
Sorbete de mango con coulis de frambuesas y abanico de mango

Receta Jardín de Tacoronte

Lomito de rape confitado con jamón ibérico sobre falso risotto de trigo y hongos frescos

Ingredientes: 1 rape de 4/5 kg, 5 lonchas de jamón ibérico, hongos frescos, 1/2 kg. de trigo vaporizado, aceite de oliva, sal maldón, cebolleta, puerro, nata para cocinar, parmesano rallado y brotes frescos.

Para el rape:

Limpiar el rape de piel y espinas. Separar los lomos y albardar con el jamón ibérico. En un calderito disponer el aceite de oliva y poner a confitar el rape.

Para el risotto:

En un caldero colocar la cebolleta y el puerro troceado. Rehogar hasta dorarlo. Añadir los hongos y el trigo. A continuación, echar medio litro de agua y cocer el trigo. Cuando se haya consumido el agua, agregar un chorrito de nata y rallar el parmesano. Dejar reposar el risotto.

Emplatado: Para terminar colocar en un plato hondo el risotto, trocear el rape y ponerlo encima del risotto. Culminar el plato con un poco de sal maldón y unos brotes frescos.

JARDIN DE TACORONTE'S SPECIALITIES

Creative cookery elaborated with fresh seasonal produce, without forgetting the tradition and the Canarian cookery

A different à la carte menu for each season

The Chef's recommendations

Salad of tender vegetable sprouts with air-dried duck breast and winter fruits

Lasagne of aubergine and cheese from El Hierro Island with honey sauce and foie gras shavings

Grouper from our coast with red pesto, squids and creamy "black" potatoes

Tournedos of gently-cooked monkfish with cured ham on a mock risotto of wheat and porcini

Layered slice of neck-end of Iberian pork with caramelized spring onions and quince jelly

Roast loin of beef on a watercress purée with mushroom ravioli

Domino of Oreo cookies and Baileys

Tea in different textures (sponge, sorbet and crisp flake)

Jardín de Tacoronte

Localidad: Santa Cruz de Tenerife (38.005)
Dirección: Avda 3 de Mayo (esquina Aurea Díaz Flores)
Hotel Silken Atlántida Santa Cruz ****
Teléfonos: 922 294 500 Fax. 922 224 458
E-mail:hotelatlantida.sc@hoteles-silken.com
Parking: Propio del hotel.
Propietario: Hoteles Silken.
Días de cierre y vacaciones: Abierto cada día para almuerzos y cenas.
Decoración: Moderna, elegante y confortable.
Ambiente: Negocios principalmente además de reuniones y celebraciones.
Bodega: Vinos canarios y completa selección de bodegas y D.O.
Hombres y nombres: Maitre: Luz García. Jefe de cocina: Bruno Lorenzo
Otros datos de interés: La nueva referencia gastronómica en Santa Cruz de Tenerife. La filosofía es ofrecer la mejor calidad y un impecable servicio a los clientes. Dos plantas con siete salones privados modulables (capacidad desde 10 hasta 350 personas).
Tarjetas: Todas

ESPECIALIDADES JARDÍN DE TACORONTE

Cocina de autor con productos frescos y de temporada
sin olvidar la tradición y la cocina canaria
Una carta en cada estación
Sugerencias del chef
Ensalada de brotes tiernos con jamón de pato y frutos de invierno
Lasaña de berenjena y queso herreño con salsa de miel y virutas de foie
Abade de la isla con pesto rojo, calamares y cremoso de papa negra
Solomillo de rape confitado con su jamón ibérico
sobre falso risotto de trigo y boletus
Milhoja de presa ibérica con cebolletas caramelizadas y migas de membrillo
Lomo de ternera lechal asado sobre puré de berros y ravioli de setas
Dominó de galleta Oreo y Baileys
Texturas del té (bizcocho, sorbete y crujiente)

Receta El Coto de Antonio

Lomos de vieja al cilantro

Ingredientes: 4 viejas de unos 400 gr., 1 tomate pequeño maduro, 1 bubango (calabacín) pequeño muy tierno, unas ramitas de cilantro a punto de florecer, aceite de oliva y sal gruesa.

Elaboración: Limpiar las viejas y, desprovistas de piel y tripas, elaborar en lomos. Salpimentar y untarlos ligeramente de aceite de oliva.
En una placa de horno preparar un colchón de sal gruesa y colocar los lomos, llevándolos al horno 10 minutos aproximadamente. Cortar el bubango en juliana, el tomate, sin piel ni pepitas, en dados y el cilantro muy fino, fondeándolo todo ligeramente en una sartén con un poco de aceite de oliva.

Emplatado: Sacar los lomos del horno y colocar en el plato, vertiendo sobre ellos el contenido de la sartén. Se recomienda como guarnición papas negras arrugadas.

EL COTO DE ANTONIO'S SPECIALITIES

The genuine Canarian cookery

Summer and winter à la carte menus

Foie gras mi-cuit of duck with leek crisps and green-tomato preserve

Lobster salad with "black" potatoes

Fillet of stone bass on mojo sauce with sweet potato

Baked dentex bream with boulangère potatoes

Tuna steak with tomato and basil

Goat kid in sauce of sweet Malvasía wine

Tartar steak

Prince Albert

Fig parfait with warm chocolate sauce

El Coto de Antonio

Localidad: Santa Cruz de Tenerife (38006)
Dirección: C/ Del Perdón, 13 (antigua General Goded). Cerca Plaza de Toros
Teléfonos: 922 272 105. Fax: 922 151 037
Parking: En las inmediaciones.
Propietario: Antonio García Hernández y Carlos Padrón.
Días de cierre y vacaciones: Abierto cada día del año, excepto domingos noche.
Decoración: Elegantes instalaciones en constante actualización.
Ambiente: Este restaurante clásico es la referencia en Santa Cruz.
Bodega: Amplia carta con 200 etiquetas. Vinos canarios, españoles y del mundo.
Hombres y nombres: Jefe de cocina: Antonio García. Maitre: Carlos Padrón.
Otros datos de interés: Este afamado restaurante ostenta casi 30 años de andadura en la capital tinerfeña, es uno de los más frecuentados de Tenerife por su nivel de calidad y servicio. Dos salones privados con capacidad para 10 y 20 comensales. Distinguido con un sol en la Guía Repsol.
Tarjetas: Todas.

ESPECIALIDADES EL COTO DE ANTONIO

La auténtica cocina canaria

Carta de verano y carta de invierno

Micuit de pato con crujiente de puerros y compota de tomate verde

Ensalada de langosta con papas negras

Filete de cherne sobre mojo hervido y batata

Sama al horno con papas panaderas

Solomillo de atún con tomate y albahaca

Cabrito al vino dulce de Malvasía

Steak tartar

Príncipe Alberto

Biscuit de higos con chocolate caliente

Receta El Gusto por el Vino

Tartar de Arenque

Ingredientes para 4 personas: 4 arenques salados, 4 cebollas blancas, 1 vaso de azúcar (3 dl), 1 cucharada de pimienta, zumo y ralladura de 2 naranjas, 2 ramos de canela, 4 cardamomos abiertos, 6 granos de pimienta enteros, 1 cucharada de granos de mostaza, 2 hojas de laurel, 1 vaso de vinagre (2 dl), 2 vasos de agua fría (4 dl) y 2 dl de vino Oporto.

Elaboración: Dejar los arenques en agua de una a dos horas; sacarlos y filetearlos. Cortarlos en tiras de 1,5 cm. Cortar las cebollas en aros finos. Mezclar las especias, las cebollas y el arenque. Mezclar en un tazón el vinagre, el azúcar y el agua, revolviendo hasta que se haya disuelto el azúcar.

Marinado: Meter la preparación de arenques en un tarro grande de boca ancha, esterilizado y con tapa, verter el preparado de vinagre hasta cubrir los arenques y dejarlo reposar al menos unas horas (preferiblemente al menos un día).

Para el tartar: Cortar los arenques con un cuchillo bien afilado en daditos pequeños. Mezclar con cebolla roja en corte fino también y alcaparras picadas. Servir una generosa porción sobre tosta de pan de centeno y mantequilla con sal.

El cocinero estima que el acompañamiento ideal es con un champán Bollinger Special Cuvée, bien frío, así como con cerveza o akvavit (destilado de papa danés).

SPECIALITIES OF EL GUSTO POR EL VINO

Creative and market cookery with a Scandinavian touch
Recommendations according to the market offer
Tasting menu, renewed every week: 38 € without drinks
Tartare of marinated herrings
Smoked trout salad with wasabi cream
Chunk of fresh smoked salmon
Stone bass with young vegetables and soy
Danish meat cuts: rib steak of beef and entrecote steak
Gently-roasted sucking pig
Tiramisù "2025"
Chocolate gateau
Mango foam
Sorbet of Cuban mojito

El Gusto por el Vino

Localidad: Santa Cruz de Tenerife (38001)
Dirección: C/ Emilio Calzadilla, 6
Teléfonos: 922 277 110. Fax: 922 291 615
E-mail: restaurante@elgustoporelvino.com
www.elgustoporelvino.com
Parking: Aparcamiento público al lado en Plaza de España.
Días de cierre y vacaciones: Cerrado domingos. Vacaciones en agosto.
Decoración: Elegantes instalaciones de estilo moderno.
Ambiente: La novedad gastronómica en la capital tinerfeña.
Bodega: Completísima, 800/900 referencias de vinos y 200 destilados. Una de las mejores bodegas de España. "Grands Crus" de Francia, vinos de Italia, Chile, Argentina, California, Nueva Zelanda...Selección de vinos dulces y whiskies de Malta. Surtido de aceites vírgenes.
Hombres y nombres: Jefe de cocina: Danny Nielsen. Maitre y sumiller: Chema Vicente Cardo.
Otros datos de interés: Abierto en noviembre 2009, ha sido galardonado con un Sol en la Guía Repsol. Bajo la misma dirección, **Vinoteca El Gusto por el Vino.** C/ San Sebastián, 55. T. 922 822 890, también en Santa Cruz de Tenerife.
Tarjetas: Todas.

ESPECIALIDADES EL GUSTO POR EL VINO

Cocina creativa y de mercado con toques nórdicos
Sugerencias según mercado
Menú Degustación, cambia cada semana: 38 €, bodega aparte
Tartar de arenques marinados
Ensalada de trucha ahumada con crema de wasabi
Taco de salmón fresco ahumado en caliente
Cherne con verduritas y soja
Carnes danesas: chuletón y entrecot
Cochinillo confitado
Tiramisú "2025"
Pastel de chocolate
Espuma de mango
Sorbete de mojito cubano

Placeres

Un lugar para sibaritas

Pablo Patrón, nacido en agosto 1982 en Uruguay, es un personaje carismático y un cocinero vocacional. Estudió Técnico en Gastronomía y Hostelería en la Escuela I.T.H.G.H. de Montevideo. Una vez finalizados sus estudios se trasladó a España para cursar el postgrado de cocina en Salamanca. Posteriormente, viajó a Tenerife para trabajar en el Hotel Golf del Sur. Después, salta de nuevo el charco para establecerse en Miami, South Beach, como jefe de partida en el restaurante "Anacapri On The Mile". Transcurrido un año, regresa a Tenerife para oficiar durante dos años en el restaurante Los Roques.

Tras esta intensa etapa académica y acumular experiencia profesional, decide abrir su propio restaurante en febrero 2010. El pueblo pesquero de Los Abrigos es el idílico escenario elegido por Pablo Patrón. Frente a su muelle, Placeres es un moderno espacio donde destaca su coqueta terraza con excepcionales vistas al Golf del Sur y al infinito Océano Atlántico.

Pablo Patrón continúa en constante formación. Su cocina promociona el producto canario. El pescado y marisco, traído diariamente desde el cercano puerto, comparte protagonismo con una culinaria de mercado actualizada. Como su propio nombre indica, el restaurante alaba y potencia los placeres de la vida: buena cocina, vinos escogidos, destilados Premium para hacer más eufórica la estancia y un servicio atento y personalizado, diligente para satisfacer los deseos de la clientela. Desde su apertura, este restaurante dirigido a un amplio espectro de público, ha gozado de la aceptación de sus visitantes aportando un soplo de aire fresco e innovador al panorama gastronómico de la zona.

PLACERES' SPECIALITIES

Updated market cookery
The à la carte menu changes every six weeks
Half portions can be served
Tasting menu 40 € wine included
Recommendations of the day
Tempura-fried prawns with seaweed salad and teriyaki sauce
Scallops tossed in butter with oyster mushrooms, onion and tomato vinaigrette
Salmon with asparagus
Steamed gilthead bream with prawn filling
Duck magret, red berry sauce and seasonal vegetables
Neck-end of Iberian pork, palm tree syrup and potatoes
Chocolate fondant
Tiramisù of figs

Placeres

Localidad: Los Abrigos (38618 Tenerife)
Dirección: C/ La Marina, 28
Teléfonos: 922 749 191
E-mail: pablo@restauranteplaceres.com
www.restauranteplaceres.com
Parking: Aparcamiento a tres minutos.
Propietario: Pablo Patrón.
Días de cierre y vacaciones: Cerrado domingos. Cocina ininterrumpida de 13 h. a 22.30 h.
Decoración: Íntimo y elegante comedor de diseño contemporáneo. Recoleta terraza frente al mar.
Ambiente: Música ambiental seleccionada y música en vivo con eventos temáticos: mariachi, canario, flamenco, tango, variètè française...
Bodega: Carta de vinos seleccionada para disfrutar de esta gastronomía.
Hombres y nombres: Pablo Patrón supervisa la cocina y la sala.
Otros datos de interés: Frente al Muelle de Los Abrigos, el pueblo pesquero por excelencia del sur de Tenerife, un restaurante diferente en cuanto a cocina y ambientación relajante. Posibilidad de eventos a partir de 70 personas en bodegas de Tenerife.
Tarjetas: Todas.

ESPECIALIDADES PLACERES

Cocina de mercado actualizada
La carta cambia cada seis semanas
Posibilidad de medias raciones
Menú Degustación diario: 40 €, todo incluido
Sugerencias del día
Gambas en tempura con ensalada de algas y salsa teriyaki
Vieiras salteadas en mantequilla, setas, cebolla y vinagreta de tomate
Filete de salmón y espárragos
Dorada al vapor rellena de langostinos
Magret de pato, salsa de frutos rojos y verduras de temporada
Presa ibérica, miel de palma y salteado de papas
Fondant de chocolate
Tiramisú de higos

El Lajar de Bello

Fiel a su estilo

El restaurante El Lajar de Bello se trasladó en agosto 2010 a su nuevo emplazamiento en el barrio aronero de La Camella. Aquí, continua fiel a su concepto culinario que le aportó gran éxito en su anterior local en la zona de Las Zocas: acertada combinación de recetario canario e internacional realzada por trazos frescos y creativos.

En los fogones se han unido la larga experiencia hostelera de Alejandro Bello con la solvencia profesional de Samuel Hernández, que proviene de una de las más reconocidas escuelas de cocina de Tenerife. Juntos, constituyen un dúo de cocineros de inagotables versiones culinarias donde prima la sencillez y el gusto por materias primas de primera división elaboradas con un toque de modernidad y atractivo visual.

Su nueva ubicación permite disfrutar de un espacio más confortable y funcional, de diferentes ambientes, apto también para todo tipo de banquetes o celebraciones. En la entrada, una elegante barra en madera maciza recibe al comensal. Toda clase de bebidas espirituosas de rotación diaria además de los imprescindibles quesos y el jamón de bellota harán la eventual espera más placentera. Cerca de la barra, el salón principal con capacidad para 75 personas cómodamente sentadas con suficiente privacidad entre mesa y mesa. Las instalaciones se completan con dos reservados para 25 y 10 comensales.

EL LAJAR DE BELLO'S SPECIALITIES

Canarian, Spanish and market cookery
The à la carte menu changes twice a year
Russian salad with "black" potatoes from Tenerife
Salad of dried fish, limpets and "black" potatoes
Fried octopus with almonds and sweet potato flakes
Goat kid, chick peas & potato stew
Salt cod with onions and chestnuts
Fillet and entrecote steaks
Cut of Iberian pork
Mille feuille with custard cream and caramel spread
Granny's dessert: carrot with chocolate and coconut
Caramel spread with yogurt

El Lajar de Bello

Localidad: La Camella - Arona (38627 Tenerife)
Dirección: Ctra. General La Camella, 35
Teléfonos: 922 720 382 www.ellajardebello.com
Parking: Aparcamiento gratuito al lado.
Propietario: Alejandro Bello.
Días de cierre y vacaciones: Cerrado domingos noche y lunes todo el día.
Decoración: Magníficas instalaciones de estilo rústico actualizado. Diferentes ambientes.
Ambiente: Predomina el público español.
Bodega: Representación de las más importantes denominaciones de origen.
Hombres y nombres: Jefe de cocina: Samuel Hernández. Jefa de Sala: Vanessa Capote. Maestra Repostera: Cristi Rancel.
Otros datos de interés: El restaurante se trasladó en agosto 2010 a estas instalaciones más amplias. Cocina propia a satisfacer todos los gustos y edades, servicio ágil y diligente con un personal joven y dinámico. Los comensales pueden seguir el trabajo de los cocineros mediante pantallas en los comedores principales.
Tarjetas: Todas, excepto Amex.

ESPECIALIDADES EL LAJAR DE BELLO

Cocina canaria, española y de mercado
La carta cambia dos veces al año
Ensaladilla de papa negra
Ensalada de jareas, lapas y papa negra
Pulpo frito con majada de almendras y crujiente de batata
Ropa vieja de carne de cabra
Bacalao encebollado con castañas
Solomillo y entrecot de novillas
Secreto ibérico
Hojaldre con natillas y dulce de leche
Postre de la abuela: zanahoria con chocolate y coco
Dulce de leche con yogur natural

Centro Comercial El Mirador

En el incomparable marco sureño de la Playa del Duque, una de las zonas más privilegiadas y exclusivas de Costa Adeje, teniendo como telón de fondo la majestuosidad y belleza del Hotel El Mirador, se halla enclavado el Centro Comercial El Mirador, al que se puede acceder también directamente desde el mismo hotel. Destaca su atrevimiento con la arquitectura tradicional canaria llevada al máximo hasta en sus más mínimos detalles. Recrea un auténtico pueblo canario.

La gran variedad de boutiques desarrollan una actividad exclusiva, tanto diurna como nocturna, ofreciendo calidad, buen gusto y servicio.

Café - Bar Acanto

Justo al lado del restaurante La Nonna, se encuentra uno de los lugares más acogedores de toda la isla. En el entorno de una típica capilla canaria se abre todo un mundo de elegancia y fantasía, realzada por una decoración clásica con tonos relajantes. Maravillosas vistas a la Playa del Duque, espaciosa terraza con amplios sofás, música en vivo al anochecer y una muy completa carta con los mejores cócteles.

LA NONNA'S SPECIALITIES

Traditional Mediterranean cookery
"Tapas" La Nonna (min. 2 persons)
Greek meatballs with tzatziki sauce
Grilled scallop with strawberry dressing, celery and blinis of potato
Seared foie gras with violet preserve and brioche
Gently-cooked back of hake with olive oil emulsion on blinis of potato
Roast ossobuco of veal with meat juice (min. 2 persons)
Cut of beef marinated in olive oil, rosemary and lemon with rocket salad and asparagus
Loin of lamb in Calvados sauce with couscous of baked apple
Pineapple ravioli with coconut cream
Apple tart with caramel ice cream

La Nonna

Localidad: Costa Adeje-Playa del Duque (38660 Tenerife)
Dirección: Centro Comercial El Mirador, Local 5.
Teléfonos: 922 724 781
E-mail: manager@restaurantelanonna.com
Parking: Aparcamiento público al lado.
Días de cierre y vacaciones: Abierto todos los días de 19 h a 23 h.
Decoración: Distinguida fusión entre lo clásico y las últimas tendencias. Colores vivos y alegres, vistas al mar y a la playa.
Ambiente: Relajado, elegante y refinado. Un equipo involucrado con el proyecto. Servicio atento.
Bodega: Amplia selección de etiquetas para descubrir las excelencias del vino español.
Hombres y nombres: Encargado y Jefe de Sala: Cedryc-Daniel Kestenes. Jefe de cocina: Pablo Hermida.
Otros datos de interés: Como su propio nombre indica, La Nonna "la abuela", está especializada en cocina mediterránea tradicional con influencias de la gastronomía italiana, griega, española y francesa. Creaciones frescas y equilibradas con una óptima relación calidad-precio. Ubicado a los pies del Hotel Mirador***** y al lado del mar, disfruta de una de las mejores vistas de la zona. Dos terrazas, tres comedores, posibilidad de privado hasta 15 p. y espléndidas instalaciones de cocina.
Tarjetas: Todas.

ESPECIALIDADES LA NONNA

Cocina mediterránea tradicional
Tapas La Nonna Especial (mínimo 2 personas)
Albóndigas griegas acompañadas de tzatziki
Vieira a la plancha con vinagreta de fresa, apio y blinis de papas
Foie gras a la plancha con mermelada de violeta y pan de brioche
Lomo de merluza confitado con su emulsión de aceite de oliva sobre blinis de papas
Ossobuco asado de ternera lechal en su jugo de carne (mín. 2 personas)
Taglieta de ternera marinada en aceite de oliva, romero y limón, con rúcula y espárragos
Lomo de cordero al Calvados con cuscús de manzana asada
Raviolis de piña con crema de coco
Tarta fina de manzana con helado de caramelo

Acaymo

Espíritu pionero

Acaymo se ubica en una preciosa casa de madera dividida en diferentes estancias, una construcción original con todo el calor de lo rústico situada justo en el corazón de la mejor zona gastronómica de Tenerife, muy cerca del aeropuerto de Los Rodeos.

Feliciano Bethencourt conduce Acaymo con sabiduría y bonhomía. Hombre viajado, culto y gran conversador aporta color y aroma a cualquier tertulia. Esta casa recoge el legado de una tradición familiar. Su padre Feliciano llegó a Canarias en 1973, llevando consigo todos los conocimientos adquiridos en Venezuela sobre la cocina tradicional y clásica durante más de veinte años. En estos tiempos, la capital de este país acogía la mejor gastronomía europea, un bagaje profesional que pronto adaptó al sentir de Canarias enriqueciéndolo con los aportes y características de la cultura de las islas.

Acaymo se ha sabido adaptar a los tiempos, con formulas adecuadas a todas las necesidades, es la alternativa más asequible de la zona con tres menús a 20 €. Una cocina para disfrutar, personal y en constante innovación, cuyo principal objetivo es ofrecer la mejor calidad con precios ajustados a todos los bolsillos. En temporada -invierno y primavera- puede degustar una de sus sabrosas elaboraciones, el puchero canario servido en bandeja (seis tipos de verduras, cuatro carnes, taza de caldo, gofio escaldado) por un precio imbatible.

El Menú Degustación se elabora con los mejores géneros del mercado y de la estación, sugerentes especialidades que cambian semanalmente. Se puede acceder a todas las novedades y noticias de este entrañable restaurante en su web: www.restauranteacaymo.com, perfectamente actualizada a diario y muy dinámica.

ACAYMO'S SPECIALITIES

Cookery to enjoy

Recommendations of the day according to the market offer and the season

Three menus at 20 €: Tasting, Vegetarian and Light

Lukewarm salad of "black" potatoes, salt cod crumbs, sugared almonds

Lukewarm monkfish & prawn salad

Salad of foie gras mi-cuit of duck, reduction of strawberries with pepper

Layered slice of sweet potato and salt-cod

Baked hake chunk stuffed with scallops and prawns in white sauce with mushrooms

Juicy-roasted lamb shoulder

Roasted neck of Iberian pig with caramelised pearl onions

Rice and lobster pot

Acaymo

Localidad: Guamasa (38.330 La Laguna) Tenerife
Dirección: Carretera General, Km. 14,8 (cruce salida autopista Guamasa)
Teléfonos: 922 637 840 (tlf. y fax) y 922 637 904
E-mail: restauranteacaymo@gmail.com
www.restauranteacaymo.com
Parking: Aparcamiento propio.
Propietario: Feliciano Bethencourt.
Días de cierre y vacaciones: Abierto todo el año excepto domingos noches.
Decoración: Rústica, al estilo de una casa de campo de madera. Jardines.
Ambiente: Negocios y familias. Esta casa situada cerca del aeropuerto, ofrece buena mesa, un servicio cordial y excelente atención.
Bodega: Dinámica y viva. Caldos de primer orden de las más significativas D.O., referencias clásicas y presencia de las últimas tendencias sin olvidar los más importantes vinos canarios.
Hombres y nombres: Jefe de cocina: Luis Rocha. Maitre y sumiller: Feliciano Bethencourt.
Otros datos de interés: Abierto desde 1998, está situado entre Santa Cruz, la capital y el Puerto de la Cruz. Totalmente climatizado. Salón para banquetes con capacidad hasta 100 comensales. Vivero de mariscos. Cocina ininterrumpida desde 12'30 h a 23 h (domingos hasta 17 h).
Tarjetas: Todas.

ESPECIALIDADES ACAYMO

Cocina para disfrutar
Sugerencias del día según mercado y estación
Tres menús a 20 €: Degustación, Vegetariano y Light
Ensalada templada de papa negra, migas de bacalao, tiemple de almendra garrapiñada
Ensalada tibia de rape con langostinos
Ensalada de micuit de pato con reducción de fresas a la pimienta
Montaditos de batata con bacalao
Tronco de merluza relleno de vieiras y langostinos al horno, salsa blanca con champiñones
Paletilla de cordero lechal, tierna y jugosa
Secreto de ibérico al horno con cebollita caramelizada
Arroz con bogavante

Receta Los Limoneros

Suprema de lubina al horno con puerros y gambas

Ingredientes para 4 personas: 4 lomos de lubina salvaje, 100 gr. de gambas peladas, 4 dientes de ajos laminados, 2 tallos de puerros laminados, 1 copa de vino blanco seco, aceite de oliva, zumo de medio limón, sal, pimienta al gusto, y un cacillo de aceite de oliva virgen.

Elaboración: En un recipiente apropiado para horno poner el aceite, ajo y dorar. Añadir la lubina, gambas y puerro, sazonar y cocinar en horno a temperatura media, retirar la lubina y gambas, añadir el limón, vino y reducir a fuego vivo durante unos tres minutos, una vez elaborada agregar el aceite virgen.

Emplatado: Verter todo sobre la lubina, acompañar con papas negras cocidas.

LOS LIMONERO'S SPECIALITIES

Cured ham of iberian pig
Salad of salmon, elvers (tiny baby eels) and avocado
Crustacean and shellfish vivarium
Snails in spicy sauce
Elvers Bilbao style (served sizzling in an earthenware dish with garlic and chilli pepper)
Sea-bass baked in a salt crust
"Zarzuela": fish and seafood casserole
Fillet of beef baked in a salt crust
Spring lamb
Tartare steak (chopped raw fillet of beef with seasoning)
Flambe fruits
Home-made desserts

Los Limoneros

Localidad: Los Naranjeros (Tenerife)

Teléfonos: 922 636 144 - 922 636 637 - Fax: 922 636 976

Parking: Propio, amplio y vigilado.

Propietario: Mariano Ramos García.

Días de cierre y vacaciones: Cerrado domingos. 15 días en Agosto.

Decoración: Clásica, al estilo inglés.

Ambiente: Selecto.

Bodega: Muy amplia y subterránea, con gran variedad de caldos de todas las D.O.

Hombres y nombres: Maitre: Gregorio Pérez Cruz. Chef de cocina: Gregorio Pérez González.

Otros datos de interés: Un salón privado para 40-50 personas. Restaurante totalmente climatizado. Acceso para minusválidos.

Tarjetas: Todas.

ESPECIALIDADES LOS LIMONEROS

Jamón ibérico
Ensalada de salmón, angulas y aguacate
Vivero de mariscos
Caracoles en salsa picante
Cazuelita de angulas al estilo de Bilbao
Lubina a la sal
Zarzuela de pescados y mariscos
Solomillo a la sal
Cordero lechal
Steak tartare
Flambeados de frutas
Degustación de postres de elaboración propia

El Tablón de la Canela

Cocina española

Cosme Quintero, después de 17 años al frente de la Tasca Lagunera, cambió de ubicación para trasladarse a estas instalaciones estratégicamente situadas en "la milla de oro gastronómica de Tenerife", pasando a primera división. Este bello chalet cuenta con una extensa parcela y una cuidada decoración interior que proporciona un ambiente acogedor y todas las comodidades: amplios espacios con abundancia de luz natural, terraza, agradable jardín de pinos con una fuente central y la facilidad de aparcar en la puerta.

Aquí la carta presenta especialidades y recetas con más tradición de la cocina española, a partir de buenos productos de la tierra y del mar. Mención aparte merece el minucioso trabajo en el horno. La mayoría de las especias que se utilizan en la elaboración de los platos provienen del huerto particular del Tablón. Una cocina de producto que descansa en la incuestionable calidad de una despensa privilegiada. Siguen en carta los platos clásicos que gustan todos los días, sin concesión ninguna a experimentos o aventuras.

Cuenta con diferentes salones para desarrollar reuniones de empresa en un ambiente cómodo y privado. Proporciona el material técnico necesario para conferencias, seminarios...También es el lugar ideal para cualquier celebración familiar con menús adaptados al presupuesto. El Tablón de la Canela se encuentra en la carretera general que circula paralela a la Autopista del Norte, entre La Laguna y Tacoronte, a escasa distancia del Aeropuerto Los Rodeos Tenerife-Norte.

SPECIALITIES OF EL TABLÓN DE LA CANELA

Spanish cookery
The menu changes according to the market offer
Sucking pig and lamb roasted in the wood-fired oven
Rice specialities
Fresh fish of the day
Tasting menu: 55 €, all inclusive
First-choice cured Iberian ham
Grilled cheese from La Palma Island with two mojo sauces
Carpaccio of foie gras with dressing
Scrambled eggs with salmon and prawns
Stuffed courgettes
Fillet steak with twelve different sauces
Sirloin steak and rib steak of beef
Tartare steak
Mille feuille gateau filled with mocha or strawberry cream
Tiramisù, Canarian custard cup with cinnamon
"Huevos mole": mixture of syrup and yolks

El Tablón de la Canela

Localidad: Guamasa-Tacoronte (38350 Tenerife)
Dirección: Ctra. General La Laguna a Tacoronte, km. 15,5 - nº 457 (a 5 minutos del Aeropuerto Los Rodeos)
Teléfonos: 922 637 889. Fax: 922 638 428
www.tablondelacanela.com
Parking: Amplio aparcamiento privado.
Propietario: Cosme Quintero Díaz.
Días de cierre y vacaciones: Abierto todo el año, excepto noches de lunes.
Decoración: Al estilo de una elegante casa de campo. Amplias y cuidadas instalaciones.
Ambiente: Privacidad y servicio eficiente.
Bodega: Completa. Vinos canarios, Albariño, Somontano, Ribera del Duero, Rioja...
Hombres y nombres: Una docena de jóvenes profesionales a su servicio.
Otros datos de interés: Tres salones con capacidad total para 100 comensales cómodamente sentados y agradable terraza canaria cubierta. Posibilidad de reuniones y grupos. Horno de leña.
Tarjetas: Todas.

ESPECIALIDADES EL TABLÓN DE LA CANELA

Cocina española
La carta evoluciona según el mercado
Cochinillo y cordero al horno de leña
Arroces
Pescados frescos según temporada
Menú Degustación: 55 €, todo incluido
Jamón ibérico de bellota
Queso palmero a la plancha con dos mojos
Carpaccio de foie aliñado
Revuelto de salmón con gambas
Bubango relleno
Solomillo de ternera con doce salsas diferentes
Entrecot y chuletón de buey
Steak Tartar
Milhojas rellenas de crema de café o de fresa
Tiramisú, leche asada, huevos mole

Receta La Hoya del Camello

Bacalao fresco sobre setas y puerros gratinados con ali-oli de manzana

Ingredientes: 1 ración de bacalao fresco, setas y puerros. Para el ali-oli de manzana: ajo, manzana, sal, vinagre y aceite.

Preparación: cocer el bacalao en sal durante 5 minutos. Rehogar los puerros y las setas. Elaborar el ali-oli de manzana batiendo con el turmix todos los ingredientes que lo componen. Poner el ali-oli por encima y gratinar.

SPECIALITIES OF LA HOYA DEL CAMELLO

Large à la carte menu in steady evolution
Recommendations of the day
Leek and ham pudding with caramelised tomato coulis
Salt-cod pudding with peppers and mussel sauce
Quail eggs with bechamel sauce and smoked salmon
Rice specialities: black (coloured with squid ink), hot-pot, with seafood
Rice timbale with monkfish and prawns, lobster sauce
Fresh fish
Stone-bass in beer sauce
Fresh cod on a leek and oyster mushroom layer, with apple aioli au gratin
Knuckled of pork with sauerkraut and mashed potatoes
Oven roasted lamb and suckling pig Castilian style
Fillet steak with sauce at choice
Mousse assortment: mango, lemon, fresh cheese with blackberry sauce
Pastry slice with apple and prune

La Hoya del Camello

Localidad: Los Rodeos-La Laguna (38300 Tenerife).

Dirección: Carretera General, 128.

Teléfonos: 922 262 054 Fax: 922 265 105

Parking: Amplio aparcamiento propio.

Propietario: Enrique Reina Fuentes.

Días de cierre y vacaciones: Cerrado domingos noches.

Decoración: Muy cuidada. Un salón principal y 4 comedores privados con diferentes capacidades y decoraciones.

Ambiente: Negocios principalmente.

Bodega: Extensa. Vinos canarios y las mejores denominaciones de origen españolas.

Hombres y nombres: Jefe de cocina: Jesús Leiro. Maitre: Domingo de León.

Otros datos de interés: Restaurante fundado en 1983, merecedor de varios galardones gastronómicos. Comedor no fumadores y sala de espera con barra para aperitivos.

Tarjetas: Las principales, Visa, Caja Canarias, American Express, etc.

ESPECIALIDADES LA HOYA DEL CAMELLO

Extensa carta en constante evolución
Sugerencias del día
Flan de puerros con jamón al coulis de tomate al caramelo
Pastel de bacalao con pimientos a la crema de mejillones
Huevos de codorniz con bechamel y salmón ahumado
Arroces: negro, caldoso, de marisco, etc.
Timbal de arroz con rape y langostinos en salsa de langosta
Pescados frescos
Cherne a la cerveza
Bacalao fresco sobre setas y puerros gratinados con ali-oli de manzana
Codillo de cerdo con chucrut y puré de patatas
Cordero y cochinillo al horno estilo castellano
Solomillo de buey en todas sus preparaciones y salsas
Surtido de mousses: de mango, de limón, de requesón con salsa de zarzamora
Hojaldre de manzana y ciruela

Sorgin Gorri

Tradición y creatividad

En pleno casco histórico de La Laguna, declarado Bien Cultural y Patrimonio de la Humanidad por la Unesco gracias a su excelente nivel de conservación, descubrimos un escenario único. Este elegante restaurante se encuentra ubicado en un edificio de alto valor arquitectónico, espléndida casa señorial del siglo pasado, primorosamente restaurada. Presenta el diseño, ergonomía y cosmopolitismo que triunfan en las capitales europeas pero se desconocía por estos pagos.

El propietario, Segundo Seoane, aterrizó en Tenerife en 1988. Enamorado de la restauración, pretendía traer conceptos gastronómicos nuevos a la isla. Fruto de esta idea, nace Lizarrán, pionero en el archipiélago, que pronto obtuvo el éxito deseado. El amplio despliegue de pintxos fríos y calientes permite al comensal elegirlos justo después de su elaboración. Posteriormente, tras años de formación y experiencia adquirida, las inagotables ansias por ofrecer una cocina creativa expresada en esas pequeñas obras de arte como son los pintxos le empujan a dar el primer paso hacia la creación del restaurante Sorgin Gorri.

Este nombre, traducido al castellano, significa "Bruja Roja". Fue elegido con el propósito de embrujar a los tinerfeños y visitantes de postín con las costumbres propias del norte de España, principalmente con la cultura y ambiente gastronómico que se respiran en ciudades como Bilbao, San Sebastián o Pamplona. El resultado es incomparable, en la zona más noble de La Laguna, una casa distribuida en dos ambientes: taberna que ofrece una colección de veinte pintxos con gran diversidad de texturas, colores, formas, sabores y el restaurante gourmet, un refinado espacio que presenta una cocina vasca tradicional actualizada. Sorgin Gorri es un restaurante eminentemente urbano. Su nivel de culinaria, instalaciones y servicio le convierten de pleno derecho en punto de encuentro de la vida social y cultural de la zona metropolitana de Tenerife.

SORGIN GORRI'S SPECIALITIES

Updated traditional Basque cookery
Business, tasting and gastronomic menus
Carpaccio of fillet of beef and foie gras with confit wild mushrooms
Anchovies from Santoña, vegetable mix and bread with tomato
Seared foie gras, melon and grapes with hazelnut jelly
Salt cod with three kinds of pil-pil (garlicky oil emulsion)
Supreme of turbot and risotto with garlic and leek
Grilled neck-end of Iberian pork with beetroot chutney and crisp wine flake
Roast rack of lamb coated with dates, young vegetables with anise and tea
Apple tart
Chocolate cake with red berries
Cheese selection and malvasia grapes

Sorgin Gorri

Localidad: La Laguna (38201 Tenerife)
Dirección: C/ Obispo Rey Redondo, 4 (casco histórico, junto ayuntamiento)
Teléfonos: 922 634 921 **E-mail:** info@sorgingorri.com
www.sorgingorri.com
Parking: Tres aparcamientos a menos de 100 metros.
Propietario: Segundo Seoane Mosquera.
Días de cierre y vacaciones: Abierto cada día del año excepto domingos tardes.
Decoración: Edificio de 1910, felizmente rehabilitado. Casa señorial del casco histórico de La Laguna, Patrimonio de la Humanidad.
Ambiente: Las mejores instalaciones de la zona capitalina.
Bodega: En crecimiento constante, sólo se carga el descorche sobre precio de bodega.
Hombres y nombres: Una quincena de jóvenes profesionales involucrados con el proyecto.
Otros datos de interés: Abierta desde agosto 2010, esta casa presenta una inmejorable calidad-precio y un servicio esmerado. Taberna de pinchos vascos en planta baja, cinco comedores privados en planta noble y terraza al aire libre en ático. Frecuentado por numerosas personalidades.
Tarjetas: Las principales.

ESPECIALIDADES SORGIN GORRI

Cocina vasca tradicional actualizada
Menús Ejecutivo, Degustación y Gastronómico
Carpaccio de solomillo y foie con setas confitadas
Antxoas de Santoña, pisto manchego y tumaca con pan de cristal
Foie gras a la plancha, melón y uvas con gel de avellanas
Bacalao a los tres pil pil
Filete de rodaballo con risotto al ajo y puerros
Presa ibérica a la parrilla con chutney de remolachas y crujiente de vino
Carré de cordero encamisado con dátiles, verduritas anisadas y té negro
Tarta de manzanas
Pastel de chocolate y frutos rojos
Selección de quesos y malvasía

Receta Lucas Maes

Anguila ahumada caliente con ravioli de piña relleno de gelatina de hinojo

Ingredientes para 4 personas: 1 anguila ahumada, 1 piña tropical, 100 gr. de hinojo, 1 dl. de zumo de naranja, 10 gr. de azúcar moreno, ralladura de piel de naranja.

Elaboración: Filetear la anguila, cortar en lonchas de aproximadamente 5 cm. de largo, escaldar el hinojo y enfriar en agua con hielo. Triturar el hinojo con el agua de cocción, incorporar 1 hoja de gelatina, colar y poner a enfriar en la nevera.

Cortar láminas finas de piña, rellenar con la gelatina de hinojo y confeccionar pequeños raviolis.

Para la salsa: Caramelizar el azúcar, una vez caramelizado, incorporar el zumo de naranja, reducir a la mitad, incorporar 100 gr. de caldo de carne y volver a reducir a la mitad.

Dar un golpe de sartén a la anguila.

Emplatado: Colocar la anguila en medio del plato con el ravioli de piña por encima. Salsear la anguila con la salsa de naranja.

La gracia del plato está en el contraste agridulce de sabores.

Nueva zona de lounge exterior para sobremesas o copas de martes a sábados a partir de las 13 h.

Servicio de catering y posibilidad de organizar eventos empresariales, banquetes y celebraciones familiares con un alto nivel de calidad y servicio.

LUCAS MAES' SPECIALITIES

Nowadays creative cookery with a personal touch

The à la carte menu is renewed every week

Gastronomic menu (7 courses: 38 €)

Shallow-fried foie gras, smoked butterfish, pineapple and mango

Ravioli of mature Provençale cheese, porcini & truffle essence

Juicy Arborio rice pot with prawns, scallops and lobster

Sucking pig roasted at low temperature on a light celeriac purée

Poor knight of brioche, raspberry granité, peanut ice cream and crisp white chocolate flake

Cheese in different textures

Lucas Maes

Localidad: La Orotava (38.300 Tenerife)
Dirección: Barranco de la Arena, 53 (salida 32 "Botánico" de la Autopista del Norte)
Teléfonos: 922 321 159 (y fax)
E-mail: lusanatenerife@hotmail.com
www.lucasmaes-restaurante.com
Parking: Propio.
Propietario: Lucas Maes y Susana Gallardo.
Días de cierre y vacaciones: Cerrado domingos y lunes. Vacaciones: en Septiembre.
Decoración: Señorial casona colonial acondicionada en distinguido restaurante. Combinación de estilos clásico y actual.
Ambiente: Elegante y variado. Almuerzos de negocios y cenas de sociedad.
Bodega: Carta en constante evolución, vinos clásicos y de nueva generación. Las denominaciones de origen más pujantes.
Hombres y nombres: Jefe de cocina: Lucas Maes. Anfitriona: Susana Gallardo. Maitre y sumiller: Sven Bode.
Otros datos de interés: Este restaurante armoniza un alto nivel de cocina, servicio e instalaciones. Cocina vista con las últimas tecnologías, dos salones privados (30 y 12 p.) y terraza para comidas y cenas con vistas al Atlántico.
Tarjetas: Todas.

ESPECIALIDADES LUCAS MAES

Cocina contemporánea, innovadora y personal

Carta semanal

Menú-Degustación (7 platos: 38 €)

Foie frito, pez mantequilla ahumado, piña tropical, mango

Ravioli de queso provenzal madurado, caldo concentrado de boletus y trufa

Risotto cremoso de arborio con langostinos, vieiras y bogavante

Cochinillo cocinado a baja temperatura sobre ligero puré de apio

Torrija de brioche, granizado de frambuesa,

helado de cacahuete y crujiente de chocolate blanco

Quesillo en texturas

Mesón Castellano

Tradición gastronómica castellana

Si la imitación es la forma de adulación más sincera, esta casa ha marcado tendencia convirtiendo la zona de El Camisón en el centro gastronómico de Playa de Las Américas. Mesón Castellano representa la mejor tradición castellana. Una magnífica puesta en escena recibe al comensal, el local está decorado con trofeos de caza y ambiente taurino, rememorando el más puro y genuino estilo castellano.

Mesón Castellano aúna tradición, buen gusto y una auténtica devoción por la materia prima de calidad. Aquí se cocina con el arte de la sencillez, se practica una culinaria honesta, inconfundible y con personalidad propia, contundente y sabrosa, basada en el arraigado y ancestral recetario castellano, uno de los más ricos del panorama nacional.

Mesón Castellano es un lugar emblemático, por prestigio y calidad es uno de los más afamados restaurantes del Sur de Tenerife. Un espacio donde el buen comer y el mejor beber está garantizado. Su bodega, una de las mejores de la isla, atesora una amplia representación de las principales denominaciones de origen y etiquetas provenientes de las más importantes bodegas españolas.

Tienda Gourmet

En su constante afán de dar un mejor servicio a sus clientes, en diciembre 2009 Mesón Castellano ha abierto una tienda gourmet al lado del restaurante. Aquí, los sibaritas pueden adquirir y llevarse a casa productos ibéricos, quesos de varios países, aceites y vinagres de calidad, pimentón, conservas (también precocinadas), chocolates, mieles, frutos secos, mermeladas, cafés, aguardientes, además de accesorios de alta gama para el vino como los decantadores y copas Riedel. También vinos, cavas y champagnes. T. 922 789 711.

MESÓN CASTELLANO'S SPECIALITIES

Castilian and international cookery

Board of cured pork specialities

Roast lamb and suckling pig

Fresh fish from our coast

Osso buco

Bull tail stew

Tripe in sauce

Snails

Mesón Castellano

Localidad: Playa de las Américas (38660 Tenerife).
Dirección: Residencial El Camisón, local nº 40. C/ Antonio Domínguez, s/n.
Teléfonos: 922 796 305 y 922 792 136.
E-mail: info@elmesoncastellano.com
www.elmesoncastellano.com
Parking: Fácil aparcamiento.
Propietario: Mesón Castellano Manuel Martín S. L.
Días de cierre y vacaciones: Abierto cada día del año. Horario de cocina de 13 h. a 1 h. madrugada.
Decoración: Castellana actual.
Ambiente: Público español y extranjero.
Bodega: Una de las mejores bodegas del Sur de Tenerife.
Otros datos de interés: Abierto desde 1993, este restaurante que ha realizado sucesivas ampliaciones, es el representante de la genuina cocina castellana en el Sur de Tenerife. Capacidad total hasta 180 personas, repartidos en 3 salones. Terraza.
Tarjetas: Todas.

ESPECIALIDADES MESÓN CASTELLANO

Cocina castellana e internacional

Tablas de embutidos ibéricos

Asados (lechazo y cochinillo)

Pescados de la isla

Ossobuco

Rabo de toro

Callos al gusto

Caracoles

Receta El Duende

Manzanas y peras, tacos y crujiente de foie-gras, mezcla de frutas y frutos secos, moscatel gelatinizado

Ingredientes: 1 manzana Grany Smith cortada en finas láminas, 1 pera cortada también en finas láminas, avellanas, nueces, pasas, piñones, orejones, ciruelas pasas, 1 terrina de foie-gras al estilo tradicional, 1/2 l. de vino moscatel para la gelatina y pimienta rosa.

Elaboración: Cortar las manzanas en finas láminas y cubrir el fondo del plato a modo de carpaccio. Cortar la pera en 4 cuartos a lo largo y sacar también finas láminas con la máquina. Disponer sobre la manzana en vertical. Colocar los dados de foie por encima.

Para los frutos secos: Tostar los frutos secos, triturarlos y mezclar con los frutos secos previamente cortados en pequeños trozos y mezclados con aceite de oliva. Incorporar esta preparación vertiendo por encima del plato.

Para el crujiente de foie-gras: Envolver uno de los tacos en pasta filo, freír en aceite muy caliente y colocar a modo de decoración.

Para el moscatel gelatinizado: Colocar el moscatel en un cazo, quemar el alcohol e incorporar 2 gr. de agar-agar. Terminar con unos granitos de pimienta rosa.

EL DUENDE'S SPECIALITIES

Creative cookery elaborated with Canarian produce

The à la carte menu changes every season

Gastronomic menu

Fried cheese with honey and coriander after our own recipe

Lukewarm fillets of smoked mackerel, pineapple preserve, roast tomatoes and fresh leaves

Imperial blackfish with tuber in different textures

Fillet of mackerel, courgette slices, small unskinned potatoes and spicy Canarian Mojo sauce

Traditional goat stew, pumpkin purée, layered slice of blood pudding and potatoes

Rabbit and risotto with herbs

Papaya preserve with sorbet of mango, pine nuts and citrus fruit

Fried creams of bananas, hazelnut sponge, rum ice cream

El Duende

Localidad: La Vera-Puerto de la Cruz (38400 Tenerife)
Dirección: La Higuerita, 41. Autovía del Norte
Teléfonos: 922 374 517
E-mail: rteelduende@wanadoo.es www.elduende.es
Parking: Propio.
Propietario: Jesús González.
Días de cierre y vacaciones: Cerrado lunes y martes. Vacaciones: 15 días en Agosto.
Decoración: Canaria rústica.
Ambiente: Gastronómico.
Bodega: Bien seleccionada, siguiendo las tendencias actuales.
Hombres y nombres: Jefe de cocina: Jesús González. Sala: Carmen Rodríguez.
Otros datos de interés: Jesús González ofrece una culinaria con personalidad propia en una línea avanzada, avalado por los conocimientos adquiridos a lo largo de una sólida formación profesional, tanto en España como en el extranjero. Menú degustación: 7 platos y postre (49,50 € aprox). En verano, organiza jornadas gastronómicas de cocina canaria actualizada.
Tarjetas: Las principales.

ESPECIALIDADES EL DUENDE

Cocina de autor con énfasis en los productos canarios
La carta cambia en cada estación
Menú Degustación
Mi versión del queso frito con miel y cilantro
Lomitos de caballa ahumada y templada, confitura de piña de El Hierro, tomatitos asados y hojas frescas
Pámpano y tubérculos en texturas
Lomo de caballa, láminas de bubango, tosta de papa arrugada y mojo canario
Estofado de cabra a la manera tradicional, puré rústico de calabaza y milhojas de morcilla dulce canaria y papas
Conejo con risotto de hierbas silvestres
Confitura de papaya con sorbete de mango, piñones y cítricos
Leche frita de plátano, bizcocho de avellanas, helado de ron

La Gañanía

Refinada mesa en un entorno evocador

Una antigua finca de labranza en el centro del valle de la Orotava, entre el Teide y el mar, es un encantador escenario para degustar una cocina evolucionada que surge de las raíces tradicionales y se sustenta sobre el pilar inamovible de los productos de la tierra.

Platos con raíces, cocina con memoria, en la que se percibe un buen dominio técnico y mucha sensibilidad. Recetas de una sencillez casi extrema, en las que las magníficas materias primas de la isla (papas negras, pulpo, cochino negro, carrillera de cherne en salazón) salen reforzadas, matizadas apenas por un mojo, un aliño o el paso controlado por el fuego. Sabores autóctonos y reconfortantes, equilibrio exacto entre aromas, texturas y presentación. Los postres son deslumbrantes: composiciones ligerísimas, repletas de elegancia y virtuosismo.

Centro de Celebraciones Buenpaso

En el término municipal del Puerto de la Cruz se sitúa esta magnífica finca de 8000 m^2 de naturaleza que dispone de espacios exclusivos –sala con capacidad hasta 300 personas, jardines...- para cualquier tipo de evento: bodas, congresos, reuniones de empresa, conferencias..., un marco único e inolvidable completamente equipado.

Cuenta además con un servicio de catering dirigido a empresas y particulares desde 6 a 350 comensales. Un equipo humano, involucrado y muy profesional, con amplia experiencia en el sector de la hostelería y la restauración, para lograr la total satisfacción del cliente.

Información y reservas: 922 376 204. Fax: 922 368 421.

LA GAÑANÍA'S SPECIALITIES

Creative Canarian cookery
Tasting menu from 30 €
Salmon smoked in Uga with micro vegetables
Salad of boned rabbit saddle dressed with honey & mature goat cheese from Lanzarote
Crisp prawns with basil oil
Red-banded sea bream with reduced juice and small potatoes
Lentils with streaky of pork, egg cooked at low temperature and chorizo sausage from La Palma Island
Roast boned leg of sucking lamb with French beans and crushed potatoes
Aromas: pineapple, citrus fruit, flowers, almonds, pear, herbs, orange blossoms, roses
Reinette apples in different textures with cinnamon
Menu of "Sweet Tapas": 10 €

La Gañanía

Localidad: Puerto de La Cruz (38400 Tenerife)
Dirección: Camino El Durazno, 71
Teléfonos: 922 371 000. Fax: 922 368 421
E-mail: info@lagananía.com www.lagananía.com
Parking: Aparcamiento propio.
Propietario: Familia Rodríguez de Azero.
Días de cierre y vacaciones: Cerrado lunes y martes. Abierto de miércoles a sábados mediodía y noche. Domingos y festivos, sólo mediodía.
Decoración: En un entorno rural, arquitectura canaria de estilo actualizado.
Ambiente: Gastrónomos y público informado.
Bodega: Con acento en vinos emergentes y referencias canarias.
Hombres y nombres: Asesor culinario: Pedro Rodríguez Dios. Directora Comercial: Cristina Rodríguez de Azero. Gerente: María Machado.
Otros datos de interés: El restaurante dispone de unos miradores en el exterior y una pérgola acristalada con maravillosas vistas al Puerto de la Cruz y los acantilados, para tertulias o reuniones hasta 20 personas. Es muy recomendable reservar mesa.
Tarjetas: Las principales.

ESPECIALIDADES LA GAÑANÍA

Cocina canaria creativa
Menú Degustación a partir de 30 €
Salmón de Uga con microvegetales
Ensalada de lomo de conejo deshuesado con aliño de miel de monte y queso maduro de Lanzarote
Langostinos crujientes con aceite de albahaca
Sama roquera con reducción de cazuela y papitas de color
Lentejas con panceta de cochino, huevo cocinado a baja temperatura y chorizo palmero
Pierna de cordero lechal deshuesada con habichuelas y papas ojo perdiz al mortero
Aromas: piña, cítricos, flores, almendras, pera, hierbas, azahar, rosas
Reineta: Manzanas en texturas con canela
Menú de "Tapas Dulces": 10 €

Receta Kafka

Risotto de colmenillas con ajos tiernos y almejas

Ingredientes para 2 personas: 120 gr. de arroz arborío, 25 gr. de escalonia, 50 cl. de vino blanco, 1 manojo de ajos tiernos, 20 gr. de colmenillas, sal, pimienta, parmesano, ½ docena de almejas y un caldo de verduras (court-bouillon).

Elaboración: Pochar la escalonia junto con las colmenillas. Añadir los ajos tiernos, luego las almejas. Reducir el vino blanco, incorporarlo, dejar evaporar. Añadir el arroz, el caldo de verduras y cocer a medio fuego entre 15 y 17 minutos.

Emplatado: Finalizar con unas gotas de nata y una nube de parmesano rallado al momento.

En la planta superior gran sala con exposiciones rotativas de artistas noveles de la isla.

KAFKA'S SPECIALITIES

Mediterranean cookery
with a creative touch and fresh ingredients
The à la carte menu changes three times a year
Home made tagliatelle with crisp bacon flakes and shrimps in champagne sauce
Fillet of veal with fried foie gras, reduction of sweet Pedro Ximénez sherry and port sauce
Braised pork cheeks with season's wild mushrooms
Crocodile dice with green curry sauce
Chocolate sponge with almond ice cream and strawberry preserve
Cheese Pyramid with Chivas and blueberry coulis

Kafka

Localidad: Puerto de la Cruz (38400 Tenerife)
Dirección: C/ Cruz Verde, 2
Teléfonos: 922 381 283 - 662 344 087
www.restaurantekafka.com
Parking: Aparcamiento público a 300 metros.
Propietario: Carles Cano Camps.
Días de cierre y vacaciones: Abierto cada día excepto miércoles. Horario: de 13 a 15 h. y de 19 a 20.30 h. Vacaciones: en Mayo
Decoración: Diáfano y elegante comedor en una línea minimalista.
Ambiente: Trato directo y ameno.
Bodega: Cuidada vinoteca en constante evolución, con presencia de los mejores vinos canarios. Carta de aguas.
Hombres y nombres: Jefe de cocina y sumiller: Carles Cano Camps. Sala: Elisa.
Otros datos de interés: Ubicada en el corazón gastronómico del Puerto de la Cruz, esta antigua casa, después de una feliz rehabilitación, se ha convertido en un restaurante de diseño moderno con una agradable terraza en calle peatonal. Carles Cano Camps es un cocinero vocacional que se ha perfeccionado en grandes restaurantes de la península.
Tarjetas: Las principales.

ESPECIALIDADES KAFKA

Cocina mediterránea

con matices creativos e ingredientes naturales

La carta cambia 3 veces al año

Tagliatelle "fata en casa" con crujiente de beicon y gambitas al champagne

Solomillo de ternera lechal con foie grillé, reducción de P.X. y salsa de Oporto

Carrilleras ibéricas estofadas con setas de temporada

Tacos de cocodrilo con salsa de curry verde

Bizcochito de chocolate con helado de turrón y mermelada de fresa

Pirámide de queso al Chivas, coulis de arándanos

Mil Sabores

Una casa antigua con un alma joven

La casa que ocupó anteriormente el restaurante “Mi vaca y yo” (uno de los pioneros de Tenerife) es el singular marco escogido por Iván y Cristoph para instalarse en el centro histórico del Puerto de la Cruz. Las instalaciones han sido totalmente rehabilitadas y actualizadas, mejorando la comodidad para el comensal: menos mesas y más grandes, flores frescas... La decoración ha sido revisada con gusto y estilo.

En este escenario que cuida el mínimo detalle, combinando simplicidad y elegancia, el visitante degusta una refinada cocina que no se parece a ninguna otra. Recetas llenas de sorpresas, contrastes e innovaciones, felices combinaciones de ingredientes y sabores que saben estimular el paladar.

El mérito corresponde a Cristoph Mayrhofer, joven chef austriaco afincado en Tenerife. Iván Gracia, de origen aragonés, capitanea la sala y la buena atención del personal. Una casa cosmopolita, donde el público puede tomarse el tiempo que desee para disfrutar esta cocina sugerente y la estancia en este lugar que invita al recuerdo.

Este restaurante marca la tendencia.

MIL SABORES' SPECIALITIES

Creative Mediterranean cookery
Seasonal specialities
Savoury cake “Nemo” filled with prawns and vegetables, with cheese au gratin
Cream of carrot soup with fresh ginger and orange
Tomato salad with mozzarella and pesto, fillet of sole and prawns with fine herbs
Surf & turf of chicken and tenderloin of pork
(Honey sauce and spicy sauce, garnished with potato rösti)
“Babel Tower”: Tenderloin of pork, fillet of beef with potato rounds and Hollandaise sauce with herbs
Pangasius fillet, mango and spicy sauce, rice with herbs
King-size prawns in champagne sauce, potato slices with fine herbs
Vegetarian dishes
Coconut mousse with pineapple carpaccio
Dessert assortment for two

Mil Sabores

Localidad: Puerto de la Cruz (38400 Tenerife)

Dirección: C/ Cruz Verde, 5 (transversal C/ Lomo)

Teléfonos: 922 368 172

Parking: Aparcamiento público cercano.

Propietario: Iván Gracia y Cristoph Mayrhofer.

Días de cierre y vacaciones: Abierto todo el año, sólo cenas.
Los domingos almuerzos y cenas.

Decoración: Casa antigua con todo el sabor original.

Ambiente: Variado y cosmopolita, elegante mezcla de públicos y estilos. Ambiente romántico, cenas a la luz de las velas y música chill-out.

Bodega: En constante rotación. Vinos españoles, franceses y chilenos.

Hombres y nombres: Jefe de cocina: Cristoph. Responsable de comedor: Iván.

Otros datos de interés: Abierto desde agosto 2006. Agradable patio interior con mucha luz natural y terraza exterior.

Tarjetas: Todas excepto American Express.

ESPECIALIDADES MIL SABORES

Cocina creativa mediterránea
Platos de temporada
Pastelito "Nemo" relleno de gambas y verduras, gratinado con queso
Crema de zanahoria con jengibre fresco y naranja
Ensalada de tomate y mozarella con pesto, filete de lenguado y gambas a las finas hierbas
Dúo de filetes, pollo y solomillo de cerdo "Ángel y Diablo" (salsa de miel y salsa picante, guarnición de patatas rôsti)
"Torre de Babel": solomillo de cerdo y res con tostitas de papas y salsa holandesa de hierbas
Filete de panga, salsa de mango y picante, arroz de hierbas
Langostinos Imperial con salsa de cava y láminas de papas a las finas hierbas
Platos vegetarianos
Mousse de coco con carpaccio de piña
Variación de postres para dos

Receta Regulo

Pierna de cordero asada

Ingredientes: 1 pierna de 1,5 kg., 2 cucharadas de vinagre, el zumo de 1 limón, 2 ramitas de perejil, 2 dientes de ajo, 1 vaso de agua, 1 hoja de laurel, 1 cebolla grande (100 gr.), 40 gr. de manteca de cerdo, sal.

Preparación: Untar la pierna con la manteca de cerdo por todos sus lados. Encender el horno para que se vaya calentando. En un cazo poner el agua, las ramitas de perejil, los ajos sin pelar, el laurel, la cebolla pelada y en cuartos, el vinagre, el zumo de limón y algo de sal.

Dejar que cueza durante 6 minutos. Poner la pierna de cordero en una fuente y meterla en el horno. Pasados 15 minutos bajar un poco la temperatura del horno y rociarla con lo del cazo que habrá colado antes. Darle la vuelta varias veces para que se dore bien por todos sus lados. Estará al cabo de 1 hora.

Antes de trincharla para servirla dejar reposar unos 10 minutos en el horno apagado.

REGULO'S SPECIALITIES

Canarian and international cookery
Mushrooms with shrimp stuffing in green herb sauce
Grilled limpet shells
Monkfish pudding parcel in spinach coat with lobster sauce
Grilled fresh stone-bass with small unskinned potatoes
Grunt ("burro" fish) "a la espalda" (butterfly-grilled, then sprinkled with fried garlic in olive oil and a dash of vinegar)
Prawn and monkfish kebab
Fillet steak with camembert stuffing
Fried marinated rabbit
Roast shoulder of lamb
Blackberry parfait
Papaya with orange squash and Grand-Marnier

Regulo

Localidad: Puerto de la Cruz (38400 Tenerife)
Dirección: C/ Pérez Zamora, 16 (parte antigua de la ciudad)
Teléfonos: 922 384 506 - Fax: 922 370 420
Parking: Dos aparcamientos cercanos
Propietario: Regulo Pagés Turumbull
Días de cierre y vacaciones: Cerrado domingos todo el día y lunes al mediodía. Vacaciones del 15 de Junio al 30 de Julio.
Decoración: Casa canaria del siglo XVIII, con varios comedores distribuidos alrededor de un típico patio canario.
Ambiente: Variado. Selecta mezcla de públicos y estilos.
Bodega: Completa. Vinos canarios y españoles.
Hombres y nombres: Director-Maître: Regulo. Chef: Fermín González Padrón
Otros datos de interés: Restaurante abierto desde Febrero 1986, cuenta con una plantilla experimentada (media de 25 años de profesión)
Tarjetas: Todas

ESPECIALIDADES REGULO

Cocina canaria e internacional
Champiñones rellenos de gambas con salsa verde
Lapas a la plancha
Pastel de rape envuelto en espinacas con salsa de bogavante
Cherne fresco a la plancha con papas arrugadas
Burrito a la espalda
Brocheta de langostinos con rape
Solomillo relleno de camembert
Conejo en salmorejo
Paletilla de cordero asada
Parfait de moras
Papayas con zumo de naranja y Grand Marnier

Taller de D. Diego Álvarez

Noble cocina de producto

Este restaurante juega a la autenticidad: el producto y la tradición. Juega y gana porque es el lugar ideal para disfrutar de una culinaria muy honesta. Los protagonistas de la fiesta son los géneros excepcionales que llegan a esta casa: pescados de alta mar, mariscos del día y sabrosas carnes rojas. El género, la materia prima de calidad, vuelven a estar de moda. Aquí el comensal degusta productos tan sabrosos como saludables, elaborados de forma sencilla, sabores diáfanos y sensaciones placenteras.

El Taller de Don Diego Álvarez es una casa en evolución permanente. Con el reciente remozamiento de la terraza, puede asegurarse que este establecimiento reúne todo lo que se puede exigir. Aquí los amantes de los vinos encuentran también ofertas de primera, siempre renovadas. Los vinos son una de sus características diferenciadoras porque ¿qué haría su cortesana cocina castellana sin su afectuosa y reconfortante compañía?. La euforia esta garantizada.

Es un lugar sociable, complaciente y detallista, de personal amigable pero deferente, donde además se come muy, pero que muy bien. El secreto de esta casa radica en su sencillez y en el excelente trato que Antonio Lázaro, siempre gentil, atento y generoso, dispensa a sus clientes. En conclusión, una recomendación acertada para entusiasmar a los apasionados de la buena cocina de toda la vida

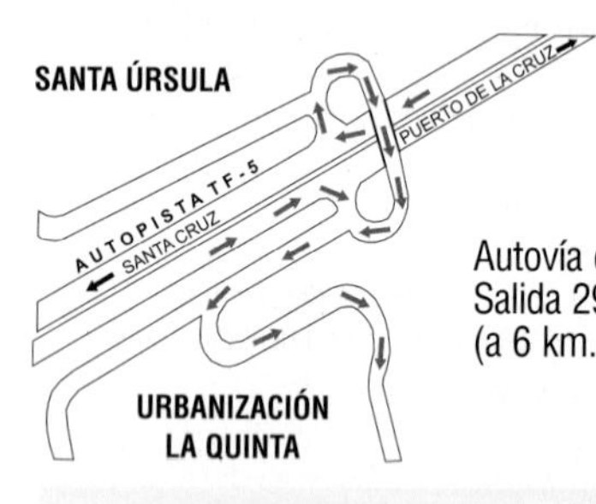

Autovía de Santa Cruz al Puerto de la Cruz.
Salida 29 Santa Úrsula-La Quinta
(a 6 km. antes de llegar al Puerto)

TALLER DE D. DIEGO ÁLVAREZ' SPECIALITIES

Traditional Spanish cookery with first-choice ingredients
Selection of air-dried specialities, salami, ham, with label quality
Cured ham of acorn-fed pigs, blood sausage from Burgos, air-dried beef from León
Cèpe mushrooms with foie gras
Roast suckling lamb
Grilled lamb cutlets
Fresh meat
Prawns from Huelva, clams, mussels
Fresh fish from continental Spain
Hake caught with rod and line
Salt cod specialities
Tangerine cream
Home-made desserts

Taller de D. Diego Álvarez

Localidad: Santa Úrsula (38.390 Tenerife)
Dirección: C/ B-19, Urbanización La Quinta (junto al Hotel). Salida 29 de la autovía TF5
Teléfonos: 922 300 866 Fax: 922 300 064
Parking: Aparcamiento gratuito frente al restaurante.
Propietario: Antonio Lázaro
Días de cierre y vacaciones: Abierto cada día del año. Cocina ininterrumpida de las 12 h. de la mañana hasta las 24 h. de la noche
Decoración: Temática, recreando un taller antiguo
Ambiente: Una tasca ilustrada con dos ambientes: tasca y restaurante. Un lugar desenfadado para disfrutar del buen comer con una bodega a la altura de las circunstancias
Bodega: Un punto fuerte de la casa. Amplia variedad de vinos, cantidad y diversificación.
Hombres y nombres: Supervisado directamente por el propietario Antonio Lázaro
Otros datos de interés: Este restaurante, de marcada personalidad, merece la visita por su cocina de calidad, atención esmerada y la obra excepcional realizada con materiales antiguos recuperados: azulejos, maderas, útiles y maquinaria de talleres del siglo XIX. Posibilidad de banquetes hasta 80 personas.
Tarjetas: Las más usuales

ESPECIALIDADES TALLER DE D. DIEGO ALVAREZ

Cocina tradicional española
con géneros de gran calidad
Selección de chacinas e ibéricos con D.O.
Jamones de bellota, morcilla de Burgos, cecina de León
Hongos con foie
Cordero lechal al horno
Chuletillas a la parrilla
Carnes frescas
Gambas de Huelva, almejas, mejillones
Pescado traído de la península
Merluza de pincho
Bacalaos
Crema de mandarina
Postres caseros

Azulón

Puntero en el sur de Tenerife

Pablo Pastor, asesor gastronómico de reconocido prestigio, es el artífice de este nuevo restaurante que fusiona sabores y sensaciones del Mediterráneo y Oriente a precios asequibles. En Azulón, Pablo propone una carta dinámica y viva que cambia cada semana.

La cocina de fusión mezcla influencias de Occidente y Oriente, es una innovación culinaria que se ha impuesto en la aldea global. Gracias a esta globalización, conceptos y tradiciones gastronómicas de diferentes culturas conviven en un perfecto maridaje que trae consigo la posibilidad de intercambiar y adoptar ideas, ingredientes, formas de preparación y presentaciones diversas. Se han introducido especias orientales, sabores agridulces, puntos de cocción livianos y una estética minimalista en la presentación de los platos. Esta tendencia ha traspasado fronteras y hoy en día, la cocina de fusión está presente en los principales centros gastronómicos mundiales. El restaurante Azulón recoge esta evolución gastronómica combinando sencillez y simplicidad oriental con sorprendentes propuestas llenas del colorido y la plenitud de los sabores del Mediterráneo.

Gourmet Experience

Pablo Pastor, siempre atento a las últimas tendencias, ha inaugurado un nuevo espacio en la planta baja del local, habilitando una zona especialmente diseñada para la enseñanza con un área anexo para la degustación de los platos realizados. Gourmet Experience está pensado para aquellos que siempre sintieron el deseo de introducirse en el mundo de la alta gastronomía, bien por el placer de crear platos con los que sorprender a sus invitados, o para experimentar con diversos ingredientes, sabores y aromas de la alta cocina, aprendiendo trucos y secretos de la mano de un auténtico maestro y su equipo.

Los cursos de cocina están dirigidos a niños, adultos, parejas, principiantes y profesionales. Entre el amplio programa de actividades, destaca la propuesta de venir al restaurante, aprender a cocinar, quedarse a cenar y de paso conocer gente. Este espacio multifuncional, con una amplia terraza de diseño, también se puede utilizar como Gastro-Bar, para reuniones, cócteles o presentaciones.

AZULÓN'S SPECIALITIES

Mediterranean cookery with an Asiatic touch

Tasting menu, every week new:

(Three starters, fish and meat courses plus two desserts, about 30 €)

Lukewarm goat cheese salad with apples and black-olive dressing

Sushi assortment 12 pieces: Nigiri, Maki, Sashimi

Octopus kebab and black potatoes with smoked mojo sauce

Confit fillet of salt cod with rice and a light capsicum aioli

Fillet steak with chanterelle mushrooms and truffles

Vanilla ice cream with crisp maize flour flake

Lemon pie 2010 with cherries

Azulón

Localidad: Adeje - Torviscas Alto (38660 Tenerife)
Dirección: C/ Extremadura, 10 - Altos del Roque
Teléfonos: 922 712 940 Fax: 922 710 600
E-mail: azulonchic@gmail.com www.azulonchic.es
Parking: Fácil aparcamiento.
Propietario: Pablo Pastor.
Días de cierre y vacaciones: Sólo cenas, abierto de 19 a 23.30 h. Cerrado domingos.
Decoración: Proyecto de diseño vanguardista firmado por Paz de la Iglesia (Mow Design).
Ambiente: Público que sabe disfrutar de nuevas experiencias.
Bodega: Ningún vino supera los 25 €.
Hombres y nombres: Un equipo de profesionales especializados en cocina japonesa, mediterránea, mexicana y las distintas técnicas punteras.
Otros datos de interés: Ubicado en lo alto de una privilegiada zona residencial de Adeje.
Tarjetas: Las principales.

ESPECIALIDADES AZULÓN

Cocina mediterránea con toques asiáticos
Menú Degustación, cambia cada semana:
(tres entrantes, pescado, carne y dos postres, alrededor de 30 €)
Ensalada templada de queso de cabra con manzanas y vinagreta de olivas negras
Surtido sushi 12 piezas: Nigiri, Maki, Sashimi
Brocheta de pulpo y papas negras con mojo ahumado
Lomo de bacalao confitado con arroz a banda y ali oli suave de pimientos
Solomillo de ternera con chantarellas y trufas
Helado de vainilla con crujiente de gofio
Lemon Pie 2010 con cerezas

Vilaflor de Chasna

Municipio de altura

Vilaflor, situado a sólo 15 minutos de los núcleos turísticos del sur de Tenerife es una escala obligatoria en su excursión al Teide, a 15 minutos más de carretera.

La conservación de su herencia histórico-artística hace de este municipio uno de los lugares más tradicionales de Tenerife. Pasear por sus calles y plazas y asomarse a sus mansiones es como viajar en la máquina del tiempo y situarse sin dificultad en los siglos XVII y XVIII. Existen, además de esas mansiones centenarias del centro de la ciudad, otros edificios dignos de mención que reflejan la importancia que, siglos atrás, tuvo "el municipio más alto de España" a 1500 metros de altitud. Dichas edificaciones son la Iglesia Parroquial de San Pedro de Chasna, una de las más antiguas del sur de la isla, o la capilla de San Roque, situada en una colina desde la que se disfruta una de las mejores vistas de la ciudad.

Vilaflor, posee un entorno ecológico primorosamente conservado. Para disfrutar de todo su esplendor cuenta con 11 rutas perfectamente señalizadas donde los amantes del senderismo podrán contemplar varias reservas naturales, las construcciones típicas, el cultivo en terraza o los grandes pinares, de enorme valor forestal con ejemplares de gran porte, con más de 50 años de vida y cuyos troncos pueden superar el metro de diámetro.

Este paisaje y orografía ofrecen al visitante una inmejorable oportunidad para la práctica de deportes al aire libre como la bicicleta de montaña, la escalada y el parapente, donde Vilaflor es zona de referencia para los aficionados de toda Europa.

Su localización, en un pequeño valle, le otorga una gran calidad del aire y un cielo limpio hasta la madrugada, ideal para que los científicos y aficionados disfruten de la astronomía.

Vilaflor es un pueblo de buen comer, ningún visitante debe dejar de degustar su cocina tradicional acompañada de los exquisitos vinos de la tierra, ecológicos en su mayor parte, así como su reconocida repostería.

EL SARMIENTO DE VILAFLOR'S SPECIALITIES

Canarian first-quality cooking
The menu changes every week
Recommendations of the day
Potatoes with pork chops, corn on the cob and Canarian coriander sauce
Fried camembert with cranberry sauce
Carpaccio of salmon or of fillet of beef
Salt cod with onions
Grilled tuna with sautéed vegetables and rice
Curried chicken with fruit
Rabbit in spicy marinade with small unskinned potatoes
Fillet steak with roquefort, mushroom or green pepper sauce
Canarian cheese
Mille-feuille filled with apple compote, vanilla ice cream

El Sarmiento de Vilaflor

Localidad: Vilaflor (38613 Tenerife)
Dirección: C/ Santa Catalina, 13 (centro población)
Teléfonos: 922 709 090 609 492 507
E-mail: davidvid2507@terra.es
www.elsarmientodevilaflor.com
Parking: Aparcamiento propio
Propietario: David Rodríguez y Dennis Schoon
Días de cierre y vacaciones: Cerrado domingos noche y lunes. Vacaciones en verano, desde mediados de junio a finales de agosto.
Decoración: Actual y confortable, acogedora y romántica
Ambiente: Un lugar delicioso para momentos especiales
Bodega: Aproximadamente 150 referencias, vinos canarios y peninsulares. David Rodríguez es un reconocido enólogo de Tenerife
Hombres y nombres: Jefe de sala: Dennis Schoon. Sumillier: David Rodríguez.
Otros datos de interés: Este restaurante, inaugurado el 28 de enero 2004, incentiva la cultura del vino. Cada 15 días, organiza catas de vino comentadas en la sala especialmente habilitada. También cursos y conferencias. Salón privado para reuniones o celebraciones con capacidad hasta 45 personas. Calidad y precios asequibles.
Tarjetas: Las principales

ESPECIALIDADES EL SARMIENTO DE VILAFLOR

Cocina canaria de calidad
La carta cambia cada semana
Sugerencias diarias
Papas con costillas y piña millo, mojo de cilantro
Camembert frito con salsa de arándanos
Carpaccio de salmón o de solomillo
Bacalao encebollado
Atún a la plancha con verduras salteadas y arroz
Pollo en salsa de curry y frutas
Conejo en salmorejo con papas arrugadas
Solomillo de res, salsa roquefort, champiñones o pimienta verde
Quesillo canario
Hojaldres rellenos de compota de manzana, helado de vainilla

Hotel Spa Villalba ****

El Entorno. A una altitud de 1.600 metros, rodeado por siete parques naturales de pino canario. Pinos centenarios, con una diversidad de más de 200 especies de flora única. Es camino obligado al "Cielo de Canarias": El Teide (3.715 m)

El Paisaje. A tan solo 22 km. de la costa, en un paraje único, inmerso en un pinar canario donde los amantes de la ornitología encontrarán especies endémicas como el pinzón azul y el pájaro pica pino, símbolo del hotel.

El Hotel. Arquitectura y decoración inspirada en la cultura canaria. La combinación de los elementos naturales madera y piedra, crean un ambiente para sentirse en plena armonía con la naturaleza.

Los Salones. Concebidos para ofrecer un confort exclusivo: el salón chimenea de lectura, sala de juegos, de televisión y de reuniones. Espacios para disfrutar del entorno desde el interior.

Restaurante La Vendimia. Con los productos de las huertas de Vilaflor, ofrece una cocina natural basada en las raíces de la gastronomía canaria, acompañada de vinos ecológicos.

Las Habitaciones. Amplias, acogedoras y luminosas, 25 habitaciones con espacio generoso, donde los pinares se funden con el interior.

El Spa. Integrado en el entorno natural, es el complemento perfecto para el descanso. La sala de relax, el sanarium, la sauna, el baño turco, el jacuzzi, los caminos de guijarros, aromatizados con aceites esenciales que estimulan los sentidos y la piscina climatizada con masaje dinámico. Los tratamientos corporales son todo un ritual para la relajación de cuerpo y mente.

Actividades. Influenciados por esta altitud, la potencia, defensas y oxigenación se incrementan. Dispone de un gimnasio totalmente equipado y rocódromo. Senderismo, bicicletas de montaña con nueve senderos catalogados. Escalada y barranquismo dirigidos por guías profesionales.

Bajo la misma dirección: **Hotel Reverón Plaza** ****
C/ General Franco, nº 26. 38650 Los Cristianos. Tenerife
Tlf: 922 757 120 Fax: 922 757 052 www.hotelesreveron.com
(44 habitaciones y todos los servicios)

HOTEL SPA VILLALBA'S SPECIALITIES

Updated Canarian and Castilian cookery
Produce from our own garden
Weekly recommendations
Truffle of sweet blood pudding coated with almonds from Vilaflor
Layered slice of grilled vegetables with romesco sauce
Salad of fried marinated fish or poultry
Castilian roasts: sucking lamb or pig
Rabbit in spicy marinade with small unskinned potatoes
Salt cod with onions
Cheese with palm tree syrup
Tiramisù
Caramelised fruit

Hotel Spa Villalba

Localidad: Vilaflor (38613 Tenerife)
Dirección: Ctra. San Roque s/n
Teléfonos: 922 709 930 Fax: 922 709 341
E-mail: hotelvillalba@hotelesreveron.com
www.hotelvillalba.com
Parking: Aparcamiento propio
Propietario: Grupo Reveron
Días de cierre y vacaciones: Abierto cada día
Decoración: De alta montaña
Ambiente: Amantes de la naturaleza, la tranquilidad y el silencio
Bodega: Vinos canarios y españoles
Hombres y nombres: 20 personas a su servicio
Otros datos de interés: Hotel inaugurado en septiembre 2004, solo 25 habitaciones (dobles, 2 junior suite, 4 suites con jacuzzi y una suite presidencial). Spa integrado a la naturaleza, piscina climatizada, gimnasio con aparatos y rocódromo (pared para hacer escalada)
Tarjetas: Todas

ESPECIALIDADES HOTEL SPA VILLALBA

Cocina canaria actualizada y cocina castellana
Productos de huerta propios
Sugerencias semanales
Trufa de morcilla dulce con envoltura de almendras de Vilaflor
Milhojas de verduras a la parrilla con salsa romesco
Ensalada con escabeches (de pescado o de ave)
Asados al estilo castellano: cordero y cochinillo
Conejo en salmorejo con papas arrugadas
Bacalao encebollado
Quesillo con miel de Palma
Tiramisú
Frutas caramelizadas

GRAN CANARIA

Las Palmas

AMAIUR. Avda. Pérez Galdós, 2. Tel. 928 370 717.
Fax: 928 368 937 - www.restauranteamaiur.com

Casa colonial del S. XIX situada en el barrio histórico de la ciudad con un cuidado comedor de tintes modernos. Los hermanos Bastida optan por una novedosa propuesta de cocina de mercado con influencias vascas. Bodega completa, bien seleccionada.

EL CUCHARÓN. Marina, 5. San Cristóbal. Tel. 928 331 365.
www.elcucharon.es

Un local de dos plantas y muchos quilates situado frente al mar, en San Cristóbal, el populoso barrio marinero de Las Palmas. Fiel a su estilo en esta nueva sede, José González sigue marcando el rumbo acertado, elaborar especialidades autóctonas actualizándolas con toques de frescura y acentos innovadores. La gastronomía canaria más tradicional con criterios y técnicas de la cocina actual. En sala, la joven Alicia Faber con modales por mejorar.

LA CASA VASCA. Avda. Alcalde Ramírez Bethencourt, 18. Tel. 928 241 829
www.lacasavasca.com

Enclavado en la avenida marítima, este local, como su propio nombre indica, apuesta por una cocina tradicional vasca con leves apuntes innovadores. Destacan especialidades típicas como el bacalao al pil pil, el cogote de merluza, pisto a la bilbaína o los clásicos chipirones y una bodega con algunas etiquetas actuales.

TENERIFE

Costa Adeje: **LAS AGUAS. Avda. Bruselas, s/n. Gran Hotel Bahía del Duque. Tel. 922 746 900. www.bahia-duque.com**

Con una afición por los fogones que cultivó en la casa familiar, en la isla de la Gomera, Braulio Simancas recupera la memoria culinaria de sus padres fusionando las recetas más populares de la cocina de las islas con nuevas técnicas, texturas y atrevidas propuestas. Una carta "muy canaria" que aspira a convertirse en referente de la gastronomía del Archipiélago.

Guía de Isora: **M.B. Ctra. General TF-47, km, 9. Tel. 922 126 000. www.abamahotelresort.com**

Situado en un lugar de ensueño, en el exclusivo y lujoso Hotel Abama Resort, M.B. es otro de los exitosos proyectos del cocinero vasco Martín Berasategui. En este espacio gourmet para 50 comensales, el chef Erlantz Gorostiza plasma la filosofía culinaria de Berasategui, una constante búsqueda de la perfección, ofreciendo calidad y originalidad en todas sus creaciones.

Puerto de la Cruz: **EL ORIENTAL. Avda. Richard J. Yeoward, 1. Hotel Botánico. Tel. 922 381 400. www.hotelbotanico.com**

Ubicado en las instalaciones del suntuoso Hotel Botánico, este restaurante oriental, inaugurado en 1996 por la Reina Sirikit de Tailandia, ofrece alta cocina de estilo asiático. Se pueden degustar las más delicadas y tentadoras culinarias orientales: tailandesa, vietnamita, malasia, indonesia, china y japonesa. Servicio excepcional en una atmósfera muy elegante.

Bodegas de Vilaflor

Situación

Las Bodegas de Vilaflor están situadas en la Comarca de Abona, en un acogedor y bellísimo municipio del sur de Tenerife, Vilaflor. Aquí, los viñedos disfrutan de magníficas condiciones medioambientales a más de 1300 metros de altitud.

La especial situación del municipio, el fructífero suelo volcánico, arcilloso, de color oscuro y gran fertilidad, el elevado promedio de horas solares y el clima seco beneficiado por los vientos alisios otorgan al vino un carácter muy peculiar.

La Bodega

La bodega está equipada con los más modernos avances técnicos: instalación de selección y clasificación de la uva, depósitos desde los 200 litros de capacidad para pequeñas microvinificaciones hasta los 5.000 litros, control de temperatura...

La nave de crianza se encuentra excavada dentro del cráter de la Caldera para garantizar unas condiciones idóneas de humedad y temperatura de crianza durante todo el año. Para ello, la humedad relativa se mantiene al 75 % y la temperatura fija en 16º.

Vinos

Bodegas de Vilaflor cultiva sus viñas en la mayor zona de viñedos ecológicos de Canarias, más de 400 hectáreas de viñedos que producen sus caldos bajo la Denominación de Origen de Abona. Un rigurosa selección de las mejores viñas del municipio consigue caldos perfectos: blancos, tintos y crianzas que reposan en barricas de roble francés y americano hasta el momento óptimo para ser embotellados.

Cantabria

La región de Cantabria se sitúa en el eje de la franja norte costera de España que baña el mar Cantábrico, auténtica joya de la España verde.
La gran diversidad y riqueza de su territorio queda patente en sus más de 60 playas de finas y blancas arenas, en sus cumbres de los Picos de Europa con cotas superiores a los 2600 metros de altitud, en los numerosos ríos que la recorren de Sur a Norte y que compartimentan valles de un verdor fantástico, creando espacios naturales de un altísimo valor ecológico que la convierten en una región única.
Todo un rosario de playas se suceden a lo largo del litoral, respaldadas por rías y marismas de incalculable riqueza marisquera y singular avifauna. Multitud de valles se alternan en su territorio, en donde se asientan un gran número de lugares pintorescos, pueblos y villas, bosques y praderías, collados y vaguadas difíciles de hallar en otro punto de nuestra geografía.
Merecen especial relevancia las universalmente conocidas Cuevas de Altamira que constituyen todo un hito para la humanidad al ser la primera y más extraordinaria expresión artística del hombre de las cavernas.
Santander, su capital, es una moderna y cosmopolita ciudad que se asienta sobre una espléndida y hermosa bahía.

Santander

Fiestas Patronales: Santiago, 25 de julio. Fiestas de gran colorido, regatas, ferias, teatro.
Museos y monumentos: Iglesia del Santísimo Cristo, Catedral Basílica, Biblioteca Menéndez y Pelayo, Museo Provincial de Prehistoria y Arqueología, Museo municipal de Bellas Artes, Museo Etnográfico de Velarde, Museo Marítimo.
Oficina de Turismo: Plaza de Velarde, 5. Tel. 942 310 708.

La cocina cántabra

Las tierras cántabras son ricas en productos naturales. Desde las aguas bravías del Cantábrico a las altas montañas lebaniegas, con sus espléndidos valles y ríos, la cocina cántabra posee unas materias primas de excepcional calidad.

El mar, la montaña y los valles son las despensas que proveen a su recetario de contundentes y gustosos guisos, abundantes pescados y mariscos, excelentes carnes de bovino y de ovino, leche de vaca y estupendas hortalizas y legumbres. La cocina del mar ofrece exquisitos platos marineros como merluza de anzuelo, bonito, besugo al horno y extraordinarios mariscos, sin olvidar lo que ofrecen los ríos, truchas y salmones. La cocina del interior es un amplio muestrario de hortalizas, vegetales, potajes y cocidos. En la montaña destaca la caza mayor.

En la cocina cántabra se pueden encontrar platos tradicionales y sencillos como el cocido montañés, sabrosos callos, caracoles, alubias con chorizo, bocartes a la cazuela, sardinas de Santoña, truchas con tocino, setas de primavera...

Numerosa es la nómina de quesos con una ancestral elaboración artesanal con variedad de aromas, sabores, formas y texturas, desde los más suaves de Guriezo, Ampuero y Cabuérniga hasta los más elaborados y fuertes de Liébana, además del queso fresco pasiego.

La repostería cántabra es muy variada destacando los sobaos y quesadas pasiegas, los suspiros de Cabezón de la Sal, arroz con leche y natillas.

Como remate a una espectacular comida no hay que dejar de probar el orujo de Liébana.

Santander

REAL*****	Pérez Galdós, 28	942 272 550	www.hotelreal.es
BAHIA****	Alfonso XIII, 6	942 205 000	www.hotelbahiasantander.com
COLISEUM****	Pza. Remedios, 1	942 318 081	www.hoteles-silken.com
CIUDAD DE SANTANDER***	Mdez. Pelayo, 13-15	942 319 900	www.nh-hoteles.es
En Escalante			
SAN ROMAN DE ESCALANTE	Ctra. a Castillo, km.2	942 677 745	www.sanromandeescalante.com

El Serbal

En busca de la excelencia

Rutilante establecimiento de la capital cantabra, El Serbal es la referencia gastronómica santanderina y ha dinamizado la hostelería de esta comunidad.

La carta se renueva con frecuencia interpretando la generosa despensa de Cantabria en formulaciones serias, coherentes y ejecutadas milimétricamente, platos sugerentes y delicados, siempre placenteros para el comensal.

Las instalaciones se han visto favorecidas por diferentes ampliaciones y mejoras continuas hasta convertirse en un privilegiado y lujoso enclave gastronómico. Una constante evolución hasta conseguir un marco excepcional, fusión de elegancia, buen gusto y modernidad.

Las novedades son numerosas: se ha aumentado el espacio entre las mesas, retirando algunas, para favorecer la privacidad y comodidad, nuevas cartas de aguas minerales, cervezas y cafés, perfectamente referenciadas y comentadas (composición, elaboración y nota de cata), nuevos carros de quesos artesanos de poca producción y de panes, expresamente preparados para el restaurante dos veces al día, para el servicio de mediodía y para las cenas.

Como broche de oro, se han introducido menús-maridaje con los mejores champagnes franceses. Creadores de emociones siempre renovadas, los propietarios de El Serbal, pese a su juventud, han conseguido situar a este restaurante en la cúspide del panorama gastronómico de nuestro país.

EL SERBAL'S SPECIALITIES

Creative cookery of nowadays prepared with Cantabrian produce
Gastronomic menu, tasting and Dom Pérignon
Lobster with celery cream, salad mix, truffle & chestnut dressing
Lukewarm salad of marinated Iberian pork, mushrooms, dried fruit and couscous with raisins
Gently-cooked salt cod with grapes and celery cream with potato
Baked hake with octopus and peppers in three different textures
Loin of beef and ravioli of foie gras with oloroso sherry
Goat kid cooked in two different ways with baked apple and passion fruit cream with quince jelly
Swiss roll with whisky ice cream and soaked bun
Figs tossed with thyme, ice cream of Claudia plums with rum

El Serbal

Localidad: **Santander (39004 Cantabria)**
Dirección: C/Andrés del Rio, 7 (Puerto Chico)
Teléfonos: **942 222 515 (y fax)**
E-mail: elserbal@hotmail.com www.elserbal.com
Propietario: Antonio González, Fernando Sainz de Maza y Rafael Prieto.
Días de cierre y vacaciones: Cerrado domingo noche y lunes. Abierto todo el año.
Decoración: Elegante y muy contemporánea.
Ambiente: Público medio alto, interesante mezcla de públicos.
Bodega: Climatizada y visitable,alrededor de 350 vinos, con 40 o 50 referencias de vinos extranjeros, vinos dulces de postres, carta de licores y selección de cafés e infusiones.
Hombres y nombres: Jefe de cocina: Fernando Sainz de la Maza
Segundo de cocina: Andrés Ruiz. Jefe de sala: Andrés Gandarillas. Maitre: Rafael Prieto.
Otros datos de interés: Inaugurado en 1999 este restaurante propiedad de tres jóvenes profesionales, marca la diferencia en Santander capital. Debido a la capacidad reducida (45 personas), se aconseja reservar mesa los fines de semana.
Tarjetas: Todas.

ESPECIALIDADES EL SERBAL

Cocina actual e imaginativa con productos de Cantabria
Menú Gastronómico, Degustación y Dom Pérignon
Bogavante con crema de apio, mezclum de lechugas, vinagreta de trufas y castañas
Ensalada tibia de ibérico escabechado, setas, frutos secos y cous cous de pasas
Bacalao confitado con uvas y crema de apio con patata
Merluza asada con pulpo y pimiento en tres texturas
Lomo de vaca pinta con ravioli de foie gras al oloroso
Cabrito en dos cocciones con manzana asada y crema de maracuyá con membrillo
Brazo gitano con helado de whisky y borracho de sobao pasiego
Higos salteados al tomillo con helado de ciruela claudia al ron

Solana

Cocina generosa y placentera

Solana está ubicado en plena naturaleza, en una finca propia de ganado vacuno a 50 km. de Santander y 60 km. de Bilbao. Es un restaurante familiar que ha evolucionado a partir de las recetas tradicionales de la madre Begoña, maestra guisandera vocacional dedicada a la cocina regional y casera, famosa por sus alubias y cocidos, hacia los alardes creativos de su hijo Ignacio Solana que practica una feliz y gustosa cocina de autor. Aquí, el comensal descubre una radiante fusión entre la cocina de los pucheros de toda la vida y la alta gastronomía actual, platos reales que sacian el apetito y hacen disfrutar comiendo.

Ignacio es un joven cocinero de tan sólo 30 años que se ha formado en la Escuela de Hostelería de Laredo y empezó como aprendiz en su Club Naútico. Tras un largo periplo por varios restaurantes de postín como Aldebarán en Badajoz, Tubal en Tafalla y Europa en Pamplona, se ha incorporado al negocio familiar para actualizar el recetario con interesantes y sugerentes propuestas.

Cocina de producto con toques de modernidad y nuevas técnicas, siempre adaptada al entorno, utilizando los mejores géneros de la despensa cántabra y navarra. Ignacio visita cada día la lonja de Laredo para conseguir el pescado más fresco. Sublimando el arte del hortelano, las verduras dan lugar a elaboraciones imaginativas, respetando al máximo texturas y sabores naturales.

Esta bella casa solariega presenta su nuevo salón ambientado en tonos cálidos y columnas de piedra vista, muy luminoso, con mesas amplias y espectaculares vistas al valle. Este marco actual acoge la cocina generosa y placentera interpretada por Ignacio Solana. Mantiene, generación tras generación, las bases de su éxito: excelente calidad de la materia prima, utilización de productos autóctonos y amor por el trabajo y los comensales asiduos. La filosofía de Solana es mantenerlos y seducir a los recién llegados a esta casa que indudablemente volverán.

SOLANA'S SPECIALITIES

Tempting traditional cookery with a personal touch
The à la carte menu changes according to the market offer and the season
Tasting menu: 2 appetizers and 7 courses (55 €)
Anchovies from the Bay of Biscay, desalted fillets with dressing of the house
Juicy rice pot of fresh baby squids Italian style
Tartare of white tuna and smoked aubergine, ginger ice cream
Grilled turbot from our coast with garnish, juice of squids with onions and peeled goose barnacles
Grilled salt cod with its sounds and brandade
Braised veal cheeks in red wine
Free-range chicken and rice with its juice
Red berry infusion with cheese ice cream
Toasted brioche slice with lime ice cream
Special list for dessert wines

Solana

Localidad: **Ampuero (39849 Cantabria)**
Dirección: La Bien Aparecida (a 4 km. de Ampuero)
Teléfonos: **942 676 718** **www.restaurantesolana.com**
Parking: Aparcamiento propio.
Propietario: Ignacio Solana Pérez.
Días de cierre y vacaciones: Del 15 de julio al 15 de septiembre, abierto cada día para comidas y cenas. Resto del año, cerrado domingo noche y lunes todo el día.
Cenas: viernes y sábados, de martes a jueves previa reserva.
Decoración: Amplio y moderno comedor con vistas al valle.
Ambiente: Un restaurante para disfrutar.
Bodega: Propia, en sótano. El comensal puede escoger su vino en la bodega. 350 etiquetas de vinos tintos más un centenar de blancos, cavas y champagnes.
Hombres y nombres: Chef de cocina: Ignacio Solana. Jefe de sala: Inmaculada Solana.
Otros datos de interés: Enfrente del Santuario de La Bien Aparecida, patrona de Cantabria, restaurante de tradición familiar desde 1940. El nuevo comedor se inauguró en Navidad 2007.
Tarjetas: Todas.

ESPECIALIDADES SOLANA

Apetitosa cocina tradicional y de autor
La carta evoluciona según mercado y estación
Menú Degustación: 2 aperitivos y 7 platos (55 €)
Anchoas del Cantábrico, filetes desalados y aderezados en casa
Arroz cremoso de chipirón fresco al estilo italiano
Tartar de bonito y berenjena ahumado, helado de jengibre
Rodaballo autóctono a la parrilla con refrito añejo,
jugo de chipirón encebollado y percebes del Cantábrico pelados
Bacalao a la parrilla, cocinado con sus callos, su brandada
Carrillera de ternera de leche estofadas al vino tinto
Pollo de corral confitado con arroz de sus propios jugos
Infusión de frutos rojos con helado de queso de Las Garmillas
Tostada de pan brioche con helado de lima
Carta de vinos de postre

Casa Nacho González

Cocina "por naturales"

El restaurante Casa Nacho González está ubicado en una casona de piedra y madera típica de Cantabria, en el municipio de Ruente, al pie de la carretera que lleva a los Picos de Europa, junto al manantial de la Fuentona, una fuente cántabra de la que mana agua limpia y cristalina aportando caudal al río Saja. Un estrecho puente romano de nueve ojos, fabricado en arenisca, peina unas aguas sonoras adornadas por el delicioso parque que lo circunda. A ambos lados del puente, posada y restaurante atendidos por Nacho González y su esposa Josefina.

En este delicioso entorno rural se ofrece una cocina con puro sentido común, honesta, natural y sabrosa, sostenible y reconocible, elaborada desde la sencillez. Esmerada y minuciosa elaboración, los productos son tratados con mimo, cariño y el tiempo adecuado. Diariamente, Nacho González, personaje notable y sabio, se desplaza al mercado de Suances o San Vicente de la Barquera para buscar el pescado fresco del día.

Este restaurante de estilo rústico presenta tres ambientes diferenciados. La taberna, de ambiente andaluz -sus paredes reflejan imágenes taurinas, algunas de ellas firmadas por sus protagonistas-, destacando su selecta vinoteca y los magníficos jamones, todos de Jabugo, reales y seleccionados, que cuelgan del techo. El luminoso comedor en la planta superior, de atmósfera sosegada, un rincón con encanto singular ideal para disfrutar de la buena mesa y la amistad. La terraza con privilegiadas vistas a los montes, al río y a los prados cercanos.

Posada La Fuentona de Ruente

Enfrente del restaurante, nada más aconsejable, confortable y económico que alojarse en las 9 habitaciones dobles de la Posada La Fuentona dejándose llevar por la grandiosidad clorofílica y amable de un paisaje estremecedor, la Reserva Nacional del Saja. Aquí podrá gozar de un entorno espectacular, ideal para practicar senderismo, cazar o pescar. Su interior decorado en un estilo cálido y reposado, invita al descanso y sosiego. En su exterior dispone de aparcamiento, jardín y área infantil. **www.posadalafuentonaenruente.com**

La Alacena de Carlos Herrera

Nacho González distribuye en Cantabria jamones, embutidos, manzanillas y aceites de La Alacena de Carlos Herrera, además de los quesos manchegos del Marqués de Larios (Dehesa de los Llanos-Albacete) y los vinos de las bodegas María Jesús Casado (Llano de Santiago).

NACHO GONZALEZ' SPECIALITIES

Traditional cookery with seasonal produce
Every day a different menu
Aubergine stuffed with porcini, cured ham and cheese
Wild mushrooms in season (porcini and St George's mushrooms)
Red bean stew
Wild fish from San Vicente de la Barquera
Chargrilled salt cod
Chunk of hake from the Bay of Biscay
Meat from Tudanca (D.O. Cantabria)
Mille feuille from Torrelavega
Toasted bread with orange marmalade
Pudding of cheese from Cantabria

Casa Nacho González

Localidad: **Ruente - Cabezón de la Sal (39513 Cantabria)**
Dirección: Ruente, 1
Teléfonos: **942 709 125**
www.restaurantecasanachogonzalezenruente.com
Parking: Aparcamiento propio.
Propietario: Nacho González.
Días de cierre y vacaciones: Abierto cada día. Vacaciones: 2ª quincena de noviembre.
Decoración: Casa montañesa, antigua casa de postas, piedra y madera.
Ambiente: Español. Público fiel, sibaritas y turismo informado.
Bodega: Un punto fuerte de la casa, más de 120 referencias en una línea clásica.
Hombres y nombres: Dirección: Josefina Fernández. Cocinera: Paula González. Jefa de Sala: Leticia González.
Otros datos de interés: Una casa con alma, clásica en Cantabria, atendida por los propietarios desde 1991. Gastronomía, saber estar y amistad. Menú de temporada con géneros de calidad: 39 € todo incluido.
Tarjetas: Todas.

ESPECIALIDADES NACHO GONZÁLEZ

Cocina tradicional con los productos de temporada
La carta se elabora a diario
Berenjena rellena de boletus edulis, jamón ibérico y queso
Setas en temporada (boletus de Campoo y perrechicos)
Alubias rojas de Casar de Periedo
Pescados salvajes del puerto de San Vicente de la Barquera
Bacalao a la brasa
Tronco de merluza del Cantábrico
Carnes de Tudanca (D.O. Cantabria)
Hojaldre de Torrelavega
Pan viejo: tostadas con mermelada de naranja
Pudding de queso de Cantabria

San Román de Escalante

Arte y Gastronomía

El complejo hotelero de San Román de Escalante está situado en uno de los parajes más bellos de la costa cantábrica, un privilegiado emplazamiento geográfico de extraordinario entorno natural, con lugares tan emblemáticos como las marismas de Santoña. También se encuentra relativamente cerca de Bilbao, con su espectacular Museo Guggenheim, de la histórica villa de Santillana del Mar, del Parque de la Naturaleza de Cabarceno y de la capital Santander.

Una antigua y noble casona solariega del siglo XVII, completamente rehabilitada, cobija las impresionantes instalaciones de este establecimiento único. La cercana Ermita Románica de San Román, el bosque privado para dar un paseo, los amplios jardines y la piscina conforman la esencia de San Román de Escalante.

Este lugar que respira quietud y serenidad ha iniciado una nueva etapa de la mano de Rubén Fernández, un profesional que ostenta una importante formación académica en una Escuela de Hostelería helvética y ha adquirido experiencia internacional en España, Francia y Suiza.

El restaurante ocupa lo que fueron las viejas caballerizas. El comedor principal destaca por su cálida chimenea. En cuanto a gastronomía, la nueva dirección presta una especial atención a los servicios a la carta tanto en cocina como en sala al ofrecer una cocina esmerada y bien presentada, con productos frescos y de primera calidad. Otro punto fuerte de la casa son los eventos. Banquetes diferenciados y personalizados en un entorno mágico: velas, jardines... la norma es celebrar un solo banquete a la vez.

La conjunción de elementos decorativos y muebles de siglos pasados con seleccionadas piezas de arte moderno caracterizan a las 16 habitaciones del hotel: 3 suites (aúnan espacio y confort), 6 superiores, (arte, mimo y detalle) y 7 estándar (cómodas y originales, fusionan aromas del pasado y aires contemporáneos).

La exquisita atención al cliente convierten a San Román de Escalante en un remanso de paz ideal para desconectar de la ciudad, un placentero lugar para ser visitado en cualquier época del año.

SAN ROMÁN DE ESCALANTE'S SPECIALITIES

Updated traditional cookery with regional produce from Cantabria

Tasting menu San Roman de Escalante

(65 € including wine, renewed every month)

Lobster ravioli with sauce Américaine

Sea bass in a potato nest with green asparagus

Boned oxtail stew with warm potato foam

Warm chocolate gateau with vanilla ice cream

Interpretation of Piña Colada, confit in spice syrup

San Román de Escalante

Localidad: **Escalante (39795 Cantabria)**
Dirección: Ctra. de Escalante a Castillo, km. 2
Teléfonos: **942 677 745 – 942 677 728**
E-mail: sanromanescalante@mundivia.es
www.sanromandeescalante.com
Parking: Propio y vigilado
Propietario: Familia Fernández.
Días de cierre y vacaciones: Abierto todo el año.
Decoración: Noble casona solariega del siglo XVII, deliciosamente acondicionada y decorada con obras de arte y antigüedades.
Ambiente: Histórico lugar que ofrece cortesía, calma y tranquilidad.
Bodega: Selección de casi todas las Denominaciones de Origen, muchos Reservas y Grandes Reservas de Rioja, Ribera del Duero y Penedés. Extensa gama de whiskies de Malta.
Hombres y nombres: Dirección: Rubén Fernández.
Otros datos de interés: Agradable terraza de verano. Comedor de banquetes con capacidad para 180 personas. Salones privados para comidas de negocios (de 20 a 30 personas).
Tarjetas: Todas.

ESPECIALIDADES SAN ROMÁN DE ESCALANTE

Cocina tradicional actualizada

con los productos autóctonos

de la espléndida despensa de Cantabria

Menú Degustación San Roman de Escalante

(65 € vino incluido, cambia cada mes)

Ravioli de bogavante con salsa Americana

Lubina en nido de patatas con espárragos trigueros

Rabo de vacuno deshuesado con espuma caliente de patata

Pastel de chocolate caliente con helado de vainilla

Interpretación de la piña colada confitada en almíbar de especias

Fuentebro y la comarca

La naturaleza de la comarca Campurriana ofrece enormes atractivos y un gran interés cultural y deportivo, se puede acceder en pocos minutos a la estación invernal Alto Campoo, al nacimiento del Ebro, a las ruinas romanas de Julióbriga o disfrutar de la pesca en los innumerables ríos y en el pantano del Ebro, con la posibilidad de visitar los monumentos, colegiatas e iglesias románicas esparcidas por toda la zona y por supuesto degustar la excelente y generosa gastronomía del restaurante Fuentebro.

En Fontibre, **a 4 Km. de Reinosa**, está ubicado el restaurante Fuentebro, justo encima del nacimiento del río Ebro, del que toma su nombre. Además de ser la cuna del Ebro, está situado en la ruta de la estación invernal Alto Campoo y de Palombera, paso que une el Valle de Campoo con los de Saja y Cabuérniga.

Rehabilitado en una antigua vivienda rural, dentro del casco viejo de Fontibre, ha querido conservar los elementos principales de las construcciones de la comarca: piedra y madera; completando su decoración con antiguos elementos y herramientas de uso en las labores rurales.

Los principales platos de la carta se basan en productos de la comarca, adaptándolos a la gastronomía actual. Destacan sobre todo las carnes de los pastos de alta montaña.

Desde el comedor, a través de su amplia galería se puede contemplar el continuo brotar de las primeras aguas que forman el río Ebro, que dio nombre a la Península Ibérica (Hiberus Flumen).

Consta de una primera planta donde se encuentra el bar con salón y mesas rústicas, donde podrá degustar platos variados de embutidos, quesos y cazuelitas, al calor de una gran chimenea de piedra. En su segunda planta está el comedor, de 100 plazas, decorado en piedra y madera, de altos techos y agradables vistas sobre el nacimiento del Ebro.

FUENTEBRO'S SPECIALITIES

Traditional cookery with a creative touch

Sandwich of white tuna and foie gras with red onions and caramelized apple

Salad of cured Iberian ham and foie gras

Artichokes stuffed with foie gras, quail egg and cured Iberian ham

Shallow-fried fresh duck liver with reduction of Malaga Virgen

Salt cod in garlicky olive oil emulsion with tomato

Veal cutlet

Beef cheeks in Malaga Virgen sauce with cheese cream

Cheese tart with blueberry preserve

Red fruit infusion with ice cream of cottage cheese

Fuentebro

Localidad: **Fontibre (39212 Cantabria)**
Dirección: Junto al nacimiento del río Ebro (a 4 km de Reinosa).
Teléfonos: **942 779 772 y 942 779 645**
www.restaurantefuentebro.com
Parking: Fácil aparcamiento.
Propietario: José Ángel Torre Calvo.
Días de cierre y vacaciones: Abierto cada día al mediodía. Cenas viernes, sábados y vísperas de festivos (o con reserva previa). En julio y agosto, abierto mediodía y noche.
Decoración: Rústica, adaptada a la arquitectura rural de la zona. Antigua vivienda rural rehabilitada y decorada con antigüedades y pinturas con motivos del entorno.
Ambiente: Público local y turismo.
Bodega: En constante rotación y evolución. Vinos clásicos y de autor de las principales D.O.
Hombres y nombres: Directora: Carmen Cuesta Ramos.
Otros datos de interés: Restaurante abierto en Septiembre de 1998. Situado dentro del núcleo urbano del pueblo rural de Fontibre, mirador sobre el nacimiento del Ebro.
Tarjetas: Visa, Master Card, American Express y Diner's.

ESPECIALIDADES FUENTEBRO

Cocina tradicional con toques innovadores

Emparedado de bonito y foie con cebolla roja y manzana caramelizadas

Ensalada de jamón ibérico y foie

Alcachofas rellenas de foie, huevo de codorniz y jamón ibérico

Escalope de hígado fresco de pato a la plancha con reducción de Málaga Virgen

Bacalao al pil pil con emulsión de tomate

Chuleta de ternera del Alto Campoo

Carrillera de novilla al Málaga Virgen sobre crema de queso

Tarta de queso con mermelada de arándanos

Infusión de frutas rojas con helado de queso fresco

Sambal

Gastronomía, playas y golf

Situado en la costa oriental de Cantabria, Noja es un lugar privilegiado reconocido desde finales del S.XIX como un atractivo destino para el descanso. En su histórico casco antiguo se pueden contemplar típicas casonas palaciegas, reflejo de la importancia que tuvo la villa en la Edad Media. También se puede disfrutar de la belleza de sus marismas y la tranquilidad de las playas de Ris y Trengandín.

En este delicioso entorno, junto a la playa de Ris y dentro del recinto del Campo de Golf de Noja, se encuentra Sambal, un restaurante "de cocineros". Los propietarios, Javier Ruiz y Ángel María Carabias son ambos jefes de cocina con reconocida experiencia. Abierto desde mayo 2009, en su corta trayectoria, el restaurante Sambal ha sido merecedor de varios premios entre los cuales destaca el "Mejor plato de pescado" en el Campeonato de España Bocuse d'Or 2009.

Aquí se desarrolla una cocina de mercado muy elaborada y personal, fruto de un trabajo madurado en constante evolución. La carta de Sambal pone énfasis en el producto autóctono, consiguiendo un elegante equilibrio entre sabores y texturas y prestando gran atención a las presentaciones con protagonismo de las flores naturales como elemento decorativo. Además de esta culinaria audaz y creativa, Sambal cultiva el rito de la parrilla para satisfacer los gustos más clásicos.

Este equipo joven que ostenta una brillante trayectoria profesional aporta frescura, innovación e imaginación a esta experiencia gastronómica. Una propuesta con personalidad, sello propio, alto nivel de cocina y precios asequibles a la mayoría.

SAMBAL'S SPECIALITIES

Market cookery with fresh produce

Tasting menu: 5 courses

Rice, spinach, octopus and green pistachio nuts

Prawns, essence of the stock with lemongrass

Monkfish, pea puree and infusion of cockles

Salt cod, curd ham fat, tomato and red onion

Duck magret, beetroot and spiced yogurt

Tenderloin of Iberian pork, oak and smoked oil with holm oak scent

Poor knight of lady finger sponge, mint infusion and meringue milk

Chocolate and mint

Sambal

Localidad: **Noja (39180 Cantabria)**
Dirección: Barrio El Arenal, s/n - Campo de Golf Berceda
Teléfonos: **942 631 531** **www.restaurantesambal.es**
E-mail: **restaurantesambal@hotmail.com**
Parking: Fácil aparcamiento.
Propietario: Javier Ruiz y Ángel María Carabias.
Días de cierre y vacaciones: En verano, abierto cada día mediodía y noche. Resto del año, abierto cada día al mediodía, cenas sólo viernes y sábados.
Decoración: Vanguardista, predominan las líneas rectas. Cocina vista, dos comedores y gran terraza ajardinada tocando al hoyo 9 del campo de golf.
Ambiente: Razón y lógica definen esta casa y su cocina.
Bodega: Más de un centenar de entradas. Todas las D.O. españolas, selección de vinos franceses y del mundo.
Hombres y nombres: Jefe de cocina: Enrique Pérez Malagón. Jefe de Sala: María Teresa Gutiérrez González.
Otros datos de interés: Restaurante de nueva generación en la zona oriental de Cantabria que cuenta con las mejores playas, muchas de bandera azul, a 30 km. de Santander y 90 de Bilbao.
Tarjetas: Todas.

ESPECIALIDADES SAMBAL

Cocina de mercado y de producto

Menú Degustación: 5 platos

Arroz, espinacas, pulpo y pistacho verde

Gambones, su caldo concentrado al lemon-grass

Rape, licuado de guisantes y berberechos infusionados

Bacalao, grasa de jamón, tomate y cebolla roja

Magret de pato, remolacha y yogurt especiado

Solomillo ibérico, quercus y ahumado de encina

Torrija de sobao pasiego, infusión de menta y leche merengada

Chocolate y menta

El Nuevo Molino

El Nuevo Molino se crea a partir de la idea de combinar un entorno clásico con la más moderna cocina creativa, avalada por el prestigio del restaurante El Serbal de Santander, punta de lanza de la vanguardia gastronómica cántabra, dando un nuevo aire a esta casa tradicional. En la actualidad sigue una línea de cocina, cuidada y elaborada, a semejanza de su hermano mayor El Serbal.

Situado en la población de Puente Arce, a 12 km. de Santander en dirección a Torrelavega, El Nuevo Molino está construido en antigua piedra de sillería cántabra, rodeado de verdes jardines y con una magnífica vista al río Pas.

La cocina, dirigida por Antonio González, ha creado una multitud de nuevas propuestas de temporada y se ve realzada con la elegante y cuidada atención dispensada en la sala.

Destaca la colección de arte en sus salas, convirtiendo este restaurante en un lugar donde se satisface tanto la vista como el paladar.

Al Nuevo Molino, no se acude tan sólo para disfrutar de su cocina, sino también para apreciar el paisaje de la zona, tan característico de Cantabria. Puente Arce está ubicado en el corazón del Valle de Piélagos, que destaca tanto por sus zonas verdes y montañosas, como por su proximidad al mar y a las bellas y extensas playas de Liencres.

Ofrece además servicio de chófer para desplazamientos desde su hotel.

EL NUEVO MOLINO'S SPECIALITIES

Personalised market cookery

Two tasting menus

Pan-fried octopus with its juice, violet potato and paprika

Juicy rice pot with scarlet prawns and snails

Squid from the Bay of Biscay; tartare, grilled or braised

Roast monkfish, tapenade of kalamata olives and rhubarb sticks

Knuckle of veal, fennel with vermouth and crushed potatoes

Roast rack of lamb with pale ale

Sugared hazelnuts, chocolate and passion fruit

Sponge of Oreo biscuits, frozen banana, caramelised and pickled beetroot

El Nuevo Molino

Localidad: **Puente Arce (39478 Cantabria)**
Dirección: Ctra. General, km. 13 Barrio Monseñor, 18
Teléfonos: **942 575 055 www.elnuevomolino.com**
Parking: Propio
Días de cierre y vacaciones: Cerrado domingo noche y martes
Decoración: Antiguo molino de agua restaurado, amplios jardines y una ermita reconvertida en galería de arte.
Ambiente: Gastronómico, cultural y empresarial.
Bodega: Dentro del comedor, los comensales que lo deseen pueden elegir entre 250 referencias de vinos nacionales y del mundo cuidadosamente elegidas.
Hombres y nombres: Jefe de cocina: José Antonio González.
Jefe de sala: Francisco Vía. Sumiller: María Lozano.
Otros datos de interés: Este enclave gastronómico ha iniciado una nueva andadura de la mano del equipo del restaurante El Serbal de Santander, trasladando su talento a este marco espléndido. Dos salones para 40 y 30 comensales, salón de banquetes con capacidad hasta 200 personas y servicio de catering a toda Cantabria.
Tarjetas: Todas.

ESPECIALIDADES EL NUEVO MOLINO

Cocina de mercado y de autor

Dos Menús Degustación

Pulpo a la sartén en su jugo, patata violeta y arena de pimentón

Arroz meloso de carabineros y caracolillos

Calamar del Cantábrico: tartar, plancha y estofado

Tronco de rape asado, tapenade de kalamata y bastones de ruibarbo

Jarrete de ternera lechal, hinojo asado al vermouth y patata mortero

Carré de cordero asado con "caña de cerveza tostada"

Avellanas garrapiñadas, chocolate y fruta de la pasión

Bizcocho de "oreo", plátano helado, caramelizado y remolacha encurtida

Annua

Abanderado de Cantabria

San Vicente de la Barquera.- Ubicado en la costa occidental de Cantabria, San Vicente de la Barquera es un bello municipio que aúna todos los atractivos de la España Verde: historia, excepcional medio natural, reconocido prestigio gastronómico y profundas tradiciones populares, reflejadas en distintas manifestaciones festivas y culturales. El escenario es único: el mar, sus playas, la puebla vieja y el fondo nevado de los Picos de Europa. San Vicente se encuentra a 40 minutos de Santander, cerca de Comillas y Santillana del Mar, y a un paso de la capilla sixtina de la geología, la cueva de El Soplao.

La cocina de Óscar.- Oscar Calleja es un joven cocinero santanderino con una exitosa trayectoria profesional. Tras cursar estudios en la Escuela de Hostelería de Santander, prosiguió su formación en las cocinas de célebres maestros como Daniel García en Zortziko, Juan Mari Arzak y Pedro Larumbe, donde descubre la sofisticación, belleza y coherencia de la cocina contemporánea. Fue emocionante su paso por París y reconocida su labor como jefe de cocina en el restaurante Los Cedros con el tercer premio en el Campeonato de Cocineros de Madrid.

Con este bagaje, Oscar ha vuelto a su tierra para reinventar un lugar al borde del mar, en un paraje bendecido por los dioses: Annua, un espacio gastronómico premium y ambiente post-moderno. Rodeado de un equipo de jóvenes profesionales con auténtica devoción por la gastronomía, desarrolla aquí una culinaria actual, con un alto dominio de la técnica. Una cocina de fusión realzada por su inquietud imaginativa, guiños vanguardistas, una interpretación personal de las últimas tendencias y las cocinas del mundo. Oscar Calleja representó a Cantabria en la Exposición Universal Shanghai 2010, la ciudad más pujante de China con 20 millones de almas y más de 4000 rascacielos.

Privilegiadas instalaciones.- Las instalaciones gozan de gran flexibilidad organizativa: tres comedores que se pueden unir: Artemisa -60 p.-, Lunaris -30 p. y Bellis -privado 16 p-. Con la terraza al borde del mar alcanza una capacidad máxima de 200 personas para eventos especiales. Existe la posibilidad de comer y cenar en la terraza, tipo bistrot, con una oferta y servicio más informal. También copas con música y ambiente chill-out.

Ostras.- El poeta Horacio, 65 años A.C., llamó a la ostra "Trufa del Mar". Annua dispone de un espléndido parque de cultivo de ostras debajo de la misma terraza, una zona de aguas inmaculadas, dulces y saladas, la ría de San Vicente.

ANNUA'S SPECIALITIES

Creative haute cuisine
Two tasting menus, Gastronomic: 65 € and Experience: 70 €
For instance:
Lollypop of raspberry and foie gras
Stones of matured cheese and mushroom powder
Cauliflower round with horn-of-plenty mushrooms
Potato foam with white truffle and prawn
Oyster or anchovy with honey cream
Home-smoked wild salmon and rocks of onions and squid ink
Foie gras desert with rocks of hazelnuts and Armagnac
Prawn, refried beans and chipotle with agaves
Small hamburger of red tuna, oyster sauce and ginger bubbles
Gently-cooked salt cod with hot-pot stock, crumbs of blood sausage with maize and venison
Cantabrian forest with venison and wild spring mushrooms
Sweet spaghetti Carbonara
Hazelnut nests with chocolate eggs and meringue milk

Annua

Localidad: San Vicente de La Barquera (39540 Cantabria)
Dirección: Paseo La Barquera, s/n (a 100 m. de la Ermita de San Vicente)
Teléfonos: 942 715 050 E-mail: info@annuagastro.com
www.annuagastro.com
Parking: Aparcamiento propio.
Propietario: Óscar Calleja.
Días de cierre y vacaciones: De junio a septiembre, abierto cada día comidas y cenas. Resto, cerrado lunes todo el día y noches de domingo, martes y miércoles. Vacaciones: enero y febrero.
Decoración: Estilo elegante y vanguardista, en armonía con su alta culinaria.
Ambiente: Sofisticación y belleza. Una apuesta de primer nivel para sibaritas y gastrónomos con pedigrí.
Bodega: Variada representación de los mejores vinos españoles y franceses, en constante rotación y actualización, incluyendo novedades.
Hombres y nombres: Jefe de Cocina: Óscar Calleja. 2º Jefe de Cocina: Aitor Fernández. Maitre: Eduardo Borbolla. Asesor de bodega: Roberto García Corona.
Otros datos de interés: Magníficas instalaciones: tres confortables áreas interiores diferenciadas e impresionante terraza de 400 m^2 sobre la ría de San Vicente.
Tarjetas: Todas.

ESPECIALIDADES ANNUA

Alta cocina de autor
Dos Menús Degustación, Gastronómico: 65 € y Experience:70 €
Ejemplo:
Chupa Chups de frambuesa y foie-gras
Piedras de queso pasiego y polvo de setas
Oreo de coliflor y trompetas de los muertos
Espuma de patata, trufa blanca y langostino
Ostra coco o anchoa artesana con cremoso de miel
Salmón salvaje ahumado in situ y rocas de cebolla y tinta
Desierto de foie gras con rocas de avellana y Armagnac
Taco de langostino, frijoles refritos y chipotle con Ágave 100% reposado
Hamburguesita de atún rojo, salsa de ostras y burbujas de jengibre
Bacalao confitado en caldo de cocido, migas de borono y ciervo
Bosque cántabro de corzo y setas de primavera
Sweet espagueti carbonara
Nidos de avellana con huevos de chocolate y leche merengada

SANTANDER

DEL PUERTO. Hernán Cortés, 63. (Puerto Chico). Tel. 942 213 001
www.bardelpuerto.com

Toda una institución en la capital santanderina por la indiscutible calidad de su cocina marinera. Excepcionales mariscos y pescados preparados de forma sencilla y una siempre concurrida barra de tapeo. Su privilegiado emplazamiento permite disfrutar de hermosas vistas sobre la bahía.

CAÑADÍO. Gómez Oreña, 15. (Pza. del Cañadío). Tel. 942 314 149.
www.restaurantecanadio.com

El chef Paco Quirós dirige este restaurante desde su inauguración en 1981. En sus fogones conviven la cocina clásica de temporada –la artesanía- y la cocina más vanguardista –el arte-. Bodega en constante evolución y barra para degustar una amplia variedad de pinchos y vinos.

LA BOMBI. Casimiro Sainz, 15. Tel. 942 213 028.

A pocos metros de Puerto Chico encontramos este acogedor local que aúna calidad y cuidado servicio. Del mar a la tierra, pequeños pescadores surten a esta casa de su producto estrella, más de 14 variedades de pescados frescos del día, elaborados de forma sencilla y natural sin disfrazar el sabor y el aspecto del género. Destacan además los excelsos mariscos y las carnes de la tierra.

Quijas: HOSTERIA DE QUIJAS. Bº Vinueva, s/n (a 4 km. de Torrelavega). Tel. 942 820 833. info@hosteriadequijas.com www.hosteriadequijas.com

Magnífica casa señorial del S.XVIII perfectamente conservada, con mobiliario de época y rodeada de un amplio jardín. La familia Castañeda confecciona una gran variedad de deliciosas recetas basadas en los productos de temporada y del mercado. Todo ello acompañado de una fina mantelería de lino y una vajilla de colección.

Tanos: LOS AVELLANOS. Paseo Joaquín Fernández Vallejo, 122 (a 2 km. de Torrelavega). Tel. 942 881 225. restaurante@losavellanos.com - www.losavellanos.com

En esta casona del S. XIX, Jesús de Diego desarrolla una oferta culinaria muy contemporánea. Una cocina inquieta y preocupada por agradar, con un número limitado de mesas para que con calma, podamos recrearnos con creaciones plenas de sabores y aromas. Una de las mejores bodegas de la zona con caldos poco habituales, que funciona también como tienda.

Villaverde de Pontones: EL CENADOR DE AMOS. Plaza del Sol, s/n. Tel. 942 508 243. info@cenadordeamos.com - www.cenadordeamos.com

Uno de los restaurantes de más prestigio de la comunidad, gracias a sus osadas y modernas propuestas de raíces cántabras, donde sobresale la técnica de su cocinero, Jesús Sánchez. La cocina se convierte en un taller artesanal en el que cada pieza es modelada con mimo tanto en su tratamiento como en su presentación.

Albacete

Fiestas: Procesiones del Viernes Santo de Tobarra; Fiestas Patronales de San Bartolomé, Fiestas de la Virgen de Gracia de Caudete, Fiestas de la Virgen de Los Llanos.
Museos y monumentos: Museo Arqueológico Provincial, Iglesia de La Trinidad, Torre del Tardón, Iglesias del Salvador y de Santo Domingo y el castillo del Marqués de Villena.
Oficina de Turismo: Tinte, 2 - Edificio Posada del Rosario. Tel. 967 580 522

Ciudad Real

Fiestas Patronales: 5 anuales destacables: La Pandora y La Romería de Alarcos (locales), Semana Santa, El carnaval, La Fiesta de la Vendimia.
Museos y monumentos: Puerta de Toledo, la Iglesia de San Juan, Convento de las Carmelitas y el Museo Provincial.
Oficina de Turismo: Plaza Mayor, 1. Tel. 926 200 037.

Cuenca

Fiestas Patronales: Fiestas de Moros y Cristianos. Valverde de Júcar. Semana Santa.
Museos y monumentos: Catedral y Palacio Episcopal. Museo Arqueológico, Casas Colgadas y Museo de Arte Abstracto, Iglesia de San Miguel e Iglesia de San Pedro.
Oficina de Turismo: Plaza Mayor, 1. Tel. 969 232 119

Guadalajara

Fiestas Patronales: El Corpus, Festival Medieval.
Museos y monumentos: Palacio del Duque del Infantado, Santa María de la Fuente, la Iglesia de Santiago, el Convento de Santa Clara.
Oficina de Turismo: Plaza de los Caídos, 6. Tel. 949 211 626

Toledo

Fiestas Patronales: Del Corpus, de la Virgen del Sagrario, la Romería, de la Virgen del Valle, del Olivo en Mora, Fiesta de San Isidro, Fiestas de Danzantes y Pecados en Camuñas.
Museos y monumentos: Cristo de la Luz, Iglesia de San Esteban y Santa Eulalia, Santiago del Arrabal, Cristo de la Vega, San Miguel.
Oficina de Turismo: Puerta de Bisagra, s/n. Tel. 925 220 843.

Goza de una asombrosa variedad geográfica con rincones absolutamente sorprendentes conservados casi vírgenes: Lagunas de Ruidera, alto tajo, Hayero de Tejera Negra, Tablas de Daimiel, Cabañeros, Hoces del Cabriel... La gran cantidad de espacios protegidos hacen de esta comunidad uno de los principales destinos de todos los amantes del turismo de naturaleza.

Para disfrutar plenamente del contacto con el medio natural y rural cuenta con un creciente número de casas rurales y de labranza que se complementan con actividades de tipo cultural, deportivo y lúdico: senderismo, rutas ecuestres, piragüismo, escalada, puenting... El patrimonio histórico constituye otra fuente importante de interés turístico a lo largo y ancho de Castilla-La Mancha. Rutas de arte rupestre, de ciudades romanas, medievales, de castillos, del gótico o del plateresco nos muestran el legado de civilizaciones y culturas que a lo largo de milenios se asentaron en este territorio.

Dos ciudades, Toledo y Cuenca, por la importancia de sus conjuntos monumentales y su entorno paisajístico han sido declaradas Patrimonio de la humanidad.

Guía de Hoteles

Albacete

En Albacete			
LOS LLANOS****	Av. España, 9	967 223 750	www.hotellosllanos.es
GRAN HOTEL****	Marqués de Molins, 1	967 193 333	www.abgranhotel.com
SANTA ISABEL****	Av. Gregorio Arcos, s/n	967 264 680	www.hotelsantaisabelalbacete.com
PT DE ALBACETE***	Ctra. N. 301, km. 251	967 010 500	www.paradores.es

Ciudad Real

GUADIANA****	Guadiana, 36	926 223 313	www.hotelguadiana.es
PARAISO****	Ronda del Parque, s/n	926 210 606	www.hparaiso.com
En Carrión de Calatrava			
CASA PEPE	Ctra. N. 430, km. 317	926 814 079	www.casapepeciudadreal.com
En Almagro			
CASA DEL RECTOR	Pedro Oviedo, 8	926 261 259	www.lacasadelrector.com
HOSTERIA VALDEOLIVO	Dominicas, 17	926 261 366	www.valdeolivo.com

Cuenca

TORREMANGANA****	Ignacio de Loyola, 9	969 240 833	www.hoteltorremangana.com
PT DE CUENCA****	Subida a San Pablo, s/n	969 232 320	www.paradores.es
LEONOR DE AQUITANIA***	San Pedro, 60	969 231 000	www.hotelleonordeaquitania.com
LA MURALLA (CAÑETE)	Ctra. Valdemeca, 20	969 346 299	www.hostallamuralla.com

Guadalajara

AC GUADALAJARA****	Av. Ejército, 6	949 248 370	www.ac-hotels.com
PAX****	Av. Venezuela, 15	949 248 060	www.hotelpaxchi.com
TRYP GUADALAJARA****	Autovía A-2, km.55	949 209 300	www.solmelia.com

Toledo

EUGENIA DE MONTIJO*****	Juego de Pelota, 7	925 274 690	www.fontecruzhoteles.com
ALFONSO VI****	General Moscardó, 2	925 222 600	www.hotelalfonsovi.com
BEATRIZ****	Ctra. de Avila, km 2,750	925 269 100	www.hotelbeatriztoledo.com
PT DE TOLEDO****	Cerro Emperador, s/n	925 221 850	www.paradores.es

La cocina castellano-manchega

La gastronomía castellano-manchega es muy rica y variada. Universalmente conocida y legitimada por Miguel de Cervantes en El Quijote " una olla de algo más de vaca que carnero, salpicón las más noches, duelos y quebrantos los sábados, lentejas los viernes, algún palomino los domingos", la cocina es abundante, sabrosa y contundente pues su origen es eminentemente pastoril y popular. está basada en los productos de la tierra de gran calidad, cocinados con sobriedad, pero no exentos de toques originales en recetas peculiares y típicas.

Su riqueza gastronómica se asienta en cinco pilares básicos: sus numerosos y variados vinos, todo un catálogo para acompañar cualquier comida. Castilla-La Mancha es el mayor viñedo de Europa; el queso manchego con denominación de origen, elaborado artesanalmente con leche de oveja; el aceite de oliva que da personalidad propia a muchos platos; el uso de productos naturales: azafrán de La Mancha, garbanzos de La Sagra, arroz de Calasparra, berenjenas de Almagro, ajo de Las Pedroñeras, miel de La Alcarria...; y por último, la abundante caza mayor y menor de sus numerosos cotos.

Es una cocina eminentemente ancestral que nos ha legado platos aún vigentes en la gastronomía familiar y en la restauración: Duelos y quebrantos (huevos revueltos con torreznos), pisto manchego, exponente de lo que debe ser la buena cocina, plena de sabores, gazpachos manchegos, el ajoarriero, el mortuelo de Cuenca o los zarajos, migas, gachas, gallina en pepitoria... o dulces como la bizcochá, los suspiros de Quintanar, los pellizcos de monja o los mazapanes de Toledo.

Santa Isabel ****

Hotel con encanto

El Grupo Casa Paco ha llevado a cabo la construcción de este edificio singular, un palacete de estilo Luis XV, que consta de un hotel de cuatro estrellas con 54 habitaciones, 4000 m^2 de jardines e impresionantes salones para acoger grandes eventos, bodas y celebraciones con una capacidad de hasta 2000 invitados, además de un aparcamiento para más de 300 vehículos.

Este complejo se ha levantado con fachada a la remozada Avenida Gregorio Arcos, una ubicación privilegiada a la entrada de Albacete capital, con conexión a la vía rápida que une Madrid y Levante.

La familia Cuesta ostenta una dilatada trayectoria en la hostelería. En 1950 nace Casa Paco como restaurante de carretera. En la actualidad, transcurrido más de medio siglo de profesionalidad y buen hacer, ha alcanzado un reconocido prestigio. Luego vendría el servicio de catering y años después los Salones Santa Isabel.

La principal seña de identidad de este nuevo proyecto es que es regentado por una empresa familiar, no se entregará a ninguna cadena, la gestión está a cargo de la propia familia.

Magníficas instalaciones, confortables y cómodas, que incorporan las últimas tecnologías y adelantos. Todo ello realzado por la calidad tanto en la cocina como en el servicio que distingue el sello "Casa Paco". Entre otras prestaciones dispone de zonas ajardinadas para eventos al aire libre.

Avda. Gregorio Arcos, s/n. Reservas 967 264 680. 02007 Albacete.
www.hotelsantaisabelalbacete.com

CASA PACO'S SPECIALITIES

Regional cookery of La Mancha
"Gazpacho manchego": rabbit stew with mushrooms & snails
Haricot beans with partridge
"Ajo mataero": Warm pig's liver terrine with garlic
"Ajo arriero": garlic-flavoured purée of salt cod and boiled potatoes
Old fashioned stewed partridge in cold marinade
Small red capsicums with partridge stuffing
Roast shoulder of suckling kid
Baked sweet peppers with white tuna
Hake wlth almonds
Boiled knuckle of pork "Casa Paco"
Orange pudding
Home-made egg custard cream
Home-made rice pudding
Spanish buns and cream puffs

Casa Paco

Localidad: **Albacete (02005)**
Dirección: C/ La Roda, 26
Teléfonos: **967 220 041. Reservas y fax: 967 500 618**
E-mail: informacion@grupocasapaco.com
www.grupocasapaco.com
Parking: Propio y vigilado. Servicio de aparcacoches.
Propietario: Pedro y Francisco Andrés Cuesta.
Días de cierre y vacaciones: Domingos noches y lunes. Agosto.
Decoración: Moderna y elegante.
Ambiente: Empresarial y familiar.
Bodega: Principalmente vinos de La Mancha y Riberas del Duero, Riojas, gallegos y catalanes.
Hombres y nombres: Jefe de cocina: Pedro Andrés Cuesta. Jefe de sala: Francisco Andrés Cuesta.
Otros datos de interés: Casa fundada en 1950. Medalla al Mérito Turístico y premio nacional a la gastronomía regional. Restaurante recomendado por la Dirección General de Turismo de Castilla-La Mancha. Servicio de catering, convenciones, cocktails, cacerías, presentaciones institucionales y banquetes. Bajo la misma dirección **Salones Santa Isabel**, para bodas y celebraciones.
Tarjetas: Todas.

ESPECIALIDADES CASA PACO

Cocina regional manchega
Gazpacho manchego
Judías estofadas con perdiz
Ajo mataero
Ajo arriero
Perdiz escabechada al estilo de la Abuela
Pimientos del piquillo rellenos de perdiz
Paletilla de cabrito lechal al horno
Asadillo de pimientos y bonito
Merluza a la almendra
Codillo hervido "Casa Paco"
Pudding de naranja
Natillas de la casa
Arroz con leche de la casa
Suspiros y Miguelitos

Don Gil

Evolución e innovación

En estos últimos años, esta casa trabaja para afianzar un concepto innovador de la restauración, una creciente y acertada adaptación a los tiempos actuales, que se ha visto recompensada con la Q de Calidad. La impecable cocina manchega de toda la vida desarrollada durante dos décadas por D. Enrique Gil Ortiz está felizmente completada por la aportación del chef Ade Bueno. En el restaurante Don Gil conviven tradición y modernidad en perfecta armonía, un espacio recomendable para disfrutar de todas las opciones culinarias: desde el más puro sabor manchego hasta una cocina de autor, creativa y vanguardista. Don Gil presenta su nueva marca con tres líneas diferenciadas:

Don Gil Restaurante, abanderado de la tradicional cocina manchega: generosos y bondadosos platos de cuchara, excelente tratamiento de los arroces y cuidadas materias primas. La esencia de la identidad culinaria regional con óptimas condiciones de calidad, comodidad, representatividad y un servicio muy profesional. Una de las ofertas más atractivas de Albacete.

Don Gil Lounge, aquí se conjuga el diseño y la cocina de autor. Un nuevo espacio futurista que propone una inédita experiencia gastronómica en Albacete. La imaginación es el principal ingrediente, una oferta de cocina emocionante y lúdica, recetas atrevidas y ligeras, formulaciones diseñadas con frescura y presentadas de la forma más actual. Prima la ingeniería culinaria al alcance de las almas más inquietas. Un concepto cosmopolita de la cocina.

Don Gil Eventos, espacios únicos en el corazón de Albacete que garantizan el éxito de cualquier acto social o empresarial con una línea de servicios exclusivos y adaptados para la realización de todo tipo de eventos: boda, bautizo, cumpleaños, fiesta privada...Dispone de nuevos salones completamente equipados con instalaciones de última generación y todos los medios técnicos y audiovisuales. Capacidades modulables desde 40 hasta 450 personas.

CALIDAD TURISTICA

DON GIL'S SPECIALITIES

Traditional cookery from La Mancha
attentive to the new tendencies and techniques
Bomb of warm foie gras with tuber cream, aged wine
and quince in different textures en papillote
Lobster ravioli with couscous of seaweed and vegetables,
juice of smoked red bell pepper
Lukewarm salad of tuna belly flaps, courgette tagliatelle,
egg cooked at low temperature with gold foil
Rice surf & turf
Lamb from La Mancha with label quality, sage,
artichoke cream and cappuccino of ewe's milk
Curd, chocolates, pumpkin and honey soil

Don Gil

Localidad: **Albacete (02004)**
Dirección: C/ Baños, 2 (Villacerrada)
Teléfonos: **967 239 785 Fax: 967 239 813**
www.restaurantedongil.com
Parking: Aparcamiento público Villacerrada al lado.
Propietario: Enrique Gil Ortiz y Gloria García Luneto.
Días de cierre y vacaciones: Cerrado domingos noches y lunes todo el día. Vacaciones: 15 días en agosto.
Decoración: Amplias y elegantes instalaciones en un estilo clásico actualizado.
Ambiente: Público de negocios durante la semana.
Bodega: Extensa, en constante actualización. Etiquetas clásicas y novedades, amplia gama de champagnes y vinos del mundo.
Hombres y nombres: Director: Enrique Gil García. Maitre: Andrés López Hernández. Jefes de cocina : Enrique Gil Ortiz y Ade Bueno.
Otros datos de interés: Restaurante fundado en 1982, 29 años de trayectoria, en constante evolución. 1° Premio de Gastronomía Junta de Comunidades de Castilla-La Mancha. Tres salones (40, 45 y 70 p.), comedores privados, salones habilitados para fumadores y no fumadores. Servicios de bodas y banquetes en un salón especial para grandes eventos y moderno Lounge-Bar en la planta superior.
Tarjetas: Todas.

ESPECIALIDADES DON GIL

Cocina tradicional manchega
atenta a las nuevas tendencias y técnicas
Bomba de foie caliente con crema de tubérculos, vino rancio
y membrillos texturizados a la papillote
Ravioli de langosta con cous-cous de algas y vegetales,
jugo de pimiento rojo ahumado
Ensalada templada de ventresca de atún, tallarines de calabacín
y huevo de la gallina de oro a baja temperatura
Arroces mar y montaña según temporada
Cordero D.O. Mancha con torrefactos, salvia,
dulce de alcachofa y capuchino de leche de oveja
Cuajada manchega, chocolates, calabaza y tierra de miel

Meson Las Rejas

Solera manchega

Manuel Martínez Villora fundó Mesón Las Rejas en 1970. Oriundo de Hellín, muy joven emigró a Albacete y empezó a trabajar de pinche en el Gran Hotel donde dio sus primeros pasos en el mundo de la hostelería. Posteriormente desarrolló su labor profesional en el Milán y el Casino Primitivo. Cocinero tradicional, atento a la calidad del género, era una persona con don de gentes que disfrutaba de su trabajo. Al iniciarse la década de los 70 decide establecerse por su cuenta y abre Mesón Las Rejas en el centro de la ciudad.

Sus hijos, Manuel y Rodolfo Martínez Soto, recuerdan con nostalgia cuando compartían con su padre horas de esfuerzo y dedicación en las típicas cocinas de carbón de la época. Actualmente dirigen esta casa con diligencia y profesionalidad. Su filosofía se basa en el producto diario, de temporada, escogiendo la mejor materia prima en los mercados de Madrid, Valencia, Murcia, Alicante; la carne la adquieren en el País Vasco y Cantabria. Guisos elaborados con mano de santo, platos de cuchara con fundamento o algunas creaciones más innovadoras están presentes en esta culinaria cuyas señas de identidad parten de la tradición.

Mesón Las Rejas es uno de los restaurantes con más solera de Albacete. Sabores manchegos, capacidad reducida y trato cercano al comensal, siempre cortés y amable, garantizan un ambiente familiar. La rústica decoración presenta toques castellanos y manchegos. Sus paredes acogen cuadros de Quijano o Pascual Tendero. La bodega, en constante renovación, da prioridad a los vinos de la región, sin olvidar bodegas de prestigio o algunos caldos de Francia y Estados Unidos.

MESON LAS REJAS' SPECIALITIES

Haricot beans with partridge or as a soup

Rice and rabbit hot-pot

Warm leek pudding

Scrambled eggs with fried bread dumplings

Fillet steak with Manchego cheese stuffing

Monk fish "confit" of the house

Fresh duck liver on apple layer with old-portwine sauce

Chocolate and banana tart

Mesón Las Rejas

Localidad: **Albacete (02002)**
Dirección: C/ Dionisio Guardiola, 9 (centro ciudad)
Teléfonos: **967 227 242**
Propietario: Herederos de Manuel Martínez Villora
Días de cierre y vacaciones: Cerrado domingos y 15 días en agosto.
Decoración: Elegante y clásico mesón manchego
Ambiente: Variado.
Bodega: Muy extensa, más de 150 marcas. Manchegos y Rioja Alta principalmente.
Hombres y nombres: Jefe de cocina: Manuel Martínez; Jefe de sala: Rodolfo Martínez.
Otros datos de interés: Restaurante fundado hace más de 40 años. Se puede comer en la barra. Dos comedores íntimos, capacidad reducida y trato esmerado.
Tarjetas: Todas.

ESPECIALIDADES MESÓN LAS REJAS

Judías estofadas con perdiz o en potaje

Arroz caldoso con conejo

Pastel caliente de puerros

Revuelto de migas ruleras

Solomillo relleno de queso manchego en su propio jugo

Confitado de rape a la manzanilla

Hígado de pato fresco sobre manzana con salsa de Oporto viejo

Tarta de chocolate y plátanos

La Mezquita

Visión innovadora

La Mezquita es un espacio multifuncional propio a satisfacer a todos los públicos y sensibilidades.

Tapas y vinos.- En la zona de barra se pueden degustar una gran variedad de exquisitas tapas siempre acompañadas por una buena selección de vinos. Cada semana se renuevan todos los platos, son tapas-degustación a precios muy asequibles, platos de la carta adaptados a la cocina en miniatura.

Gastronomía.-La irrupción de este establecimiento en el panorama gastronómico de Albacete le hace de por sí acreedor de una mención especial, innovación y tradición se fusionan en una cocina sorprendente y llena de matices, una culinaria de raíces evolutivas, buscando la autenticidad. La elaboración y la técnica están a disposición del producto. Estos fogones respiran creatividad y trabajan para posicionarse como una referencia en la capital. Un "must" para los gourmets a la última.

Más que un restaurante.- Esta casa organiza conciertos acústicos con aforo limitado en salón privado (los jueves) y cenas con baile y orquesta en vivo (los viernes y sábados). Una oferta atractiva para pasar momentos inolvidables y redescubrir la noche en Albacete. Las instalaciones también son ideales para cualquier tipo de evento o reuniones de trabajo.

LA MEZQUITA'S SPECIALITIES

Creative cookery on a traditional basis with modern presentation
Layered slice of potato and truffle with lard of Iberian pork and porcini sauce
Young broad beans tossed with pine nuts and dried tomatoes with goat cheese flavour
Baked hake with hake tongues in a garlicky olive oil emulsion
Braised turbot, prawns tossed with garlic and cider vinegar
Tenderloin of Iberian pork filled with lobster and basil scent
Roast lamb shoulder with sparkling wine, aromatic herbs and red peppers
Chargrilled meat cuts with salt crystals from France
Rice specialities and stews
White chocolate Brownie with vanilla ice cream
Iceberg of fresh fruit with yogurt mousse

La Mezquita

Localidad: Albacete (02004)
Dirección: C/ Feria, 109 (junto al Recinto Ferial)
Teléfonos: 967 605 656
E-mail: lamezquita@lamezquitarestaurante.es
www.lamezquitarestaurante.es
Parking: Aparcamiento enfrente.
Días de cierre y vacaciones: Cerrado domingos noche y lunes.
Decoración: Atrevido diseño contemporáneo.
Ambiente: Acogedor, distinguido y moderno.
Bodega: 120 etiquetas, las principales denominaciones de origen de España.
Hombres y nombres: Un equipo de jóvenes profesionales dirigido por Alberto Ortiz.
Otros datos de interés: Restaurante de última generación en la capital manchega. Impresionantes instalaciones: zona de barra para tapas y vinos, tres comedores privados y salones de eventos con gran flexibilidad organizativa, capacidad desde 25 hasta 280 comensales.
Tarjetas: Todas.

ESPECIALIDADES LA MEZQUITA

Cocina de autor con bases tradicionales y presentaciones actuales
Milhoja de patata y trufa con tocino ibérico en salsa de boletus
Habitas finas salteadas con piñones y tomates secos al aroma de queso de cabra
Tronco de merluza horneado con cocotxas al pil-pil
Rodaballo braseado con salteado de gambas y ajos al vinagre de sidra
Solomillo ibérico relleno de langosta al perfume de albahaca
Paletilla de cordero lechal asada con vinos espumosos, hierbas aromáticas y pimientos rojos
Carnes a la brasa condimentadas con cristales de sales francesas
Arroces y guisos
Brownie de chocolate blanco con helado de flor de vainilla
Iceberg de frutas naturales al mousse de yogur

Almansa

Conjunto Histórico-Artístico

En el extremo más oriental de la provincia de Albacete, Almansa se adentra en el Levante uniéndose a Alicante, Valencia y Murcia, de modo que parece quedar en el centro geográfico de estas cuatro provincias. Esta privilegiada situación configura a la localidad como un **estratégico enclave de comunicaciones** desde el centro peninsular a la zona levantina.

Almansa posee una rica historia, en sus alrededores se han descubierto notables restos arqueológicos como las pinturas rupestres de la "Cueva de la Vieja" en Alpera. En 1707 la Batalla de Almansa durante la Guerra de Sucesión fue decisiva para la instauración de los Borbones en España.

Sus principales atractivos turísticos son el **castillo** y el **casco urbano** que lo circunda, declarado **Conjunto Histórico-Artístico**. El castillo es una soberbia fortaleza de origen árabe que eleva su espectacular silueta sobre la llanura almanseña. A sus pies, se sitúa la Iglesia de la Asunción que destaca por su portada renacentista y sus retablos.

En su entorno natural se diferencian claramente las zonas de bosque, las húmedas y las esteparias. Las áreas boscosas se mantienen en un excelente estado de conservación. La Mearrera y el Pantano, únicas zonas húmedas permanentes, son altamente interesantes por servir de descanso a aves acuáticas migratorias.

La Romería de Almansa es una de sus celebraciones más destacadas. Cada año hay dos romerías, el domingo siguiente al 6 de mayo y el tercer domingo de septiembre. Sus fiestas patronales, del 1 al 6 de mayo, la Feria y el Carnaval completan su oferta lúdica.

En la actualidad, Almansa es una **próspera ciudad** que cuenta entre sus principales fuentes de riqueza con una dinámica industria del calzado y del mueble y la explotación agrícola de cereales. Da nombre también a una denominación de origen de vinos, entre los que destacan los tintos de crianza.

EL RINCÓN DE PEDRO'S SPECIALITIES

Cookery from the Mediterranean area and La Mancha
Rice and lobster pot, rice "a banda", rice with chicken, rabbit and snails
Meat stew from La Mancha or seafood pot
Salt cod in garlicky sauce
Rice with vegetables and cod tongues
Home made partridge pâté
Braised duck liver with oyster mushrooms, marron glacé and cured ham
Leek pudding with roquefort cheese
Fresh fish
Knuckle of lamb
Beef cuts
The sweet temptation, cheese cake, mille-feuille with custard

El Rincón de Pedro

Localidad: **Almansa (02640 Albacete)**
Dirección: C/ Valle Inclán, 6 (frente jardín)
Teléfonos: **967 310 107**
Parking: Fácil aparcamiento
Propietario: Pedro Fuentes Blázquez
Días de cierre y vacaciones: Cerrado lunes. Vacaciones: 1ª quincena de agosto
Decoración: Instalaciones nuevas, combinación de estilos rústico y moderno, con toques manchegos
Ambiente: Empresas principalmente y turismo gastronómico los fines de semana
Bodega: Extensa, con acento en vinos manchegos, Rioja, Ribera del Duero y otras D.O.
Hombres y nombres: Jefe de cocina: Carlos Quiles. Sala: Pedro Fuentes
Otros datos de interés: Dos ambientes: comedor y zona de barra con servicio durante todo el día: vinos, tapas de cocina, almuerzos...
Tarjetas: Todas excepto American Express

ESPECIALIDADES EL RINCÓN DE PEDRO

Cocina mediterránea y manchega
Arroz con bogavante, a banda, con pollo, conejo y caracoles...
Gazpacho manchego o marinero (con marisco)
Bacalao al ajo arriero
Arroz de verduras con cocochas de bacalao
Paté de perdiz casero
Hígado de pato braseado con setas, marrón glacé y jamón ibérico
Pastel de puerros al roquefort
Pescados del día
Codillo de cordero
Carnes rojas
La dulce tentación, tarta de queso, milhojas con crema

Azafrán

Delicadeza en La Mancha

El restaurante Azafrán está situado en la localidad manchega de Villarrobledo, a cinco minutos de la salida 132 de la Autovía A-43 Levante-Extremadura, 80 km. de Albacete y 180 de Madrid. Esta casa aporta un soplo de aire fresco a la restauración manchega. Los Príncipes de España la honraron con su visita en el año 2009.

Nacida en 1980, Teresa Gutiérrez es una cocinera vocacional, desde muy joven se sintió atraída por el mundo de la gastronomía. Manchega en el alma, de padres granadinos, quiso seguir los pasos familiares e inició estudios de Odontología a los cuales renunció para dedicarse a la cocina. Tras cursar dos años en una escuela de Hostelería y Turismo de Valencia, completó su formación en varios restaurantes de la ciudad como Albacar, La Sucursal, Vertical o Riff y en otros prestigiosos establecimientos como Las Rejas de Manuel de la Osa en Las Pedroñeras o El Faro del Puerto de Fernando Córdoba, el chef que ejerció de maestro cuando lo visitaba durante las vacaciones que disfrutaba junto a su familia en la costa gaditana.

Teresa Gutiérrez decide abrir su propio restaurante para practicar una cocina que recupera y actualiza el recetario de la abuela manchega sin excesos de modernidad. Formulaciones siempre sutiles, aderezadas con acentos gaditanos. Destreza e imaginación, sencillez y rigor, aprovechando lo mejor del mercado. Completa la fórmula la gentileza y amabilidad de Lourdes Muñoz en la sala.

Un sábado al mes organiza catas de vino con cenas-maridaje y la presencia de expertos enólogos y sumilleres de La Mancha para promocionar la tradición vinícola de la comarca y la fuerte proyección de futuro de las principales bodegas de la zona: Lozano, Ayuso, Finca Antigua... A 30 minutos del restaurante se encuentra un paraje de excepcional interés turístico, el Parque Natural de Las Lagunas de Ruidera, un oasis de agua y vegetación con dieciséis lagunas que escalonadamente forman cascadas y torrentes acogiendo innumerables aves acuáticas.

AZAFRAN'S SPECIALITIES

Tasting menu: 32 € (3 starters, fish and meat courses plus 2 desserts)
Anchovy toast, roasted red bell peppers with tomato, home-made rosemary bread
Loin of pork with sauce and aioli
Marinated red tuna, vegetable sprout salad and croutons
Crisp vegetable balls with soy & honey sauce
Artichokes au gratin, filled with pig's trotters and vegetables
Mix of octopus, cuttlefish, oyster mushrooms, garlic chives and poached egg
Norwegian home-smoked salmon, with aioli and mint au gratin, roast potato
Confit salt cod with creamy potatoes and garlic chives
Duck magret with pine nuts and vegetable couscous
Roast rack of sucking lamb with breadcrumbs
Lime-lemon dessert
(home-made lime-lemon ice cream, confit lemon, lime soup and brûlée meringue)
Ravioli of pineapple and Greek yogurt

Azafrán

Localidad: **Villarrobledo (02600 Albacete)**
Dirección: Avda. Reyes Católicos, 71
Teléfonos: **967 145 298 - 633 150 090**
E-mail: restaurante.azafran@hotmail.com
www.azafranvillarrobledo.com
Parking: Fácil aparcamiento.
Propietario: Teresa Gutiérrez.
Días de cierre y vacaciones: Cerrado domingos todo el día y noches de lunes, martes y miércoles. Vacaciones:1ª quincena de julio.
Decoración: Contemporánea y depurada, en tonos blancos.
Ambiente: Sosegado y placentero.
Bodega: Predominan los vinos de la tierra. Cuidada selección de etiquetas manchegas y de otras denominaciones españolas.
Hombres y nombres: Jefe de cocina: Teresa Gutiérrez. Jefe de sala: Lourdes Muñoz.
Otros datos de interés: Abierto desde octubre 2008, este restaurante representa la renovación gastronómica en Villarrobledo. Completas instalaciones: salón principal con capacidad para 35 personas y dos salones privados para 8 y 12.
Tarjetas: Las principales.

ESPECIALIDADES AZAFRÁN

Menú Degustación: 32 € (3 entrantes, pescado, carne y 2 postres)
Tosta de anchoas y asadillo manchego con pan casero de romero
Lomo de orza casero con salmorejo y alioli
Atún rojo de almadraba en escabeche casero, ensalada de brotes tiernos y picatostes
Albóndigas crujientes de verdura con salsa de soja y miel
Alcachofas gratinadas rellenas de manitas de cerdo y verduras
Salteado de pulpo, sepia, setas, ajos tiernos y huevo escalfado
Salmón noruego ahumado en casa y gratinado con alioli, hierbabuena y patata asada
Bacalao confitado con crema de patata y salteado de ajos tiernos
Magret de pato con piñones y cous-cous de verduras
Costillar de cordero lechal asado con migas ruleras
Postre de lima-limón
(helado casero de lima-limón, limón confitado, sopa de lima y merengue quemado)
Raviolis de piña y yogur griego casero

Hotel Guadiana * * * *

Con todo lujo de detalles

Inaugurado en septiembre 2004, está situado en el centro de Ciudad Real, en una de las principales vías de la ciudad, por lo que ofrece un muy fácil acceso y localización, a tan solo 250 metros de la Plaza Mayor.

Es un edificio totalmente nuevo, dotado de las más modernas instalaciones y los equipamientos más completos. En el Hotel Guadiana el huésped encuentra todo cuanto necesita, para satisfacer de la forma más placentera su estancia en Ciudad Real, sea por motivos de ocio o profesionales.

Cuenta con 102 habitaciones, de las cuales 11 suites y 7 salones polivalentes con aforos desde 12 hasta 800 personas, dotados con el equipamiento más actual, lo que convierte este hotel en el lugar ideal para celebrar todo tipo congresos, convenciones, actos empresariales o reuniones de trabajo. Además: Cafetería-Cocktail bar, Salón Social, Gimnasio y Garaje propio.

Centro de empresas

Dispone de un Centro de Empresas, que también se puede calificar de centro de cuatro estrellas: amplios despachos y oficinas de lujo completamente equipadas y dotadas de instalaciones de última generación. Espacios dinámicos de diversa capacidad donde poder desarrollar una actividad empresarial con total garantía

EL RINCON DE CERVANTES' SPECIALITIES

Modern cuisine and traditional cookery from La Mancha
We recommend our gastronomic menu (50 €)
Smoked and marinated salmon, Granny Smith apple, cheese powder and vanilla oil
Wild mushrooms with lobster
Foie gras of duck filled with prunes and powder of grilled maize corns
Hake with seaweed and sea urchins
Salt cod, rice soup, vegetables and poor knight of the cod sounds
Turbot, rhubarb compote and cheese ravioli
Pigeon with balsamic vinegar
Sucking lamb with honey, potato & truffle round
Boned lamb shoulder with sweetbreads
Creative desserts of the day

El Rincón de Cervantes

Localidad: Ciudad Real (13.002)
Dirección: C/ Guadiana, 36
Teléfonos: 926 223 313 E-mail:info@hotelguadiana.es
www.hotelguadiana.es
Parking: Garaje en el mismo edificio
Propietario: Hoteles Guadiana s.l.
Días de cierre y vacaciones: Cerrado domingos noches
Decoración: Elegancia y comodidad
Ambiente: Reúne óptimas condiciones de calidad, servicio y representatividad
Bodega: Amplia representación de vinos de La Mancha y otras denominaciones de origen escogidas
Hombres y nombres: Jefe de cocina: José Antonio Gallardo.
Otros datos de interés: Situado en el Hotel Guadiana, el restaurante El Rincón de Cervantes abrió sus puertas con la clara vocación de convertirse en un nuevo referente de la gastronomía de Ciudad Real. Capacidad para 50 comensales y amplios salones para bodas, comidas de empresa o cualquier tipo de celebración.
Tarjetas: Todas

ESPECIALIDADES EL RINCÓN DE CERVANTES

Cocina vanguardista y cocina manchega tradicional
Menú-Degustación recomendado (50 €)
Salmón ahumado y marinado, manzana granny, nieve de queso y aceite de vainilla
Compacto de setas con bogavante
Foie de pato relleno de ciruelas con polvo de quicos
Merluza con algas y capuchina de erizos
Bacalao, sopa de arroz, verduras de hoja y torrija de sus callos
Rodaballo, compota de ruibarbo y ravioli de queso
Pichón al vinagre de módena
Lechón a la miel con torta de patata y trufa
Paletilla de lechal servida sin hueso con sus mollejas
Postres creativos del día

Sándalo

Una apuesta ambiciosa

Con este restaurante el Hotel Paraíso ha hecho una apuesta ambiciosa, depositando su confianza en uno de los mejores equipos de cocina de la provincia e invirtiendo en la tecnología de última generación. La calidad de la cocina es el objetivo fundamental, se trabaja con las mejores materias primas, interpretadas de forma vanguardista, siguiendo los cánones de la cocina de autor.

El comensal degusta una cocina elaborada que no pierde de vista los productos manchegos tradicionales: la mejor carne de caza, cordero asado, guisos, preparados y presentados de forma muy actual. Las cuidadas presentaciones de los platos y las mezclas atrevidas son partes fundamentales de la nueva cocina. La carta, atenta al mercado y en constante renovación ofrece la posibilidad de elegir algo nuevo cada día.

Como reconocimiento a su buen hacer, este restaurante ha recibido numerosos premios y galardones entre los cuales: el Premio al Mérito Turístico Categoría Oro otorgado por la Federación Nacional de Hostelería (1.997) y el Premio al Turismo y Hostelería concedido por la Cámara de Comercio de Ciudad Real (1.998). Está homologado por Sanidad para servicios de catering.

Hotel Paraíso * * * *

El hotel ha sido totalmente rehabilitado y ampliado. En la actualidad, dispone de 83 habitaciones completamente equipadas. Se ha convertido en un hotel de cuatro estrellas. Ofrece además un salón de congresos y convenciones con capacidad hasta 600 personas y un spa.

SANDALO'S SPECIALITIES

Creative and imaginative cookery
Gastronomic menus (from 21 € to 42 €)
Octopus ceviche with mango oil
Prawn gratin and salmon crown with garlic mayonnaise
Sole in sauce with flaky pastry
Foie-gras stuffed fillet of beef with oyster mushroom & truffle sauce
Game during the hunting season: partridge, ring dove, red & fallow deer, wild boar,...
Fillet of fallow deer in port sauce
Cottage cheese tart with glazed yolk topping, pine nuts and "orujo scent" (marc brandy)
Layered slice of cookies and chocolate mousse with orange sauce

Sándalo

Localidad: **Ciudad Real (13002)**
Dirección: C/ Cruz de los Casados, 1 (Hotel Paraíso)
Teléfonos: **926 210 606 (y fax.)**
E-mail:reservas@hotelparaiso.e.telefonica.net
www.hparaiso.com
Parking: Propio
Propietario: Torremer
Días de cierre y vacaciones: Abierto cada día
Decoración: Moderna y refinada
Ambiente: Elegante, predominan las comidas de negocios.
Bodega: Todas las denominaciones de origen de España, y protagonismo de los vinos de la tierra.
Hombres y nombres: Jefes de cocina : Antonio Blanco y Arsenia Muñoz. Maitre: Benito Corchero. Director-gerente: Jesús Merino. Director comercial: Francisco Merino.
Otros datos de interés: Salones privados con diferentes capacidades y 2.000 m2 de terraza ajardinada. Posibilidad de banquetes hasta 500 comensales. El día 21 de febrero, la fiesta regional de la caza se celebra aquí.
Tarjetas: Todas.

ESPECIALIDADES SANDALO

Cocina innovadora e imaginativa
Menús degustación (desde 21 € a 42 €)
Ceviche de pulpo al aceite de mango
Gratinado de gambones y turbante de salmón en ali-oli
Lenguado en salsa de Cencibel y hojaldre
Solomillo de ternera relleno de foie en salsa de setas y trufa
Caza en temporada: perdiz, torcaz, venado, gamo, jabali...
Solomillo de gamo en salsa de Oporto
Tarta de requesón con yema tostada y piñones al aroma de orujo
Milhoja de teja y mousse de chocolate en salsa de naranja

Asador Javi

Una mesa refinada

Francisco Javier Marcos es un cocinero vocacional y autodidacta, en constante investigación. Abrió el restaurante Asador Javi en 1999 y ha sabido rodearse de un selecto equipo de profesionales, tanto en la cocina como en la sala. Ha adquirido una merecida fama por sus creaciones innovadoras, en la línea actual de cocina de autor. Su cocina elaborada, atrevida y sofisticada, a veces transgresora, se ve siempre realzada por la gran calidad de las materias primas empleadas. Un verdadero oasis gastronómico en la provincia.

Durante el año 2004, se han actualizado las instalaciones de cocina con las últimas tecnologías y el restaurante ofrece un salón privado con capacidad para 8 personas con su bodega independiente.

Alcázar de San Juan

Situado al norte de la provincia de Ciudad Real, a 150 km. de Madrid y 90 de Ciudad Real, Alcázar de San Juan ha sido durante siglos, un cruce de caminos y un punto de encuentro de culturas, personas y pensamientos que han configurado una ciudad abierta y cosmopolita.

Posee riqueza histórica y variada oferta cultural, es punto de partida para emprender rutas turísticas, lugar para gozar de la gastronomía y rincón para disfrutar de lugares y gentes. Es centro neurálgico del Campo de San Juan e importante nudo ferroviario que conecta Madrid con Andalucía y Levante.

Alcázar de San Juan está íntimamente relacionado con Cervantes y rezuma un cervantismo patente en la gran cantidad de casas señoriales de los siglos XVII al XIX.

ASADOR JAVI'S SPECIALITIES

Creative cookery without forgetting the traditions
Tasting menu: 9 courses, 2 desserts, plus wines (60 €)
Seasonal menu, renewed every three months (40 €)
Swiss roll filled with spider crab meat, red capsicum emulsion and sprouts
Carpaccio of reindeer, fruit dressing and cold yogurt dumpling
Pig's trotters with porcini and cèpe consommé
Roast from the wood-fired oven
Exotic meats
Fillet of mouflon on a creamy sauce of horn-of-plenty mushrooms and wild berry coulis
Fresh wild fish baked in a salt coat (according to catch)
Fillet of couch sea bream Basque style and crisp salt cod flake
Shallow-fried fillet of turbot, cauliflower quenelle and confit onion in Gewürztraminer wine
Fig pudding on Venezuelan chocolate with dried fruit praline
Saffron soup with "torta de Alcazar" (kind of cookie) and olive oil ice cream

Asador Javi

Localidad: Alcázar de San Juan (13600 Ciudad Real)
Dirección: Poetisa Isabel Prieto, 6 (Parte nueva de la ciudad, junto multicines)
Teléfonos: 926 545 335 (tlf. y fax)
E-mail:asadorjavi@hotmail.com www.asadorjavi.com
Parking: Sin problemas.
Propietario: Francisco Javier Marcos de León Ramiro.
Días de cierre y vacaciones: Cerrado lunes.
Decoración: Al estilo medieval, realzado con toques actuales.
Ambiente: Público medio alto, empresas y gastrónomos.
Bodega: Climatizada. 450 referencias, casi todas las D.O. y selección de vinos del mundo. Vino recomendado por la casa Jaqus Selección, coupage 2005, 9 meses en barrica.
Hombres y nombres: Jefe de cocina: Francisco Javier Marcos. Sumiller: Jesús Marcos. Maitre: Miguel Ángel Ruiz.
Otros datos de interés: Merece la pena llegar a Alcázar de San Juan para descubrir y disfrutar esta mesa refinada. (a 27 km. de la autovia de Andalucia y 1 km. de la nueva autovía de los viñedos, de Ciudad Real a Levante).
Tarjetas: Todas.

ESPECIALIDADES ASADOR JAVI

Cocina de autor, sin olvidar lo tradicional
Menú- Degustación: 9 platos, 2 postres y maridaje de vinos (60 €)
Menú de Temporada, cambia cada tres meses (40 €)
Brazo de gitano relleno de centollo con emulsión de pimiento rojo y germinados naturales
Carpaccio de reno, vinagreta de fruta y quenelle de yogur frío
Manitas de cerdo ibérico con boletus edulis y consomé de hongos
Asados naturales al horno de leña
Carnes exóticas
Solomillo de muflón sobre crema de trompeta de los muertos y culi de frutas del bosque
Pescados salvajes a la sal (según lonja)
Lomo de pargo a la bilbaína y crujiente de bacalao
Suprema de rodaballo a la plancha, quenelle de coliflor y encebollado de gewustraminer
Cremoso de higo sobre chocolate de Venezuela y guirlache de frutos secos
Sopa de azafrán con torta de Alcázar y helado de aceite de oliva

La Casa del Rector

Alojamiento con encanto en Almagro

La Casa del Rector, ubicada en la casa solariega del poderoso linaje de Pedro Oviedo, mecenas del Almagro del Siglo de Oro, es un deslumbrante lugar que hay que conocer para disfrutar y descansar. Este edificio del siglo XVII ha recuperado su antiguo esplendor. Tradicionalmente, la actividad cotidiana en una casa manchega giraba en torno a un patio central, un concepto que se ha recuperado en este alojamiento con tres patios de estilos diferenciados:

- Rústico: en torno a un mosaico de cerámica, se despliegan las dependencias. Piedra, madera, forja...reflejan la calidez y tradición de los patios manchegos clásicos.
- Contemporáneo: albero, piedra volcánica y agua, las estancias se asoman a la vegetación y la luz, el tranquilo discurrir de los peces en los estanques configura un espacio de placidez.
- Actual: modernos corredores a dos alturas, madera y acero. La piedra blanca conversa con el agua en un murmullo relajante.

Las habitaciones, todas diferentes, cada una con su personalidad y el Wellness & Spa convierten la estancia en un placer.

Pedro Oviedo, 8. T. 926 261 259 - 680 983 079. Fax: 926 261 260. www.lacasadelrector.com

SPECIALITIES OF MESON EL CORREGIDOR

Gastronomic menu:

Lukewarm asparagus soup with scallop and pine nut oil

Couscous of pigweed and grilled prawn

Green salad with salt cod and tempura-fried chanterelle mushrooms

Fillet of meagre with vegetable cream

Gently-roasted sucking lamb

Lukewarm cheese cream with fruit and honey ice cream

Creamy chocolate with mocha ice cream

Mesón El Corregidor

Localidad: **Almagro (13270 Ciudad Real)**
Dirección: Pza. Fray Fernando Fernández de Córdoba, 2
Teléfonos: **926 860 648 Fax: 926 882 769**
E-mail: corregidor@elcorregidor.com
www.elcorregidor.com
Parking: Sin problemas.
Propietario: El Corregidor S.L.
Días de cierre y vacaciones: Lunes. Abierto todo el año.
Decoración: Antigua casa del siglo XVI, con muchas antigüedades.
Ambiente: Variado.
Bodega: Propia, bajo tierra. Más de 5.000 botellas.
Hombres y nombres: Director Maitre: Juan García Elvira. Chef: Juan José Garzón López.
Otros datos de interés: 2 comedores, 1 salón privado, terraza de verano, bar de copas y patios interiores ajardinados.
Tarjetas: Todas.

ESPECIALIDADES MESÓN EL CORREGIDOR

Menú Gastronómico

Sopa templada de espárragos blancos con vieira y aceite de piñones

Cuscús de quinua y gambón plancha

Ensalada verde con bacalao semi-curado y chantarela en tempura

Lomo de corvina con crema fina de hortalizas

Cordero lechal confitado

Crema de queso templada con frutas y helado de miel

Cremoso de chocolate con helado de café

Hostería de Almagro Valdeolivo

Casa singular en Almagro

Esta casa, popularmente conocida como la "Casa de los Encajeros" , ha sido totalmente rehabilitada, habiéndose salvaguardado todos aquellos elementos singulares y relevantes del inmueble, respetando las trazas originales del edificio con sus patios ordenadores, su disposición y elementos singulares originales como son: volúmenes de patios, crujías, galerías, bases de piedra, teja árabe vieja, baldosa hidráulica y puertas.

El edificio mantiene las características peculiares de la arquitectura popular almagreña, con predominio de los colores blancos en las paredes y ocres en la cubierta, sus patios formados por pies derechos, con galerías en planta baja y alta, muros de tapial, rejería tradicional, forjado por viguería de madera y revoltón, carpintería de madera, con solados de baldosa de barro.

En la decoración interior destaca su gran luminosidad, denotando sencillez con claros toques de rusticidad, los colores utilizados aportan calidez y armonía, habiéndose empleado en paredes y techos, preferentemente tonos blanco cal y ocres y en las carpinterías de madera color almagre.

Dispone de 8 habitaciones, todas dobles, climatizadas y equipadas con sistemas de seguridad y ADSL, biblioteca con temas manchegos, sala de lectura, salón con chimenea, patio interior, piscina de verano y patio jardín.

Se organizan actividades de turismo activo: rutas, alquiler de bicicletas...

VALDEOLIVO'S SPECIALITIES

Traditional and market cookery

The à la carte menu changes twice a year

Gastronomic menu Hostería (from 45 €)

Restaurant menu (from 32 €)

Menus for small groups with previous reservations

Restorán Valdeolivo

Localidad: **Almagro (13.270 Ciudad Real)**
Dirección: C/ Dominicas, 17 (casco histórico, encrucijada entre el antiguo barrio árabe y la judería)
Teléfonos: **926 261 366** **Fax:** **926 261 367**
E-mail: **info@valdeolivo.com** **www.valdeolivo.com**
Parking: Aparcamiento público a espaldas del hotel
Propietario: Teófilo y Montserrat
Días de cierre y vacaciones: El restaurante cierra los domingos por la noche y los lunes, excepto festivos. El hotel está siempre abierto.
Decoración: Casa singular de finales del siglo XVIII, principios del XIX
Ambiente: Público medio-alto, amantes de la tranquilidad
Bodega: Seleccionada
Hombres y nombres: Atendido por los propietarios, residentes en el hotel. Director: Teófilo Arribas Olmedo. Jefa de cocina: Montserrat Carazo González
Otros datos de interés: Los fogones de esta casa acogen el amor por la cocina genuina. Capacidad del restaurante: 30 pax. (comedor general para 20 y salón reservado para 10)
Tarjetas: Visa, Mastercard y American Express

ESPECIALIDADES VALDEOLIVO

Cocina tradicional y de mercado

La carta cambia dos veces al año

Menú-Degustación Hostería (a partir de 45 €)

Carta de restaurante (a partir de 32 €)

Menús para grupos reducidos con reserva previa

Casa Pepe

Buena mesa y hospitalidad manchega

En un enclave paisajístico envidiable, a pocos kilómetros de la autovía de Andalucía y de la estación del Ave de Ciudad Real, a dos pasos del magnífico paraje natural de las Tablas de Daimiel y de la histórica ciudad de Almagro, cerca de las Lagunas de Ruidera y otras zonas de interés natural e histórico, se alza el Hotel restaurante CASA PEPE, en pleno campo de Calatrava, junto al Castillo de Calatrava la Vieja (Fortaleza de la Mancha).

El establecimiento ofrece unos servicios de primera calidad, orientados al confort y bienestar de los viajeros y visitantes.

El hotel cuenta con 18 habitaciones dobles o sencillas, perfectamente insonorizadas, con televisión, aire acondicionado, teléfono, conexión para ordenadores personales e internet, neceser y servicio de habitaciones.

Las instalaciones cuentan igualmente con zonas de recreo, como parque infantil, jardines de expansión, cafetería y salones para convenciones.

Una casa en constante evolución

Esta casa entrañable y vital ha crecido con la capacidad de trabajo y superación de su propietario: José Crespo y de su esposa María José Rodero. En la actualidad, el no estar situado en un lugar de paso (nueva variante de la autovía a tan sólo 5 minutos) ha redundado en más tranquilidad y mejor servicio.

Debido a esta nueva circunstancia, se ha emprendido una actualización de las instalaciones del restaurante, para mayor comodidad de los comensales, mejorando amplitud, intimidad y privacidad.

En su linea de constante atención a la calidad, Casa Pepe se ha alzado con el primer premio del IX Concurso Provincial de Cocineros

CASA PEPE'S SPECIALITIES

Market and regional cookery linked to the Quixote's cooking
Selection of cured ham, salami, etc...with cheese
"Gachas" (garlicky purée of vetch flour, oil and water served with pieces of chorizo sausage and lard)
Beans with partridge (typical dish)
Head and neck of hake
Fish caught with rod and line, according to the market offer
Roast shoulder or leg of kid
Fillet steak "Victor Puerto"
Loin of venison with portwine sauce
Marinated partridge (typical dish)
Homemade desserts

Casa Pepe

Localidad: **Carrión de Calatrava (13150 Ciudad Real)**
Dirección: Ctra. Nacional 430, km. 317
Teléfonos: **926 814 079 Fax: 926 815 068**
E-mail:info@casapepeciudadreal.com
www.casapepeciudadreal.com
Parking: Propio.
Propietario: José Crespo García y Josefa Rodero Ramirez.
Días de cierre y vacaciones: Abierto cada día.
Decoración: Castellana con todas las comodidades de hoy.
Ambiente: Trato personalizado y familiar.
Bodega: Suficiente.
Hombres y nombres: Un equipo de 20 personas a su servicio.
Otros datos de interés: Salones privados, salón para celebraciones y convenciones (hasta 150 personas), salón de banquetes (hasta 700 personas) y jardines. Hotel con 18 habitaciones y agradable cafetería. Un complejo muy reconocido en Castilla-La Mancha, en constante ampliación.
Tarjetas: Las principales.

ESPECIALIDADES CASA PEPE

Cocina de mercado y cocina regional muy vinculada a la cocina del Quijote
Selección de ibéricos con queso
Gachas de harina de Almortas (en sartén, plato típico de la Mancha)
Judias con perdiz (plato típico)
Cogote de merluza Bermeo
Pescados de pincho según lonja
Paletilla o pierna de cabrito lechal al horno
Solomillo "Victor Puerto"
Lomo de venado con salsa de Oporto
Perdiz en escabeche (plato típico)
Postres artesanos

Cueva La Martina

Gastronomía y cultura

Cueva La Martina propone una experiencia histórica difícil de olvidar. Adéntrese en una típica cueva-vivienda del siglo XVI, excavada en la roca en el mismo corazón de la Sierra de Los Molinos, y que aún mantiene con los mismos nombres e historia, las dependencias originales donde desarrollaban sus actividades cotidianas los antiguos habitantes. Todas las estancias están ambientadas con los diversos utensilios que, durante siglos, han servido para las distintas faenas agrícolas y del "cuidado del hogar" a sus moradores. El mobiliario original utilizado ha sido restaurado con el mayor mimo y cuidado para mantener intacta la esencia de sencillez y practicidad con que fueron creados.

Nada mejor para disfrutar plenamente de la cultura culinaria manchega y de su rico pasado histórico, que hacerlo en uno de los entornos privilegiados de la zona, rodeada de "los gigantes" que inmortalizara Cervantes y en el mismo escenario donde se desarrolla uno de los pasajes más importantes de su Obra: la lucha con los molinos de viento. Sin lugar a dudas, deleitarse con las excelencias de la gastronomía manchega en un espacio y contexto tan particular, es una de las experiencias más reconfortantes para el espíritu y el paladar.

Cueva La Martina se encuentra en evolución permanente, presenta una carta siempre actualizada, con gran atención a presentaciones y guarniciones. Esta propuesta culinaria es una buena muestra de la generosidad y el ingenio de la cocina manchega, basada en las ricas tradiciones de la zona, en los productos autóctonos de calidad y elaboraciones naturales, realzadas con matices innovadores. Además, terraza-mirador con vistas a los molinos y en proyecto, casas rurales también en primera línea de los molinos.

CUEVA LA MARTINA'S SPECIALITIES

Regional cookery from La Mancha and creative cuisine
Two menus "Business" (Monday to Friday) and "Festive" with regional produce (weekends and bank holidays)
Lent gruel of vetch flour
Lukewarm salad with scarlet prawns, green asparagus and garlicky sweetbreads
Vegetable stew, savoury flour pancake
Chickpeas with lobster
Pig's trotters stuffed with wild mushrooms
Lamb cutlets with garlic and small tomatoes
Pork cheeks in red wine sauce
Suckling lamb Martina's style
Fillet steak with liver mousse and blueberry sauce
Cheese charlotte with raspberries
Parfait with caramelised almonds
Chocolate cork with tangerine ice cream

Cueva La Martina

Localidad: **Criptana (13.610 Ciudad Real)**
Dirección: Rocinante, 13 (zona de Los Molinos)
Teléfonos: **926 561 476** **E-mail: info@cuevalamartina.com**
www.cuevalamartina.com
Parking: Amplia zona de aparcamiento.
Propietario: Pedro Carramolino López.
Días de cierre y vacaciones: Cerrado lunes. Vacaciones: del 1 al 21 de octubre.
Decoración: Antigua vivienda de molineros (S. XVI) decorada con útiles antiguos, aperos de labranza y antigüedades.
Ambiente: "Entran Quijotes y salen Sanchos".
Bodega: Amplia carta con casi 200 vinos, apuesta por los caldos manchegos. Carta de aguas.
Hombres y nombres: Jefe de cocina: Pedro Carramolino López.
Otros datos de interés: Las casas-cuevas se han transformado en los comedores del restaurante, mantienen su nombre original según el uso que se les daba: la Cocina (con chimenea), la Cuadra, la Alcoba y el Pajar. Además: cafetería abierta todo el día, terraza de verano, venta de artesanía y productos manchegos, y mirador fotográfico con una magnífica panorámica sobre el Campo de Criptana y pueblos adyacentes.
Tarjetas: Todas.

ESPECIALIDADES CUEVA LA MARTINA

Cocina regional manchega y cocina innovadora
Dos menús: "Ejecutivo" (de lunes a Viernes) y "Festivo" con productos de la tierra (fines de semana y festivos)
Gachas de Cuaresma
Ensalada templada con carabineros, trigueros y mollejas confitadas con ajo
Pisto, asadillo, gachas...
Garbanzos con bogavante
Manitas de cerdo rellenas de hongos
Chuletillas de cordero fritas con ajos y tomatillas
Carrillada de cerdo en salsa de vino tinto
Cordero lechal al estilo Martina
Solomillo con mousse de foie y salsa de arándanos
Charlotte de queso con frambuesa
Parfait relleno de almendras caramelizadas
Tapón de chocolate con helado de mandarina

El Comendador

Hidalguía manchega

Esta casa personifica como pocas la tradición y hospitalidad manchega. El restaurante El Comendador es el último eslabón de una saga familiar de profesionales de la hostelería identificados con sus raíces.

José Ángel Sánchez Maya regenta este establecimiento que ha merecido muchos premios y galardones. Al mando de los fogones permanece atento a todos los detalles con la ayuda de un equipo diligente. La cocina regional que practica también está abierta a influencias modernas aderezadas con pinceladas de autor.

Aquí, el cuerpo pide algo de la tierra. La cocina manchega mantiene su origen rural y pastoril, su respeto a la tradición, la calidad y la variedad de sus materias primas. En El Comendador se encuentran un buen repertorio de estos platos de toda la vida que proporcionan a la culinaria de José Ángel una acusada y original personalidad porque también sabe conjugar los sabores de antaño con formulaciones creativas e innovadoras, siendo capaz de satisfacer todos los gustos y preferencias. Aquí la gastronomía es una fiesta. Acreditada profesionalidad y sentido del oficio con sus dos cualidades básicas: gentileza y generosidad.

La vinoteca merece mención aparte, tanto en barra como en mesa se pueden degustar los mejores vinos de esta tierra que ahora están siendo valorados en su justa medida, reconocida su calidad en foros de prestigio. Recuérdese que La Mancha es la región vinícola más extensa del mundo.

Este establecimiento ofrece también servicios de catering para bodas, bautizos, comuniones, despedidas, banquetes, organización de congresos y convenciones, inauguraciones y presentaciones, vinos de honor, actos sociales, cacerías y monterías con todas las prestaciones.

EL COMENDADOR'S SPECIALITIES

Traditional cookery from La Mancha and market cookery
White beans with partridge
Hare with rice
Wild sea bass
Shallow-fried duck liver with caramelised onions and sauce of sweet Pedro Ximénez sherry
Partridge, marinated and fried or braised
Roast suckling lamb
Fillet steak or rib of beef
Game specialities during the hunting season
Duck magret
Fig parfait on a mirror of hot chocolate sauce
Sorbet of pistachio nuts and bitter almonds

El Comendador

Localidad: Puertollano (13.500 Ciudad Real)
Dirección: C/ Encina, 16
Teléfonos: 926 429 127
E-mail: info@restauranteelcomendador.com
www.restauranteelcomendador.com
Parking: Aparcamiento cercano en el paseo.
Propietario: Sánchez Maya Restauración s.l.
Días de cierre y vacaciones: Abierto todos los días excepto noches de lunes a jueves. Vacaciones: 15 días en julio.
Decoración: Recientemente actualizada. Colores claros, madera y suelo de barro artesano de Talavera.
Ambiente: Esta casa entrañable representa la mejor opción en Puertollano.
Bodega: Nueva vinoteca para degustar las más de 300 referencias de vinos nacionales, internacionales y caldos manchegos de calidad. Posibilidad de vinos por copas y menús-maridaje.
Hombres y nombres: Director: José Ángel Sánchez Maya.
Otros datos de interés: Casa en constante evolución. Nuevo salón privado para 12/14 personas.
Tarjetas: Las principales.

ESPECIALIDADES EL COMENDADOR

Cocina manchega tradicional y cocina de mercado
Judías con perdiz
Liebre con arroz
Lubina salvaje
Foie fresco con cebolla caramelizada al p. x.
Perdiz escabechada o estofada
Cordero lechal asado
Solomillo o chuletón de buey
Platos de caza en temporada
Magret de pato
Biscuit de higos sobre chocolate caliente
Sorbete de pistacho con almendras amargas

Alhambra

Desde 1946

La cocina manchega, perpetuada universalmente por la pluma del inmortal Cervantes, es generosa y contundente, recia y sabrosa. Sólo hace falta echar un vistazo a su obra más famosa, Don Quijote, donde se recogen gran cantidad de recetas clásicas de esta tierra de molinos, encantos y paisajes plácidos e interminables. A través de los ojos del escudero de tan insigne caballero se nos describen muchos platos que aún hoy perduran.

En una tierra tan extensa como es la manchega, el clima extremo, muy frío en invierno y muy caluroso en verano, ha condicionado su tipo de cocina. Los orígenes de la gastronomía de Castilla-La Mancha son muy humildes, está basada en los productos naturales de cada comarca y se caracteriza por platos muy energéticos y nutritivos, creados por pastores y agricultores para poder enfrentarse a una dura jornada de trabajo en el campo. A estas imaginativas y económicas recetas se suman el legado culinario de los frailes, habitantes de los numerosos conventos de la geografía de esta comunidad, y el recetario árabe, del que destaca su deliciosa repostería.

El restaurante Alhambra recoge la rica y variada tradición culinaria castellano-manchega para ofrecer una versión actualizada que destaca por la calidad y la abundancia de su despensa. La decoración presenta madera natural y **utensilios** tradicionales manchegos que nos ilustran **sobre el mundo vitivinícola** como prensa de vino, destrozadora, bomba para mostear...Un estilo genuino que proporciona un ambiente cálido y acogedor, con excelente luminosidad. Las instalaciones disponen de entrada independiente, amplia y cómoda barra para degustar los productos de la tierra, comedor a la carta hasta 75 comensales y un salón para convenciones y celebraciones hasta 80 personas.

ALHAMBRA'S SPECIALITIES

Updated traditional cookery from La Mancha
Roast sucking lamb
Cured ham, matured cheese and air-dried loin of pork
Wild rabbit or partridge in marinade
Prawns, Norway lobsters, king-size prawns, scarlet prawns
Rice specialities on request
Fresh fish in different preparations
Hake, sea bass, gilthead bream, sole, monkfish, salt cod, turbot
Cuts of beef and veal
Duck magret with raisins and prunes
Cutlet of veal from Avila
Braised oxtail
Sponge gateau, custards, curds
Lemon, raspberry and tangerine sorbets
Crêpes with ice cream and hot chocolate sauce

Alhambra

Localidad: **Tomelloso (13700 Ciudad Real)**
Dirección: Ctra. Argamasilla, km. 0,5
Teléfonos: **926 511 016 - 686 437 677**
www.restaurante-alhambra.com
Parking: Sin problemas.
Propietario: Ramón Sánchez Martínez.
Días de cierre y vacaciones: Cerrado lunes noche y martes todo el día. 20 días en septiembre.
Decoración: De estilo típicamente manchego, realzado con maquinaria para la elaboración de vino.
Ambiente: Público medio alto. Comidas de empresa y familiares.
Bodega: Extensa. Un centenar de referencias de D.O. Mancha, además de Rioja y Ribera del Duero.
Hombres y nombres: Director: Ramón Sánchez Martínez. Jefe de cocina: Vicente Serrano Cantón. Jefe de sala: José Luis Cano Becerra. Jefe de barra: Pascual Corral Navarro.
Otros datos de interés: Precio medio a la carta con un buen vino de La Mancha: 35/45 €. También menú barra: 12 €.
Tarjetas: Todas, excepto American Express.

ESPECIALIDADES ALHAMBRA

Cocina tradicional manchega renovada
Asados de cordero lechal
Jamón, queso viejo y lomo ibérico
Conejo de tiro o perdiz brava en escabeche
Gambas, cigalas, langostinos, carabineros
Arroces por encargo
Pescados frescos en marinera, salsa verde, a la sal...
Merluza, lubina, dorada, lenguado, rape, bacalao, rodaballo...
Carne roja y ternera rosada
Magret de pato con pasas y ciruelas
Chuletón de Ávila
Rabo de toro estofado
Tarta de bizcocho, natillas, leche frita, cuajada
Sorbetes de limón, de frambuesa, de mandarina
Creps con helado y chocolate caliente

Figón del Huécar

Cocina manchega actualizada

Este restaurante se inauguró el 20 de Febrero 2004 en el maravilloso casco antiguo de la ciudad de Cuenca, en la que fuera residencia familiar del cantante José Luis Perales.

Cuenta con unas bellas y privilegiadas vistas sobre la Hoz, transformando cualquier visita en una experiencia inolvidable.

Tiene una extensión de 800 m2, repartidos en diferentes alturas, una peculiar bodega que permite pequeñas degustaciones de vinos con tapas de calidad y tres salones asomados a la Hoz, con una capacidad total de 200 personas.

Esta casa viene avalada por el equipo del restaurante **Mesón Casas Colgadas**, distinguido en las principales guías españolas y extranjeras.

FIGÓN DEL HUÉCAR'S SPECIALITIES

The à la carte menu changes according to the season
Business menu (27 €) and tasting menu (35 €)
Manchego cheese in different textures
Salad of fried marinated wild partridge
Salad of confit quail legs with fresh spinach and almonds
Farmyard egg with truffle and duo of roasted peppers
Baked salt cod with cod tongues in green herb sauce
Baked turbot garnished with crisp leek
Fillet steak in sauce of Manchego cheese
Fillet of venison with chestnut sauce
Crisp-roasted sucking pig with sweet potato & caramel purée
Chocolate in different textures
Quince jelly cake with Manchego cheese
Almond custard with walnut ice cream

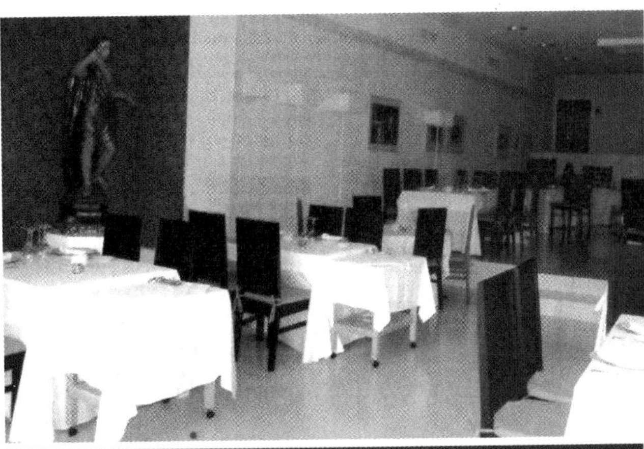

Figón del Huécar (Figón de Pedro)

Localidad: **Cuenca (16001)**
Dirección: Ronda Julián Romero, 6.
Teléfono: **969 240 062. Fax: 969 231 192.**
E-mail: info@figondelhuecar.com
www.figondelhuecar.com
Propietario: Familia Torres.
Días de cierre y vacaciones: Cerrado domingos noches y lunes.
Decoración: En pleno casco histórico, comedores luminosos en tres plantas e impresionante panorámica sobre la Hoz del Huécar.
Ambiente: Variado y selecto.
Bodega: Singular, horadada en roca con un importante número de referencias donde destacan las de origen manchego.
Hombres y nombres: Dirección: Mercedes Torres. Jefe de cocina: Ángel Gómez . Maitre y sumiller: Antonio Arias.
Otros datos de interés: Mercedes Torres continúa ejerciendo la labor emprendida por su padre y ampliando la oferta con este flamante comedor que ofrece renovación en todos los aspectos, privacidad y flexibilidad organizativa.
Tarjetas: Las principales.

ESPECIALIDADES FIGÓN DEL HUÉCAR

La carta cambia en cada estación
Menú de trabajo (27€) y menú-degustación (35 €)
Texturas de quesos manchegos
Ensalada de perdiz de monte en su escabeche
Ensalada de muslitos de codorniz confitado con espinaca fresca y almendras
Huevo de corral con trufa y dúo de pimientos asados
Bacalao rustido con sus cocochas en salsa verde
Rodaballo al horno con su guarnición de puerro crujiente
Solomillo de buey con salsa de queso manchego
Lomo de venado rustido con su salsa de castañas
Cochinillo lechal crujiente con puré de boniato y caramelo
Texturas de chocolate
Pastel de membrillo con queso manchego
Crema de almendras con helado de nuez

Cañete y su comarca

La Villa de Cañete está situada al Este de la provincia de Cuenca en la Ctra. N-420 Córdoba- Tarragona. La distancia a Cuenca es de 69 km. Altitud: 1.074 m. Extensión: 87,8 km). Habitantes: 1.000. Gentilicio: Cañeteros.

Comarca fronteriza, primero entre reinos y ahora entre regiones autónomas, que conserva numerosas muestras de su intensa historia, sus atractivos arquitectónicos y artísticos son el complemento perfecto de unas tierras en las que, sobre todo, la naturaleza se muestra casi intacta

Lugares de interés

El Postigo (el frescor del paisaje). Recuperada como zona de esparcimiento turístico, la Hoz del Postigo nos ofrece un acogedor espacio natural de gran belleza donde podemos contemplar ademas del pintoresco paisaje (cascada, río, vista de las casas colgadas del pueblo, ermita de la Patrona Virgen de la Zarza, vestigios del recinto amurallado,...) truchas, patos, pájaros de diversas especies y variada flora.

El Chorreadero (área Recreativa/Accesos señalizados). Merendero y lugar de recreo de propiedad municipal, situado a escasos kilómetros de la localidad. Paraje bien acondicionado para su utilización con barbacoas, paelleros, albergue para caso de tormentas, fuentes, columpios, fregaderos, aseos, etc. Saliendo de la localidad por la llamada Puerta de la Virgen y cruzando las Salinillas se puede uno desviar hacia el lugar o continuar camino hacia la Cabeza Don Pedro.

Actividades y de turismo al aire libre

La orografía, el relieve y la vegetación del término de Cañete induce a la practica de actividades de aire libre, con numerosos itinerarios que, sin estar definidos, invitan al viajero y al propio habitante a su práctica.

Así, el senderísmo a pie, en bicicleta de montaña o a caballo puede cumplir las inquietudes y necesidades que cualquier excursionista, montañero, pescador, geólogo, o simplemente, amante de la naturaleza, tenga.

LA MURALLA'S SPECIALITIES

Meat pot
Fried goat's milk cheese
Savoury partridge pudding
Scrambled eggs with oyster mushrooms and asparagus
Fresh fish
Savoury scorpion fish pudding
Hake and dressing of confit tomatoes
Loin of venison with black-truffle sauce
Fillet steak
Roast shoulder of suckling lamb
Tenderloin of pork in almond sauce
Pears in red wine
Warm chocolate millefeuille and tulip cookie with home-made ice cream
Cheese dessert with wild berries and honey
Fresh cheese with thyme, red currant jam

Hostal Restaurante La Muralla

Localidad: Cañete (16300 Cuenca)
Dirección: Carretera Valdemeca.
Teléfonos: 969 346 299 y 969 346 426 Fax: 969 346 299
www.asolan.net/users/lamuralla
Parking: Si, enfrente.
Propietario: Francisco Ibáñez Sáez.
Días de cierre y vacaciones: Cerrado los martes, excepto del 15 de Julio al 15 de Septiembre. Vacaciones del 15 de Septiembre a primeros de Octubre.
Decoración: Castellana.
Ambiente: Familiar y negocios.
Bodega: Surtida.
Hombres y nombres: Chef: Dolores Gil Gil. Director: Francisco Ibáñez
Otros datos de interés: Dispone de 9 habitaciones con cuarto de aseo, calefacción, T.V., teléfono y caja de seguridad. Ganador del 3º premio Restauración 2001 de Castilla La Mancha.
Tarjetas: Visa, 6000, Master Card.

ESPECIALIDADES LA MURALLA

Morteruelo
Queso frito de cabra
Pastel de perdiz
Revuelto de setas con espárragos
Surtido de pescados frescos
Pastel de cabracho
Merluza a la vinagreta de tomate confitado
Lomo de ciervo con salsa de trufa negra
Solomillo de buey
Paletilla de cordero lechal
Solomillo de cerdo con salsa de almendras
Peras al vino tinto
Hojaldres de chocolate caliente con tulipa de helado casero
Quesada manchega con frutas del bosque y miel de la sierra
Bombón de queso fresco al tomillo con mermelada de grosellas

Las Rejas

Peregrinaje gastronómico

En 1985 Manuel de la Osa creó con su familia el Restaurante Las Rejas, un comedor de tan sólo ocho mesas. Desde entonces forma parte de los santones de la cocina española con una gastronomía inspirada en las viejas recetas manchegas de siempre a las que otorga un toque de modernidad e ingenio. El resultado son creaciones sorprendentes, sugerentes y delicadas que revelan mucha atención a la mezcla de sabores y texturas.

A esta casa solariega cuyo nombre proviene de las rejas que decoran todas sus ventanas no se llega a través de una gran autovía y es camino "no obligado" para llegar de una capital a otra. Sin embargo, en Las Rejas es recomendable reservar mesa con suficiente antelación y todo buen gastrónomo acude en peregrinación sin importarle el desplazamiento para degustar sin prejuicios la dimensión de su cocina.

Aquí nunca han faltado el atascaburras, el ajoarriero ahumado, los galianos, la sopa de ajo, el lomo de orza, las verduras naturales, el queso fresco, la hierba fresca, el pisto, la quesadilla manchega o el guiso de tripas de bacalao...pero siempre con el toque personal e inconfundible de Manuel de la Osa, galardonado en numerosas ocasiones con premios tanto a nivel regional como nacional.

Con la experiencia que dan los años de trabajo, decide ampliar su labor culinaria con la apertura del restaurante **Ars Natura en Cuenca:** Río Gritos, 5. T. 969 219 512. Ubicado en el Cerro Molina, en el Museo Ars Natura, desde el que se contempla una excelente panorámica de la ciudad.

LAS REJAS' SPECIALITIES

Hen stock, farmyard egg and caviar

Risotto with pine nuts, truffle, coffee and cocoa

Monkfish with chickpeas and cod sounds

Barbecued loin of lamb with mint scent and garlic

Fillet steak with foie gras, oyster mushrooms and truffle juice

Calf's sweetbreads on creamy tossed garlic shoots with potato and truffle

Chocolate with saffron

Cheese with grape syrup, green apple, ginger bread and melon ice cream

Las Rejas

Localidad: Las Pedroñeras
(a 157 km de Madrid, 110 de Cuenca y 80 de Albacete)
Dirección: Gral. Borrero, s/n
Teléfonos: 967 161 089 E-mail: info@lasrejas.es
www.manueldelaosa.com
Parking: Sin problemas.
Propietario: Manuel de la Osa Cano
Días de cierre y vacaciones: Cerrado lunes y noches de martes a viernes. Vacaciones 2ª quincena de Junio.
Decoración: Rústica y elegante.
Ambiente: Gourmets y sibaritas.
Bodega: Propia bajo tierra. Vinos nacionales e internacionales, especial presencia de caldos de Castilla-La Mancha, entre ellos, su propio vino Manuel de la Osa 2004 (cultivo ecológico).
Hombres y nombres: Maitre y sumiller: Victor Moreno; Chef de cocina: Manuel de la Osa Moya.
Otros datos de interés: 3 salones con distintas decoraciones. Exposición de obras pictóricas de relevantes artistas. Tienda gourmet con los mejores productos de la Tierra: quesos, vinos, azafrán, miel, aceite... Excursiones a 20 km. de Belmonte (Castillo de Belmonte), a 8 km. de Villaescusa de Haro (Catedral), cerca de Mota del Cuervo con sus molinos (Ruta del Quijote).
Tarjetas: Todas.

ESPECIALIDADES LAS REJAS

Caldo de gallina, huevo de corral y caviar

Risotto de piñones con trufa, café y cacao

Rape con garbanzos y tripas de bacalao

Lomo de cordero a la brasa con aromas de hierbaluisa y ajo

Filete de buey con foie-gras, setas y jugo de trufas

Molleja de ternera sobre un revuelto cremoso de ajos tiernos, patata y trufa

Chocolate con azafrán

Quesos con arrope, manzana verde, pan de especias y helado de melón

La Comanda

La nueva referencia gastronómica en Guadalajara

En julio 2010, en pleno bulevar gastronómico de Guadalajara a la entrada de la ciudad, abrió sus puertas este restaurante que presenta completas y cuidadas instalaciones. El objetivo es ofrecer una buena mesa con géneros de primera a precios atractivos: la carta se ordena por precios, los primeros a partir de 6 €, los segundos desde 10 y todos los postres a 5 €. Una oferta adaptada a los tiempos. Un restaurante de postín para comer bien a precios civilizados.

Licenciado en Económicas, Jesús Lozano, pionero de la alta gastronomía en Guadalajara, es un cocinero vocacional que ostenta 30 años de profesión. Ha participado también en cursos gastronómicos con los más grandes cocineros del panorama nacional como Torreblanca, Adriá o Arzak. Al frente de los fogones de La Comanda desarrolla todo su arte en estas flamantes instalaciones: un chalet perfectamente acondicionado con una magnífica terraza ajardinada, comedor luminoso con acceso directo a la terraza y salones privados.

La oferta culinaria de Guadalajara se ve completada con la apertura de este restaurante de cocina española, con un toque de modernidad, pero conservando el sabor tradicional.

LA COMANDA'S SPECIALITIES

Traditional and up-dated cookery

Gastronomic menu: 39 €

Carpaccio of Iberian tenderloin of pork with foie gras core

Lukewarm salt cod with seafood on marinated tomato

Terrine of foie gras mousse with crisp onions

Grilled tuna belly flaps

Monkfish filled with scarlet prawns

Tenderloin of Iberian pork stuffed with cured ham

Boned entrecote steak

Vanilla mousse on its ice cream and custard with cinnamon

Tiramisù of the house

Crisp wafers with almond ice cream and warm chocolate

La Comanda

Localidad: **Guadalajara (19003)**

Dirección: C/ Toledo, 13

Teléfonos: **949 214 589**

Parking: Fácil aparcamiento.

Días de cierre y vacaciones: Cerrado domingos noche y lunes todo el día.

Decoración: Acogedor chalet acondicionado en restaurante.

Ambiente: Elegante y reposado.

Bodega: Combina lo clásico con lo moderno. Sugerencias rotativas de nuevos vinos.

Hombres y nombres: Director y jefe de cocina: Jesús Lozano.

Otros datos de interés: Dos comedores, dos salones privados (12 y 14 pax) y agradable terraza para cenas de verano.

Tarjetas: Todas.

ESPECIALIDADES LA COMANDA

Cocina tradicional y actualizada
Menú Gastronómico: 39 €
Carpaccio de solomillo ibérico con corazón de foie
Templada de bacalao con marisco sobre tomate macerado
Terrina de mousse de foie con crujiente de cebolla
Ventresca de atún rojo a la parrilla
Rape relleno de carabineros
Solomillo de recebo extremeño relleno de su jamón
Lomo alto de buey deshuesado
Mousse de vainilla montada sobre su helado, bañado con crema inglesa a la canela
Tarta de tiramisú a dos capas: café y queso con bizcocho calado en amaretto
Obleas crujientes con helado de turrón y almendra extra al chocolate caliente

Receta Asador Palencia de Lara

Tarta fina de manzana al hojaldre natural, salsa de chocolate caliente

Ingredientes para 4 personas: ½ kg. de hojaldre, manzana verde (grany), cobertura de chocolate, azúcar, mantequilla y huevo.

Elaboración: Estirar la masa de hojaldre lo más fina posible, cortarla en una circunferencia de 5 cm. de diámetro y posicionar la manzana laminada lo más fina posible, cubriendo la masa en círculo.

Añadir por encima la mantequilla y el azúcar, meter al horno durante 12 minutos a 190º hasta que dore.

Emplatado: Napar la tarta con la salsa de chocolate y servir.

ASADOR PALENCIA DE LARA'S SPECIALITIES

Traditional cookery with a modern touch,
the traditional flavours with the modern textures, colours and presentations
The à la carte menu changes according to the season
Salad of partridge and roasted red peppers, dressing with green and black olives
Air-dried venison with oregano scent and olive juice
Cèpe mushrooms with reduction of sweet Pedro-Ximenez wine and lard dice
Scallops and onions with ewe's milk cheese au gratin, on a layer of red salad
Steamed salt cod en papillote, with fresh young vegetables and cockles
Baby squids with onions in champagne sauce with saffron
Roast lamb old fashion style
Cuts of first-quality beef
Apple tart with hot chocolate sauce
Banana and caramel parfait with croccanti jelly
Special list for whiskies

Asador Palencia de Lara

Localidad: **Toledo (45.001)**
Dirección: Nuncio Viejo, 6 (junto a la Catedral)
Teléfonos: **925 256 746 Fax: 925 215 556**
E-mail: reservas@palenciadelara.es
www.asadorpalenciadelara.es
Parking: Aparcamiento público a 5 minutos
Propietario: Tomás Palencia
Días de cierre y vacaciones: Cerrado domingos noches. Vacaciones: la 2ª quincena de agosto
Decoración: El patio interior de una antigua casa toledana del siglo XVI, es el marco elegido para este peculiar restaurante. Combina un estilo moderno y minimalista con la antigua arquitectura original.
Ambiente: Empresarios, políticos y turismo informado
Bodega: 160 referencias. Vinos de Castilla La Mancha y amplia selección de vinos originarios de las mejores regiones vinícolas de España, cavas y champagnes
Hombres y nombres: Jefe de cocina: Tomás Palencia. Maitre: Ildefonso Salazar
Otros datos de interés: Novedad gastronómica en Toledo. La singularidad es el calificativo que merece este restaurante: elegancia, decoración, servicio y buena cocina. Dos salones privados para 8 y 18 comensales. Excelente relación calidad-precio.
Tarjetas: Todas excepto American Express

ESPECIALIDADES ASADOR PALENCIA DE LARA

Cocina tradicional con toques modernos,
los sabores tradicionales con las texturas, colores y presentaciones actuales
La carta cambia en cada estación
Ensalada de perdiz y pimientos rojos asados, vinagreta de aceitunas verdes y negras
Cecina de ciervo al aroma de orégano, bañada con zumo de aceituna
Setas boletus con reducción de Pedro Ximénez y dados de panceta a la antigua
Vieiras encebolladas y gratinadas con queso puro de oveja, cuna de lechuga roja
Bacalao al vapor en papillote con verduritas frescas y berberechos
Chipirones encebollados al cava con aroma de azafrán
Cordero asado al estilo antiguo
Carnes rojas de primera calidad
Tarta fina de manzana al hojaldre natural, salsa de chocolate caliente
Semi-frío de plátano y caramelo con gelatina de crocanti
Carta de whiskies

La Ermita

Comer con las mejores vistas de Toledo

Inaugurada en septiembre 2001, La Ermita está situada en un entorno natural y protegido, la Carretera de Circunvalación -para los toledanos, la "Carretera del Valle"-. Desde su comedor-mirador este restaurante ofrece increíbles vistas panorámicas de la ciudad de Toledo. Se puede afirmar que "todos los caminos llevan a La Ermita".

Juan Domínguez es un joven chef de 30 años que estudió en la Escuela de Hostelería de Toledo. Lleva 6 años al frente de estos fogones, tiene buenas ideas y practica la cocina que le gusta, con libertad creativa. Combina armónicamente cocina creativa con toques tradicionales. El juego entre los sabores de siempre y de la tierra, enriquecidos por una constante investigación y la precisa elaboración definen los parámetros de la carta en constante evolución, interpretando los productos del mercado en su mejor momento.

La Ermita es un lugar para disfrutar del placer de la buena mesa y encontrarse relajado, a destacar, la fluida comunicación con el comensal. El lema es el trato exquisito al cliente, el equipo está involucrado con el proyecto, tanto en cocina como en sala. Una opción inmejorable para celebrar actos sociales y eventos empresariales. Por la noche, ambiente romántico ideal para inolvidables cenas de pareja.

Desde 1973, bajo la misma dirección, también en Toledo, emplazado en una típica casa toledana del siglo XVI junto a la Catedral, restaurante **Los Cuatro Tiempos**. Cocina tradicional toledana, regional y actualizada así como una amplia y selecta bodega. Cuatro salones con capacidad total hasta 150 comensales. Abierto todos los días.

Sixto Ramón Parro, 5. Casco Histórico. T. 925 223 782. www.restauranteloscuatrotiempos.com

LA ERMITA'S SPECIALITIES

Creative cookery with a traditional touch
The à la carte menu changes according to the season
Juicy rice with vegetables and game meat in scarlet prawn crust
Raviolis of foie gras and mushroom duxelle on cream spinach
Lukewarm garlicky pepper & onion medley, marinated oyster mushrooms and salmon caviar
Baked couch sea bream with its juice and cured ham
Juicy croquette of salt cod, chicken broth, mint and truffle
Chunk of venison on romesco sauce, strips of baby squid and spring onion cream
Roast boned lamb shoulder on a potato layer, emulsion of roasted garlic and cumin
Marzipan roll with almond soup
White & dark chocolate sponge with raspberries

La Ermita

Localidad: **Toledo (45004)**
Dirección: Ctra. de Circunvalación, s/n (junto a la Ermita del Valle, debajo del Parador)
Teléfonos: **925 253 193. Fax: 925 223 529**
www.laermitarestaurante.com
Parking: Fácil aparcamiento en la explanada.
Propietario: Natividad Marcano y Lorenzo García.
Días de cierre y vacaciones: Cerrado domingos noche y lunes todo el día.
Vacaciones: 2ª quincena de agosto.
Decoración: Amplio, luminoso y elegante comedor tipo loft con excepcionales vistas de Toledo y el Tajo.
Ambiente: Gastrónomos que buscan algo diferente en Toledo.
Bodega: Un centenar de etiquetas, vinos manchegos y otras denominaciones.
Hombres y nombres: Directora: Natividad Marcano. Chef de cocina: Juan Domínguez González. Maitre: Casto Carvajal.
Otros datos de interés: A cinco minutos del centro histórico de Toledo, en coche o en taxi, este restaurante merece la visita por el nivel de su cocina y su privilegiado emplazamiento.
Tarjetas: Las principales.

ESPECIALIDADES LA ERMITA

Cocina creativa con toques tradicionales
La carta cambia según la estación
Arroz cremoso de verduras y carne de caza en costra de carabineros
Raviolis de foie y duxelle de champiñones sobre crema de espinacas
Ajoarriero manchego tibio, setas escabechadas, caviar de salmón
Pargo asado con su fondo y toque de ibérico
Croquetón de bacalao meloso, caldo de ave, hierbabuena y trufa
Tronco de venado sobre romesco, tallarines de chipirón y crema de cebolleta
Paletilla de lechal servida sin trabajo, cama de patata y emulsión de ajos asados y cominos
Tubo de mazapán con sopa de almendras
Esponjoso de chocolate blanco y negro con frambuesa

El Palacete

Un lugar mágico

Bárbara S. Netto, alemana enamorada de Toledo, dirige El Palacete desde su inauguración en la primavera de 2005, una nueva referencia de la restauración en la Ciudad Imperial. Situado en el Casco Histórico, cerca de la Plaza Zocodover, centro neurálgico de la ciudad y muy próximo al Alcázar y al Museo Nacional del Ejército, este restaurante es un lugar mágico que despierta los sentidos, un marco idílico que armoniza arte y gastronomía.

El Palacete es un excepcional edificio hispano-musulmán del S.XI, construido sobre restos romanos y visigodos, declarado en el año 1997 Bien de Interés Cultural y merecedor del premio Europa Nostra en 1998 por la mejor rehabilitación europea del año, reconocimiento entregado por la Reina Doña Sofía. La que fuera Casa del Temple posee las estructuras de madera más antiguas de Europa conservadas "in situ" y varias piezas de gran valor arqueológico realzan su decoración.

A espaldas del Alcázar, en un recodo del camino, oculta tras un recatado y sencillo muro se encuentra la construcción más antigua de Toledo, un espacio cuajado de historia, arte y sensualidad que transporta a otras épocas: arcos geminados de herradura, yeserías mudéjares de motivos vegetales, vigas talladas con versos del Corán...

Esta joya arquitectónica se ha transformado en un elegante y confortable restaurante. Las distintas dependencias de la casa, actualmente salones y comedores, conforman una deliciosa puesta en escena para descubrir una cocina con reminiscencias de las tres culturas. Una culinaria innovadora, pero no minimalista, sustentada en los productos de la región, combinando los aromas tradicionales con apuntes originales y vanguardistas. Mención aparte merece su cuidada repostería y la extensa bodega en sótano.

El entorno histórico de gran valor cultural, nivel gastronómico y el ambiente que conjuga intimidad y serenidad, con música clásica seleccionada, convierten a El Palacete en un restaurante de marcada personalidad, "un must frecuentado por gente guapa".

EL PALACETE'S SPECIALITIES

Cookery from Castilla and La Mancha, original and innovative, in steady evolution, with fresh seasonal produce
Tasting menu: 56 €
Recommendations of the day
Jelly of Martini with pumpkin preserve
Crisp prawns with kataifi dough
Gently-cooked salt cod with saffron cream
Tuna in three different textures
Wide range of fresh fish
Red partridge in the style of Toledo with creamy potatoes
Our own interpretation of a venison stew
Cheesecake with lemon preserve
Curried pineapple sorbet and cardamom ice cream

El Palacete

Localidad: Toledo (45001)
Dirección: C/ Soledad, 2 (a espaldas del Alcázar)
Teléfonos: 925 225 375. Fax: 925 221 257
E-mail: info@restauranteelpalacete.com
www.restauranteelpalacete.com
Parking: Dos aparcamientos cercanos, garaje El Alcázar y Corralillo de San Miguel.
Propietario: Bárbara S. Netto.
Días de cierre y vacaciones: Cerrado domingos noche y lunes todo el día.
Decoración: Palacio hispano-musulmán del siglo XI, Monumento Histórico-Artístico del Patrimonio Nacional.
Ambiente: Cosmopolita. Gastrónomos informados y cultos.
Bodega: Importante. Un centenar de referencias a precios para beber.
Hombres y nombres: Bárbara atiende personalmente a sus comensales, también en alemán, inglés y francés. Jefa de cocina: Patricia Gallet.
Otros datos de interés: Comedor principal con capacidad hasta 106 personas. Dos comedores privados para 16 y 14. Posibilidad de cócteles hasta 300. Terraza de verano para tapas, canapés, vinos y coctelería. Acceso para personas con movilidad reducida.
Tarjetas: Todas.

ESPECIALIDADES EL PALACETE

Cocina castellana y manchega, original e innovadora,
adaptada a las estaciones del año y en constante renovación
Menú Degustación: 56 €
Sugerencias del día
Gelée de Martini y mermelada de calabaza
Langostinos crujientes con pasta kataifi
Bacalao confitado con crema de azafrán
Atún en tres texturas
Amplia oferta de pescados frescos
Perdiz roja a la toledana con crema de patata
Nuestra interpretación del estofado de venado de los Montes de Toledo
Tarta de queso horneada, confitura de limón
Sorbete de piña al curry, helado de cardamomo

El Bohío

Cocina de vanguardia

Los hermanos Pepe y Diego Rodríguez Rey transformaron en 1991 este restaurante familiar en todo un referente de la gastronomía manchega, española e internacional. Esta tercera generación, con su experiencia profesional e ilusión, han sabido imprimir carácter y marcar un estilo propio a este ya casi olvidado mesón castellano para convertirlo en uno de los templos de la cocina de vanguardia.

Pepe Rodríguez elabora una verdadera cocina de autor caracterizada por la calidad de las materias primas, claridad de conceptos, vinculación con la tierra y depurada técnica que se refleja en unos platos de gusto marcado y delicada sencillez, combinaciones atrevidas que reinterpretan los platos de la tradición castellano-manchega.

Desde el año 2000, El Bohio Catering traslada sus propuestas culinarias a distintos escenarios intentando incorporar la alta cocina al catering, haciéndola así una cocina más personal y diferenciada.

"Pedid lo que queráis, que de las pajaricas del aire, de las aves de la tierra y de los pescados del mar está proveída la venta"

Miguel de Cervantes.

EL BOHÍO'S SPECIALITIES

Menu of the day; 3 appetizers, 3 main courses and 1 dessert

Tasting menu: 8 courses plus 2 desserts

Blinks with sea anemone and dressing

Tuna in almond marinade

Egg with morels, snails and potatoes

Roast pigeon with butifarra sausage and garlic chives

Herbal infusion with pounded pineapple and honey ice cream

Cereal & yoghurt sponge

El Bohío

Localidad: **Illescas (45200 Toledo), entre Madrid y Toledo.**

Dirección: Av. Castilla-La Mancha, 81

Teléfonos: **925 511 126 Fax: 925 512 887**

E-mail:reservas@elbohio.com www.elbohio.com

Parking: Sin problemas.

Propietario: Restaurante El Bohío, S.L.

Días de cierre y vacaciones: Cierra lunes noche, domingos y Agosto

Decoración: Castellana, elegante, con museo taurino.

Ambiente: Empresarial.

Bodega: 800 referencias procedentes de todos los rincones del planeta

Hombres y nombres: Jefe de cocina: José Rodríguez Rey. Jefe de Sala y sommelier: Diego Rodríguez Rey.

Tarjetas: Todas.

ESPECIALIDADES EL BOHÍO

Menú del día: 3 aperitivos, 3 platos y 1 postre

Menú Degustación: 8 platos y 2 postres

Corujas aliñadas con ortiguillas de mar y adobo

Atún marinado a la almendra

Huevo con guiso de colmenillas, caracoles y patatas

Pichón asado con una guarnición de butifarra blanca y ajos puerros

Infusión de hierbas, majado de piña y helado de miel

Bizcocho de cereales y yogur

El Rincón del Cojo

El arte del asado

Juan José Villa pasó por la Escuela Taurina de Madrid y se dedicó durante veinte años al mundo taurino como novillero y banderillero. Gregorio Sánchez, El Juli, Palomo Linares o Cristina Sánchez son habituales de esta casa. Cumplida esta época, Juan José Villa recuperó el antiguo bar de la familia para transformarlo en un típico asador castellano. Para él no hay más secreto que dar bien de comer. Comprar el mejor producto y tratarlo con cariño. Lo tiene claro, a partir de esta regla sencilla ha conseguido ganarse un público señorial, aquí se sabe mimar al cliente.

En este horno de leña solo entran lechazos con el distintivo I.G.P. -Indicación Geográfica Protegida-, sólo una veintena de asadores en toda España están acreditados con esta distinción siendo El Rincón del Cojo el único de Castilla-La Mancha. Se trata de corderos lechales alimentados exclusivamente por leche materna y una edad de sacrificio de hasta 35 días. Es una carne muy tierna, de escasa infiltración de grasa intramuscular, gran jugosidad y textura muy suave.

Esta casa también pertenece a la Asociación de Asadores de Lechazo de Castilla y León que garantiza que en los establecimientos adheridos se asa en horno de leña y con lechazos de Castilla y León. El comensal puede disfrutar también de la excelente carne asturiana de Trasacar, una marca que garantiza la mejor calidad. La excursión a Manzaneque para comer en este asador castellano merece la pena.

EL RINCON DEL COJO'S SPECIALITIES

Lamb roasted in a wood-fired oven
Air-dried beef, matured cheese and foie gras of duck
Scrambled eggs with porcini mushrooms and green asparagus
Chargrilled cutlet
Beef cuts
Oxtail
Pot-au-feu (on request)
Stews: rice with rabbit, Asturian white been stew, rice with lobster
Salt cod with tomato
Hake in cider sauce
Marinated venison
Cheese or flaky pastry tart, yogurt cream, custard

El Rincón del Cojo

Localidad: **Manzaneque (45460 Toledo)**
Dirección: C/ Calvo Sotelo, 20. Autovía "Los Viñedos", Salida 27
Teléfonos: **925 344 776 y 600 400 814**
Parking: Sin problemas.
Propietario: Juan José Villa y Yolanda Ujena.
Días de cierre y vacaciones: Abierto cada día excepto lunes. Cenas en días laborables con reserva previa.
Decoración: Rústica. Tres salones con techos altos, vigas aparentes y colores ocres.
Ambiente: Autenticidad a raudales.
Bodega: Vinos de la tierra, Rioja y Ribera del Duero. Vinos recomendados: Bodegas Tierra de Orgaz y Gran Isilla.
Hombres y nombres: Maestro asador: Juan José Villa. Sala: Carlos Gil. Jefa de cocina: Celeste Téllez.
Otros datos de interés: En Manzaneque, a cinco km. de Mora, descubrimos este asador que cumple su quinto aniversario. Instalaciones aptas para bautizos, comuniones y eventos sociales. Se aconseja reservar mesa los fines de semana.
Tarjetas: Visa y Mastercard.

ESPECIALIDADES EL RINCÓN DEL COJO

Cordero asado en horno de leña
Cecina de buey, queso viejo, foie gras de pato
Revuelto de boletus con trigueros
Chuleta de lechal a la brasa
Carnes de buey
Rabo de toro
Cocido a la lumbre (por encargo)
Guisos: arroz con conejo, fabada asturiana, arroz con bogavante
Bacalao con tomate
Merluza a la sidra
Filetes de venado adobado
Tarta de queso o de hojaldre, crema de yogur, natillas

El Labriego

Joven y dinámico

En pleno corazón de la Mancha, con esas llanuras interminables repletas de viñedos y cereales, en el entorno del Quijote, está situada la población de Miguel Esteban, a 6 km. de El Toboso. Sorprende encontrar aquí este restaurante de cocina creativa y muy elaborada, que domina las nuevas tecnologías manteniendo sabores nítidos.

El Labriego está formado por un equipo de jóvenes y formados profesionales. Brilla con luz propia la ilusión de Santiago Carreras, "Santi", el propietario y jefe de sala. Muy perfeccionista, despliega una máxima atención a todos los detalles, lo conveniente es dejarse aconsejar por él lo mejor del día. Alexandro Pérez propone una culinaria de sensaciones y aromas. La mejor técnica aplicada al mejor producto da lugar a una gastronomía moderna, innovadora y de alta calidad que se traduce en una oferta dinámica y cambiante. Sabe interpretar los gustos actuales con un virtuosismo envidiable. El resultado es puro placer.

Esta casa gastronómica bien merece la visita, es el lugar idóneo para practicar el olvidado arte de la sobremesa o punto de partida a zonas de interés ecológico como la reserva ornitológica de los Charcones, una laguna de gran valor medioambiental que cuenta con observatorio de aves, paneles informativos, aula de la naturaleza y guías.

EL LABRIEGO'S SPECIALITIES

Modern and market cookery
Every day a different menu
Octopus kebab on pepper mix with paprika dressing
Countryside salad: 12 kinds of tender shoots, raf tomato, lettuce, tuna belly flaps and balsamic vinegar reduction
Gently cooked salt cod during one hour at 70 º on a layer of oriental rice with crisp Iberian ham flake
Beef cuts on the hot stone
Roast sucking lamb from La Mancha
Isomalt cupola on chocolate mousse and hazelnut croccanti, vanilla & chocolate smoke
Fuji-apple tart with pistachio ice cream, coca-cola & cinnamon reduction

El Labriego

Localidad: **Miguel Esteban (45830 Toledo)**
Dirección: García Morato, 32
Teléfonos: **925 172 647 - 669 390 803**
Parking: Fácil aparcamiento.
Propietario: Santiago Carreras Casas.
Días de cierre y vacaciones: Cerrado miércoles. Vacaciones: 2ª quincena de septiembre.
Decoración: Versión actual del estilo manchego.
Ambiente: Público local y turismo nacional.
Bodega: Medio centenar de etiquetas. Predominan los vinos manchegos blancos tradicionales y nuevos tintos de crianza. También Rioja, Ribera del Duero y Toro. Vino recomendado por la casa: Amadis de Yébenes.
Hombres y nombres: Director-Maitre: Santiago Carreras. Chef de cocina: Alexandro Pérez Revenga.
Otros datos de interés: Abierto desde mayo 2007, esta casa gastronómica merece la visita.
Tarjetas: Todas excepto American Express

ESPECIALIDADES EL LABRIEGO

Cocina moderna y de mercado
La carta se elabora a diario
Brocheta de pulpo a la plancha sobre pipirrana aliñado con vinagreta de pimentón
Ensalada del labriego: 12 variedades de brotes tiernos,
tomate raf, lechuga, ventresca de bonito y reducción de vinagre de Módena
Bacalao confitado durante una hora a 70º sobre
cama de arroz oriental y crujiente de jamón ibérico
Auténticas carnes de buey a la piedra
Asados de cordero manchego (D.O.)
Cúpula de cristal de azúcar isomalt sobre mousse de chocolate
y crocanti de avellana, humo de vainilla y chocolate
Tarta de manzana fuji con helado de pistacho, reducción de coca cola y canela

La Zafra

Nuevos aromas manchegos

El restaurante La Zafra se encuentra ubicado en la bien comunicada localidad toledana de Mora, a tan sólo 30 km. de Toledo por la CM-42, Autovía de Los Viñedos, y a 93 de Madrid. Especializado en cocina creativa y de caza, ha sido galardonado con dos primeros premios locales en su participación en las Jornadas Gastronómicas del Aceite de Oliva.

Esta casa moderna, de ambiente acogedor, es ideal para disfrutar de lo mejor de la gastronomía tradicional con toques renovados, aunando calidad, buen precio y servicio tan atento como profesional. Una cocina culta, llena de aromas y sensaciones, platos tradicionales convenientemente actualizados que logran potenciar el sabor, raciones generosas y cuidadas presentaciones.

Para finalizar, el apartado repostero es digno de competir con muchos restaurantes de tronío. Además, la memorable **vinacoteca** con una extensa y variada lista de referencias de vinos y champagnes, elegante cristalería y buen servicio de vinos a la temperatura perfecta.

Angel Partearroyo, el propietario, atiende la sala y comanda el servicio con destreza y simpatía. Manuel Jesús López, el jefe de cocina, es el responsable del buen nivel culinario de la casa y estas innovadoras y saludables recetas de aromas manchegos, sabores y texturas para la memoria. Buena materia prima y bien trabajada. Lo mejor es dejarse aconsejar. Por fin en Mora se come como Dios manda. Muy recomendable el Menú Fin de Semana: 25 €, todo incluido.

LA ZAFRA'S SPECIALITIES

Updated cookery from La Mancha
The menu changes according to the season
Salad of air-dried beef with cheese and mustard dressing
Carpaccio of wild boar with sour apple, lime and parmesan cheese
White beans with Iberian pork dewlap
Wild mushrooms with meat juice and lamb's sweetbreads
Confit salt cod with tempura-fried squids and sauce of their ink
Seriola fish on a vegetable layer with saffron infusion
Marinated venison on confit onions and reduction of sweet Pedro Ximénez sherry
Lamb mille feuille with potatoes and juice
Ginger foam with chocolate soup and ginger cookie
Pear chutney on yoghourt and mascarpone cream, maize flakes

La Zafra

Localidad: **Mora (45400 Toledo) A 20 minutos de Toledo Capital por la Autovía de Los Viñedos**
Dirección: C/ Calvario, 112 (frente a la residencia de la tercera edad)
Teléfonos: **925 341 960 E-mail: rtelazafra@terra.es**
Parking: Fácil aparcamiento en las inmediaciones.
Propietario: Ángel Partearroyo Cervantes.
Días de cierre y vacaciones: Cerrado lunes. Vacaciones: segunda quincena de agosto.
Decoración: Restaurante moderno que conjuga sobriedad y calidez.
Ambiente: Acogedor, hospitalario y placentero.
Bodega: Un punto fuerte de la casa. Vinacoteca con 350 referencias, buena representación de Borgoñas y champagnes. Además, todos los complementos: vinos dulces, las mejores marcas de destilados y puros Habanos.
Hombres y nombres: Director-Maitre: Ángel Partearroyo. Jefe de cocina: Manuel Jesús López.
Otros datos de interés: Fundado en julio 2000, la casa dispone de completas instalaciones: salón comedor para 75 comensales, barra para vinos, tapas de cocina y agradable patio manchego para cenas en verano.
Tarjetas: Todas.

ESPECIALIDADES LA ZAFRA

Cocina manchega actualizada
La carta evoluciona según la temporada
Ensalada de cecina con torreznos de queso y vinagreta de mostaza
Carpaccio de jabalí con manzana ácida, lima y queso parmesano
Judiones con papada de cerdo ibérico
Variado de setas con jugo de carne y mollejas de cordero
Bacalao confitado con calamar en tempura de leche, salsa de tinta de calamar
Pez limón sobre verduras con infusión de azafrán
Venado adobado sobre dulce de cebolla y reducción de P.X.
Hojaldre de cordero con patatas al revolcón y su jugo
Espuma de jengibre con sopa de chocolate y su galleta de jengibre
Chutney de peras con crema de yogur y mascarpone, copos de maíz

Receta **El Almirez**

Merluza en hojaldre con puerro, setas y salsa alioli de perejil

Ingredientes para 4 personas: 800 gr. de merluza cortada en raciones de 200 gr., 6 puerros, setas variadas, mantequilla, sal, aceite, ajo y hojaldre.

Elaboración: Cortar el puerro en finas tiras y pocharlo en mantequilla y aceite con un poco de sal. Dejar escurrir y enfriar. Saltear las setas con una pizca de sal, pimienta y aceite. Triturarlas con fumé de pescado hasta que tenga una consistencia espesa. Estirar el hojaldre en láminas de 20 x 20 cm. Salpimentar los trozos de merluza.

Para el alioli de perejil: Triturar el aceite con el perejil a 80º hasta que tome el color de la clorofila y licuarlo. Montar el aceite con el ajo ya machacado hasta que tome consistencia.

Montaje: Sobre el hojaldre ya estirado poner el puerro escurrido. Salpimentar la merluza y colocar encima del puerro. Sobre la merluza añadir el puré de setas. Pintar los bordes del hojaldre con agua y cerrarlo en forma de bombón. Introducir en el horno a 180º durante 20 minutos.

Emplatado: Fondear un plato hondo con el alioli de perejil y colocar sobre él la merluza ya horneada.

EL ALMIREZ'S SPECIALITIES

Market cookery with a personal touch
The à la carte menu changes according to the season
Market menu (12 €) - Weekend menu (22 €)
Salad of marinated partridge with mustard dressing
Carpaccio of fillet of beef with Parmesan cheese and dried fruits
Home-made croquettes of cured ham, porcini mushrooms or salt cod
Gently-cooked fresh cod on tomato compote with saffron
Grilled baby squids on a garlicky tomato purée with oil, garlic and parsley
Fillet steak with mushroom & porcini sauce
Fried lamb cutlets with garlic and potatoes
Chocolate pancake with ice cream
Home-made cheesecake with strawberry syrup and red berries

El Almirez

Localidad: **Quintanar de la Orden (45800 Toledo)**
Dirección: C/ San Juan, 9
Teléfonos: **925 565 041**
E-mail: **elalmirez@elalmirez.e.telefonica.net**
Parking: Fácil aparcamiento.
Propietario: Marcelino Iniesta Nieto.
Días de cierre y vacaciones: Cerrado domingos noches y lunes.
Decoración: Amplias instalaciones nuevas (380 m^2), en un estilo minimalista presidido por líneas rectas, luz natural y color blanco. Cocina-vista.
Ambiente: Un restaurante de última generación.
Bodega: En constante rotación. Buena selección de vinos de La Mancha, otras denominaciones de origen, cavas y vinos dulces.
Hombres y nombres: Jefa de sala: Mónica Aznar Briones. Jefe de cocina: Marcelino Iniesta Nieto.
Otros datos de interés: Abierto el 21 de julio 2006, es la novedad gastronómica de la comarca. Marcelino Iniesta, después de una extensa formación profesional en algunas de las grandes cocinas de España, ha abierto su propio restaurante. Salón privado para 25 personas. Elegante barra para vinos por copas, tapas manchegas, aperitivos de caza y guisos. Precio medio a la carta: 35 €.
Tarjetas: Todas.

ESPECIALIDADES EL ALMIREZ

Cocina de autor y de mercado
La carta cambia en cada estación
Menú de mercado (12 €) - Menú de Fin de Semana (22 €)
Ensalada de perdiz escabechada con vinagreta de mostaza
Carpaccio de solomillo con parmesano y frutos secos
Croquetas caseras de jamón de jabugo, boletus o bacalao
Bacalao fresco confitado sobre compota de tomate al azafrán
Chipirones a la plancha sobre salmorejo con aceite de ajo y perejil
Solomillo de buey, salsa de setas y boletus
Chuletas de cordero refritas con ajos y patatas
Crep de chocolate con helado
Tarta de queso casera con almíbar de fresas y frutos rojos

Granero

Tres generaciones de hosteleros

Desde 1969, durante tres generaciones, este restaurante se ha dedicado a complacer a sus clientes con las señas de identidad que le caracterizan: trato personal, materias primas de primera calidad y una culinaria elaborada.

José Antonio Pintado, actualmente al mando de esta privilegiada cocina, es un toledano de pro. Se ha criado entre los fogones de esta su casa donde de mano de su madre, la señora Piedad, dio sus primeros pasos en la profesión con el único aliño indispensable, el amor al oficio de la cocina. Salió de casa para ver mundo y perfeccionar su técnica y a lo largo de ocho años de diáspora, trabajando con los más reconocidos chefs del panorama nacional, ha alcanzado el rango de Jefe de Cocina.

En mayo 2008 decidió volver a su tierra, Quintanar de la Orden, donde junto a su hermano Alfonso y el apoyo del resto de su familia ha llevado a cabo una completa remodelación del antiguo restaurante Granero para convertirlo en un punto de referencia en el horizonte gastronómico manchego.

Alfonso Pintado lleva toda la vida en Granero, desde pequeño ayudó a su abuelo y padres en la tarea diaria de este negocio familiar, adquiriendo escuela y aprendiendo a disfrutar de su trabajo. El cariño que le demuestran sus clientes y amigos dan testigo de su buen hacer.

Adan Israel es un sumiller vocacional que adquirió sus bases en el prestigioso restaurante Adolfo de Toledo. Se perfeccionó en otras casas de renombre entre las cuales destaca Goizeko&Dalli's o Pago del Vicario. Ha llegado a Quintanar de la Orden de mano de su amigo José Antonio para desarrollar su arte y conocimientos, puestos en valor por su fuerte personalidad. Un personaje que vale la pena conocer.

GRANERO'S SPECIALITIES

Updated market cookery
A la carte menu in steady evolution
Tasting menu (55 €, including wines)
Tempura-fried vegetables and prawns with muscatel wine reduction
Tatin tart of foie gras and caramelised onion with toffee cream
Sauté squid with Salmorejo sauce
Salt cod on roasted vegetables and garlicky olive oil emulsion with saffron
Hake with tomato dice and avocado cream
Scorpion fish on creamy red potatoes with asparagus
Boned roast lamb with baked apple and its sauce
Gently-roasted sucking pig with carrot & prune preserve
Grilled neck of Iberian pork with vegetable stew
Creative desserts

Granero

Localidad: **Quintanar de la Orden (45800 Toledo)**
Dirección: San Fernando, 90 (antigua travesía Ctra. N-301, Madrid-Alicante)
Teléfonos: **925 180 238** **E-mail: rte.granero@hotmail.es**
www.restaurantegranero.com
Parking: Fácil aparcamiento.
Propietario: José Antonio y Alfonso Pintado.
Días de cierre y vacaciones: Cerrado miércoles. Vacaciones: 15 días en septiembre durante la vendimia.
Decoración: Actual, con exposiciones rotativas de pintores manchegos.
Ambiente: Variado.
Bodega: Un centenar de referencias con acento en los mejores vinos de La Mancha.
Hombres y nombres: Jefe de cocina: José Antonio Pintado. Sumiller: Adan Israel. Jefe de sala: Alfonso Pintado.
Otros datos de interés: Barra para tapas y vinos. Agradable patio-terraza al aire libre para comidas y cenas. Posibilidad de menús-maridaje.
Tarjetas: Las principales.

ESPECIALIDADES GRANERO

Cocina de mercado actualizada
Carta en constante evolución
Menú Degustación (55 €, vinos incluidos)
Tempura de verduras con gambas fritas, reducción de moscatel
Tatin de foie con cebolla caramelizada, crema de toffe
Chipirones salteados, crema de salmorejo
Bacalao sobre verduras asadas y pil pil de azafrán
Merluza sobre picadillo de tomate y crema de aguacate
Cabracho sobre crema de patata morada y espárrago blanco
Cordero asado y deshuesado, manzana asada en su salsa
Lechón confitado, mermelada de zanahoria y ciruelas
Presa ibérica a la parrilla con pisto manchego
Postres creativos

La Chimenea de Turleque

Cruce de caminos

En la Autovía de Andalucía, en el km. 97,800, sentido Cádiz, cerca de los molinos, el Castillo de Consuegra y la típica villa de Tembleque con su bella Plaza Mayor, en un hermoso paraje de la llanura manchega bañado por la luminosidad de los inmensos cielos de esta tierra, encontramos el restaurante La Chimenea de Turleque.

Humberto Martín, hombre hecho a sí mismo, en formación permanente, lleva las riendas de esta casa con mano firme, entusiasmo e ilusión. Para él, es una apuesta personal y profesional en la que se implica a fondo. Le gusta hacer lo que siente: conseguir el producto más excelso para lograr una cocina saludable y sostenible apostando por atender a todos los públicos.

El restaurante dispone de **una brasa de carbón vegetal para carnes y hortalizas**. Los fogones de esta casa ofrecen lo mejor de la cocina regional de La Mancha, el comensal puede disfrutar platos de la Cocina del Quijote. La tradición manchega puesta al día.

En su afán de servicio y para satisfacer a un amplio abanico de público, dispone además de la carta, de varios menús a precios rompedores: cada día Menú Turleque (12 €) con productos frescos y naturales elaborados al momento, menú La Pequeña Villa para los niños (8 €), también se aplican descuentos a familias numerosas.

Por su buen hacer, este restaurante ha alcanzado gran notabilidad y está recomendado por la principales guías gastronómicas de España.

Para una atención personalizada:
humberto@lachimeneadeturleque.es

SPECIALITIES OF LA CHIMENEA DE TURLEQUE

Traditional and natural market cookery
Beef and lamb cuts and from the charcoal grill, all day long
Seasonal recommendations
Don Quixote's cookery
Cured specialities and sausages
Venison stew alter mi grand mother's recipe with cauliflower foam
Sucking lamb cutlets grilled on the charcoal barbecue
Fresh fish
Medallion of salt cod in a garlicky olive oil emulsion
Rice and lobster pot
Catalonian crème brûlée
Fried creams with coulis of orange, saffron and honey
Home-made desserts

La Chimenea de Turleque

Localidad: **Tembleque (45780 Toledo)**
Dirección: Autovia Andalucia (A-IV) km. 97,800
Teléfonos: **925 595 044 Móvil: 653 813 884**
E-mail: reservas@lachimeneadeturleque.es
www.lachimeneadeturleque.es
Parking: Aparcamiento muy amplio con cámaras de vigilancia las 24 horas.
Propietario: Humberto Martín Romero.
Días de cierre y vacaciones: Abierto cada día del año. Restaurante abierto solo a mediodía los lunes, martes, miércoles, jueves y domingos. Viernes y sábados, también cenas.
Decoración: Un estilo manchego muy actual. Techos altos y mucho espacio entre las mesas, respetando la privacidad del comensal. Climatizado.
Ambiente: Clientela fiel, público local y amantes de la buena mesa.
Bodega: Carta de vinos perfectamente referenciada por regiones, denominaciones de origen, bodegas y vinos.
Hombres y nombres: Director y sumillier: Humberto Martín.
Otros datos de interés: Salón a la carta hasta 45 comensales y salón para convenciones o celebraciones hasta 60 personas. Amplia y cómoda barra para degustar productos de la zona. Los fines de semana, trabaja también con técnicas innovadoras. Precio medio a la carta: menos de 30 € con un buen vino de la Mancha.
Tarjetas: Todas excepto Diner´s Club.

ESPECIALIDADES LA CHIMENEA DE TURLEQUE

Cocina de mercado, tradicional y natural
Carnes rojas y cordero a las brasas de carbón vegetal a cualquier hora del día
Sugerencias según la temporada
La cocina del Quijote
Chacinas y embutidos ibéricos
Guiso de venado de mi abuela con espuma de coliflor
Chuletitas de cordero lechal braseadas al carbón
Pescados frescos
Lomo de bacalao al pil pil
Arroz con bogavante
Crema catalana
Leche frita con coulis de naranja, azafrán y miel
Postres de elaboración propia

ALBACETE

NUESTRO BAR. Alcalde Conangla, 102. Tel. 967 243 373.
Fax: 967 664 678 www.nuestrobar.es

Gran exponente de la auténtica cocina manchega, goza de una merecida fama en la ciudad. Dispone de una extensa y curiosa carta en la que figura un plato emblemático de cada una de las localidades de la provincia. Excelentes materias primas tratadas con esmero por las experimentadas manos de Isidro Galiano. Gran bodega climatizada en la que priman los caldos de la zona.

Almansa: MESÓN DE PINCELIN. Las Norias, 10. Tel. 967 340 007.
Fax: 967 345 427 www.pincelin.com

Clásico local inaugurado en 1952, dirigido en la actualidad por la familia Blanco. A las coordenadas tradicionales de la gastronomía típica de la tierra suma un acertado tratamiento de los pescados y mariscos que llegan a diario desde Santa Pola. Buenos guisos, raciones generosas y surtida lista de vinos preferentemente de Almansa.

CIUDAD REAL

MIAMI PARK. Ronda Ciruela, 34. Tel. 926 222 043. Fax: 926 271 111

Este elegante comedor distribuido en varios niveles, ha ocupado siempre un lugar destacado en la restauración de Ciudad Real. Continúa dando aires innovadores al recetario regional con composiciones imaginativas. Pescados de calidad, caza en temporada, deliciosa repostería y más de 200 referencias de varias denominaciones de origen.

CUENCA

MESÓN CASAS COLGADAS. Canónigos, s/n. Tel. 969 223 509.
info@mesoncasascolgadas.com - www.mesoncasascolgadas.com

Asomado a la hoz del Huécar, con unas impresionantes vistas, y ubicado en el interior de una de las famosas casas colgadas de Cuenca, este histórico restaurante, fundado por D. Pedro Torres y ahora dirigido por su hija, Mercedes, ofrece una cocina de raíces, abierta a influencias internacionales.

GUADALAJARA

AMPARITO ROCA. Toledo, 19. Tel. 949 214 639.
sugerencias@amparitoroca.com - www.amparitoroca.com

A la entrada de la ciudad, este local con el mismo nombre del popular pasodoble, es uno de los que han conseguido rejuvenecer la gastronomía castellano-manchega, gracias a la labor de Jesús Velasco que practica una culinaria basada en los productos locales, aliñada, eso sí, con pinceladas de cocina de autor.

TOLEDO

ASADOR ADOLFO. La Granada, 6. Tel. 925 227 321. Fax: 925 253 198.

La arrebatadora personalidad de Adolfo Muñoz despliega todos sus conocimientos en esta agradable sala, en la que destacan los espléndidos artesonados de los siglos XIV y XV. Su cocina, moderna y sencilla a la vez, rememora sabores conocidos, utilizando materias primas minuciosamente escogidas. Gran carta de vinos.

Ávila

Fiestas Patronales: Romería de Nuestra Señora de Chilla de Candeleda
Museos y monumentos: Las Murallas, las Puertas del Rastro, La Catedral; los conventos de Santa Teresa, de la Encarnación, de las Madres de San José, las gordillas, de Gracia, de la Concepción y Santo Tomás; las capillas de las Nieves, de Mosén Rubín de Bracamonte y de las vacas. Las iglesias de San Esteban, de San Vicente, de San Pedro, de Santiago, de San Nicolás, de San Andrés, de San Martín y de San Segundo. Las casas de los Dávila, del Conde Oñate, de la Superunda y de Polentinos. El lugar llamado de Los Cuatro Postes. Museo Provincial.
Oficina de Turismo: Pza. de la Catedral, 4. Tel. 920 211 387.

Burgos

Fiestas Patronales: San Lesmes Abad, 30 de enero. Actos culturales y semana gastronómica.
Museos y monumentos: Catedral, Museo Arqueológico, Arco de Santa María, Arco de San Martín, Arco de Fernán González, Arco de San Esteban, Iglesia San Gil, Casa del Cordón, Ayuntamiento, Museo Marceliano Santamaría, Hospital del Rey, Monasterio de las Huelgas, Cartuja de Miraflores, Monasterio de San Pedro de Cardeña.
Oficina de Turismo: Pza. Alonso Martínez, 7. Tel. 947 203 125 - 947 201 846

León

Fiestas Patronales: San Juan y San Pedro, el 24 y 28 de junio respectivamente.
Museos y monumentos: Catedral, Real Basílica de San Isidoro, Muralla, San Marcos, San Juan y San Pedro de Renueva, Palacio de los Guzmanes, Santa María del Mercado, Consistorio Viejo, Palacio de los Condes de Luna y edificio Gaudí.
Oficina de Turismo: Plaza de Regla, 3. Tel. 987 237 082.

Palencia

Fiestas Patronales: San Antolín, del 28 de agosto al 3 de septiembre.
Museos y monumentos: Catedral, San Miguel, Iglesia de Santa Clara, Iglesia de San Pablo, Iglesia de San Bernardo, Cristo del Otero, Museo Arqueológico, Mirador de Tierra de Campos, Autilla del Pino.
Oficina de Turismo: Mayor, 105. Tel. 979 740 068.

Salamanca

Fiestas Patronales: Virgen de la Vega, 8 de septiembre. San Juan de Sahagún, 12 de junio. Fiestas populares con corridas de toros, verbenas y actos culturales.
Museos y monumentos: Plaza Mayor, Iglesia de San Martín, Universidad, Catedral Nueva, Catedral Vieja, Convento de San Esteban, Convento de las Dueñas, Clerecía, Casa de las Conchas, Colegio del Arzobispo Fonseca, Torre del Clavero, Casa Museo de Unamuno, Palacio de la Salina, Museo de Bellas artes.
Oficina de Turismo: Rua Mayor s/n. Tel. 923 268 571.

Segovia

Fiestas Patronales: San Frutos, 25 de octubre.
Museos y monumentos: Acueducto romano, Catedral, Iglesia de San Millán, iglesia de San Martín, Iglesia de San Esteban, Iglesia de la Vera Cruz, Monasterio del Parral, Torreón de Lozoya, Palacio de Riofrío, El Alcázar.
Oficina de Turismo: Plaza Mayor, 10. Tel. 921 460 334.

Es la región más extensa de Europa, con nueve provincias ensambladas por una historia en común que ha dejado una profunda huella.

Castilla-León encierra el poder de la naturaleza. Se extiende la tierra llana hasta la línea misma del horizonte. Tierra surcada de esfuerzo, inmensa campiña despejada de adornos. También se alzan abruptos los montes y el esplendor de los valles, los torrentes cristalinos que se despeñan en cascadas, viejos glaciares que son ahora lagos, bosques salpicados de riachuelos que se convierten en caudalosos ríos. Picos de Europa, Sierra de Gredos, Cañón del Río Lobos, Hoces del Río Duratón, Lago de Sanabria, la Sierra de Francia, Las Médulas... son algunos de los espacios naturales mejor conservados de la región.

Ofrece una gama infinita de posibilidades a quien desee disfrutar de un turismo diferente: casas rurales, reservas naturales, estaciones de esquí, campos de golf, balnearios, rutas para senderismo, escalada, caza, pesca y deportes de aventura.

Castilla-León posee un impresionante patrimonio artístico que permanece intacto: once catedrales, tres ciudades Patrimonio de la Humanidad, decenas de museos que guardan el testimonio de una cultura rica e imperecedera, archivos históricos que custodian el saber de una civilización, miles de iglesias y, sobre todo, su seña de identidad, los castillos.

Soria

Fiestas Patronales: San Saturio, el 2 de octubre.
Museos y monumentos: Museo Numantino, Ermita de la Soledad, Santo Domingo, Iglesia de San Juan de Rebaneda, Palacio Condes de Gomara, Colegiata de San Pedro, San Juan de Duero y San Saturio.
Oficina de Turismo: Plaza Ramón y Cajal, 2. Tel. 975 212 052.

Valladolid

Fiestas Patronales: Semana Santa: con pasos de gran belleza de la imaginería castellana. San Pedro Regalado: 13 de mayo. San Mateo: 15 al 23 de septiembre.
Museos y monumentos: Catedral, Colegio de San Gregorio, Museo Nacional de Escultura, Colegio de Santa Cruz, Universidad, Iglesia de Santa María la Antigua, Iglesia de El Salvador, Iglesia Penitencial de la Santa Vera Cruz, Iglesia de San Pablo, Iglesia de Santiago, Museo del Monasterio de Santa Ana, Iglesia de San Miguel, Las Huelgas Reales, Museo Oriental Plaza Mayor, Casa de Cervantes, Casa de Zorrilla, Palacio de los Marqueses de Valverde.
Oficina de Turismo: Santiago, 19 bis. Tel. 983 344 013.

Zamora

Fiestas Patronales: Procesión de Semana Santa.
Museos y monumentos: Catedral, las Iglésias de Santa María Magdalena, San Pedro, San Ildefonso, Santa María la Nueva, Santo Tomé, santiago de los Caballeros y San Cipriano, los Palacios de Puñoenrostro, del s. XVI, y el de los Momos, con bella fachada y ventanales ajimezados (s. XVI); los restos del Palacio de Doña Urraca; San Pedro de la Nave (el actual Campillo), interesante iglesia visigótica del siglo VII. Museo Catedralicio.
Oficina de Turismo: Santa Clara, 20. Tel. 980 531 845.

Guía de Hoteles

Avila

PALACIO LOS VELADA****	Pl. de la Catedral, 10	920 255 100	www.veladahoteles.com
VALDERRABANOS****	Pl. de la Catedral, 9	920 211 023	www.palaciovalderrabanoshotel.com
PT DE AVILA****	Marq. Canales Chozas,2	920 211 340	www.paradores.es

Burgos

LANDA*****	Ctra. Madrid-Irún, km 235	947 257 777	www.landa.as
AC BURGOS****	Pº Audiencia, 7	947 257 966	www.ac-hotels.com
FERNAN GONZALEZ****	Calera, 17	947 209 441	www.hotelfernangonzalez.com

León

PARADOR SAN MARCOS*****	Pl. San Marcos, 7	987 237 300	www.paradores.es
CONDE LUNA****	Av. Independencia, 7	987 206 600	www.hotelcondeluna.es
POSADA REGIA	Regidores, 9	987 213 173	www.regialeon.com

Palencia

REY SANCHO****	Av. Ponce León, s/n	979 725 300	www.reysancho.com
CASTILLA LA VIEJA***	Casado de Alisal, 26	979 749 044	www.hotelhusacastillavieja.com

Salamanca

ALAMEDA PALACE*****	Pº de la Estación, 1	923 282 626	www.hotelalamedapalace.com
PALACIO SAN ESTEBAN*****	Arroyo Santo Domingo, 3	923 262 296	www.ac-hotels.com
PLAZA MAYOR****	Espoz y Mina, 23	923 281 717	www.hoteles-catalonia.com

Segovia

ALCAZAR****	San Marcos, 5	921 438 568	www.alcazar-hotel.com
CANDIDO****	Gerardo Diego, s/n	921 413 972	www.candidohotel.es
LOS ARCOS****	Ezequiel González, 26	921 437 462	www.hotellosarcos.com
En Pradera-Valsaín			
EL TORREON	Ctra. 601, km. 123	921 470 904	

Soria

CIUDAD DE SORIA****	Zaragoza, s/n	975 224 205	www.hotelciudaddesoria.com
ALFONSO VIII****	Alfonso VIII, 10	975 226 211	www.hotelalfonsoviiisoria.com
PT DE SORIA****	Parque del Castillo	975 240 800	www.paradores.es

Valladolid

PALACIO SANTA ANA*****	Santa Ana, s/n	983 409 920	www.ac-hotels.com
RECOLETOS BOUTIQUE****	Acera Recoletos, 13	983 216 200	www.solmelia.com
NH BALAGO****	Las Mieses, 28	983 363 880	www.nh-hoteles.es

Zamora

DOS INFANTAS****	Cortinas San Miguel, 3	980 509 898	www.hoteldosinfantas.com
PT DE ZAMORA****	Plaza Viriato, 5	980 514 497	www.paradores.es
HORUS ZAMORA****	Plaza del Mercado, 20	980 508 282	www.hotelhorus.com

La cocina castellano-leonesa

La gastronomía de Castilla y León tiene como característica principal la diversidad, debido a la extensión de su territorio. No obstante, cuenta con una serie de bases comunes que le dan cierta identidad gastronómica. Es una cocina fuerte y sustanciosa debido a los rigores del clima y a los trabajos desarrollados en el campo, ya sean agrícolas o ganaderos.

Castilla y León es especialmente rica en productos de la tierra y legumbres. Merecen especial atención los pimientos, la patata, el tomate, la cereza, la manzana, la castaña y la vid de la comarca del Bierzo, así como las alubias de La Bañeza, las judías del Barco de Avila o las lentejas de La Armuña. No es de extrañar que existan deliciosos platos de alubias o soberbios cocidos como la olla podrida o el cocido maragato.

El cerdo y sus derivados han sido fundamentales en la alimentación de esta zona de fríos y largos inviernos. Las chacinas más sabrosas son las del cerdo ibérico que tiene su hábitat más favorable en la dehesa salmantina. Son célebres los jamones de Guijuelo. Por todo el territorio castellano-leonés se elabora una excelente matanza: los jamones de Avila, el chorizo de Cantimpalos, la morcilla de Burgos o el botillo berciano. El resto del ganado tiene una cualidades innegables: la oveja churra, la vaca sanabresa, la morucha o la vaca avileña. Sin olvidar, claro está, el asado castellano. Cordero, mejor si es lechal, también denominado lechazo.

Es también una importante productora de quesos de cabra, de vaca y, sobre todo de oveja. La caza es otro atractivo de esta comunidad.

La dulcería es enormemente variada desde las yemas de Avila y Soria hasta el chocolate. Son dignos de destacar dos extraordinarios hojaldres: los lazos de San Guillermo de Cistierna y los nicanores de Boñar.

Asador Siboney

Objetivo: la excelencia

En Asador Siboney sólo se asan cochinillos, no tostones. El maestro asador Javier Rodríguez es un ferviente defensor del cochinillo, considera este término como el apropiado para definir al producto emblemático de Arévalo. Este erudito profesional de la hostelería y hombre de mundo lleva muchos años promocionando en toda España a esta ciudad y al cochinillo arevalense, embajador por excelencia de esta tierra.

En Asador Siboney el comensal disfruta los platos típicos de la cocina castellano-leonesa siempre elaborados con productos de la marca de garantía "Tierra de Sabor", géneros agroalimentarios de calidad producidos, preparados o transformados en Castilla y León. En su horno de leña, a la vista del cliente, se asan minuciosamente cochinillos o lechazos churros I.G.P. La labor del horno, fruto de un diseño ancestral, está dirigida magistralmente por Javier Rodríguez, un artesano que controla todos los parámetros: puntos de cocción, temperatura... Esta casa busca la excelencia a precio justo.

El asador se encuentra felizmente ubicado en un palacete denominado Siboney en honor a un indiano cubano -también es el título de un bolero del grupo Los Panchos-, en definitiva, este nombre inspira arte. Aquí, se entiende la comida como una ceremonia, la atmósfera es ideal para el deleite de todos los sentidos: originales y cómodas instalaciones decoradas con profusión de piezas artísticas y antigüedades, música ambiental, personal atento a cualquier petición y detalle.

Arévalo, situada al norte de la provincia de Ávila, goza de una situación geográfica inmejorable, a 126 km. de Madrid, 77 de Valladolid, 90 de Salamanca, 58 de Segovia y tan sólo 50 de la capital abulense. Es un antiguo cruce de caminos y calzadas. Hoy en día, punto estratégico en las comunicaciones norte-sur, lugar de paso obligado para madrileños, vallisoletanos, asturianos, gallegos...Además, es una villa tranquila donde se puede aparcar fácilmente sin temor a las prisas o a las multas, ejemplo de arte mudéjar con numerosos monumentos históricos como su famoso castillo. Un lugar ideal para una visita de un día o de un fin de semana. El buen comer está garantizado, en Asador Siboney encontrará el mejor cochinillo en un marco incomparable.

ASADOR SIBONEY'S SPECIALITIES

Roasts from the wood-fired oven:

Sucking pig and "churro" lamb

Tuna belly flaps on tomato with small red piquillo capsicums

Little gem salad with anchovies in oil

Scrambled eggs with mushrooms or black pudding

Grilled of fried sweetbreads

White bean stew

Salt cod in garlicky sauce

Red meat cuts

Homemade desserts

Asador Siboney

Localidad: **Arévalo (05200 Ávila)**
Dirección: C/ Figones, 4 (junto a Plaza Principal)
Teléfonos: **920 301 523** **www.restauranteasadorsiboney.es**
Parking: Aparcamiento cercano y aparcacoches.
Propietario: Javier Rodríguez de la Iglesia.
Días de cierre y vacaciones: Abierto todos los días del año para comidas y cenas.
Decoración: Palacete colonial del siglo XIX decorado con obras de arte.
Ambiente: El deleite de comer en un museo. Privacidad, mesas grandes y espacio generoso.
Bodega: Alrededor de 300 etiquetas para todos los públicos.
Hombres y nombres: Director y Maestro Asador: Javier Rodríguez. Maitre: Félix Pérez. Relaciones Públicas: Javier Herrero.
Otros datos de interés: Premio Nacional de Gastronomía 2010 con Plato de Oro. Medalla de Oro al Mérito Profesional. Miembro de Asadores de Lechazo de Castilla y León.
Tarjetas: Todas excepto American Express.

ESPECIALIDADES ASADOR SIBONEY

Asador en horno de leña propio:

Cochinillo y lechazo churro I.G.P.

Ventresca natural con base de tomate y pimientos del piquillo

Cogollos de Tudela con anchoas

Revueltos de setas o de morcilla

Mollejas plancha o rebozadas

Alubias del Barco

Bacalao ajoarriero

Carnes rojas

Postres caseros

Casa Ojeda

Desde 1912

La historia de Casa Ojeda se remonta a 1912 cuando se inauguró como una popular tasca en el centro de la ciudad de Burgos, a pocos metros de la zona monumental y junto a su principal zona de negocios. Desde entonces hasta nuestros días, gentes de toda índole y condición han gozado del transcendente placer de la buena mesa en este afamado restaurante. Su buen hacer motivó que el negocio se expandiera hasta lo que es hoy en día: uno de los mejores restaurantes de Castilla y León.

Aquí, podrá degustar los platos más suculentos de la cocina tradicional castellano-leonesa y otras creaciones adaptadas a las nuevas tendencias culinarias. Destaca su horno de leña donde preparan la especialidad de la casa: el cordero lechal asado.

Decorado al más puro estilo castellano, dispone de completas y espaciosas instalaciones: comedores privados para reuniones familiares y de empresa además de cafetería para tapas y comidas más informales y espléndida terraza para los meses de verano. Justo al lado, cervecería y tienda delicatessen con productos de la tierra y obrador propio.

Con cien años de trayectoria, esta casa se ha convertido en uno de los restaurantes señeros de Burgos, un emblema del arte culinario de Castilla.

CASA OJEDA'S SPECIALITIES

The "á la carte" menu changes two or three times a year
Updated traditional cookery
Ox tongue "écarlate" (in brine)
Red bean stew with chorizo sausage, blood sausage and lard
Salad of boned partridge with cépe mushroom sauce
Blood sausage from Burgos with capsicums
Home-made foie-gras of duck
Spring lamb roasted in a wood-fired oven
Braised pigeon grandmother's style
Sautéed lambs' sweetbreads with garlic
Home-made pastries and confectionery (own Chef pastissier)

Casa Ojeda

Localidad: **Burgos (09004)**
Dirección: Vitoria, 5 (entrada también por Pl. del Cordón)
Teléfonos: **947 209 052 Fax: 947 207 011**
E-mail: ojeda@restauranteojeda.com
www.restauranteojeda.com
Parking: Tres aparcamientos públicos a 100 metros.
Propietario: Familia Carcedo-Ojeda
Días de cierre y vacaciones: Cerrado Domingo noche. No cierra por vacaciones.
Decoración: Castellana. Un edificio de época decorado con artesonados de madera, vidrieras, plantas y antiguedades.
Ambiente: Elegante y sobrio.
Bodega: 120 referencias de las mejores bodegas. Completa en Riberas del Duero.
Hombres y nombres: Jefe de cocina: Eladio Sáinz. Sala: Salvador Alcalde.
Otros datos de interés: Establecimiento muy tradicional en Burgos,fundado en 1912, ubicado en el corazón de la ciudad. Cuatro comedores privados. Cada año se organizan jornadas gastronómicas. Tienda para la venta de productos típicos burgaleses y oferta de vinos.
Tarjetas: Todas.

ESPECIALIDADES CASA OJEDA

La carta cambia dos o tres veces al año

Cocina tradicional adaptada al gusto actual

Lengua de vaca en escarlata

Alubias rojas de Ibeas con chorizo, morcilla y tocino

Ensalada de perdiz deshuesada con salsa de hongos "boletus edulis"

Morcilla de Burgos con pimientos naturales

Foie de pato hecho en Casa

Cordero lechal asado en horno de leña

Pichón estofado al estilo de la abuela

Mollejas de lechazo salteadas al ajillo

Reposteria artesanal con obrador propio

La Vianda

La vanguardia de Burgos

La trayectoria del restaurante burgalés La Vianda, desde su inauguración en diciembre 2005, le confirma como una de las opciones culinarias más sugestivas e innovadoras de la ciudad. La decidida apuesta de sus cocineros, Juan Manzano y María Eugenia Díaz, por una culinaria de altos vuelos desarrollada con técnica depurada e imaginativa, representa una elección más que interesante.

Juan y María Eugenia, María Eugenia y Juan, siempre mano a mano, bordan formulaciones actuales, que hunden sus raíces en la cocina tradicional. En línea ascendente, este restaurante de última generación destaca por la presencia de creaciones que aúnan tradición y vanguardia, producto y técnica, felicidad y emoción, todo al milímetro. La Vianda aporta una renovación de la gastronomía burgalesa.

Lalolatapas

El reino de la tapa

Ampliando horizontes, este tándem de jóvenes profesionales inauguraron en marzo 2010, Lalolatapas en la calle Santander, una de las arterias más comerciales de Burgos, punto neurálgico cerca de la Plaza del Cid y del Museo de la Evolución. Una propuesta totalmente dinámica y lúdica: tapas de cocina, tradicionales y puestas al día, tentempiés calientes y fríos, algunos dulces y guisos...la mejor barra de pinchos de la capital.

El local, de ambientación y diseño moderno, se distribuye en dos plantas: animada barra y recoleto comedor en planta alta para comidas informales y saborear una cocina con apuntes creativos al alcance de todos. La filosofía es recuperar el bar español de toda la vida, adaptándolo a los tiempos. Cocina en miniatura: gran variedad de canapés, apetitosos bocados de rey regados por vinos de nueva generación. El horario es amplio: de 8,30 a 24 h.

C/ Santander, 6. Burgos. www.lalolatapas.com

LA VIANDA'S SPECIALITIES

Cookery of nowadays
with traditional roots, quality produce and refined technique
Different menus for everybody's taste
The à la carte menu changes 5 times a year
Menu Vianda, renewed every week: 25 €
(two starters, fish or meat course plus dessert)
Beef stew, prawns with garlic chives, creamy carrots
Tripe speciality
Rod-caught sea bass with sauce and scarlet prawns
Boned knuckle of pork with mock choucroute
Apfelstrudel with ice cream
Brownie with white chocolate soup and yoghourt ice cream

La Vianda

Localidad: **Burgos (09004)**
Dirección: Avda. de la Paz, 11 (cerca Plaza de España)
Teléfonos: **947 243 185** **www.restaurantelavianda.com**
Parking: Aparcamiento público en Plaza de España (a 5 minutos).
Propietario: Juan y Sergio Manzano.
Días de cierre y vacaciones: Cerrado domingos noches y lunes.
Decoración: Minimalista y de vanguardia.
Ambiente: Gastrónomos informados. Público local y de Madrid atendido por un servicio joven y amable.
Bodega: Hasta 500 etiquetas, incluyendo una treintena de champagnes, vinos franceses, americanos, chilenos, austríacos, alemanes y Oportos.
Hombres y nombres: Jefes de cocina: María Eugenia Díaz y Juan Manzano. Maitre: Yolanda Martínez. Sumiller: Sergio Manzano.
Otros datos de interés: Restaurante de última generación en Burgos. Al frente de los fogones, María Eugenia y Juan lucen la sólida formación profesional adquirida en el País Vasco y Francia. Capacidad para 42 comensales, con un reservado para 18/20 p. Barra para degustar platos de la carta en formato tapas.
Tarjetas: Las principales.

ESPECIALIDADES LA VIANDA

Cocina actual, raíces tradicionales, productos de calidad y técnica depurada
Diferentes menús para todos los apetitos
La carta cambia 5 veces al año
Menú Vianda, cambia cada semana: 25 €
(dos entrantes, pescado o carne, postre)
Guiso de novillo de potro, salteado de langostinos y ajetes, crema de zanahoria
Callos a la gitana
Lubina de anzuelo con suquet y carabineros
Codillo deshuesado con falso choucroûte
Appfelstrudel con helado de nata
Brownie con sopa de chocolate blanco y helado de yogur

Receta **Meson el Pastor**

Lechazo asado estilo Aranda

Ingredientes para dos personas: 1/4 de lechazo churro, manteca, agua y sal.

Preparación: Colocar el cuarto en una cazuela de barro con la parte interior del lechazo hacia arriba, añadir "un pegote" (pequeño) de manteca, sazonar con sal únicamente y echar un poquito de agua en el plato. Meter al horno, que sea de leña, a unos 2500.

Dejar una hora y media. Después dar la vuelta al lechazo y echarle sal y agua en el plato. Dejarlo otra media hora. Servir con lechuga y cebolla.

Buen apetito.

La Familia Sancha elabora vinos con Denominación Castilla y León en su propia bodega; tinto roble Viña Sancha, Finca Cárdaba (vendimia seleccionada) y rosado de lágrima.

MESON EL PASTOR'S SPECIALITIES

Blood and chorizo sausages from Burgos

Spring lamb's sweetbreads

Barbecued kidneys

Assortment of cured ham and cold sausages

Roast spring lamb Aranda's style

Barbecued lamb cutlets

Cheese from Burgos

Curd cheese from Burgos

Home-made desserts

Mesón El Pastor

Localidad: **Aranda de Duero (Burgos)**

Dirección: Plaza de la Virgencilla, 11 (centro población).

Teléfonos: **947 500 428. www.meson-elpastor.com**

Propietario: Julián Sancha.

Días de cierre y vacaciones: Abierto cada día del año.

Decoración: Típico asador castellano con horno de leña a la vista.

Ambiente: Variado, mezcla de públicos.

Bodega: Completa en Riberas del Duero (más de 70 marcas).

Hombres y nombres: Maestro asador, Rodolfo Sancha.

Otros datos de interés: Restaurante fundado en 1.975 por Julián Sancha, asador de toda la vida y descendiente de asadores. 4 comedores con capacidad para 70, 60, 50 y 15 comensales (salón privado).

Tarjetas: Las principales.

ESPECIALIDADES MESON EL PASTOR

Mariscos de Castilla
(Morcilla y chorizo de Burgos)
Mollejas de lechazo
Riñones a la parrilla
Tabla de ibéricos
Lechazo asado estilo Aranda
Chuletillas a la parrilla
Queso de Burgos
Cuajada de Burgos
Otros postres caseros

Miranda de Ebro

Cruce de caminos

Miranda de Ebro está situada en el noreste de la provincia de Burgos. Su privilegiada situación geográfica a caballo entre la meseta norte, el valle del Ebro y el País Vasco la configura como un importante nudo de comunicaciones. En un radio de tan sólo 80 km. se encuentran las ciudades de Vitoria (30 km), Logroño (60), Burgos (70) y Bilbao (80). Por este municipio discurren numerosas carreteras nacionales, autovías, autopistas y vías férreas. Con una población cercana a los 40.000 habitantes, Miranda de Ebro es una ciudad cosmopolita, moderna e industrial que constituye la segunda población más importante de la provincia de Burgos después de la capital.

Miranda goza de un magnífico patrimonio histórico y cultural, entre las múltiples joyas que atesora se encuentra un amplio catálogo de edificios históricos, casas palaciegas y construcciones de interés: la Iglesia de Sagrados Corazones, de San Juan, la Virgen de Altamira, la Casa Consistorial, la Casa de las Cadenas, de los Urbina...El Teatro Apolo -el mejor inmueble civil de la primera mitad del siglo XX-, el puente de Carlos III que une los barrios de Aquende y Allende y el espléndido Jardín Botánico -más de 1300 m2 en la antigua zona de esparcimiento del antiguo convento de las siervas de Jesús- reflejan un rico legado que ha perdurado hasta nuestros días.

La gastronomía mirandesa es muy rica y variada. Al ser un cruce de caminos, su cocina se nutre de las generosas y abundantes despensas castellana, vasca y riojana con sus gloriosos caldos.
La Fundición, inaugurada en marzo 2004 por un equipo de jóvenes profesionales, representa una de las mejores opciones en Miranda de Ebro. Pertenece a la prestigiosa Asociación de "Maestres de Cocina de Castilla y León".

LA FUNDICIÓN'S SPECIALITIES

Market cookery with first-choice produce

A la carte menu in steady evolution

Salt cod omelette

Blood sausage cannelloni filled with salt cod

Baked fresh fish of the day

Neck of Iberian pork marinated with dried red bell peppers and hot chillies, cream of potato omelette and onion crumbs

Oxtail stew with sweetbreads

Biscuit & chocolate tart with mocha ice cream

Fried creams with anise ice cream

La Fundición

Localidad: **Miranda de Ebro (09200 Burgos)**
Dirección: La Charca, 10 (junto a la Estación de Renfe)
Teléfonos: **947 335 962** **www.todomiranda.com/lafundicion**
Parking: Fácil aparcamiento en las inmediaciones.
Propietario: Jon y Juan Villamor.
Días de cierre y vacaciones: Cerrado domingos y noches de lunes a jueves.
Vacaciones: Semana Santa, primera quincena de agosto y 10 días en navidad.
Decoración: Este local, antaño una fundición de metales, se ha transformado en un restaurante de estilo actual e intemporal.
Ambiente: Servicio diligente y cercano.
Bodega: Amplia, casi 200 vinos con acento en La Rioja y la Ribera del Duero además de otras regiones vinícolas.
Hombres y nombres: Jefe de cocina: Juan Villamor. Jefe de sala: Jon Villamor.
Otros datos de interés: Barra para tapas de cocina y picoteo. Cocina a la vista. Salón para fumadores y no fumadores. Muy recomendable el menú diario con productos frescos. Juan Villamor ganó el primer premio "Bocadillo de Autor" en el certamen Madrid Fusión 2008.
Tarjetas: Las principales.

ESPECIALIDADES LA FUNDICIÓN

Cocina de mercado
con productos de denominación de origen
Carta en constante evolución
Tortilla de bacalao
Canelones de morcilla rellenos de bacalao
Pescados del día al horno (de la lonja de Pasajes)
Presa de cerdo ibérico macerada en choricero y guindillas
con crema de tortilla de patata y migas de cebolla
Rabo de ternera estofado con su mollejas
Tarta de galleta y chocolate con helado de café
Leche frita con helado de anís

Bodega Regia

Gastronomía

León, ciudad del Reino y milenaria, que tuvo veinticuatro Reyes antes que Castilla Leyes, paso obligado en el Camino de Santiago y Ruta de la Plata, Ciudad noble y hospitalaria, ofrecía ya en el pasado una gastronomía autóctona, sabrosa y rica por sus buenas materias primas y aderezos en consonancia con el clima del norte.
Como entonces lo hicieron sus fundadores, hoy, los sucesores de Bodega Regia, siguen esta tradición para placer y disfrute de los que visitan Bodega Regia.

Hospedaje

Bodega Regia ofrece además a sus visitantes la posibilidad de alojarse en una de sus **veinte habitaciones con encanto. "Posada Regia"**, un hotel habilitado en un edificio típico leonés que data del año 1370 y que otorga, por tanto, un ambiente hogareño y rústico del León de antaño, con la máxima tranquilidad y el servicio más esmerado. Cada una de las habitaciones de "Posada Regia" está dotada de todo tipo de comodidades haciendo de su estancia la más confortable y acogedora.

Café, copa y puro

Anexo al restaurante, puede disfrutar de una agradable sobremesa y un ambiente tranquilo en el café Rincón del Buho, abierto a partir de las 16.00 h. Coctelería, carta de tés, de cafés, whiskies, puros habanos...

Tu copa tranquila

**** Hotel con encanto*

BODEGA REGIA'S SPECIALITIES

Special menus on request
Air-dried beef and capsicums from El Bierzo (quality label award)
Regional bread & garlic soup
Scrambled eggs of the house
Braised knuckle of beef
Split conger eel in garlicky sauce
Potatoes with salmon and clams
Frog's legs
Roast spring lamb
Egg custard pudding with chestnuts and chocolate
Egg custard with roasted walnuts

Bodega Regia

Localidad: **León (24003)**
Dirección: Regidores, 9 (cerca catedral).
Teléfonos: **987 213 173 - Fax: 987 213 031**
E-mail: marquitos@regialeon.com www.regialeon.com
Parking: Cercano.
Propietario: Ángel Marcos Vidal Suárez.
Días de cierre y vacaciones: Cerrado domingo. Vacaciones 2ª quincena de enero y 1ª quincena de septiembre.
Decoración: Regional.
Ambiente: Variado.
Bodega: Vinos del Bierzo (León), Ribera del Duero y Selección de Riojas.
Hombres y nombres: Jefes de cocina, Ana Mª Fernández y Marcos Vidal; Sommeliers y sala: Marcos Vidal (hijo) y Albino López
Otros datos de interés: 3ª generación que dedica todos sus esfuerzos en promocionar y mejorar la rica y variada cocina leonesa. Premiado por "Premio Dama del Turismo de Castilla-León", "Placa de plata al Mérito Turístico".
Tarjetas: American Express, Visa, Diner's y Master Card.

ESPECIALIDADES BODEGA REGIA

Se admiten menús de encargo
Cecina de vaca y pimientos del Bierzo (Denominación de origen de León)
Sopas de ajo a la Leonesa
Revuelto especial
Morcillo de añojo estofado
Congrio abierto al ajo arriero
Patatas con salmón y almejas
Ancas de rana
Lechazo asado
Pudin de flan con castañas y chocolate
Natillas con nueces tostadas

Cenador Rua Nova

Tradición y modernidad

Este es el tercer establecimiento de una familia hostelera de León, con más de 20 años de experiencia en la hostelería de la ciudad. En los 380 m^2 que ocupa el Cenador Rua Nova, la madera ocupa un papel protagonista. Mesas, sillas, armarios, estanterías o techos realzan este local donde el buen gusto de la decoración se ha tenido en cuenta en cada uno de los detalles.

En el Cenador Rua Nova, existe la posibilidad de disfrutar de un amplio porche que conecta con un patio en el que también se podrá comer durante los meses de más calor. **Una de las mejores terrazas de la ciudad**, permite comer rodeado de vegetación en pleno centro de León. Estas amplias instalaciones se completan con un acogedor comedor privado con capacidad para 10 personas. Reuniones de trabajo o comidas familiares de carácter más íntimo se pueden llevar a cabo en esta estancia. Además, gran barra para disfrutar del mejor picoteo leonés.

Esta casa también dispone de un amplio salón para celebrar todo tipo de eventos en un entorno cálido y elegante, desde comidas de negocio a reuniones festivas como bautizos, comuniones, aniversarios o cualquier motivo digno de una buena mesa. Para este servicio el restaurante cuenta con espacio suficiente para reunir hasta un total de 130 comensales y disfrutar de menús especialmente elaborados para la ocasión.

CENADOR RUA NOVA'S SPECIALITIES

Traditional cookery from Leon with a modern touch
Cured tongue from Leon
Sweetbreads
Apple and foie gras toast
Carpaccio of figs with foie gras mi-cuit
Fresh fish
Soufflé of seafood-stuffed sole
Salt cod dice with prunes
All kinds of red meat
Gently-roasted sucking pig with onion compote
Pork cheeks braised in red wine
Chocolate coulant with milk-caramel spread
Lukewarm apple flaky pastry slice with ice cream

Cenador Rua Nova

Localidad: León (24002)
Dirección: C/ Renueva, 17 (junto estación de Matallana)
Teléfonos: 987 247 461 www.cenadorruanova.com
Parking: Aparcamiento público a 3 minutos (estación de Feve).
Propietario: Familia Pellitero de Juan.
Días de cierre y vacaciones: Cerrado domingos noches y lunes.
Decoración: Tradicional con toques modernos. Instalaciones nuevas con la calidez de la madera y la nobleza de la piedra.
Ambiente: Variado. Un restaurante para todos los públicos.
Bodega: Amplia, con acento en Riberas del Duero y Riojas clásicos y apostando fuerte por las denominaciones locales: Bierzo y Tierra de León.
Hombres y nombres: Dirección: Darío Pellitero de Juan. Sala: Rubén Ruiz de Lezana y María Osorio. Jefes de cocina: Rosaura de Juan y Marcelo Fenusquietto. Barra: Dichery Agramonte.
Otros datos de interés: Restaurante inaugurado el 2 noviembre 2006, en pleno centro de León, camino de Santiago. Instalaciones completas: zona de barra para típico tapeo leonés y zona de restaurante con comedor principal (90 p.), comedor-porche (40 p.), salón privado (10 p.) y amplia terraza ajardinada para los meses más calurosos.
Tarjetas: Todas.

ESPECIALIDADES CENADOR RUA NOVA

Cocina tradicional leonesa con toques modernos
Lengua curada de León
Mollejas guisadas
Tosta de manzana con foie
Carpaccio de higos con micuit de foie
Pescados de mercado
Soufflé de lenguado relleno de marisco
Tacos de bacalao con ciruelas
Todo tipo de carnes rojas
Cochinillo confitado con compota de cebolla
Carrilleras estofadas al vino tinto
Coulant de chocolate con dulce de leche
Hojaldre templado de manzana con helado

Palacio de Jabalquinto

Historia y gastronomía

Es un antiguo palacio del siglo XVII enclavado en el casco antiguo de León (Barrio Húmedo), donde arte y gastronomía se combinan de forma excepcional. Un espacio arquitectónico único donde se armoniza el arte moderno y el gusto por lo antiguo.

Esta noble y sobria casa leonesa se muestra orgullosa como uno de los mejores ejemplos de la arquitectura nobiliaria leonesa. Destaca por su fachada de dos cuerpos, el inferior en piedra bien labrada, y el superior de ladrillos separados por extensa capa de cal, una característica arquitectónica típicamente leonesa, en la que se lucen fuertes y bien trabajados los herrajes típicos de una ilustre familia.

Si bella es su fachada, no lo es menos su interior, con un patio empedrado de formas irregulares. El palacio lleva el nombre de los Marqueses de Jabalquinto, familia en la que recayó el título a comienzos del siglo XIX, al extinguirse sus constructores, los Marqueses de Castro Janillos. Los Marqueses de Jabalquinto participaron activamente en las contiendas políticas de la convulsa España decimonónica apoyando el carlismo y sus guerrillas frente a las tropas realistas. La familia, cabeza visible de los conjurados, se reunía con estos en las bodegas del palacio.

Cuatrocientos años de historia leonesa representada en este palacio de nobles muros que ha sido habilitado para su comodidad y disfrute.

PALACIO JABALQUINTO'S SPECIALITIES

Traditional cookery with a personal touch
The à la carte menu changes every 3 months according to the season
Gastronomic menu (about 38 €, without wines)
Business menu every day (18 € + VAT, wine included)
Festive menu (28 € + VAT, wine included)
Foie gras, compote of reinette apples and red wine threads
Scallop pancake with prawns on a seafood cream
Lukewarm seafood salad with yoghourt & tomato dressing
Fillet of hake gently cooked in garlicky oil
Baked monkfish medallion with fried garlic and cayenne pepper
Sucking pig roasted at low temperature
Roast neck of Iberian pork with several purées and its juice
Reinette apple tartlet, reduction of Pacharan (sloe liqueur) on custard
Walnut rolls filled with cider foam and reinette jelly
Crisp rice flake filled with chocolate and lukewarm banana cream

Palacio de Jabalquinto

Localidad: León (24003)
Dirección: Juan de Arfe, 2 (Barrio Húmedo)
Teléfonos: 987 215 322
E-mail: info@palaciojabalquinto.com
www.palaciojabalquinto.com
Parking: A cinco minutos, en la Plaza Mayor.
Días de cierre y vacaciones: Cerrado domingos noches y lunes todo el día.
Decoración: Contemporánea, en contraste con el edificio histórico.
Ambiente: Público medio-alto.
Bodega: Tierra de León, vinos del Bierzo, blancos de Rueda y Rías Baixas, Ribera del Duero, Rioja y representación de otras D.O., Cavas y Champagnes. Todos a precios asequibles.
Hombres y nombres: Director-Maitre: Emilio Álvarez. Cocina: Un joven equipo de profesionales de escuela.
Otros datos de interés: Dos salones privados (16 y 32 p.), cafetería con chimenea de invierno, magnífico patio interior empedrado e instalaciones de cocina de última generación. Exposiciones rotativas de pinturas. El objetivo es la máxima satisfacción del cliente. Precio medio a la carta: alrededor de 38 €.
Tarjetas: Todas.

ESPECIALIDADES PALACIO DE JABALQUINTO

Cocina tradicional con toques de autor
La carta cambia cada 3 meses según la temporada
Menú Degustación (alrededor de 38 €, vino aparte)
Menú-Ejecutivo diario (18 € + iva, con vino)
Menú Festivo (28 € + iva, con vino)
Foie, compota de reineta e hilos de vino tinto
Creps de vieira con langostino sobre crema de marisco
Ensalada templada de frutos del mar con vinagreta de yogur y tomate
Lomo de merluza confitada en aceite de ajos
Medallón de rape asado con refrito de ajos y cayena
Cochinillo asado a baja temperatura
Presa de ibérico asado con purés variados y su jugo
Tartaleta de manzana reineta, reducción de pacharán, sobre crema inglesa
Canutillos de nuez rellenos de espuma de sidra y gel de reineta
Crujiente de arroz relleno de chocolate con crema tibia de plátano

Serrano

Vocación de líder

Fundado en 1982 por sus actuales propietarios, este restaurante está situado a escasos metros de la zona monumental de Astorga: Palacio de Gaudí, Catedral... Con capacidad total para 150 personas, dispone de dos comedores de 50 y 100 comensales, así como salones privados para la celebración de actos sociales, conferencias o reuniones de trabajo. Este rincón gastronómico tiene la ventaja de ofrecer **calidad a precios contenidos.**

La cocina de Jesús y Telvi es innovadora, reinterpretando los productos de la tierra, trabajando las carnes del Teleno, poniendo al día las recetas ancestrales, investigando en las raíces de la cocina maragata, sin olvidar las tendencias de la cocina más actual.

El restaurante Serrano organiza exposiciones rotativas de pintores y fotógrafos cuyas obras también se pueden adquirir. Dispone de salones fumadores, no fumadores y acceso para minusválidos.

Una visita ineludible a su paso por Astorga, donde confluyen el Camino Francés y la Vía de la Plata.

SERRANO'S SPECIALITIES

Traditional and creative cookery
prepared with selected regional first-quality products
The à la carte menu changes 4 times a year
Air-dried beef from Leon with pollen, foie-gras and virgin olive oil
Salad of mango, leaf lettuce and spider crab flesh
Blood pudding from Leon
Layered slice of pumpkin, salt-cod and mozzarella cheese
Turbot in sea-urchin and mussel sauce
Grilled salt-cod
Pork cheeks in Mencia-red-wine sauce
Oxtail in sauce of seasonal mushrooms
Veal cutlet from Teleno
Fried creams of reinette apple with raspberry coulis
Prune and walnut tart (the pilgrim's tart)
Seasonal gastronomic menu (from 20 to 30 €)

Serrano

Localidad: **Astorga (24700 León)**
Dirección: Portería, 2 (a 30 mts. de la Catedral)
Teléfonos: **987 617 866 Fax. 987 619 067**
E-mail: serrano@elborrallo.com
www.restauranteserrano.net
Parking: Aparcamiento a 20 mts. en Plaza de los Marqueses
Propietario: Jesús Prieto Marquiegui y Telvi Serrano Quintana
Días de cierre y vacaciones: Cerrado lunes noche. Vacaciones: 1ª quincena de julio
Decoración: Maragata con toques actuales y varios ambientes. Antigüedades, oleos y colección de fotografías de época
Ambiente: Gentes de buen comer
Bodega: Entre 350 y 400 referencias
Hombres y nombres: Jefes de cocina: Jesús Prieto Marquiegui y Telvi Serrano Quintana, auxiliados por su hijo Jesús Prieto Serrano. Jefe de Sala y Sumilier: César García García
Otros datos de interés: Un restaurante clásico de Astorga. Miembro de Eurotoques. Celebra diferentes jornadas gastronómicas: "Cocina maragata" (en marzo), "La matanza" (en noviembre) y "Caza y setas" (en diciembre).
Tarjetas: Todas

ESPECIALIDADES SERRANO

Cocina tradicional e innovadora
elaborada con materias primas de la comarca muy seleccionadas
La carta cambia 4 veces al año
Cecina de León con polen, foie y aceite de oliva virgen
Ensalada de mango, hoja de roble y carne de centollo
Pastel de morcilla de León
Milhoja de calabaza, bacalao y queso de mozzarella
Rodaballo en salsa de oricios y mejillones
Bacalao a la plancha tostado
Carrillera de ibérico al vino tinto de Mencia
Rabo de novillo con salsa de setas de temporada
Chuleta de ternera del Teleno
Leche frita de manzana reineta con coulís de frambuesas
Tarta de ciruelas y nueces (tarta del peregrino)
Menú degustación según temporada (de 20 a 30 €)

Bodega El Capricho

Especialista de la carne de buey en España

A 4 km. de La Bañeza (provincia de León, salida 303 de la autovía A-6) en Jiménez de Jamuz, pueblo alfarero por excelencia, también famoso por su Certamen Nacional de grupos aficionados de teatro "Tierra de Comediantes" que este año celebra su undécima edición, se encuentra esta bodega centenaria. Excavada en la tierra, a pico y pala, mantiene su delicioso estilo rústico con el sabor más auténtico del viejo León.

Desde su construcción, Bodega El Capricho pertenece a la misma familia. En la actualidad, de la mano de su propietario, José Gordón, se ha convertido en especialista de la carne de buey en España.

José Gordón, apasionado por su oficio, pasa mucho tiempo localizando bueyes sanos, especialmente en el norte y en Galicia, para encontrar algunos de los bueyes más imponentes y corpulentos que se pueden adquirir en España. Tranquilidad, alimentación generosa, constantes cuidados y controles de calidad garantizan la excelencia de la carne de estos bueyes. Son animales castrados durante su primer año de vida y que no han procreado nunca, con **total limpieza hormonal**.

Esta carne resulta deliciosa, jugosa y tierna, apenas necesita cuchillo, un lujo olvidado para el paladar y el estomago, un fantástico tesoro que pocos elegidos han podido probar, **una proteína primordial e incomparable**.
José Gordón, con trabajo, talento, madurez técnica y atinado oficio ha conseguido colocar su estilo y su mundo, no sólo en el mapa de los gourmets más carnívoros de España sino en el peregrinar de los cofrades del buen yantar, sabuesos y santones de la gastronomía.

En Febrero, Bodega El Capricho celebra **Jornadas Gastronómicas de exaltación de la carne roja** (con auténticas carnes de buey exclusivamente). Para este acontecimiento único, se sacrifican varios bueyes de entre 1200 y 1500 kilos de peso en vivo. Una liturgia ancestral que simboliza los sagrados vínculos entre el hombre y la naturaleza. El espectáculo esta servido. La fama de sus jornadas ha merecido la atención de prestigiosos medios extranjeros como las revistas Time y Stern, el diario The Guardian o la televisión japonesa.

SPECIALITIES OF BODEGA EL CAPRICHO

Beef cuts of animals from our own cattle
Barbecued meat
The best meat with Origin Label
(prepared at your table, on the hot stone, with grove sea-salt)
Fillet steak on the hot stone
Cutlets of suckling lamb
Suckling lamb roasted in the traditional wood-fired oven
Fresh cèpes (boletus mushrooms) macerated in rosemary oil (seasonal)
Fresh frog's legs
Every day a different stew (during the wintertime)
Home made air-dried beef
Pork specialities, cured in altitude (ham, sausages, loin) with the special know how
Our delicious home made desserts

Bodega El Capricho

Localidad: **Jimenez de Jamuz (León). A 4 km. de la Bañeza**
Dirección: Paraje Las Bodegas, s/n. Salida 303 Autovía A6
Teléfonos: **987 664 224 - 987 664 227.**
E-mail: carnesrojas@bodegaelcapricho.com
www.bodegaelcapricho.com
Parking: Propio.
Propietario: José Gordon Ferrero.
Días de cierre y vacaciones: Cerrado miércoles excepto Julio, Agosto y Septiembre, abierto cada día (de 12h 45 a 1 h de la madrugada).
Decoración: Rústica. Antigüa bodega de principios de siglo excavada en la tierra. Se ha realizado una remodelación completa de las instalaciones.
Ambiente: Todo tipo de público.
Bodega: Nuevas instalaciones, se pueden visitar, 250 referencias y la colección personal de José Gordón con añadas señaladas de Vega Sicilia y los mejores Châteaux de Francia (desde 1950 hasta 1980).Venta al público. Bodega propia para la elaboración de vinos y licores de la tierra.
Hombres y nombres: Maestro asador: José Gordon.
Otros datos de interés: Capacidad para 190 personas. Nuevo salón privado para comidas de empresa. Posibilidad de banquetes. Terraza de verano.
Tarjetas: Visa, Mastercard, 4B, 6000.

ESPECIALIDADES BODEGA EL CAPRICHO

Auténticas carnes de buey de ganadería propia
Carnes a la brasa
las mejores carnes de rubia gallega y parda alpina
(se acaban de hacer en la mesa, a la piedra, con sal marina gorda)
Solomillo a la piedra
Chuletillas de lechazo
Lechazo acunado en horno de leña tradicional
Boletus frescos macerados en aceite de romero (en temporada)
Ancas de rana frescas
Cada día un guiso de cuchara (en invierno)
Excepcional cecina de buey de elaboración propia
Embutidos de León, curados en altitud, con el toque de una "mano de santo"
Riquísimos postres de elaboración propia

Menta y Canela

Referente en Ponferrada

Abierto desde el año 1998, este restaurante se ubica en la nueva zona de expansión de Ponferrada, a 600 metros de la Rosaleda y a 1.500 del casco antiguo. El chef Fernando Balboa despliega aquí toda la maestría de los conocimientos adquiridos a lo largo de una extensa formación en España y en el extranjero.

Menta y Canela dispone de salón principal con capacidad para 60 personas y una agradable bodega-comedor privado para 40 en sótano, ideal para celebraciones más informales o eventos singulares. La cuidada decoración, realzada por la armonía de colores y materiales además del generoso espacio entre las mesas crean un ambiente cálido y acogedor. También pone a disposición de sus clientes una confortable carpa de gran capacidad, apta para acontecimientos como banquetes, reuniones de empresa o actos sociales.

Fernando Balboa, con técnica y buena mano, elabora apetitosos platos con escogidas materias primas: verduras frescas de El Bierzo, carnes de los mejores pastos y pescados recién traídos de los puertos. Formulaciones propias, preparadas con mimo y cariño, bendecidas con un toque de alta cocina, cuidando presentaciones sin renunciar a una complejidad de texturas y sabores que posicionan a este restaurante entre los mejores de la provincia.

En cuanto al vino, el comensal encuentra todos los caldos de la zona, clásicos y modernos, que reposan en la bodega del sótano, donde oscuridad y tiempo terminan de afinar sus cualidades.

MENTA Y CANELA'S SPECIALITIES

Market cookery with seasonal products
The à la carte menu changes every season
Gastronomic menu (about 37 € without drinks)
Pâté de foie-gras with sweet Pedro-Ximenez-sherry essence
Baby squids with capsicum sauce in flaky pastry parcel
Grilled goat's milk cheese with glazed leeks and balsamic vinegar caramel
Vegetarian menu: grilled seasonal vegetables and poached egg with truffle oil
Glazed leg of pork with pasta and spring onions with caramel of Mencia wine (El Bierzo)
Fresh fish from Galicia according to catch
Yoghurt foam with mango coulis
Custard cream with wild blackberries
Swiss roll with hot chocolate
Chestnut cake

Menta y Canela

Localidad: **Ponferrada (24.400 León)**
Dirección: C/ Alonso Cano, 10 (Cuatrovientos)
Teléfonos: **987 403 289 www.mentaycanela.com**
Parking: Fácil aparcamiento
Propietario: Fernando Balboa
Días de cierre y vacaciones: Cerrado domingos noches y lunes todo el día. Abierto todo el año
Decoración: Elegante
Ambiente: Principalmente comidas de empresas y reuniones familiares los fines de semana
Bodega: Vinos del Bierzo y las principales denominaciones de origen
Hombres y nombres: Jefes de cocina: Fernando Balboa y María Esther Balboa
Otros datos de interés: Organiza diversas jornadas gastronómicas: bacalao, caza, setas...
Tarjetas: Todas

ESPECIALIDADES MENTA Y CANELA

Cocina de mercado y de temporada
La carta cambia en cada estación
Menú degustación (alrededor de 37 €, vinos a parte)
Paté de foie con reducción de P. X.
Hojaldre de chipirón con salsa de pimientos
Queso de cabra a la parrilla con puerros glaseados y caramelo de Módena
Menú vegetariano: parrilla de verduras de temporada y huevo escalfado al aceite de trufas
Pata de cerdo glaseada con pasta y cebolletas al caramelo de Mencía (D.O. Bierzo)
Pescados del día según la lonja de Galicia
Espuma de yogurt y coulis de mango
Crema inglesa con moras del bosque
Brazo de gitano con chocolate caliente
Pastelito de castañas

Receta **Casa Lucio**

Estofado de ternera

Ingredientes para 4 personas: 1 kg. de carne de ternera, aguja o morcillo, 1 cebolla, 600 gr. de patatas, 1 cabeza de ajos, 1 hoja de laurel, tomillo, pimienta, 1 dl. de vino blanco seco, 1/2 l. de aceite, sal.

Preparación: Trocear la ternera en dados de unos 3 cm. Pelar y cortar la cebolla y los ajos, éstos en forma de filete. En una cazuela de barro, poner los dados de ternera, la cebolla y el ajo. A continuación, verter 1 1/2 dl. de aceite, el vino y 1 dl. de agua. Añadir las hierbas aromáticas y salpimentar. Tapar la cazuela y dejar que cueza lentamente durante 1 hora y 30 minutos, aproximadamente. Pelar y cortar en dados las patatas; freírlas en abundante aceite.

Cuando el estofado esté en su punto, añadir las patatas fritas y escurridas, dar unas vueltas, y servir en la misma cazuela.

CASA LUCIO'S SPECIALITIES

Old-fashioned castilian cookery
The menu changes according to the season
Several menus: nibbles to share and tasting menu (between 20 and 30 €)
Chick-pea and spinach hot-pot
Stewed vegetables
"Pisto" (vegetable stew - kind of ratatouille) with clams
Crayfish bisque
"Important" potatoes (thick potato slices, coated and deep-fried, served in stock with garlic and parsley)
Fish baked in a salt crust
Stuffed hake
Sole Meuniere
Roast spring lamb
Fillet steak with cheese sauce
Grilled cutlets of spring lamb
Beef stew

Casa Lucio

Localidad: **Palencia (34001)**
Dirección: Don Sancho, 2 (bajos del casino).
Teléfonos: **979 748 190 Fax: 979 701 552**
www.restaurantecasalucio.com
Parking: Al lado.
Propietario: Hostelería Pastor, S.L.
Días de cierre y vacaciones: Domingo. Vacaciones la primera quincena de Julio.
Decoración: Moderna y elegante.
Ambiente: Negocios, selecto.
Bodega: Riberas del Duero principalmente.
Hombres y nombres: Director-jefe de sala, Lucio Pastor Amezua; Maitre, Ángel Muñoz; Jefe de cocina, Miguel Ángel Ortiz de Guinea.
Otros datos de interés: Horno de asar castellano y comedores privados en un edificio del S. XVI, casco antiguo, km. 0 de Palencia
Tarjetas: American Express, Visa, Master Card, Eurocard, 6000.

ESPECIALIDADES CASA LUCIO

Antigua cocina castellana
La carta cambia según temporada
Varios Menús: Picoteo y Degustación (entre 20 y 30 €)
Potaje de garbanzos y espinacas
Menestra de verduras
Pisto con almejas
Crema de cangrejo de río
Patatas a la importancia
Pescados a la sal
Merluza rellena
Lenguado Meuniere
Lechazo asado
Solomillo al queso
Chuletillas
Estofado de buey

Pepe's

Toda la nobleza de Castilla

Está céntrica casa palentina, situada junto al parque Salón de la capital, es el restaurante castellano por excelencia. La señorial decoración, cuidada ambientación y magnífica cocina castellana tradicional que emerge de sus fogones reflejan toda la nobleza de Castilla.

Pepe's es una excelente dirección para todos los amantes de la recia cocina de Castilla, realizada sin tapujos ni artificios innecesarios. La honradez y pulcritud de su culinaria, alejada de alardes creativos que puedan desvirtuar los sabores originales, le ha otorgado una merecida fama.

Su cocina se basa en la excelencia de las materias primas. Los mejores pescados de la lonja, las suculentas carnes rojas, así como los mariscos del día, se preparan de una forma escueta y muy natural.

Otro de los puntos fuertes de este restaurante son los guisos castellanos a la antigua usanza, contundentes platos caseros elaborados con mimo y paciencia, pausadamente como antaño, aprovechando siempre los productos de temporada de la huerta palentina.

La extensa bodega, con representación de las mejores denominaciones de origen y el restaurante de picoteo, para comer en un plan más informal con una amplia carta donde destacan las chapatas, completan esta propuesta gastronómica que ofrece la seguridad de que siempre se va a comer bien.

El restaurante Pepe's es un deleite, todo un lujo, para aquellas personas apasionadas por la cocina que transmite los sabores nítidos de toda la vida.

PEPE'S SPECIALITIES

Traditional and natural family cookery
Seasonal recommendations
Fresh fish, crustaceans and shellfish from Galicia
Boletus mushrooms on foie gras mi-cuit with poached egg (seasonal)
Prawns with cod tongues
Old-fashioned Castilian stews
Fresh fish according to catch:
Hake, monkfish, sole, turbot, grouper, sea bass, spotted red bream, tuna
Beef cuts: fillet steak, rib steak to grill on the hot stone
Farmyard chicken or oxtail stew
Custard cup
Flaky pastry tart or cheese cake
Warm chocolate cake

Pepe's

Localidad: **Palencia (34002)**
Dirección: Avda. Manuel Rivera, 16
Teléfonos: **979 100 650 y 979 101 846**
Parking: Aparcamiento público a 100 metros, gratuito para los clientes
Propietario: José Luis de Bustos Castrillo e Inés Hierro Polanco
Días de cierre y vacaciones: Cerrado los lunes. Vacaciones: del 1 al 25 de agosto
Decoración: En un distinguido estilo castellano, muebles antiguos, vidrieras emplomadas y maderas del pasado
Ambiente: Señorial
Bodega: Selecta, con 400 entradas. Predominan los caldos de Castilla y León y Rioja. También vinos de Francia, Alemania y Argentina. Selección de aguardientes gallegos.
Hombres y nombres: Jefes de cocina: Inés Hierro Polanco y Alberto de Bustos Castrillo. Maitre y sumiller: José Luis de Bustos
Otros datos de interés: Elegante y amplia barra para picoteo, raciones y vinos. José Luis atiende personalmente a sus comensales, recomendando lo mejor de cada día, según los productos más frescos de cada temporada.
Tarjetas: Todas excepto American Express

ESPECIALIDADES PEPE'S

Cocina tradicional, natural y casera
Sugerencias de temporada
Pescados y mariscos traídos de las Rías Altas de Galicia
Boletus edulis sobre mi-cuit o guisados con huevo escalfado (temporada)
Gambas con cocochas
Guisos castellanos a la antigua usanza
Pescados del día según lonja:
Merluza, rape, lenguado, rodaballo, mero, lubina, besugo, bonito...
Carnes rojas: solomillo, chuletón a la piedra
Pollo de corral o rabo estofado
Flan "desmayado"
Tarta de hojaldre o de queso
Bombón de chocolate caliente

Cervera de Pisuerga

Localización.- Es el municipio de mayor extensión de la provincia, 325 km2, formado por 24 pueblos con capitalidad en Cervera y aproximadamente 3000 habitantes. Situado en el centro norte de la provincia de Palencia, en la confluencia de los ríos Pisuerga y Rivera, se encuentra equidistante a poco más de 100 km de las ciudades de Palencia, Burgos, León y Santander.

Historia y Monumentos.-La ilustre y leal villa de Cervera, ubicada en un paisaje excepcional a mas de mil metros de altitud y rodeada de pantanos, fue señorío de los Condes de Siruela, ciudad fronteriza durante la Reconquista y una de las vías romanas hacia Cantabria. La esbelta iglesia de Santa María del Castillo, considerada Monumento Nacional, conserva en la capilla de Santa Ana un soberbio retablo hispano flamenco obra de Felipe de Bigarny, donde podemos encontrar una tabla de Juan de Flandes "La Adoración de los Reyes". En sus calles aún se conservan casonas, escudos, plazas y monumentos de tiempos pasados como la casa de Los Leones, la del Camarero de los Condestables, la del Conde de Siruela...De visita obligada son el Museo Parroquial Santa María del Castillo y el Museo Etnográfico de Piedad Isla. A tan sólo 3 km se encuentra el Parador Nacional Fuentes Carrionas.

Deportes.- Sus crestas peladas, la espesura de sus bosques y sus ríos cristalinos son el paraje ideal para la práctica de la caza y la pesca. También se puede practicar montañismo en las diversas modalidades, senderismo, excursiones de montaña, rutas a caballo, escalada, alpinismo, espeleología, esquí de travesía en invierno, deportes náuticos en verano, bici de montaña, windsurf y vela.

Gastronomía.- Los potajes y sopas contundentes nos ayudarán a sobrellevar los rigores del invierno. Cervera es una comarca que reúne las condiciones materiales idóneas para la producción de carne de vacuno de excepcional calidad que hará las delicias de los paladares más exquisitos, así como las finas y sabrosas truchas, los embutidos, adobos y platos de caza como el venado y jabalí. Destacan también sus dulces artesanos como las pastas de té y los hojaldres.

Alojamiento: Nuevo Hotel Almirez**. Nueve habitaciones (7 dobles y 2 individuales) **con todos los servicios:** TV, telf., conexión internet, caja fuerte individual, minibar e hilo musical. **Reservas: 979 870 648.**

ASADOR GASOLINA'S SPECIALITIES

Traditional and regional cookery
The à la carte menu changes 2 or 3 times a year
Castilian garlic soup
Salad of marinated salt cod and crab meat
Artichoke hearts with clams
Scrambled eggs with seven different kinds of mushrooms and cured ham
White beans with prawns
Meat from Cervera (ecological-fed veal of less than one year)
Fillet steak with cured-ham scent
Roast suckling lamb
Red partridge with young broad beans
Lamb's sweetbreads with oyster mushrooms
Fresh fish according to the market offer
Curd cheese
Three-cheese pudding or walnut pudding

Asador Gasolina

Localidad: **Cervera de Pisuerga (34.840 Palencia)**
Dirección: La Pontaneja, 2 (junto Plaza Mayor)
Teléfonos:979 870 648 y 979 870 060 Fax. 979 871 093
www.turwl.com/asadorgasolina
Parking: Fácil aparcamiento en Plaza Mayor o Plaza La Cruz
Propietario: Francisco Martínez de Mier.
Días de cierre y vacaciones: Abierto cada día. Vacaciones: 30 días a partir de principios de Navidad.
Decoración: Muy rústica. Casona del s. XVI ,catalogada y blasonada, con todo el sabor original.
Ambiente: Público medio. Madrileños, vascos y catalanes.
Bodega: Predominan Riojas, Ribera del Duero, Rosados de Cigales, vinos de aguja (Valladolid y Catalanes), y blancos de Rueda y Albariños.
Hombres y nombres: Jefe de cocina: Francisco Martínez.
Otros datos de interés: Dos ambientes: mesón para aperitivos, tapas, vinos, risas y elegante salón rústico para comidas a la carta. Cava de puros. Desde febrero a abril, se celebran Jornadas Gastronómicas en Cervera cada fin de semana. La primera quincena de Marzo, jornadas de lechazo churro de Castilla y León.
Tarjetas: Las principales (excepto American Express).

ESPECIALIDADES ASADOR GASOLINA

Cocina tradicional y regional
La carta cambia 2/3 veces al año
Sopa castellana artesana
Ensalada de bacalao macerado y cangrejo
Corazones de alcachofas con almejas
Revuelto de siete setas con jamón ibérico
Pochas verdes con gambas
Carne de Cervera (ternera de menos de un año, criada ecológicamente)
Solomillo al aroma del jamón ibérico
Asado de lechazo churro
Perdiz roja con habitas tiernas
Mollejas de lechazo con setas
Pescado del día según lonja
Cuajada montañesa
Pudding de tres quesos o de nueces

Fromista

En el corazón del Camino de Santiago palentino, se encuentra Fromista, la romana Frumesta, espléndidamente situada para realizar una inolvidable visita a sus numerosos monumentos. Entre todos ellos, destaca la Iglesia de San Martin, auténtica joya del románico español por la perfección de su arquitectura así como por la riqueza escultórica y armonía general de todo el conjunto. La "Villa del Milagro" era Fromista, y así se la conocía en la época de las peregrinaciones.

En la visita a Fromista, no podemos olvidar, asimismo, la Iglesia de Santa María del Castillo, la Iglesia de San Pedro y la Ermita de San-tiago. El viajero puede reanudar el itinerario una vez repuestas las fuerzas ante la mesa de Hostería de Los Palmeros.

Actualmente Fromista cuenta con unos 1300 habitantes y una situación geográfica privilegiada, puesto que dispone de ferrocarril, carretera nacíonal y agua abundante para sus tierras de regadío.

SPECIALITIES OF HOSTERÍA DE LOS PALMEROS

Stewed fresh vegetables

Small red capsicums with anchovies

Scrambled eggs of the house

Sea-bass in green pepper sauce

Baked sea-bream

Roast spring lamb

Braised pigeons

Entrecote

"Tocinillo de cielo" (kind of rich cream caramel)

Curd cheese

Hostería de los Palmeros

Localidad: **Fromista (34440 Palencia)**

Dirección: Pza. San Telmo, 4 (centro población)

Teléfonos: **979 810 067** **Fax: 979 810 192**

Parking: Fácil

Propietario: José Antonio Rayón Sáiz.

Días de cierre y vacaciones: Cerrado martes todo el día, excepto en Semana Santa, verano y Navidad. No cierra por vacaciones.

Decoración: Confortable.

Ambiente: Variado.

Bodega: Vinos de la región y Riojas, principalmente.

Otros datos de interés: Restaurante ubicado en la localidad de Fromista, en el Camino de Santiago. Fromista es famosa por la iglesia de San Martín (s. XII). El edificio es un antiguo hospital de peregrinos del Camino de Santiago. Agradable salón con chimenea para aperitivos y copas. Terraza en verano. El patrón está en los fogones.

Tarjetas: Todas.

ESPECIALIDADES HOSTERÍA DE LOS PALMEROS

Menestra de verduras naturales

Pimientos del piquillo con anchoas

Revueltos de la casa

Lubina a la pimienta verde

Besugo al horno

Lechazo al horno

Pichones estofados

Entrecot

Tocinillo de cielo

Cuajada

Receta Asador Arandino

Lechazo asado al horno de leña

Tener el horno a una temperatura moderada, entre 150° y 175°. Se mete el lechazo con el costillar para arriba en una cazuela de barro con un poco de agua y sal, durante 1 hora y 1/2. Después se le da vuelta, se le pone sal por esa parte y si es necesario se le añade agua para que mantenga el jugo suficiente. Estará en el horno 30 minutos más y habrá quedado dorado y crujiente.

Creps Arandino

Ingredientes: Para hacer la oblea: huevos, harina, sal, azúcar, mantequilla y brandi.

Preparación: Una vez hecha la oblea se deja enfriar y se rellena con biscuit. Una vez envuelto, tenemos previamente hecho caramelo caliente que se le añade al tiempo de servirse con nueces y almendras.

ASADOR ARANDINO'S SPECIALITIES

Castilian cookery with wood-fired oven and selection of first-quality products
Blood sausage from Burgos
Regional ham and sausages
Green wild asparagus with roquefort sauce
Cream of asparagus soup
Lobster salad
Bake after the chef's recipe
Hake barbels in green herb sauce
Lamb's sweetbreads and kidneys
Roast spring lamb
Cutlets of spring lamb barbecued with shoots
Suckling pig roasted in the wood-fired oven
Porterhouse steak
Milk cream
Pancakes Arandino

Asador Arandino

Localidad: **Salamanca.**
Dirección: C/ Azucena, 5.
Teléfonos: **923 217 382.** **www.asadorarandino.com**
Parking: Junto en Plaza Santa Eulália.
Propietario: Pedro García.
Días de cierre y vacaciones: Cerrado lunes todo el día. Vacaciones: 2ª quincena de julio.
Decoración: Castellana.
Ambiente: Agradable y selecto: empresas, médicos, docencia, público local y turismo nacional.
Bodega: Muy extensa: los mejores vinos de la Ribera del Duero, selección de Riojas, Prioratos y franceses: Petrus, Château Lafitte, Château Latour (botellas excepcionales y vinos de colección).
Hombres y nombres: Maitre: Pedro García. Jefes de cocina: Valentín Sanz Zallas y Félix Gil Hernández.
Otros datos de interés: Dos salones para 40 y 50 comensales. Servicio a la carta y reuniones de empresa, celebraciones y comidas familiares.
Tarjetas: American Express, Visa, 6000 y Eurocard.

ESPECIALIDADES ASADOR ARANDINO

Cocina castellana con horno de leña y énfasis en la selección de los productos
Morcilla de Burgos
Embutidos de la tierra
Trigueros rellenos con roquefort
Crema de espárragos
Ensalada de bogavante
Merluza del chef
Cocochas en salsa verde
Mollejas y riñones de lechazo
Cordero lechal al horno de leña
Chuletillas al sarmiento
Tostón asado al horno de leña
Villagodio de buey
Crêpes arandinos

Receta **Casa Paca**

Mollejas con boletus edulis y mi-cuit de pato

Ingredientes para 4 personas: ½ kg. de mollejas, ¼ kg. de boletus edulis, 8 láminas de mi-cuit de pato, vino blanco, cebolla, ajos, aceite y salsa de tomate natural.

Elaboración: Limpiar las mollejas a fondo, quitando telas y grasas. Cortarlas en láminas finas y freírlas en aceite de oliva durante aproximadamente 4 mns. Incorporar los boletus también laminados y los ajos y cebollas picaditos. Eliminar toda la grasa que se va soltando. Dejar 4-5 mns. más y agregar un poco de vino blanco.

A continuación, para terminar el plato, añadir un poco de salsa de tomate natural al gusto para dar color y disponer las láminas de mi-cuit por encima.

CASA PACA'S SPECIALITIES

Traditional Castilian cookery

Large à la carte menu

Sautéed calf's sweetbreads

Chicory salad with elvers (tiny baby eels)

Carpaccio of fillet of beef

Hake, caught with rod and line, stuffed with elvers

Roast kid and suckling pig

Sweet peppers stuffed with bull tail stew

Nougat parfait on hot chocolate sauce

Casa Paca

Localidad: **Salamanca (37.001)**
Dirección: Plaza del Peso, 10 y San Pablo, 1 (junto Plaza Mayor)
Teléfonos: **923 218 993 Fax. 923 270 177**
Parking: Cercano. Aparcamiento Colón (en Plaza Colón, a 5 minutos).
Propietario: Germán Hernández.
Días de cierre y vacaciones: Abierto cada día.
Decoración: Elementos antiguos que rememoran tiempos pasados. Abierto desde 1928, conserva todo el sabor de antaño.
Ambiente: Grato y agradable, ideal para placenteras sobremesas.
Bodega: Repletísima, cerca de 300 referencias. Rioja, Ribera del Duero, Rueda, Penedés, Somontano, Priorato, Toro, Navarra, sin olvidar cavas y champagne.
Hombres y nombres: Jefe de cocina: Emilio Muriel. Jefe de sala y sumiller: José Alberto Sánchez Manero.
Otros datos de interés: Capacidad total hasta 130 comensales. Cinco salones, dos de ellos privados (16 y 10 pax con mesa redonda). Un local histórico de Salamanca, cercano al Mercado Central de Abastos. En el año 2000, ha llevado a cabo una importante ampliación con la incorporación de un nuevo comedor.
Tarjetas: Todas

ESPECIALIDADES CASA PACA

Cocina tradicional castellana

Amplia carta

Mollejas de ternera salteadas

Ensalada de endivias y angulas

Carpaccio de solomillo de buey

Merluza de pincho rellena de angulas

Cabrito y tostón asado

Pimientos rellenos de rabo de toro

Parfait de turrón sobre fondo de chocolate caliente

La Corrobla

Todos los ingredientes para gustar

Este restaurante de visita ineludible en la comarca está situado en un entorno excepcional y privilegiado, un verdadero vergel, zona fronteriza entre la meseta norte y la meseta sur. Es punto de partida para numerosas excursiones en 50 kms. a la redonda: la Sierra de Francia, Las Hurdes, Sierra de Gredos, Valle del Jerte, La Vera... y a 70 kms. Salamanca, Ciudad Patrimonio de Humanidad.

La Sierra de Béjar, en el sur de la provincia de Salamanca, ya tiene de por sí atractivos más que suficientes para merecer una visita: la belleza de sus parajes y su serranía de leyenda, sus pueblos típicos, presididos por la histórica ciudad de Béjar, la hospitalidad de sus gentes y, por supuesto, su gastronomía, rica en suculentos guisos, deliciosos postres y chacinas de justa fama.

La Corrobla está ubicado en plena naturaleza, en una extensa finca con abundante arboleda de robles y pinos, en las inmediaciones de la carretera de acceso a la estación de esquí de La Covatilla, una de las más altas de España: entre 2000 y 2369 metros de altura, ofrece 16/17 km de pistas esquiables.

Dispone de una nueva carpa para bodas, comuniones, celebraciones con todos los servicios y capacidad hasta 300 personas.

Restaurante situado al borde de la Autovía A-66 (Ruta de la Plata),salida: Estación de Esquí La Covatilla.

LA CORROBLA'S SPECIALITIES

Creative cookery on a traditional basis
The à la carte menu changes two or three times a year
Savoury oyster mushroom pudding with blood sausage and sauce of crackling sausage
Cardoons with clams and shrimps in almond sauce
Shrimp and leek parcels with their sauce
Salt cod grandfather's style
Sea-bass stuffed with green asparagus mousse
Fillet steak with raisin and port sauce
Layered slice of venison and apple with gravy
Fillet of ostrich with foie gras of duck and Brandy from Jerez
Home-made desserts:
Cheese cake with quince jelly and spirit ice cream with honey
Tiramisù with hot chocolate sauce

La Corrobla

Localidad: **Béjar-Vallejera de Riofrío (37.717 Salamanca)**
Dirección: Autovía A-66, Salida 408 La Covatilla. Dirección Fresnedoso (a 500 m.) (antigua N-630, km 407,5)
Teléfonos: **923 411 035** **E-mail: lacorrobla@terra.es**
www.edicionesweb.com/lacorrobla
Parking: Gran aparcamiento
Propietario: Juan Pedro Mirón y María del Castañar Mora
Días de cierre y vacaciones: Cerrado lunes, 15 días a finales de junio-primeros de julio y 15 días en septiembre. En invierno: cenas solo sábados
Decoración: Amplio chalet de nueva construcción. Dos plantas en un estilo rústico. Magníficas vistas a la Sierra de Béjar y la estación de esquí de La Covatilla.
Ambiente: Público medio-alto. Comidas familiares los fines de semana y matrimonios los viernes y sábados por la noche.
Bodega: Principalmente vinos de la Ribera del Duero y de la Rioja.
Hombres y nombres: Los propietarios atienden personalmente a los comensales. Jefa de cocina: María del Mar Pablos
Otros datos de interés: Restaurante situado en pleno campo en una finca de 17.000 m2. A 5 mns. de Béjar, en el puerto de Vallejera y a 15 mns. de la estación de esquí de La Covatilla. Dos salones con chimeneas (50 p. cada uno), terraza de verano y posibilidad de banquetes (carpa hasta 300 p.). Para los niños: Menú especial y un salón de juego. Precio medio a la carta: 26-28 €
Tarjetas: Todas

ESPECIALIDADES LA CORROBLA

Cocina creativa con base tradicional
La carta varia dos o tres veces al año
Pastel de setas con morcilla bejarana y salsa de farinato
Cardos con almejas y gambas, salsa de almendras
Saquitos de gambas y puerros en su propia salsa
Bacalao desalado con manitas de ministro, al estilo del abuelo
Lubina rellena de mousse de trigueros
Solomillo de ternera con salsa de pasas y vino de Oporto
Milhojas de venado con manzana y jugo de asado
Solomillo de avestruz con foie de pato al brandy de Jeréz
Postres de elaboración propia:
Tarta de queso con membrillo y helado de aguardiente con miel
Tiramisú con chocolate caliente

La Galantina

De la tradición a la innovación

Ubicado en la nueva zona residencial de Cabrerizos, a tan sólo cinco minutos del centro de Salamanca, este restaurante de líneas actuales, espacios despejados y colores cálidos viene a completar la oferta gastronómica de la capital charra. Una apuesta culinaria interesante y muy personal.

Jesús Roncero es un cocinero vocacional y autodidacta, de formación clásica, presume de hacer lo que le gusta. Trabaja con géneros escogidos: lechazo de raza churra, pato, ternera, ibéricos, carne de kobe (según disponibilidad), setas y caza en temporada. Posee muchas virtudes: ganas, esfuerzo, buena mano y , sobre todo, sensibilidad.

La Galantina representa una opción novedosa y placentera, la profesionalidad de Jesús Roncero se pone de manifiesto en el tratamiento que sabe dar a productos de uso cotidiano, a los que dota de elegancia y refinamiento. Jesús es un personaje que sigue fiel a sus sueños y convicciones, cada día más hechos realidad. Practica una culinaria que aúna tradición y modernidad, originalidad y presentaciones muy trabajadas, un estilo ecléctico y siempre delicado, formulaciones propias que no pretenden impactar sino agradar y satisfacer.

Una dirección que no puede pasar por alto ningún gastrónomo informado.

Organiza eventos multitudinarios, paellas gigantes y otros guisos con toda la infraestructura necesaria.

LA GALANTINA'S SPECIALITIES

Creative cookery on a traditional basis

Recommendations of the day according to the market offer

Tasting menu: 25 €

Artichokes with foie gras on tartare of pig's trotters and crisp dewlap

Free-range egg with foie gras and white truffle

Rice & Lobster pot

Risotto with porcini

Salt cod specialities (in garlicky olive oil emulsion, Club Ranero)

Fresh fish prepared in a traditional way

Suckling lamb shoulder roasted at two temperatures

Sirloin and fillet of beef

Tea sorbet

Basque gâteau (Goshua)

La Galantina

Localidad: Cabrerizos (37193 Salamanca)
Dirección: C/ Juan de Villanueva, 19 (junto a Caja Duero)
Teléfonos: 923 288 100 **E-mail:** roncero@usual.es
Parking: Fácil aparcamiento.
Propietario: Jesús Roncero Marcos.
Días de cierre y vacaciones: Cerrado lunes. Vacaciones: Semana Santa y la última semana de septiembre.
Decoración: Marco contemporáneo con empaque y luminosidad.
Ambiente: Restaurante para gourmets a 3 km. de Salamanca.
Bodega: Variada. Más de 100 referencias en constante rotación.
Hombres y nombres: Jefe de cocina: Jesús. Maitre: Francisco.
Otros datos de interés: Varios ambientes, cafetería con tapas elaboradas y vinos seleccionados, comedor gourmet y zona copas con Coctelería Premium. Organiza jornadas gastronómicas y catas de vino.
Tarjetas: Todas excepto American Express

ESPECIALIDADES LA GALANTINA

Cocina creativa con sabor a fogones tradicionales
Sugerencias del día según mercado
Menú Degustación: 25 €
Alcachofas con foie sobre tartar de manitas de cerdo y crujiente de papada ibérica
Huevo de corral con foie y trufa blanca
Arroz con bogavante
Risotto de boletus edulis
Bacalao en varias preparaciones (pil-pil con hongos, club ranero...)
Pescados frescos al estilo tradicional
Paletilla de cordero lechal asada en dos temperaturas
Lomo de buey y solomillo de ternera charra
Sorbete de té del puerto
Tarta vasca (Goshua)

Mesón de Cándido

Monumento de Segovia

Cándido fue una figura mítica de su generación, un personaje clave en la historia de la gastronomía nacional, que consagró su vida a su profesión: la Hostelería, ofreciendo durante más de medio siglo hidalga hospitalidad castellana. La ceremonia del corte de sus cochinillos con el borde de un plato, mundialmente conocida, promocionó el nombre de este santo y seña de la capital segoviana famoso por sus contundentes y sabrosos asados.

Por sus numerosos comedores, con el impresionante Acueducto Romano asomando por sus ventanales y miles de fotos en blanco y negro, han pasado jefes de estado, actores, literatos, músicos...famosos de toda condición.

En la actualidad, su hijo Alberto Cándido, quien ostenta también el título de Mesonero Mayor de Castilla, está al frente de esta obra familiar con la colaboración de su esposa e hijos, futuros continuadores de la tradición y responsables de la conservación de este legado histórico.

La fama del mesón es reconocida internacionalmente y el mayor servicio que la familia Cándido puede hacer es mantener esta casa como homenaje a sus antecesores y como mejor servicio a la muy noble y muy leal ciudad de Segovia.

Además, la empresa ha ido creciendo con el Hotel Cándido -Avda. Gerardo Diego, s/n. T. 921 413 972- con vistas a Segovia y la sierra de Guadarrama y el Pórtico Real, un palacio restaurante para todo tipo de celebraciones.

MESÓN DE CÁNDIDO'S SPECIALITIES

Lasagne of cured ham from Guijuelo with green asparagus

White beans from La Granja

Frog's legs in batter

Snout of pork with lactarius mushrooms

Partridge chicks after our own recipe

Roast spring lamb

Roast suckling pig

Quince jelly rolls with cottage cheese

Segovian gateau

Mesón de Cándido

Localidad: **Segovia (40001)**
Dirección: Pl. Azoguejo, 5
Teléfonos: **921 425 911 Fax: 921 429 633**
E-mail: candido@mesondecandido.es
www.mesondecandido.es
Parking: Facilidad de aparcamiento.
Propietario: Familia Cándido.
Días de cierre y vacaciones: Ninguno.
Decoración: Edificio del siglo XVIII declarado de interés histórico.
Ambiente: Muy variado, mezclándose muchos tipos de público.
Bodega: Toda clase de vinos.
Hombres y nombres: Fundado por Cándido, Mesonero Mayor de Castilla, título refrendado por S.M. D. Juan Carlos I. Director: Alberto Cándido "Mesonero". Jefes de cocina: Cándido López y Eduardo García. Jefe de sala: Alberto López.
Otros datos de interés: Histórica casa de fachada de entramado de ladrillo y soportales de arquería de orden toscano. Acogedores salones al más puro estilo castellano.

ESPECIALIDADES MESÓN DE CÁNDIDO

Lasaña de jamón de Guijuelo con espárragos trigueros

Judiones del Real Sitio de la Granja

Ancas de rana en rebozo

Morrete de cerdo con níscalos

Pollitos de perdiz a la mesonera

Cordero asado

Cochinillo asado

Rollitos de membrillo con crema de queso

Tarta Ponche segoviana

Cabu

Carne de buey certificada

D. Jesús García Pascual, fundador de esta saga familiar, siempre tuvo gran afición por el ganado vacuno. Carnicero, ganadero y hostelero, inculcó está pasión a sus hijos Jesús y Javier. Fue un visionario, después de criar terneras y lechazos, proyectó la creación de una "residencia" para bueyes. La idea surgió ante una situación curiosa y contradictoria: la carne de buey aparece en las cartas de muchos restaurantes, cuando en realidad procede de vacas. Deciden ponerse en contacto con las ganaderías de vacuno de lidia para adquirir todos los bueyes posibles. En colaboración con su hijo Javier, veterinario, empezaron algo único en España: la producción de bueyes de trabajo españoles.El objetivo era hacer un kobe español. El resultado fue el cabu. **Sólo existen dos carnes de buey certificadas: el Kobe japonés y el Cabu español.**

Hoy en día, pasados casi veinte años, en la extensa finca que se puede visitar, a tan sólo 3 km. del restaurante, pastan más de un centenar de bueyes. Son escogidos y seleccionados por Javier García, ardua tarea pues estos escasean. Aquí pasan el tiempo suficiente para disfrutar de una "alimentación de autor", natural, sin piensos, que se traduce en una extraordinaria calidad de la carne. Los bueyes se sacrifican cuando alcanzan los 800 o 1100 Kg y más de 8 años. Después, se llevan al matadero donde pasan rigurosos controles sanitarios y se trasladan a las cámaras del propio restaurante permaneciendo un periodo mínimo de 35 días. En este tiempo, los canales se someten a diferentes temperaturas en función de la fase de maduración. Una carne de inmejorables características organolépticas y una excelente infiltración de grasa,

Las tres premisas de la carne cabu son: que sea buey, macho castrado de más de 4 años. Javier añade que es mejor que el animal haya trabajado. Haber estado 6 meses como mínimo en la finca Naturbuey, en realidad son 14 meses de media. Y por último, la carne tiene que haber reposado un mínimo de 20 días en cámara, aquí suelen ser 40. Toda una vida dedicada a este producto que valora la nutrida clientela de Mesón Riscal, el único lugar donde poder degustar esta carne excepcional durante todo el año con total garantía y calidad. Se sirve fileteada en crudo, junto con piedras de barro calentadas a altas temperaturas. Esta gran labor se ha visto reconocida en numerosos programas de TV y telediarios.

MESON RISCAL'S SPECIALITIES

Carpaccio of "Cabu" beef with foie gras and cured Iberian ham
Cardoon with cured ham and pine nuts
Salad of confit organic sturgeon with arbequina olives, mozzarella pearls and pear ice cream
Fried octopus tentacles with grain-mustard ice cream and coloured oil
Cabu beef grilled on a hot tile (for 2 persons) of fillet steak of Cabu beef
Knuckle of Cabu beef with Provençale herbs
Sucking lamb roasted in the wood-fired oven
Rod-caught hake Basque style
Fillet of turbot with squid julienne on black aioli
Red tuna with young vegetables and soy sauce
Mousse of chocolate from Tanzania
Cheesecake as a flower

Mesón Riscal

Localidad: **Carbonero El Mayor (40270 Segovia)**
Dirección: Ctra. de Segovia, 31
Teléfonos: **921 560 289 - 629 089 189** **www.elriscal.com**
Parking: Aparcamiento propio.
Propietario: Hermanos Jesús y Javier García.
Días de cierre y vacaciones: Cerrado viernes noche, excepto verano y navidades. Vacaciones: 1ª quincena de julio.
Decoración: Amplias y modernas instalaciones.
Ambiente: Muy concurrido fines de semana y festivos.
Bodega: Vinoteca climatizada en sótano. 350 vinos, predominan primeras marcas de Castilla y León, Ribera del Duero, Toro, Bierzo...Colección de 27 ginebras Premium y 5 tónicas para conseguir el gin-tonic perfecto.
Hombres y nombres: Gerente: Jesús García. Jefe de explotación ganadera, veterinario y maestro cortador de carne: Javier García. Jefe de cocina: Víctor Armero. Sumiller: Roberto García Herranz.
Otros datos de interés: Casa fundada el año 1958. Instalaciones en constante renovación. Tres comedores: Castellano, Diseño y Nórdico con capacidad para 78 comensales cada uno. Bodega-comedor privado (35 p.).
Tarjetas: Todas.

ESPECIALIDADES MESÓN RISCAL

Carpaccio de Cabu con veta de foie e ibérico
Cardo con jamón y piñones
Ensalada de esturión ecológico confitado con aceituna arbequina, perlas de mozzarella y helado de pera
Tentáculos de pulpo frito con helado de mostaza a la antigua y aceite colorado
Cabu a la teja (2 pax.) o solomillo de Cabu
Morcillo de Cabu a las hierbas provenzales
Cordero lechal al horno de leña
Merluza de pincho de Burela a la bilbaína
Suprema de rodaballo con juliana de chipirones sobre alioli negro
Atún rojo biosostenible con verduritas salteadas, salsa de soja
Mousse de chocolate de Tanzania
Flor de pastel de queso

Pedraza

Historia

La Villa de Pedraza de la Sierra, declarada **Conjunto Histórico-Artístico**, está emplazada a 35 km. de Segovia, a 19 km. de la Autovía Madrid-Burgos y a 100 km. de Madrid. Edificada sobre un otero en las estribaciones de la Sierra de Guadarrama, su posición estratégica la constituyó en siglos pasados en uno de los baluartes más importantes de la vieja Castilla.
Testimonio de su historia es el fuerte recinto de murallas con un único acceso (la puerta de la Villa), su antiguo castillo abierto a las visitas y sus cuatro iglesias parroquiales, de las cuales sólo subsiste hoy íntegra la de San Juan, con su gallarda torre románica.
Pedraza constituye **una villa museo**. Sus casas, muchas blasonadas, han sido perfectamente conservadas y encajan perfectamente en las calles angostas, empedradas y silenciosas. La Plaza Mayor porticada es una de las más típicas de España. También es de visita obligada la antigua cárcel, hoy restaurada.
La localidad segoviana tiene otros muchos atractivos como lo son sus fiestas patronales de Nuestra Señora del Carrascal, del 7 al 12 de septiembre, con sus famosos encierros y sus corridas de toros en el singular marco de la Plaza Mayor. Destaca también el denominado Concierto de las Velas, que atrae a gentes de toda la geografia nacional, por la calidad de sus orquestas y por la grandiosidad del espectáculo de ver alumbrado todo el pueblo con más de 25.000 velas, sin otra iluminación.
En los alrededores de Pedraza existen zonas naturales y áreas protegidas ideales para la práctica del senderismo, mountain bike y rutas a caballo.
La Olma presenta una oferta gastronómica única en Pedraza: auténticas margaritas para entonar el día, pescados frescos llegados directamente de La Brecha (el mercado central de San Sebastián), lubina de pincho, bacalao, rape, dorada, deliciosas preparaciones como el ceviche de mero o el atún ahumado sin olvidar la deliciosa pastelería de elaboración propia. El restaurante ha sido felizmente renovado con una decoración muy personal, conservando toda su esencia castellana.

LA OLMA'S SPECIALITIES

Traditional and seasonal cookery
Roasts from the wood-fired oven
Offers of the day
Three tasting menus: Sea, Surf & Turf, Fusion of two cultures
Carpaccio of marinated scallops with chive dressing
Salad of goat cheese "Los Balanchares" with anchovies, French dressing and dried fruits
Carpaccio of porcini & Caesar's mushrooms
Smoked tuna on tomato vinaigrette
Gilthead bream larded with smoked fish, the crisp skin and tomato purée
Roast pigeon with sauce of sweet Pedro Ximénez sherry and pine nuts
Confit lamb knuckles à la Provençale on confit potatoes
Game specialities all year round
White chocolate mousse with praline and cocoa powder
Chocolate, hazelnuts and coffee with crisp cocoa flake

La Olma

Localidad: **Pedraza de la Sierra (Segovia)**

Dirección: Plaza del Álamo, 1

Teléfonos: **921 509 981** **E-mail: laolma@laolma.com**

www.laolma.com

Parking: Junto al restaurante, está situado el aparcamiento principal de Pedraza.

Días de cierre y vacaciones: Cerrado martes.

Decoración: Antiguo caserón del siglo XVI, cuidadosamente rehabilitado.

Ambiente: Acogedor.

Bodega: Más de 300 referencias en carta.

Hombres y nombres: Jefe de cocina: Sergio L. Blázquez. Sala: Romina de Quesada.

Otros datos de interés: "La Olma" es un nombre para recordar la desaparecida olma centenaria que en esta misma Plaza del Ganado dió sombra a los tradicionales mercados de ganado de la Villa, donde es fama que se celebraron meriendas memorables. La casa consta de dos plantas con diferentes comedores y salones privados.

Tarjetas: Todas.

ESPECIALIDADES LA OLMA

Cocina tradicional y de temporada
Asados al auténtico horno de leña
Sugerencias diarias
Tres Menús Degustación: Mar, Mar y Montaña y Fusión de Dos Culturas
Rasurado de vieiras escabechadas en frío con vinagreta de cebollino
Ensalada de queso de cabra Los Balanchares con anchoas, vinagreta francesa y frutos secos
Carpaccio de boletus edulis y amanita caesarea
Ahumado de atún sobre vinagreta de tomate
Dorada con incrustaciones de ahumado y su piel crujiente sobre salmorejo
Pichón asado con salsa de Pedro Ximénez y piñones
Jarretes de lechazo confitados a la provenzal sobre patatas confitadas
Especialidades de caza durante todo el año
"Benjamín": mousse de chocolate blanco con girnaches y polvo de cacao
"Atila": Combinación de chocolate, avellanas y café con crujiente de cacao

Azabache

Propuesta sensata

Abierto desde el 19 de agosto 2005 es la novedad gastronómica de San Rafael, localidad segoviana situada en un entorno inigualable a tan sólo 60 km. de Madrid.

En un relajante chalet con una agradable terraza ajardinada rodeada de naturaleza, Azabache ha nacido de la experiencia de su jefe de cocina y propietario Armando Maestre Muñoz. Tras largos años como chef en algunos de los mejores restaurantes de Segovia, ha iniciado junto a su madre Josefina, encargada de la sala, y su hermana Raquel, responsable de la repostería, la aventura de abrir este restaurante diferente en un paraje apacible y bucólico.

Demuestra cada día que la innovación no está reñida con el precio ni con la calidad o la tradición. Aquí la cocina castellana clásica convive perfectamente con el dinamismo de la cocina moderna. La carta cambia cada semana, se adapta a cada temporada, con el recurso continúo a ingredientes naturales y de la mejor calidad. Esta casa sobresale por su buen producto y su gran esmero en la elaboración, sabores nítidos y cuidado especial en guarniciones y presentaciones. Una experiencia siempre placentera.

La atención al comensal es otro de sus puntos fuertes. Josefina Muñoz ejerce de anfitriona con amabilidad y ha contribuido a lograr una clientela asidua. Sensatez, buen gusto, ganas de hacerlo bien y una propuesta coherente con el entorno: cocina sabrosa y honesta han convertido a Azabache en una opción muy apetecible para una excursión a sólo una hora de la Villa y Corte.

AZABACHE'S SPECIALITIES

Updated traditional cookery with fresh produces
Summer and winter menus
"Salmorejo": Garlicky tomato purée thickened with bread and olive oil emulsion, topped with chopped eggs
Croquettes of cured Iberian ham
Rice specialities prepared à la minute (boletus mushrooms, lobster...)
Fresh fish prepared in different ways
Meat cuts with pepper or blue-veined cheese sauce
Roasts on request: lamb, sucking pig, goat kid
Home-made desserts
Timbale of yogurt mousse with rose petals preserve and red berries
Azabache's dessert: chocolate in different textures and temperatures

Azabache

Localidad: San Rafael (40410 Segovia)
Dirección: C/ Paseo de San Juan, 12-A
Teléfonos: 921 172 408
E-mail: azabache@restauranteazabache.info
www.restauranteazabache.info
Parking: Aparcamiento en la puerta.
Propietario: Armando Maestre Muñoz.
Días de cierre y vacaciones: Cerrado jueves. En verano, del 1 de julio al 1 de octubre, comidas y cenas. Resto del año, cerrado noches excepto viernes y sábados.
Decoración: Elegante chalet con jardín y terraza.
Ambiente: Familias y comidas de empresas.
Bodega: Un centenar de referencias con acento en Ribera del Duero y Rioja.
Hombres y nombres: Jefa de sala: Josefina Muñoz. Chef de cocina: Armando Maestre. Repostería: Raquel Muñoz.
Otros datos de interés: Terraza ajardinada rodeada de naturaleza y barra para desayunos, raciones, tapas de cocina...
Tarjetas: Todas.

ESPECIALIDADES AZABACHE

Cocina de producto, tradicional y actualizada
Carta de verano y de invierno
Salmorejo
Croquetas de jamón ibérico
Arroces preparados al momento (boletus, bogavante...)
Pescado del día, en todas sus preparaciones
Carnes de la sierra (pimienta, queso azul...)
Asados por encargo: lechazo, cochinillo, cabrito
Postres de elaboración propia
Timbal de mousse de yogur con mermelada de pétalos de rosa y frutos rojos
Postre Azabache: chocolate en diferentes texturas y temperaturas

Palacio Real de San Ildefonso

En 1720 Felipe V compró a los Jerónimos La Granja y edificaciones que poseían en estos parajes con la idea de acondicionarlos para su retiro.

Teodoro Ardemans construyó un pequeño Alcázar de planta cuadrada con patio central, cuatro torres con chapiteles y una capilla. Hechas estas obras, Felipe V abdicó en Luis I, quién murió pocos meses después, volviendo el primer Borbon al Trono. Esta circunstancia motivó la ampliación del Palacio entre 1724-1734 con cuatro alas que formaron dos patios abiertos: el de Coches, y el de la Herradura, proyectados por Andrea Procaccini, para alojar a los Infantes y a la Corte. En 1735 Felipe Juvarra ideó una nueva fachada hacia el jardín en la que columnas y pilastras de caliza y mármol sostienen un monumental ático con representaciones de las cuatro estaciones, escudos y otros motivos esculpidos por G. Baralla. En 25 años Palacio y Jardines quedaron completamente configurados.

Real Fábrica de Cristales

Considerado uno de los mejores edificios de la arquitectura industrial europea, es un enorme rectángulo que aloja en su interior una serie de construcciones que suman cerca de 25.000 m^2. Consiguió a finales del siglo XVIII dar respuesta a las necesidades del trabajo y de la producción del vidrio. Una rigurosa organización de espacio proporcionó la máxima eficacia y racionalidad a los procesos productivos.

José Díaz Gamones, Maestro Aparejador Real dirigió este conjunto de edificaciones y patios en el que destaca en su interior una gran nave central de planta basilical, la Nave de Hornos, con dos cúpulas que actuaban de chimeneas de los hornos principales, Carlos III ordenó edificar en 1770 "... una fábrica de ladrillo y granito contra el precaver del fuego y que fuera compatible con el adorno y el paseo... ", que ademas fuera en su edificación y fabricados fiel espejo de la Corona y que viniera a evolucionar las fábricas de vidrio y cristal instaladas por Felipe V en 1727. Declarado Bien de Interés Cultural con la categoria de Monumento, actualmente es la sede del Centro Nacional del Vidrio.

EL TORREON'S SPECIALITIES

White beans from La Granja

Oyster mushrooms and cepe mushrooms (boletus fungus) - Seasonal

Grilled meat cuts

Lamb and suckling pig roasted in a wood-fired oven

Homemade pastries and confectionery

El Torreón Restaurante y Hostal

Localidad: **La Pradera-Valsain (40109 Segovia)**
Dirección: Ctra. CL 601, km. 123
Teléfonos: **921 470 904 (y fax)**
Parking: Fácil aparcamiento.
Propietario: Justo Heredero Sanz.
Días de cierre y vacaciones: Martes noche. No cierra por vacaciones.
Decoración: Sencilla y acogedora.
Ambiente: Familiar.
Bodega: Vinos de la Ribera del Duero y Riojas principalmente.
Hombres y nombres: Jefes de cocina: Justo Heredero. Jefe de sala: Lucía.
Otros datos de interés: Hostal recientemente inaugurado, dispone de 10 habitaciones con baño completo. Pertenece a la Chaîne des Rotisseurs y Eurotoques.
Tarjetas: Todas.

ESPECIALIDADES EL TORREON

Judiones de La Granja

Setas de cardo y boletus edulis (en temporada)

Carnes rojas a la parrilla

Cordero y cochinillo en horno de leña

Postres caseros

Baluarte

Modernizando la cocina soriana

Tras su exitosa trayectoria al frente del restaurante Alvargonzález en Vinuesa, el joven cocinero soriano Óscar García inició una nueva etapa vital y profesional al inaugurar a finales de 2008 este moderno y minimalista comedor situado en los bajos de un solemne y hermoso palacete en pleno centro de Soria capital, junto a la Diputación. Desde tierras de pinares en plena naturaleza, donde se recolectan joyas gastronómicas: hongos y trufas negras, Oscar García, profesional autodidacta, ha trasladado hasta la capital soriana su concepción de la gastronomía, todo un salto cualitativo.

En esta nueva andadura, consolida Baluarte como uno de los mejores representantes de la cocina contemporánea en la provincia. Una cocina para gourmets, sensata y reflexiva, muy conocedora de la materia prima de la región y siempre respetuosa con la temporada. Una interesante evolución que moderniza con imaginación e ingenio el recetario tradicional.

Una culinaria con raíces, puesta al día, que domina la técnica con creaciones equilibradas y delicadas desprendiendo sensibilidad, finura y buen gusto. Sabores elegantes, armónicos y reconocibles...siempre placenteros, mentalidad abierta, búsqueda de la suculencia y la pureza. En definitiva, una cocina del paisaje, respaldada por el conocimiento del entorno y la magnífica despensa de los bosques sorianos. Un valor al alza en Castilla y León, que traslada al comensal la imagen de una gastronomía actual y creativa.

BALUARTE'S SPECIALITIES

Cookery of nowadays with a creative touch
Tasting menu, changing four times a year
(48 €, wines included)
Truffled creamy cheese with honey oil
Salt cod soup with leek and potatoes in different textures, with roasted peppers
Layered slice of foie gras with sour apple and mango
Egg with beetroot and veil of flank of pork
Juicy rice with seasonal mushrooms and porcini
Baked monkfish with squid tagliatelle
Gently-cooked salt cod with young vegetables and chickpea stock
Fillet steak with creamy potatoes and cheese gratin
Bresse pigeon with vegetable cannelloni
Ravioli of oxtail with vegetables and juice
Red fruit infusion with chanterelle preserve and white chocolate foam
Menus of boletus edulis (porcini mushrooms) and truffles in season

Baluarte

Localidad: Soria (42002)
Dirección: Caballeros, 14. Bajo
Teléfonos: 975 213 658 (y fax)
E-mail: contacto@baluarte.info www.baluarte.info
Parking: Aparcamiento público al lado en Plaza del Olivo.
Propietario: Oscar García Marina.
Días de cierre y vacaciones: En invierno, cerrado las noches de domingo y lunes. En verano, domingos todo el día. Vacaciones: los primeros diez días de septiembre y quince días en febrero.
Decoración: Moderno comedor de diseño en los bajos del Palacete de Alcántara (siglo XVII).
Ambiente: Una nueva referencia gastronómica en Soria.
Bodega: Más de un centenar de etiquetas. Vinos de Castilla y León, Rioja, Priorato, Toro, cavas y champagnes.
Hombres y nombres: Jefe de cocina: Oscar García Marina. Sala: Natalia Hernández Peiroten.
Otros datos de interés: Desde finales de 2008, el joven cocinero Oscar García ha trasladado su arte a la capital soriana con buena acogida de público y crítica.
Tarjetas: Visa, Mastercard.

ESPECIALIDADES BALUARTE

Cocina contemporánea y creativa
Menú Degustación, cambia cuatro veces al año
(48 €, bodega incluida)
Queso cremoso trufado y aceite de miel
Purrusalda en textura con pimientos asados
Milhoja de foie con manzana ácida y mango
Huevo otoñal con remolacha y velo de panceta
Arroz meloso con setas de temporada y boletus
Rape al horno con tallarines de calamar
Bacalao confitado con verduritas y caldo de garbanzos
Solomillo de ternera añojo con crema de patata y graten de queso
Pichón de Bresse con canelón de verduras
Ravioli de rabo de toro con verduras de su jugo
Infusión de frutos rojos con mermelada de rebozuelos y espuma de chocolate blanco
Menús de boletus y trufa en temporada

Receta Rincón de San Juan

Vieiras gratinadas con salsa de cava

Ingredientes para 4 personas: 4 vieiras, 200/250 gr. de cebolla, 1/2 litro de cava, 200 cl. de nata, sal y pimienta

Elaboración: Freír ligeramente la cebolla y una vez dorada, incorporar las vieiras troceadas. Freír un poco más y añadir el cava y la nata. Dejar hervir, espesar y rectificar de sal y pimienta.

Emplatado: Montar en la propia concha de la vieira, rallar un poco de queso por encima y meter al horno durante 5/6 minutos. Sacar y listo para servir.

RINCON DE SAN JUAN'S SPECIALITIES

Traditional and modern cookery
Offer in steady evolution
Menu of the day and tasting menu
Scrambled eggs with baby squids, salt cod or porcini mushrooms
Foie gras on toast with quail egg
Lukewarm salad of tuna belly flaps, cheese and bell peppers
Brothy rice & fish pot
Head and neck of hake Basque style
Salt cod au gratin with asparagus cream
Fillet steak in pastry case with porcini cream
Fried sucking pig with garlic
Every day a different stew
Cakes of the house
Choice of homemade ice creams: sweet Pedro Ximénez sherry, rapsberry and cheese

Rincón de San Juan

Localidad: Soria (42002)
Dirección: C/ Diputación, 1 (enfrente de la Diputación)
Teléfonos: 975 215 036 www.rincondesanjuan.com
Parking: Aparcamiento público al lado "Plaza del Olivo"
Propietario: Jesús Ángel Santos y Laura Jiménez
Días de cierre y vacaciones: Cerrado domingos.
Decoración: Amplias y modernas instalaciones en un elegante estilo rústico actualizado
Ambiente: Cálido y acogedor. Servicio ágil y dinámico.
Bodega: Unas cincuenta referencias clásicas bien seleccionadas. Crianzas, Reservas y Grandes Reservas
Hombres y nombres: Jefe de cocina. Jesús Ángel Santos. Jefa de sala: Laura Jiménez
Otros datos de interés: Tres comedores con capacidades modulables. Posibilidad de salones privados (50, 30, 15 pax) y terraza de verano. Situado en pleno corazón de Soria, a un minuto del único aparcamiento de la ciudad.
Tarjetas: Todas, excepto American Express

ESPECIALIDADES RINCÓN DE SAN JUAN

Cocina tradicional y moderna
Carta en constante evolución
Menú Diario y Menú Degustación
Revueltos de chipirones, bacalao u hongos
Tosta de foie con huevo de codorniz
Ensalada templada de ventresca, queso y pimientos
Arroz caldoso con pescado
Cogote de merluza a la bilbaína
Bacalao gratinado con crema de espárragos
Solomillo hojaldrado con crema de hongos
Cochinillo frito con ajitos
Cada día, un plato de cuchara
Tartas de la casa
Surtido de helados caseros: Pedro Ximénez, frambuesa y queso

Sabores

El restaurante Sabores comparte instalaciones con Aquarium, ambos comedores separados por una zona de barra común. Su nombre hace referencia a la cocina de sabores, una culinaria de base tradicional, con guiños de modernidad. La variedad y los precios ajustados incitan a repetir.

Ambiente moderno e informal, "cool", para degustar una cocina internacional: arroces y paellas, carnes rojas, pizzas y pastas con un servicio profesional y cercano en un emplazamiento privilegiado: en pleno centro de Valladolid, rodeado de un jardín natural, el Campo Grande, el parque urbano más extenso de la capital. La estructura acristalada permite disfrutar de vistas únicas.

www.saboresrestaurante.com

Grupo Moga

Es un grupo empresarial especializado en el sector de la hostelería y liderado por un equipo de profesionales dinámicos con amplia experiencia y decididamente entregados a satisfacer a sus clientes ofreciendo un producto de calidad con un servicio eficaz y simpático.

Con este concepto actual de la restauración destinado a un amplio sector de público, este grupo, también presente en Gran Canaria y Menorca, trae su "savoir faire" y alto nivel de exigencia a Valladolid, la ciudad que vio nacer a sus fundadores.

www.grupomoga.com

AQUARIUM'S SPECIALITIES

Rice and paella specialities
Fresh fish, shellfish and crustaceans
Shallow-fried scallops on a mango & fennel coulis
Red prawns from Menorca
Carpaccio of prawns with ice cream of gin tonic
Salt cod with black aioli
Rod-caught hake in a creamy leek sauce
Sea bass in a salt coat
Grilled sucking lamb cutlets
Fillet steak with goat cheese
Cheese selection from Castilla & Leon with quince jelly
Home made traditional tiramisù with Amaretto toffee
Greek yogurt with Goji berries from Tibet, exotic fruit coulis
Soft brownie with warm chocolate sauce and vanilla ice cream

Aquarium

Localidad: Valladolid (47004)
Dirección: Acera de Recoletos, s/n - Pabellón de Cristal
(paseo central del Campo Grande)
Teléfonos: 983 303 699 www.aquariumrestaurante.com
Parking: Dos aparcamientos públicos a menos de 100 m., Zorrilla y Colón.
Días de cierre y vacaciones: Abierto todo el año excepto domingos noches y lunes todo el día.
Decoración: Estructura acristalada con una ambientación marinera actual en tonos azules y blancos. Acuario octogonal con peces tropicales. Rodeado del entorno natural del parque Campo Grande.
Ambiente: Innovador y original.
Bodega: Vinoteca donde predominan los vinos de la zona. Vinos por copas.
Hombres y nombres: Dirección: Santiago y Lucas García.
Otros datos de interés: Novedad en la capital del Pisuerga, representa una oferta urbana y cosmopolita, adaptada a los tiempos y apta para todos los públicos.
Tarjetas: Todas excepto American Express.

ESPECIALIDADES AQUARIUM

Arroces y paellas
Pescados y mariscos frescos
Vieiras a la plancha sobre coulis de mango e hinojo
Gambas rojas de Menorca
Carpaccio de gambas con helado de gin-tonic
Bacalao del Norte con ali oli negro
Merluza de pincho en cremosa salsa de puerros
Lubina a la sal
Chuletillas de cordero lechal
Solomillo de buey con queso de cabra dorado
Selección de quesos de Castilla y León con membrillo
Tiramisú casero tradicional con toffee de Amaretto
Yogur griego con bayas de Goji del Tibet, coulis de frutos exóticos
Brownie esponjoso, cubierto de chocolate caliente y helado de vainilla

La Criolla

Reconocido prestigio

Hablar de La Criolla en Valladolid es hacerlo de Francisco Martínez, conocido en el mundo de la restauración como Paco. Un hombre hecho a sí mismo, nacido entre fogones, siempre pendiente de las enseñanzas de su madre. A base de tesón y esfuerzo, con una magnífica visión de futuro ha conseguido situar a esta casa en la cúspide de la gastronomía regional.

Del bar familiar, donde realizó su aprendizaje, pasó en 1983 a tomar las riendas de La Criolla, un viejo bar que moría lánguidamente en la típica zona de tapeo. Allí comenzó con seis mesas en un comedor dedicado a la bailarina Marienma, barra bien surtida y cocina fundamentada en una buena materia prima. Surgen en esa época sus ya afamadas tablas de carne y pescado. En tres años, disponía de dos comedores más dedicados a otros personajes pucelanos como el escritor Miguel Delibes y el etnógrafo y folclorista Joaquín Díaz. Su reconocimiento a hombres y mujeres de esta tierra continúa cuando descubre los orígenes de la casa -datada en 1873- con los salones en honor al torero Roberto Domínguez, la escritora Rosa Chacel y la actriz Lola Herrera.

Poco a poco, Paco empezó a ofrecer en La Criolla toda la sabiduría acumulada en sus múltiples periplos por las cocinas de España y del mundo. Un hecho que marco a este profesional fue su viaje a los Juegos Olímpicos de Atlanta como cocinero del Comité Olímpico Español para hacerse cargo de las comidas y recepciones oficiales de la delegación española. Una experiencia que repitió en Sidney, Atenas y Pekín.

La cocina de La Criolla busca el mejor producto, fresco y natural, seleccionado diariamente desde los principales puertos y mercados españoles. Paco práctica una culinaria sin estridencias, basada en los productos de temporada de la siempre generosa despensa castellano-leonesa. Recetas con un toque de modernidad que adaptan lo más representativo de la cocina tradicional. Además, ofrece un servicio de catering de reconocido prestigio en el sector para todo tipo de actos sociales: reuniones de empresa, congresos, bodas...

Bajo la misma dirección: Restaurante La Mina. C/ Correos, 7.
Reservas: 983 333 008.

LA CRIOLLA'S SPECIALITIES

Market and seasonal cookery with a modern touch
Cured ham and air-dried sausages
Seasonal vegetables
Creole salad: lettuce, tangerine, cherry tomatoes, cheese and anchovy
Seafood and rice specialities
Boards: with cured pork specialities, fish or meat
Lamb kidneys in their own fat with small green capsicums
Tripe in a traditional way
Medallions of hake with confit garlic, oil and balsamic vinegar
Layered slice of monkfish, prawns and salmon with almond sauce
Boned pigeon with mushroom cream and young vegetables
Rib steak of beef
Sucking lamb in the style of Peñafiel
Cream caramel with syrup instead of milk, minty white chocolate, cheese from Vallalón and coconut
Hazelnut & chocolate cake on red berry sauce

La Criolla

Localidad: **Valladolid (47001)**
Dirección: C/ Calixto Fernández de la Torre, 2 (junto Plaza Mayor)
Teléfonos: **983 373 822 - 983 330 370. Fax: 983 374 987**
E-mail:rte_lacriolla@terra.es www.restaurantelacriolla.com
Parking: Aparcamientos cercanos en Plaza Mayor, Poniente, San Agustín.
Propietario: E.H. Martínez y Gil, S.A.
Días de cierre y vacaciones: Abierto cada día del año excepto lunes.
Decoración: Estilo castellano, seis comedores dedicados a personajes ilustres de Valladolid.
Ambiente: Punto de encuentro de empresarios, artistas, políticos, escritores...
Bodega: Uno de los rincones más carismáticos, se utiliza para reuniones especiales. Guarda alrededor de 500 referencias de las principales regiones vinícolas españolas además de vinos de Francia, Italia, Australia...En constante rotación y atenta a las novedades del mundo vinícola.
Hombres y nombres: Jefe de cocina: Francisco Martínez García. Maitre: Miguel Ángel Zarzosa. 2º Maitre y Sumiller: Eutiquio Carreño.
Otros datos de interés: Junto a la Plaza Mayor, uno de los mejores restaurantes de Valladolid, con una barra muy dinámica y concurrida, para tapas, raciones, canapés y vinos. Comedores privados, capacidad total 270 comensales y agradable terraza.
Tarjetas: Las principales.

ESPECIALIDADES LA CRIOLLA

Cocina de mercado y temporada con toques de modernidad
Embutidos ibéricos
Verduras de temporada
Ensalada "Criolla": lechugas, mandarina, tomate cherry, queso y anchoa
Mariscos y arroces
Tablas: de ibéricos, pescado y carne
Riñones de lechazo en su propio tocinillo con pimientos de Padrón
Callos tradicionales
Lomos de merluza con ajo confitado, aceite y vinagre de Módena
Milhoja de rape con langostinos y salmón con salsa de almendra
Pichón de Araiz deshuesado con crema de champiñones y verduritas
Chuletón de buey
Lechazo al estilo de Peñafiel
Tocinillo de cielo, chocolate blanco de menta, queso de Villalón y coco
Pastel de avellana y chocolate sobre salsa de frutos rojos

Receta María

Natillas monjiles

Ingredientes para 6 personas: 1 l. de leche, 250 grs. de azúcar, 8 yemas de huevo, canela molida, vainilla en rama.

Preparación: Cocer la leche con el azúcar y la canela dejándolo hervir durante 5 minutos para que coja el sabor de la canela.

Batir las yemas, añadir un cacillo de leche y mezclarlo bien. A continuación añadir la leche moviéndolo con una espátula de madera y sin que llegue a hervir. Cuando la espátula se cubra de una capa ligera, indica que la natillas están a punto. Retirarlas del fuego sin dejar de mover durante unos minutos hasta que se enfríen. Servir en recipientes pequeños con canela por encima. Servir frías.

Vino recomendado: un moscatel.

MARIA'S SPECIALITIES

Traditional and imaginative cookery

Gastronomic menu (only Fridays and Saturdays, about 25 €)

Salad of salt cod and marinated prawns

Leek and salt cod pudding

Potatoes in sauce

Spanish farmyard-chicken fricassée

Cheese cake with raspberry sauce

Custard

María

Localidad: **Valladolid (47001)**
Dirección: C/ Rastro, 1 (frente Casa Cervantes)
Teléfonos: **983 394 466 y 983 210 216**
E-mail: **restaurante@restaurantemaria.com**
www.restaurantemaria.com
Parking: En Plaza España, a 100 mts.
Propietario: Pacuba, S.L.
Días de cierre y vacaciones: Cerrado domingos noches.
Decoración: Moderna y actual.
Ambiente: Ejecutivos y negocios principalmente.
Bodega: Ribera del Duero, Cigales, Toro, Rioja, Penedés, casi todas las D. O.
Hombres y nombres: Jefe de cocina: Angel Cuadrado. Maitre: Carlos Rosado.
Otros datos de interés: Restaurante ubicado en pleno centro de Valladolid, frente a la Casa Cervantes y a 5 minutos de la Plaza Mayor. Abierto a finales de 1998, capacidad total para 70 comensales y salón privado para 16.
Tarjetas: Todas.

ESPECIALIDADES MARÍA

Cocina tradicional e imaginativa

Menú degustación (sólo viernes y sábados, alrededor de 25 €)

Ensalada de bacalao y langostinos marinados

Pastel de puerros y bacalao

Patatas a la importancia

Pollo de corral en pepitoria

Tarta de queso con salsa de frambuesa

Natillas monjiles

El Mesón de Ángel Cuadrado

Capón de Castilla relleno

Ingredientes para 6 personas: 1 capón de 3 a 4 kg., 100 gr. de orejones, 100 gr. de ciruelas pasas, 100 gr. de pasas, 50 gr. de piñones, 50 gr. de nueces, 2 manzanas reinetas, 50 gr. de foie gras, sal, pimienta blanca, 2 zanahorias, 2 cebollas, 2 hojas de laurel, 4 dientes de ajo, 10 gr. de pimienta en grano, 2 decilitros de aceite y ½ litro de vino blanco.

Elaboración: Limpiar el capón y salpimentar. En su interior, cortar las manzanas en cuartos tapando el buche. Con las pasas, orejones, ciruelas, piñones y nueces hacer una masa muy homogénea y rellenar el capón, terminando de taparle con el resto de la manzana. Coser bien para que no pueda salirse el relleno.

Cuando el capón está ya relleno, en una placa de asar echar el aceite, zanahoria, cebollas, laurel, ajos y pimienta, colocando el capón con las pechugas para arriba. Meter al horno a una temperatura de 150º grados. Comprobar cada poco tiempo y dar la vuelta para que se dore bien por todos los lados. Refrescar dos o tres veces con el vino blanco. Para que esté en su punto dejar de tres horas a tres horas y media. Una vez asado el capón, sacar a una fuente. Pasar el jugo por la turmix y por estameña y dar un hervor.

Emplatado: Sacar todas las frutas de su interior que se utilizarán como guarnición. Trinchar y servir con el jugo aparte en platos muy calientes.

SPECIALITIES OF EL MESÓN DE ÁNGEL CUADRADO

Old-fashion and imaginative Castilian-Leonese cookery

Updated ancient traditional recipes

Potatoes in sauce

Castilian soup

Sea bass "Isabel the Catholic"

Pig's trotters stuffed with cèpe mushrooms and pine nuts

Home-made desserts prepared daily

El Mesón de Ángel Cuadrado

Localidad: Valladolid (47001) **Antes Mesón Panero**
Dirección: C/ Marina Escobar, 1
Teléfonos: 983 301 673 y 983 307 019 **Fax:** 983 307 019
E-mail: meson@mesonangelcuadrado.com
www.mesonangelcuadrado.com
Parking: Cercano, en Plaza España.
Propietario: Maju Hostelería, S. L.
Días de cierre y vacaciones: Cerrado domingos noches. En julio y agosto, cerrado domingos todo el día.
Decoración: Al estilo de un típico mesón castellano.
Ambiente: Un restaurante muy tradicional en Valladolid, para amantes de la buena mesa.
Bodega: Muy amplia y variada.
Hombres y nombres: Jefe de cocina: José Ruiz Niño. Jefe de sala: Julián Garrote. Sumiller: Juan José Colmenero Pino.
Otros datos de interés: Restaurante con más de 30 años de tradición y buen hacer. Fundador y promotor de las jornadas gastronómicas en Castilla y León que se celebran cada año la misma semana de San Valentín.
Tarjetas: Todas.

ESPECIALIDADES EL MESÓN DE ÁNGEL CUADRADO

Cocina castellano-leonesa, ancestral e imaginativa

Recuperación y actualización del recetario tradicional

Patatas a la importancia

Potaje castellano

Lubina Isabel la Católica

Pie de cerdo relleno con hongos y piñones

Postres artesanos elaborados a diario

El Olivo

Puerto de mar en Valladolid

Situado en una zona residencial de Valladolid, el Parque Alameda, este restaurante tiene como objetivo primordial acercar la inmensa riqueza gastronómica de las costas gallegas al público de la capital y de Castilla y León. En cuanto a buenos pescados frescos y grandes mariscos, las mejores piezas son seleccionadas directamente en el barco y, desde allí, viajan hasta esta casa que los sirve en el día. De esta forma, se certifica la suprema calidad del género.

El Olivo presenta una cocina de puro producto, muy sencilla, sin artificios. Prima una elaboración natural que cuida los puntos de cocción. Gracias a la insuperable calidad de estas materias primas, la esencia del mar se disfruta en toda su intensidad. Aquí, el gozoso comensal degusta mariscos y pescados de frescas garantías, a la plancha o a la espalda, preparaciones que conservan al máximo las propiedades y exquisitez de estos tesoros marinos que llegan inmediatamente de las rías gallegas.

El Olivo trabaja siempre con "pescado de a bordo", la bandera de esta casa es su sobresaliente género. El secreto radica en el producto excepcional y en la hechura, consiguiendo acentuar jugosidades, en consonancia con los hábitos coquinarios más vigentes. Una cocina cercana con una sabrosa propuesta, bien concebida, elaborada y presentada, de sabores reconocibles para el comensal. César Martínez se esfuerza para que la variedad, cantidad y calidad estén aseguradas. En pocas palabras, en busca del tesoro perdido.

EL OLIVO'S SPECIALITIES

Fresh fish, shellfish and crustaceans from the Galician coast
Clams, lobster, goose barnacles, spider crabs, elvers, Norway lobsters,
Fresh prawns from Huelva, shrimps, small scallops
Wild turbot, grouper, monkfish, rod-caught hake, sea bass
Salad of roasted peppers with anchovies and tuna
Grouper belly flaps
Octopus: boiled and sprinkled with olive oil and paprika or grilled
Seared foie gras with sauce of sweet Pedro Ximénez sherry
Cuts of Galician heifer
Rib steak of beef
Cream-filled pancake with warm chocolate sauce
Cheese cake with toffee
Sorbets and ice creams

El Olivo

Localidad: **Valladolid (47008)**
Dirección: Ctra. de Rueda, 68 (Parque Alameda)
Teléfonos: **983 248 397**
E-mail: elolivo@restauranteelolivo.com
www.restauranteelolivo.com
Parking: Fácil aparcamiento.
Propietario: César Martínez.
Días de cierre y vacaciones: Abierto cada día excepto noches de domingo, lunes y martes. Vacaciones: Semana Santa, primera quincena de agosto y del 23 de diciembre al 3 de enero.
Decoración: Cuidado y funcional comedor.
Ambiente: Una dirección para darse un homenaje con magníficos frutos del mar.
Bodega: Selección de caldos de Castilla y León y La Rioja. Copas Riedel.
Hombres y nombres: Jefe de cocina: César Martínez. Sala: Ana María Pérez.
Otros datos de interés: Fundado en 1999, restaurante especializado en pescados y mariscos de gran tamaño. La mejor materia prima del mercado.
Tarjetas: Todas, excepto American Express.

ESPECIALIDADES EL OLIVO

Mariscos y pescados de las costas gallegas
Almeja, bogavante, percebe, centolla, angula fresca, cigala "tronco", gamba fresca de Huelva, camarones, zamburiñas
Rodaballo salvaje, mero, rape negro, merluza de pincho, lubina...
Ensalada de pimientos asados con anchoas y bonito
Ventresca de mero
Pulpo a feira o a la parrilla
Foie fresco al Pedro Ximenez
Carnes de ternera gallega
Chuletón de buey
Filloa rellena de crema con chocolate caliente
Tarta de queso con toffee
Sorbetes y helados

Patio

Eventos en un entorno del siglo XVI

Los espacios que ofrece el Museo de Arte Contemporáneo de Valladolid están destinados a atender a todos aquellos colectivos que buscan un entorno excepcional para la celebración de eventos y que además si lo desean, pueden complementarlos con visitas guiadas para conocer de primera mano las mejores colecciones privadas de arte contemporáneo español.

Para los eventos más especiales, el restaurante El Patio ofrece un servicio de catering en el claustro del Museo Patio Herreriano, un incomparable entorno del siglo XVI, perfectamente restaurado. **Un espacio único que inunda de luz y arte cualquier celebración**. Es posible adecuar los menús a las preferencias de los clientes, que pueden contar con un completo asesoramiento.

Bajo la misma dirección:
Vinotinto C/ Campanas, 4. Valladolid Tlf: 983 342 291 www.vinotinto.es
La Taberna del Herrero C/ Calixto Fernández de la Torre, 4
Tlf: 983 342 310

PATIO'S SPECIALITIES

Modern cookery with seasonal produce
Daily menu, Monday to Friday: 15 € - Weekends and holidays: 19 €
Terrine of foie gras, onion compote and caramelised apple
Timbale of smashed eggs, confit bell peppers and black truffle
Crisp lamb's sweetbreads with tempura-fried vegetables
Several rice specialities
Grilled wild sea bass with squid tagliatelle and oil with squid ink
Medallion of salt cod in a garlicky olive oil emulsion with porcini mushrooms
Fillet steak in port sauce with potato terrine
Beef cheeks in red wine with cream of baked pumpkin
Home-made seasonal desserts

Patio

Localidad: **Valladolid (47003)**
Dirección: Jorge Guillén, 6 (Museo Patio Herreriano), a 100 metros de la Plaza Mayor.
Teléfonos: **983 331 257** **E-mail: patio@restaurantepatio.com**
www.restaurantepatio.com
Parking: Aparcamiento público "Isabel la Católica" a 3 minutos.
Propietario: Catering y eventos de Valladolid S.L.
Días de cierre y vacaciones: Domingos noches y lunes. Vacaciones la segunda quincena de agosto.
Decoración: Moderna, en armonía con el entorno arquitectónico y estético.
Ambiente: Cosmopolita. El mundo de la cultura y la moda.
Bodega: Un centenar de referencias. Vinos de Castilla y León, de otras regiones de España y del mundo.
Hombres y nombres: Gestionado por la familia Garrote, una saga de prestigiosos restauradores de Valladolid. Jefe de cocina: José Rodríguez. Maitre: José Ignacio Escudero.
Otros datos de interés: Dispone de una elegante cafetería, un estupendo mirador abierto al paisaje urbano. Cuenta con una amplia terraza de verano.
Tarjetas: Todas excepto American Express.

ESPECIALIDADES PATIO

Cocina actual con productos de temporada
Menú Diario, de lunes a viernes: 15 € - Festivos: 19 €
Terrina de foie, compota de cebolla y manzana caramelizada
Timbal de huevos rotos, pimientos confitados y trufa negra
Mollejas crujientes de lechazo con verduras en tempura
Variedad de arroces del Mediterráneo
Lubina salvaje a la plancha con tallarines de calamar y aceite de tinta
Taco de Bacalao al pil-pil de boletus Patio
Solomillo de buey al Oporto y terrina de patata
Carrillera de ternera al vino tinto con crema de calabaza asada
Postres caseros de temporada

Ramiro's

Cocina de altura

Tras varios años "haciendo las Américas", Jesús Ramiro regresó a su tierra natal para inaugurar este restaurante en una ubicación privilegiada, la décima planta del Museo de la Ciencia de Valladolid, con espléndidas vistas del río Pisuerga, su ribera y la ciudad. En este emblemático edificio, su hijo, el chef Jesús Ramiro Flores, junto a un joven equipo de profesionales, practica una cocina basada en los productos y recetas tradicionales de Castilla y León, reinterpretada con técnicas y propuestas actuales. Los pilares de su filosofía culinaria son el respeto por la materia prima, desarrollando al máximo su potencial gastronómico, el sabor como elemento central y la creatividad -nuevas texturas, aromas y equilibrios- para conseguir una cocina moderna y armónica, realzada con delicadeza y buen gusto en las presentaciones.

Ramiro's Taller. Jesús Ramiro, padre e hijo, desarrollan una labor de **investigación y desarrollo**, donde se trabaja en la formulación de nuevas propuestas culinarias, asesoramiento a empresas alimentarias, cadenas hoteleras...y **cursos a profesionales**. Centro Global de Gastronomía.
T. 639 306 279. E-mail: jramiro@mixmail.com

Zarabanda. La nueva propuesta del Grupo Ramiro en la tercera planta del Centro Cultural Miguel Delibes, el edificio más espectacular de Valladolid. Restaurante Gourmet, cafetería y servicio de catering. T. 983 384 812. www.restaurantezarabanda.es

RAMIRO'S SPECIALITIES

Creative cuisine with roots,
new concept and investigation
The à la carte menu changes according to the season
Tasting menu
Potato snack with lemony aioli
Carpaccio of salt cod with black-olive sorbet
Lukewarm pumpkin gazpacho with cheese cream and snow of olive oil nitro
Pigeon salad with peaches, dried red peppers and mock maize croquette
Sirloin steak with potato cake and spherical sauces of roasted peppers
Pistachio mousse with beetroot ice cream and lemony yogurt powder
Spiced chocolate with ice cream of baked apple and airy foam of chargrilled rosemary

Ramiro's

Localidad: **Valladolid (47014)**
Dirección: Avda. de Salamanca s/n (Museo de la Ciencia)
Teléfonos: **983 276 898** **E-mail: restaurante@ramiros.es**
www.ramiros.es
Parking: Aparcamiento gratuito del Museo.
Propietario: Jesús Ramiro.
Días de cierre y vacaciones: Cerrados domingos.
Decoración: Espacio diáfano de estética minimalista, ubicado en la décima planta del Museo de la Ciencia, un moderno edificio realizado por Rafael Moneo, un icono de la arquitectura contemporánea.
Ambiente: Puesta en escena original y llamativa, realzada por las vistas panorámicas desde lo alto de esta torre que domina Valladolid.
Bodega: Muy completa. Unas 500 referencias: vinos de Castilla y León, franceses, italianos, portugueses, chilenos, californianos... Carta de aguas y cervezas.
Hombres y nombres: Jefes de cocina: Jesús Ramiro y Raúl del Moral. Maitre y sumiller: Alberto Polo.
Otros datos de interés: Abrió sus puertas en octubre 2006, un restaurante emblemático, tanto en cocina como en instalaciones, toda una revolución en el panorama culinario de Castilla y León. Capacidad reducida: 35 comensales.
Tarjetas: Las principales.

ESPECIALIDADES RAMIRO'S

Cocina de autor con raíces,
nuevos conceptos e investigación
La carta cambia en cada estación
Menú Degustación
Snack de patata con alioli al limón
Carpaccio de bacalao con sorbete de aceituna negra
Gazpacho tibio de calabaza con crema de queso y nieve de aceite de oliva nitro
Ensalada de pichón de Tierra de Campos con melocotones,
pimientos choriceros y falsa croqueta de maíz
Entrecot con pastel de patata y salsas esferificadas de pimientos asados
Mousse de pistacho con helado de remolacha y polvo de yogur al limón
Chocolate especiado con helado de manzana asada y aire de romero a la parrilla

Trigo

El oro de Castilla

Este proyecto gastronómico nació el 30 de julio 2007 de la mano de los leoneses Víctor Martín, que oficia en los fogones y su mujer Noemí Martínez, a cargo de la gerencia y la sala. El restaurante Trigo presenta un acogedor y diáfano espacio, situado en una calle peatonal junto a la catedral de Valladolid.

Víctor Martín, después de doctorarse en algunos de los mejores restaurantes de Madrid, Cataluña y Francia, desarrolla su pasión por el recetario tradicional de su tierra, enriqueciendo la oferta culinaria de la capital. Junto a su equipo, practica una cocina con raíces, recetas serias y elegantes basadas en la riqueza de la variada despensa de Castilla y León, tratadas con delicadeza y personalidad, para dar vida a una coquinaria repleta de matices. Una carta viva y dinámica, adaptada a las estaciones del año, en constante evolución y renovación.

Homenaje a los ingredientes y sabores de la tierra, los géneros de temporada son los verdaderos protagonistas. Trigo apuesta decididamente por el producto de la región, nutriéndose del patrimonio de una tierra que cuenta con una de las despensas más privilegiadas del país y un recetario abundante y extraordinariamente variado. Materia prima y técnica son sus prioridades

Esta cocina es de carácter creativo pero no minimalista, combina los sabores tradicionales con un manejo original y vanguardista del mejor género. La puesta en escena de este restaurante delata su intención culinaria nada más traspasar la puerta: las líneas rectas y depuradas de sus paredes, unida al uso de materiales desnudos y a una acústica perfecta son el anticipo de una coquinaria que se presenta ligera y actual, con toques de refinamiento clásico, pero radicalmente apegada al terruño.

Trigo, día a día, se afianza y consolida. Representa la alternativa de la alta cocina en Valladolid, por sus precios prudentes, sencillez y honestidad.

TRIGO'S SPECIALITIES

Classical cookery prepared with modern technique, modern presentation,
our own interpretation of the cooking from Castile y Leon
Luncheon menu form Monday to Friday (25 €)
Tasting menu (38 €)
Truffle salad with cured duck breast, fennel and apple
Truffled cod sounds, wheat and wine salt
Small octopuses, tagliatelle with paprika and arbequina-olive oil
Fresh fish according to the market offer
Oxtail stew
Partridge hunter's style
Free-range chicken
Knuckle of lamb with aubergines
Hare à la royale
Pumpkin, orange and yoghourt
Caramel, smoked ewe's milk and muscovado sugar

Trigo

Localidad: Valladolid (47002)
Dirección: C/ Los Tintes, 8 (junto Catedral)
Teléfonos: 983 115 500 **E-mail:** info@restaurantetrigo.com
www.restaurantetrigo.com
Parking: A 25 metros, Plaza de Portugalete-Catedral (300 plazas).
Propietario: Victor Martín y Noemí Martínez.
Días de cierre y vacaciones: Cerrado domingos noche.
Decoración: Cálido minimalismo, obra del decorador salmantino Juan González.
Ambiente: Comidas de empresa, gastrónomos y público bien informado.
Bodega: En constante rotación, alrededor de 100 entradas, bien referenciadas y a precios moderados. Vinos clásicos, novedades y vinos recomendados fuera de carta. Posibilidad de vinos por copas y menus-maridaje.
Hombres y nombres: Jefe de cocina: Victor Martín. 2º de cocina: Iván García. Jefa de pastelería: Henar Cuadrado. Jefe de sala y sumiller: Noemí Martínez.
Otros datos de interés: Capacidad total para 44 comensales y posibilidad de reservado hasta 16. Precio medio a la carta: 35-40 €.
Tarjetas: Todas.

ESPECIALIDADES TRIGO

Cocina clásica con técnicas y presentaciones actuales, reinterpretación personal de la gran despensa de Castilla y León
Menú Mediodía, de lunes a viernes (25 €)
Menú Festival-Degustación (38 €)
Ensalada de trufa con york de pato, hinojo y manzana
Callitos de bacalao trufados, piedras de trigo y sal de vino
Pulpitos, tagliatelle de pimentón y aceite de arbequina
Pescados según mercado, escogidos diariamente
Rabo de toro
Perdiz a la cazadora
Pollo de corral
Jarrete de lechal con berenjenas
Liebre a la royal
Calabaza, naranja y yogur
Caramelo, leche de oveja ahumada y cristal de moscovado

La Viña de Patxi

Refugio de la cocina vasca

La Viña de Patxi es el representante de la cocina vasca en Valladolid. Practica una cocina tradicional ejecutada con maestría y realzada con algún guiño creativo. Pescados y carnes rojas tienen un protagonismo fundamental. Los fogones de esta casa bordan el pescado, desarrolla cada una de sus formulaciones -plancha, horno, pil pil, salsas...- con nobleza, técnica y generosidad. Es, sin lugar a duda, un lugar muy idóneo para disfrutar del pescado en la capital pucelana. Conjuga su apuesta por los pescados con excepcionales cortes de vacuno y suculentos postres caseros.

Patxi Irisarri sabe mantener las esencias y señas de identidad de la gastronomía vasca. Una concepción clásica manifestada en creaciones elaboradas con tiempo y atención, con algunos postulados que acarician la modernidad, sin estridencias innecesarias. Este restaurante camina por la vía de la superación y el refinamiento. Respeto por la tradición y espíritu innovador. El objetivo es la plena satisfacción del comensal.

La Viña de Patxi dispone de una pequeña barra como antesala a un moderno comedor, mesas amplias y espaciadas entre sí, decorado con zócalos de madera combinados con colores verdes intensos y paredes más claras. Destaca el impecable y amable servicio, cumpliendo el difícil equilibrio entre aplicación, cortesía y eficiencia. Resultó galardonado con el Premio al mejor Pincho Caliente en la VI Edición del Concurso de Pinchos organizado por la Asociación Provincial de Empresarios de Hostelería.

LA VIÑA DE PATXI'S SPECIALITIES

More than twenty fish specialities

Tasting menu (5 courses, about 41 €)

Carpaccio of tuna with capers and spring onions

Grilled octopus on creamy potato purée with crisp leek and aioli

Monkfish & scallop kebab

Salt cod timbale with boletus mushrooms, layered slice of apple and courgettes

Cod tongues in garlicky olive oil emulsion

Grilled rib steak of beef or fillet steak

Cream of smoked Idiazabal cheese with melon cooked in syrup

Chocolate brownie

La Viña de Patxi

Localidad: Valladolid (47014)
Dirección: C/ Rastrojo, 9 (junto a la Feria de Muestras)
Teléfonos: 983 341 018 - 983 341 407
E-mail: lavinadepatxi@hotmail.com
www.lavinadepatxi.com
Parking: Fácil aparcamiento
Propietario: Patxi Irisarri
Días de cierre y vacaciones: Cerrado noches de domingo y noches de lunes. Comidas cada día. Abierto todo el año.
Decoración: Moderna
Ambiente: Empresas durante la semana, parejas y familias los fines de semana
Bodega: Amplia, con representación de las denominaciones de origen más importantes
Hombres y nombres: Jefe de cocina: Patxi. Maitre: Maika
Otros datos de interés: Restaurante de nueva generación en Valladolid. Capacidad para 80 comensales. En verano: terraza para tapeo, comidas y cenas con un menú especial.
Tarjetas: Todas excepto American Express

ESPECIALIDADES LA VIÑA DE PATXI

Más de veinte platos de pescado
Menú-Degustación (5 platos, alrededor de 41 €)
Carpaccio de bonito con alcaparras y cebolleta
Pulpo a la plancha sobre crema de patata, crujiente de puerro y ali-oli natural
Brocheta de rape con vieiras
Timbal de bacalao con boletus salteados en milhoja de manzana y calabacín
Cocochas de merluza al pil-pil
Chuletón de carne roja o solomillo a la parrilla
Crema de queso Idiazabal con dulce de melón
Brownie de chocolate

Las Cortes

Marco único en Fuensaldaña

A escasos minutos del centro de Valladolid (6 km.), en Fuensaldaña, villa castellana con señas de identidad propias, el restaurante Las Cortes destaca por su amplitud -salón diáfano, especial para celebraciones con capacidad hasta 300 comensales- y el nivel de sus instalaciones. En temporada, se puede disfrutar de comidas y cenas en la gran terraza-jardín perfectamente acondicionada. Contiguo, un cenador acristalado donde se ofrecen veladas únicas los fines de semana.

Esta cocina, muy profesional, se basa en la tradición y se elabora principalmente en horno de leña y a la brasa: los mejores asados, sabrosas carnes y deliciosos pescados son los platos fuertes. Lechazo de raza churra con Indicación Geográfica Protegida (I.G.P.), cochinillo segoviano con Marca de Garantía y ternera de Aliste con Denominación de Origen destacan entre las carnes. Merluza de pincho del Cantábrico y rodaballo salvaje ocupan también un puesto singular en la carta de pescados. Todos los postres tienen su importancia y son de elaboración casera, pensados para todos los gustos. El comensal degusta estos nobles géneros y productos de primera división preparados con el máximo esmero.

Con una amplia trayectoria dentro del sector hostelero, Las Cortes presenta un establecimiento exclusivo en un marco único en Fuensaldaña. Las instalaciones disponen de todas las comodidades. Cuenta con un generoso espacio en sus diferentes ambientes además de la terraza jardín que no deja indiferente. Durante todo el año ofrece servicio de bar-cafetería y servicio de terraza. Elaboradas tapas, abundantes raciones y variedad de aperitivos, con la garantía profesional que caracteriza a la casa.

Fuensaldaña, municipio hospitalario y acogedor, es un lugar ideal para disfrutar del tiempo libre y de la buena mesa en el restaurante Las Cortes. Su castillo fue sede de las Cortes de Castilla y León.

LAS CORTES' SPECIALITIES

Modern Castilian cookery
Sausages and air-dried Iberian pork specialities
Porcini mushrooms from the pan
Rice with oyster mushrooms and porcini
Sucking lamb and pig roasted in the wood-fired oven
Home made stews
Chargrilled meat cuts
Neck and head of hake
Salt cod with porcini in sauce of small red piquillo capsicums and olives
Baked turbot with chives, garnished with prawns
Rice pudding, fruit tart, Segovian ponche
Cheese cake with toffee, chocolate truffles

Las Cortes

Localidad: **Fuensaldaña (47194 Valladolid)**
Dirección: Ctra. Valladolid, s/n
Teléfonos: **983 583 040 E-mail: info@restaurantelascortes.es**
www.restaurantelascortes.es
Parking: Fácil aparcamiento.
Propietario: Pilar Martín Blanco.
Días de cierre y vacaciones: Abierto todo el año.
Decoración: Sobria, clásica y elegante.
Ambiente: Selecto.
Bodega: Principalmente vinos de la Ribera del Duero, Cigales, Toro y Rioja.
Hombres y nombres: Dirección: César Delgado Lorenzo. Sala: Vicente Sanz.
Otros datos de interés: Amplias y modernas instalaciones aptas para bodas, bautizos, comuniones o comidas de empresa hasta 300 personas. Zona de barra, espacioso y diáfano comedor principal, comedor de verano acristalado, terraza y jardines. Además, para los eventos: sala de baile con barra propia. Pertenece a la "Asociación de Asadores de Lechazo Castilla y León".
Tarjetas: Las principales.

ESPECIALIDADES LAS CORTES

Cocina castellana actual
Embutidos ibéricos
Boletus edulis a la sartén
Arroz con setas y hongos
Lechazo y cochinillo asado en horno de leña
Guisos caseros y platos de cuchara
Carnes a la brasa
Cogote de merluza
Bacalao con boletus edulis en salsa de piquillos y arbequina
Rodaballo al horno con cebollino y guarnición de langostinos
Arroz con leche, tarta de frutas, ponche segoviano
Tarta de queso con toffee, trufas de chocolate

Medina del Campo

A 52 km de Valladolid y 156 km. de Madrid, esta próspera y tranquila villa situada en el centro de una amplia llanura constituye un importante nudo de comunicaciones en el centro de Castilla y León.

Es en la época de esplendor de Medina del Campo durante los siglos XV y XVI cuando se levantaron la mayoría de los edificios civiles, religiosos y militares que dotan a la ciudad de un significativo patrimonio monumental. Su centro urbano está declarado Conjunto Histórico Artístico desde 1978. Privilegiados representantes de aquel pasado arquitectónico son el grandioso castillo gótico-mudéjar de La Mota, la Plaza Mayor, la iglesia Colegiata de San Antolín, el Palacio de los Dueñas...

Museo de Las Ferias.- Instalado en la antigua iglesia de San Martín pretende reflejar la importancia de las famosas ferias de alcance internacional celebradas en Medina del Campo durante los s. XV y XVI, época en la que se constituyó como uno de los centros económicos y mercantiles más prestigiosos de Europa. Hoy en día, mantiene su carácter ferial, de ahí que sea denominada como "Villa de las Ferias".

En el museo se expone una extraordinaria colección de piezas artísticas, históricas y documentales, sin olvidar la incorporación de modernas técnicas de comunicación: audiovisuales, videos, paneles, puntos de información interactiva y equipo de audioguías.

Palacio Real Testamentario de Isabel La Católica.- Nuevo espacio de encuentro con la historia y con la figura de la Reina. Se ha recuperado el antiguo edificio que formaba parte de las dependencias del Palacio Real donde Isabel vivió, testó y murió. Recibe el nombre de Testamentario por ser testigo del singular momento del dictado de la Reina del Testamento y Codicilio. A través de sus diferentes salas el visitante irá descubriendo la vida y la personalidad de Isabel La Católica. Durante este año se celebra en Medina del Campo el V Centenario de su muerte.

Continental

Localidad: **Medina del Campo (Valladolid)**
Dirección: Pza. Mayor de la Hispanidad, 15 (centro villa-zona peatonal).
Teléfonos: **983 801 014**
Parking: Alrededor de la Plaza Mayor.
Propietario: Carlos Díaz Sanchez.
Días de cierre y vacaciones: Cerrado martes. Vacaciones la 2ª quincena de Octubre.
Decoración: De principios de siglo con objetos antiguos.
Ambiente: Muy animado.
Bodega: Blancos de Rueda; Palacio de Bornos Blanco e Illera Tinto; vinos de la Ribera del Duero principalmente y tintos "Tierra de Medina".
Otros datos de interés: En uno de los salones del que fuera el "Gran Café" fundado en 1904, se encuentra el comedor del restaurante Continental con el sabor de aquella época. Se organizan jornadas gastronómicas castellano-leonesas con gran afluencia de público y un notable éxito. Gran barra de aperitivos selectos y terraza de verano.
Tarjetas: Visa, Caja España, 6000.

ESPECIALIDADES CONTINENTAL

El mejor tostón de Castilla
Cocina casera típica de Medina
Guisos caseros (cambian diariamente)
Todos los lunes cocido típico de Medina hecho al carbón y leña
Morcilla con pasas y piñones
Bacalao con cocochas al ajo arriero
Lengua empiñonada
Lechazo al horno
Caza (en temporada)
Escabeches de caza (conejo, perdiz, codorniz)
Solomillo al hojaldre con salsa de trufas
Pescados frescos del día
Elaboración diaria de postres caseros
Trufas de chocolate, crema de café
Canutillos de crema, leche merengada
Orujos caseros

Hotel Arzuaga *****

Ideal para agasajar a los huéspedes amantes del vino.

La última gran novedad de Bodegas Arzuaga Navarro no ha sido de signo vinícola, sino la creación de un hotel con encanto adosado a la bodega. Cuenta con entada independiente, aunque también se puede acceder mediante un ascensor desde las instalaciones de vinificación y crianza.

Es una prueba de que Arzuaga Navarro quiere ir más allá de su fin esencialmente vinícola y crear todo un mundo entorno al vino.

No hay mejor forma de abrir de par en par las puertas de una bodega que ofreciéndola en todos los sentidos: la visita, la cata y ahora también el alojamiento para conseguir la inmersión total en este mundo de naturaleza, pasión y disfrute de los sentidos.

Los huéspedes disponen de todas las comodidades. 43 habitaciones, incluidas 4 suites y 4 junior-suites, equipadas con ducha de hidromasaje y jacuzzi, TV por satélite y room service. Se ha optado por los materiales nobles, dando un gran protagonismo a la madera que ofrece todo su calor y solidez. Y fuera, una vez más, la piedra que hermana el hotel con la bodega.

HOTEL ARZUAGA'S SPECIALITIES

Castilian cookery
Seasonal specialities (wild mushrooms, dove, partridge,...)
Game specialities (especially venison -deer- and wild boar from our farm)
Lukewarm salt cod salad
Leek pudding topped with goose liver, fig and raisin sauce
Potatoes with wild boar
Suckling lamb kebab
Roast suckling lamb
Monkfish with pine nuts and foie-gras
Gilthead bream in a salt coat
Rib of beef steak
Confit of duck with apple sauce
Orange soufflé
Home-made pastries prepared daily

Hotel Arzuaga

Localidad: **Quintanilla de Onésimo (47350 Valladolid)**
Dirección: Ctra. N. 122 Aranda-Valladolid, km. 325
Teléfonos: **983 687 004 - 983 687 046 Fax. 983 687 099**
E- mail: hotel@arzuaganavarro.com
www.arzuaganavarro.com
Parking: Amplio aparcamiento propio.
Propietario: Familias Arzuaga-Navarro.
Días de cierre y vacaciones: Abierto todo el año.
Decoración: Castellana, a la vez rústica y lujosa.
Ambiente: El entorno del vino y convenciones de empresa.
Bodega: Los vinos de la propia bodega, más de 20 referencias y todas las añadas.
Hombres y nombres: Jefe de cocina: Satur de Castro. Maitre: Javier Martínez.
Otros datos de interés: El hotel está perfectamente integrado en la bodega: pared con pared con los lugares de trabajo y el viñedo a sus pies. Posibilidad de banquetes hasta 500 personas y visitas guiadas a las bodegas con catas y explicaciones de la elaboración del vino.
Tarjetas: Las principales.

ESPECIALIDADES HOTEL ARZUAGA

Cocina castellana
Platos de temporada (setas, paloma, perdiz...)
Caza (principalmente ciervo y jabalí de la propia finca)
Ensalada templada de bacalao
Pastel de puerros cubierto de hígado de oca, salsa de higos y pasas
Patatas con jabalí
Pincho de lechazo
Lechazo al horno
Rape empiñonado al foie
Dorada a la sal
Chuletón de buey
Confit de pato en salsa de manzana
Soufflé de naranja
Tartas artesanas elaboradas a diario

Receta Bodega Las Tinajas

Crestas de gallo, con crema de hongos, uvas y piñones

Ingredientes para 4 personas: 1 kg. de crestas de gallo limpias, 1 cebolla, 1 pimiento rojo, 1 pimiento verde, 1 majado de ajo, perejil y vino blanco de Rueda, 2 hojas de laurel, orégano, pimienta negra molida, 2 cucharadas de tomate frito, ½ cucharada sopera de pimentón dulce, 100 gr. de jamón ibérico de Guijuelo en dados, 200 gr. de boletus edulis, uvas, piñones de Pedrajas, harina tradicional zamorana.

Elaboración: Trocear de forma original las crestas ya cocidas y limpias. En una cazuela de barro, echar aceite de oliva virgen, rehogar pimiento rojo, pimiento verde y cebolla, bien sudado. Añadir el majado y rehogar todo. Añadir el jamón ibérico en dados y las setas y echar un poquito de harina y pimentón; añadir también un poquito de vino blanco de Rueda. Las crestas reservadas, añadirlas a la cazuela y echar el tomate frito, una guindilla y un poquito de caldo. Lo dejamos a fuego lento 10 minutos, echar las uvas limpias y unos piñones y lo dejamos 5 minutos más.

Emplatado: Lo disponemos en platos o en copas de cóctel.

BODEGA LAS TINAJAS' SPECIALITIES

High-class cuisine with variety of specialities
Cured air-dried bull meat
The 5-star dish: white bean stew with Iberian pork
Baked stuffed leeks
Foie-gras after our chefs recipe
Gently-cooked stews
Special hake or salt-cod "Tinajas"
Boned fillets of sardines, marinated and smoked
Roasts of the day
Beef cuts
The best ostrich meat
Venison à la Rabelaisienne
Wild mushrooms in season
Cock combs with cèpe mushrooms and pine nuts
Wide range of home-made desserts

Bodega Restaurante Siglo XVI Las Tinajas

Localidad: **Villanueva de Duero (47239 Valladolid)**
Dirección: Ctra. Valladolid a Medina del Campo, km, 15 (Urb. Las Tinajas).
Teléfonos: **983 555 625 (y fax)** **www.bodegalastinajas.com**
Parking: Propio.
Días de cierre y vacaciones: Cerrado lunes todo el día. Vacaciones a finales de Diciembre.
Decoración: Castellano rústica, combinando buen gusto y elegancia.
Ambiente: Negocios, familias, gentes de buen yantar, famosos y personalidades.
Bodega: Extensa en vinos de Rueda, Ribera del Duero y otras denominaciones.
Hombres y nombres: Director: Alberto Suárez Noval, rodeado de un gran equipo de jóvenes profesionales.
Otros datos de interés: Carta de bodega y carta de restaurante, horno de leña y parrilla de carbón. Comedores modulables con capacidad total hasta 180 personas para todo tipo de celebraciones: bodas, banquetes, comuniones,... Terraza de verano para aperitivos y copas. Restaurante ubicado en plena naturaleza y **a tan sólo 10 minutos de Valladolid.** Ha participado en varios eventos gastronómicos. Miembro de Eurotoques y Maestres de Cocina de Castilla y León.
Tarjetas: Las principales.

ESPECIALIDADES BODEGA LAS TINAJAS

Cocina selecta y variada
Cecina de toro (vacuno rojo)
El plato 5 estrellas: alubiones con cositas del cerdo ibérico
Puerros rellenos al gratén
Foie al estilo del chef
Guisos a fuego lento
Merluza o bacalao especial "Tinajas"
Lomos de sardinas, deshuesadas, marinadas y ahumadas
Asados del día
Carnes de vacuno mayor
Deguste la mejor carne de avestruz
Ciervo Rabelaisienne
Micología en temporada
Crestas de gallo con hongos y piñones
Gran variación de postres caseros

El Rincón de Antonio

Excelencia zamorana

Después de una dilatada trayectoria profesional en Málaga, Marbella, Ibiza, Valladolid y Barcelona, Antonio González de las Heras regresó a su ciudad natal para inaugurar su propio restaurante en diciembre de 1999. En sus más de diez años de andadura, esta casa se ha convertido en la referencia gastronómica de Zamora, donde marca la pauta, y una de las principales de Castilla y León.

Situado en el casco antiguo de Zamora, también denominada "Ciudad del Románico", en el eje neurálgico que comunica la Catedral con la Plaza del Mercado, muy cerca del Parador, El Rincón de Antonio armoniza el carácter tradicional de la edificación –casona del año 1790 felizmente reacondicionada a los tiempos actuales- con una nueva concepción de la alta restauración. Las robustas paredes de piedra, zonas revocadas y carpinterías de madera contrastan con las vanguardistas superficies coloristas de cristal, yeso y maderas tratadas. Las instalaciones conjugan rusticidad y modernidad, constan de tres salones privados (8 personas cada uno), comedor hasta 20 y terraza interior climatizada para celebraciones hasta 90 comensales.

Antonio González despliega una prolífica **cocina de autor basada en productos zamoranos**, muy ligada a su tierra zamorana, con las mejores materias primas de la despensa autóctona, siempre tratadas con su personal toque intuitivo y artístico: verduras, garbanzos, ternera de Aliste, quesos...Imaginación desbordante. Brotan formulaciones sorprendentes y complejas, sabores nítidos y delicados, provocando nuevas sensaciones...una original culinaria minimalista, caracterizada por la acertada combinación de sabores, texturas, colores y olores.

La creatividad de esta cocina cautiva a propios y extraños. Una apuesta de alto nivel, siempre interesante y solvente.

EL RINCÓN DE ANTONIO'S SPECIALITIES

The à la carte menu combines the traditional cookery from Zamora and our own ideas, using the best regional ingredients

Seasonal menu: 32,50 €

Tasting menu: 55 €

Tasting menu with fish & seafood: 55 €

Tasting menu for vegetarians: 49 €

The à la carte menu changes according to the season

Fried marinated specialities with pickles from Zamora

Dishes of the traditional cookery from Zamora (on request)

Chickpeas from Fuentesaúco in garlicky sauce, cèpe mushrooms

Poulard in court-bouillon with prawn from Huelva, garlic and mango

Beef cuts of 7 year-old animals

Cheese from Zamora

Imaginative desserts, changing every day

El Rincón de Antonio

Localidad: Zamora (49001)
Dirección: Rua de los Francos, 6 (a 25 m. del Parador)
Teléfonos: 980 535 370 www.elrincondeantonio.com
Parking: Aparcamiento a 50 metros.
Propietario: Antonio González de las Heras.
Días de cierre y vacaciones: Abierto cada día, excepto domingos noches.
Decoración: Casa noble del siglo XIX que combina lo histórico con las tendencias de decoración más actuales.
Ambiente: Empresas y negocios, más íntimo los fines de semana.
Bodega: 800 referencias, 58 D.O. de vinos españoles, franceses, portugueses, italianos y 30 champagnes. Colección de brandies "de 1920 a 1960".
Hombres y nombres: Jefe de cocina: Antonio González de las Heras.
Maitre: Ricardo González de las Heras. Repostera: Manuela González de las Heras.
Otros datos de interés: Casa en constante evolución, se aconseja reservar. Atención a todos los detalles: carta de aguas, aceites, quesos. Mantelería de verano e invierno. En Otoño celebra jornadas gastronómicas dedicadas a la caza y las setas.
Tarjetas: Todas.

ESPECIALIDADES EL RINCÓN DE ANTONIO

La carta combina la cocina tradicional zamorana
y la cocina de autor, con los productos de la zona
Menú de temporada: 32,50 €
Menú Degustación: 55 €
Menú Degustación de Pescados y Mariscos: 55 €
Menú Degustación Vegetariano: 49 €
La carta cambia en cada estación
Escabeches con encurtidos de Zamora
Platos de la cocina tradicional zamorana (por encargo)
Garbanzos de Fuentesaúco al ajo arriero zamorano, boletus edulis
Pularda en caldo corto con gamba de Huelva, ajo y mango
Carne roja de 7 años de trazabilidad
Quesos de Zamora y Zamorano
Postres con imaginación, cambian a diario

El Ermitaño

"Benavente, villa de condes y duques, nuestra ciudad natal, de tus valles se enriquece esta Gastronomía que es tan particular.

Nuestros pucheros recogen recetas sin igual, intentando darles vida, porque no quiero... no quiero ni pensar, que los fogones zamoranos las quieran olvidar.

Cocidos, asados, braseados y endulzados todos ellos, como no, con nobles vinos castellanos, que veneran y aterciopelan nuestro paladar. Seguiremos haciendo honor a nuestra tierra, a nuestros productos, a la amistad y por supuesto a nuestra forma de cocinar".

Salud y buen provecho.

Pedro Marío Pérez
El Ermitaño

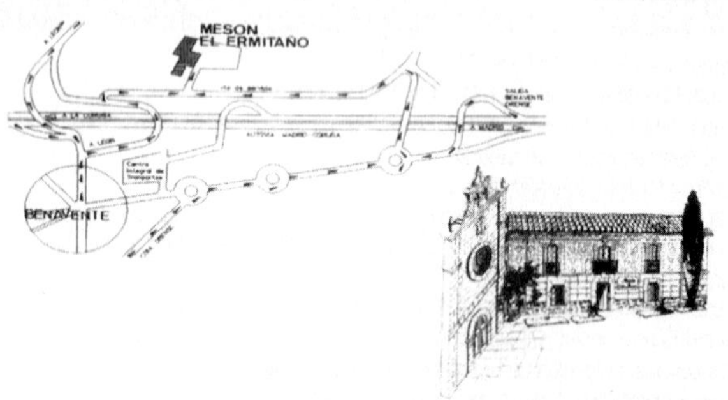

Dispone de horno de adobes y parrilla de leña. Jardines, zona de ocio, parque infantil y huerto propio. Buhardilla para tertulias. Varios salones privados y salones para banquetes (hasta 500 comensales).

EL ERMITAÑO'S SPECIALITIES

Harmony between tradition and imagination
The a la carte menu changes according to seasons
Gastronomic menus
Special menus for parties
Smoke cured or macerated ham, sausages, loin
Speciality of fresh vegetables after our own recipe
Pastries, patés, foie-gras, smoked specialities, carpaccio
Hot-pots and stews for the cold days, prepared with care and love
Every day, fresh fish according to the catch
Barbecued white and red meat cuts
Wild game during the hunting season
Roast lamb and suckling pig from the brick oven
Homemade traditional and creative pastries and confectionary

El Ermitaño

Localidad: Benavente (49600 Zamora).
Dirección: Ctra. N-630. Benavente-León, km.1'200.
Teléfonos: 980 632 213 - Fax 980 636 795
www.elermitano.com
Parking: Muy amplio, vigilado.
Propietario: Hermanos Pérez Alonso.
Días de cierre y vacaciones: Cerrado domingos noches y lunes todo el día, excepto festivos. Vacaciones: Del 23 de diciembre al 15 de enero.
Decoración: Agradable combinación del viejo estilo castellano con tendencias muy actuales.
Ambiente: Amistoso. Defensores de lo autóctono.
Bodega: Representación de casi todas las denominaciones de origen con acento en los vinos de la zona.
Hombres y nombres: Dirección y cocina: Pedro Mario Pérez Alonso y Oscar Manuel Perez Alonso. Jefe de sala: Nino Martínez Rodríguez. Jefe de cocina: Juanjo Mencía
Otros datos de interés: Se puede visitar la ermita-museo del siglo XVII restaurada. Organiza jornadas gastronómicas.
Tarjetas: Todas.

ESPECIALIDADES EL ERMITAÑO

Armonía entre tradición e imaginación
La carta cambia según la temporada
Menús degustación
Menús a medida para banquetes
Embutidos curados al humo o macerados
Verduras y hortalizas con sabores primarios, mezcladas y ligadas con imaginación
Pasteles, pâtés, foies, ahumados y carpaccios en un concepto atrevido
Potes o platos de cuchara para el frio, hechos con mimo y cariño
Cada día, pescados frescos de temporada
Carnes blancas y rojas con el sabor de la encina
Pelo y pluma en los meses de caza
Lechazo y tostón acunados en horno de adobe
Nuestra cocina dulce, fiel, tradicional y creativa

AVILA

EL ALMACÉN. Ctra. de Salamanca, 6. Tel. 920 254 455. Fax: 920 211 026.

Con vistas a las murallas, en este antiguo almacén de granos perfectamente restaurado, Isidora continúa demostrando un amplio conocimiento culinario, armonizando la cocina clásica y la moderna con toques innovadores. Julio Delgado se consolida también como un gran sumiller.

BURGOS

LANDA. Ctra. A-1, Madrid-Irún, 235. Tel. 947 257 777
www.landahotel.com

Situado en el hotel Landa Palace, en una rehabilitada fortaleza medieval decorada con motivos nobles y antiguos, es un lugar que nunca decepciona, de gran prestigio en la zona. Cocina regional de temporada que prima por encima de todo la extraordinaria calidad de las materias primas. Un aconsejable alto en el camino.

LEON

COCINANDOS. Las Campanillas, 1. Tel. 987 071 378.
cocinandos@cocinandos.com - www.cocinandos.com

Un equipo joven y dinámico aporta su particular visión de la cocina leonesa actual. Este pequeño restaurante gastronómico, funcional y vanguardista, elabora una culinaria moderna que toma como punto de partida el sabor tradicional. Su filosofía se plasma en un único Menú Degustación que cambia semana. El producto fresco y de temporada es el principal protagonista.

PALENCIA

Villoldo: **ESTRELLA DEL BAJO CARRIÓN. Ctra. Palencia-Riaño, km. 29.**
Tel. 979 827 005 info@estrellabajocarrion.com
www.estrellabajocarrion.com

Restaurante de hotel a destacar en el panorama culinario de la provincia. Alfonso Fierro, el benjamín de la saga Pedrosa, elabora una cocina actual e imaginativa, cimentada en los ricos frutos de la tierra. Especialidades locales bien renovadas y recetas de corte innovador, resultado de su constante inquietud y afán de superación.

SALAMANCA

VICTOR GUTIERREZ. San Pablo, 66. Tel. 923 262 973.
www.restaurantevictorgutierrez.com

En el centro de la ciudad, próximo a la Plaza Mayor y las Catedrales, frente al convento de San Esteban, restaurante de marcada influencia de la cocina peruana que a su vez, por tradición y cultura, está enriquecida con la fusión de la culinaria japonesa, china e inca. El chef Víctor Gutiérrez amalgama el conjunto con infinitos matices de sabores y texturas.

SEGOVIA

MARACAIBO "CASA SILVANO". Pº Ezequiel González, 25. Tel. 921 461 545. Fax: 921 462 347. www.restaurantemaracaibo.com

Un local atípico en Segovia al desmarcarse de los habituales asadores de la ciudad. La familia Hernando apuesta por una atractiva culinaria acorde a los tiempos actuales, con una carta contemporánea, amplia y equilibrada. En la misma línea se sitúan sus postres y su lista de vinos con presencia de marcas emergentes y bodegas nuevas, junto a caldos consolidados.

VILLENA. Plaza Mayor, 10. Tel. 921 461 742. Fax: 921 460 010. reservas@restaurante-villena.com - www.restaurante-villena.com

El virtuosismo de Julio Reoyo mima la despensa de Castilla y León conjugando de manera equilibrada la pureza de los sabores tradicionales con las presentaciones y tratamientos actuales. Bodega muy completa, escogida relación de las principales áreas geográficas españolas y selección de grandes vinos del mundo.

SORIA

IRUÑA. Plaza Ramón Benito Aceña, 2. Tel. 975 226 831. contacto@irunaplaza.com - www.irunaplaza.com

El restaurante se ha trasladado a la céntrica y renombrada Plaza de Herradores. En este nuevo espacio completamente renovado, el establecimiento dirigido por Félix Hernández presenta una culinaria basada en la tradición con una actualizada y personal revisión creativa. Muestra especial atención a la micología de temporada y la cocina de mercado.

VALLADOLID

Urueña: LOS LAGARES DE URUEÑA. Catahuevos, 6. Tel. 983 717 033. www.lagaresdeuruena.com

En la villa medieval de Urueña, Villa del Libro, nueva y atractiva propuesta de turismo cultural, Ángel e Isabel dirigen esta casa de comidas que apuesta por la cocina del producto ecológico y del sabor. Gran esmero en la calidad y autenticidad de las materias primas: verduras, hortalizas, setas silvestres durante todo el año, pollos, corderos y caza en temporada. Buena mano en las elaboraciones y las raciones siempre generosas redondean esta fórmula que ha sabido ganar un público fiel.

ZAMORA

PARIS. Avda. Portugal, 14. Tel. 980 514 325. www.restauranteparisszamora.com

Fundado en 1979 es un referente gastronómico en Zamora. Ubicado en el centro de la ciudad, muy cerca del Parque de La Marina, cuenta con completas instalaciones: elegante bar de espera, renovado comedor y salones privados en la planta superior. Cocina castellana tradicional con materias primas de calidad e interesante bodega. Servicio eficaz y profesional con amplia experiencia en el mundo de la restauración.

Barcelona

Fiestas Patronales: Nuestra Señora de la Merced, 24 de septiembre. Festival Internacional de Música, desfile de gigantes, cabezudos, diversos actos culturales y otros festejos populares.
Museos y monumentos: Sagrada Familia, Museo Arqueológico, Museo de Historia de la Ciudad, Museo de Arte de Catalunya, Museo Clará, Museo Federico Marés, Museo Marítimo, Museo de Picasso, Fundación Joan Miró, Palau de la Música Catalana, Barrio Gótico, Basílica de la Merced, Ramblas, Parque de Montjuïc, Tibidabo, Pueblo Español.
Oficina de Turismo: Paseo de Gracia, 107. Tel. 93 238 40 00.

Girona

Fiestas Patronales: San Narciso, 29 de octubre: "Fires de Sant Narcís", del 28 de octubre al 4 de noviembre. Semana Santa, procesiones. En verano, conciertos y festivales.
Museos y monumentos: Museo de la Catedral, Museo de Arte, Museo Arqueológico de Sant Pere de Galligans, Museo Histórico, Baños Árabes, Iglesia de San Nicolás, Iglesia de San Félix, Iglesia de Santo Domingo, Fontana d´Or, Murallas romanas, Parque de la Dehesa.
Oficina de Turismo: Rambla de la Llibertat, 1. Tel. 972 226 575.

Lleida

Fiestas Patronales: Feria de San Miguel, 20 al 25 de septiembre (ambos incluidos). Celebra su fiesta mayor en mayo, en honor a San Anastasio, y en septiembre conmemorando a la Virgen Blanca. Fiestas de carnaval en Solsona. Representación teatral de "La Passió" de Cervera (todos los domingos de marzo y abril). Rally turístico-deportivo internacional del río Noguera Pallaresa.
Museos y monumentos: La Seo Vieja, consagrada en el s. XIII, la Catedral nueva, la Paería o Casas Consistoriales, el Castillo de la Zuda, la iglesia de San Martín, sede del Museo Románico, el hospital de Santa María, la iglesia de San Lorenzo, el castillo de Gardeny, Museo Diocesano, Academia Bibliográfica Mariana, Colección Provincial Arqueológica del Instituto de Estudios Ilerdenses, Museo Morera, de obras pictóricas y escultóricas.
Oficina de Turismo: Avda. Madrid, 36. Tel. 973 270 997.

Tarragona

Fiestas Patronales: San Magín, 19 de agosto y Santa Teresa, 23 de septiembre. Bailes, concursos, deportes, actos culturales.
Museos y monumentos: Museo Arqueológico, Museo Paleocristiano, Museo de Arte Moderno, Museo Diocesano, Pretori Romano, Catedral, Anfiteatro Romano, Paseo Arqueológico y Murallas, Casa-Museo Castellarnau, Acueducto romano, Torre de los Escipiones, cantera romana el Mèdol, Iglesia de San Pablo, Antiguo Hospital, Balcón del Mediterráneo.
Oficina de Turismo: Fortuny, 4. Tel. 977 233 415.

En Cataluña podrá disfrutar de una gran variedad de paisajes en una extensión relativamente reducida: más de 500 km. de costas(Costa Brava, Maresme y Dorada), zonas de alta montaña como la gran cordillera Pirenaíca con sus numerosas estaciones de esquí, media montaña -Montserrat o el Macizo de Montseny- o la extensa llanura de tierra y agua que representa el Delta del Ebro.

Cada año, millones de turistas se concentran en el litoral catalán, sin advertir que tierra adentro, pero muy cerca del Mar Mediterráneo, tan luminoso, hay otros lugares de interés turístico, monumental o paisajístico que también merecen ser visitados.

A la incuestionable riqueza de su paisaje, hay que añadir su importancia monumental y museística: su larga historia nos ha legado innumerables muestras del románico, gótico y también modernista donde sobresale la figura del genio Gaudí. En Cataluña hay más de trescientos museos abiertos al público que conservan colecciones de interés universal.

Barcelona, capital de Cataluña y ciudad mediterránea por excelencia, merece un comentario aparte. Es, sin duda, una de las grandes ciudades europeas que se ha convertido en nuestros días en un destino turístico de primer orden. La celebración de las Olimpiadas del 92 supuso una importante renovación urbanística. Barcelona es una ciudad llena de vida, con una intensa actividad cultural, comercial y deportiva.

Guía de Hoteles

Barcelona

ABAC*****	Av. Tibidabo, 1	93 319 66 00	www.abacbarcelona.com
ARTS*****	Marina, 19-21	93 221 10 00	www.hotelartsbarcelona.com
REY JUAN CARLOS I*****	Av. Diagonal, 661-671	93 364 40 40	www.hrjuancarlos.com
MAJESTIC*****	Pº Gracia, 68	93 488 17 17	www.hotelmajestic.es
PALACE*****	Gran Vía, 668	93 510 11 30	www.hotelpalacebarcelona.com
En Sant Sadurní d'Anoia			
SOL Y VI	Subirats	93 899 32 04	www.solivi.com

Girona

PALAU BELLAVISTA*****	Pujada Polvorins, 1	972 080 670	www.ac-hotels.com
CARLEMANY****	Pl. Miquel Santaló, 1	972 211 212	www.carlemany.es
En Avinyonet de Puigventós			
MAS PAU	Ctra. Figueres-Besalú	972 546 154	www.maspau.com
En Caldes de Malavella			
BALNEARIO VICHY CATALAN	Av. Doctor Furest, 32	972 470 000	www.balneariovichycatalan.com
En Figueres			
TRAVÉ	Ctra. Olot, s/n	972 500 591	www.hoteltrave.com
En Platja d'Aro			
HOTEL COSTA BRAVA	Punta d'en Ramis, s/n	972 817 070	www.hotelcostabrava.com
En Pont de Molins			
EL MOLI	Ctra. a Les Escaules	972 529 271	www.hotelelmoli.es
En S'Agaró			
HOSTAL DE LA GAVINA*****	Pza. Rosaleda, s/n	972 321 100	www.lagavina.com
S'AGARÓ HOTEL****	Platja de Sant Pol	972 325 200	www.hotelsagaro.com
En Sant Julià de Ramis			
PALAU DE GIRONA****	Av. de Francia, 11	972 173 295	www.hotelpalaudegirona.com

Lleida

CONDES DE URGEL****	Av. Barcelona, 87	973 202 300	www.hcondes.com
ZENIT LLEIDA****	Gral. Brito, 21	973 229 191	www.zenithoteles.com
PIRINEOS****	Pº de Ronda, 63	973 273 199	www.nh-hoteles.es

Tarragona

IMPERIAL TARRACO****	Pº de las Palmeras, s/n	977 233 040	www.hotelhusaimperialtarraco.com
En Deltebre DELTA HOTEL***	Ctra. del Canal, s/n	977 480 046	www.deltahotel.net
En Montbrió del Camp			
TERMES MONTBRIO****	Carrer Nous, 38 bis	977 814 000	www.rocblanchotels.com

La cocina catalana

La diversidad paisajística de Cataluña tiene su reflejo en la gran variedad de materias primas y en la riqueza de su recetario: la cocina de montaña e interior, donde predominan los productos del huerto y del corral, así como la caza; la cocina marinera con sus pescados y mariscos; y la cocina propia de los núcleos urbanos que renueva platos tradicionales y adapta recetas internacionales.
La cocina catalana forma parte de la prestigiosa cocina mediterránea, basada en la trilogía del trigo, aceite y el vino enriquecida por las aportaciones de Oriente y América.
La gastronomía catalana recoge la sabiduría y la tradición popular. El tratamiento de unos sencillos ingredientes consigue maravillas que el paladar sabrá agradecer. Hay que probar el humilde pan con tomate bien aliñado con sal y aceite, descubrirá que combina a la perfección con las anchoas saladas o los muy variados embutidos del país. También tiene platos inteligentemente elaborados y de gran originalidad, dignos de las mejores mesas.
El complemento de un buen yantar es un buen vino. Los vinos catalanes ofrecen una variedad y calidad garantizada por diversas denominaciones de origen, desde los vinos blancos y rosados de paladar suave hasta los tintos de graduación elevada y gusto extenso. El vino espumoso de calidad ,denominado cava, elaborado según el método tradicional se consume en todos los rincones del mundo.

Abac

Para hedonistas del siglo XXI

Situado al comienzo de la emblemática Avda. del Tibidabo, una de las zonas más selectas de Barcelona, Abac es un establecimiento exclusivo y elitista, pulido escenario de alto standing con un restaurante y quince deliciosas suites.

Gastronomía: Jordi Cruz es el chef del restaurante Abac. Un joven cocinero con una fulgurante carrera en el restaurante L'Angle (Sant Fruitós del Bages). En el año 2006 ganó la primera edición del Concurso Cocinero del Año. Ha publicado también el libro "Cocina con Lógica". En cuanto a su cocina la define como evolutiva e inquieta, basada en el producto y donde tiene cabida tanto la creatividad como la tradición.

El laboratorio de Abac es impresionante, las instalaciones de cocina cuentan con más de 200 m2 entre paredes de piedra negra y un gran ventanal. Un recorrido marcado en leds permite a los comensales visitarla sin interferir en su funcionamiento.

Aquí se respira lujo y refinamiento: ejemplar servicio de sala, platos de Versace, delicada cristalería, perfecta iluminación... El espacio se distribuye en un comedor para 56 comensales con grandes ventanales al jardín, salones para eventos privados para 20 y 60 personas y Lounge Bar.

Alojamiento: Un edificio original que llegó a ser consulado de EE.UU y otro anexo diseñado por Antoni de Moragas albergan las 15 habitaciones, cuidadas hasta el más mínimo detalle. La sofisticación está presente en todos los rincones: ambiente de blancos rotos y tonos crudos, muebles de estilo propio que emulan diseños de antaño, textiles e hilos de inmejorable calidad en las camas, televisores de gran formato, cuartos de baño con encimeras de caliza blanca y paredes de corian, bañeras de hidromasaje y cromoterapia, domótica para generar distintas escenas de luz y un sistema de control de accesos de última generación con tarjetas de proximidad para proporcionar mayor seguridad e intimidad.

ABAC'S SPECIALITIES

Creative cookery of impeccable technique
Tartar of mushrooms, avocado and crab
Small octopuses and hamburger of pig's trotters with sausage
Foie gras cooked on bamboo steam
Ravioli with truffle, scallops and oyster mushrooms
Confit prawns with watercress cream, tomato and pastry round
Loin of tuna with artichokes flakes
Turbot with almond butter
Wild sea bass with crushed pepper and salsify in Priorato wine
Iberian sucking pig from Sierra Mayor
Calf's sweetbreads with pearl onions
Chargrilled venison with quince jelly
Tomato coulis with panna cotta of ewe's milk
Mocha sponge

Abac

Localidad: Barcelona (08022)
Dirección: Avda. Tibidabo, 1
Teléfonos: 93 319 66 00
E-mail: info@abacbarcelona.com www.abacbarcelona.com
Propietario: Josep Maria García Simó y Lluís Geli.
Días de cierre y vacaciones: Cerrado domingos y lunes.
Decoración: Edificio centenario magníficamente rehabilitado por Moragas. Armónico espacio integrado en un jardín de la zona alta de Barcelona.
Ambiente: Lúdico y elitista.
Bodega: Más de 900 etiquetas nacionales e internacionales perfectamente referenciadas.
Hombres y nombres: Director y chef de cocina: Jordi Cruz. Sala: Marc Font. Responsable de bodega: Fernando Pavón.
Otros datos de interés: Lujo minimalista, completado por un lounge-bar para placenteras sobremesas con cafés, petit fours ó cócteles, spa y 15 exclusivas habitaciones con room service personalizado.
Tarjetas: Todas.

ESPECIALIDADES ABAC

Refinada cocina creativa para agradar
Tartar de champiñones, aguacate y buey de mar
Pulpitos con hamburguesa de pies de cerdo y butifarra
Foie-gras al vapor de bambú
Ravioli con trufa, vieiras y setas
Gambas confitadas con crema de berros, tomate y coca
Lomo de atún con chips de alcachofa
Rodaballo con mantequilla de almendras
Lubina salvaje con mignonnette de pimientas y salsifís al vino del Priorato
Cochinillo ibérico de Sierra Mayor con tatin de mango
Mollejas de ternera con cebollitas
Ciervo a la brasa con membrillo
Coulis de tomate con panna cotta de leche de oveja
Bizcocho al café

Receta Beltxenea

Txangurro con kokotxas

Ingredientes para 4 personas: 1 kg. de centollo limpio y cocido, ¼ l. de salsa americana, 1 cebolla, 400 gr. de kokotxas, aceite, ajo, perejil y guindilla.

Elaboración: picar la cebolla y rehogarla. Cuando esté dorada, añadir la carne del centollo desmigada. Agregar un vaso de coñac para flambear. Una vez flambeado, añadir la salsa americana. Dejar cocer durante 5 minutos sin dejar de remover.

Aparte, en una cazuela de barro poner aceite, ajo picado y guindilla. Cuando el aceite esté muy caliente, añadir las kokotxas y una vez cocidas retirar del fuego y ligarlas (al Pil-Pil).

Presentación del plato: fondo de txangurro y colocar las kokotxas encima. Decoración al gusto.

BELTXENEA'S SPECIALITIES

Salad of prawns and wild salmon with truffle oil
Artichokes with clams and cured ham
Pancakes with scallops and oyster mushrooms
Home-made terrine of foie gras
Lukewarm spider crab with "kokotxas" (part of the hake collar) in garlicky sauce
Grilled lobster
Hake as in Ondarroa
Fillet steak with foie gras and baked apple turban
Home made confit of duck with rosemary-honey sauce
Biscuits and sorbets
Peppered strawberries au gratin
Red berries with cumin

Beltxenea

Localidad: **Barcelona (08008)**

Dirección: C/ Mallorca, 275, entlo.

Teléfonos: **93 215 30 24 y 93 215 38 48** **Fax: 93 487 00 81**

E-mail: info@beltxenea.com

Parking: Tres a menos de 100 metros

Propietario: Miguel Ezcurra

Días de cierre y vacaciones: Sábados mediodía y domingos. Vacaciones en agosto, Semana Santa y Navidad

Decoración: Suntuosa y elegante

Ambiente: Amantes del buen comer

Bodega: Extensa

Hombres y nombres: Chef: Miguel Ezcurra, Maitre: Miguel Ezcurra

Otros datos de interés: Los meses de verano ofrece cenas en la terraza-jardín. Dispone de varios salones privados.

ESPECIALIDADES BELTXENEA

Ensalada con langostinos y salmón salvaje al aceite de trufa
Alcachofas con almejas y jamón
Crep de vieiras con setas
Terrina de foie hecho en casa
Txangurro templado con kokotxas al Pil-Pil
Bogavante a la plancha
Tronco de merluza al estilo Ondarroa
Centro de solomillo con foie y turbante de manzana al horno
Confit de pato hecho en casa a la salsa de miel de romero
Surtido de biscuits y sorbetes
Gratinado especial de fresitas a la pimienta
Orlea de frutos rojos al Kümmel

Receta **Bistrot BCN**

Goujonette de lenguado

Ingredientes para 2 personas: 3 filetes de lenguado, el jugo de 1 limón, sal, pimienta, harina y ½ l. de aceite para freír.

Elaboración: Limpiar los filetes de lenguado. Trocear el pescado, exprimir el jugo de limón y salpimentar. Pasar los filetes de lenguado por harina y después freirlos con aceite de oliva y mantequilla. Una vez dorados, reservar.

Para la decoración: Pasar por la sartén dados pequeños de patata y de alcachofas, previamente blanqueados. En el momento de servir, colocar por encima de las goujonettes mantequilla fundida, perejil, jugo de limón y rectificar de sal y pimienta.

BISTROT BCN'S SPECIALITIES

Catalonian and French cookery
Fish soup Marseillaise
Home made terrine of foie gras
Boiled octopus sprinkled with olive oil and paprika
Green asparagus fan with glaze and black truffle
Tuna belly flaps with tomato and tender onions
Carpaccio of beef with parmesan shavings and salt flower
Fetuccini Bistrot
Meat cannelloni with truffled béchamel sauce
Juicy rice & lobster pot
Batter-fried hake Orly with small red "piquillo" capsicums
Salt cod Bistrot
Fillet steak with morels in cream sauce
Chocolate fondant with Chartreuse (liqueur) ice cream
Crisp round with red berries
Crêpes Suzette

Bistrot BCN

Localidad: **Barcelona (08011).**
Dirección: C/ Casanova, 15.
Teléfono: **93 424 63 48. Fax: 93 424 21 46.**
www.bistrot_bcn.com
Parking: Aparcamiento público enfrente.
Propietario: Bernard Chavant.
Días de cierre y vacaciones: Cerrado domingos noches y lunes, excepto festivos o vísperas. Vacaciones en agosto y 15 días en enero.
Decoración: Al estilo bistrot francés. Dos salones reservados con capacidad para 6/8 y 18 personas.
Ambiente: Predominan las comidas de negocios.
Bodega: Vinos españoles y franceses.
Hombres y nombres: Chef de cocina: Bernard Chavant.
Otros datos de interés: Bernard Chavant, tercera generación de maestros cocineros franceses, procedente de la prestigiosa escuela de Lausanne, ha reabierto este clásico restaurante barcelonés **(antiguo Reguant)**. En Francia, la familia regenta un hotel-restaurante en Bresson (Grenoble) al estilo Relais et Châteaux y "Plage Soleil" en Cannes (Costa Azul). Boulevard de la Croisette. 00 33 493 43 67 72.
Tarjetas: Todas.

ESPECIALIDADES BISTROT BCN

Cocina catalana y francesa
Sopa de pescado marsellesa
Terrina de foie de la casa
Pulpo a feira
Eventail de espárragos verdes con su glacé y trufa negra
Ventresca de atún con tomate y cebolla tierna
Carpaccio de ternera con láminas de parmesano y fleurs de sel
Fetuccini Bistrot
Canelones de carne con bechamel trufada
Arroz caldoso con bogavante
Merluza Orly con pimientos del piquillo
Bacalao Bistrot
Solomillo aux morilles à la crème
Fondant de chocolate con helado de Chartreuse
Crujiente de frutos rojos
Crepes suzette

Bonanova

Ilustrada casa de comidas

El restaurante Bonanova está ubicado en el antiguo casino del barrio barcelonés de Sant Gervasi. De estilo modernista, el edificio aún conserva elementos originales de la época cuando era punto de encuentro de gentes del barrio que disfrutaban con épicas partidas de dominó, futbolín...aún hoy el lugar es conocido en la zona por "el casinet" o los billares, el juego preferido por los habituales.

En la actualidad, los hermanos Herrero continúan la tarea de conservar la buena fama y prestigio culinario que adquirieron su padres, Adolfo y Pilar, verdaderos artífices del Bonanova. Este matrimonio, originario de Teruel, fundó el restaurante en 1963, dando vida a un barrio por entonces alejado del bullicio del centro de la urbe.

Desde aquellos años hasta ahora, el concepto gastronómico de Bonanova se mantiene inalterable, un importante vínculo los une: máxima calidad del producto y sencillez en las elaboraciones. Una cocina de mercado y de temporada puesta al día que apuesta por una mínima manipulación para conservar la esencia y sabores originales. Muy atenta a la estacionalidad del producto, esta casa busca lo mejor del día preferentemente en el Mercado de la Boquería además de otros géneros de su querida tierra turolense como trufas o nueces.

La trayectoria culinaria de Bonanova le ha convertido en un clásico de la parte alta de Barcelona. Un nutrido público de fieles parroquianos acude a degustar esta cocina natural y casera, que conserva sabores, aromas y colores de las antiguas fondas o casas de comidas donde el objetivo primordial es dar bien de comer.

BONANOVA'S SPECIALITIES

Traditional market cookery with seasonal produce
Vegetables and seafood
Peas tossed with cured ham and butifarra sausage
Cabbage and cauliflower mix
Grilled prawns with salt
Sea-cucumbers with fried eggs
Roast lamb shoulder
Cuts of "Morucha" beef from Salamanca
Fresh fish according to the market offer
Honey ice cream with wild strawberries and walnuts
Angel's hair, coconut ice cream and rum
Pastry assortment

Bonanova

Localidad: **Barcelona (08022)**
Dirección: Sant Gervasi de Cassoles, 103
Teléfonos: **93 434 06 22 - 93 417 10 33**
E-mail: info@restaurantebonanova.com
www.restaurantebonanova.com
Parking: Aparcamiento propio enfrente.
Propietario: Hermanos Herrero.
Días de cierre y vacaciones: Cerrado domingos noche y lunes todo el día. Vacaciones: Semana Santa y tres semanas en agosto.
Decoración: Antiguo "casinet" del barrio de Sant Gervasi. Edificio modernista de 1919 que conserva todo el sabor original: mosaicos, suelos...
Ambiente: Un clásico de Barcelona que resiste a la modernidad y al diseño.
Bodega: En constante rotación y vinos fuera de carta.
Hombres y nombres: Director: Carlos Herrero. RR.PP.: Adolfo Herrero. Jefe de cocina: Toni Aisa. Responsable de bodega: Luis Córdoba.
Otros datos de interés: Casa fundada en 1963 por Adolfo Herrero y Pilar Salvador, originarios de Teruel. Gran atención a los géneros rigurosamente seleccionados, traídos cada día de La Boquería. El objetivo es la calidad total.
Tarjetas: Todas.

ESPECIALIDADES BONANOVA

Cocina de mercado tradicional,
natural y fiel a las temporadas
Verduras y mariscos
Guisantes salteados con jamón y butifarra
Trinxat Bonanova (col y coliflor)
Gamba de Barcelona, sal y plancha
Espardenyes con huevos fritos
Espalda de cabrito asada al horno
Carnes de vacuno, raza morucha de Salamanca
Pescados frescos de playa según lonja diaria
Helado de miel con fresitas del bosque y nueces
Cabello de ángel de elaboración propia, helado de coco y ron
Surtido de pastelería

El Cafè d'en Víctor

Calidad y servicio

El restaurante El Cafè d'en Víctor es un establecimiento muy original en Barcelona. Su atractiva terraza es visible desde la plaza de la Catedral y da paso a un amplio espacio decorado en color naranja. Aquí se ofrecen productos de calidad, elaborados con profesionalidad y a precios atrayentes.

Víctor Nuez, un enamorado de la profesión inició esta casa en 1990 y ahora sus hijos Víctor y Alejandro dirigen este local que se caracteriza por su atención personal, siempre cordial y afable. La cocina del chef Jesús García es mediterránea y de temporada. Garantiza una alta calidad de las materias primas y ofrece platos creativos o tradicionales.

En pleno centro de Barcelona, en uno de los mejores entornos que ofrece la Ciudad Condal, cerca de la Catedral y a las puertas del emblemático Barrio Gótico, El Cafè d'en Víctor es el lugar perfecto para compartir una deliciosa comida realzada por un ambiente cálido, de luces tenues, música y un excelente servicio, sin olvidar la barra con las más diversas copas.

SPECIALITIES OF EL CAFÈ D'EN VÍCTOR

The gardener's salad with quail egg
Grilled vegetables with goat's milk cheese au gratin
Scallop & foie gras salad with pumpkin vinaigrette
Paella with lobster
Black tortellini of salt cod with Rossini sauce
Tenderloin of Iberian pork with Norway lobsters and brie sauce
Tartare steak
Strawberries with pepper
Seasonal fruit salad with vanilla ice cream
Assorted pastries and confectionery
Fruit and sorbet assortment

El Cafè d'en Víctor

Localidad: **Barcelona (08002).**
Dirección: C/ Tapineria, 12.
Teléfono: **93 310 28 72. E-mail: info@elcafedenvictor.com**
www.elcafedenvictor.com
Parking: Cerca.
Propietario: Víctor Nuez.
Días de cierre y vacaciones: No cierra.
Decoración: Moderna
Ambiente: Familiar y negocios.
Bodega: Selecta.
Hombres y nombres: Chef: Jesús García. Maitres: Víctor y Alex.
Otros datos de interés: Restaurante regentado por tres generaciones de la familia, Víctor Nuez padre, Víctor y Alex hijos y el futuro con Víctor nieto. Ubicado junto a la Catedral de Barcelona.
Tarjetas: Todas.

ESPECIALIDADES EL CAFÈ D'EN VÍCTOR

Ensalada de la huerta con huevos de codorniz
Parrillada de verduras con queso de cabra gratinado
Ensalada de vieiras, foie y vinagreta de calabaza
Paella de bogavante
Tortellinis negros de bacalao en salsa rossini
Solomillo ibérico con cigalas en salsa brie
Steak tartar
Fresas a la pimienta
Macedonia de frutas de temporada con helado de vainilla
Surtido de repostería
Cazuelita de frutas y sorbetes

Can Solé

Antigua Casa Can Solé

Fundado en 1903, sigue siendo un clásico de Barcelona, situado en el barrio marinero y de pescadores de la Barceloneta. Entre todos los galardones y premios recibidos durante su andadura se encuentra el más reciente concedido por la Generalitat de Catalunya, en reconocimiento a su gran labor en pro al turismo: la Placa de Honor del Turismo de Catalunya. Miembro de la Cofradía del Arròs del País Valencià, de la Chaîne des Rôtisseurs y un largo etc.

Elabora una excelente cocina mediterránea, marinera, catalana de mercado y de temporada. Todos los platos que salen de la cocina de Can Solé no sólo destacan por su buena elaboración sino también por la excepcional calidad de la materia prima, de recepción diaria, la cual esta reconocida por sus clientes, todo ello junto a un familiar y cortés servicio.

Entre su variada oferta, cabe destacar el gran surtido de arroces entre los que se encuentra el caldoso Can Solé, fideuas, todo tipo de pescados y mariscos, a la plancha, al horno y las calderetas o suquets de pescado, langosta o bogavante, al igual que las famosas sepietas al horno con tomate y un excelente bacalao elaborado de varias maneras, a cual de ellas más exquisita, y los excelentes postres caseros, elaborados en su cocina. Cuenta con una esmerada y cuidada selección de vinos, cavas y champagnes.

CAN SOLÉ'S SPECIALITIES

First-choice clams from Carril, grilled or à la marinière
Salt cod & pine-nut fritters
Sautéed baby squids, with onions or Andalusian style
Red prawns, grilled or sautéed
Juicy rice pot "Can Solé"
Salt cod with potatoes, romesco sauce and garlic mayonnaise au gratin
Fish casserole of the house
Baked wild turbot from the Cantabrian coast with tomato or potatoes
Baked small cuttlefishes "Can Solé" with tomato
Orange pudding
Iced praliné of the house
Home made "tocinillo de cielo" (kind of rich cream caramel)

Can Solé

Localidad: **Barcelona (08003)**
Dirección: C/ Sant Carles, 4. - La Barceloneta
Teléfonos: **93 221 50 12 Fax: 93 221 58 15**
E-mail: cansole@cansole.cat
www.cansole.cat
Parking: Sí.
Propietario: Josep Mª García.
Días de cierre y vacaciones: Cerrado domingos noche y lunes. Vacaciones la segunda y tercera semana de Agosto.
Decoración: Marinera.
Ambiente: Negocios y familiar.
Bodega: Vinos catalanes, de La Rioja y Ribera del Duero.
Hombres y nombres: Chef: Josep Mª García.
Otros datos de interés: Restaurante ubicado frente el Port Vell. Horario de cocina: de 13,30 a 16 h y de 20,30 a 23 h. Pertenece a la nueva asociación gastronómica Barceloneta Cuina.
Tarjetas: Todas.

ESPECIALIDADES CAN SOLÉ

Almejas extra de Carril a la plancha o marinera
Buñuelos de bacalao y piñones
Chipirones de playa salteados, encebollados o a la andaluza
Gambita roja de costa a la plancha o salteada
Arroz caldoso "Can Solé" a la cazuela
Bacalao al Serrallo (patatas, romesco y all i oli gratinado al horno)
Caldereta de pescado de la casa
Rodaballo salvaje del Cantábrico al horno con tomate o patatas
Sepietas "Can Solé" al horno con tomate
Pudding de naranja
Praline helado de la casa
Tocinillo de cielo casero

Casanovas

Desde 1924

En 1924 la familia Casanovas abrió una charcutería en las proximidades del mercado de Santa Caterina. La vocación de elaboradores de productos de calidad y el trato personal con el cliente que comporta una tienda, marcó un carácter que muchos años después podemos encontrar en cualquiera de los establecimientos del grupo.

El restaurante ofrece una cocina tradicional catalana adaptada a las tendencias gastronómicas actuales, conjugando artesanía y culinaria de vanguardia. Orientado hacia la satisfacción máxima del cliente, Casanovas, situado en la calle Diputación, es un restaurante de cocina catalana basada en una fusión del más puro estilo mediterráneo con toques contemporáneos.

Tienda Degustación.- Calabria, 113. Casanovas combina actualmente sus orígenes de carniceros-charcuteros con la venta de productos gourmet y delicatessen, venta de comida preparada para llevar, degustación y cafetería. Ha crecido y evolucionado de acuerdo a los gustos y necesidades de sus clientes.

Tienda Selección.- Diputación, 80. Ahora, presenta también su nueva tienda Casanovas Selección con todo tipo de complementos gastronómicos como utensilios de cocina y de servicio, menaje, elementos decorativos, libros...También se encuentra un espacio dedicado en exclusiva al chocolate y todo lo que le rodea como vinos y licores para maridar con los diferentes tipos de chocolate. Anexo a la tienda está el taller de decoración donde pedir ese centro de mesa especial así como detalles personalizados para regalar.

Productos artesanos.- Desde hace un año, Casanovas Barcelona ha estado trabajando en uno de los retos más personales y a la vez más ambiciosos: el desarrollo de una nueva e innovadora gama de productos artesanos propios. Su presentación se llevó a cabo en el Salón Barcelona Degusta con gran éxito y excelente aceptación entre el público y medios de comunicación. Casanovas ha conseguido situar sus productos al más alto nivel de calidad y consolidar una nueva línea de negocio en el ámbito de la exportación. Estos productos se encuentran actualmente en Tokio, Holanda, Alemania, Australia, con la intención de abrir nuevos mercados fuera de nuestras fronteras. Información: catering@casanovascatering.com, en consecuencia al i+d de la empresa en el año 2008 reciben el premio innoval por la gama de sales naturales en diferentes texturas.

Catering.- En 1989 Santi Isern se asocia a la familia Casanovas para colaborar en el desarrollo del servicio de catering y el departamento de restauración del establecimiento, como respuesta a la creciente demanda. Actualmente Casanovas está preparado para organizar todo tipo de actos manteniendo siempre calidad en el producto y personalización en los eventos. Breakfast, coffee, cocktail, lunch, banquetes y otros servicios especiales y absolutamente diferenciales, teniendo siempre como prioridad la selección del producto y su presentación, en el año 2004 participan en las cocinas de la diversidad dentro del fórum de las culturas, colaborando en la degustación diaria de 500 comensales de platos en colaboración con los mejores cocineros mundiales, en el año 2007 reciben el premio en el marco de la IFFA Alemania de tres medallas de oro a las mejores presentaciones de Catering, en el año 2008 son seleccionados para representar a España en la European Catering coup

CASANOVAS' SPECIALITIES

Updated traditional Catalonian cookery
Business menu: 21 € - Tasting menu: 46 €
Salad of marinated salmon with saffron salt, mango and avocado
Grilled vegetables and squids with vanilla-scented oil and smoked salt
Boiled spiny lobster with potatoes and smashed fried farmyard eggs
Rice specialities: with truffle or lobster; black rice with squid ink and Norway lobsters
Fish casserole
Sole, fresh orange and orange marmalade, small salad of vegetable shoots
Fillet steak of organic beef
Rib steak of beef to be grilled on the hot stone
Goat kid shoulder and leg roasted at low temperature
Fruit salad with a light vanilla custard
Chocolate fritters with orange sorbet

Casanovas

Localidad: **Barcelona (08015)**
Dirección: C/ Diputación, 80 - Calabria 113
Teléfonos: **93 423 65 08. Fax: 93 228 92 13**
E-mail: restaurant@casanovascatering.com
www.casanovascatering.com
Propietario: Joan Martí Casanovas y Santi Isern Barrantes
Días de cierre y vacaciones: Abierto al mediodía. Noches, reservas para grupos, a partir de 12 personas y con menú concertado.
Decoración: Diseño contemporáneo.
Ambiente: Para disfrutar de un momento gastronómico en un ambiente moderno.
Bodega: Carta de vinos mediterráneos.
Otros datos de interés: Orientado hacia la satisfacción máxima del cliente, Casanovas usa productos de primera calidad. También catering, cafetería, charcutería-traiteur y tienda.
Tarjetas: Todas.

ESPECIALIDADES CASANOVAS

Cocina tradicional catalana actualizada
Menú de trabajo: 21 € - Menú Degustación: 46 €
Ensalada de salmón marinado con sal de azafrán, mango y aguacate
Parrillada de verduras y calamares con aceite de vainilla y sal de humo
Langosta cocida con patatas y huevos de granja estrellados
Arroces: de trufa, de langosta, negro con cigalas...
Suquet de pescados
Lenguado, naranja natural y sus confituras, mini ensalada de germinados
Piletón de ternera orgánica
Chuletón sobre losa caliente
Espaldita y pierna de cabrito cocida a baja temperatura
Ensalada de frutas con ligera crema de vainilla
Buñuelos de chocolate con sorbete de naranja

Las 5 Villas

Sabiduría gallega

Ubicada en la parte alta de la ciudad, esta entrañable casa ostenta más de 30 años de tradición y prestigio en Barcelona. Un sello personal altamente reconocido que destaca por su cálido entorno marinero, un género fresco y seleccionado con vivero propio para los más preciados mariscos y una culinaria que conjuga las excelencias de la cocina gallega y mediterránea.

Pertenece al acreditado grupo de hostelería gallega Mareusa, condecorado con la medalla de Galicia en 1993 por divulgar las bondades de la cocina galaica. Una de las señas de identidad de Galicia es su hospitalidad, uno de los mayores haberes que ostenta el país. Ejercen como excelentes anfitriones, Manuel Sotelo e Isabel Álvarez, sus propietarios, que atienden personalmente a sus clientes y amigos con amabilidad y profesionalidad.

La cocina gallega ha sido siempre una cocina sencilla, natural y de producto. Una culinaria limpia que no sólo sabe bien, sino que además sienta bien. La carta incluye un fastuoso despliegue de la despensa gallega, también ofrecen menús personalizados. Es un lugar idóneo para placenteras sobremesas. Además, Las 5 Villas dispone de una amplia barra con gran variedad de tapas y una bodega a la altura de las circunstancias. Posibilidad de organizar banquetes, fiestas, convenciones y servicios de catering, una gastronomía a medida para cualquier evento.

LAS 5 VILLAS' SPECIALITIES

Galician and Mediterranean cookery
Alive shellfish and crustaceans
Wild fish
Galician meat
Cured ham of acorn-fed pigs with quality label
Monkfish and lobster casserole
Sole with cured ham from Jabugo
Turbot in albariño wine sauce with clams or baked
Grilled prawns with coarse salt
Spiny lobster casserole
Fish casserole Rias Baixas
Rib steak of Galician beef on a hot earthenware dish
Fillet steak with foie gras and oyster mushroom sauce
Cream-filled pastry rolls
Chou puffs Chef's style

Las 5 Villas

Localidad: **Barcelona (08017)**

Dirección: Ronda General Mitre, 1

Teléfono: **93 280 28 58** **Fax: 93 280 56 43**

E-mail: info@las5villas.com **www.las5villas.com**

Parking: Gratuito

Propietario: Manuel Sotelo e Isabel Álvarez

Días de cierre y vacaciones: Cerrado lunes.

Decoración: Marinera

Ambiente: Público medio-alto, empresas y familias los fines de semana

Bodega: Bien seleccionada

Hombres y nombres: Los propietarios atienden personalmente a sus clientes y amigos

Otros datos de interés: Pertenece al prestigioso grupo de hostelería gallega

Mareusa

Tarjetas: Todas.

ESPECIALIDADES LAS 5 VILLAS

Cocina gallega y mediterránea
mariscos vivos
Pescados salvajes y de playa
Carnes gallegas de alta montaña
Jamón de bellota D.O.
Suquet de rape con bogavante
Lenguado al Jabugo
Rodaballo al Albariño con almejas o al horno
Gambas de playa a la sal
Caldereta de langosta
Caldeirada Rias Baixas
Chuletón gallego al barro caliente
Solomillo con taco de foie y salsa de setas
Canutillos fritos rellenos de crema
Buñuelos de viento al estilo del chef

Receta **Asador Sidrería Donosti**

Besugo a la donostiarra

Ingredientes para 4 personas: 1 besugo de 1,8 kg., 3 dientes de ajo, 1/2 guindilla, 1 taza de aceite de oliva, 1 copita de vinagre y 1 ramita de perejil.

Elaboración: Abrir el besugo por la mitad y quitar la espina dorsal con cuidado para que no se rompa la piel. En una sartén con poco aceite dorar el besugo, primero por la parte inferior. En menos de un minuto empezara a tomar color. Después, colocarlo en una fuente de horno, mojar con un poco de aceite y dejar unos diez minutos a horno fuerte.

Mientras, en una sartén calentar un poco de aceite, añadir los ajos cortados en láminas y la guindilla en trocitos. Cuando estén dorados, rociar el besugo con este sofrito. A continuación, con un cucharón recoger todo el jugo que se pueda e incorporarlo a una sartén y, fuera del fuego, añadir el vinagre. Dar unos movimientos para que espese un poco y volver a rociar la espalda del besugo con esta salsa. Servir decorado con perejil.

SPECIALITIES OF ASADOR SIDRERIA DONOSTI

Basque cookery

Salt cod omelette

White bean stew with cider

Croquettes grand father's style

Fish Basque style, grilled or with sauce

Gilthead bream, sea bass, monkfish, sole

In season: tuna, turbot and spotted red bream

Chargrilled fillet and rib steak of beef with coarse salt

Home made desserts

Cheese cake, fried creams, cream caramel, sorbets

Asador Sidrería Donosti

Localidad: **Barcelona (08025)**
Dirección: C/ Rosselló, 365
Teléfonos: **93 207 74 87**
Parking: Varios aparcamientos cercanos.
Propietario: Iñaki Txintxurreta
Días de cierre y vacaciones: Cerrado domingos.
Decoración: Rústica, al estilo de un caserío vasco.
Ambiente: Un asador donostiarra en Barcelona.
Bodega: Sidra artesanal de San Sebastián, txacolí, vinos de Rioja, Ribera del Duero o Somontano.
Hombres y nombres: Chef de cocina: Mari Alarcón.
Otros datos de interés: Celebra su 20º aniversario. La mejor carne de Barcelona y pescados del norte elaborados de forma sencilla y servidos en raciones abundantes. Salón privado para 15 comensales.
Tarjetas: Las principales.

ESPECIALIDADES ASADOR SIDRERÍA DONOSTI

Cocina vasca
Tortilla de bacalao
Potxas a la sidra
Croquetas al estilo del abuelo
Pescados a la donostiarra, plancha o con salsas
Dorada, lubina, rape, lenguado
En temporada: atún, rodaballo y besugo
Solomillo y chuletón a la brasa con sal gorda
Postres caseros
Tarta de queso, leche frita, flan de huevo, sorbetes...

La Dama

Alta cocina y modernismo

Este refinado y singular restaurante está situado en el corazón de Barcelona, en plena Avenida Diagonal, en uno de los edificios de estilo modernista más emblemáticos de la ciudad, obra del arquitecto Manuel Sayrach en 1918. La Dama ocupa el piso noble, conservando todo el esplendor y majestuosidad de la época. En su interior, todo es elegancia, lujo y confort: su impresionante portal, escaleras, ascensor, balaustrada, techos, columnas, vidrieras...modernismo en estilo puro.

Desde su fundación en 1986, La Dama se ha convertido en todo un clásico en la Ciudad Condal, un referente para la alta sociedad barcelonesa. Sus coquetos y bellos salones son frecuentados por numerosas personalidades de la vida política, social y empresarial y "vips" de paso por Barcelona.

Al frente de los fogones se encuentra el Chef-Director Josep Bullich. Con una larga y exitosa trayectoria profesional, en La Dama practica una cocina muy personal, buscando el equilibrio entre fondo y forma, una culinaria convenientemente actualizada que hunde sus raíces en la autenticidad de la cocina tradicional catalana. Bullich sabe encontrar lo mejor del mercado para crear una culinaria compleja y trabajada, siempre dentro de los cánones de la denominada alta cocina.

La Dama es un restaurante que funciona como una orquesta bien afinada, en la que cada componente toca su partitura buscando la perfección: refinada cocina, excelente bodega, distinguido servicio de alta escuela, porteros-aparcadores a la entrada... Además, dispone de salones privados de 6 hasta 60 comensales para reuniones de postín.

LA DAMA'S SPECIALITIES

Two tasting menus
Lukewarm Norway lobster salad with orange vinegar dressing
Stuffed morels with truffle scent
Roast lobster with almonds, tender pearl onions and chanterelle mushrooms
Fillet of sea bass with artichokes and cured ham from Jabugo
Fillet steak with foie gras and port sauce
Chateaubriand with vegetables (2 persons)
Caramelised millefeuille with red berries, orange cream and vanilla ice cream
Caramelised pear with warm chocolate and honey ice cream
Cheese selection
Pastries from the trolley

La Dama

Localidad: **Barcelona (08036)**
Dirección: Avda. Diagonal, 423-425, entlo 2ª.
Teléfonos: **93 202 06 86 Fax: 93 200 72 99**
E-mail: reservas@ladama-restaurant.com
www.ladama-restaurant.com
Parking: Disponemos de parking y aparcadores
Propietario: Francisco Benavent Faus y Jordi Llovera
Dias de cierre y vacaciones: No cierra
Decoración: Modernista
Ambiente: Distinguido y lujoso. Salones privados
Bodega: Excelente bodega (400 vinos)
Hombres y nombres: Chef de cocina: Josep Bullich. Maître: Teo García
Tarjetas: American Express, Visa y Dinner's

ESPECIALIDADES LA DAMA

Dos Menús Degustación
Ensalada tibia de cigalas al vinagre de naranja
Colmenillas rellenas al perfume de trufas de Olot
Bogavante asado con almendras, cebollita tierna y rebozuelos
Suprema de lubina asada con alcachofas y jamón de Jabugo
Solomillo de buey con foie, salsa de vino de Oporto
Chateaubriand con verduras (2 personas)
Milhojas caramelizadas de frutos rojos, crema de naranja y helado de vainilla
Pera caramelizada con chocolate caliente y helado de miel
Selección de quesos artesanos
Carro de pastelería

Receta **Dopazo**

"Suquet" de pescado y mariscos de la costa

Ingredientes: Una gallineta de 800 gr. aproximadamente, 800 gr. de rape, 4 cigalas frescas, 4 gambas frescas, 300 gr. de almejas vivas, 1/2 litro de salsa marinera, picada de almendra, una copa de coñac, 1/2 litro de fumet de pescado, salsa de tomate.

Preparación: Se sazona el rape, la gallineta, las gambas, etc. Se harina y se pone en una sartén para sofreirlo todo a fuego lento durante unos minutos. A continuación, se flambea con una copa de coñac, se deja reposar unos segundos, y se le añade el fumet, la salsa marinera, la picada, y el tomate, y lo dejamos a fuego lento durante unos segundos para que se mezcle todo. Seguidamente, lo pasamos a una cazuela de barro, dejándolo cocer de 12 a 15 minutos, y ya estará listo para servir.

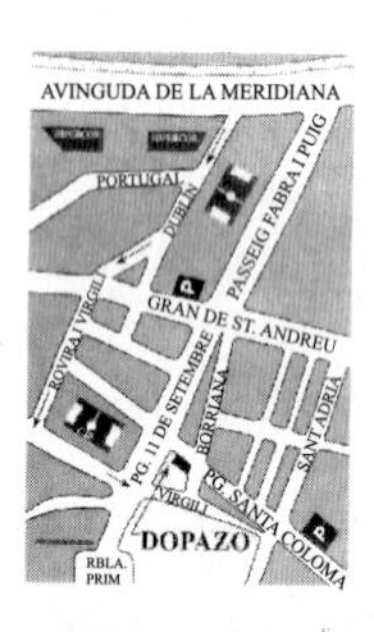

DOPAZO'S SPECIALITIES

"Suquet": fish & shellfish casserole, flavoured with pounded almonds
Baked sea-bass with red prawns
Fish baked in a salt crust
Slice of hake with anchovy sauce
Fish soup of the house
Lobster casserole after our own recipe
Salt-cod with a purée of cooked garlic cloves
Small red capsicums stuffed with seafood
Peppered fillet steak with norwegian salmon
Home-made pastries and confectionery

Dopazo

Localidad: **Barcelona (08030)**
Dirección: C/ Borriana, 90 (esq. Santa Coloma)
Teléfonos: **93 311 47 51 - Fax: 93 311 90 54**
www.restaurantedopazo.com
Parking: Gratuito
Propietario: José Manuel Dopazo Seoane
Días de cierre y vacaciones: Domingos noche y lunes todo el día, excepto festivos
Decoración: Agradable y acogedora.
Ambiente: Selecto y de negocios.
Bodega: Bien surtida de vinos nacionales e internacionales.
Hombres y nombres: Director-chef: José Manuel Dopazo Seoane; Maitre: Antonio Comino Saelices
Otros datos de interés: Casa fundada en mayo de 1970. Salones privados. Cava de puros.
Tarjetas: American Express, Visa, Diners, 6000, 4B, Master Card

ESPECIALIDADES DOPAZO

"Suquet" de pescado y marisco de la costa
Lubina con gambones al horno
Pescados a la sal
Tronco de merluza a la salsa de anchoas
Sopa de pescado de la casa
Caldereta de langosta a nuestro estilo
Bacalao a la muselina de ajos confitados
Pimientos del piquillo rellenos de marisco
Solomillo a la pimienta sobre fondo de salmón noruego
Repostería de la casa

Drolma

Lujo barcelonés

El restaurante Drolma representa el lujo en su máxima expresión. El marco es majestuoso, desde el enorme espacio entre las mesas y las maderas nobles de estilo inglés hasta los más mínimos detalles: vajilla de Versace, manteles de fino hilo, lámparas de Philippe Stark...Suntuosidad resaltada, además, por su imponente servicio de sala.

Este cotizadísimo espacio gastronómico de Barcelona, capaz de deleitar a los más exquisitos paladares, está dirigido por el prestigioso chef Fermí Puig, que ha sabido crear todo un mundo de sabores y sensaciones culinarias.

Los géneros son excelentes, propios de la más alta cocina internacional. Aquí se busca siempre la mejor materia prima que se pueda encontrar en el mercado como las deliciosas trufas, langosta, foie o el apreciado caviar y se emplean con generosidad.

Con todo ello, Puig elabora unos platos sofisticados y elegantes, con un liviano toque de modernidad. Todo perfecto, con una depurada técnica, sin asumir riesgos innecesarios. Un restaurante de cinco estrellas.

A 300 metros de Drolma, Fermí Puig ha abierto el restaurante ***Petit Comité (Pasaje de La Concepción, 13. T. 93 550 06 20)****, donde ha querido regresar a sus orígenes mostrando toda la riqueza del recetario histórico catalán a precios más populares. Cocina ininterrumpida de 13 h. a 1 h.*

DROLMA'S SPECIALITIES

The à la carte menu changes according to the season

Chilled almond soup with goose barnacles and clams

Potato purée, sabayon and black truffles

Hake with French beans, cod sounds and chanterelle mushrooms

John Dory (fish) with basil, confit tomato and black olives

Hake à la royale with sea-cucumbers and bacon filled with asparagus

Goat kid stew

Hazelnut soufflé

Chocolate nugget

Drolma

Localidad: **Barcelona (08007)**

Dirección: Pº de Gracia, 68-70. (Hotel Majestic)

Teléfonos: **93 496 77 10. E-mail: info@drolmarestaurant.cat**

www.drolmarestaurant.cat

Parking: Aparcamiento y aparcacoches

Días de cierre y vacaciones: Domingo, Navidad y Año Nuevo.

Decoración: Exquisita ornamentación clásica. Predominio de la madera.

Ambiente: Refinado y distinguido.

Bodega: Bien surtida.

Hombres y nombres: Chef: Fermí Puig. Jefe de sala : Alfred Romagosa

Otros datos de interés: Situado en el marco incomparable del Hotel Majestic, de fachada neoclásica, todo un símbolo de tradición y hospitalidad en Barcelona.

Tarjetas: Todas

ESPECIALIDADES DROLMA

La carta cambia según la temporada

Sopa fría de almendras tiernas con percebes y almejas

Puré de patatas, sabayón y trufas negras

Merluza de palangre con judías verdes, tripitas y rebozuelos

Gallo de San Pedro con albahaca, tomate confitado y aceitunas negras

Liebre a la royal con espardeñas y bacón rellenos de espárragos

Cabrito embarrado "a la cuchara"

Soufflé de avellanas

Lingote de chocolate

Irati

Genuina taberna vasca

Situado en el corazón del Barrio Gótico de Barcelona, junto a las Ramblas, el Liceo y a escasos pasos del conocido Mercado de la Boquería, Irati es un restaurante pionero en la introducción del pintxo vasco en Barcelona, destacando la variedad y frescura de sus productos. El local se divide en dos espacios representativos: la barra con los típicos pintxos donostiarras y un pequeño comedor para degustar la auténtica y tradicional culinaria vasca.

Irati es el establecimiento más personal del Grupo Sagardi, el que representa los inicios de esta empresa en el sector de la restauración. Fundado en 1996, este grupo encabezado por Iñaki López de Viñaspre y Miguel Zapiain, nació con la voluntad de mantener viva la tradición de las tabernas vascas y sidrerías como lugar de encuentro y fomento de la cultura. A raíz de Irati, que se convirtió en la semilla de los actuales establecimientos del grupo, Sagardi se ha consolidado como una marca de reconocido prestigio en el mundo de la gastronomía, especializado en la cocina vasca de calidad y que, durante estos últimos años, está viviendo un proceso de diversificación.

La cocina del Grupo Sagardi es un retorno a los orígenes de la culinaria vasca, ancestral, sencilla, sin sofisticaciones. A lo largo de los años ha ido evolucionando y renovándose con otros conceptos gastronómicos. Presta una especial atención a la selección de las mejores materias primas entre los proveedores que más cuidan y miman sus géneros, aquellos a los que Sagardi busca en cada rincón del País Vasco y con los que logra acuerdos estratégicos para obtener productos artesanos, naturales, difíciles de hallar en el mercado y diferentes a la oferta común. La carta de pintxos se renueva constantemente según temporada, tendencias y preferencias de los clientes.

La imagen de los establecimientos del Grupo Sagardi presenta identidad propia, se inspira en los antiguos espacios que mantienen raíz y tradición, realzadas por una puesta en escena moderna y funcional.

IRATI'S SPECIALITIES

Nibbles on skewer:

Small red piquillo capsicum filled with marinated bonito tuna and chilli

Savoury scorpion fish pudding with salmon caviar

Spicy paprika-flavoured pork spread with apple and honey

Genuine Basque cuisine:

Salt cod salad

Clams in green herb sauce

White bean stew with clams

Hake tongues in garlicky olive oil emulsion

Salt cod in garlicky olive oil emulsion Basque style

Sucking lamb with grilled little gem salad

"Goxua" (Sponge cake soaked with syrup, whipped cream, glazed custard)

Strawberries with syrup of Basque wine and ice cream of curd milk

Irati

Localidad: **Barcelona (08002)**
Dirección: C/ Cardenal Casañas, 17 (Barrio Gótico)
Teléfonos: **93 302 30 84 - Central de Reservas: 902 520 522**
E-mail: reservas@sagardi.com www.gruposagardi.com
Parking: Aparcamiento público cercano en C/ Hospital, 25 y Ramblas 88.
Propietario: Grupo Sagardi.
Días de cierre y vacaciones: Abierto cada día.
Decoración: Inspirada en las típicas tabernas vascas.
Ambiente: Popular, desenfadado y auténtico.
Bodega: Cuidada, con los mejores vinos de D.O. tanto del País Vasco como de fuera.
Hombres y nombres: Jefe de cocina: Iker Armas. Director: David Lobo.
Otros datos de interés: Su barra incluye los mejores pintxos y su cocina representa la genuina tradición vasca.
Tarjetas: Las principales.

ESPECIALIDADES IRATI

Pintxos donostiarras:
Piquillo relleno de bonito en escabeche y guindilla de Ibarra
Pastel de kabratxo con huevas de salmón
Sobrasada con manzana y miel
Auténtica cocina vasca
Ensalada de morro de bacalao
Almejas en salsa verde
Pochas guisadas con almejas
Kokotxas de bacalao al pil pil
Bacalao confitado al pil pil con su ajoarriero
Cordero lechal de La Guardia con cogollo a la parrilla
Goxua
Fresas con almíbar de txacolí y helado de cuajada

Lasarte

Martín Berasategui

Lasarte es un homenaje a la localidad que acoge el prestigioso restaurante Martín Berasategui. El laureado chef pretende con su proyecto en Barcelona realizar una simbiosis entre lo mejor de la cocina vasca y catalana a partir de propuestas de temporada que serán distintas "según el antojo del campo, el mar y las estaciones". Una alta gastronomía perfeccionista, que reúne lo mejor de la tradición y la vanguardia culinaria.

El encargado de plasmar las ideas de Martín en los fogones de este exclusivo establecimiento es el jefe de cocina, Antonio Sáez, una joven promesa que ya ha pasado por algunos de los mejores restaurantes de España.

La propuesta más recomendable para sumergirse en esta experiencia gastronómica es optar por su menú degustación, compuesto por 8 especialidades extraídas de la carta de temporada.

El local se distribuye en tres plataformas situadas a distintos niveles, pero conectadas visualmente, uniendo materiales naturales (madera, piedra caliza) y de vanguardia, destacando el mobiliario, la iluminación y los murales que simulan los típicos adoquines del Paseo de Gracia, obra de Gaudí.

Se trata de un espacio dotado de comodidad y versatilidad: el nivel inferior, con entrada directa desde la calle, acoge la recepción y un comedor para 20 comensales, la plataforma intermedia funciona como sala de estar y alberga la bodega, y la superior, más íntima, tiene una capacidad para 16 personas y puede adaptarse como salón privado.

LASARTE'S SPECIALITIES

Symbiosis of the Basque and the genuine Catalonian flavours
Layered slice of caramelised green apple, foie gras and smoked eel
Seafood mosaic with lemon cream and caviar
Sautéed prawns with creamy onion ravioli in chive & chervil oil
Big clams à la marinière
Hake tongues in green herb sauce
Baked sea bass, warm citrus fruit vinaigrette with pistachio oil and broccoli cream
Boned pig's trotters stuffed with cèpe mushroom & smoked Idiazabal cheese toast
Roast rack of lamb, gnocchi in black-olive oil and asparagus
Calf's sweetbreads with mock risotto of root vegetables, smoked sauce with cider vinegar
Green-apple cannelloni with iced coconut juice and rum granité
Minestrone of fruit and wild herbs, sponge soaked in brandy and iced ginger

Lasarte

Localidad: Barcelona (08008)
Dirección: Mallorca, 259. (Hotel Condes de Barcelona)
Teléfonos: 93 445 32 42. Fax: 93 445 32 32
E-mail: info@restaurantlasarte.com
www.restaurantlasarte.com
Parking: Propio en hotel
Días de cierre y vacaciones: Domingo, lunes y festivos. Vacaciones: Agosto.
Decoración: Sofisticada y cálida. Fusión de elementos vascos y de la Barcelona modernista.
Ambiente: Íntimo y elegante.
Bodega: Más de 120 referencias de los mejores caldos nacionales e internacionales.
Hombres y nombres: Dirección: Martín Berasategui. Chef: Antonio Sáez. Jefe de sala: Josep Villodre. Sumiller: Ferran Casellas.
Otros datos de interés: Inaugurado el 23 de enero 2006 y ubicado en el Hotel Condes de Barcelona, en pleno centro de la ciudad, se ha convertido ya en un nuevo "templo" gastronómico y estético. Capacidad: 35 comensales.
Tarjetas: Todas.

ESPECIALIDADES LASARTE

Simbiosis de los sabores vascos y los autóctonos de Cataluña
Milhojas, caramelizado de manzana verde, foie gras y anguila ahumada
Mosaico de frutos de mar con crema de limón al caviar
Gambas salteadas con raviolis cremosos de cebolla al aceite de cebollino y perifollo
Almejas gigantes abiertas "a la marinera"
Kokotxas de merluza en salsa verde
Lubina asada con vinagreta caliente de cítricos al aceite de pistacho y crema de tuétano de brócoli
Manitas de cerdo deshuesadas y rellenas con tosta de hongos al queso Idiazábal
Costillar de cordero asado con gnocchis al aceite de olivas negras y tiras de espárragos
Mollejas de ternera con falso risotto de tubérculos y salsa ahumada al vinagre de sidra
Canelón de manzana verde con jugo helado de coco y granizado de ron
Minestrone de frutas y hierbas silvestres con borracho al brandy y jengibre helado

Lluçanès

Barceloneta Siglo XXI

Tras 16 años en Prats de Lluçanès, en el centro de Cataluña, Ángel Pascual y su mujer Rosa Morera, junto con su amigo restaurador y socio, Francesc Miralles, deciden trasladarse a Barcelona en julio 2007 para inaugurar este restaurante en el mercado de la Barceloneta, un barrio representativo y emblemático de la ciudad.

Un sugestivo enclave gastronómico que continúa con la misma oferta culinaria que en sus orígenes, combinando las materias primas de su tierra, la comarca de Osona -setas, caza, trufa...- con los productos característicos del Mediterráneo. La filosofía gastronómica de Lluçanès se basa en una reinterpretación de la cocina del interior centrada en el producto. Sus elaboraciones, de raíces regionales evolucionadas, son detalladas y minuciosas, con técnicas de alta cocina, sutilmente contemporáneas pero sin sofisticaciones accesorias.

Un espacio de 300 m2, obra del arquitecto Josep Ferrando, acoge las instalaciones de este restaurante: espléndido comedor principal con vistas al mercado, sala privada para 18 comensales y barra. Bóvedas de acero, grandes ventanales, un juego de figuras perforadas que representan el mapa de la Barceloneta, una magnífica puesta en escena... La gran cocina del interior se baña en el mar.

Lluçanes es actualmente uno de los mejores restaurantes de la Ciudad Condal. Esta casa ya obtuvo en el año 2000 una estrella Michelin en su anterior emplazamiento. En su nueva localización de Barcelona ha visto refrendada esta estrella.

LLUÇANÈS' SPECIALITIES

Market and creative cookery
Seasonal menu, Tasting menu and Minimalist menu
Carpaccio of tuna belly flaps with scallop tartare
Salt cod cooked at low temperature with mint and cinnamon-scented peas
Medallion of sea bass. Fideuà (paella with noodles instead of rice) surf & turf, light herbed aioli
Seasonal dishes:
Chicken consommé, egg in meringue with truffle spinach-stuffed pasta
Rice with sea urchins and truffle
Hare terrine with foie gras, apple preserve, citrus fruit and chocolate
Truffled custard of yolks and syrup with cardamom ice cream

Lluçanès

Localidad: **Barcelona (08003)**
Dirección: Plaça de la Font, s/n (Mercado de la Barceloneta)
Teléfonos: **93 224 25 25 www.restaurantllucanes.com**
E-mail: cuina@restaurantllucanes.com
Parking: Cercano, en Plaza Pau Vila, 1.
Propietario: Miralles-Pascual.
Días de cierre y vacaciones: Cerrado domingos noche y lunes todo el día. También 25 de diciembre, 1 de enero y noches del 24 y 31 de diciembre.
Decoración: Local de diseño semiindustrial, vanguardista y aires de loft neoyorquino.
Ambiente: Amantes de la alta gastronomía.
Bodega: Interesante, a precios contenidos.
Hombres y nombres: Jefe de cocina: Ángel Pascual. Jefa de sala y sumiller: Rosa Morera.
Otros datos de interés: Situado en la azotea del Mercado de la Barceloneta. Cocina a la vista y terraza exterior. En planta baja, El Fogons de la Barceloneta, bar-restaurante de tapas, picoteo y menú para grupos. Pertenece a la nueva Asociación Barceloneta Cuina.
Tarjetas: Las principales.

ESPECIALIDADES LLUÇANÈS

Cocina de mercado y de autor

Menú de Temporada, Degustación y Minimalista

Carpaccio de toro de atún y tartar de vieira

Bacalao cocido a baja temperatura con menta y guisantes a la canela

Lomo de lubina de costa, fideua express mar y montaña, all i oli suave de hierbas

Platos de temporada:

Consomé de ave, huevo merengado con trufa y galet relleno de espinacas

Arroz de erizos de mar y trufa

Terrina de liebre con foie, mermelada de manzana a la brasa, cítricos y chocolate

Tocinillo de cielo trufado con helado de cardamomo

Neichel

30º Aniversario

En 1981, Jean Louis Neichel, tras una brillante trayectoria en prestigiosos restaurantes de Francia y España, decide abrir su propio establecimiento en Barcelona. Con la ayuda de su esposa, Evelyn Fuertes, se ha convertido en uno de los mejores restauradores de la ciudad condal. Actualmente, su hijo Mario sigue los pasos de su maestro en los fogones de Neichel.

En este comedor de sobria y moderna elegancia, merecedor del premio FAD de la Opinión por su interiorismo, Neichel elabora una cocina mediterránea y de mercado, Amante de las artes, pintar le emociona y le relaja. Su técnica se transporta a la mesa y fluye el cromatismo y la plasticidad de sus platos, un lienzo en el que combinar colores, texturas y sabores. Algunas de sus obras se ven reflejadas en las vajillas y portadas de las cartas gastronómicas de su restaurante.

Ajeno a las modas pasajeras, este artesano de la cocina cuenta con una clientela fiel que le sigue desde sus inicios. Enamorado del Mediterráneo, practica una cocina de producto y temporada. Aprovecha la gran variedad de materias primas frescas que se encuentran en los mercados locales. Una de sus fuentes de inspiración es el Mercado de La Boquería en Barcelona.

El espacio principal del comedor, anexo a un jardín, goza de una generosa luz natural al mediodía, Cuenta también con un salón de bar contiguo, el marco ideal para tomar un aperitivo o terminar degustando un buen café acompañado por las golosinas, obsequio de esta acogedora casa.

NEICHEL'S SPECIALITIES

Norway lobster & caviar crisps with salad and Forum-vinegar dressing
Salad of prawns from Palamos, orange dressing, tartare of lobster and scallops
Ravioli of fresh truffles, chunk of foie gras and oyster
Warm strudel cake of figs, apricots and crumbs, rhubarb compote
Wild turbot with grilled spring onions, meat juice with anise scent
Roast loin of lamb with a crust of aromatic herbs and anchovies, juice with sage oil, potato cake with confit tomatoes and oregano
Gurnard with sea cucumbers, artichokes in bouillabaisse juice with virgin olive oil and saffron
Honey-lacquered breast of pigeon with liquorice and celery purée
Fillet steak topped with shavings of summer truffles, onion and ginger compote
Caramelised banana, papaya and mango with rum, ginger bread and banana chips
Gastronomic menu and surprise menu "Prestige"

Neichel

Localidad: **Barcelona (08034)**

Dirección: Beltrán y Rózpide, 1-5 (Debajo de los apartamentos Victoria)

Teléfonos: **93 203 84 08. Fax: 93 205 63 69**

E-mail: neichel@relaischateaux.com www.neichel.es

Parking: Servicio de aparcacoches

Días de cierre y vacaciones: Domingos, lunes, festivos y Agosto.

Decoración: Moderna, fresca, relajante

Ambiente: Cosmopolita, sibaritas y gourmets

Bodega: Excelente, perfectamente asesorada por el galardonado Xavier Petrirena y José Antón

Hombres y nombres: Chef-propietario: Jean Louis Neichel; Maitre: Evelin Fuertes

Tarjetas: Todas

ESPECIALIDADES NEICHEL

Crujiente de cigalas y caviar con ensalada al Forum
Ensalada de gambas de Palamós, vinagreta de naranja, tartar de bogavante y vieiras
Ravioli de trufa fresca, taco de foie y ostra
Pequeño strudel crujiente de higos, albaricoques y streusel, compota de ruibarbo
Tronco de rodaballo salvaje con "calçots", jugo de ternera al anís
Lomo de corderito asado en su fina costra de hierbas aromáticas y de anchoas, jugo al aceite de salvía, paillason con tomates confitado al orégano
Bejel de roca con espardenyes -cohombros de mar- y alcachofas en jugo de bullabesa al aceite virgen y azafrán
Magret de pichón lacado a la miel, regaliz y puré de apio
Solomillo de buey cubierto de láminas de trufas de verano frescas, compota de cebolla y jengibre
Plátano, papaya y mango caramelizados al ron, pan de especias y chips de plátano
Menú de degustación y menú "Prestige" de sorpresa

L' Office

Embajada gastronómica francesa

El restaurante L'Office se ha convertido en el punto de encuentro de la mayoría de los franceses afincados en Barcelona así como de numerosos barceloneses cosmopolitas, francófilos o francófonos que disfrutan su excelente nivel culinario. Aquí el comensal encuentra los grandes clásicos de la cocina francesa, servidos generosamente y cargados de recuerdos.

Al frente de la casa y de los fogones, Jérôme Perraudin, un chef brillante y apasionado. Nace en Agosto 1968 en Pau (Francia), descendiente de cuatro generaciones de "charcutiers-traiteurs", una familia que ejerce desde el año 1907. Se inicia en el oficio en 1986 en un restaurante de Paris donde asimila los secretos de la profesión, después de varios años de perfeccionamiento en distintos restaurantes de la capital francesa, en 1994 funda en Biarritz "Le Clos Basque" que en la actualidad sigue gozando de una elevada reputación.

En 1997, retoma las riendas del negocio familiar de comidas preparadas y catering, la Maison Perraudin donde desempeña la labor de jefe de cocina hasta 2005. Ahí desarrolla su creatividad con total libertad. Entre sus ilustres clientes: la madre del Rey S.A.R Condesa de Barcelona, Karl Lagerfeld, el tri-estrellado Martín Berasategui,...

En 2005 Jérôme, dinámico e inconformista, en su afán de conquistar nuevas metas, traslada su talento al Eixample barcelonés apostando por un restaurante que recrea el alma y estilo de un genuino bistrot parisino con un toque vasco bearnés. Su repertorio, interpretado con sencillez artesanal, ilusión y compromiso, contiene toda la esencia de Francia, la auténtica culinaria gala tradicional en un ambiente siempre amistoso, sin lujos innecesarios y precios ajustados. Claude Perraudin, padre de Jérôme, supervisa los fogones y elabora personalmente todos los productos derivados del cerdo, las famosas "cochonailles".

L'Office representa un valor absoluto donde el "savoir faire" y la fiesta están garantizados.

L' OFFICE'S SPECIALITIES

Foie gras of the house

Snails from Burgundy

Tartare

Beef cut

"Bavette en cocotte"

Fresh fish according to the market offer

French cheese assortment

Chocolate fritters

L' Office

Localidad: **Barcelona 08036**

Dirección: C/ Villarroel, 227

Teléfono: **93 444 22 88** **E-mail: info@officebcn.com**

www.officebcn.com

Parking: En las inmediaciones.

Propietario: Jérôme Perraudin.

Días de cierre y vacaciones: En primavera - verano, cerrado domingos y lunes noche. En otoño-invierno, cerrado noches de domingo y lunes.

Decoración: Al estilo de un bistrot parisino.

Ambiente: Informal y desenfadado.

Bodega: Bien seleccionada, muchas denominaciones de origen de la Península y champagnes.

Hombres y nombres: Jefe de cocina: Jérôme Perraudin.

Otros datos de interés: Restaurante inaugurado en Junio 2006. Nueva barra.

Tarjetas: Todas.

ESPECIALIDADES L' OFFICE

Foie-gras de la casa

Caracoles de Bourgogne

Tartar

Pieza de buey

"Bavette en cocotte"

Pescado según mercado

Quesos franceses

Buñuelos de chocolate

El Puchero de Baralantra

Una forma de vivir la vida

Esta propuesta culinaria se denomina "Cocina a la Antigua" porque sencillamente consiste en recuperar el guisar los deliciosos platos de la cocina de siempre con ingredientes naturales de calidad, la genuina usanza y la alquimia de otros tiempos.

La pasión por el cultivo de la mente, el goce para los "seis" sentidos, el cuidado del cuerpo de forma tan sana como placentera y alimentar el espíritu a través del conocimiento son los pilares de esta casa diferente.

Se trata pues de un nuevo concepto: recuperar lo "Bueno" del Pasado. Un nuevo viejo concepto porque no solo es rescatar aquella cocina olvidada de nuestros orígenes, sino también recuperar el sentido de la amplia noción del servicio que prestaba: el alimentar, nutriendo al ser y deleitándolo.

Por eso El Puchero de Baralantra ensalza el regreso al "camino del buen comer" porque a pesar del paso del tiempo y del devenir de nuevas costumbres, los sabores...nunca debieron cambiar.

"Somos lo que comemos". Los alimentos deben aportarnos la sustancia para crecer en la esencia. Por ello, aquí se practica la cocina natural, sana, sabrosa, nutritiva y cocinada a fuego lento. Cocina a la antigua, guisada lentamente. Aquí se apuesta por el sagrado ritual de la buena mesa, el auténtico placer de comer y la vieja costumbre de la sobremesa para disfrutar del estimulante placer de una buena conversación en grata compañía y acogedora intimidad.

SPECIALITIES OF EL PUCHERO DE BARALANTRA

Old fashion cookery
Everything is prepared by us
Colds and warm "tapas" and bites
Ham croquettes
Spanish flat potato & onion omelette
Fried potato dice with tomato and paprika
Different soups in winter
Monkfish with honey or garlic mousseline
Baked salt cod
Organic meat from Asturias
Meat balls
Small cakes from Girona
Rice pudding
Pineapple with Catalonian crème brûlée

El Puchero de Baralantra

Localidad: **Barcelona (08036).**
Dirección: C/ Muntaner, 103.
Teléfono: **93 452 40 60.** **www.elpucherodebaralantra.com**
Parking: Varios aparcamientos en la zona.
Días de cierre y vacaciones: Abierto todos los días del año.
Decoración: Muy personal, con materiales pacientemente recuperados en anticuarios. Toda la fachada es antigua. Vidrieras hechas a mano.
Ambiente: Público que busca tranquilidad y dispone de tiempo para comer bien en un escenario lleno de matices del sentir como la virtuosa música de épocas pasadas.
Bodega: Selección de vinos adaptada a esta cocina.
Hombres y nombres: Alma Mater: Teresa Lancuentra.
Otros datos de interés: Abierto desde el año 2006, este local con personalidad propia ha sido pensado para gastrónomos cultos que aprecian los sabrosos platos de la cocina tradicional de otros tiempos. Posibilidad de cenas para grupos hasta 40 personas y animaciones según petición. Servicio de terraza durante todo el año.
Tarjetas: Todas.

ESPECIALIDADES EL PUCHERO DE BARALANTRA

Cocina a la antigua
Todo se elabora en casa
Tapas y montaditos fríos y calientes
Croquetas de jamón
Tortilla de patata con cebolla
Patatas a la brava
Sopas y potajes en invierno: puchero de pueblo,....
Rape a la miel o a la muselina de ajo
Bacalao a la llauna
Carnes ecológicas de Asturias
Albóndigas
Pastelitos de Girona
Arroz con leche
Piña con crema catalana

Routa

Nueva cocina nórdica en Barcelona

Desde 2008, Matti Romppanen y Tero Siltanen han traído a Barcelona su nueva cocina escandinava, una de las tendencias más interesantes en el actual panorama gastronómico internacional. A pesar de su juventud, estos dos chefs finlandeses poseen una amplia experiencia adquirida en prestigiosos restaurantes de Gran Bretaña, España, Francia y EE.UU. En Finlandia, coincidieron en el afamado Chez Dominique donde entablaron amistad y poco a poco empezó a tomar forma la idea de crear su propio restaurante. El nombre de Routa tiene su origen en la naturaleza nórdica, es un fenómeno típico de los fríos inviernos en aquellas tierras, la congelación de la capa superficial del suelo.

Aquí, practican una cocina elegante, innovadora, fresca y ligera, combinando hábilmente las mejores tradiciones de la cocina nórdica con técnicas culinarias europeas y las excelentes materias primas catalanas. Junto a los conceptos más modernos, utilizan métodos clásicos de preparación como el ahumado, la maduración de la carne fresca y la cocción a fuego muy lento. Las piedras angulares gastronómicas del frío y exótico norte son los exquisitos pescados de aguas frías y las sabrosas bayas, setas y hierbas de los verdes bosques. Destaca el refinamiento de las formulaciones, atrevidas combinaciones de sabores, texturas y colores, siempre aderezadas con un toque muy personal en el aspecto, visualidad y atractiva presentación.

Cubiertos, copas y elementos decorativos del comedor, con capacidad para tan sólo 30 personas, representan también el diseño escandinavo moderno. La visita a Routa supone una experiencia gastronómica novedosa y diferente.

ROUTA'S SPECIALITIES

Modern Scandinavian cookery

Three tasting menus

Lightly-smoked salmon with asparagus emulsion

Spiced lobster, lobster salad and young spring vegetables

Quail stuffed with foie gras, sherry sauce

Salt cod cooked at low temperature, milk of toasted almonds and mussel sauce

Flank of pork and lemon thyme sauce

Sweet spring salad with mint ice cream

Routa chocolate Vol. 2 / 2011

Cheese

Routa

Localidad: **Barcelona (08007)**
Dirección: Enrique Granados, 10
Teléfonos: **93 451 19 97** **E-mail: info@restaurant-routa.com**
www.restaurant-routa.com
Parking: Aparcamiento cercano en Consell de Cent, 264.
Días de cierre y vacaciones: Abierto de martes a sábados de 19,30 a 23 h. Sólo cenas.
Decoración: Minimalista y contemporánea, el diseño escandinavo moderno más atractivo y actual.
Ambiente: Gastrónomos interesados en descubrir la alta cocina nórdica, actualmente puntera.
Bodega: Interesante selección de vinos catalanes, españoles y del mundo.
Hombres y nombres: Chefs de cocina: Matti Romppanen y Tero Siltanen.
Otros datos de interés: En el corazón del Eixample, una cocina elegante, creativa, fresca y ligera. Un concepto novedoso y diferente.
Tarjetas: Las usuales.

ESPECIALIDADES ROUTA

Nueva cocina nórdica
Tres Menús Degustación
Salmón ligeramente ahumado y emulsión de espárragos
Bogavante especiado, ensalada de bogavante y verduritas de primavera
Codorniz rellena de foie gras y salsa de Jerez
Bacalao cocido a baja temperatura, leche de almendra tostada y salsa de mejillones
Panceta de cerdo 36 h y salsa de tomillo limón
Ensalada dulce de primavera y helado de menta
Routa chocolate Vol. 2 / 2011
Quesos

Sagardi

Gastronomía vasca en versión original

Sagardi es un sello de origen, de identidad, de compromiso. De las mejores materias primas y de los mejores productores, nace una cocina limpia, sana, respetuosa. Sidrerías y tabernas han sido y son un legado cultural del País Vasco. Un concepto que Sagardi pretende conservar y convertir en lugar de encuentro, combinando una culinaria auténtica, sencilla y natural, con las mejores sidras y vinos del país. Pretende volver a disfrutar de la gastronomía como antes, como se comía y cocinaba con las abuelas vascas.

Sagardi gira en torno al fuego, una forma de cocinar los alimentos con muy poca elaboración y en su justo punto. Esto sólo puede hacerse con productos de la mayor calidad. Además, se cocinan de cara al cliente, a la brasa y sin largas esperas en su preparación. La mejor carne, verduras recién cogidas y los pescados más frescos forman la base de la carta.

En Sagardi se disfruta del concepto de "txuletón" que las parrillas de los asadores vascos han ido perfeccionando a lo largo de muchos años. Selecciona la carne entre las mejores vacas viejas que, con más de seis años, están en la plenitud de sabor. Estas carnes rojas, al contacto con la brasa de encina, se expresan de forma sorprendente. Sabores limpios, a tierra, leche y pasto. Un producto honrado, natural y saludable.

Sagardi ofrece a sus clientes una carne especial como es la carne de buey, actualmente casi imposible de encontrar en el mercado, organiza Jornadas Gastronómicas con auténticas carnes de buey, un verdadero lujo para los carnívoros, una carne con el sabor de antaño.

Los establecimientos del Grupo Sagardi están presentes en Barcelona, Madrid, Valencia, Zaragoza y Andorra. **En Ibiza, un verdadero "must", La Barraca by Sagardi**. Ctra. de Ses Freixes, s/n (Playa de Talamanca) T. 971 193 380. Comedor interior, comedor terraza orientado al mar y jardines. Abierto de junio a octubre. La marca Sagardi ha iniciado su **andadura internacional** con un primer establecimiento en Buenos Aires (Argentina). Planea su extensión en Europa: Amsterdam y en el continente americano, empezando por México D.F. y siguiendo por la Costa Este de Estados Unidos.

SAGARDI'S SPECIALITIES

Genuine Basque cuisine

Fresh small red "piquillo" capsicums, grilled on the wood-fired barbecue and hand-peeled

Beans from Tolosa with garnish

Salt cod omelette "Roxario"

From the grill: neck and head of fresh cod, turbot, monkfish, rib steak of beef

Duck confit

Lamb's trotters Basque style

Tripe Rioja style

Oxtail stew with Rioja wine

Basque artisan cheese assortment

Reinette apple, ewe's curd and ice cream of gianduja chocolate

Apple tartlet with Sagardoz (apple spirit)

Sagardi

Localidad: **Barcelona (08011)**
Dirección: C/ Muntaner, 70 - 72 (esquina Aragón)
Teléfonos: **93 706 07 06 - Central de Reservas: 902 520 522**
E-mail: reservas@sagardi.com
www.gruposagardi.com
Parking: Aparcamiento Agramunt (C/ Aragón, 208-210).
Propietario: Grupo Sagardi.
Días de cierre y vacaciones: Abierto cada día.
Decoración: Un concepto basado en las sidrerías y tabernas del País Vasco.
Ambiente: Distendido y alegre. Punto de encuentro entre pasado y presente.
Bodega: Predominan los vinos de origen vasco. Rioja Alavesa, Txacolís de primer nivel y sidra Zapiain. Vino de producción propia: Uco Acero elaborado en Mendoza (Argentina) con uva Malbec.
Hombres y nombres: Jefe de cocina: Imanol García. Director: Roger Calaf.
Otros datos de interés: Todos los pescados y carnes están elaborados a la parrilla de carbón de encina. Amplias instalaciones: gran barra de pintxos al más puro estilo vasco, para degustar más de 80 variedades, tradicionales o innovadoras, a cualquier hora del día, comedor para 92 comensales y 3 salones privados para 40, 40 y 30.
Tarjetas: Las principales.

ESPECIALIDADES SAGARDI

Auténtica gastronomía vasca
Pimientos del piquillo frescos, asados a la leña y pelados a mano
Alubia nueva de Tolosa con su guarnición
Tortilla de bacalao estilo "Roxario"
A la parrilla: cogote de bacalao fresco, rodaballo, rape y txuletón de buey
Confit de pato de Iparralde
Manitas de cordero lechal a la vizcaína
Callos a la riojana
Rabo de buey al Rioja alavesa
Degustación de quesos vascos artesanos
Manzana reineta, cuajada de oveja y chocolate gianduja en helado
Tarta fina de manzana al Sagardoz

Salamanca

Esencia marinera de la Barceloneta

La historia de los restaurantes Salamanca y Salamanca 2 nos traslada en el tiempo al barrio de La Barceloneta, singular por su larga tradición pesquera. Allí fue donde su propietario, Silvestre Sánchez Sierra inauguró su primera casa en el año 1971. Hoy estos dos populares restaurantes han logrado gran fama gracias al empeño y buen hacer de todo su equipo humano. Dicho reconocimiento lo ratifican gentes de los cinco continentes, por estos restaurantes pasan personajes célebres del mundo de la política, las letras, el espectáculo, la pintura, el deporte y la tauromaquia, así lo atestiguan innumerables fotografías que decoran todas sus paredes.

El restaurante Salamanca tiene capacidad para 550 comensales, en dos niveles. Los diferentes comedores hacen honor, con sus nombres, a distintas regiones de España. Ideales para reuniones de empresa, cenas de negocios o celebraciones de banquetes. Dispone de salones desde 12 hasta 70 comensales, gran flexibilidad organizativa que permite múltiples combinaciones.

Aquí se disfrutan privilegiados productos de la tierra y del mar. Jamones y embutidos que llegan de fincas propias en Salamanca, pescados y mariscos seleccionados día tras día en la lonja. El trato del servicio es inmejorable. Y no es extraño ver al propio Silvestre Sánchez, propietario y fundador del restaurante, paseando entre las mesas, asegurándose que todo es del agrado de los clientes.

SALAMANCA'S SPECIALITIES

Cookery with sea produce
Cured pork specialities of animals from our own farm
Fresh fish, crustaceans and shellfish, rice specialities
Norway lobsters, shrimps, goose barnacles, oysters
Seafood assortment
Grilled fish & seafood assortment
Boiled octopus sprinkled with olive oil and paprika
Fish casseroles
Chargrilled monkfish
Hake Basque style
Baked turbot
Sea bass or gilthead bream, in a salt coat or grilled with garlic and a dash of vinegar
Black rice (coloured with squid ink), brothy rice & lobster pot, paella with seafood
Beef from Galicia and roasts
Home made desserts

Salamanca

Localidad: **Barcelona (08003)**
Dirección: Almirall Cervera, 34 y 27 (Barceloneta)
Teléfonos: **93 221 50 33. Fax: 93 225 51 56**
E-mail: salamanca@gruposilvestre.com
www.gruposilvestre.com
Parking: Servicio de aparcacoches y aparcamiento.
Propietario: Silvestre Sánchez.
Días de cierre y vacaciones: Abierto cada día del año, servicio de cocina ininterrumpido.
Decoración: Confortables salones de estilo clásico.
Ambiente: Un restaurante con solera, emblemático y muy concurrido en la Barceloneta.
Bodega: Extensa, predominan etiquetas y bodegas tradicionales.
Hombres y nombres: Una gran plantilla a su servicio.
Otros datos de interés: Terraza con capacidad para 250 comensales, climatizada en invierno y acariciada por la brisa del Mediterráneo en verano. Servicio atento y varios menús para todos los apetitos. Es aconsejable reservar.
Tarjetas: Todas.

ESPECIALIDADES SALAMANCA

Cocina marinera
Embutidos ibéricos de crianza propia
Pescados, mariscos y arroces
Cigalas, camarones, percebes, ostras...
Mariscadas y parrilladas
Pulpo a la gallega
Calderetas y cazuela de pescado
Rape a la brasa
Merluza a la vasca
Rodaballo al horno
Lubina o dorada a la espalda o a la sal
Arroz negro, caldoso con bogavante, paella de marisco
Ternera gallega y asados
Postres caseros

Receta **La Taverna del Clínic**

Rabo de toro al vino

Ingredientes: 1 kg. de rabo de toro o buey, 150 cc. de vino tinto, 150 cc. de vino blanco, 2 puerros, 2 tomates, 1 cebolla mediana/grande, ½ cabeza de ajos, 2 zanahorias, ½ guindilla seca, 1 hoja de laurel, ¼ l. de aceite, sal, pimienta negra y harina.

Preparación: Salpimentar los trozos de rabo y enharinarlos, pasarlos por la sartén con el aceite bastante caliente, hasta que se doren. Colar el aceite empleado en la fritura y poner dos cucharadas en una olla a presión, añadir a la olla la cebolla, los ajos, los puerros, la hoja de laurel, la guindilla seca y las zanahorias, todo ello picado. Sofreír pausadamente hasta que tome color, llegado a este punto agregar el tomate y dejar cocer todo unos 15 minutos.

En otra cazuela habremos puesto a fuego medio el rabo y las dos clases de vinos y dejar reducir a la mitad. Lo pondremos en la olla junto con las verduras a fuego medio durante unos 20 minutos. Una vez se pueda abrir la olla, pero en caliente, sacar los trozos de rabo, limpiarlos de verdura y ponerlos en una cazuela. Triturar todo el líquido y verdura y echar por encima del rabo, cocerlo hasta que esté completamente tierno.

LA TAVERNA DEL CLÍNIC'S SPECIALITIES

Recommendations of the day with fresh market produce
Baby octopuses with peas
Red prawn from Palamós
Poached egg with caviar and spinach
Igloo of boiled octopus with paprika and olive oil, potatoes from Puigcerdà
Cannelloni of cèpe mushrooms and duck with truffle scent
Fried potato dice with spicy tomato dressing "La Taberna"
Salt cod in three different ways
Streaky cooked at low temperature with turnips from Cerdagne
Rice & lobster pot with crisp blood sausage flake and horn-of-plenty mushrooms
50/60 different cheeses
Rum baba
Kéfir ice cream with cherries

La Taverna del Clínic

Localidad: **Barcelona (08036).**
Dirección: C/ Rosselló, 155 (entre Urgell y Villarroel).
Teléfono: **93 410 42 21. Fax: 93 410 66 77.**
E-mail: msimoesbcn@hotmail.com
Parking: Al lado en C/ Villarroel.
Propietario: Manuel y Antonio Simôes.
Días de cierre y vacaciones: Cerrado domingos. Abierto todo el año.
Decoración: Al estilo de una elegante taberna, con jamones y botellas a la vista.
Ambiente: Animado e informal, apto para todos los públicos.
Bodega: Alrededor de 110 etiquetas, toda la gama de precios, desde 18 € a 300 €.
Hombres y nombres: Jefe de sala: Manuel Simôes. Chef: Antonio Simôes.
Otros datos de interés: Una taberna ilustrada para disfrutar, Toni Simôes se ha curtido en los fogones de Can Fabes. Gran barra. Horario amplio, abre a las 7,30 h (cocina de 12 h a 16 h y de 19,30 h a 23,30 h). La familia regenta también Xalana y Taverna del Olimpo.
Tarjetas: Las usuales.

ESPECIALIDADES LA TAVERNA DEL CLÍNIC

Sugerencias según mercado diario
Mini pulpitos con ragout de guisantes
Gamba roja de Palamós
Huevo poche con caviar y espinacas
Iglú de pulpo a la gallega y patata de Puigcerdà
Canelón de ceps y pato al perfume de trufa
Las bravas de la taberna
Trifásico de bacalao
Panceta a baja temperatura y nabos de Cerdanya
Arroz de bogavante con crujiente de butifarra negra y trompetas de la muerte
50/60 clases de quesos diferentes
Borracho al ron
Helado de keffir con cerezas negras

Receta **Vía Veneto**

Costillar de cordero asado al horno con milhojas de "escalivada catalana"

Ingredientes para cuatro personas: Un costillar de cordero deshuesado y marinado con laurel, tomillo y pimienta.

Para la salsa: Los huesos del costillar, una cebolla, una zanahoria, una cabeza de ajos, dos tomates y dos champiñones, laurel, tomillo, pimienta negra en grano, 1/4 l. de vino de Oporto, 1 l. de caldo de ternera, una copita de brandy, agua, aceite de oliva, "Maicena".

Para la guarnición: cuatro patatas, un pimiento, una berenjena, una cebolla, espárragos, zanahorias pequeñas.

Preparación: Primeramente, pondremos a dorar los huesos con aceite. Una vez bien dorados, les añadiremos todas las verduras bien picadas. Cuando esté todo bien sofrito, lo flambeamos con el brandy, seguidamente echaremos el Oporto dejando reducir un poco y añadiendo el caldo y un poco de agua, lo justo para que cubra. Dejaremos cocer durante una hora. Pasado este tiempo, lo pasaremos todo por el colador chino, lo espesaremos con un poco de "maicena" y dejaremos a punto de sal y pimienta.

Cocemos las patatas con su piel en agua salada. Una vez bien cocidas, las dejaremos enfriar.

Mientras tanto, asaremos en el horno el pimiento, la cebolla y la berenjena, dejando todo bien limpio de piel y simientes. Cortaremos en tiritas y aliñaremos con aceite, sal y pimienta.

Pelaremos las patatas, las cortaremos en rodajas y las doraremos en una sartén con un poco de aceite. Iremos montando una capa de patatas y una capa de "escalivada", formando tres o cuatro capas como si fuese un pastel, lo pasaremos un momento al horno caliente para que se confite y ya estará dispuesto para servir.

Coceremos separadamente los espárragos y las zanahorias y salteamos con aceite. Salpimentamos.

Pondremos a dorar en una cazuela al fuego el costillar de cordero una vez salpimentado y rociado con aceite. Una vez esté bien dorado, lo pasaremos al horno caliente durante diez minutos. Pasado este tiempo, lo retiraremos y dejaremos reposar diez minutos más.

Al momento de servir, cortaremos el costillar y lo acompañaremos de milhojas de "escalivada" y de los espárragos y zanahorias salteados.

VÍA VENETO'S SPECIALITIES

Lukewarm steamed prawns with crunchy brioche, Greek Kalamata olives and salad bouquet
Fresh duck liver macerated in "Casta Diva" muscatel with honeyed sponge
Marinated sardines with anchovy and salmon caviar, tomato dressing
Confit tuna with smoked-scented oil, caramelised mango and rocket salad, black-olive sauce
Roast fillet of monkfish in mushroom coat
Roast rack of suckling lamb with an herb crust and braised chicory
Crisp slice or arbequina olives with white-chocolate mousseline and ice cream of sweet wine
Layered slice of dark chocolate leaves and ice cream of white chocolate
"Massini" of dark chocolate and toasted corn with yolk ice cream

Vía Veneto

Localidad: **Barcelona (08021).**
Dirección: Ganduxer, 10 y 12.
Teléfonos: **93 200 72 44 - Fax: 93 201 60 95**
E-mail:pmonje@adam.es www.viavenetorestaurant.com
Parking: Propio con aparcador.
Propietario y Director: Josep Monje Canut.
Días de cierre: Sábados al mediodía, domingos todo el día y del 1 al 20 de agosto
Decoración: Muy lujosa, estilo "Belle Epoque".
Ambiente: Mediodía, mayoritariamente comidas de negocios. Noche: cenas de sociedad.
Bodega: Una de las más surtidas del país, a dos pisos bajo tierra. Todos los vinos nacionales. Cavas catalanes. Grandes vinos de importación y champagnes franceses.
Hombres y nombres: Josep y Pedro Monje dirigen un equipo de 40 profesionales. Chef de cocina: Carles Tejedor; Sommelier: José Martínez.
Tarjetas: Todas.

ESPECIALIDADES VÍA VENETO

Langostinos templados al vapor con brioche crujiente, aceitunas de Kalamata y ramillete de ensaladas
Hígado de pato fresco macerado al moscatel "Casta Diva" con bizcocho de miel
Sardinas marinadas con caviar de arenque y salmón a la vinagreta de tomate
Atún de almadraba confitado al aceite ahumado, mango caramelizado y rúcula, salsa de aceitunas negras
Lomo de rape asado y empanado con miga de setas
Costillar de cordero lechal asado al horno con costra de finas hierbas y endibias braseadas
Crujiente de oliva arbequina con muselina de chocolate blanco y helado de vino dulce
Milhojas de chocolate negro con helado de chocolate blanco
Massini de chocolate negro y maíz tostado con helado de yema

Can Jubany

Valor en alza

Nandu Jubany nació en Monistrol de Calders el 19 de enero de 1971. En pocos años ha acumulado gran experiencia y notable rodaje profesional. A la edad de 18 años, ingresó como jefe de cocina en el Urbisol, un establecimiento propiedad de la familia. Ha trabajado además en otros restaurantes de prestigio en Madrid y País Vasco donde toma conciencia de lo que representa un restaurante gastronómico.

En otoño de 1995, abre Can Jubany, una masia restaurada de Calldetenes, en plena llanura de Vic. Desde entonces, y junto con su mujer Anna, ha proyectado el restaurante hasta convertirlo en un referente gastronómico, un espacio en el que descubrir un nuevo concepto gustativo: recoger toda la experiencia de los platos tradicionales y reinventarlos, con dedicación, esfuerzo y pasión, valores que Nandu trasmite cada día en la cocina. Autenticidad, sabiduría teórica y práctica, culinaria suculenta y copiosa. En la actualidad, una casa muy consolidada y de visita imprescindible.

Durante los últimos años, Nandu Jubany ha iniciado una expansión en su proyecto culinario. En 2001, tomó las riendas del que se convertiría en su restaurante de banquetes: el Mas d'Osor de Viladrau. Mas tarde, se añadirían dos proyectos diferenciados: en julio 2005, una segunda sala de banquetes y convenciones, el Serrat del Figaró donde también ubicó I+D Gastronomía, una empresa de soluciones gastronómicas para caterings, hoteles, restaurantes,....en marzo 2006 inaugura el Hotel Mas Albereda en Sant Julià de Vilatorta, un pequeño gran hotel de 21 habitaciones, fruto de la reconstrucción de una masia catalana del siglo XXI. Los dos años siguientes estuvieron marcados por una consolidación mediática.

CAN JUBANY'S SPECIALITIES

Updated traditional cookery
The à la carte menu changes according to the season's produce
Seasonal menu: 45 €
Tasting menu: 85 €
Truffle cooked in hot ashes with lard of pork dewlap
Traditional chicken & lard cannelloni
Hare terrine Royale with foie gras, pear and quince jelly
Rice with sea cucumber
Chargrilled octopus with confit potato and sea lettuce
Roast truffled poulard with broccoli and cauliflower
Gin tonic with gin tonic
Chocolate-coffee
Our own interpretation of pyjama (caramel cream with fruit and ice cream)

Can Jubany

Localidad: **Calldetenes (08506 Barcelona).**
Dirección: Ctra. de Sant Hilari, s/nº (Jubany).
Teléfono: **93 889 10 23. Fax: 93 886 26 80.**
E-mail: info@canjubany.com **www.canjubany.com**
Parking: Amplio aparcamiento propio.
Propietario: Ferran Jubany.
Días de cierre y vacaciones: Cerrado lunes todo el día y noches de domingos y martes. Vacaciones: 1ª quincena de enero y 1ª quincena de agosto.
Decoración: Acogedora masia catalana de arquitectura tradicional, perfectamente restaurada.
Ambiente: Predomina el público de la comarca de Osona.
Bodega: Importante, 400 referencias, vinos del mundo entero.
Hombres y nombres: Chef de cocina: Nandu Jubany. Jefe de sala: Anna Orte. Sumilier: Carol González.
Otros datos de interés: Las instalaciones, recientemente remodeladas, se distribuyen en dos plantas; abajo recepción y ámbito de cocina; arriba, tres comedores y dos salones privados. Nuevo comedor con vistas a la Plana de Vic. Servicio de catering y bodas de alta calidad a toda Cataluña, "Can Jubany a domicilio".
Tarjetas: Todas.

ESPECIALIDADES CAN JUBANY

Cocina tradicional puesta al día
La carta evoluciona según el producto de cada estación
Menú de Temporada: 45 €
Menú-Degustación: 85 €
Trufa al caliu con tocino de papada
Canelones tradicionales de pollo y tocino
Terrina de liebre a la Royale con foie, pera y dulce de membrillo
Arroz de "espardenyes"
Pulpo a la brasa con patata confitada y lechuga de mar
Pularda asada trufada con brócoli y coliflor
Gin tonic con gin tonic
Chocolate-café
Nuestra interpretación del pijama

La Canasta

Hegemonía marinera

Emblemático restaurante regentado por la familia Yepes desde 1976. Su excelente cocina y cuidadoso servicio es una apuesta por la mejor cultura gastronómica mediterránea, artesanal y marinera y tiene como única misión conmover los cinco sentidos de los comensales.

Su cocina combina tecnología y artesanía para exaltar los sabores, respetando sus orígenes, texturas, colores y nobleza. Este concepto lo extienden a su servicio en el cual aplican "todo lo que sabemos, creemos y sentimos para que, cuando vengan, pueda fluir y disfrutar de la gracia de una lubina, el esplendor de un bogavante o la tímida sencillez de un arroz".

Especializados en elaboraciones mediterráneas y marineras, en la carta encontrarán verdaderas perlas de la cocina, servidas en un marco incomparable y con una atención única, ya que en palabras de su maestro de ceremonias, Miguel Yepes, "mi idea de servicio es transmitir la felicidad de hacer, para que el cliente la reciba y a la vez nos devuelva esa felicidad para seguir haciendo. **Si el cliente es feliz, he conseguido mi objetivo**".

Sean bienvenidos a esta fiesta gastronómica que levanta el telón cada día cuando se encienden las luces, los comensales llegan, se sirven los vinos de la extensa bodega y rápidamente se contagia el aroma y sabor de recibir de un lugar con un encanto especial. Además ostenta el distintivo Q de Calidad Turística.

LA CANASTA'S SPECIALITIES

Fresh clams from Carril in white wine with oyster mushrooms and cured Jabugo ham
Carpaccio of salt cod with Iranian caviar
Red beans with cardoons and clams
Potato with caviar
Spiny lobster and potato salad
Fideuà with fish and seafood (kind of paella with noodles instead of rice)
Rice pot with rabbit and snails
"Arroz a banda": fish & seafood casserole served with rice beside
Rice & spiny lobster pot
Fish & seafood casserole
Fresh duck liver and confit onion with port
Sea bass medallions in lemony marinade
Barbecued salt cod
Home-made pastry assortment

La Canasta

Localidad: **Castelldefels (08860 Barcelona)**
Dirección: Plaza del Mar, 3. Pº Marítimo, 197
Teléfonos: **93 665 68 57 Fax: 93 636 02 88**
E-mail: info@restaurantelacanasta.com
www.restaurantelacanasta.com
Parking: Sin problemas, fácil aparcamiento en la zona.
Propietario: Industrial de Explotaciones Hoteleras S.A. (INDEHSA)
Días de cierre y vacaciones: No cierra ningún día.
Decoración: Náutica, con connotaciones muy marineras.
Ambiente: Hombres de negocios, artistas, políticos, familias y parejas.
Bodega: Más de 400 referencias.
Hombres y nombres: Directores: Miguel Yepes y Sra. Yepes. Jefe de cocina: Eduardo Domíngez. Jefa de sala: Esther Yepes. Control: Mireya Yepes. R.R.P.P.: Cristian Yepes.
Otros datos de interés: Miembro de la Confraría Gastronómica Més Onze de Castelldefels. Salones privados, terraza invierno y verano.
Tarjetas: Todas.

ESPECIALIDADES LA CANASTA

Almejas de carril al vino blanco con setas y Jabugo
Carpaccio de bacalao con caviar iraní
Alubias pintas con cardos y almejas
Patata al caviar
Ensalada de langosta con patatas
Fideuà gandiense
Arroz con conejo y caracoles
Arroz a banda completo
Caldereta de arroz con langosta
Suquet de pescadores
Hígado de pato fresco con cebolla confitada al Oporto
Medallones de lubina al escabeche de limón
Bacalao a las brasas
Surtido de pastelería de la casa

Receta La Gioconda

Suquet de rape con langostinos

Ingredientes para 4 personas: 800 gr de rape sin espina, 12 piezas de langostinos, 1 cebolla, 3 tomates maduros, 1 hoja de laurel, 100 gr de almendras, 1 cabeza de ajos, 2 ñoras, 1 cucharada de pimentón dulce, 1 copa de coñac, otra de jerez seco, 2 patatas, 2 rodajas de pan frito y 1 cucharada de all i oli.

Preparación: Brasear el rape trozeado con los langostinos y flambe- arlo con el coñac; cortar las patatas a rodajas, pocharlas y ponerlas en una fuente de barro. El rape y los langostinos irán encima de la base de patatas

Con el resto de los ingredientes se prepara la salsa, menos el all i oli que se guarda para la decoración final. Esta salsa se vierte sobre el rape; le añadimos el all i oli encima y lo ponemos a hornear duran- te 10 minutos. El all i oli debe quedar gratinado y dorado
(Especialidad de creación propia)

LA GIOCONDA'S SPECIALITIES

The fishermen's soup
Wide range of pizzas
Monkfish "Gioconda"
Salad assortment
"Fideua": Kind of paella prepared with noodles instead of rice
Rice specialities
Wide range of italian pasta specialities
Roast lamb and kid
Salt-cod with garlic mayonnaise and prawns
Sauce specialities for meat preparations
Fresh fish according to the market offer
"Suquet": fish casserole

La Gioconda

Localidad: **Castelldefels (08860 Barcelona)**

Dirección: Pº Marítimo, 177.

Teléfonos: **93 664 51 07 - 93 636 28 24 - Fax: 93 636 18 20**

Parking: Fácil en la zona.

Días de cierre y vacaciones: Abierto cada día del año.

Decoración: Tipo inglesa.

Ambiente: Distinguido, negocios en semana y matrimonios en festivos.

Bodega: Muy amplia en vinos nacionales.

Hombres y nombres: Una brigada de jóvenes profesionales.

Otros datos de interés: La oferta gastronómica más variada y el restaurante más popular con varios premios importantes. Miembro de la Confraria Gastronómica Més Onze de Castelldefels.

Tarjetas: Todas.

ESPECIALIDADES LA GIOCONDA

Sopa de pescadores
Gran surtido de pizzas
Colita de rape Gioconda
Ensaladas muy variadas
Fideuà y arroces
Gran surtido de pastas italianas
Corderito y cabrito rustidos al horno
Bacalao al alioli con gambas
Surtido de salsas para acompañar con carnes
Pescado fresco según mercado
Suquet de marisco

Receta **El Péndulo**

Bacalao confitado con guarnición de porrusalda

Ingredientes para 4 personas: 800 gr. de morro de bacalao desalado (en 4 trozos), 2 puerros medianos, 200 gr. de calabaza, 3 dientes de ajo, aceite de oliva, 100 gr. de patata pelada, 20 gr. de mantequilla, 50 gr. de nata líquida y sal.

Preparación de la guarnición: Lavar y cortar en tiras finas (juliana) los puerros. Rehogar a fuego suave y tapado sin dejar que coja color con un poco de aceite y sal. En el último momento añadir la calabaza pelada y troceada en láminas, reservar.

Preparación de la crema de patatas: Pelar las patatas y hervirlas con agua. Hacer un puré con las patatas hervidas, la nata y la mantequilla. Aligerarla con un poco del agua de hervir las patatas y ponerlo al punto de sal.

Confitado de bacalao: poner en un cazo los cuatro lomos de bacalao, cubrirlo con aceite de oliva y los ajos machacados. Poner a fuego suave sin que llegue a freír hasta que salgan las lamas del bacalao, unos siete minutos. Escurrir.

Acabado y presentación: disponer en el fondo del plato el puerro rehogado con la calabaza. Poner el bacalao encima y la crema de patatas alrededor. Cortar la crema con una cucharada de aceite de confitar el bacalao.

EL PÉNDULO'S SPECIALITIES

The Chef's recommendations of the day

Noodle & meat pot

Flat round of chopped stewed cabbage, fried with lard and garlic, served with foie gras and port sauce

Gently-cooked salt cod with leeks

Roast-beef-like fillet of tuna with ginger

Fillet steak with herbs and potatoes with egg

Seasonal desserts

El Péndulo

Localidad: **Castelldefels (08860 Barcelona)**

Dirección: Ribera Sant Pere, 1.

Teléfono: **93 664 15 95**

Parking: Aparcamiento en las proximidades.

Propietario: Elías Vigil

Días de cierre y vacaciones: Abierto todo el año.

Decoración: Un escaparate frente al mar.

Ambiente: Informal.

Bodega: Bien seleccionada.

Hombres y nombres: Chef de cocina: José Martínez.

Otros datos de interés: Noche de amigos con buena música y copas.

Tarjetas: Todas.

ESPECIALIDADES EL PÉNDULO

Platos del día sugeridos por el chef

Caldero de fideos a la montañesa

Trinxat con foie, salsa de Oporto

Confit de bacalao con puerros

"Roast beef" de atún con jengibre

Solomillo a las finas hierbas con patatas al huevo

Postres de temporada

Evo

Evolución arquitectónica y gastronómica

Ubicado en una cúpula acristalada proyectada por el arquitecto Richard Rogers, en la atmósfera envolvente de este innovador restaurante, a 5 km. del aeropuerto y con unas vistas panorámicas de 360º de Barcelona, un equipo de jóvenes cocineros, capitaneados por el chef Ismael Alegría, reinterpretan el recetario de Santi Santamaría con márgenes de libertad creativa, añadiéndole aportaciones personales. Este trabajo en equipo crea una cocina de carácter, precisa y contemporánea.

Tierra, simplicidad y mestizaje mediterráneo con vocación universal se unen creando una culinaria de gran estilo, rotunda, sólida, sabrosa y sin concesiones a la moda.

Cocciones a la piedra, al barro y al vapor, combinadas con la tecnología más puntera en la cocina, resaltan los sabores de los mejores productos locales para presentar unos platos atrevidos con mezclas de luz, color, sabor y sensaciones.

Este ambicioso proyecto ya ha pasado a formar parte de la atractiva oferta gastronómica de Barcelona así como de su perfil arquitectónico. Un restaurante de altura.

EVO'S SPECIALITIES

The menu is an ode to the produce, a mixture of kind and Mediterranean proximity

Sea cucumbers, pearl onions and sauté tomato

Fried vegetables with dill oil

Velvet crabs with their coulis

John Dory (fish) with chicory, leek and potatoes in curry sauce

Hake with roasted cèpe mushrooms and salsify

Scorpion fish in a salt crust with Anna potatoes and beetroot

Glazed pork cheeks, carrot purée with cumin

Charolais beef with roasted peppers and shallots

Duck, cabbage & orange salad

Bitter chocolate in pastilla dough with ice cream of cottage cheese

Confit pear, fritters with Indian-vanilla ice cream

Evo

Localidad: **Hospitalet de Llobregat (08907 Barcelona)**
Dirección: Gran Vía, 144. (Hotel Hesperia Tower)
Teléfonos: **93 413 50 30. E-mail: evo@hesperia-tower.com**
www.evorestaurante.com
Parking: 4 horas de aparcamiento gratuito en el parking situado delante del restaurante.
Días de cierre y vacaciones: Domingos y festivos.
Decoración: Sala circular y panorámica, con detalles vanguardistas.
Ambiente: Moderno.
Bodega: Amplia. Vinos de España y del resto del mundo. La carta se presenta en una caja con 2 libros: el primero con vinos espumosos, blanco y tintos, y el segundo incluye vinos dulces, generosos, brandys y licores.
Hombres y nombres: Chef: Ismael Alegría. Sumiller: Arnaud Echalier.
Otros datos de interés: Un espacio único, situado en una espectacular cúpula acristalada construida a 105 metros de altura sobre el Hotel Hesperia Tower. Capacidad máxima: 50 comensales.
Tarjetas: Todas

ESPECIALIDADES EVO

La carta es una oda al producto, mezcla de proximidad amable y mediterránea
Espardeñas, cebollitas y tomate salteado
Verduras fritas con aceite de eneldo
Nécoras con su coulis
San Pedro con endibias, puerro y patatas al curry
Merluza con ceps asados y salsifis
Cabracho con patatas Anna y remolacha a la sal
Careta de cerdo glaseada con puré de zanahoria al comino
Buey charolais con pimientos asados y chalotas
Pato, ensalada de col y naranja
Chocolate amargo en pastilla y helado de queso fresco
Pera confitada, buñuelos con helado de vainilla de la India

Aligué

Manresa suculenta

El restaurante Aligué de Manresa abrió sus puertas el año 1957. La abuela y los padres de Agustí y Benvingut Aligué empezaron como restaurante de carretera con platos populares basados en las raíces de la cocina catalana.

En el año 1982, los hermanos Aligué toman el relevo y deciden crear un restaurante gastronómico sin dejar de lado la oferta de toda la vida. Desde entonces siguen ofreciendo los dos tipos de cocina: popular y gastronómica.

El concepto respeta el producto y las formas de la zona, el resultado es una culinaria tan suculenta como placentera que tiene sus bases en la cocina catalana de Ignasi Domènech, enriquecida con aportaciones e influencias de Francia, Italia y País Vasco donde el chef Benvingut Aligué ha realizado varias estancias. El concepto es sólido y las recetas trabajadas. Agustí Aligué comanda el servicio de sala, eficaz y profesional.

En la actualidad, este restaurante para disfrute de los gourmands, presenta creaciones de la cocina catalana más actual con los más nobles géneros del mercado, experiencia, sabiduría y exquisito gusto. El mejor homenaje: en esta casa, el gastrónomo más viajado volvería a comer cada plato. Damos fe.

ALIGUÉ'S SPECIALITIES

Cookery with fresh season's produce
Specialities with truffles, wild mushrooms and game
Salad of crisp pig's trotters
White bean stew with clams
Cannelloni of dried porcini mushrooms
Salt cod mi-cuit with "escalibada" (grilled courgettes, aubergines, onions and tomatoes) with pistachio skin
Truffle en surprise with artichoke salad
Potato timbale with egg, parmesan cheese and truffle
Hake with chestnuts, wild mushrooms and pearl onions
Knuckle of veal
Crisp boned goat kid breast
Chestnut coulant
Pancake hat with ice cream of Catalonian crème brûlée and Suzette sauce
Carrot and coconut plum cake with tangerine ice cream

Aligué

Localidad: **Manresa (08241 Barcelona).**
Dirección: Barriada El Guix. C.16. Ctra. de Vic, 8 y 10.
Teléfono: **93 873 26 17 - 93 873 25 62. Fax: 93 874 80 74.**
E-mail:info@restaurantaligue.es www.restaurantaligue.es
Parking: Propio.
Propietario: Agustí y Benvingut Aligué.
Días de cierre y vacaciones: Abierto cada día al mediodía. Cenas viernes y sábados.
Decoración: En constante evolución y actualización.
Ambiente: Una mesa refinada en la capital del Bages. Público fiel.
Bodega: Lista extensa, variada y equilibrada, a precios razonables. 350 entradas de los vinos más actuales y de renombre. Catalanes, franceses, cavas y champagnes. Colección de Armagnacs, Cognacs, Whiskies,...
Hombres y nombres: Jefe de cocina: Benvingut Aligué. Jefe de sala: Agustí Aligué. Sumilier: Jaume Pons.
Otros datos de interés: Fundado hace más de 50 años por los padres de los actuales propietarios. La segunda generación, lo ha transformado en uno de los mejores restaurantes de la comarca. Dos comedores, dos salones privados (10 y 15 p.) y nueva pérgola exterior para fumadores.
Tarjetas: Todas.

ESPECIALIDADES ALIGUÉ

Cocina de producto, muy atenta a la temporada, elaboraciones con trufas, setas y caza
Ensalada de pies de cerdo crujiente
Almejas con judías
Canelones de ceps secos
Bacalao mi-cuit con escalibada y piel de pistachos
Trufa sorpresa con ensalada de alcachofas
Timbal de patatas con huevo, parmesano y trufa
Merluza con castañas, setas y cebollitas
Jarrete de ternera lechal
Pecho de cabrito deshuesado y crujiente
Coulant de avellana
Sombrero de crepe con helado de crema catalana y salsa Suzette
Plum-cake de zanahoria con coco y helado de mandarina

Receta **Can Tintorer**

Espaldita de cabrito al horno de leña

Ingredientes para 4 personas: 4 espaldas de cabrito de 350 a 400 grs. la pieza, 1 cabeza de ajos morados, 1 limón cortado en rodajas, ¼ l. de aceite de oliva, ¼ kg. de manteca de cerdo, 250 cl. de vino blanco seco y 1 copita de brandy.

Tiempo de cocción en el horno de leña, 3 horas aproximadamente.

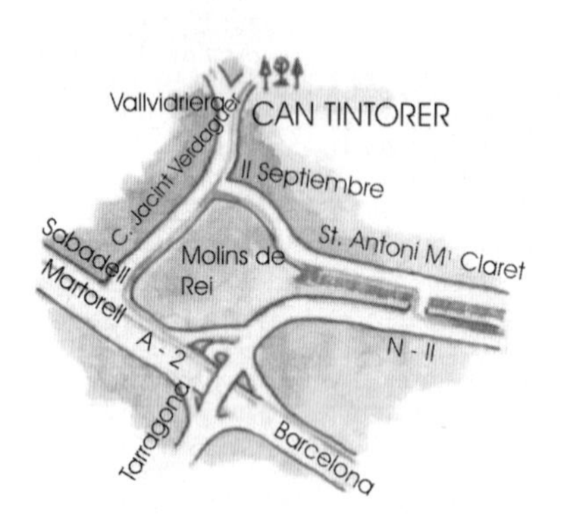

CAN TINTORER'S SPECIALITIES

"Calçots" during the season
(grilled sweet new onions, served with a sauce)
Assortment of cured ham and cold sausages (of acorn-fed iberian pigs)
"Escalivada": salad of baked sweet peppers, aubergines and onions with anchovies
Fresh fish, crustaceans and shellfish
Roast spring lamb
Farmhouse "Butifarra" (catalonian sausage) with kidney beans "del Ganxet"
Wild rabbit with snails from Lleida
Kid roasted in a wood-fired oven
Caramelised catalonian custard cream cup
Chocolate mousse
Profiteroles (choux puffs) with hot chocolate sauce
Home-made pastries and confectionery

Can Tintorer

Localidad: **Molins de Rei (08750 Barcelona).**
Dirección: Masía Can Tintorer.
Teléfonos: **93 668 13 94 y 93 680 18 28 Fax:93 680 31 22**
E-mail: cantintorer@yahoo.es www.cantintorer.com
Parking: Propio con 200 plazas.
Propietario: Familia Tintorer.
Días de cierre y vacaciones: Cerrado noches de lunes y Miércoles y martes todo el día. Vacaciones: 3 semanas en agosto y Semana Santa.
Decoración: Rústica catalana.
Ambiente: Familiar y de negocios.
Bodega: Vinos catalanes, de la Rioja...
Hombres y nombres: Chef: Josep Tintorer; Maitre: Miquel Tintorer.
Otros datos de interés: Situado en medio del Parque Natural de Collcerola. Dispone de pista de basquet infantil, pista de mini futbol, hípica y salones privados para bodas, comuniones, etc, hasta 200 comensales
Tarjetas: Todas.

ESPECIALIDADES CAN TINTORER

"Calçots" en temporada
Surtido de embutidos ibéricos
Escalivada
Pescados y mariscos frescos del día
Ternasco al horno
"Butifarra" de payés con judías del "ganxet"
Conejo de raza con caracoles de Lleida
Cabrito al horno de leña
Crema catalana
Mousse de chocolate
Profiteroles con chocolate caliente
Repostería catalana

Receta **El Jardí**

Conejo al Cabernet

Ingredientes para 3 raciones: 1 conejo.

Preparación: Separar los muslos y las espaldas del conejo. Con el lomo una vez deshuesado, hacer tres ataditos que se rellenarán de un salteado de setas y una escalopa de hígado de pato, y los ataremos.

A continuación poner una cazuela al fuego con un poco de aceite, cuando esté bien caliente añadir los trozos que habremos salpimentado previamente y freírlos hasta que estén bien dorados. Hacer un atadito de hierbas aromáticas y ponerlo también en la cazuela.

Cuando todo esté bien rustido, agregar vino Cabernet, dejar reducir un poco y cubrirlo de caldo suave de ave. Rectificar de sal y pimienta y dejar cocer lentamente de 20 a 30 minutos.

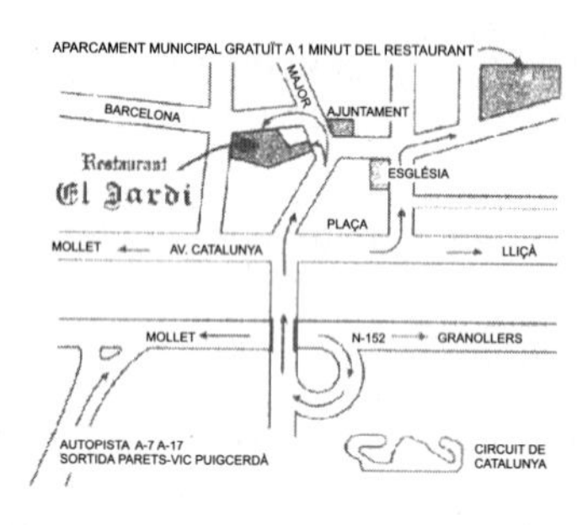

EL JARDI'S SPECIALITIES

Casserole of rock octopus and cod tripe
Baked balls of foie and chestnuts
Pumpkin shavings with seasonal vegetables and blood sausage
Bread-dough slice with garnish of the day
Salad of roasted vegetables with cottage cheese and anchovies
Hake with stewed vegetables
Salt cod with anchovy & pine-nut sauce
Scallops au gratin with pork and duck delicacies
Chicken from Oriols and lobster à l'ancienne
Rabbit and its foie-gras-stuffed loin
Roast fillet of beef with hazelnut sauce
Duo of chocolate mousse with orange sauce
Mango tart with mango ice cream

El Jardí

Localidad: **Parets del Vallès (08150 Barcelona).**
Dirección: C/ Mayor, 1.
Teléfonos: **93 562 01 03 y 93 573 02 97.**
www.restauranteeljardi.com
Parking: Sin problemas.
Propietario: Carmen y Pedro.
Días de cierre y vacaciones: Cerrado noches de domingo y lunes y martes todo el día. Vacaciones en Semana Santa y el mes de agosto.
Decoración: Rústica y elegante.
Ambiente: Familiar y negocios.
Bodega: Muy amplia.
Hombres y nombres: Chef: Carmen Porto. Maitre: Pedro Comas.
Otros datos de interés: Amplio jardín sólo en verano. Restaurante ubicado junto al circuito de velocidad de Cataluña.
Tarjetas: Todas.

ESPECIALIDADES EL JARDÍ

Caldereta de pulpo de roca y tripa de bacalao
Panellets de foie con castañas
Láminas de calabaza con verduras del tiempo y butifarra negra
Coca sorpresa a nuestro gusto
Escalibada de verduras con queso fresco y arenque
Merluza de palangre con pisto
Morro de bacalao con salsa de anchoas y piñones
Gratinado de vieira con delicias de cerdo y pato
Pollo de Orriols y bogavante hecho a la antigua
Conejo y su filete relleno de foie-gras
Filete de buey asado con salsa de avellanas
Mousse de chocolate a los dos gustos con salsa de naranja
Tarta de mango con helado de mango

Can Jaume

Cocina marinera con pedigrí

El restaurante Can Jaume está ubicado en el Puerto Balís, de la localidad catalana de Sant Andreu de Llavaneres en la comarca del Maresme. Presenta una cocina marinera y tradicional catalana de gran calidad, basada en la bondad de su materia prima rigurosamente seleccionada y elaboraciones que aúnan sencillez con originalidad. El resultado es siempre convincente, satisfactorio y sabroso. Las formulaciones se adecuan al espléndido producto que brinda la zona y la temporada.

Una culinaria para disfrutar, comprensible y cercana, llena de sabor y sensaciones. Alegres recetas marineras y buenos guisotes de cuchara típicos de la comarca. El objetivo no es otro que complacer al cliente. La agradable ambientación marinera, el servicio tan eficaz como profesional y los precios razonables han incrementado la fama de esta casa que no deja indiferente. También es el lugar apropiado para celebraciones de familia, comidas de negocios o grupos.

El origen del establecimiento remonta al año 1912. Jaume Torrents padre ha sido pescador. Su familia, también pescadores, fueron los propietarios del primer chiringuito y de las casetas de baño de la zona. Las instalaciones y la oferta gastronómica han ido evolucionando con el paso de los años hasta el restaurante Can Jaume actual, fruto de cuatro generaciones de esfuerzo.

CAN JAUME'S SPECIALITIES

Catalonian cookery with sea produce
Recommendations of the day with season's produce
Carpaccio and marinated specialities
Brothy rice pots: with lobster, wild mushrooms, sea cucumber,...
Paella, Fideuà (paella with noodles instead of rice), casseroles
Head & trotter's of veal, tripe, peas from Llavaneres
Grilled prawns with or without coarse salt
Fresh fish: chargrilled, in a salt coat or baked:
Monkfish, turbot, gilthead bream, sole
Entrecôte steak carved in cubes
Fillet steak in a salt coat
Hamburgers of fillet of beef with foie gras
Home made pastries and confectionery

Can Jaume

Localidad: **Sant Andreu de Llavaneres (08392 Barcelona).**
Dirección: Port Balís (salida 105 de la autopista del Maresme).
Teléfono: **93 792 69 60-93 795 20 12. www.canjaume.cat**
Parking: Aparcamiento del puerto.
Propietario: Familia Torrents.
Días de cierre y vacaciones: Cerrado miércoles. Abierto de 8,30 h. a 17 h. De mayo a octubre, también cenas viernes y sábados.
Decoración: Amplias y modernas instalaciones con vistas a la playa.
Ambiente: Un restaurante muy tradicional del Maresme. Cuarta generación, calidad, simpatía y cariño.
Bodega: Alrededor de un centenar de vinos escogidos y referencias de prestigio.
Hombres y nombres: Cocina: Jaume Torrents (hijo) y María Passi. Sala: Jaume Torrents (padre) y Gemma Torrents.
Otros datos de interés: Terraza y chiringuito en la misma playa. A sólo 25 km. de Barcelona, este restaurante es famoso por sus suculentos desayunos de cuchara y tenedor y excelentes arroces junto al mar.
Tarjetas: Todas, excepto American Express.

ESPECIALIDADES CAN JAUME

Cocina catalana y marinera
Sugerencias del día según la temporada
Carpaccios y marinados
Arroces caldosos: bogavante, setas y "espardenyes",....
Paellas, fideuas y suquets
Cap i pota, callos, guisantes de Llavaneres
Gambas a la sal o a la plancha
Pescados a la brasa, a la sal o al horno:
rape, rodaballo, dorada, lenguado...
Entrecot de buey en dados
Filete de buey a la costra de sal
Hamburguesas de filete con foie
Repostería y postres caseros

El Italiano

Estilo propio

El Italiano se encuentra situado en Port Balís, puerto deportivo del municipio de Sant Andreu de Llavaneres, zona privilegiada de la Comarca del Maresme, donde poder practicar golf, equitación, tenis, padel y otros deportes a tan solo 25 km. de Barcelona, salida 105 de la Autopista del Maresme. El Puerto es un punto estratégico del Mediterráneo, escala idónea para rutas a la Costa Brava, Baleares, Golfo de León y Costa Dorada. Además, su clima benigno y la belleza de su paisaje le han convertido en el lugar ideal para descanso vacacional o fijar segundas residencias.

Nicole Heymann ha logrado que su restaurante tenga un estilo propio. Presenta una oferta culinaria muy recomendable en estos tiempos, cuando los aficionados prefieren refugiarse en valores seguros antes que apostar por otras propuestas más arriesgadas.

En esta casa todo se prepara al momento. Una cocina al gusto de la mayoría, elaborada con talento, servida sin protocolos y con precio razonable. Aquí, el mercado marca la pauta e impera la calidad del producto. Todo es conocido, sabroso y sensato, los platos están tratados con cariño y atención, aliñados con un trato amable y familiar, con el objetivo de hacer felices a los comensales.

EL ITALIANO'S SPECIALITIES

Mediterranean market cooked with an Italian touch
Menu of the day: 13.95 €
Special pasta dishes and pizzas
Salad of young broad beans with cured duck breast and foie gras shavings
Carpaccio of pig's trotters with confit tomato
Layered slice of foie gras, goat cheese and quince jelly
Entrecote steak with "Nebraska" label quality
Carved duck magret with caramelised apple
Supreme of meagre en papillote with vegetables and olives
Octopus cooked at low temperature with potatoes
Home-made desserts and artisan ice creams

El Italiano

Localidad: **Sant Andreu de Llavaneres (08392 Barcelona)**

Dirección: Port Balís, local 7

Teléfonos: **937 929 079** **E-mail: ristorantelitaliano@yahoo.es**

Parking: Aparcamiento del puerto.

Propietario: Nicole Heymann.

Días de cierre y vacaciones: Cerrado martes noche y miércoles todo el día. Vacaciones: 15 días en noviembre y 15 días en febrero.

Decoración: Predominan los azules. Exposición de cuadros de pintores italianos.

Ambiente: Un público cosmopolita frecuenta esta casa por su ambiente familiar.

Bodega: Adaptada a su cocina.

Hombres y nombres: Un equipo joven y dinámico.

Otros datos de interés: Recoleto comedor interior y agradable terraza frente a los barcos. Se atiende también en alemán, inglés, italiano y portugués.

Tarjetas: Las principales.

ESPECIALIDADES EL ITALIANO

Cocina mediterránea de mercado
con toques italianos
Menú del Día: 13,95 €
Pastas y pizzas especiales
Ensalada de habitas baby con jamón de pato y virutas de foie
Carpaccio de pies de cerdo con tomate confitado
Milhojas de foie, queso de cabra y membrillo
Entrecot D.O. Nebraska
Fileteado de magret de pato con manzana caramelizada
Suprema de corvina en papillotte con fondo de verduras y olivada
Pulpo cocido a baja temperatura con patatas
Postres caseros y helados artesanos

El Racó del Navegant

Sabor mediterráneo

La clemencia de este enclave litoral se manifiesta en una magnífica despensa marina y autóctona, puesta en valor en la placentera oferta culinaria de este entrañable restaurante. Más que de cocina de mercado, aquí es más exacto hablar de cocina de temporada: guisantes y alcachofas de Llavaneres en primavera, todo tipo de setas en otoño y cuando llega el frío, gran surtido de frutos del mar (ostras, percebes, angulas, buey de mar...) además de las especialidades de siempre como los suquets y los arroces. Mención a parte merecen los postres que adquieren inusual protagonismo.

El producto es lo fundamental en esta casa, buena y fresca materia prima que hace honor al privilegiado entorno. Su tratamiento es siempre respetuoso: puntos de cocción milimétricos, prescindiendo de adornos superfluos. Rosa Nonell y Mónica Oleart, madre e hija, la primera en los fogones y la segunda en sala han conseguido colocar su restaurante en un lugar de honor de la gastronomía de la costa del Maresme.

El Racó del Navegant realiza también servicios a domicilio a partir de 4 personas, con la carta del restaurante o una oferta realizada al gusto, siempre con la misma excelsa calidad en el producto y el buen servicio desarrollado en el restaurante.

EL RACÓ DEL NAVEGANT'S SPECIALITIES

Cookery with season's produce
Artichokes with prawns and parmesan cheese
Tripe with chickpeas
Lobster mille feuille
Rice with sea cucumber
Fideuà (paella with noodles instead of rice) or paella with seafood
Casserole of monkfish and prawns or lobster
Salt cod with garlic chives and black sausage
Cabbage and meat balls with chickpeas
San Esteban's cannelloni
Peas from Llavaneres
Chocolate and mango mille feuille
Watermelon soup with coconut ice cream

El Racó del Navegant

Localidad: **Sant Andreu de Llavaneres (08392 Barcelona).**
Dirección: Port Balis. Locales 24, 25 y 26.
Teléfono: **93 792 86 13. Fax: 93 795 21 61.**
E-mail: info@elracodelnavegant.com
www.elracodelnavegant.com
Parking: En el mismo Puerto.
Propietario: Sociedad Nigore S.L.
Días de cierre y vacaciones: Cerrado domingos noche y lunes, excepto festivos.
Decoración: Marinera y mediterránea.
Ambiente: Familiar.
Bodega: Bien seleccionada y en constante rotación.
Hombres y nombres: Jefes de cocina: Rosa Nonell y Gabriel Puig. Jefe de sala y sumiller: Mónica Oleart Nonell.
Otros datos de interés: Restaurante fundado en 1992, espectaculares vistas al mar y acogedora terraza. Ofrece servicios de catering a domicilio.
Tarjetas: Las principales.

ESPECIALIDADES EL RACÓ DEL NAVEGANT

Cocina de temporada
Alcachofas con langostinos y parmesano
Callos con garbanzos
Milhojas de bogavante
Arroz de cohombros de mar
Fideuà o paella de marisco
Suquet de rape y gambas o de bogavante del país
Bacalao con ajos tiernos y butifarra negra
Col y pelota con garbanzos
Canelones típicos de San Esteban
Guisantes de Llavaneres
Milhojas de chocolate con mango
Sopa de sandía con helado de coco

Can Fabes

El legado de Santi Santamaria

Hace 30 años con la apertura de El Racó de Can Fabes, Santi Santamaría y Àngels Serra decidieron ofrecer al mundo su pasión por la cocina con los mejores productos del Montseny y el Mediterráneo. Hoy, el equipo dirigido por Xavier Pellicer continúa con esta filosofía. El legado de Santi está destinado a pervivir, y toda la gran familia de profesionales que conforma el universo Santamaría, en todos sus restaurantes, continuará esforzándose cada día para honrar con su trabajo la memoria de un gran cocinero y un gran hombre.

Este centro de ocio gastronómico situado en Sant Celoni está formado por los restaurantes Can Fabes y Espai-Coch, el Dins Bar, el Showroom, la Bodega, la Cocina y el Hotel (5 suites de alto nivel, diseño vanguardista y equipadas con todos los servicios). Apuesta por el goce de la gastronomía de una forma global: la comida, con la interesante conversación de sobremesa, sin prisas, en el restaurante o en el Espai Coch. Una copa y confidencias en el Dins Bar y si se hace tarde, pasar la noche en las exclusivas habitaciones.

La recuperación de la antigua masía aporta al conjunto mucha autenticidad. En los elegantes y cuidados espacios se aprecia una interesante armonía entre las raíces y el compromiso con las nuevas tendencias y el arte moderno.

La familia Santamaría es gente de la tierra. La devoción por sus raíces, el país, su gente, se pone de manifiesto en la carta del restaurante donde los productos naturales y el entorno están siempre presentes, sentando cátedra a la hora de actualizar la tradición de la gastronomía catalana. Desde entonces, su evolución ha sido espectacular, siendo hoy una de las cocinas más singulares y reconocidas del mundo.

SPECIALITIES OF CAN FABES

Cuisine with fresh produce, regional, classical and in evolution
Seasonal menu, Big menu and Chef's menu
Prawn ravioli with porcini oil
Duck liver, grilled and steamed, vegetable salad
Norway lobsters from Blanes with ginger bread
Lobster with young broad beans, asparagus and truffle butter
Fresh fish, pâté of monkfish liver, anchovy oil, capers and broad beans
Whole rosé-roasted Guinea-fowl, grilled chicory
Chocolate soufflé with ice cream
Pears from Puigcerdá with biscuit

Can Fabes

Localidad: **Sant Celoni (08470 Barcelona).**
Dirección: Sant Joan, 6.
Teléfonos: **93 867 28 51 Fax: 93 867 38 61**
E-mail: canfabes@canfabes.com www.canfabes.com
Días de cierre y vacaciones: Domingos noche, lunes y martes todo el día. Vacaciones en enero.
Decoración: Estilo rural refinado, muros de piedra y vigas de madera maciza. Agradable iluminación.
Ambiente: Apacible y rústico.
Bodega: Constantemente actualizada, 8000 botellas de 325 denominaciones de origen de todo el mundo.
Hombres y nombres: Jefe de cocina: Xavier Pellicer; Anfitriona: Ángels Serra. Director de sala: Cándido Tardío. Sumiller:Juan Carlos Ibáñez.
Otros datos de interés: La muy amplia cocina dispone de las más modernas innovaciones (hornos de presión, placas de inducción...).
Tarjetas: American Express, Visa, Dinner's, Mastercard y JCB.

ESPECIALIDADES CAN FABES

Cocina de proximidad y de producto, clásica y evolutiva
Menú de Temporada, Gran Menú y Tabla Chef
Ravioli de gambas al aceite de ceps
Foie gras de pato, en la brasa y al vapor, ensalada de vegetales
Cigalas de Blanes, salteados con pan de especias
Bogavante con habitas, espárragos y mantequilla de trufa
Pescado de lonja, pate de foie de rape, aceite de anchoas, alcaparras y habitas
Pintada de sangre asada entera, endivias a la parrilla
Soufflé de chocolate con helado
Peras de Puigcerdá con su sablé

Sant Pau

Trayectoria modélica

Carme Ruscalleda y Toni Balam, ambos hijos de Sant Pol de Mar, empezaron a trabajar juntos en la tienda de comestibles de Ramón Ruscalleda en el año 1975, año en el que contrajeron matrimonio.

Siempre con la idea de montar un negocio propio de hostelería, al cabo de los años se les presentó la ocasión de comprar el antiguo hostal Sant Pau, situado frente al mismo establecimiento en el que trabajaban. Desde el primer día tuvieron muy claro que el suyo debería ser un restaurante de calidad, con personalidad propia y que la fórmula para conseguirlo no era otra que la de trabajar con ilusión y espíritu de superación todos los días. Aún ahora les anima el mismo empuje y la misma ilusión.

Inaugurado en el verano de 1988, la carta del restaurante era en sus inicios mucho más sencilla que la actual, principalmente en lo que se refiere a la técnica y a la complejidad culinaria, pero esto no significaba que el producto se seleccionara con menos cuidado o atención. Desde siempre, Sant Pau trabaja con las mejores materias primas del mercado, adquiridas mayoritariamente en la comarca del Maresme.

El restaurante ha sabido mantener el ambiente de la antigua casa señorial con el encantador jardín e inmejorables vistas al mar. Aquí, Carme Ruscalleda propone su discurso gastronómico: una cocina inspirada principalmente en productos de temporada y en la reinterpretación de la tradición culinaria catalana. El espíritu creativo, libre e intuitivo de la cocinera, basado en una sólida experiencia, hace posible una carta original y con estilo propio.

Casi de inmediato, los medios de comunicación y las guías gastronómicas empezaron a incluir su restaurante en las listas de los locales recomendados por el interés de su cocina. Desde entonces su fama no ha hecho más que crecer convirtiéndose en uno de los restaurantes más importantes de España. En abril de 2004 abrió sucursal en Tokio, una verdadera réplica del Sant Pau, tanto en el aspecto exterior, la atmósfera interior, como en la filosofía culinaria de Carme Ruscalleda.

SANT PAU'S SPECIALITIES

Cuttlefish and peas, crackling, sauce of the tentacles, liver and ink

Vegetable ravioli, cured ham Joselito, carrot, daikon, aubergine, courgette and dashi of ham

Dentex bream, light curry, mango, dried fruit and vanilla-scented pepper

Norway lobster tails, white and rosé chicory, olives, banana

Loin of tuna, parsnip sponge, sausage and spiced cream

Sucking lamb in a lukewarm marinade, juice of the cooking, tender potato

Puff pastry round, angel's hair and pine nuts

Almond & curry bonbon

Sant Pau

Localidad: **Sant Pol de Mar (08395 Barcelona)**
Dirección: Nou, 10.
Teléfonos: **93 760 06 62. Fax: 93 760 09 50**
E-mail: santpau@ruscalleda.com www.ruscalleda.com
Parking: Propio, reservado para clientes.
Propietario: Carme Ruscalleda y Toni Balam.
Días de cierre y vacaciones: Domingo y lunes todo el día, jueves mediodía. Vacaciones: las 3 primeras semanas de mayo y de noviembre.
Decoración: Antigua casa señorial (1881) típica del Maresme con jardín y la encantadora presencia del azul del Mediterráneo como fondo.
Ambiente: Amable y acogedor.
Bodega: Climatizada con control de humedad. Grandes vinos de las distintas denominaciones de origen españolas y del mundo.
Hombres y nombres: Jefa de cocina: Carme Ruscalleda. Jefe de Sala: Toni Balam. Sumiller: Joan Lluís Gómez.
Otros datos de interés: La capacidad del restaurante es de 35 comensales y, para atenderlos como es debido, cuenta con un equipo de 23 profesionales. Incomparable jardín donde se puede disfrutar del aperitivo o del café.
Tarjetas: Las principales.

ESPECIALIDADES SANT PAU

Sepia y guisantes, chicharrones, salsa de las patas perfumadas del hígado y la tinta

Ravioli vegetal, jamón Joselito, zanahoria, daikon, berenjena, calabacín y dashi de jamón

Dentón, curry suave, mango, frutos secos y pimienta avainillada

Colas de cigala, endivia blanca y rosa, olivas, plátano

Carrillera de atún de L'Ametlla de Mar, bizcocho de chirivía, longaniza ibérica y nata especiada

Cordero lechal en escabeche tibio, la salsa de la cocción, patata tierna

Coca de hojaldre, cabello de ángel y piñones

Bombón de almendra y curry

Hotel Restaurante Sol i Vi

Complejo hostelero en el Penedès

El Hotel-Restaurante Sol i Vi es una masia catalana rodeada de videños en la comarca del Alto Penedés. Situada en **Subirats, capital de la viña**, a 4 km. de Sant Sadurní d'Anoia, capital del cava, y a 6 km. de Vilafranca, capital del vino.

En 1972, la familia Gisbert-Aguilar fundó el Hotel-Restaurante Sol i Vi. Más de tres décadas y tres generaciones avalan la experiencia de esta casa que se preocupa de proporcionar una insuperable calidad y el mejor servicio.

Gastronomía: En el restaurante a la carta se degusta una gran variedad de platos de cocina de mercado y mediterránea, cuya bondad se completa con insólitos postres de elaboración propia y una espléndida carta de vinos y cavas. La masia ofrece también salones privados que se adaptan a todas las necesidades, un marco idóneo tanto para reuniones familiares como de negocios.

Eventos: Sol i Vi ofrece un servicio exclusivo de recepciones, congresos, convenciones y eventos en general. Las instalaciones también permiten la celebración de bodas civiles. Con su saber hacer, el equipo asesora a la hora de elaborar los menús. Esta cocina, deliciosa y exclusiva se ajusta a todos los gustos y necesidades.

Alojamiento: Confortable hotel rural de cuidadas dependencias, con 25 habitaciones y todas las comodidades: T.V., Wifi gratuito en todas las instalaciones,... Las cómodas habitaciones totalmente equipadas y el entorno natural hacen disfrutar de una estancia muy placentera. La inmejorable situación es ideal para pasear y practicar senderismo en plena naturaleza. El entorno es único: **montaña, vino y mar.**

SOL I VI'S SPECIALITIES

Traditional Catalonian and Mediterranean cookery
Several menus: Catalonian, light, classical, Mediterranean
Recommendations of the week with season's offers
Seafood and rice specialities
Dough round with chargrilled vegetables, anchovy and black sausage
Lobster salad with champagne oil
Duck liver with porcini
Fillet of turbot in champagne sauce with shrimps
Fresh fish: chargrilled, baked or in a salt coat
Baked salt cod with beans
Jugged venison with honey sauce
Pig's trotters with prawns
Roast duck from Penedés with prunes and pine nuts
Artisan pastries Sol i Vi
Fresh pineapple with Catalonian crème brûlée

Sol i Vi

Localidad: **Sant Sadurní d'Anoia (Barcelona).**
Dirección: Ctra. de Sant Sadurní d'Anoia a Vilafranca del Penedés, km. 4.
Cordenadas GPS: 41° 24' 00'' Norte / 1° 45' 19'' Este
Teléfono: **93 899 32 04. Fax: 93 899 34 35.**
E-mail: restaurant@solivi.com www.solivi.com
(en la web se puede consultar menús, carta y acontecimientos).
Parking: Propio.
Propietario: Familia Gisbert Aguilar.
Días de cierre y vacaciones: Abierto cada día del año.
Decoración: Esta masia catalana ofrece completas y cómodas instalaciones cuidadosamente decoradas con todo lujo de detalles. Varios ambientes.
Ambiente: Restaurante clásico del Alto Penedés, frecuentado por una clientela fiel.
Bodega: Muy completa. Entre 300 y 400 referencias. Gran selección de vinos del Penedés, cavas, además de otras denominaciones de origen.
Hombres y nombres: Dirección: Miquel, Evarist y Lluís Gisbert.
Otros datos de interés: Casa fundada en 1972. Cuatro comedores, amplias terrazas, cuidados jardines, piscina y hotel rural con 25 habitaciones. Posibilidad de banquetes hasta 1000 comensales.
Tarjetas: Las más usuales.

ESPECIALIDADES SOL I VI

Cocina tradicional catalana y mediterránea
Varios menús: catalán, ligero, clásico, mediterráneo
Sugerencias semanales según temporada
Mariscos y arroces
Coca de escalibada con anchoas y butifarra negra
Ensalada de bogavante perfumada al aceite de cava
Foie fresco de pato salteado con ceps
Suprema de rodaballo al cava con camarones
Pescados a la brasa, al horno o a la sal
Bacalao "a la llauna" con judías
Civet de ciervo con salsa de miel
Pies de cerdo con langostinos
Pato mudo del Penedés asado con ciruelas y piñones
Pasteles artesanales Sol i Vi
Piña natural con crema catalana

Can Laury

25º Aniversario

A tan sólo 20 minutos de Barcelona, encontramos el puerto deportivo de Aiguadolç, un privilegiado reducto de tranquilidad y elegancia situado en el pueblo de Sitges. Dentro de su gran oferta hostelera, destaca el restaurante Can Laury.

Un público fiel y entregado disfruta de su buena cocina, muy representativa del Mediterráneo, siempre sustentada en lo mejor del mercado en pescados y mariscos frescos. Cuidadas elaboraciones como el arroz caldoso, fideuà o suquet de rape han contribuido a su fama.

Especialista en convenciones

Las instalaciones de Can Laury se distribuyen en dos espacios. Uno interior con un aforo de 90 personas y otro exterior dividido en dos zonas con vistas al puerto deportivo y una capacidad máxima de 220 comensales: un área climatizada para disfrutarla todo el año y otra descubierta, ambas muy adecuadas para cualquier tipo de celebración.

Bajo la misma dirección ***en Barcelona: Xampu Xampany*** *para degustar una gran selección de vinos, especialidades delicatessen, cavas y "xampany". De 8 h a 1 madrugada. Cerrado domingo. Gran Vía, 702 (esquina Bailén). Tlf. 93 265 04 83.*

CAN LAURY'S SPECIALITIES

Mediterranean and natural cookery
Fresh and creative salads
Carpaccio of cod or beef
Seafood plate with fresh lobster
Rice specialities and paellas
Squids Sevillian style
Small squids and fried green capsicums from Padrón
Baby broad beans with prawns
Wild sea bass, baked or in a salt coat
Turbot, gilthead bream, sole, hake, monkfish
Lobster & monkfish casserole
Monkfish & turbot casserole with boulangère potatoes
Parfait with warm chocolate sauce and strawberries soaked in liqueur
Lemon sorbet with cava (Spanish champagne)

Can Laury

Localidad: Sitges (08870 Barcelona).
Dirección: Passeig del Port d'Aiguadolç, 49.
Teléfono: 93 894 66 34 (y fax). www.canlaury.com
Parking: Privado y vigilado, con capacidad para 200 coches.
Propietario: Laurindo Cabero Fernández "Laury" .
Días de cierre y vacaciones: Cerrado del 9 de diciembre al 9 de enero (1 mes de vacaciones después del puente de la Inmaculada).
Decoración: Moderna y luminosa. Gran terraza cubierta delante del puerto deportivo.
Ambiente: Público nacional principalmente.
Bodega: Suficiente, especializada en vinos blancos.
Hombres y nombres: Un dinámico equipo de profesionales a su servicio.
Otros datos de interés: Casa fundada en 1989, veinte años de trayectoria. En el magnífico marco del Port d'Aiguadolç, instalaciones recomendables para convenciones, reuniones de negocio y seminarios hasta 220 personas.
Tarjetas: Todas.

ESPECIALIDADES CAN LAURY

Cocina mediterránea y natural
Ensaladas frescas y creativas
Carpaccios de bacalao o de buey
Mariscada con bogavante vivo
Arroces y paellas
Calamares de playa a la sevillana
Variado de chipirones y pimientos del Padrón
Habitas baby con langostinos
Lubina salvaje de kilo al horno o a la sal
Turbo, dorada, lenguado, merluza, rape,...
Caldereta de bogavante y rape
Suquet de rape y turbo con patata panadera
Helado de biscuit con chocolate caliente y fresitas al licor
Sorbete de limón al cava

Fussimanya

En Fussimanya, tocando a la Plana de Vic y justo al pie de les Guilleries, se realiza un riguroso proceso natural: la selección y cría del cerdo, el ritual de su matanza y la posterior elaboración de embutidos mediante procedimientos estrictamente artesanales.

Si nos visita, tendrá ocasión de comprobar la calidad de nuestros productos en nuestro propio restaurante.

Después, si lo desea, podrá adquirir aquellos productos que más le hayan satisfecho.

Longaniza, Fuet, "Sumalla", Chorizo, Bull blanco, Bull negro, Butifarra negra, Butifarra de huevo, etc...

FUSSIMANYA'S SPECIALITIES

Home-made sausages

Anchovies from La Escala

Roast shoulder of kid

"Pilotilles de l'Avia Anna" (meatballs grandmother Anna's style)

Duck with pears

In season: ceps (boletus mushrooms)

Fussimanya

Localidad: **Tavèrnoles (Osona).**

Dirección: Ctra. Parador de Vic, km. 7.

Teléfonos: **93 812 21 88.**

Parking: Propio.

Propietaria: Dolores Pascual

Días de cierre y vacaciones: Cerrado Jueves. Abierto todo el año.

Decoración: Tradicional catalana.

Ambiente: Familiar y de negocios.

Bodega: Vinos y cavas catalanes, españoles e internacionales.

Hombres y nombres: Director y chef: Josep Viladecas

Tarjetas: Todas.

ESPECIALIDADES FUSSIMANYA

Embutidos de elaboración propia

Anchoas de La Escala

Espalda de cabrito al horno

"Pilotilles de "L' Àvia Anna"

Pato con peras

En tiempo, níscalos (bolets)

El Celler de Can Roca

Un equipo ganador

En noviembre 2007, el Celler de Can Roca, de la mano de sus creadores, los hermanos Joan, Josep y Jordi Roca abandonó el lugar donde había nacido en agosto del año 1986 y se trasladó al nuevo local que ocupaba el salón de banquetes de La Torre de Can Roca. Después de 2 años de complicadas obras, se abrió una nueva etapa en este lugar soñado para compartir los placeres de la alta gastronomía.

La cocina pasó de los 45 metros que tenia en el local antiguo a los 280 del actual. El comedor, de 80 a 280 y la bodega, de 12 a 220. Además de la sala de recepción y el salón de sobremesa con cava de cigarros. Se ha mantenido las 12 mesas y la misma capacidad de 45 comensales.

La intención no ha sido crecer, sino ganar espacio para mayor comodidad y satisfacción del cliente. Los materiales empleados, madera y vidrio, proporcionan a la sala un aspecto cálido y luminoso. La estructura, en forma de triángulo con un jardín en el centro tiene reminiscencias de claustro, invitando a la contemplación, la meditación y el relax espiritual. Una amplia cava para degustar licores completa el escenario.

El corazón de la casa: la cocina, reúne todas las tecnologías posibles, desde las más vanguardistas hasta las más tradicionales como el fuego directo de las brasas. La bodega del nuevo Celler rompe esquemas en su concepción y contenido: cinco grandes cubos, recubiertos con maderas de las cajas de vinos donde se conservan: los Champagnes, los Rieslings, los Borgoñas, los Prioratos y los Jereces. El visitante puede sumergirse en un verdadero universo sensorial que cada uno de estos vinos recrea mediante la vista (imágenes), el oído (música), el tacto (los materiales), el olfato y el gusto a través de la cata.

SPECIALITIES OF EL CELLER DE CAN ROCA

Renewed and creative Catalonian cuisine
Classical menu, Tasting menu and Summer menu
Carpaccio of pig's trotter with porcini dressing
Rice pot with partridge and cuttlefish
Turbot with olives, pickles and savory
Chargrilled sole with green olive oil, fennel, pine nuts, bergamot and orange
Warm foie gras with roses, litchis and sorbet of Gewürztraminer
Lightly smoked pigeon with anchovies, truffle, blackberries and black olives
Royale of goose with peach
Green chromatism
Vanilla, liquorice, caramel and black olive

El Celler de Can Roca

Localidad: **Girona (17007).**
Dirección: Can Sunyer, 48
Teléfono: **972 222 157.** **www.elcellerdecanroca.com**
E-mail: restaurant@cellercanroca.com
Parking: Propio.
Propietario: Familia Roca.
Días de cierre y vacaciones: Cerrado domingos y lunes. Vacaciones: del 26 al 31 de agosto y navidades (del 24 de diciembre al 15 de enero).
Decoración: Sobria y elegante, con pinceladas de modernidad.
Ambiente: Una mesa refinada realzada por el trato sencillo de su servicio familiar.
Bodega: Excepcional, 1500 referencias de vinos de todo el mundo. Excelente relación calidad-precio.
Hombres y nombres: Chef de cocina: Joan Roca. Jefe de sala y sumiller: Josep Roca. Postres: Jordi Roca.
Otros datos de interés: Los hermanos Joan, Josep y Jordi Roca forman un equipo perfectamente conjuntado que ha sabido consolidar uno de los mejores restaurantes de Europa. Dispone de salones privados.

ESPECIALIDADES EL CELLER DE CAN ROCA

Cocina catalana innovadora y creativa
Menú Clásico, Menú Degustación y Menú Festival
Carpaccio de pie de cerdo con vinagreta de ceps
Arroz de perdiz y sepia
Rodaballo con olivas, encurtidos y ajedrea
Lenguado a la brasa con aceite de oliva verde, hinojo, piñones, bergamota y naranja
Foie-gras caliente con rosas, lichis y sorbete de gewurztraminer
Pichón ligeramente ahumado con anchoas, trufa, moras y olivas negras
Royal de oca con melocotón
Cromatismo verde
Vainilla, regaliz, caramelo y oliva negra

Hotel Palau de Girona ****

Situado en la entrada norte de la ciudad y justo a pie de la carretera principal que conduce al centro de Girona, este hotel de nueva construcción se encuentra a unos 20 km. de la Costa Brava, a 2 km. del centro y a 1 km. del campo de golf. Es un punto de partida ideal para disfrutar de distintos ambientes. Ofrece una gran variedad de comodidades adicionales, es un hotel familiar de decoración minimalista y de diseño, tranquilo y acogedor, pensado y equipado para satisfacer todas las necesidades.
Próximo a la autopista, al aeropuerto, a la estación y al casco antiguo, dispone de 18 habitaciones (climatizadas y automatizadas, TV pantalla plana, suelos de parket, camas de 2 x 2 y servicio de habitaciones), salas de reunión y de banquetes, centro de negocios con conexión inalámbrica a Internet y una sala polivalente con las últimas tecnologías (hasta 100 pax.). Restaurante, bar, desayuno-buffet, recepción 24 horas, jardín, terraza y aparcamiento. Instalaciones para personas de movilidad reducida.
El restaurante se encuentra a 5 metros del hotel. Ofrece menú del día o carta que incluye cocina casera, marisco fresco y una gran variedad de platos. Cuenta con 3 comedores, uno de ellos para fumadores.

Avda. de Francia, 11. Sant Julià de Ramis (Girona).
Tlf. 972 173 295. Fax: 972 170 623. www.hotelpalaudegirona.com

CAN BLANCO'S SPECIALITIES

Shellfish and crustaceans, baked fish, grilled fish assortment
Rice, fish and seafood specialities
Salmon pâté and goat's milk cheese
Carpaccio of monkfish and salmon with honey
Fish & seafood casserole
Shrimps from Palamos, Norway lobsters, prawns, razor shells, variegated scallops, Galician clams, oysters, spider crabs, lobsters and spiny lobsters
Hake, monkfish, sea-bass, turbot, sole and gilthead bream prepared in different ways
Sirloin steak with port, pepper or Roquefort sauce
Fillet steak
Roast shoulder of lamb or kid
Strawberries with rosé peppercorns
Timbale of strawberry ice cream with cream
Home-made pastries

Can Blanco Restaurante Marisquería

Localidad: **Sant Julià de Ramis (17481 Girona).**
Dirección: Av. de Francia, 13.
Fácil acceso por la autopista a Francia, salida Girona Norte y dirección Girona.
Teléfono: **972 172 146 Fax: 972 170 062**
www.marisqueriablanco.com
Parking: Propio.
Propietario: Familia Blanco.
Días de cierre y vacaciones: Abierto todo el año.
Decoración: Elegante comedor, tonos claros y mucha luz natural.
Ambiente: Público medio alto, empresas, ejecutivos, etc.
Bodega: Blancos gallegos y catalanes, representación de las más importantes D.O., cavas y champagnes.
Hombres y nombres: Una familia a su servicio.
Otros datos de interés: Establecimiento con 35 años de trayectoria, la marisquería se fundó hace 8 años. Capacidad hasta 120 personas y salón privado para comidas de empresas o familiares para 30 comensales.
Tarjetas: Todas.

ESPECIALIDADES CAN BLANCO

Mariscadas, pescados al horno, parrillada de pescados
Arroces y combinados de pescado y marisco
Paté de salmón y queso de cabra
Carpaccio de rape y salmón a la miel
Cazuela de pescado y marisco
Gambas de Palamós, cigalas, langostinos, navajas, zamburiñas y almejas gallegas, ostras, centollo, bogavante y langosta
Merluza, rape, lubina, rodaballo, lenguado, dorada en diferentes preparaciones
Entrecot al Oporto, a la pimienta o al roquefort
Solomillo de buey
Espalda de cordero o de cabrito asada
Fresas con pimienta roja
Timbal de helado de frambuesa y nata
Pastelería de la casa

Mas Pau

Solera ampurdanesa

Rodeado de espléndidos jardines y situado en un entorno paisajístico de carácter rural, el restaurante y hotel Mas Pau ocupa una antigua masía del siglo XVI perfectamente restaurada y decorada primorosamente con valiosas piezas de anticuario. Todo ello crea un ambiente lujoso, de una cierta suntuosidad, que constituye el marco ideal para poner en escena el gran teatro gastronómico que presentan Toni Gerez y Xavier Sagristà.

Jardines multicolores, una espléndida piscina, recogidas y acogedoras terrazas, salones de marcado carácter donde tomar una copa o comedores de gran capacidad para fiestas sonadas son algunos de los equipamientos que pueden disfrutar y disfrutan los asiduos del Mas Pau. Además, situadas junto al restaurante están las 20 habitaciones tipo suite, decoradas con gran encanto y dotadas de todas las comodidades que puede ofrecer un hotel moderno.

La cocina ha estado marcada desde el principio por una constante aproximación al recetario ampurdanés a través de los productos más autóctonos y distintivos de la comarca pero, eso sí, considerada siempre desde un punto de vista enormemente personal e imaginativo. Las mejores verduras y hortalizas del mercado de Figueres, los más frescos pescados de la bahía de Roses, las setas más delicadas, los patos y los pollos de la comarca son sometidos por Xavier a una alquimia culinaria que los lleva a convertirse en auténticas fórmulas magistrales, sin perder en ningún momento su carta de identidad.

La carta de vinos denota estar elaborada por un auténtico amante del mundo de los vinos. Presentada y comentada por Toni Gerez, ofrece un contenido que muestra lo mejor de lo mejor en un interesante recorrido por las zonas vinícolas españolas.

MAS PAU'S SPECIALITIES

New Catalonian cuisine
A modern and avant-garde interpretation of the Ampurdanese essence
The a la carte menu changes according to the season
Gastronomic menu
Monkfish liver with cèpe mushrooms and onion preserve
Salt cod with garlicky olive oil emulsion and cucurbitaceans
Hake with potato ragout
Lobster, oyster mushrooms and artichokes au gratin
Crisp pig's trotters with small Norway lobsters
Fillet steak in port sauce
Artisan cheese selection from the trolley
Pineapple soup with star anise pudding and coconut sorbet

Mas Pau

Localidad: **Avinyonet de Puigventós (17742 Girona).**
Dirección: Ctra. de Figueres a Besalú.
Teléfono: **972 546 154. Fax: 972 546 326.**
E-mail: info@maspau.com www.maspau.com
Parking: Aparcamiento propio.
Propietario: Xavier Sacristà y Toni Gerez.
Días de cierre y vacaciones: Domingos noches, lunes todo el día y martes mediodía. En verano sólo lunes. Vacaciones del 6 de enero al 15 de marzo.
Decoración: Un marco privilegiado. Una masía del siglo XVI deliciosamente restaurada y decorada con piezas de anticuario.
Ambiente: Comidas de negocios y cenas románticas.
Bodega: 500 referencias.
Hombres y nombres: Jefe de cocina: Xavier Sacristà. Jefe de sala: Toni Gerez.
Otros datos de interés: Formados en El Bulli, Xavier y Toni despliegan todo su talento en este establecimiento de referencia. Mas Pau dispone de 20 habitaciones anexas a la hermosa masía que alberga el restaurante, gran jardín y piscina.
Tarjetas: Todas.

ESPECIALIDADES MAS PAU

Nueva cocina catalana
La esencia ampurdanesa interpretada con modernidad y vanguardismo
La carta cambia en cada estación
Menú gastronómico
Hígado de rape con ceps y mermelada de cebolla
Bacalao con crema de pil-pil y cucurbitáceos
Merluza con suquet de patatas
Gratinado de bogavante, setas y alcachofas
Crujientes de manitas de cerdo con cigalitas de Roses
Filete de buey al Oporto
Carta de quesos artesanos de nuestro carro
Sopa de piña con flan de anís estrellado y sorbete de coco

Turandot

Los cinco sentidos

Turandot es la novedad gastronómica de Begur. Después de trabajar seis años en Alemania, el chef Eduard Canet ha sido el creador de este coqueto restaurante, tan sólo 38 plazas para garantizar la máxima calidad y un trato personalizado con el comensal. La filosofía culinaria de esta casa conjuga tradición e innovación, gran respeto por la materia prima y la sencillez como premisa fundamental. Aquí, se practica una innovadora y creativa cocina de mercado y autor, de influencias mediterráneas. La carta está marcada por la estacionalidad, respetando el origen y la temporada de los productos. Además, cada día se preparan nuevos platos a partir de los géneros más frescos del mercado. Una propuesta siempre original y variada combinando justas dosis de atrevimiento y sabores reconocibles, formulaciones actuales manteniendo la esencia de la tradición. La carta de vinos, bien diseñada y a la altura del nivel gastronómico de la casa, incluye una acertada selección de caldos.

Begur

En el corazón del Baix Empordà, el pueblo de Begur y sus playas configuran uno de los entornos más maravillosos de la Costa Brava, formado por un conjunto de colinas denominado Macizo de Begur y un extenso litoral, bañado por el Mediterráneo. Es un centro turístico con innumerables atractivos: su casco antiguo conserva interesantes monumentos, herencia de un privilegiado legado histórico -el castillo, las cinco torres de defensa contra la piratería mora...-, el pequeño núcleo románico de Esclanyà, las ocho pequeñas calas de Begur...un paisaje inigualable que bien merece la visita.

TURANDOT'S SPECIALITIES

Market and creative cookery with Mediterranean roots
Seasonal menus and recommendations of the day
Tasting menu: 35 € (including wine)
Broad bean & cockle salad with tarragon dressing
Terrine of hare stuffed with foie gras and prawns, raspberry sauce
Savoury cake of salt cod brandade with tomato jelly
Lobster with young vegetables, vermouth & saffron sauce
Salt cod flakes with shallots and dressing
Grouper casserole
Rack of lamb with fine herbs
Game specialities (in season)
Mango custard cup
Chocolate coulant with mango, orange marmalade, saffron and mascarpone ice cream

Turandot

Localidad: **Begur (17255 Girona).**

Dirección: Av. Onze de Setembre, 27.

Teléfonos: **972 622 608 - 626 363 691.**

Parking: Aparcamiento público al lado.

Días de cierre y vacaciones: De junio a septiembre, sólo cenas. Resto del año, cerrado domingos noches y lunes.

Decoración: Espacio acogedor para despertar los cinco sentidos.

Ambiente: Novedad gastronómica en Begur.

Bodega: Selección de vinos catalanes y españoles.

Hombres y nombres: Chef de cocina: Eduard Canet.

Otros datos de interés: En verano 2009, Eduard Canet inauguró este restaurante en el idílico pueblo de Begur.

Tarjetas: Todas.

ESPECIALIDADES TURANDOT

Cocina de mercado y de autor con raíces mediterráneas
Cartas de temporada y sugerencias del día
Menú Degustación: 35 € (bodega incluida)
Ensalada de habas y berberechos con vinagreta de estragón
Terrina de liebre relleno con foie y gambas, salsa de frambuesa
Pastel de brandada de bacalao con gelatina de tomate
Bogavante con verduritas, salsa de vermouth y azafrán
Láminas de bacalao con escalonia y xató suave
Suquet de mero
Carré de cordero a las finas hierbas
Caza en temporada
Flan de mango
Coulant de higos al Armagnac, confitura de naranja, azafrán y helado de mascarpone

El Ventall

Esencia marinera

Situado a pie de carretera entre Blanes y Lloret de Mar, en un paraje rodeado de abundante vegetación, encontramos el restaurante El Ventall, cita obligada para aquellos que quieran disfrutar de una buena cocina mediterránea y de temporada. Aquí el mar y la tierra se unen, se puede respirar, casi tocar, la esencia del Mediterráneo y de la Costa Brava.

Esta antigua casa de payés restaurada al más puro estilo marinero está decorada con motivos rústicos y antigüedades, además de diferentes herramientas típicas que los pescadores utilizaban para faenar, recordando las raíces de la cocina tradicional de la Costa Brava.

Los productos más frescos de las lonjas de la costa catalana están presentes en los fogones de esta casa que cuida la presentación de los platos, siempre impecable y con un toque moderno. Una culinaria de marcado carácter mediterráneo y atenta al mercado. El servicio prioriza la atención al cliente. Merecen mención aparte los postres, todos caseros y su variado carro de quesos.

El Ventall dispone de comedores y reservados para cualquier tipo de celebración, desde la cena íntima para dos personas hasta reuniones familiares, de empresa o cualquier tipo de evento con diferentes menús, atención personalizada y esmerado servicio.

En El Ventall, el comensal respira el ambiente mediterráneo de la Costa Brava. Este restaurante se ha convertido en uno de los imprescindibles de la zona.

EL VENTALL'S SPECIALITIES

Mediterranean and seasonal cookery
The à la carte menu changes every six months
Recommendations of the day
Seasonal menu: 40.50 € and menu of the day: 20 €
Caramelized foie gras nuggets with fig preserve and cured Iberian ham
Grilled squids (caught with special claws), with garlicky horn-of-plenty mushrooms
John Dory (fish) with peach, pumpkin and tender onion preserve
Smoked tuna with French beans, pearl onions and green asparagus
Fillet steak filled with Torta del Casar cheese
Crisp gently-roasted sucking pig with lime scent and pineapple
Crunchy tartlet with mousse of mango and vine peach
Crisp chocolate cannelloni filled with fresh fruits

El Ventall

Localidad: Blanes (17300 Girona)
Dirección: Ctra. de Blanes a Lloret, s/n
Teléfonos: 972 332 981. Fax: 972 350 781
E-mail: elventall@elventall.com www.elventall.com
Parking: Amplio aparcamiento.
Propietario: Familia Colomé.
Días de cierre y vacaciones: Abierto cada día del año al mediodía. De octubre a junio, cerrado noches de domingos, lunes y martes.
Decoración: Masía restaurada al más puro estilo marinero.
Ambiente: Privilegiada atención al cliente.
Bodega: 150 etiquetas de vinos, cavas y champagnes.
Hombres y nombres: Jefe de cocina: Josep Llerinòs. 2º de cocina: Antonio Bonilla. Director de sala: Oscar Ballesté. 2º Maitre y responsable de bodega: Jordi Bisbal.
Otros datos de interés: El Ventall pertenece a los mismos propietarios que el famoso restaurante El Trull de Lloret de Mar. Instalaciones completas: elegante salón interior para 60 comensales, reservado para 30, agradable terraza panorámica con techo automatizado y posibilidad de banquetes hasta 50 personas.
Tarjetas: Todas.

ESPECIALIDADES EL VENTALL

Cocina mediterránea y de temporada
La carta cambia cada seis meses
Sugerencias del día
Menú de temporada: 40,50 € y Menú del día: 20 €
Lingotes de foie gras caramelizados con confitura de higos y jamón ibérico
Calamares de potera a la plancha, con trompetas de la muerte al ajillo
Gallo de San Pedro con melocotón, calabaza, confitura de cebollas tiernas
Lomo de atún ahumado con judías verdes, cebollitas y espárragos verdes
Coulant de solomillo de ternera relleno de Torta del Casar
Cochinillo ibérico confitado y crujiente al aroma de lima y piña a la brasa
Tartaleta crujiente con mousse de mango y melocotón de viña
Canelón crujiente de chocolate relleno de fruta natural

Fonda Montseny

Un maestro en los fogones

No se deje engañar por el nombre del local que a primera vista puede parecer modesto y sencillo, en estos fogones oficia nada más y nada menos su chef propietario Josep Muniesa con un historial espectacular.

Josep Muniesa empieza a finales de los años 70 en el restaurante Orotava de Barcelona, a posteriori en el Hotel Ritz y el Via Veneto. Se traslada a Akelare y Arzak en San Sebastián, regresa a Barcelona con Luís Cruañas en el Dorado. Continúa su formación en Suiza y vuelve al Via Veneto con Josep Monje durante unos cuantos años, compaginando su trabajo en Via Veneto con "stages" en La Pirámide de Vienne, Troisgros en Roanne y Pic de Valence.

Después de 20 años al frente de la cocina de Via Veneto, decide rehabilitar un viejo caserón en el centro de su Breda natal y abre en agosto 2006 la Fonda Montseny, ubicada en la casa más antigua de Breda que perpetúa así su actividad histórica iniciada el año 1920. La cocina de Josep Muniesa, uno de los mejores cocineros catalanes, transmite seriedad y experiencia.

El pueblo de Breda es famoso por su alfarería, maravillosos paisajes y por la tranquilidad que se respira. La Fonda es punto de partida ideal para excursiones y paseos por el Parque Natural del Montseny y para descubrir los pueblos del Vallés.

FONDA MONTSENY'S SPECIALITIES

Select à la carte menu with a good offer of specialities prepared with first-choice ingredients
Carpaccio of pig's trotters and lukewarm octopus with walnut & balsamic vinegar dressing
Tartare of tuna
Sea urchins au gratin
Bakes scallops with artichokes
Hake with cockles in sauce
Baked monkfish with crustacean sauce and black rice
Free-range chicken with prawns and rice
Shallow-fried fresh duck liver with caramelised pineapple
Roast rack of lamb with aromatic herb crust
Game specialities and large assortment of wild mushrooms
Black-chocolate pastry with vanilla custard
Crunchy custard-filled fritters

Fonda Montseny

Localidad: **Breda (17400 Girona)**
Dirección: Plaça Trunas, 1.
Teléfono: **972 160 294. Fax: 972 871 746.**
E-mail: info@fondamontsenybreda.com
www.fondamontsenybreda.com
Propietario: Josep Muniesa.
Días de cierre y vacaciones: Cerrado martes.
Decoración: Instalaciones totalmente reformadas con privilegiadas vistas al Montseny y al Monasterio de Sant Salvador de Breda.
Ambiente: Cálido, cuidando todos los detalles. Servicio ágil y personalizado.
Bodega: Selecta carta de vinos con las principales denominaciones de origen, cavas y vinos de postre.
Hombres y nombres: Chef-propietario: Josep Muniesa. Dirección: Maria Antonia.
Otros datos de interés: Situado en pleno centro de Breda, dispone de tres salones privados para 10 comensales cada uno o 45-50 en total y de modernos apartamentos.
Tarjetas: Las principales.

ESPECIALIDADES FONDA MONTSENY

Carta selecta y variada con productos de mercado de primera calidad
Carpaccio de pies de cerdo y pulpo tibio con vinagreta de nueces y vinagre balsámico
Tartar de atún
Erizos de Cadaqués gratinados
Vieiras asadas con alcachofas
Merluza de palangre con berberechos gallegos en su salsa
Rape asado con salsa de crustáceos y arroz negro
Pollo de payés guisado con langostinos y arroz blanco
Hígado caliente de pato fresco con piña caramelizada
Carré de cordero en costra de hierbas aromáticas
Platos de caza del Montseny y su variada gama de setas
Pastelito de chocolate negro con crema de vainilla
Buñuelos crujientes rellenos de crema

Es Balconet

La esencia de Cadaqués

Salvador Dalí fue el encargado de inmortalizar y dar a conocer este pequeño pueblo de pescadores de la Costa Brava. Después, la visitaron numerosos intelectuales y artistas. La Bahía de Cadaqués forma el puerto natural más grande de Cataluña y en ella amarran, sobre todo en época estival, numerosas embarcaciones de todos los tamaños.

Cadaqués transmite una acusada personalidad y especial luminosidad por su trazado de calles pequeñas y empedradas donde abundan talleres y galerías de arte, sus casas primorosamente pintadas de blanco, las barcas amarradas en la misma playa y el Parque Natural de Cap de Creus....como decía Dalí "quiero volver a Cadaqués, el lugar más bonito del mundo".

Es Balconet es un privilegiado ejemplo de esta tradición marinera, aquí se pueden degustar pescados frescos que llegan a la mesa preparados de la forma más natural. Una barca de pescadores trae el pescado a diario en exclusiva a este restaurante. Macario es uno de los pescadores de las cinco barcas que faenan todavía en Cadaqués.

Nacido en Cadaqués, Florenci Gago, el chef-propietario, adquirió conocimientos culinarios en una escuela de cocina de Bélgica durante tres años y desarrolló su trayectoria profesional en prestigiosos restaurantes belgas. Posteriormente, regresó a su localidad natal para abrir Es Balconet, que pertenece a la nueva generación gastronómica en Cadaqués. Un establecimiento que apuesta por la típica cocina mediterránea con apuntes innovadores. De sus fogones emergen preparaciones que refuerzan el sabor original de las materias primas. La carta ofrece recetas sabrosas y placenteras que cambian según la estación.
Es Balconet es un pequeño restaurante intimista situado en una de las estrechas calles del pueblo, con dos o tres mesas situadas en sus balcones (de ahí su nombre Es Balconet). El lugar invita a quedarse, disfrutar de la buena mesa y del ambiente bohemio.

ES BALCONET'S SPECIALITIES

Mediterranean cookery with sea produce and a creative touch

The à la carte menu changes according to the season

Carpaccio of red tuna

Salad of prawns and foie gras

Goat cheese salad with honey reduction

Fresh fish: in a salt coat, baked, en papillote

Fish casserole

Juicy rice pots

Home made artisan ice creams

Chocolate coulant

Es Balconet

Localidad: **Cadaqués (17488 Girona)**
Dirección: C/ San Antoni, 2 (a 30 metros de la playa)
Teléfonos: **972 258 814**
Parking: Aparcamientos públicos a 5 minutos.
Propietario: Florenci Gago.
Días de cierre y vacaciones: Cerrado martes. Vacaciones: segunda quincena de noviembre, enero y febrero.
Decoración: Típica casa de Cadaqués. Comedor en primera planta y terraza exclusiva en ático para 8/10 personas.
Ambiente: Predomina el público de Barcelona y de Francia.
Bodega: Cuidada y adaptada a los gustos de la clientela. Selección de champagnes franceses.
Hombres y nombres: Chef: Florenci Gago.
Otros datos de interés: Abierto desde junio 2002, este restaurante presenta una de las cocinas más elaboradas de Cadaqués.
Tarjetas: Visa y Mastercard.

ESPECIALIDADES ES BALCONET

Cocina mediterránea y marinera con un toque creativo
La carta cambia por temporadas
Carpaccio de atún rojo
Ensalada de gambas con foie
Ensalada de queso de cabra y reducción de miel
Pescados del día: a la sal, al horno, en papillotte...
Suquets
Arroces melosos al gusto
Helados artesanos de elaboración propia
Coulant de chocolate

Delicius

Situado en los jardines del **Hotel Balneario Vichy Catalán**, el restaurante Delicius presenta aires renovados. Después de varios meses de reformas, se ha creado un espacio para disfrutar de la gastronomía en un ambiente tranquilo y relajado: amplio comedor de estilo neoclásico convenientemente actualizado, color de sus paredes, cuidada iluminación y terciopelo de sus cortinas...

Delicius mantiene el espíritu innovador de su cocina mediterránea actualizada, una variada oferta gastronómica en constante renovación, los productos típicos de cada estación elaborados por el chef Pere Vilalta. Una carta de cocina catalana para gourmets. Abierto también al público exterior, celebra jornadas gastronómicas a lo largo del año.

Dada la calidad de este agua termal, se utiliza como materia prima en la cocina de Delicius, dando el tratamiento adecuado a cada cocción y procedimiento. Así, se consigue una cocina sana y a la vez gustosa y natural. Se puede calificar de "cocina termal" y solo se encuentra en este establecimiento.

Hotel

Las estancias en el centro termal del Hotel Balneario Vichy Catalán ofrecen la posibilidad de compaginar el aspecto terapéutico con el confort de un gran hotel y la tranquilidad de los parajes de la comarca gerundense de la Selva. Déjese llevar por el encanto del Modernismo, frondosos jardines y espacios comunes llenos de historia: salón-cafetería, terraza, capilla, jardín interior, sala de fiestas, piscina exterior climatizada...un conjunto gratificante y renovador. El hotel dispone de 86 habitaciones dotadas de todos los servicios y una singular decoración realzada por los techos señoriales y los mosaicos del suelo original. Además, 9 salones modulables y la nueva carpa en el jardín configuran espacios óptimos para sus celebraciones, reuniones de empresa, convenciones, bodas o cualquier tipo de evento...con capacidad hasta 500 personas.

Balneario

Las aguas termales bicarbonatadas y sódicas del manantial de Vichy Catalán emergen a 60ºC, esta elevada temperatura facilita que las aguas en su recorrido subterráneo absorban los elementos químicos que encuentran en el subsuelo. Esta fuerte mineralización las hace muy indicadas para los tratamientos que el balneario pone a disposición de sus clientes: hidroterapia, quiromasaje, sensaciones, estética corporal y facial...

DELICIUS' SPECIALITIES

Updated Mediterranean cookery

Business menu: 22 €

Gastronomic menu: 29 €

Tempura-fried prawns

Granité of Bloody Mary with anchovies and foam of olives and Vichy Catalan (sparkling water)

Trilogy of foie gras (vanilla-scented apple, green tea Matcha, in a salt coat with figs)

Scallops in tempura of tender onion bulbs with a light almond cream

Turbot in pine nut & vegetable coat, reduction of shrimp juice

Mango tartare with mascarpone, Breton cookie and ice cream

Upside-down Tatin apple tart, Calvados cream and chocolate ice cream with pepper

Delicius

Localidad: **Caldes de Malavella (17455 Girona)**
Dirección: Avenida Doctor Furest, 32 - Hotel Balneario Vichy Catalán
Teléfonos: **972 470 000 - 972 472 005. Fax: 972 472 299**
E-mail: delicius@balnearivichycatalan.com
www.balnearivichycatalan.com
Parking: Aparcamiento del hotel.
Propietario: Vichy Catalán.
Días de cierre y vacaciones: Abierto cada día. Vacaciones del 10 de enero al 10 de febrero.
Decoración: Comedor de estilo neoclásico, convenientemente actualizado.
Ambiente: Una puesta en escena sosegada y placentera.
Bodega: Atendida por un sumiller. Un centenar de entradas, vinos españoles y franceses de línea clásica y vanguardista.
Hombres y nombres: Jefe de cocina: Pere Vilalta. Sumiller: Jaime Abel Varón. Director de restauración: Mariano Andrés.
Otros datos de interés: Situado en el Hotel Balneario Vichy Catalán, una joya del Modernismo catalán del siglo XIX. Bar-cafetería en los jardines del hotel y terraza de verano.
Tarjetas: Las principales.

ESPECIALIDADES DELICIUS

Cocina mediterránea actualizada

Menú Ejecutivo: 22 €

Menú Gastronómico: 29 €

Langostinos en tempura de Vichy

Granizado de Bloody Mary con boquerones y espuma de olivas con Vichy Catalán

Trilogía de foies (manzana a la vainilla, té matcha y coco, a la sal e higos)

Vieiras con tempura de calçot y una crema de almendra tierna

Rodaballo con costra de piñones y verduritas, reducción de jugo de camarón

Tartar de mango con mascarpone, sablé bretón y helado de maría luisa

Tatin de manzana Golden, crema de calvados y helado de chocolate a la pimienta

Receta **Can Xiquet**

Manitas de cerdo a nuestro estilo

Ingredientes para 6 personas: 12 manitas de cerdo, 360 gr. de mantellina (Telas) y 350 gr. de carne de caldero.

Ingredientes para la salsa: ½ litro de Pedro Ximenez, 50 gr. de piñones, 50 gr. de variado de setas, sal, pimienta y azúcar.

Elaboración: una vez limpias (chamuscadas y escamadas), poner las manitas a cocer en una olla. Cuando empiecen a hervir, cambiar el agua y meterlas a hervir nuevamente durante una hora y media. Una vez hervidas, se deshuesan, se dejan enfriar, y a continuación extender la mantellina (telas) y poner las manitas de cerdo deshuesadas y la carne de caldero (butifarra de "Perol"), enrollarlas y después se envuelven con papel de plata untado con mantequilla y salsa española (caldo de carne).

Hornearlos durante una hora a 150º durante una hora, después dejarlas enfriar, quitar el papel de aluminio y envolverlas con papel "filo" y ponerlas en la nevera durante unas ocho horas.

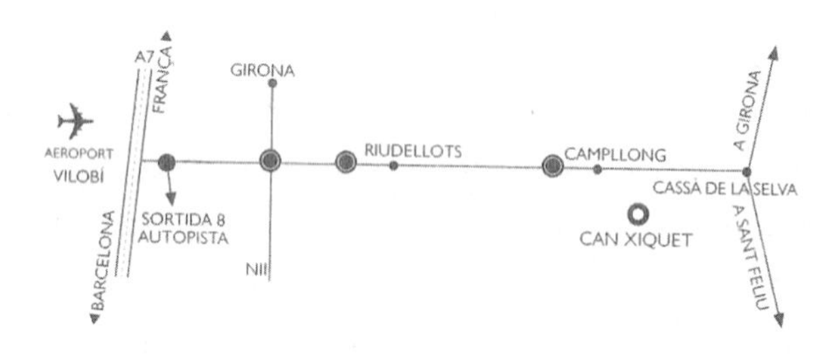

CAN XIQUET'S SPECIALITIES

Creative Mediterranean cookery
The à la carte menu changes according to the season
Recommendations of the day
High-quality products
Terrine of foie-gras of duck with fig & apple purée
Carpaccio of gilthead bream with aromatic herbs, vegetable bouquet and Parmesan cheese
Rice specialities
Roast pigeon with pears, port sauce and liquorice
Pig's trotters stuffed with Catalonian sausage, oyster mushrooms and pine nuts
Duckling breast with passion fruit sauce and apples
Salt cod specialities
Fresh fish according to catch
White & black chocolate tears with tangerine sorbet
Ice cream of caramel spread with salt flower

Can Xiquet

Localidad: **Campllong (17457 Girona).**
Dirección: Ctra. de Riudellots a Cassà.
Teléfono: **972 462 018.**
Parking: Aparcamiento propio.
Propietario: Josep Gibert.
Días de cierre y vacaciones: Cerrado domingos noches y miércoles todo el día. Vacaciones: 8 días en navidades y 15 días en julio.
Decoración: Masía rehabilitada realzada por un jardín con césped.
Ambiente: Una mesa refinada con un servicio eficiente. Sosiego y espacio.
Bodega: Aproximadamente 235 referencias seleccionadas, denominaciones de origen de Cataluña, Somontano, Galicia, Rioja, Tierra de Castilla, Borgoña, Ribera del Ródano, cavas y champagnes. Surtido de aguas minerales. Cava de whyskies, maltas y cigarros puros.
Hombres y nombres: Director: Josep Gibert. Jefe de sala: Angel Gibert.
Otros datos de interés: Se distingue por sus amplias y cuidadas instalaciones (tres salones privados con diferentes capacidades: 6/8 personas, 15/18 con acceso independiente y otro hasta 25 comensales) y su atención a todos los detalles (complementos, vajilla, uniforme del personal...). Precio medio: entre 30 y 40 €.
Tarjetas: Todas.

ESPECIALIDADES CAN XIQUET

Cocina mediterránea de autor
En cada estación cambia la carta
Sugerencias del día
Materias primas de la más alta calidad
Terrina de foie fresco de pato con puré de higos y manzana
Carpaccio de dorada a las finas hierbas con bouquet vegetal y parmesano
Arroces artesanos
Pichón asado con peras, salsa de Oporto y regaliz
Manos de cerdo rellenas de butifarra de "perol" con setas y piñones
Magret de pato con salsa de frutos de la pasión y panadera de manzana
Bacalaos en varias exquisitas preparaciones
Pescados frescos según mercado
Lágrima de chocolate blanco y negro con sorbete de mandarina
Helado de dulce de leche con flor de sal

Mas Salelles

Buena mesa y hospitalidad

Dolors Pagès y José Manuel García han cogido las riendas del restaurante Mas Salelles de Darnius. Situada a pocos metros de la carretera comarcal que une la N-II con Darnius y Maçanet de Cabrenys, en un espléndido paisaje de naturaleza cercano al castillo de Mont-Roig, esta casa destaca por su cocina de mercado bien presentada, con productos frescos, respetando las esencias de la gastronomía tradicional catalana.

Las instalaciones evocan un mundo de clara procedencia rural, Mas Salelles dispone de comedores muy bien acondicionados que se pueden utilizar como espacios privados para comidas de trabajo, reuniones familiares o encuentros de amigos. La terraza exterior es el espacio ideal durante el buen tiempo.

Dolors Pagès presenta una carta con una oferta culinaria variada y apetecible. Son muy recomendables también los menús diarios y de fin de semana, además de los tres menús degustación para grupos. Los postres, preparados artesanalmente, la carta de cafes e infusiones y la bodega con un buen listado de referencias autóctonas completan una propuesta siempre interesante.

Darnius

Darnius forma parte de la comarca del Alt Empordà, su relieve es accidentado, además de la Sierra de la Albera se encuentran los valles de los ríos Arnera, Muga y Ricardell. En su privilegiado entorno predominan pinares y alcornocales. Uno de sus principales atractivos turísticos es el embalse de Boadella con su Club Naútico. Otros lugares de interés son el dolmen del Mas Puig de Caneres, monumento megalítico funerario, el menhir Pedra Dreta, la iglesia de Santa María o la ermita de Sant Esteve del Llop. El castillo de Mont-Roig, situado a unos 4 km. de Darnius, en lo alto de la montaña, es un mirador incomparable.

MAS SALELLES' SPECIALITIES

Traditional Catalonian cookery, nicely presented
Seasonal menus
Luncheon menu: 12 € - Menu on Saturdays: 18 €
Scallop salad with vegetable vinaigrette
Tartare of tomato with goat cheese crust, red berry dressing
Salt cod with cream of small red piquillo capsicums and basil oil
Sea bass with baby squids in sauce of their own ink
Cuts of beef from Girona
Tenderloin of pork with oyster mushroom sauce and confit potatoes
Fruit brochette with yogurt and strawberry coulis
Chocolate mousse and orange marmalade

Mas Salelles

Localidad: **Darnius (17722 Girona)**
Dirección: Ctra. de Darnius, km. 2
Teléfonos: **972 193 078**
E-mail: lacuina@massalelles.com www.massalelles.com
Parking: Amplio aparcamiento propio.
Días de cierre y vacaciones: Cerrado lunes.
Decoración: Masía catalana del siglo XVIII rodeada de naturaleza.
Ambiente: Rústico y acogedor.
Bodega: Buen listado de referencias autóctonas. También Ribera del Duero y Rioja seleccionados.
Hombres y nombres: Jefa de cocina: Dolors Pagès Masdeu. Sala: José Manuel García Fandiño.
Otros datos de interés: Talento en la cocina y hospitalidad en la sala, una buena mesa en un lugar campestre que seduce a quienes aman los placeres de la vida. Cuidadas instalaciones: cuatro comedores que se pueden utilizar como privados, terraza exterior y extenso jardín.
Tarjetas: Las principales.

ESPECIALIDADES MAS SALELLES

Cocina tradicional catalana
con atención a las presentaciones
Cartas de temporada
Menú Mediodía: 12 € - Menú Sábado: 18 €
Ensalada de vieiras con vinagreta de verduras
Tartar de tomate con costra de queso de cabra, vinagreta de frutos rojos
Bacalao con crema de pimientos del piquillo y aceite de albahaca
Lubina con chipirones en su tinta
Carnes de Girona
Solomillo de cerdo con salsa de setas y patatas confitadas
Brocheta de frutas con yogur y coulis de fresas
Mousse de chocolate con confitura de naranja

Castelló d'Empúries

La Villa Condal de Castelló d´Empúries aún conserva todos los vestigios de su capitalidad medieval. Las calles estrechas, las murallas, la iglesia catedralicia marcan el carácter del pueblo que constantemente ha sabido adaptarse al paso del tiempo. Hoy en día sigue siendo un referente tanto en la Costa Brava, conservando su idiosincrasia milenaria ante la afluencia turística, como en el Mediterráneo, gracias a la Marina Residencial de Empuriabrava y al Parc Natural dels Aiguamolls del Empordá, haciendo realidad la convivencia entre historia, turismo y naturaleza.

Parc Natural dels Aiguamolls de l'Empordà

El Parc Natural ocupa gran parte del término de Castelló d´Empúries. Destaca por la gran variedad de aves que nidifican, cerca de 330 especies. El paisaje, la fauna y la flora que podemos encontrar hacen de este espacio natural uno de los más importantes del Mediterráneo. Hay que destacar el parque temático de las mariposas, único en el Estado, con variedades tropicales y de todo el mundo.

La Marina d'Empuriabrava

Es la zona residencial del municipio de Castelló d´Empúries. Genuina por su diseño y única en Europa, tiene más de 24 kms de canales navegables, convirtiéndola en el sueño de cualquier amante del mar y los deportes náuticos, pudiendo amarrar la embarcación en la puerta de casa. Con 4000 amarres de barcos, es el puerto deportivo más grande de Europa. También dispone de aeródromo, ofreciendo la posibilidad de llegar a Empuriabrava por tierra, mar o aire. Si añadimos la gran oferta lúdica y de hostelería que ofrece y su ambiente multicultural, es el lugar ideal para pasar unas vacaciones inolvidables o fijar su residencia

El Celler de Can Serra

Localidad: **Empuriabrava (17.487 Girona)**

Dirección: Sant Mori, 17

Teléfonos: **972 455 004 Fax: 972 454 876**

Parking: Fácil aparcamiento

Propietario: Joan Serra y Carme Batlle.

Días de cierre y vacaciones: Cerrado lunes excepto festivos y verano (abierto cada día en julio y agosto). Vacaciones del 15 de enero al 15 de febrero.

Decoración: Rústica actualizada.

Ambiente: Familiar, para todos los públicos.

Bodega: Importante y diversificada, se amplía cada año. Casi todas las D.O. de España y los famosos vinos del Ampurdán.

Hombres y nombres: Jefe de cocina: Andreu Martínez. Jefe de sala: Joaquín Serra.

Repostería: Carme Batlle.

Otros datos de interés: Restaurante abierto desde 1999. Totalmente climatizado frío-calor. Dispone de una amplia terraza de verano. El mejor bellota de la zona.

Tarjetas: Todas

ESPECIALIDADES EL CELLER DE CAN SERRA

Cocina catalana y ampurdanesa,
atenta a la temporada y al mercado
Pescado fresco
Sugerencias semanales
Tablas de embutidos con pan artesano de Castelló
Selección de verduras frescas
Cebollas rellenas
Caracoles a la llauna
Entremeses de pescaditos fritos
Pescados frescos de la bahía de Rosas
Bacalao a la catalana
Carnes del Ampurdán
Pato con peras
Estofado de carrillada de ternera
Postres y helados artesanos

Sa Papil·la

Maestra guisandera

Situado en el casco antiguo del pueblo de Esclanyà en una masía del S.XVIII, rodeada de 11.000 metros ^{2} de terreno y dos pozos en el huerto, Sa Papil.la es el lugar idóneo para disfrutar de la cocina de mar y tierra. Pilar Ribera es una cocinera que cree en las cosas bien hechas. La oferta gastronómica es muy variada y apta a satisfacer todos los gustos: menú diario, de fin de semana, especial para días festivos y para grupos. También existe la posibilidad de confeccionar cualquier menú adaptado a las necesidades del comensal. El restaurante dispone de dos coquetos comedores para 20 personas cada uno, además de una sala para celebraciones con capacidad hasta 40 y una agradable terraza con zona para recreo de los niños.

Esclanyà

Esclanyà pertenece al municipio ampurdanés de Begur. Hasta finales de la Edad Media fue una posesión del señor de Cruïlles. El núcleo románico de Esclanyà, a pie de carretera y al que se accede por un pequeño puente, se articula alrededor de su iglesia de Sant Esteve, original del siglo X, aunque su estructura actual corresponde al siglo XIII. Entre el resto de monumentos, destaca la torre del homenaje del antiguo castillo de Esclanyà del siglo XIII, de planta rectangular, con almenas en la parte norte y otros elementos defensivos.

SA PAPIL·LA'S SPECIALITIES

Specialities with sea and land produce
Luncheon menu
Weekend: special menu and à la carte
Goat's milk cheese salad
Salt cod with onion, honey and rosemary
Rice speciality
"Fideuà" (paella with noodles instead of rice)
Snails of the house
Fresh fish, grilled or in sauce
Duck with pears
Chargrilled lamb
Millefeuille gateau with cream and fruit
Lemon delights

Sa Papil·la

Localidad: **Esclanyà-Begur (17213 Girona)**
Dirección: Camí Salt Ses Eugues, 3
Teléfonos: **972 303 411** **E-mail: sapapil.la@gmail.com**
www.sapapil-la.splay.cat
Parking: Gran aparcamiento.
Propietario: Pilar Ribera Baucells.
Días de cierre y vacaciones: Abierto cada día del año. De octubre a mayo, cenas sólo viernes y sábados.
Decoración: Antigua masía del año 1714 rodeada de un amplio terreno.
Ambiente: Autenticidad, tranquilidad y buena mesa.
Bodega: Vinos del Baix Empordà, Penedés, Riojas...
Hombres y nombres: Jefa de cocina: Pilar Ribera.
Otros datos de interés: Restaurante estratégicamente situado a 5 km. de Begur y 300 m. de Palafrugell. Dos comedores para 20 comensales cada uno, sala de 40 personas para fiestas y celebraciones y terraza con parque infantil.
Tarjetas: Visa, Sodexho.

ESPECIALIDADES SA PAPIL·LA

Cocina de mar y tierra
Menú diario al mediodía
Carta y menú Fin de Semana
Ensalada de queso de cabra
Bacalao con cebolla, miel y romero
Arroz a la cazuela
Fideuà
Caracoles a la Papil.la
Pescado fresco a la plancha o con suquet
Pato con peras
Cordero a la brasa
Milhojas de crema y fruta
Delicias de limón

Hotel Travé ***

En el corazón de Figueres capital del surrealismo Daliniano, encontrarán el Hotel Travé, de larga tradición familiar, con un restaurante donde podrán degustar una exquisita cocina catalana y de mercado junto con muchas especialidades de la casa, destacando los platos de marisco, los suquets , las paellas y las carnes cuidadosamente seleccionadas por su calidad. La extensa y variada carta de platos junto con una amplia bodega permite al cliente disfrutar de su estancia en todo momento.

Disponen de diferentes salas preparadas para realizar eventos de empresa, convenciones, reuniones familiares, banquetes, etc.

Las 76 habitaciones de las que dispone el Hotel, cuentan con todos los servicios exigibles, baño completo, secador de pelo, TV satélite, conexión WIFI, teléfono,... etc. En las instalaciones del Hotel Travé podrán disfrutar de servicios como parking gratuito, garaje, piscina exterior, bar, sala de juegos, sala de TV y ordenador con acceso a Internet. Estos servicios y el exquisito trato al cliente, les garantiza una estancia inolvidable y esperamos que gratificante.

TRAVÉ'S SPECIALITIES

Xavi's bites
Herb-steamed duckling breast, stuffed with foie gras and cured ham shavings
Wild salmon dices
Carpaccio of cod
Pan-fried fresh duck liver with Maldon salt and "bleuet"
Gilthead bream speciality
Grilled fish and seafood assortment
Barbecued loins of rabbit with wild mushroom mix
Small escalopes of beef with foie gras and Emmental
Crêpes Suzette
Flambé peach

Travé

Localidad: **Figueres (Girona)**
Dirección: Ctra. Olot, s/n
Teléfonos: **972 500 591 - Fax: 972 671 483**
www.hoteltrave.com
Parking: Extenso.
Propietario: Xavier Travé Cristina.
Días de cierre y vacaciones: Abierto todo el año.
Decoración: Moderna y funcional.
Ambiente: Familiar y de negocios.
Bodega: Amplia.
Hombres y nombres: Chef: Daniel Lladó; Maitre: Antonio Martínez
Otros datos de interés: Especialistas en la celebración de banquetes y convenciones. Dispone de gran terraza de verano, piscina y todas las habitaciones con aire acondicionado.
Tarjetas: American Express, Visa, Mastercard.

ESPECIALIDADES TRAVÉ

Montaditos de Xavi
Magret de pato al vapor de hierbas, relleno de foie y virutas de jabugo
Dados de salmón salvaje
Carpaccio de bacalao
Hígado de pato fresco con sal Maldon y "bleuet"
Dorada a la Guetaria
Parrillada de pescado y marisco
Espalditas de conejo a la brasa con revuelto de setas
Escalopines de ternera con foie y queso Emmental
Crêpes Suzette
Melocotón flambeado

L'Àgora

Buen gusto y tranquilidad

En medio de la llanura ampurdanesa, al nordeste de la Bisbal y atravesado por el río Daró, encontramos Fontanilles, un pequeño pueblo rodeado de campos. En este pequeño paraíso entre pasado y presente descubrimos un lugar entrañable, con mucho encanto, donde ha nacido un nuevo punto de referencia gastronómico: el restaurante L'Àgora.

Ubicado en una masía catalana del s.XIX, conserva las paredes de piedra y un aire rústico que combinado con una minuciosa decoración le da toques de modernidad.

Dispone de diferentes salones idóneos para cenas íntimas, grupos, empresas, bodas y celebraciones, adecuándose a las necesidades de cada momento con varios menús especiales. Durante el verano se puede disfrutar de su gran terraza cenando al aire libre, un marco de tranquilidad y buen gusto.

El restaurante L'Àgora de Fontanilles ofrece el encanto de la cocina tradicional catalana y de temporada, platos trabajados hasta el mínimo detalle y elaborados con los mejores productos de cada época del año.

También ofrece servicio de catering con una gran variedad de platos o la posibilidad de confeccionar un menú a medida del cliente, sólo tendrá que elegir el lugar y la fecha, sin más preocupaciones. Para fiestas y días especiales se pueden ir a recoger los platos cocinados para llevar y disfrutarlos en casa. Además, almuerzos de tenedor y variedad de tapas para hacer el aperitivo en la terraza los fines de semana y festivos.

L'ÀGORA'S SPECIALITIES

Catalonian and seasonal cookery
Carpaccio of fillet of beef with foie gras and mustard butter
Cold cannelloni of tuna with horseradish cream
Terrine of foie gras with prunes soaked in Armagnac
Tuna hamburger with tomato preserve
Sauté prawns and artichokes on a layer of home made butifarra (black sausage)
Brothy rice pot with cuttlefish and sausages
Sucking pig with sauce of stout beer and liquorice
Home made rabbit sausages with foie gras and porcini mushrooms
Sorbet of mojito
Fig preserve with rum-flavoured yogurt mousse

L'Àgora

Localidad: **Fontanilles (17257 Girona).**
Dirección: C/ Major, 12.
Teléfono: **972 757 911.**
E-mail: info@agorafontanilles.com
www.agorafontanilles.com
Parking: Aparcamiento propio.
Días de cierre y vacaciones: A partir del 24 de junio, abierto de martes a domingo. En agosto abierto cada día. A partir del 15 octubre, abierto miércoles, jueves y domingos al mediodía, viernes y sábados mediodía y noche.
Decoración: Masia catalana del s. XIX, rústica y con toques de modernidad.
Ambiente: Un lugar entrañable. Tranquilidad y buen gusto.
Bodega: Un centenar de etiquetas.
Hombres y nombres: Director y jefe de cocina: Genis Moreno. Jefe de sala: Carolina Rodriguez.
Otros datos de interés: Situado en la masia Can Bech, cerca de Palau Sator, en la carretera de Pals a Torroella de Montgrí. De martes a viernes mediodía, menú que sorprende gratamente.
Tarjetas: Las usuales.

ESPECIALIDADES L'ÀGORA

Cocina catalana y de temporada
Carpaccio de filete con foie y mantequilla de mostaza
Canelones fríos de atún y crema de rábanos
Tarrina de foie con ciruelas al Armagnac
Hamburguesa de atún con confitura de tomate
Gambas y alcachofas salteadas sobre lecho de butifarra del perol casera
Arroz caldoso de sepionas y salchichas
Cochinillo con salsa de cerveza negra y regaliz
Salchichas de conejo con foie y bolets (elaboración propia)
Sorbete de mojito
Confitura de higos con mousse de yogurt al ron

Receta Tritón

Tronco de merluza al "all cremat"

Ingredientes para 1 persona: 1 tronco de merluza de 300 gr., aceite de oliva, 2 dientes de ajo, 1 vaso de vino blanco seco, perejil picado, 1 patata.

Preparación: Se torra el ajo en el aceite de oliva, añadimos el tronco de merluza bien enharinado, se le agrega la sal. Dejamos que se dore un poco para a continuación añadirle vino blanco y perejil.

Se practica una cocción de 18 minutos a fuego lento (tapado), y finalmente se sirve añadiendo una guarnición de patatas inglesas.

TRITÓN'S SPECIALITIES

Crustacean & shellfish assortment

Fresh fish from Rosas

"Suquet": fish casserole (on request)

Baked fish (on request)

Barbecued beef cuts

Pear parcel

Chef Eduard Cateura's desserts

Tritón

Localidad: **Gualta (17257 Girona)**

Dirección: Ctra. Torroella a Pals.

Teléfonos: **972 757 038**

Parking: Amplio

Propietario: Josep Cateura

Días de cierre y vacaciones: Cerrado domingos durante todo el año. vacaciones del 15 de diciembre al 1 de febrero.

Decoración: Clásica-moderna

Ambiente: Familiar y de negocios.

Bodega: Vinos catalanes y Riojas

Hombres y nombres: Chef: Eduard Cateura. Maitre: Maria Josep Cateura

Tarjetas: Todas, excepto American Express.

ESPECIALIDADES TRITÓN

Pica-pica de mariscos

Pescados de lonja de Rosas

Suquet de pescado (por encargo)

Pescado al horno (por encargo)

Carnes a la brasa

"Recuit de drap de Ullestret"

"Aumoniere" Pera

Postres caseros del chef Eduard Cateura

Receta **Ca la Maria**

Bacalao confitado con guarnición de porrusalda

Ingredientes para 4 personas: 800 gr. de morro de bacalao desalado (en 4 trozos), 2 puerros medianos, 200 gr. de calabaza, 3 dientes de ajo, aceite de oliva, 100 gr. de patata pelada, 20 gr. de mantequilla, 50 gr. de nata líquida y sal.

Preparación de la guarnición: Lavar y cortar en tiras finas (juliana) los puerros. Rehogar a fuego suave y tapado sin dejar que coja color con un poco de aceite y sal. En el último momento añadir la calabaza pelada y troceada en láminas, reservar.

Preparación de la crema de patatas: Pelar las patatas y hervirlas con agua. Hacer un puré con las patatas hervidas, la nata y la mantequilla. Aligerarla con un poco del agua de hervir las patatas y ponerlo al punto de sal.

Confitado de bacalao: poner en un cazo los cuatro lomos de bacalao, cubrirlo con aceite de oliva y los ajos machacados. Poner a fuego suave sin que llegue a freír hasta que salgan las lamas del bacalao, unos siete minutos. Escurrir.

Acabado y presentación: disponer en el fondo del plato el puerro rehogado con la calabaza. Poner el bacalao encima y la crema de patatas alrededor. Cortar la crema con una cucharada de aceite de confitar el bacalao.

CA LA MARÍA'S SPECIALITIES

Modern Catalonian cookery
Gastronomic menu, changes every month
Monkfish casserole with rice, shrimps and cockles
Hamburger of tuna with shredded onions and seaweed tartare
Gently stewed salt cod with seasonal garnish
Yearling beef from Girona
Crisp pig's trotters
Rosé-roasted duckling breast with seasonal fruits and sweet & sour sauce
Cream-stuffed chou puffs with warm chocolate sauce
Flaky pastry tartlet with sour apple and vanilla

Ca la Maria

Localidad: **Llagostera (17240 Girona).**
Dirección: Ctra. de Llagostera a Santa Cristina, km. 9 (encima gasolinera Repsol).
Teléfono: **972 831 334.**
Parking: Aparcamiento propio, en la misma puerta.
Propietario: Martí Rosas y María Hernández.
Días de cierre y vacaciones: Cerrado martes todo el día.
Decoración: Masía catalana del siglo XVII perfectamente restaurada. Exposiciones rotativas de arte.
Ambiente: Tranquilo, acogedor y amistoso.
Bodega: Más de un centenar de referencias, variedad y selección. Cavas y vinos dulces.
Hombres y nombres: Jefe de cocina: Martí Rosas. Postres y sala: María Hernández.
Otros datos de interés: En una situación estratégica, a 20 km. de Girona, Palamós y Platja d'Aro, este restaurante abrió sus puertas el 15 de febrero del 2002. Pequeños comedores privados (de 6 a 25 p.) para empresas o celebraciones, terraza de verano y jardines.
Tarjetas: Todas.

ESPECIALIDADES CA LA MARIA

Cocina catalana moderna
Menú-degustación, cambia cada mes
Caldereta de rape con arroz, gambita y berberecho
Hamburguesa de atún con cabello de ángel de cebolla y tartare de algas
Bacalao confitado con guarnición del tiempo
Ternera de Girona
Pies de cerdo crujientes
Magret crudito con frutas de temporada y salsa agridulce
Buñuelos rellenos de crema con salsa de chocolate caliente
Tartaleta de hojaldre con manzana ácida y vainilla

Miramar

Alta cocina marinera

Abierto en 1939, este restaurante se ubica en el Hostal Miramar, 10 acogedoras habitaciones en pleno Paseo Marítimo de Llança, un paraje único, entre tierra y mar, con dos espacios naturales: el Parque de Cap de Creus y el Parque de la Albera. Durante más de cuatro generaciones, este restaurante familiar ha sabido evolucionar en su cocina, situándose actualmente como referente de la cocina marinera de vanguardia.

El chef Paco Pérez es un cocinero vocacional. Empezó en el mundo de la restauración con tan sólo 15 años y se perfeccionó con maestros como Ferrán Adriá o el francés Michel Guérard. Desde hace casi veinte años dirige Miramar en la Costa Brava, cerca de la frontera entre España y Francia. Aquí presenta dos líneas de trabajo diferenciadas: por un lado, la carta, una cocina catalana puesta al día, y por otro, el menú degustación, donde predominan innovación, divertimento y sorpresa. Su filosofía gastronómica refleja una cocina ligada al entorno, siendo el ecosistema marino su elemento natural. Destacan la excelencia del producto, formulaciones que saben conservar la esencia de los sabores, aromas, texturas y una estética atractiva.

Paco Pérez es un virtuoso dominador de la técnica con gran claridad conceptual, practica una culinaria de altos vuelos, nítida y delicada. Una interpretación de la cocina más actual con toques tradicionales e innovadores. La fórmula de éxito se completa con magníficas instalaciones, luz, modernidad, elegancia, y un equipo humano siempre atento a las percepciones de los comensales.

MIRAMAR'S SPECIALITIES

Modern cookery with sea produce
Tasting menu, changing every season
Rice speciality with prawns and sea-cucumbers
Foie gras nitro
Sisho oyster with green apple
Tartare of tuna, goose barnacles and seaweed
Minestrone soup
Gruyere cheese
Rosé grapefruit
Norway lobsters
Guru, coconut and curry
Sea-cucumbers and porcini mushrooms
Chilled melon, its skin and almonds

Miramar

Localidad: **Llançà (17490 Girona)**
Dirección: Passeig Marítim, 7
Teléfonos: **972 380 132**
E-mail: info@miramar.cat
www.miramar.cat
Parking: Si.
Días de cierre y vacaciones: Cerrado domingos noche y lunes todo el día. Vacaciones: Enero.
Decoración: Confortable, con preciosas vistas a la bahía.
Ambiente: Moderno.
Bodega: Más de 400 referencias. Dos espacios diferenciados donde vinos, cavas y champagnes reposan adecuadamente. Acondicionada para catas.
Hombres y nombres: Jefe de cocina: Paco Pérez. Responsable de sala: Montserrat Serra.
Otros datos de interés: Ubicado en el Hotel Miramar, en pleno Paseo Marítimo y Playa de Llança. Terraza acristalada con vistas al mar.
Tarjetas: Las principales.

ESPECIALIDADES MIRAMAR

Nueva cocina marinera
Menú Degustación, cambia según temporada
Arroz Sucarrat con gamba y espardenya
Amandina de foie-gras nitro
Ostra sisho y manzana verde
Tartar de atún, percebes y algas
Minestrone
Gruyère
Bombo de pomelos rosa
Cigala al natural
Guru, coco y curry
Espardenyes y ceps
Enfríe natural de melón, su piel y almendras tiernas

Trumfes

Alex y Pau son dos jóvenes cocineros con ilusión y ganas de trabajar, hacen lo que les gusta. Formados en la escuela Joviat de Manresa y compañeros de curso, presentan una sólida trayectoria que les ha llevado a unirse para ofrecer en la Cerdanya una cocina de nivel.

Pau Cascón ha desarrollado su labor en prestigiosos restaurantes como Stay (Mallorca), Aliguer (Manresa), Forelli (Sabadell), Kuprum (Platja d'Aro) y como jefe de cocina en Lluçanès (Barcelona). Por su parte, Alex Molas ha trabajado en Can Peric (Sant Martí d'Empuries), Aliguer, El Faro del Puerto (Cádiz), Vía Veneto, Hotel Claris y El Mirador de la Venta en Barcelona y como jefe de cocina en el Real Club Náutico de la Ciudad Condal.

Desde su apertura en 2008, Trumfes ha obtenido una merecida fama y ha consolidado una clientela habitual con un alto porcentaje de repetición. Representa la nueva generación gastronómica en la Cerdanya con una culinaria catalana de temporada y de mercado basada en la tradición. Son colaboradores habituales de las secciones gastronómicas de medios locales.

Llívia

A 1223 metros sobre el nivel del mar, en la falda de los Pirineos y siguiendo el curso del río Segre, encontramos la capital natural de la comarca de la Cerdanya. A raíz del tratado de los Pirineos de 1659, Llívia es un enclave rodeado de territorio francés. Uno de sus atractivos turísticos y culturales es su Festival de Música, desde 1982 ofrece las mejores veladas musicales de la comarca en un marco incomparable, la Iglesia de Nuestra Señora de los Ángeles. Otra visita ineludible es el Museo de la Farmacia en honor a la farmacia Esteve de Llívia, documentada en el año 1594, considerada la más antigua de Europa. Cuenta también con una importante colección de material arqueológico que repasa la historia de la villa. De su antiguo castillo, otrora símbolo de la localidad, quedan escasos vestigios.

TRUMFES' SPECIALITIES

Market cookery with seasonal produce
The menu changes according to the season
Onion soup of the house
Flat round of chopped stewed cabbage and potato, fried with lard and garlic, served with scallops
Rice speciality with land produce
Cannelloni of marinated mackerel with vegetables and salad
Salt cod in sauce Basque style with chargrilled leek
Stewed head and trotters with chickpeas
Duck nuggets with strawberries in sweet wine sauce
Crisp pig's trotters on a dough round with chargrilled vegetables
Lamb roasted a low temperature with apricots and ratte potatoes
Sucking pig roasted a low temperature with pineapple & fennel Tatin tart
Banana fritters, cream and chocolate ice cream
Crisp potato with ice cream, port and red berries
Our Catalonian crème brûlée with lemon sorbet

Trumfes

Localidad: **Llívia (17527 Girona)**
Dirección: Av. Catalunya, 68
Teléfonos: **972 146 031** **www.restaurantrumfes.com**
Parking: Fácil aparcamiento.
Propietario: Alex Molas y Pau Cascón.
Días de cierre y vacaciones: Cerrado noches de lunes y martes y miércoles todo el día. Festivos, puentes y agosto, abierto cada día mediodía y noche. Vacaciones: 3 semanas en mayo-junio y 2 semanas después de la Diada.
Decoración: Amplio comedor de estilo rústico y salón privado hasta 20 personas.
Ambiente: Restaurante gastronómico frecuentado por gente del país y público francés.
Bodega: Selección de vinos catalanes y otras famosas denominaciones a precios asequibles.
Hombres y nombres: Chef de cocina: Pau Cascón. Jefe de sala: Alex Molas.
Otros datos de interés: Los dos propietarios son cocineros. Fórmula menú al mediodía: 13,50 € (de lunes a viernes), carta de tapas y Menú Carta 25 €. Posibilidad de celebraciones hasta 100 comensales.
Tarjetas: Las principales.

ESPECIALIDADES TRUMFES

Cocina de mercado y de temporada
La carta cambia según la estación
Sopa de cebolla a nuestra manera
"Trinxat" de la Cerdanya con vieiras
Arroz de montaña
Canelón de varat escabechado con verduras y ensalada
Bacalao a la vizcaína con puerros a la brasa
"Cap i pota" con garbanzos
Bombones de pato con fresas al vino dulce
Pies de cerdo crujientes sobre coca con escalibada
Cordero a baja temperatura con albaricoque y patata ratte
Cochinillo a baja temperatura con tatin de piña e hinojo
Buñuelos de plátano escalibado, crema y helado de chocolate
Crujiente de patata con helado de nata, Oporto y frutos rojos
Nuestra crema catalana con sorbete de limón

Mas Romeu

30° Aniversario

Mas Romeu cumple su 30° aniversario. Es un restaurante clásico de Lloret de Mar, una edificación de estilo rústico catalán situada a las afueras de la población, a tan sólo 40 minutos de Barcelona, 30 de Mataró, 20 del aeropuerto de Girona y 30 de Platja d'Aro. Desde el primer día, la filosofía de esta casa ha hecho honor al lema de Auguste Escoffier "una buena cocina es el fundamento de la felicidad". Durante todos estos años el esfuerzo, honradez e ilusión de la familia Garriga se ha visto recompensado por el reconocimiento y afluencia de clientes de diferentes partes del mundo.

Jordi Garriga apuesta por una cocina de mercado, tradicional e innovadora. Mediante el estudio y la investigación y a partir de los mejores productos de temporada, siempre frescos y naturales, propone una reinterpretación de la gastronomía catalana, respetando los procedimientos, frecuentemente lentos y laboriosos de la cocina ancestral. Además, Mas Romeu presta gran atención a las presentaciones y a la bodega, una selección de las más importantes denominaciones con su correspondiente mapa y cata explicativa. Fue galardonada con el tercer premio en la segunda edición del Concurso Cartavi, a la mejor Carta de Vinos.

Mas Romeu dispone de elegantes instalaciones, adecuadas para la organización de cualquier evento. Jardín privado, amplio salón de banquetes y una cocina de calidad con varias propuestas de menús que también se pueden personalizar garantizan el éxito de cualquier celebración.

Mas Romeu es una referencia gastronómica indispensable en Lloret de Mar. La calidez de sus comedores, la posibilidad de disfrutar de una mágica velada de verano bajo los árboles de su emblemática terraza y un servicio tan cordial como profesional aseguran momentos placenteros.

MAS ROMEU'S SPECIALITIES

Market, traditional and creative cookery
Timbale of foie gras and apple with vanilla oil
Baked snails
Black rice (coloured with squid ink) in the style of Palafrugell
Salt cod with garlic mousseline and confit tomato
Monkfish stew
Monkfish & lobster casserole
Beef cheeks with oyster mushrooms and young vegetables
Duck with salsifies
Roast lamb shoulder
Delightful home-made desserts

Mas Romeu

Localidad: **Lloret de Mar (17310 Girona)**
Dirección: Ctra. de Vidreres. Urbanización Mas Romeu
Teléfonos: **972 367 963 (y fax)**
E-mail: info@masromeu.com www.masromeu.com
Parking: Aparcamiento propio.
Propietario: Jordi Garriga y Anna Mateu.
Días de cierre y vacaciones: Cerrado miércoles. En julio y agosto abierto cada día. Vacaciones: quince días en octubre y quince días en enero.
Decoración: Edificación de estilo rústico catalán.
Ambiente: Una mesa refinada con un trato y servicio muy profesional.
Bodega: La carta de vinos ha ganado varios premios. Notas de cata de todos los vinos.
Hombres y nombres: Jefe de cocina: Jordi Garriga. Sala: Anna y Laia.
Otros datos de interés: Un restaurante clásico de Lloret de Mar, fundado en 1981, cumple su 30º aniversario. Instalaciones adecuadas para la celebración de cualquier acontecimiento importante: cuatro comedores desde 15 hasta 200 personas, posibilidad de banquetes y una emblemática terraza sombreada con jardín privado.
Tarjetas: Todas excepto American Express.

ESPECIALIDADES MAS ROMEU

Cocina de mercado, tradicional e innovadora
Timbal de foie y manzana con aceite de vainilla
Caracoles "a la Llauna"
Arroz negro al estilo de Palafrugell
Bacalao a la muselina de ajos y tomate confitado
"Simi Tomba" de rape
Suquet de rape con bogavante
Meloso de ternera con setas y verduritas
Pato con salsafines
Espalda de cordero al horno
Deliciosos postres de elaboración propia

El Trull

Desde 1968

Inaugurado en 1968 por Pere Colomé, El Trull es uno de los restaurantes más afamados de la Costa Brava, un complejo gastronómico y de ocio que ostenta más de 40 años de trayectoria. En la actualidad, esta casa sigue confiando en los productos de la región para elaborar exquisitas recetas puestas al día.

El chef Joan Pujol practica una cocina marinera y de temporada que se abastece de la pesca de la costa gerundense, principalmente de las lonjas de Llança, Port de la Selva, Palamós y Blanes. Los viveros propios de pescados y mariscos garantizan una excepcional calidad. La extensa y variada carta cambia cada seis meses, son muy recomendables las sugerencias diarias y diferentes menús propios a satisfacer todos los gustos y apetitos.

Uno de los atractivos de estas instalaciones únicas es la espléndida terraza al lado de la piscina. Comer o cenar a la sombra de la higuera o bajo la pérgola es una auténtica delicia. Las noches de verano están amenizadas con música de piano de cola.

El Bar-Piscina El Trull ofrece durante los meses de verano la posibilidad de degustar comidas ligeras o la tradicional paella alrededor de la piscina, con música en vivo y magníficos sorteos y regalos. En esta misma zona, existen otras instalaciones lúdicas: sala de juegos recreativos, alquiler de pista de tenis y cursillos de submarinismo.

El Trull ofrece un incomparable marco para todo tipo de eventos y celebraciones: bodas, banquetes, reuniones de empresa de 10 hasta 400 personas con toda la infraestructura necesaria (pantalla, proyector...), bodas y ceremonias civiles... con salones interiores, jardines exteriores y una amplia variedad de menús que garantizan momentos inolvidables.

EL TRULL'S SPECIALITIES

Cookery with sea produce and seasonal

The à la carte menu changes every six months

Recommendations of the day

Seasonal menu: 38.50 € and tasting menu: 55.50 €

Salad of vegetable-stuffed squids with tomato & truffle oil dressing

Fillet of gilthead bream with sea-urchin mousseline

Timbale of goose hamburger with pear, glazed pearl onions and straw potatoes

Symphony of apricot, strawberries and orange juice with vanilla ice cream

Ice cream of yogurt and passion fruit with mango dice

Special list of dessert wines

El Trull

Localidad: Lloret de Mar (17310 Girona)
Dirección: Cala Canyelles
Teléfonos: 972 364 928. Fax: 972 371 308
E-mail: info@eltrull.com www.eltrull.com
Parking: Aparcamiento propio.
Propietario: Familia Colomé.
Días de cierre y vacaciones: Abierto los 365 días del año.
Decoración: Rústica catalana. Magníficas instalaciones con diferentes salones, reservados y una gran terraza al lado de la piscina.
Ambiente: Agradable con un servicio profesional y cordial.
Bodega: Amplia. Representación de las diferentes D.O. catalanas, españolas, francesas e italianas.
Hombres y nombres: Maitre: Salvador Güell. Jefe de cocina: Joan Pujol.
Otros datos de interés: Fundado en 1968, es uno de los restaurantes de más prestigio de la Costa Brava. Un lugar perfecto para celebraciones familiares o eventos de empresa. Viveros de pescado y marisco.
Tarjetas: Las usuales.

ESPECIALIDADES EL TRULL

Cocina marinera y de temporada
La carta cambia cada seis meses
Sugerencias diarias
Menú de Temporada: 38,50 € y Menú Degustación: 55,50 €
Ensalada de calamares rellenos de verduritas a la vinagreta de tomate y aceite de trufa
Lomo de dorada a la muselina de erizos
Timbal de hamburguesa de oca con pera, cebollitas glaseadas y patatas paja
Sinfonía de albaricoque, fresitas y zumo de naranja con helado de vainilla
Helado de yogur y fruta de la pasión con dados de mango
Carta de vinos de postre

Can Mià

Santuario de la Payesía y la Gastronomía

Si el viajero circula por la carretera de Banyoles a Girona, o a la inversa, hacia la mitad del trayecto se encontrará una señal que indica el camino que conduce a Palol de Revardit, pequeño municipio que pertenecía al Gironés, pero integrado actualmente en la comarca del Pla de l'Estany. Si seguimos el camino real que lleva al pueblecito, después de menos de 1 km., encontramos un indicador a mano izquierda: Veinat de Can Mià. Continuaremos por este camino durante algo menos de 1 km.

Encontramos telas metálicas que delimitan los gallineros donde viven patos, ocas, faisanes, perdices, pollos, pintadas, palomas,...Enfrente, la vieja masía de Can Mià y las instalaciones adyacentes. Nos encontramos delante de 300 años de vida rural. Esta familia trabaja con eficiencia y autenticidad, cría sus animales, los sacrifica, los cocina y los ofrece a sus comensales, con sencillez pero con todo su saber.

En Can Mià matan el cerdo, como antes, con animales engordados de forma natural y con un peso que siempre está alrededor de los 200 kg., lo que garantiza una carne de gran calidad. Uno de los secretos que explica la diferencia de gusto de los embutidos que se comen aquí. Si añadimos que también se consume aves de crianza propia, podemos asegurar que nos encontramos en un santuario culinario donde se practica una manera de hacer amenazada de extinción.

Una vez en los fogones, estos alimentos son tratados con la vieja y bella sabiduría de las cocineras de la casa. Ellas son las auténticas conservadoras de los ritos que han sobrevivido al paso de los años. Recetas que han hecho las delicias de nuestros antepasados y recetas más actuales. La gran virtud de la cocina de Can Mià es que sin abandonar el pasado, siempre está atenta a la actualidad.

CAN MIÀ'S SPECIALITIES

Traditional Catalonian cookery and the specialities of ever
"Plats de festa major"
Home-made cured specialities and sausages
Snails, mussels, clams, filled potatoes, small red capsicums
Roast Guinea fowl, flamed with cognac
Roast kid with pine-nuts
Roast wild boar with strawberry preserve
Roast Vietnamese pork
Goose with pears
Duck "Col Vert" with prunes
Chicken with Norway lobsters
Catalonian crème brûlée of chocolate or mocha
Home-made pastries, confectionery and ice creams

Can Mià

Localidad: **Palol de Revardit (17843 Girona).**
Dirección: Can Mià, s/nº. - Pla de l'Estany
Teléfono: **972 594 246.**
Parking: Propio.
Propietario: Pere Mià Camps.
Días de cierre y vacaciones: Cerrado domingos noches, lunes y martes todo el día.
Decoración: Masía rústica del año 1690 en un entorno de bosques, conserva toda la esencia tradicional de las casas de payés catalanas.
Ambiente: Público medio y medio-alto que aprecia esta combinación de restauración y vida rural.
Bodega: Celler propio con vino de bota de elaboración propia.
Hombres y nombres: Establecimiento atendido por la misma familia Mià.
Otros datos de interés: La masía de Can Mià pertenece desde hace tres generaciones a la familia que le da nombre. Más de 30 años como restaurante. Los alrededores de la masía son especialmente distraídos, tanto para los más pequeños como para los mayores: la crianza propia de animales: aves, cerdos, cabritos, vacas, etc... constituye todo un espectáculo.
Tarjetas: No se aceptan.

ESPECIALIDADES CAN MIÀ

Cocina catalana tradicional y de siempre
"Plats de festa major"
Embutidos de elaboración propia
Caracoles, mejillones, almejas, patatas rellenas, pimientos del piquillo.
Pintada asada y flambeada al coñac
Cabrito asado con piñones
Jabalí asado con mermelada de fresa
Cerdo del Vietnam asado
Oca con peras
Pato "coll verd" con ciruelas
Pollo con cigalas
Crema catalana, de chocolate o de café
Repostería y helados de elaboración propia

Aradi

Punto de encuentro en Platja d'Aro

Situado en el centro de Platja d'Aro, a 100 metros de la playa, Aradi es un establecimiento clásico regentado por la familia Comas desde 1963. El éxito de esta casa, el restaurante con más solera de la localidad, es fruto de sus más de cuarenta años de feliz trayectoria. Su propuesta gastronómica se basa en la indudable calidad de los productos con los que elaboran recetas tradicionales de cocina típica catalana y marinera. Mención aparte merecen los mariscos y ostras frescas avalados por la presencia de un "écailler" francés.
Aradi ofrece completas instalaciones aptas para cualquier circunstancia o necesidad, con la garantía de quedar bien. Decoración rústica: colección de cántaros, platos de cerámica, flores y una relajante pecera. Comedor interior presidido por un gran mural de cerámica con una sirena, símbolo del restaurante. La terraza exterior que bordea el local resulta especialmente aconsejable en las noches de verano.

Platja d'Aro

Privilegiada situación geográfica junto al mar, fácil acceso por los principales ejes de comunicación, numerosos comercios, oferta nocturna, de ocio y servicios turísticos de calidad son algunos de los principales atractivos de Platja d'Aro. Con Castell d'Aro y S'Agaró forma un conjunto bien avenido del que se puede disfrutar durante todo el año. Uno de los principales destinos de la Costa Brava y de todo el Mediterráneo. La modernidad y cosmopolitismo de Platja d'Aro conviven con la elegancia de S'Agaró.

ARADI'S SPECIALITIES

Typical cookery from Ampurdan, traditional and modern
Black rice (coloured with squid ink)
Skate casserole
Oven-roasted lamb shoulder
Special menu Salvador Dalí:
Tomatoes with anchovies
"Esqueixada" (Catalonian salt cod salad)
Marinated mussels
Eggs with potatoes and sizzling spicy garlic prawns
Boned pigs' trotters with cod tripe
Layered slice of two chocolates with cream and prunes with marc brandy

Aradi

Localidad: **Platja d'Aro (17250 Girona).**
Dirección: Av. Cavall Bernat, 78.
Teléfono: **972 817 376. Fax: 972 816 279.**
E-mail: info@restaurantaradi.com
www.restaurantaradi.com
Parking: Propio.
Propietario: Jordi Comas y Carme Hospital.
Días de cierre y vacaciones: Abierto todo el año.
Decoración: Cuidada decoración rústica catalana y terraza-comedor.
Ambiente: Acogedor y familiar.
Bodega: Extensa. Vinos catalanes, españoles y reservas.
Hombres y nombres: Chef de cocina: Domingo Martínez. Jefa de sala: Mª Luisa Hospital.
Otros datos de interés: Separación de comedores que permite la realización de banquetes y la instalación de mesas de celebraciones. Habitaciones en la Residencia Laura, todas disponen de baño, terraza con vista al mar, calefacción, T.V. y aparcamiento privado.
Tarjetas: Todas.

ESPECIALIDADES ARADI

Cocina típica ampurdanesa, tradicional y moderna
Arroz negro
Suquet de raya
Espaldita de cordero al horno
Menú especial año Dalí:
Terciopelo de tomate con anchoas
Esqueixada (ensalada de bacalao desmigado)
Mejillones escabechados
Huevos estrellados con patatas y gambas al ajillo
Platillo de pies de cerdo deshuesados con tripa de bacalao
Milhojas de dos chocolates con crema y ciruelas con marc de cava

Hotel Costa Brava

Un marco incomparable

El Hotel Costa Brava está **situado en el Paseo Marítimo de Platja d'Aro**, sobre el mar. La proximidad con la playa permite disfrutar de la tranquilidad tan característica del litoral catalán. De hecho el Hotel Costa Brava, mantiene una conexión con la costa por un camino de piedra que facilita el acceso a la playa a sus huéspedes.

El hotel dispone de **sesenta habitaciones con todo confort**. La situación privilegiada de Platja d'Aro permite realizar excursiones a muchas áreas de interés para el visitante: desde la capital de la comarca, Girona, a tan solo 25 minutos, con su barrio judío y muralla romana, la ciudad de Figueres a 1 hora, donde está el famoso Museo Dalí, la región de los volcanes de la Garrotxa a 1 hora y cuarto o las Illes Medes a l'Estartit, lugar ideal para practicar submarinismo.

Convenciones y banquetes

A parte del gran salón comedor, el Hotel Costa Brava cuenta con una serie de **salas privadas de gran capacidad**, para los que estén interesados en organizar convenciones, banquetes o bodas. Se trata de salas para 30 a 60 personas, perfectamente insonorizadas para asegurar un desarrollo óptimo de la convención, para que tanto la empresa encargada del acto como los asistentes queden totalmente satisfechos. Así mismo, el Hotel Costa Brava ofrece todas las facilidades para aquellos que deseen celebrar un banquete, para lo cual se utiliza una gran sala donde caben hasta 250 personas.

Allí donde acaba la playa aflora una erupción de rocalla –granito grisáceo, color que se repite con raras excepciones de manchas rojizas por todo este litoral- sobre cuya colina se levanta el Hotel Costa Brava, pionero entre los establecimientos hoteleros de Platja d'Aro.

Josep Pla "Guía de la Costa Brava"

CAN POLDO'S SPECIALITIES

Cookery with sea produce
Fish & seafood appetizers
Catalonian salt cod salad with onions, peppers, tomatoes, olives
Baby cuttlefish tossed with garlic and parsley
Rice, paella and fideuà (kind of paella prepared with noodles)
Monkfish à la marinière
Salt cod with vegetables
Fillet of turbot fishermen's style
Fish casseroles
Roast lamb shoulder
Fillet steak from the grill, with Roquefort or pepper sauce
Duckling breast with raspberry vinegar sauce
Can Poldo's desserts

CATALUÑA

Can Poldo

Localidad: **Platja d'Aro (17250 Girona)**
Dirección: Punta d'en Ramis, s/nº (tocando al Cavall Bernat).
Teléfono: **972 817 308 y 972 817 070. Fax: 972 826 348.**
E-mail: info@hotelcostabrava.com
www.hotelcostabrava.com
Parking: Propio.
Propietario: Jordi Comas.
Días de cierre y vacaciones: Abierto cada día, del 15 de febrero al 30 de octubre y para Fin de Año (del 28 diciembre a Reyes).
Decoración: Un marco incomparable para disfrutar de fantásticas vistas panorámicas de la costa de Platja d'Aro.
Ambiente: Vacacional, cultural y cosmopolita. Servicio esmerado, calma y tranquilidad.
Bodega: Notable. Caldos catalanes, españoles y franceses.
Hombres y nombres: Directora: Carme Hospital. 1º Maitre: Ricart Serra. Chef de cocina: Vicente Cañadas.
Otros datos de interés: Maravillosa ubicación, gran terraza con el sonido ininterrumpido de las olas, salones privados y posibilidad de banquetes y celebraciones hasta 250 personas. Mas de 25 años regentado por la misma familia.
Tarjetas: Todas.

ESPECIALIDADES CAN POLDO

Cocina marinera
Entremeses de pescado y marisco
Esqueixada de bacalao
Sepionas salteadas con ajo y perejil
Arroces, paellas y fideuàs
Rape a la marinera
Bacalao con sanfaina
Supremas de rodaballo al estilo de los pescadores
Suquets de pescado
Espaldita de cordero asada
Solomillo a la brasa, roquefort o pimienta verde
Magret de pato al vinagre de frambuesas
Postres de "Can Poldo"

El Molí

30º Aniversario

Pere Lladó junto con su esposa **Angelina Burch**, fundó el restaurante El Molí en 1980. En el corazón del Alt Empordà, este restaurante con habitaciones está situado al lado del río Muga, rodeado de campos de maíz y olivos. La familia Lladó transformó un antiguo molino del siglo XVII en un establecimiento acogedor y confortable. Es el mejor escenario para disfrutar de unos días entrañables, rodeado de naturaleza, entre los Pirineos y el Mediterráneo.

Gastronomía.- Ofrece una variada carta de cocina tradicional y actualizada, con platos de temporada basados en productos que suministra el huerto propio, carnes y pescados de la zona y un cuidado servicio. La familia Lladó, primero los fundadores, Pere y Angelina, ahora también sus hijos, **Marc, Jordi y Eva**, hacen que el cliente disfrute de la calidad y profesionalidad, tanto en cocina como en servicio. Diferentes comedores con muebles antiguos y selección de pinturas en un entorno que evoca la actividad de los molineros cuando elaboraban la harina gracias a las turbinas que eran impulsadas por la corriente del río Muga. Dispone también de comedores privados.

Alojamiento.- Los amantes de la naturaleza tienen la oportunidad de pasar unos días inolvidables, diferentes y tranquilos. Pueden disfrutar de terrazas y tumbonas al lado del río. Las ocho habitaciones, 7 dobles y 1 triple, también están decoradas con muebles antiguos donde destacan cabezales de camas de estilo isabelino, sin olvidar el confort. Todas son exteriores con vistas al río Muga o al monte. También disponen de TV con canales en diferentes idiomas (español, francés, inglés, alemán) y baño completo. Cuando se despierte en el Hotel El Molí lo hará entre el murmullo del agua del río y el canto de los pájaros, mientras respira el aire puro de la naturaleza.

Convenciones.- Ideal para eventos e incentivos de empresa que requieran un marco diferente, relajado y tranquilo. Dos salas, con capacidad para 45 y 18 personas, acondicionadas con proyecciones multimedia, videos, presentaciones...Actividades complementarias en las inmediaciones: hípica por los alrededores del Pantano de Boadella, golf (Peralada a 10 minutos y Torremirona a 15), visita al triangulo Daliniano y al Monasterio de San Pere de Rodes...

Nuevo hotel: próxima apertura. Ocho suites y aparcamiento-garaje gratuito.

EL MOLI'S SPECIALITIES

Gastronomic menu:
changes according to the season
(3 courses and dessert: about 25 €, plus drinks and VAT)
Salad with green peas and young broad beans with mint, cured ham crisp
Marinated tuna with soy, guacamole (avocado purée) and sesame crisp
Rice "bomba" with oyster mushrooms and squids
Timbale of roasted vegetables with goat's milk cheese
Roast shoulder of suckling lamb with potato gratin
Grilled squids with wheat and vegetable mix
Brownie of dark chocolate and walnuts, raspberry sorbet
Chilled fennel and mint soup with peach sorbet

El Molí

Localidad: Pont de Molins (17706 Girona)
Dirección: Ctra. Pont de Molins a Les Escaules.
Teléfonos: 972 529 271 - Fax: 972 529 101
E-mail: info@hotelelmoli.es www.hotelelmoli.es
Parking: Fácil.
Propietario: Familia Lladó
Días de cierre y vacaciones: Vacaciones del 15 de diciembre al 15 de enero. Cerrado martes noches y miércoles.
Decoración: Rústica de estilo isabelino.
Ambiente: Familiar y tranquilo.
Bodega: Extensa.
Hombres y nombres: Chef de cocina: Marc Lladó. Maitre: Pere Lladó.
Otros datos de interés: Terraza en verano, parque infantil y huerta propia con cultivos ecológicos que abastecen al restaurante. Ocho habitaciones dobles con diferentes decoraciones.
Tarjetas: Todas.

ESPECIALIDADES EL MOLÍ

Menú Degustación:
cambia según la temporada
(3 platos y postre: alrededor de 25 €, bebidas e iva a parte)
Ensalada con guisantes y habitas confitadas a la menta, jamón crujiente
Atún marinado con soja, guacamole y crujiente de sésamo
Arroz bomba con setas y calamar
Timbal de escalibada con queso de cabra
Espaldita de cordero lechal al horno con patata graten
Calamares a la plancha con trigo tierno salteado con verduritas
Brownie de chocolate negro y nueces, sorbete de frambuesas
Sopa fría de hinojo y menta con sorbete de melocotón

L'Escata

Tentación del mar

Estratégicamente ubicado sobre la magnífica bahía del Port de la Selva, la mejor decoración del restaurante es su marco marinero, una verdadera postal. Aquí el pescado es el producto estrella. Es una dirección que se recomienda de boca a oreja. Una fiel clientela frecuenta esta casa por la bondad de sus materias primas, los mejores pescados del Mediterráneo, recién salidos del agua. Un paraíso para ictiófagos, disfrutadores y curiosos.

La inamovible filosofía es servir pescado siempre fresco, comprado a diario en la lonja, limpiado y servido en el día. Las preparaciones son sencillas, ligeras y sabrosas, siempre en su punto. El cocinero es pescador y ama su oficio. Además, L'Escata tiene el mérito de ofrecer pescados conocidos y otros menos comunes: panagal, pachano, sabre, cantara, moixina,….. La mayor virtud de este restaurante es la sensatez de la factura para la calidad de los productos consumidos. Esta casa cultiva felizmente sus diferencias.

El Port de la Selva es una de las escasas poblaciones marineras perfectamente preservada, punto de partida de numerosas excursiones: Monasterio de Sant Pere de Rodes, el Parque del Cap de Creus, Cadaqués y Figueres con el museo Dalí a 15 minutos.

Bajo la misma dirección: El Chiringuito para zumos, cocteles y copas al lado del mar. Abierto desde San Juan hasta finales de agosto, de 18 h a 3 h de la madrugada.

L'ESCATA'S SPECIALITIES

Fresh fish
Every day a different menu according to the fish market offer
Seafood: clams, mussels, prawns, shrimps, sea-cucumbers
Spiny lobster
Carpaccio of salt cod or of octopus
Bonito tuna, monkfish, red mullets, megrim,
Pandora, hake, spotted red bream
Monkfish casserole
Cod tongues
Chocolate coulant
Upside-down Tatin apple tart
Confit figs with cream

L'Escata

Localidad: **El Port de la Selva (17489 Girona).**
Dirección: Moll Pesquer (a continuación del Club Nautic)
Teléfono: **653 910 156. E-mail: cristina_pere@yahoo.es**
Parking: Aparcamiento público gratuito.
Propietario: Cristina Perelló.
Días de cierre y vacaciones: Del 20 de junio al 15 de septiembre, abierto cada día. De mayo al 20 de junio, solo fines de semana. Resto del año cerrado.
Decoración: Restaurante-terraza con esplendidas vistas a la bahía del Port de la Selva.
Ambiente: Casa familiar muy recomendable para los que gustan de saborear el pescado mas fresco.
Bodega: Algunos vinos recomendados a precios asequibles.
Hombres y nombres: Chef de cocina: Josep Páltre.
Otros datos de interés: Cristina proviene de una familia de pescadores, Josep es pescador en activo. Imbatible relación calidad-precio: precio medio de 20 a 25 € con pescado fresco.
Tarjetas: Consultar.

ESPECIALIDADES L'ESCATA

Pescado fresco
La carta se elabora a diario según lonja
Mariscos: almejas, mejillones, gambas, camarones, "espardenyes"
Langosta
Carpaccio de bacalao o de pulpo
Bonito, rape, salmonete, gallo,
breca, merluza, besugo
Suquet de rape
Cocochas
Coulant de chocolate
Tatin de manzana
Higos confitados con nata

Can Pijaume

Un paraíso en el Montseny

El Montseny, Reserva de la Biosfera, es un mosaico de paisajes mediterráneos y centroeuropeos situado al lado de grandes conurbaciones metropolitanas. Su extraordinaria biodiversidad y la huella cultural que el hombre ha dejado a lo largo del tiempo presentan un valor universal que ha inspirado a artistas, intelectuales y científicos.

José Gandoy, natural de Lugo, llegó a Cataluña en 1960. Después de regentar varios restaurantes en Barcelona, fundó esta casa en 1985. Desde entonces, están abiertas de par en par las puertas de esta masía rústica, enclavada en un paraje paradisiaco y dirigida por una familia dedicada a la hostelería.

En el corazón del Montseny, entre Barcelona y Girona, en medio de un verde paisaje de frondosa vegetación, una fantástica finca de 12 hectáreas que hace las delicias de todos sus visitantes, atraídos por su cocina honesta, sana y natural, donde el género es el mayor protagonista. Un magnífico binomio cocina-naturaleza. El secreto de esta casa también radica en el excelente trato que la dirección ofrece a sus clientes.

Las cómodas y amplias instalaciones se adaptan a todas las circunstancias: la masía alberga tres comedores individuales de ambientación sobria y elegante con diferentes capacidades (45, 20 y 35 comensales) y un salón de banquetes en la planta superior (110 pax.). Además, en medio del cuidado jardín, un moderno salón para bodas hasta 300 invitados y zona de esparcimiento para los niños con campo de fútbol.

Bajo la misma dirección: **Can Pijaume Mar en Platja d'Aro**: Passeig del Mar, 94. T. 972 825 142.
Terraza en primera línea de mar. Pescados, mariscos y paellas.

CAN PIJAUME'S SPECIALITIES

Catalonian and Galician cookery
Seasonal dishes: grilled tender onions bulbs, wild mushrooms, game
Seafood assortment
Surf & turf of pig's trotters and monkfish
Juicy rice pots
Salt cod in a garlicky olive oil emulsion or baked
Baked turbot
Octopus Galician style with paprika and olive oil
Chunk of hake Galician style
Cuts of heifer from Galicia and Girona
Rib steak, sirloin steak, fillet steak
Roasts: goat kid, sucking pig and lamb
Selection of home made desserts
Panna cotta, egg custard cream, cream caramel of egg yolk and syrup

Can Pijaume

Localidad: **Riells i Viabrea (17404 Girona)**
Dirección: Ctra. de Breda, km.3 (Autopista A-7, salida 11)
Teléfonos: **972 870 361. Fax: 972 871 212**
www.canpijaume.com
Parking: Amplio aparcamiento propio.
Propietario: José Gandoy Teijeiro.
Días de cierre y vacaciones: Cerrado lunes.
Decoración: Masía con más de 100 años de antigüedad rodeada de jardines y naturaleza.
Ambiente: Una casa con veinticinco años de tradición y buen hacer frecuentada por políticos y deportistas de Cataluña.
Bodega: Vinos catalanes, Albariños, Ribeira Sacra, Rioja, Ribera del Duero.
Hombres y nombres: Jefa de Sala: Silvia Gandoy. R.R.P.P.: María Arcilia Núñez. Jefe de Cocina: Javi.
Otros datos de interés: Restaurante fundado en 1985, galardonado con el Diploma Turístico de Cataluña.
Tarjetas: Las principales.

ESPECIALIDADES CAN PIJAUME

Cocina catalana y gallega
Platos de temporada: calçots, setas y caza...
Mariscadas
Pies de cerdo con rape "Mar y Montaña"
Arroces caldosos
Bacalao al pil pil o a la llauna
Rodaballo al horno
Pulpo a la gallega
Tronco de merluza a la gallega
Carnes de ternera gallega y de Girona
Chuletón, entrecot, solomillo
Asados: cabrito, cochinillo, cordero
Selección de postres caseros
Panacotta, flan de huevo, tocinillo

El Bulli

Libertad para crear

El Bulli, considerado durante muchos años como el mejor restaurante del mundo, cierra sus puertas el 30 de julio 2011. En esta fecha, se inicia un proceso de transformación que dará como fruto la creación de un Centro de Creatividad en el año 2014. Su principal objetivo será el de incidir en el área del pensamiento sobre Cocina Creativa y Gastronomía.

Será gestionado a través de una Fundación privada, El Bulli Foundation, un proyecto piloto en energía sostenible, en el que primarán el riesgo, la creatividad y la libertad. Sin horarios, ni reservas, ni rutinas. Con un único lema: libertad para crear. El proyecto arquitectónico está basado en la sostenibilidad y el mantenimiento del entorno: el Parque Natural del Cabo de Creus. Un espacio revolucionario y vanguardista, gigantesco archivo, proyecciones...Un modelo vegetal, vivo, como el edificio en forma y aspecto de coral.

En este entorno mágico, futurista, se desarrollará el proyecto creativo. Todo el trabajo se filmará y se emitirá en tiempo real, y cada noche se editará. Así, en cualquier lugar del mundo se podrá acceder a todo el trabajo que desarrolle el equipo creativo.

Ferrán Adriá y Juli Soler deciden cerrar un ciclo donde la cocina ha sido elevada a la categoría de arte gracias a la originalidad, singularidad y sensibilidad de sus creaciones. En esta nueva etapa se va a apostar de una manera radical por la creatividad y la búsqueda de nuevos retos y estímulos.

EL BULLI'S SPECIALITIES

Modern haute cuisine
Thirty-course tasting menu
Razor shells cooked in sea water
Salted egg shreds with cream gnocchi
Baby cuttlefish with pesto ravioli
Abalone with streaky and seaweed paella
Fried sucking pig tail with ham, tofu & melon soup
Salivary glands (called castanets) of Iberian pig with shiitake stock
Hare juice with jelly of apple and blackcurrant
Canapé of flowers
Black chocolate truffles filled with black-truffle soup

El Bulli

Localidad: Roses (17480 Girona)
Dirección: Cala Montjoi (a 6 km. de Roses)
Teléfonos: 972 150 457 E-mail: bulli@elbulli.com
www.elbulli.com
Parking: Propio
Días de cierre y vacaciones: Sólo cenas.
Decoración: Ubicado en un promontorio ajardinado junto al mar. Excelentes vistas al Mediterraneo. Terraza y salones privados.
Ambiente: Sofisticado y cosmopolita.
Bodega: Innumerables referencias nacionales y extranjeras. Las mejores joyas enológicas del planeta.
Hombres y nombres: Director: Juli Soler. Jefe de cocina: Ferran Adrià
Otros datos de interés: Este establecimiento forma parte obligada de la historia de la gastronomía moderna, tanto en España como a nivel mundial.
Tarjetas: Todas.

ESPECIALIDADES EL BULLI

Alta cocina moderna
Menú Degustación compuesto por 30 platos
Navaja cocida en agua de mar
Huevo hilado/salado con ñoquis de crema
Sepieta con ravioli de pesto
Abalón con panceta, fideua de algas
Rabo de cochinillo frito con sopa de jamón, tofu y melón
Castañuelas de ibérico con caldo shitakke
Jugo de liebre con gelé-cru de manzana al casis
Canapé de flores
Trufitas de chocolate negro, rellenas de sopa de trufa negra

Receta **La Llar**

Escalopas de hígado de pato a las uvas

Ingredientes para 4 personas: 1 hígado de pato de 600 grs, 1 kg. de uvas, 1/4 litro de oporto, 1 dl. de jerez, 1/4 litro de madeira, 100 grs de mantequilla, 2 dl. de salsa de carne (española), 2 cucharadas de harina.

Preparación: Desgranar y pilar las uvas, guardando 48 gramos para decorar el plato, el resto junto con el oporto, jerez y madeira, reducirlo 2/3. Llegado a este punto añadir la salsa española, dejar hervir 5 minutos, pasar por un colador chino y guardar. Cortar el hígado de pato en escalopas, y en una sartén, saltear las escalopas, previamente enharinadas para conseguir una capa crujiente.

Sacar el hígado y guardar en caliente en cuatro platos. Escurrir la grasa, añadir las uvas y a los pocos segundos 2dl. de salsa española previamente preparada. Ligar con 50 grs. de mantequilla, tapar las escalopas y servir bien caliente.

LA LLAR'S SPECIALITIES

Gastronomic menú (about 59 €)

Menu La Llar (2 starters, fish, cheese and dessert: 48 €)

Escalope of duck liver with grapes

Carpaccio of pig's trotters with herbs oil

Fillet of sea-bass "en croûte" (for 2 pers.)

Pigeon with honey

Lamb roasted in its own juice with thyme

Home-made tarts and pastries

La Llar

Localidad: **Rosas (Girona).**
Dirección: Ctra. de Rosas a Figueras, Km. 4
Teléfonos: **972 255 368** **www.restaurantlallar.com**
Parking: Propio.
Propietario: Juan Viñas Cos.
Días de cierre y vacaciones: Miércoles noches y jueves no festivos (excepto verano). Vacaciones segunda quincena de noviembre y primera quincena de febrero. Horario: de 13 a 15 h y de 20 a 22 h (horario de cocina). En Julio y Agosto: cerrado jueves solamente.
Decoración: Antigua masía restaurada, rústica y elegante.
Ambiente: Negocios al mediodía. Íntimo y tranquilo por la noche.
Bodega: Vinos de la comarca y resto de Catalunya, Riojas y franceses. Cavas y Champagnes.
Hombres y nombres: Chef: Juan Viñas Cos. Sala: Rosa Mª Garrido Quintana
Otros datos de interés: La Llar celebra su 36º Aniversario.

ESPECIALIDADES LA LLAR

Menú-Degustación (alrededor de 59 €)

Menú La Llar (2 entrantes, pescado, quesos y postres (48 €)

Escalopa de hígado de pato a las uvas

Carpaccio de manitas de cerdo al aceite de hierbas

Filete de lubina en costra de hojaldre (2 pers.)

Pichón a la miel

Cordero asado en su jugo perfumado al tomillo

Pastelería de la casa

Hostal de La Gavina

Sabor mediterráneo

El hotel es una auténtica obra maestra de línea clásica catalana que data de principios del año 1932 y responde a una tendencia arquitectónica casi única en armonía con la naturaleza que le rodea. Hoy día es considerado uno de los más bellos ejemplos urbanísticos de toda la costa.

Todo sensaciones

Suelos de madera o mármol, muebles de ébano tallado a mano o con incrustaciones de marquetería, lámparas de cristal de Murano, alfombras de lana de la India, paredes tapizadas con telas de seda. Cada detalle, cada rincón del hostal es un motivo de reencuentro con la belleza y el buen gusto.

Culto a la gastronomía

Pescados y mariscos son recogidos a diario en las lonjas de los pueblos vecinos, de ancestral tradición marinera. Carnes, frutas, verduras y legumbres son seleccionadas minuciosamente para conseguir sabores únicos y perdurables.

Convenciones y banquetes

Los elegantes salones con diferentes capacidades permiten la celebración de cualquier tipo de evento o reunión. La singularidad de un encuentro profesional en La Gavina, reside en que el ambiente y el entorno no son lo que habitualmente rodea a este tipo de reuniones. La sala se aísla, se habilita y se dispone de la manera adecuada y se le dota de los medios técnicos necesarios para trabajar con eficacia.

Puntos de encuentro

Al atardecer, por la noche o a cualquier hora. Ante un clásico cocktail o la más moderna de las bebidas, charlas animadas en cualquiera de los bares.

La piscina

Sobre el mar, la piscina de agua salada suspendida como si de un barco se tratara. Cabañas privadas y solarium para una mayor intimidad.

Spa y piscina climatizada

Spa & Beauty Club un centro de salud y estética con las últimas tendencias en el mundo de la belleza y el cuidado del cuerpo.

CANDLELIGHT'S SPECIALITIES

Traditional Catalonian, Mediterranean and creative Catalonian haute cuisine
Salad of Iberian pork, crisp flakes and blackberries
Foie gras mi-cuit with apricots in different textures
Salad of fresh lobster, cured Iberian ham and vinaigrette of sugared fruit
The traditional Candlelight's scampi
Juicy risotto with cèpe mushrooms and small Norway lobsters from Palamós
Baked fillet of wild sea bass with small potatoes
Shrimp & prawn brochette with aromatic herbs
Chateaubriand with soufflé potatoes and Béarnaise sauce
Grilled entrecôte steak Mirabeau with roasted vegetables
Goat kid shoulder roasted à la minute with rosemary and vegetable lasagne
Crêpes Suzette
Chocolate in different textures with passion fruit sorbet

Hostal de La Gavina

Localidad: S'Agaró (17248 Girona).
Dirección: Plaza de la Rosaleda, s/nº.
Teléfono: 972 321 100. www.lagavina.com
Parking: Propio y gratuito.
Días de cierre y vacaciones: Abierto todos los días del año.
Decoración: Sobria y elegante, con antigüedades. Un marco incomparable, rodeado de espectaculares jardines y terrazas con magníficas vistas sobre la playa de San Pol.
Ambiente: Sofisticado y cálido, cuidando todos los detalles.
Bodega: Gran surtido de marcas nacionales e internacionales con más de 200 referencias.
Hombres y nombres: Director General: Manuel Olivares. Jefe de cocina: Laurentino Costa. Jefe de sala: Jose Salas.
Otros datos de interés: Único hotel de 5 estrellas GL en la Costa Brava, dispone de 74 habitaciones y salones con capacidades desde 10 a 350 personas.
Tarjetas: Todas.

ESPECIALIDADES CANDLELIGHT

Alta cocina tradicional catalana, mediterránea y creativa de autor
Ensalada de cerdo ibérico, crujiente y moras del tiempo
Foie-gras mi-cuit bañado en albaricoque en texturas
Ensalada de bogavante del país, jamón ibérico y vinagreta de garrapiñados
El tradicional Scampi Candlelight
Rissoto cremoso con ceps y cigalitas de Palamós
Lomo de lubina salvaje al horno con patatitas
Brocheta de gambas y langostinos a las hierbas aromáticas
Chateaubriand con patatas soufflé y salsa bearnesa
Entrecot de Girona a la parrilla Mirebeau con escalibada caliente
Espaldita de cabrito hecha al momento con romero y lasaña de verduras
Crepes Suzette
Chocolate en texturas con sorbete de maracuyá

S'Agaró Hotel ****

Calidad y servicio en el corazón de la Costa Brava

En la privilegiada zona de S'Agaró, este hotel pone a su disposición el marco ideal para que pueda disfrutar de unos días de agradable descanso vacacional. Establecimiento equipado con las últimas tecnologías hoteleras y de restauración, modernas instalaciones que conservan a su vez un estilo clásico, agradables rincones que le dan sabor de hogar, tanto para incentivar jornadas de trabajo como para optimizar el ocio.

Es un marco adecuado para que Vd. y su familia practiquen cómodamente sus deportes favoritos: vela, golf, tenis, squash, equitación,... solo debe notificar su deseo en recepción.

El establecimiento, distinguido con la Q de Calidad Turística, dispone además de piscinas orientadas a la Bahía de Sant Pol, salas de convenciones (de 20 a 300 personas), salones de actos sociales y banquetes, bar americano y coctelería. Una situación tranquila, residencial y selecta, un equipo de buenos profesionales a su servicio y al de su empresa.

SA CONCA'S SPECIALITIES

Chilled melon soup with green asparagus and cured ham
Carpaccio of salt cod and smoked salmon
Foie gras of goose in pastry case with tomato preserve
Sautéed young broad beans and mushrooms with cream of roasted vegetables
Rice with seafood
Salt cod in garlicky oil emulsion and Basque sauce
Turbot in green pepper sauce
Monkfish in cider sauce with garlic
Fillet steak with truffles and foie gras sauce
Farmyard chicken with Norway lobsters
Duck with turnips
Cheese assortment and choice of sorbets
Chocolate fritters with cocoa cream
Banana with cinnamon au gratin

S'Agaró Hotel-Restaurant Sa Conca

Localidad: **S'Agaró (17248 Girona).**

Dirección: Platja de Sant Pol.

Teléfono: **972 325 200. Fax: 972 324 533.**

E-mail: info@hotelsagaro.com www.hotelsagaro.com

Parking: Propio y gratuito.

Propietario: S'Agaró Park Hotel S.L

Decoración: Restaurante de agradable estilo mediterráneo.

Ambiente: Acogedor y distinguido.

Bodega: Amplia variedad de las principales denominaciones de origen.

Hombres y nombres: Chef de cocina: Enrique Capella. Maitre: Antonio Herrero.

Otros datos de interés: Establecimiento situado en una zona muy tranquila, delante del mar, en un lugar tradicional y clásico, centro de interés cultural y turístico.

Tarjetas: Todas.

ESPECIALIDADES SA CONCA

Sopa fría de melón con trigueros y jamón
Carpaccio de bacalao y salmón ahumado
Hojaldre de foie de oca con mermelada de tomate
Salteado de habitas y setas con crema de escalibada
Arroz marinero
Bacalao "tellagorri" (pil-pil y vizcaína)
Rodaballo a la pimienta verde
Rape a la sidra y ajos
Solomillo de ternera con trufas y salsa de foie
Pollo de corral con cigalas
Pato con nabos
Surtido de quesos y de sorbetes
Buñuelos de chocolate con crema de coco
Gratinado de plátano a la canela

Can Bach

El encanto de la autenticidad

La Masía Can Bach del siglo XVIII fue adquirida por la familia Roig Parals hace tres generaciones. Anteriormente era propiedad de una familia de la nobleza catalana, de ahí el origen de los frescos de carácter colonial representados en su fachada.

El restaurante fue inaugurado en junio 1998. Con el paso de los años se ha realizado la restauración de toda la masía recuperando el antiguo esplendor de estas placenteras instalaciones. En la actualidad, ofrecen dos comedores interiores de estilo rústico que se pueden utilizar para acontecimientos especiales como bodas, comuniones, banquetes o cualquier tipo de celebración. Además, en verano resulta muy agradable cenar en la terraza exterior cubierta que dispone de una zona de recreo adaptada y equipada para los niños.

Aquí se practica la cocina catalana tradicional con fundamento, completada por un amplio apartado de sabrosas carnes a la brasa. No pueden faltar tampoco las ensaladas de verano, platos de cuchara y guisos típicos de la zona en invierno, arroces a la cazuela, pescados a la plancha y la deliciosa repostería casera.

Bodega Celler Roig Parals

En 2004, la familia Roig Parals reactiva el negocio de la viña, reformando la bodega ya existente en Mollet de Peralada y replantando viñedos nuevos sin abandonar las viñas viejas, que aportan el original carácter a sus vinos. Esta bodega, inscrita en la D.O. Empordà, cuenta con 14 hectáreas de viñedos propios, las variedades que cultiva son Samsó, Cabernet Sauvignon, Merlot, Garnacha negra y blanca, Macabeu y Muscat de grano pequeño.

CAN BACH'S SPECIALITIES

Traditional family cookery
Seasonal salads
Carpaccio of beef with foie gras and Parmesan cheese
Cannelloni of fish & seafood or of meat
Chargrilled meat cuts
Roast duck
Beef with oyster mushrooms
Cockerel with plums
Fresh fish casserole (on request)
Children dishes
Cottage cheese with fig jelly or melon & watermelon preserve
Apple Tatin tart with ice cream of meringue milk
Mocha ice cream with Baileys

Can Bach

Localidad: **Sant Feliu de Boada (17256 Girona)**
Dirección: Ctra. Peratallada a Pals, km. 6
Teléfonos: **972 634 320** **www.restaurantcanbach.com**
Parking: Propio.
Propietario: Santi Roig Bach y Mariona Parals Grau.
Días de cierre y vacaciones: Del 15 de junio al 30 de septiembre, abierto cada noche y también mediodías de sábados y domingos. Resto del año, abierto sólo fines de semana y festivos. Vacaciones: del 23 de diciembre al 14 de febrero.
Decoración: Casa pairal del siglo XVIII con frescos en la fachada.
Ambiente: Trato familiar.
Bodega: Vinos de elaboración propia: Bodega Roig Parals en Mollet de Peralada (Alt Empordà) y otras denominaciones de origen.
Hombres y nombres: Jefa de sala y sumiller: Mariona Parals. Cocina: Rosa Grau.
Otros datos de interés: Dos comedores interiores de estilo rústico, terraza de verano con zona de césped y juegos infantiles ideal para familias con niños. Posibilidad de grupos hasta 60 personas.
Tarjetas: Todas.

ESPECIALIDADES CAN BACH

Cocina casera y familiar
Ensaladas de temporada
Carpaccio de buey con foie y parmesano
Canelones de pescado y marisco o de carne
Carnes a la brasa
Pato asado
Ternera con setas
Picantón con ciruelas
Zarzuelas de pescados frescos (por encargo)
Platos para niños
Requesón con jalea de higo o mermelada de melón y sandía
Tatin de manzana con helado de leche merengada
Helado de café al Baileys

Can Pini

Esencial en Tossa

Tossa de Mar ofrece muchos alicientes al visitante: a una hora escasa de Barcelona, no pierde su paz y tranquilidad ni en plena temporada. Está frecuentada mayoritariamente por un público de mediana edad, muy respetuoso, la juventud más bulliciosa prefiere desfogarse en Lloret o Playa de Aro.

CAN PINI, inexplicablemente ignorado por las guías gastronómicas que siguen recomendando restaurantes de Tossa solamente abiertos en verano o fines de semana, se ha consolidado, en sus veinte años de andadura, como la buena mesa de la población.

"Pini", el patrón (de una familia de Pineda de Mar, de ahí el apodo) comenzó en la hostelería a la edad de 12 años. Hoy trabaja con su esposa Carme y sus hijos, habla cinco idiomas, sigue comprando personalmente con su cocinero los géneros, los mejores de su especie en los mercados de Barcelona y Blanes.

La cocina pone el acento en pescados y mariscos frescos, como platos recomendados: el "pica-pica": berberechos, mejillones, moralla, cigalitas, calamarcitos salteados con ajo y perejil, fideuà con gambas peladas; el famoso "cim i tomba" de Tossa, preparado en dos cazuelas (en una rape y rodaballo, en la otra patatas con fondo de alioli); "la bella Lola": rape al horno, patatas, cebolla y tomates; arroz del Senyoret, mariscadas, parrilladas de pescado, lubina a la espalda y al horno, dorada a la sal, etc.

Las raciones son abundantes, los precios prudentes y la calidad realmente excepcional. Una decoración muy cuidada con óleos de artistas locales y antigüedades, mesas bien montadas, buena vajilla y cristalería, un servicio "chic" con camareros elegantemente uniformados y una atención constante a los detalles completan el sobresaliente que merece esta casa.

CAN PINI'S SPECIALITIES

Sautéed cockles
Fresh prawns from Blanes
Small squids sautéed with garlic and parsley
Mussels with seafood stuffing
Special appetizer assortment "Can Pini"
Paella with seafood (kind of paella prepared with noodles instead of rice)
Rice pot
"Cim i Tomba" (fish stew, typical from Tossa)
Monkfish and lobster casserole
Chicken from the wood-fired barbecue
Sirloin steak of native animals, from the wood-fired barbecue
Figs from Ampurdan with cream
Almondy custard cup with orangy topping
Homemade pastries
Pudding of figs from Ampurdán

Can Pini

Localidad: Tossa de Mar (17320 Girona).

Dirección: C/ Portal, 14.

Teléfonos: 972 34 02 97 www.canpini.com

Parking: Amplio y vigilado a 50 metros.

Propietario: Josep Mª Martinez (Pini).

Días de cierre y vacaciones: Cerrado los lunes de Octubre a Marzo. Vacaciones del 10 al 27 de Diciembre.

Decoración: Rústica marinera.

Ambiente: Familiar.

Bodega: Vinos de Cataluña, La Rioja y Navarra.

Hombres y nombres: Chef: Pedro Cruz Martinez. Maitres: Pini y Carme.

Otros datos de interés: Restaurante ubicado junto a la entrada del Castillo de Tossa.

Tarjetas: Todas, excepto American Express y Diner's Club.

ESPECIALIDADES CAN PINI

Berberechos frescos salteados
Gambitas frescas de Blanes
Calamarcitos salteados con ajo y perejil
Tigres (mejillones rellenos de marisco)
Especial Pica-pica "Can Pini"
Paella de marisco
Fideua con frutos de mar
Arroz de "señorito"
"Cim i Tomba" (plato típico de Tossa)
Rape con langosta, al estilo de la Carmeta
Pollo al grill de leña
Entrecot de Girona al grill de leña
Higos del Ampurdan con nata
Flan blanco de almendras con glass de naranja
Pasteles caseros del Chef
Pudding de higos del Ampurdán

Receta **Anna**

Fricandó de ternera con "rossinyols"

Ingredientes para 4 personas: 1 jarrete de ternera, 1 tomate, 1 cebolla, 1 cabeza de ajos,"rossinyols" (setas), harina blanca, sal y aceite.

Preparación: Cortar el jarrete de ternera en filetes finos. Poner una sartén al fuego con un poco de aceite, enharinar la ternera y freír. Una vez hecho, en el mismo aceite freímos la cebolla y los ajos, cuando estén dorados añadir el tomate y a continuación agregar un poco de agua y dejar hasta que haga xup-xup. Triturar todo y pasarlo por el pasa puré. Seguidamente verter encima de la ternera y añadir los rossinyols. Dejar que haga xup-xup y si es necesario añadir agua. Para acabar agregar la sal, se hace al final para que así la ternera quede más tierna y ya se puede emplatar, que aproveche.

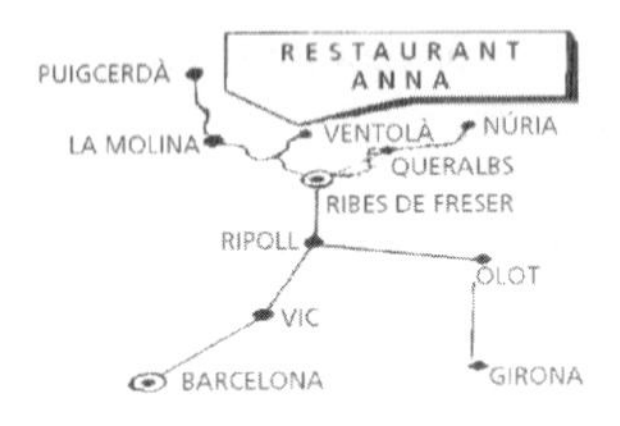

ANNA'S SPECIALITIES

Salad of the house
Cured ham and cold sausages from the farmhouse
Veal with forest mushrooms
Duck in its own juice
Barbecued meat cuts
Braised pig's trotters with raisins
Pig's cheeks with olives
Chicken with Norway lobsters (Dublin Bay prawns)
Cottage cheese with honey
Home-made custard cup
Musical dessert
Artisan ice creams

Anna

Localidad: **Ventolà. Ribes de Freser (Girona).**

Dirección: Plaza de La Constitució

Teléfonos: **972 727 260**

Parking: En frente del restaurante

Propietario: Anna Pous Cabana

Días de cierre y vacaciones: No cierra por vacaciones.

Decoración: Rústica.

Ambiente: Familiar y acogedor.

Bodega: Extensa.

Hombres y nombres: Directora: Anna Pous Cabana

Otros datos de interés: Vista panorámica del Pirineo catalán.

Tarjetas: Todas.

ESPECIALIDADES ANNA

Ensalada de la casa
Embutidos artesanos
Ternera con setas
Pato en su jugo
Carnes a la brasa
Pies de cerdo con pasas
Carrillera de cerdo con olivas
Pollo con cigalas
Mel i mató
Flan casero
Postre músico
Helados artesanos

Giorgio

Embajador de la cocina italiana

Giorgio Serafini es un caballero italiano afincado en Calafell desde hace más de 40 años. En junio de 1998, recibió de manos del Presidente de Italia la distinción de "Cavaliere della Repubblica Italiana" como reconocimiento a su labor de divulgación y promoción de la auténtica gastronomía transalpina en España. Junto a su inseparable esposa Sabine, han situado a Calafell como un imprescindible lugar de peregrinación para todos los amantes de la cocina italiana. Cuatro décadas conjugando alta cocina, arte y tantas tertulias reposadas se han recopilado en un libro que recuerda anécdotas y vivencias de las numerosas personalidades que desde todos los rincones del mundo han acudido a Giorgio.

En esta casa se practica una cocina italiana elevada a la categoría de arte. Genuina y natural, generosa y transparente, conserva intacta la emoción y esencias de la culinaria mediterránea tradicional. Todos los platos están preparados con materias primas de excelsa calidad, sin aditivos ni conservantes o artificios: ensaladas con hortalizas y verduras de la huerta de Calafell y de la finca agrícola del restaurante ubicada en El Vendrell, aceite de oliva virgen extra de Les Borges Blanques (Lleida), pasta fresca elaborada artesanalmente con huevos y verduras, pizzas y pan con masa de levadura natural en horno de piedra, pescado y marisco fresco de la Playa de Calafell y la lonja de Vilanova y la Geltrú, anchoas del Cantábrico, salmón salvaje, carne de Vedellona... Giorgio Serafini es también embajador del "tartufo" blanco en el mundo. Célebres son sus jornadas de trufa blanca, un manjar culinario muy cotizado, que proviene de su región, Pesaro.

Giorgio Serafini es un mecenas, ha convertido a su restaurante en una verdadera pinacoteca con obras de los mejores artistas. Promueve también cuadros colectivos y temáticos de grandes dimensiones, destacan los dedicados a la Reina Sofia, Pavarotti, Marta Ferrusola, Calafell o la Cruz Roja. Pero lo más importante es su amor por los fogones, una cocina mediterránea antológica, elaborada con verdadera pasión: "Amo la cucina come pura forma d'arte".

GIORGIO'S SPECIALITIES

Genuine Italian cookery
Truffle "black & white" from Acqualagna
Homemade small pizzas and fresh pasta
Risotto with seafood
Tagliolini with crustacean juice
Scrambled eggs with white truffle
Porcini mushroom salad with cheese
Gilthead sea bream with vegetables
Red mullets with potato and vegetables
Fillet steak Pavarotti
Citrus fruit sorbet
Ice cream of Greek yogurt, raspberry & orange sauce
Mascarpone dessert
Coconut mousse with passion fruit coulis

Giorgio

Localidad: **Calafell (43820 Tarragona)**
Dirección: C/ Àngel Guimerà, 4
Teléfonos: **977 691 159** **E-mail: info@ristorantegiorgio.com**
www.ristorantegiorgio.com
Propietario: Giorgio y Sabine.
Días de cierre y vacaciones: Abierto cada día en julio y agosto. Resto del año, de viernes a domingos, festivos y vísperas de festivos.
Decoración: Restaurante-Pinacoteca, exposiciones de pinturas, carteles y esculturas de prestigiosos artistas contemporáneos.
Ambiente: Un restaurante singular frecuentado por personalidades y famosos para disfrutar de la mejor cocina italiana en versión original.
Bodega: Gran Selección de vinos italianos y grappas en óptimas condiciones de conservación.
Hombres y nombres: Director y Jefe de Sala: Giorgio Serafini. Jefa de cocina: Sabine Serafini. Sumiller: Giorgio Serafini "junior".
Otros datos de interés: Desde hace más de 40 años, es "mucho más que un gran restaurante", pionero en difundir las excelencias de la gastronomía transalpina. Giorgio Serafini posee la distinción de "Cavaliere de la Repubblica Italiana". A escasos metros del Paseo Marítimo y de la playa de Calafell, elegantes instalaciones con salones privados y terraza-jardín para cenas en verano.
Tarjetas: Las principales.

ESPECIALIDADES GIORGIO

Autentica cocina italiana
Tartufo "bianco y nero" de Acqualagna
Pizzetas artesanas y pasta fresca
Risotto fruti di mare
Tagliolini con jugo de crustáceos
Revoltillo de huevos con trufa blanca
Ensalada de ceps con queso
Dorada con verduras
Salmonetes con patata y verduras
Filete Pavarotti
Sorbete de cítricos
Helado de yogourt griego, salsa de frambuesa y naranja
Dulce al mascarpone
Mousse de coco con coulis de maracuyá

Joan Gatell

Festival marinero

Joan Gatell es uno de los más antiguos y acreditados restaurantes de la Costa Dorada. Durante décadas hablar de la mejor gastronomía en la villa de Cambrils era hablar de los Gatells. La historia de esta familia arranca del abuelo Josep Font, todo un personaje de su época, pescador, barbero, alcalde, cafetero y excelente cocinero. Inauguró en 1914 el primer mesón o casa de comidas en esta población de pescadores, frente al puerto, en el mismo emplazamiento que el actual Joan Gatell.

Joan Pedrell hereda Can Gatell por un golpe de suerte. En 1970 se juega la dirección de este negocio familiar con su hermano Josep, a cara o cruz, con unas monedas de plata antiguas y la fortuna le sonríe. Desde entonces, Joan y su esposa Fanni están al frente de este histórico restaurante del Puerto de Cambrils dedicado a la cocina marinera. Junto con su hijo Jordi forman una familia apasionada por los fogones y los productos del mar.

Joan Gatell es una institución en Cambrils y en toda la Costa Dorada. Aquí se transmite autenticidad y pasión, se respetan los valores populares de la cocina marinera, el producto y las recetas típicas. Naturalidad y suculencia se reflejan en los excelentes pescados y mariscos elaborados con sencillez, sin ornamentos ni disfraces, con aceite de oliva arbequina y salsa de romesco como condimentos fundamentales. El secreto está en su increíble frescura y el depurado punto de cocción, las diferentes recetas destilan sabor a mar. En los postres se combina creatividad con la tradición de la cocina catalana.

Nada más arribar las barcas a la lonja de Cambrils se selecciona el género con rigor y sabiduría. Joan Gatell es un restaurante de materia prima nobilísima y convincente, exponente de los más excepcionales productos del litoral. Comer en esta casa resulta una experiencia gozosa, un verdadero homenaje donde cada comida se convierte en una fiesta.

JOAN GATELL'S SPECIALITIES

Cookery with sea produce and Mediterranean style
Fresh fish, shellfish and crustaceans from Costa Dorada
Rice specialities and fish casseroles
Squids, red mullets, sea-cucumbers, date mussels
Norway lobsters, shrimps, prawns, lobsters, sea snails
Noodles with lobster
Fresh tuna with oil, black olives and confit onions
Fish & seafood tartare
Small octopuses tossed with garlic and parsley
Sea bass, monkfish, gilthead bream, turbot
Home-made confectionery and pastries

Joan Gatell

Localidad: **Cambrils-Port (43850 Tarragona)**
Dirección: Pº Miramar, 26
Teléfonos: **977 366 782 - 977 360 057. Fax: 977 793 744**
E-mail: joangatell@joangatell.com www.joangatell.com
Parking: Aparcamiento público cercano.
Propietario: Joan Pedrell y Fanni.
Días de cierre y vacaciones: Cerrado domingos noche y lunes todo el día. Vacaciones: un mes a partir 10 de diciembre.
Decoración: Elegante decoración con motivos marineros.
Ambiente: Grata experiencia gastronómica con el Mediterráneo de fondo.
Bodega: Más de 300 referencias de vinos, cavas y champagnes cuidadosamente seleccionadas.
Hombres y nombres: Jefe de cocina: Joan Pedrell. Maitre: Fanni. Repostería: Jordi Pedrell.
Otros datos de interés: Junto a la Torre del Puerto de Cambrils, privilegiada zona en primera línea de mar, comedor principal frente al puerto, amplias terrazas con impresionantes vistas y salones privados para reuniones.
Tarjetas: Las principales.

ESPECIALIDADES JOAN GATELL

Cocina marinera y mediterránea

Pescado y marisco de la Costa Dorada

Arroces, suquets, calderetas y zarzuelas

Calamares, salmonetes, espardenyes, dátiles de mar...

Cigalas, gambas, langostinos, bogavantes, caracoles de mar...

Fideos rossos con bogavante

Atún fresco con aceite, aceitunas negras y cebolla confitada

Tartar de pescados y mariscos

Pulpitos salteados con ajo y perejil

Lubina, rape, dorada, rodaballo...

Repostería casera

Delta Hotel

DELTA HOTEL*** es una peculiar instalación hotelera integrada en el entorno y en la que se puede disfrutar con gran intensidad de todo un espacio natural tan importante como es el Delta del Ebro. Es una empresa familiar que se dedicará exclusivamente a que su estancia sea lo más agradable posible.

El Hotel: un microsistema
El Hotel se halla en el centro de un microsistema formado por una laguna típica del Delta, con sus islas y vegetación autóctona, un bosque de ribera, donde crecen las especies arbóreas más características. Nuevas reformas, con incorporación de piscina (del 15/6 al 15/9) y no se pierda la amplia gama de actividades que puede organizarle el Hotel.

Variedad gastronómica
Una de las particularidades del Delta del Ebro es su gran oferta gastronómica de tipo popular. DELTA HOTEL ofrece una extensa y cuidada carta con más de setenta platos representativos de la cocina tradicional deltaica, elaborados en el más puro estilo de nuestras abuelas.

DELTA HOTEL situado en medio de la naturaleza
DELTA HOTEL está situado en un entorno natural privilegiado donde la defensa de la naturaleza y su preservación es el objetivo básico. Una zona geográfica llena de variedades: el rio con sus caprichosas islas, verdaderos santuarios para la flora y fauna; la costa con sus peculiares dunas y vegetación salvaje; los refugios de agua dulce que forma las lagunas son pequeños paraisos naturales; los arrozales muestras del esfuerzo del hombre; las montañas que guardan la planicie se presentan majestuosas y llenas de vida...

La estratégica situación del Delta del Ebro, permite llegar en menos de una hora a: Port Aventura, el parque temático más grande de Europa, el Monasterio de Poblet, y su importantísimo legado histórico, Tarragona, importante capital del Imperio Romano, Tortosa, ciudad bimilenaria de las tierras del Ebro, Los Puertos de Beseit, alta montaña cerca de la costa, Morella, antigua plaza fortificada en el interior del Maestrat, Peñíscola, histórica plaza fortificada en la costa, refugio del "Papa Luna".

DELTA HOTEL'S SPECIALITIES

Oysters
Clams from our coast
Elvers (tiny baby eels)
Lobster and turbot casserole
Monkfish
Sea bass
Duck
Rice specialities

Restaurante Delta Hotel

Localidad: **Deltebre (43580 Tarragona).**
Dirección: Carretera del Canal, s/n.
Teléfonos: **977 480 046. Fax: 977 480 663. www.deltahotel.net**
Parking: Propio.
Propietarios: Anna, Juan, Mª Teresa, Agustín y Josep.
Días de cierre y vacaciones: Cerrado días 25 y 26 de Diciembre y 1 de Enero.
Decoración: Rústica y rural.
Ambiente: Familiar.
Bodega: Priorat, Montsant, Terra Alta, Conca Barberà, Tarragona, Rioja, Ribera del Duero, Penedés, Somontano y Costers del Segre.
Hombres y nombres: Chef: Mª Teresa Ribes y Anna Casanova. Maitre: Juan Torres.
Otros datos de interés: El Restaurante dispone de una amplia sala comedor multifuncional, con magnífica panorámica sobre los arrozales del Delta y apta para banquetes, convenciones, exposiciones y compromisos de empresa. Además, un cómodo recibidor, tranquilo sitio de espera, y una barra de bar completamente equipada. Construido totalmente en planta baja e imitando las antiguas construcciones deltaicas (barracas), el hotel presenta unas espaciosas y tranquilas habitaciones con baño, teléfono y climatizadas. Su amplitud queda mejorada gracias a unos peculiares altillos donde se ubican dos camas supletorias.
Tarjetas: Visa, Master Card, Eurocard, 6000, Maestro, Electron, Diners Club, American Express, Tiquet Restaurant y Sodexho Pass.

ESPECIALIDADES DELTA HOTEL

Ostrones

Almeja de la zona

Angulas

Caldereta de bogavante y rodaballo

Rape

Lubina

Pato

Arroces

Quinoa

Cocina sostenible

Esta casa regentada por el joven chef Matías Fernández lleva el nombre de una ancestral hortaliza con aspecto de cereal originaria de América del Sur. La quinoa es un cultivo que se produce en la zona de los Andes de Argentina, Bolivia, Chile, Colombia, Ecuador y Perú además de Estados Unidos.

El restaurante Quinoa se caracteriza por utilizar productos ecológicos o de agricultores de la comarca del Priorat: huevos de payés, aceite Siurana, quesos, verduras, almendras, harina, sal marina, patata de Prades, arroz Bomba del Delta... Una culinaria de base sostenible y en constante evolución, la carta se elabora con los mejores géneros del mercado y de temporada. Repostería y helados se preparan de forma artesanal.

Matías Fernández es un chef con una amplia formación académica y experiencia en prestigiosos restaurantes, ha realizado "stages" en Can Bosch de Cambrils, Can Gaig y El Raco d'en Freixa de Barcelona. Fue finalista en concurso de cocina creativa con productos italianos de "Gustti Negrini" en Madrid Fusión. En la actualidad, al frente del restaurante Quinoa de Falset es el cocinero más innovador de la zona, sus creaciones derrochan imaginación, matizada por el dominio de las técnicas culinarias y su pasión por el producto de la tierra.

Quinoa representa un concepto global de restauración, dispone de servicio de catering para todo tipo de eventos: comidas dentro de bodegas, catas con sommelier licenciado, cursos de cocina a domicilio para grupos...organizando también estancias en el Priorat. Ofrecen además comida para llevar y menús degustación con maridaje.

Alojamiento Rural: La Icona del Pont Vell. C/ Sant Antoni, 3. PORRERA. T. 977 828 015. info@laicona.com - www.laicona.com

Nuevo Quinoa Gastrorestaurant: 500 m^2 de instalaciones para tapas, vinos por copas, menús degustación y eventos.

QUINOA'S SPECIALITIES

Market cookery with organic produce

Menu in steady evolution

Tasting menu: 50 € - Weekend menu: 20 €

Cheese salad, figs, vegetable sprouts and pistachio nuts

Carpaccio of prawns from Tarragona, salad, apple and floret

Organic egg, warm bean foam, onion and summer truffle

Organic chicken with "pisto" (vegetable stew) and prawns

Hamburger of organic Brunec beef with onion, capers and olive bread

Fresh fish of the day

Tuna belly flap with wheat risotto

Bread with chocolate, salt and oil

Quinoa

Localidad: **Falset (43730 Tarragona)**
Dirección: C/ Miquel Barceló, 29
Teléfonos: **977 830 431 - 628 281 845**
E-mail: xeff-quinoa@hotmail.es
www.restaurantquinoa.com
Parking: Fácil aparcamiento.
Propietario: Matías Fernández Hernández.
Días de cierre y vacaciones: Cerrado domingos noche y martes todo el día. Vacaciones: 10 días en otoño.
Decoración: Antiguo celler actualizado. Combina la piedra vista con colores vinos.
Ambiente: Cocina creativa a precios ajustados.
Bodega: Predomina una selección de vinos de Montsant y del Priorat comprados directamente a las bodegas.
Hombres y nombres: Jefe de cocina: Matías Fernández.
Otros datos de interés: Matías es un joven chef con quince años de experiencia, ha estudiado cocina y pastelería y sigue en formación permanente. Posibilidad de grupos y celebraciones hasta 60 personas y servicio de catering a toda la provincia con la misma calidad que el restaurante. Alojamiento rural en Porrera: www.laicona.com.
Tarjetas: Todas excepto American Express

ESPECIALIDADES QUINOA

Cocina de mercado con productos ecológicos y sostenibles
Carta en constante evolución
Menú Degustación: 50 € - Menú Fin de Semana: 20 €
Ensalada de queso de pastor, higos, germinados y pistacho
Carpaccio de gamba de Tarragona, ensalada, manzana y florete
Huevos eco, espuma caliente de alubias del ganxet, cebolla y trufa de verano
Pollo eco con pisto y gambas
Hamburguesa de ternera eco Brunec con cebolla,
alcaparras de Ballobar y pan de aceitunas
Pescado del día hecho según la inspiración
Ventresca de atún con risotto de trigo de los Monegros
Pan con chocolate, sal y aceite

Receta Hotel Termes Montbrió

Lasaña de rape con verduritas, trufa y pétalos de tomate al jugo de perejil

Ingredientes para 4 personas: 300 gr. de lomo de rape, 150 gr. de zanahoria, 150 gr. de calabacín, 150 gr. de berenjena, 100 gr. de champiñones, 12 piezas de pasta para ravioli, 1 l. de fumet de pescado, 500 gr. de perejil, 50 gr. de mantequilla, 1 l. de caldo de pollo, 1 trufa , 100 gr. de tomate y 1 dl. de aceite de oliva.

Elaboración: Cocer la pasta para los ravioli en el caldo de pollo, añadir un poco de colorante amarillo para que tome color. Cortar la zanahoria y el calabacín en brunoise fina y los champiñones en cubitos un tanto más grandes. Pelar la berenjena y cortar en cubitos.

Cocer todas las verduras con agua salada. Saltear con aceite de oliva las berenjenas, marcar los lomos de rape y cocer al horno a una temperatura de 180º C (45º C en el corazón). Una vez cocidos, reservar y cortar a láminas junto con la trufa.

Pelar y despepitar el tomate. Colocar en una placa aderezándolo con un poco de sal, azúcar, aceite, tomillo, laurel y hornear durante una hora aproximadamente.

Para preparar el jugo de perejil: hervir el perejil y triturar con el termomix. Reducir el fumet de pescado y ligar con aceite de oliva. Añadir fuera del fuego el puré de perejil.

Emplatado: Poner una capa de pasta de ravioli, encima brunoise de verduras, cubrir con otra capa de pasta. Luego los pétalos de tomate y el rape, cubrir con una tercera capa de pasta. Calentar y poner unas láminas de trufa decorando. Salsear por encima.

SPECIALITIES OF HOTEL TERMES MONTBRIÓ

Salad of marinated tuna belly flaps with citrus fruit, sherry vinegar and raisins
Carpaccio of salt cod with walnut oil, cucumber soup, star anise and tomato sorbet
Salad of sliced octopus cooked at 80º Celsius with vinaigrette of paprika from La Vera, soy & alfalfa sprouts
Ravioli of beef and foie gras mi-cuit with yellow tomato, Parmesan and truffle shavings
Shallow-fried fillet of sea bass with aubergine purée and green-olive vinaigrette sauce
Grilled fillet of gilthead bream with reduction of red wine from Priorat and tossed fresh vegetables
Roast fillet of beef with paprika-flavoured goat's milk cheese, turnips and sweet & sour cherry sauce
Quail breasts with shallow-fried escalope of foie gras
Grilled watermelon and truffle emulsion

Hotel Termes Montbrió

Localidad: **Montbrió del Camp (43340 Tarragona).**
Dirección: C/ Nou, 38.
Teléfono: **977 814 000.**
Parking: Propio.
Propietario: Familia Torm.
Días de cierre y vacaciones: Abierto todo el año.
Decoración: Singular, combina construcciones de principios de siglo con las más modernas y actuales arquitecturas.
Ambiente: Acogedor y distinguido.
Bodega: Extensa.
Hombres y nombres: Chef de cocina: Francisco José Balagué. Maitre: Betlen Belar.
Otros datos de interés: El hotel ofrece 214 habitaciones, 8 de ellas son suites de las cuales 5 temáticas, un centro Wellness con todo tipo de tratamientos de salud y belleza, nombrado como mejor Spa de Europa. Aquatonic, espacio lúdico termal con 1000 m2 de originales sensaciones termales. 12 salones de distintas capacidades para todo tipo de eventos.
Tarjetas: Todas.

ESPECIALIDADES HOTEL TERMES MONTBRIÓ

Ensalada de ventresca de atún escabechada con cítricos, vinagre de Jerez y pasas
Carpaccio de bacalao macerado con aceite de nuez, sopa de pepino, anís estrellado y sorbete de tomate
Ensalada de láminas de pulpo cocido a 80º con vinagreta de pimentón de la Vera y pequeños brotes de soja y alfalfa
Ravioli de buey y foie mi-cuit con tomate amarillo, virutitas de parmesano y láminas de trufa
Suprema de lubina a la sartén con puré de berenjenas y vinagreta de olivas verdes
Espalda de dorada a la parrilla con reducción de vino tinto del Priorat y verduras frescas salteadas
Solomillo de ternera asado con queso de cabra al pimentón, nabo y salsa agridulce de cerezas
Pechuga de codorniz con escalopa de foie a la sartén
Sandia a la parrilla y emulsión de trufa

BARCELONA

ALKIMIA. Industria, 79. Tel. 93 207 61 15. www.alkimia.cat

De estética sobria, serena e iluminación individualizada, Alkimia es la consagración de la cocina evolutiva de Jordi Vilà. Un sofisticado espacio gastronómico donde el chef transforma las materias e ingredientes de siempre en creaciones impactantes con una espectacular presentación. La experimentación e innovación están garantizadas.

DOS CIELOS. Pere IV, 272-286 (Hotel Me). T. 93 367 20 70. www.doscielos.com

Situado en la planta 24 del moderno Hotel Me, este reducido comedor con impresionantes vistas, cocina abierta y terraza anexa se ha convertido en una referencia indiscutible de la alta cocina de la Ciudad Condal. El talento de los gemelos Sergio y Javier Torres configura un recetario de influencias catalanas manteniendo siempre el respeto al producto. Cinco plantas más arriba, han creado un biohuerto para obtener productos de gran calidad y pureza

GAIG. Aragón, 214. Tel. 93 429 10 17 www.restaurantgaig.com

Carlos Gaig practica una cocina de autor plena de aciertos, atenta al mercado y a los gustos de su fiel clientela, que combina los sabores de siempre con la destreza y estética presentes. Perfecto servicio de sala dirigido por Fina Navarro, espléndidos vinos.

**HOFMANN. La Granada del Penedés, 14-16. Tel. 93 218 71 65.
www.hofmann-bcn.com**

En su nueva ubicación, un espacioso local en la zona alta de Barcelona, más contemporáneo, de intimista iluminación y cocina a la vista, Mey Hoffman conserva su culinaria de siempre, de marcado carácter mediterráneo, adecuando cocciones y presentaciones a los gustos actuales. Mantiene la escuela en el anterior edificio de Santa María del Mar.

**MOO (Hotel Omm). Roselló, 265. Tel. 93 445 40 00. restaurant.moo@hotelomm.es
www.hotelomm.es**

Los hermanos Roca asesoran los fogones de este restaurante dirigido por Felip Llufriu que ha elaborado una carta sugerente, con propuestas audaces y atrevidas, cuya finalidad es resaltar la calidad de la materia prima. Diáfano comedor actual con tragaluces y diseño vanguardista, magnífico servicio de sala y sobresaliente lista de vinos.

**Arenys de Mar: HISPANIA. Real, 54. Tel. 93 791 04 57
www.restauranthispania.com - hispania@restauranthispania.com**

Casa con más de 50 años de historia, uno de los clásicos de la cocina catalana. Las hermanas Reixach, al frente de los fogones, continúan elaborando una culinaria impecable que destaca por la calidad de la materia prima y los sabores genuinos de platos de toda la vida. Más de 600 referencias, con extenso apartado de caldos franceses.

GIRONA

MASSANA. Bonastruc de Porta, 10-12. Tel. 972 213 820. info@restaurantmassana.com - www.restaurantmassana.com

Pere Massana basa su cocina en el producto, conformando una culinaria tradicional puesta al día, haciendo hincapié en las cocciones y respetando los sabores originales. Céntrico y elegante establecimiento, una moderna sala y zona Espai con varios reservados y comedores privados (entrada independiente y capacidad para 25 personas). Bodega con más de 400 referencias rigurosamente seleccionadas.

Bolvir de Cerdanya: TORRE DEL REMEI. Camí Real, s/n. Tel. 972 140 182. info@torredelremei.com - www.torredelremei.com

Magnífico palacete modernista en plena Cerdanya, unas instalaciones de lujo decoradas con sumo gusto. Josep María Boix y su esposa Loles elaboran una cocina respetuosa con los ingredientes, huye de elaboraciones alquimistas y busca la autenticidad de los sabores a partir de productos de primera calidad.

Olot: LES COLS. Ctra. de la Canya, s/n. Mas Les Cols. Tel. 972 269 209. lescols@lescols.com - www.lescols.com

Antigua masía espléndidamente restaurada con un interior vanguardista y sorprendente, con protagonismo del hierro y del acero. Fina Puigdevall destaca por practicar una renovada cocina, muy moderna, basada en la investigación, lo que le permite evolucionar platos emblemáticos del recetario popular.

LLEIDA

Peramola: CAN BOIX. Can Boix, s/n. Tel. 973 470 266. hotel@canboix.cat - www.canboix.cat

El experimentado chef Joan Pallarés crea una cocina basada en la originalidad y el equilibrio, de detalles precisos y sabrosos. Innovadora y a la vez respetuosa con la tradición gastronómica catalana, a base de ingredientes naturales delicadamente escogidos. Cuenta con una de las mejores bodegas de la provincia.

TARRAGONA

Cambrils-Port: CAN BOSCH. Rambla Jaume I, 19. Tel 977 360 019. www.canbosch.com - restaurant@canbosch.com

La cocina de este restaurante presta una atención absoluta a la elección de la materia prima que proviene en gran parte de la comarca del Baix Camp. Joan Bosch aplica a sus platos marineros toda su sabiduría y personalidad, es un artista en la recreación de los típicos mariscos y pescados del litoral.

Extremadura

Es una región ecológica por excelencia con 54 espacios naturales protegidos. Su gran extensión y la baja densidad demográfica extremeña tienen como consecuencia muy positiva la conservación del medio natural prácticamente intacto. Sus paisajes son sumamente diversos, frente a la dehesa, tenemos la penillanura cacereña, los embalses, las Sierras de Gata y Gredos en el norte, las extensas planicies de la Serena en el sur y los fértiles valles del Jerte, el Ambroz o la Vera.

El patrimonio histórico-artístico de Extremadura es enorme: yacimientos prehistóricos y prerromanos, la apabullante presencia de la cultura romana, restos visigodos, árabes, judíos..Con la conquista de América y la llegada a España de sus riquezas se construyeron importantes palacios, conventos y castillos. Destacan las ciudades Patrimonio de la Humanidad como Mérida, capital de la Comunidad con un impresionante conjunto de monumentos romanos, y Cáceres con sus conjuntos artísticos y monumentales, de los mejor conservados de la península y de Europa. Son dignos de destacar también los Monasterios de Guadalupe, Yuste y el del Palancar.

Badajoz

A orillas del río Guadiana, Badajoz es una ciudad especial llena de recuerdos árabes.

Museos y monumentos: La Puerta de Palmas, la Alcazabe árabe con la Torre de Espantaperros, que es el monumento más representativo de la ciudad.

Oficina de Turismo: Plaza de la Libertad, 3. Tel. 924 222 763.

Cáceres

Cáceres es una ciudad extrovertida donde gran parte de la vida se hace en la calle. Destacaremos dos zonas de gran bullicio, una de bares y mesones en la Plaza Mayor y la calle Ezponda, y otra de pubs en el polígono de la Madrila y Peña de Cura.

Museos y monumentos: Arco del Cristo y Torre de la Puerta del Concejo, Torre Mochada, Palacio de Mayoralgo, el Convento de la Compañía de Jesús...

Oficina de Turismo: Plaza Mayor, 10. Tel. 927 625 047.

La cocina extremeña

Las hondas huellas culturales e influencias de todos los pueblos que habitaron la tierra extremeña configuran una amplia oferta de magníficas materias primas, sin duda, la despensa más natural: aceites, excelentes y variados quesos, vinos, carnes que pastan siguiendo unas pautas seculares, sus frutas, mieles, jamones y chacinas, dulces y condimentos... Esta abundante despensa que la generosa naturaleza circundante ofrece se refleja en una cocina sencilla, directa, de intensos aromas. Es un placer degustar un recetario poco menos que interminable: sopa de ajo, migas, ensalada de verduras de La Vera, caldereta de cordero, criadillas de la tierra, bacalao monacal, caza de pelo y pluma, la Técula-Mécula de Olivenza...
Si bien siempre se menciona Extremadura como región de dehesas y montanera, son también importantes las vegas. La Vera, regada por el Tiétar, es famosa por su pimentón y los quesos de cabra. Visitar el valle del Jerte en primavera resulta todo un espectáculo con los cerezos cuajados de fruta.
Extremadura puede jactarse de tener el más cualificado ganado. El cerdo ibérico ocupa las zonas de encinas y dehesas de la Sierra del Sur. Este cerdo de pata negra tiene unas características de raza y clima que, unido al apropiado tratamiento de secado, curado y salado, da como resultado los magníficos jamones, lomos embuchados, morcones, chorizos y demás embutidos.

Badajoz

GRAN CASINO*****	Adolfo Díaz Ambrona, 11	924 284 402	www.nh-hoteles.es
ZURBARAN****	Gómez de Solís, 1	924 001 400	www.hotelhusazurbaran.com
En Almendral			
ROCAMADOR	Ct. Badajoz-Huelva,km.41,1	924 489 000	www.rocamador.com
En Olivenza			
PALACIO ARTEAGA****	Moreno Nieto, 5	924 491 129	www.palacioarteaga.com

Cáceres

DON MANUEL****	San Justo, 15	927 242 524	www.husagranhoteldonmanuel.com
PT DE CACERES****	Ancha, 6	927 211 759	www.parador.es
En Plasencia ALFONSO VIII****	Alfonso VIII, 34	927 410 250	www.hotelalfonsoviii.com
RINCON EXTREMEÑO	Vidrieras, 8	927 411 150	www.hotelrincon.com
En Trujillo LAS CIGÜEÑAS*	Av. de Madrid, s/n	927 321 250	www.hotelasciguenas.com

Receta Aldebarán

Ensalada de cerdo ibérico escabechado

Ingredientes para 4 personas: 1 escarola, 1/2 lechuga, un poco de Treviso, 1 manojo de berro, 1 lolle rosse, 1/4 l. de aceite de oliva, 1 l. de vinagre de jerez, 1 hoja de laurel, 6 dientes de ajo, pimienta negra en grano, 600 gr. de carne de ibérico fresca.

Preparación: En una cazuela se pone el aceite con los ajos, laurel y pimienta negra en grano. Cuando se doran los ajos, los retiramos metiendo la carne de cerdo en una pieza a dorar, dejándola cocer en el aceite hasta que esté casi hecha, añadir el vinagre y dejar reposar doce horas dentro del aceite.

Limpiar todas las verduras para la ensalada.

Filetear la carne.

Templar la carne con el escabeche.

Aderezar las verduras con vinagreta de aceite de oliva y vinagre de jerez.

Montar el plato.

ALDEBARÁN'S SPECIALITIES

Rice with Iberian pork
Ragout with chickpeas and pig' ears
Cut of Iberian pork with leeks, raisins and carrot cream
Raviolis stuffed with oyster mushrooms and kid liver
Grilled salt cod with dressing of mole (Mexican sauce)
Fillets of red mullets with papaya and confit fennel
Fillet steak with grape sauce and bean cream
Roast suckling pig on green asparagus sauce
Duck with almonds and walnuts
Breast of ringdove with foie gras and green asparagus
Roast loin of lamb with fine herbs
Warm chocolate cake with strawberry ice cream
White chocolate crisp and mango ice cream

Aldebarán

Localidad: Badajoz (06006)
Dirección: Avda. de Elvas s/n. Urbanización Guadiana.
Teléfono: 924 274 261 (y fax)
E-mail: info@restaurantealdebaran.com
www.restaurantealdebaran.com
Parking: Sin problemas
Propietario: Bárcena-Restauración, S.A.L.
Dias de cierre y vacaciones: Cierra domingos, lunes noche y quince días en agosto.
Decoración: Neoclásica
Ambiente: Empresas y cenas de sociedad
Bodega: Amplia, más de 160 referencias. Vino de la casa Remelluri 89 (tinto), Gran Feudo de Chivite (rosado) y Blasón del Turra Macabeo (blanco).
Hombres y nombres: Jefes de cocina: Fernándo y Ainhoa Bárcena; Maestra repostera: Milagros Gómez.
Otros datos de interés: Dos elegantes salones privados hasta 35 personas. Fernándo Bárcena ha sido galardonado con el título de "Cocinero Mayor de Extremadura" por los Amigos de la Cocina Extremeña, y "Cocinero del Año", por la Cofradía extremeña de Gastronomía.
Tarjetas: Todas

ESPECIALIDADES ALDEBARAN

Arroz de cerdo ibérico
Salmorejo con garbanzos y oreja de ibérico
Presa de entraña fresca con puerros, pasas y crema de zanahorias
Raviolis rellenos de setas e hígado de cabrito
Bacalao en salazón a la plancha con vinagreta de mole
Filetes de salmonetes con papaya y apio confitado
Solomillo de añojo con salsa de uvas y crema de alubias
Cochinillo ibérico asado sobre crema de trigueros
Pato azulón frito con almendras y nueces
Pechuga de paloma torcaz con foie y espárragos verdes
Lomo de cordero asado a las finas hierbas
Pastel de chocolate caliente y helado de fresa
Crujiente de chocolate blanco y helado de mango

Marchivirito

Toreando con arte y valor

España es tierra de contrastes geográficos, culturales y gastronómicos. La riqueza de sus cocinas regionales proporciona un amplio abanico de posibilidades. El restaurante Marchivirito, ubicado en la que fuera una antigua venta en la salida de Badajoz hacia Cáceres, presenta esta rica diversidad con un toque personal y actualizado que marca la diferencia. Gracias al tesón y profesionalidad de su propietario, José Domínguez, esta casa es hoy una referencia para los amantes de la buena mesa en la capital pacense.

José Domínguez, personaje incansable, está vinculado al mundo de la gastronomía desde hace muchos años. El poco tiempo libre lo dedica a su otra gran afición: los toros. Gran promotor de la cocina española, practica una coquinaria apegada a los productos de mercado y temporada, una placentera culinaria realzada por medidos apuntes modernos. La satisfacción del cliente es su mayor prioridad. Diariamente procura que la calidad sea siempre inalterable.

Aquí se encuentran las mejores materias primas: sabrosas carnes de Extremadura procedentes de la dehesa, la despensa cinegética con sus sabores agrestes y pronunciados, selección de ibéricos y quesos artesanos, verduras de la huerta, pescados frescos...Al restaurante Marchivirito se acude a comer muy bien, los platos saben a lo que son, lo que permite al comensal entender en qué consiste el paisaje que le rodea. Su larga trayectoria y clientela fiel, conocedora de las bondades de esta casa, así lo demuestra.

MARCHIVIRITO'S SPECIALITIES

Updated Spanish cookery
Selection of cured pork specialities and cheese
Carpaccio of venison with foie gras and reduction of balsamic vinegar
Brothy rice with lobster and cuttlefish
Salad of marinated wild partridge
Medallions of sea bass filled with garlic chives and prawns
Spiny lobster tail with Norway lobster and fresh pasta
Gently-cooked salt cod with baby squids
Roast rack of lamb with herb crust
Boned gently-roasted sucking pig
Small escalopes of "retinto" beef with creamy "Torta de la Serena" cheese
Chocolate dessert in different textures
Cheese ice cream with raspberry sauce
Crisp praliné mousse

Marchivirito

Localidad: Badajoz (06007)
Dirección: Avda. Nuestra Señora de Botoa, 37 - Salida de Badajoz a Cáceres
Teléfonos: 924 274 215 - 924 276 628 (y fax)
E-mail: marchivirito@gmail.com
Parking: Aparcamiento propio en la puerta y aparcacoches.
Propietario: José Domínguez García.
Días de cierre y vacaciones: Cerrado domingos noche y lunes. Vacaciones: Segunda quincena de agosto.
Decoración: Amplias, cuidadas y cómodas instalaciones.
Ambiente: Muy concurrido, un restaurante emblemático en Badajoz.
Bodega: Excelente carta de vinos españoles.
Otros datos de interés: En sus más de veinte años de trayectoria ha conseguido varios premios regionales. Dos comedores, salón privado y gran terraza cubierta que se utiliza todo el año. Eventos y banquetes hasta 100 personas y servicios externos de catering.
Tarjetas: Todas.

ESPECIALIDADES MARCHIVIRITO

Cocina española actualizada
Selección de ibéricos y quesos
Carpaccio de venado con foie y reducción de Módena
Arroz caldoso de bogavante y chocos
Ensalada de perdiz de tiro escabechada
Lomos de lubina rellenos de ajetes y gambas
Cola de langosta salteada con cigala y pasta fresca
Bacalao confitado con chipirones salteados
Carré de cordero en costra de hierbas
Cochinillo confitado y deshuesado
Escalopines de retinto con crema de torta de la Serena
Postre de chocolate en textura
Helado de queso y salsa de frambuesa
Crujiente de mousse de praliné

El Sigar

Estilo propio

La dilatada trayectoria profesional de David Núñez en los fogones culminó con la apertura en 2005 de este restaurante de elegante y actual ambientación urbana. Espacios generosos, techos altos, muebles de diseño, agradable combinación de luz natural e iluminaciones individuales.

Tras su paso por ilustres fogones: Paulino en Madrid, Atrio, Aldebarán y su primer restaurante Alcañices en Olivenza, dio un paso decisivo inaugurando estas instalaciones a la altura de la evolución de su cocina, que alcanza en la actualidad un momento de madurez y plenitud. La carta se nutre de las materias primas de temporada.

Esta cocina, ajena a la sofisticación, apuesta por la diversidad al armonizar la despensa del terruño con otras más lejanas. El Sigar aligera platos de siempre y trae nuevas propuestas, siempre sabrosas y placenteras. Ideas propias, buena técnica, modernidad sin excesos y una inteligente actualización de la cocina regional con interesantes sugerencias del día. Una oferta de incuestionable calidad.

Se acrecienta la fama de este restaurante, confortable espacio gastronómico para saborear una estupenda cocina contemporánea con marcada raíz extremeña. Por méritos propios, a base de trabajo y constancia, sensatez y buen gusto, sintetizando la culinaria local y la alta cocina moderna, David ha convertido su casa en una de las referencias más fiables y acreditadas de Badajoz.

CATERING ALCAÑICES: Servicio de Catering a toda Extremadura

EL SIGAR'S SPECIALITIES

Very elaborated haute cuisine
with the best produces from Extremadura
The à la carte menu changes every 2 or 3 months
Gastronomic menu (about 33 €)
Carpaccio of prawns with guacamole and brown crab
Brothy rice pot with ringdove
Chunks of red tuna on a cauliflower purée and roast tomato with soy
Monkfish casserole with baby squids
Breaded loin of lamb
Wild boar ragout with porcini mushrooms and clams
Banana toffee with custard ice cream
Fruit salad with passion fruit ice cream and caramel spread
Cheese selection

El Sigar

Localidad: **Badajoz (06011)**
Dirección: Centro Comercial Huerta Rosales
(Salida de Badajoz por la carretera a Olivenza)
Teléfonos: **924 256 468 (tlf. y fax)**
E-mail: **elsigar@hotmail.com www.elsigar.com**
Parking: Facilidades de aparcamiento en las inmediaciones.
Propietario: Gastronomía Huerta Rosales s.l.
Días de cierre y vacaciones: Cerrado domingos noches y una semana en febrero (carnavales).
Decoración: Un estilo muy actual con clase.
Ambiente: Moderno, señorial y urbano.
Bodega: Adaptada a la demanda y gusto del público.
Hombres y nombres: Jefe de cocina y dirección: David Núñez Martín, al frente de un equipo de jóvenes profesionales.
Otros datos de interés: Salón privado para 18 comensales, terraza de verano en ático y barra para tapas, vinos y cocina en miniatura.
Tarjetas: Todas.

ESPECIALIDADES EL SIGAR

Alta cocina, muy elaborada
interpretando las materias primas de la despensa extremeña
La carta varía cada 2 ó 3 meses
Menú-Degustación (alrededor de 33 €)
Carpaccio de gambas con guacamole y zapateira
Arroz caldoso de paloma torcaz
Tacos de atún rojo sobre puré de coliflor y tomate asado con soja
Cazuela de rape con chipirones
Lomo de cordero empanado
Ragoût de jabalí con boletus y almejas
Toffee de plátano con helado de natillas
Salpicón de frutas con helado de maracuyá y dulce de leche
Degustación de quesos con sus guarniciones

Rocamador

Aquí las estrellas están en el cielo...

Alojarse en este antiguo convento del siglo XVI levantado en una terraza natural, entre la dehesa extremeña y la sierra de Monsalud, resulta una experiencia inolvidable. Aquí, conviven en perfecta armonía tradición y modernidad, la paz de la naturaleza y el recogimiento de tiempos pasados.

La sobrecogedora belleza del atardecer en la dehesa, la fusión de rocas, ladrillos y maderas, un bello desorden perfectamente calculado conforman un deleite para los sentidos.

Las llaves de Rocamador, en lugar de habitaciones abren pequeños mundos donde dormir, jugar, comer, amar y soñar.

Este establecimiento único invita a disfrutar de la buena mesa. El viajero encuentra un destino gastronómico de primer orden: fórmulas antiguas reinventadas con la imaginación, estética y ligereza de la alta cocina más actual, utilizando materias primas de crianza y producción propia (cabritos, cochino ibérico de bellota, retinto, merino, trigueros salvajes, criadillas de tierra, setas silvestres...). Esta cocina de referencia, en constante investigación y evolución, comprende y traduce los sabores y aromas propios de la dehesa extremeña circundante.

Conocer Rocamador es penetrar en otro mundo, es un lugar para disfrutar con los cinco sentidos, un predilecto refugio para redescubrir el placer de vivir.

ROCAMADOR'S SPECIALITIES

A privileged interpretation of the magnificent produce from Extremadura:
the technique improves the produce
Season's young vegetables with olive oil, the stock and bread sticks
Foie gras shavings with apple, granité and toasted bread slices
Salt cod fritters and a light courgette cream with cured ham
Potatoes coloured with crustacean juice and Norway lobster ragout
Scallops with sea vegetables and dried-fruit butter
Monkfish casserole with artichokes and pork dewlap
Farmyard chicken with baby squids and sage oil
Gently-roasted lamb from Extremadura with thyme oil and lukewarm tomato
Roast cut of Iberian pork, its juice with orange flavour
Cylinder of coffee mousse on an almondy base
Orange soup with blossom scent and red berry jelly

Rocamador

Localidad: Almendral (Badajoz)
Dirección: Ctra. Nacional Badajoz-Huelva, km. 41.100
Teléfonos: 924 489 000 Fax: 924 489 001
E-mail: mail@rocamador.com www.rocamador.com
Parking: Aparcamiento propio.
Propietario: Monasterio Rocamador, S.A.
Días de cierre y vacaciones: Abierto todo el año.
Decoración: Un convento del siglo XVI reconvertido en un delicioso hotel.
Ambiente: Sosiego, profesionalidad, discreción y amabilidad.
Bodega: Propia, bajo tierra. Amplia gama de las referencias y añadas más prestigiosas, perfectamente actualizada en cuanto a novedades.
Hombres y nombres: Un joven equipo con una sólida experiencia forjada en restaurantes de gran renombre.
Otros datos de interés: Una de las joyas hoteleras de la provincia. Restaurante ubicado en lo que fue la capilla del monasterio. Treinta habitaciones, todas diferentes con un omnipresente buen gusto arquitectónico y decorativo. Sala de convenciones y piscina. Una visita obligada.
Tarjetas: Todas.

ESPECIALIDADES ROCAMADOR

Privilegiada interpretación de la magnífica despensa extremeña: dignificación del producto a través de la técnica
Verduritas del tiempo con aceite de oliva, su caldo y palitos de pan
Laminas de foie y manzana, granité y torradas tostadas
Buñuelos de bacalao con una ligera crema de calabacín con jamón
Patatas tintadas en jugo de crustáceos y salteado de cigalitas
Vieiras salteadas acompañadas de vegetales de mar y mantequilla de frutos secos
Rape cocido en cataplana con alcachofas y papada al horno
Pollo campestre del lugar con chipirones y aceite de salvía
Cordero extremeño confitado en aceite de tomillo, tomate tibio
Secreto de cerdo rustido, su jugo y pisto aromatizado a la naranja
Cilindro de mousse de café sobre bombón de turrón
Sopa de naranja perfumada de azahar y dulce de fruto rojo

Receta **Nicolás**

Frite extremeño

Ingredientes: 1 cordero pequeño o cabrito, tocino de jamón, pimentón de la Vera, higadillos del animal, patatas, ajos, laurel y vino blanco.

Preparación: Se hace un salteado con el ajo y el cordero. Dorado éste, se le añade un poco de harina y pimentón, rehogar todo bien, agregar el vino blanco y un majado de ajo con el higadillo previamente salteado.

Dejar reducir y añadir un poco de agua o caldo, cocer lentamente.

Guarnición: Patatas toscamente troceadas.

NICOLAS' SPECIALITIES

Cured ham & loin pork (of acorn-fed iberian pigs)
Scrambled eggs of the house
Hot-pot specialities
Fresh fish
Brains after a regional recipe
Frog's legs
Scrambled eggs with bull's testicles
Lamb with prunes
Lamb casserole
Roast kid
Home-made desserts

Nicolás

Localidad: Mérida (Badajoz)

Dirección: Félix Valverde Lillo, 13 (junto Plaza España)

Teléfono: 924 319 610 - 924 300 517

Propietario: Nicolás

Días de cierre y vacaciones: Cerrado domingos noche. Vacaciones: 15 días en julio.

Decoración: Casa señorial, 4 plantas lujosamente acondicionadas.

Ambiente: Extraordinario.

Bodega: Gran surtido de vinos extremeños, Ribera del Duero y Riojas.

Otros datos de interés: Bodeguilla-Pub anexo, "Rincón de Nicolás": Raciones y copas en un ambiente elegante. Nicolás atiende personalmente a sus clientes y amigos. 2 salones para 16 y 30 personas. Local totalmente climatizado.

Tarjetas: American Express, Visa, Mastercard, Eurocard.

ESPECIALIDADES NICOLÁS

Jamón y lomo de bellota
Revueltos especiales
Gran variedad de potajes
Pescados frescos
Sesos a la extremeña
Ancas de rana
Revuelto de criadillas
Cordero a la ciruela
Caldereta de cordero
Cabrito al horno
Postres caseros

Hotel Palacio Arteaga****

Historia e innovación

Situado en pleno centro de Olivenza, junto a la plaza del Ayuntamiento, en un marco histórico y social incomparable, el Hotel Palacio Arteaga ocupa una de las edificaciones más emblemáticas de la villa. La majestuosidad del lugar, desde la fachada principal que resalta dentro del conjunto arquitectónico del casco urbano hasta el regio patio señorial, dotan al conjunto de una belleza única. En el interior, se ha respetado la distribución original, dotándolo de las comodidades necesarias para un placentero descanso.

Alojamiento

El hotel cuenta con 19 habitaciones de diferente decoración y ambientación, estancias que atesoran el estilo y lujo de otras épocas -la mayoría conservan los suelos originales- sin olvidarse del confort y los servicios actuales (internet wifi gratuito, columna de hidromasaje, TDT...)

Restauración

El restaurante Arteaga es un fiel reflejo de los olores y sabores gastronómicos de la ciudad de Olivenza. En continua evolución, sus fogones aúnan las técnicas y sabores más novedosos con lo más representativo de la cocina tradicional extremeña. Una culinaria versátil e imaginativa, reconocida por su excepcional materia prima. Su carta es un sabroso compendio de los mejores productos extremeños y portugueses.

El hotel dispone también de una elegante cafetería, ideal para degustar una copa de vino o recrearse con exquisitas tapas y raciones, con un horario de 24 horas para clientes alojados.

Eventos

El Hotel Arteaga es un lugar inigualable para la realización de eventos especiales. La flexibilidad de sus seis salones permiten albergar acontecimientos de hasta 150 personas. Dotados de las más modernas tecnologías y con diferentes ambientes, ofrecen múltiples opciones para reuniones de trabajo y celebraciones.

ARTEAGA'S SPECIALITIES

Traditional cookery from Extremadura with a modern touch

Carpaccio of beef and foie gras dressed with rosé pepper and grana padano parmesan

Lasagne of blood sausage

Scallops with lukewarm egg and fried bread with grey mullet caviar

Braised cheeks of Iberian pork with layered slice of amanita mushrooms and crisp cured ham flake

Sweet vinegar spread with anise biscuit, honey with walnuts and pine nuts

Arteaga

Localidad: Olivenza (06100 Badajoz)
Dirección: C/ Moreno Nieto, 5
Teléfonos: 924 491 129. Fax: 924 492 019
E-mail: info@palacioarteaga.com
www.palacioarteaga.com
Parking: Aparcamiento privado
Días de cierre y vacaciones: Ninguno. No cierra
Decoración: Bello patio señorial interior cubierto por una claraboya central que deja paso a la luz natural.
Ambiente: Elegante clasicismo de estilo regio.
Bodega: Selecta carta de vinos, cobija lo mejor de cada denominación de origen.
Hombres y nombres: Dirección: José Mª Lucas Tobajas.
Otros datos de interés: Ubicado en el Hotel Palacio Arteaga, un palacete del siglo XIX situado en pleno corazón de Olivenza. Diferentes ambientes distribuidos en seis salas de diferente ambientación y decoración con una capacidad máxima de hasta 150 personas en conjunto.
Tarjetas: Todas.

ESPECIALIDADES ARTEAGA

Cocina tradicional extremeña con toques vanguardistas

Carpaccio de retinto y foie con vinagreta de pimienta rosa y grana pagano

Lasaña de morcilla

Vieiras asadas con huevo templado y pan frito con mujol

Carrillada ibérica estofada con milhojas de gurumelos y crujiente de jamón

Dulce de vinagre en galleta de anís y miel de nueces y piñones

Hotel Huerta Honda ***

Un espacio singular en Zafra

Ubicado en el corazón de la ciudad de Zafra, en plena Ruta de La Plata, este hotelito de lujo, coqueto, agradable y tranquilo se asienta sobre lo que fuera un antiguo huerto situado dentro del recinto amurallado de la ciudad conocida como la "Sevilla la Chica". Aquella muralla fue mandada construir en 1437 por Gómez Suárez de Figueroa, Primer Señor de Feria.

El Hotel Huerta Honda cuenta con 50 habitaciones perfectamente equipadas, 14 suites "gran clase" que disponen de camas "king-size" y jacuzzi, y la suite denominada "Al-Andalus", que además de estar inspirada en la cultura de la antigua "Sajra" (nombre árabe con el que se denomina a la ciudad de Zafra), tiene balconadas con vistas al Alcázar de los Duques de Feria.

Entre las instalaciones del establecimiento, destacan los salones para la celebración de convenciones, congresos y banquetes así como los patios y jardines en los que se puede disfrutar de las vistas de las torres de Zafra.

La villa de Zafra ofrece multitud de atractivos desde el punto de vista artístico y monumental: la Colegiata de Nuestra Señora de la Candelaria que alberga lienzos de Zurbarán, el Convento de Santa Clara, donde se elaboran dulces monacales, Hospital de Santiago, Casa Grande o Palacio de los Duques de Feria, "Plaza Chica" y "Plaza Grande"...

*Bajo la misma dirección: Hotel Casa Palacio Conde de la Corte ****
Pilar Redondo, nº 2. Zafra. Tel. 924 563 311. Fax: 924 563 072
www.condedelacorte.com E-mail: reservas@condedelacorte.com*

BARBACANA'S SPECIALITIES

Cured specialities and sausages, cheese

Salt cod speciality of the house

Gastronomic menu (about 36,50 €), for example:

Tomato soup with partridge

Marinated cut of Iberian pork

Salt cod with potatoes

Gently-roasted sucking pig

Iced cheese with quince jelly

Barbacana

Localidad: Zafra (06300 Badajoz)
Dirección: López Asme, 30 (junto castillo del Duque de Feria).
Teléfonos: 924 554 100 - Fax 924 552 504
E-mail: reservas@hotelhuertahonda.com
www.hotelhuertahonda.com
Parking: Propio y garaje.
Propietario: Antonio Martínez Buzo.
Días de cierre y vacaciones: Domingos noche y lunes todo el día. Abierto todo el año.
Decoración: Ubicado en un caserón del s. XVII totalmente decorado y renovado por "El Chinero de Marbella".
Ambiente: Sibaritas y amantes de la cocina regional.
Bodega: Impresionante. Una excelente selección de vinos extremeños y de toda España. Etiquetas clásicas y de nueva generación.
Hombres y nombres: Director: Darío Martínez Doblas. Jefe de cocina: Cumplido León Alberto. Además de un buen equipo a su servicio.
Otros datos de interés: Bajo la misma dirección Hotel Huerta Honda, tres estrellas con el confort de cuatro. Cincuenta habitaciones todas diferentes. Nueva tienda de productos extremeños y gourmets.
Tarjetas: Todas.

ESPECIALIDADES BARBACANA

Embutidos ibéricos y quesos

Bacalao dorado (plato especial de la casa)

Menú–Degustación (alrededor de 36,50 €), ejemplo:

Sopa de tomate con perdiz

Presa ibérica escabechada

Bacalao con patatas a la importancia

Cochinillo confitado

Queso helado con membrillo

Atrio

Con mucho arte

El restaurante más emblemático de Extremadura se ha trasladado a su nueva ubicación en la Plaza de San Mateo, en lo más alto de la ciudad monumental, rodeado de la incomparable belleza de esa amalgama arquitectónica almohade, gótica, renacentista y colonial que es el Cáceres intramuros.

Este espléndido edificio, respetuoso con el carácter histórico de la zona, consta de un espacioso comedor principal realzado por su gran luminosidad gracias al patio cacereño ajardinado, salón privado, terraza jardín para comer o cenar en verano, impresionantes e impecables instalaciones de cocina. Además, nueve habitaciones, cinco suites, salas de reuniones y dos pequeñas piscinas con vistas al centro de la ciudad. La puesta en escena transmite serenidad: paredes de láminas de roble lacadas en blanco, suelo de granito negro, escaleras de mármol impoluto, detalles en caoba y haya, amplios ventanales...

En este elegante y lujoso marco, Toño Perez y José Antonio Polo continúan su labor de renovación de la cocina extremeña. Talento, imaginación e intuición avalan la trayectoria de estos dos afamados profesionales que han sabido combinar la sensibilidad y sofisticación de su cocina con un servicio magistral. El recetario extremeño como base de atrevidas formulaciones, depurada técnica en la ejecución y estética en la presentación final completan la ecuación.

La puesta en marcha de este nuevo proyecto no implica el cierre del local anterior en la Avenida de España. El antiguo Atrio se propone recuperar guisos y platos de cuchara.

ATRIO'S SPECIALITIES

Innovating and creative haute cuisine

Three tasting menus

Pumpkin & chestnut soup with almond essence and seasonal vegetable sprouts

Razor shell, cured Iberian ham and curry

Egg and caviar served in a glass with potato purée

Cardoon in green sauce, pine nuts, green asparagus and truffle

Crisp pork cheeks, confit Norway lobster and poultry stock

Oyster with pig's trotters

Roast cut of Iberian pork, peach and watercress sauce

Torta del Casar cheese, ice cream of Torta del Casar and quince jelly

Cream caramel prepared with syrup instead of milk, yogurt ice cream and cocoa

Atrio

Localidad: **Cáceres (10003)**
Dirección: Plaza de San Mateo, 1 (Centro Histórico de Cáceres)
Teléfonos: **927 242 928 (y fax)**
E-mail: info@restauranteatrio.com
www.restauranteatrio.com
Parking: Aparcamiento propio y aparcacoches.
Propietario: José Antonio Polo y Toño Pérez.
Días de cierre y vacaciones: Abierto todo el año.
Decoración: Edificio respetuosamente restaurado por los arquitectos Mansilla y Tuñón.
Ambiente: Sereno y refinado, proporciona placer a los cinco sentidos.
Bodega: Impresionante, bien equipada y perfectamente estructurada.
Hombres y nombres: Jefe de cocina: Toño Pérez. Jefe de sala: José Antonio Polo.
Otros datos de interés: En diciembre 2010, después de siete años de obras, Atrio inauguró sus nuevas instalaciones en la zona monumental de Cáceres.
Tarjetas: Todas.

ESPECIALIDADES ATRIO

Alta cocina innovadora e imaginativa
Tres Menús Degustación
Sopa de calabaza y castañas con esencia de almendras y brotes de temporada
Navaja, loncheja ibérica y curry
Huevo con caviar servido en vaso sobre un fondo de parmentier de patata
Cardo en salsa verde, piñones, trigueros y trufa
Crujiente de careta ibérica, cigala confitada y caldo de ave
Ostra con manitas de cerdo
Pluma asada, melocotón salteado y crema de berros,
Binómio de Torta del Casar, helado de Torta del Casar y Membrillo
Tocinillo de Cielo, helado de yogurt y tierra de cacao

Receta Homarus

Carrillada de ternera con boletus

Ingredientes para 4 personas: cebolla, puerro, zanahoria, tomate, tomillo, 1 diente de ajo, 1 hojita de laurel, 1 ramita de apio, 4 carrilladas pequeñas y 3 boletus.

Elaboración: Rehogar las carrilladas ya limpias, sacar y reservar. Rehogar la verdura, añadir media botella de vino tinto y dejar que reduzca un poco. Luego, añadir las carrilladas, cubrir de agua, tapar y dejar a fuego lento durante aproximadamente 2 horas. Procurar que la salsa quede ligada. Para los boletus, marcar en sartén y dejar rehogar dos minutos en la salsa.

Emplatado: Partir las carrilladas en cuatro rodajas, disponerlas en el plato y napar con la salsa. Decorar con los boletus y endivia a la plancha.

Homarus significa bogavante en latín. Eleuterio Sánchez es un cocinero en constante superación, con más de 20 años de experiencia, gran conocedor del producto, cuya filosofía es "hacer las cosas bien" centrado en su cocina.

HOMARUS' SPECIALITIES

Updated traditional cookery prepared with the best ingredients and know-how
Recommendations of the day
Executive Menu: 30 € , Business menu 35 €, Tasting menu 45 €
Sweetbreads with green asparagus on toast
Carpaccio of fillet of Iberian pork with sea salt and balsamic vinegar
Partridge salad
Brothy rice & lobster pot
White bean stew with lobster and asparagus tips
Gently-cooked salt cod
Turbot with prawns
Veal cheeks with cèpe mushrooms
Partridge from La Sagra with foie gras dice
Assortment of home made desserts

Homarus

Localidad: **Cáceres (10005)**
Dirección: C/ Bioy Casares, 1. Urbanización Los Castellanos
(A 200 m. Glorieta Carrefour y a 500 m. del Hotel Quinto Centenario)
Teléfonos: **927 235 582 y 927 231 491 (y fax)**
E-mail: rest.homarus@terra.es
Parking: Fácil aparcamiento.
Propietario: Eleuterio Sánchez Nolasco.
Días de cierre y vacaciones: Abierto todos los días excepto las noches de domingos, lunes y martes. Vacaciones: 20 días en agosto.
Decoración: Espaciosas, modernas e impecables instalaciones. Comedor principal hasta 80 comensales y dos salones privados (20 p. cada uno).
Ambiente: Una casa pendiente de todos los detalles para lograr la total satisfacción del cliente.
Bodega: Predominan los vinos D.O. Ribera del Guadiana y Ribera del Duero. Representación de las principales regiones vinícolas, cavas y champagnes. Bodega vista en el comedor y armarios climatizados.
Hombres y nombres: Jefe de cocina: Eleuterio Sánchez. Jefa de sala. Mari Luz Martín.
Otros datos de interés: Posibilidad de celebraciones entre 18 y 20 personas. Vivero de bogavantes. Espacios fumadores y no fumadores.
Tarjetas: Todas.

ESPECIALIDADES HOMARUS

Cocina tradicional actualizada
con atención a las materias primas, puntos de cocción y sabores nítidos
Sugerencias del día
Menú ejecutivo: 30 €, Menú de trabajo: 35 €, Menú Degustación: 45 €
Tosta de criadilla y trigueros
Carpaccio de solomillo ibérico con sal marina y aceto balsámico
Ensalada de perdiz
Arroz caldoso con bogavante
Estofado de judiones con bogavante y puntas de espárragos
Bacalao a fuego lento
Rodaballo con fondo marinero y langostino
Carrillada de ternera con boletus
Perdiz de La Sagra con taquitos de foie
Degustación de postres de elaboración propia

Palacio de los Golfines

Historia y Gastronomía

El Palacio de los Golfines de Arriba está enclavado en pleno corazón de la ciudad monumental de Cáceres, declarada por la Unesco "Patrimonio de la Humanidad". Edificado entre los siglos XIV y XV por García Golfín, Señor de la Casa Corchada, aún conserva su airosa torre del homenaje, que se salvó de ser desmochada por los Reyes Católicos en virtud de un Real Orden, concedida en 1506 por Fernando V el Católico. Protagonista de la historia, el Palacio es un edificio representativo de la nobleza cacereña.

Más de quinientos años después de su construcción, el Palacio de los Golfines fue remodelado con un exquisito respeto a su estilo arquitectónico transformándolo en un conjunto hostelero cuyos signos de identidad son arte, estilo, nobleza y distinción. Presenta unas cuidadas instalaciones que combinan perfectamente el pasado histórico con el presente, dotándolas de todo lo necesario para un esmerado servicio y satisfacer las necesidades actuales de los clientes. Comer en sus salones supone un viaje en el tiempo, retroceder a épocas medievales entre paredes llenas de historia. El patio del Palacio ha sido acondicionado para acoger cualquier tipo de evento: bodas, bautizos, comuniones, presentaciones de productos y empresas, desfiles, almuerzos de trabajo...

En este entorno único se practica una cocina extremeña documentada, de base tradicional, ilustrada con toques creativos e imaginativos, siempre sustentada en la generosa despensa autóctona: Torta del Casar, ibéricos de la dehesa, productos de la huerta y silvestres, selección de carnes, caza...Un impresionante abanico que conforma un original recetario, solventes creaciones que ofrecen lo mejor de cada rincón de esta bella tierra.

SPECIALITIES OF PALACIO DE LOS GOLFINES

Traditional and updated cookery of Extremadura with regional produce
Menus: Regional and Palacio Golfines
Cheese "torta extremeña" with raspberry oil
Black rice (coloured with squid ink), baby squids, prawn, cheese "Ibores" and crisp artichoke flake
Carpaccio of tenderloin of Iberian pork with oregano, balsamic vinegar, capers, ewe's cheese and foie gras shavings
Baked salt cod with aioli au gratin, on a vegetable stew with juice of Iberian pork
Fillet steak of beef with Dehesa label, apple, honey mustard and figs with dressing and crumbs
Cheese cake with red berry coulis
Mousse of rice pudding with lime and cinnamon

Palacio de los Golfines

Localidad: Cáceres (10003)
Dirección: C/ Adarve Padre Rosalío, 2 (corazón de la ciudad monumental)
Teléfonos: 927 242 414 www.palaciogolfines.es
Parking: Aparcamiento público en Obispo Galarza, a cinco minutos.
Propietario: Antonio Costa.
Días de cierre y vacaciones: Cerrado domingos noche y lunes todo el día. Vacaciones: 15 días en febrero.
Decoración: Palacio del Siglo XV totalmente rehabilitado.
Ambiente: Un marco impresionante para disfrutar de la gastronomía extremeña.
Bodega: Un centenar de referencias, selección de los mejores vinos de Extremadura, a precios atractivos.
Hombres y nombres: Jefe de cocina: Ángel Luis Bravo. 2º de cocina: Carlos Costa. Maitre: María Romero.
Otros datos de interés: Restaurante situado en un edificio histórico, el Palacio de los Golfines. Alberga instalaciones que conjugan arte y confort. Dos salones privados con capacidad para 50 y 20 personas, terraza exterior e interior y gran patio porticado acondicionado para todo tipo de eventos con capacidad hasta 400 comensales. Organiza comidas medievales, cenas con baile...
Tarjetas: Todas.

ESPECIALIDADES PALACIO DE LOS GOLFINES

Cocina extremeña, tradicional y actualizada, elaborada con productos autóctonos
Menús: Regional y Palacio Golfines
Torta extremeña con aceite de frambuesas
Arroz negro, meloso de chipirones y gambón, queso de los Ibores y crujiente de alcachofa
Carpaccio de solomillo ibérico con orégano, aceto balsámico, alcaparras, queso de oveja y virutas de foie
Bacalao asado gratinado con ali-oli sobre pisto verato y jugo de cerdo ibérico
Solomillo de la Dehesa con manzana, mostaza de miel e higos en vinagreta y migas extremeñas
Tarta de queso, base de galleta y mantequilla, coulis de frutos rojos
Mousse de arroz con leche y lima azucarada con canela

La Tahona

Protagonista en Cáceres

Situado en una ubicación privilegiada, muy cercano a la majestuosa Plaza Mayor, antesala de la Ciudad Monumental de Cáceres declarada por la Unesco "Patrimonio de la Humanidad", La Tahona afianza cada día más su compromiso con la capital y su protagonismo. Se ha convertido en punto de encuentro de los profesionales y la sociedad cacereña. Además, representa una visita obligada para el público de paso gracias a la indudable calidad de su cocina de mercado e innovadora y el sabio tratamiento de los excelentes asados -cochinillo, lechazo, cabrito- que salen del horno de leña con el toque justo.

Esta emblemática casa de dos alturas mejora constantemente el nivel de sus instalaciones con una decoración cada día más atractiva. Dispone de patio interior y distribuidor en cada una de sus dos plantas. En la planta baja, comedor principal con capacidad para 50 personas y el magnífico comedor-bodega. En la parte superior dos salones privados para 8 y 20 personas. Ha incorporado un nuevo espacio para tapas, vinos, comidas informales y desayunos, que se comunica con el restaurante, siendo el horario el mismo, entrada por la calle Parra.

Josetxo Arrieta es un cocinero donostiarra que ostenta una amplia experiencia profesional adquirida en el País Vasco y Francia. Es un "cocinero cocinante" que dedica muchas horas a los fogones, con los pies en la tierra, trabajo, disciplina y distanciamiento de posturas dogmáticas. Aprovechando los productos autóctonos, Arrieta conjuga con habilidad la rica despensa extremeña con la cocina del norte, los pescados salvajes de temporada, preparados a gusto del cliente, vienen de San Sebastián.

Una culinaria placentera y sensata, siempre coherente, con buena mano y sentido del gusto, virtuosa declinación de las excepcionales materias primas que le ofrece el entorno más cercano, cuidadosamente elaboradas con los conocimientos que le aportan el tratamiento y las técnicas seguras de su lugar de origen. Otro de los atractivos de La Tahona es el excelente servicio de sala, a la vez eficaz y cercano, dirigido con maestría por Ester Coy Vega, una de las mejores profesionales de su generación.

LA TAHONA'S SPECIALITIES

Updated traditional cookery
Lamb, kid and sucking pig roasted in the wood-fired oven
The à la carte menu changes twice a year
Menu of the house: 30 €, Tasting menu: 40 €, Weekends: 35 €
Coulant of blood sausage with free-range egg and potatoes
Lobster with creamy smoked potatoes, dried fruit and meat juice
Layered slice of foie gras, goat cheese and dressing with crackling and almonds
Grilled salt cod with paprika oil and the sounds
Rabbit ragout with foie gras
"Pestiños" (fritters) with spiced milk
Coconut & strawberry poor knight
Coffees, teas, herbal teas and liqueurs
(Calvados, Armagnac, Cognac, Malt whisky, Gin...)

La Tahona

Localidad: Cáceres (10004)
Dirección: C/ Felipe Uribarri, 4 (cercano a Plaza Mayor y C/ Pintores)
Teléfonos: 927 224 455
E-mail: caceres@restaurantelatahona.com
www.restaurantelatahona.com
Parking: Muy céntrico, en Plaza del Obispo Galarza, a 200 metros.
Días de cierre y vacaciones: Cerrado domingos noche y martes excepto vísperas de fiesta. Vacaciones: 2ª quincena de enero y 2ª quincena de julio.
Decoración: Diferentes ambientes en cada planta.
Ambiente: Negocios y cultura.
Bodega: Más de 200 entradas, casi todas las denominaciones de origen, etiquetas clásicas y nuevos vinos de autor cuidando siempre la relación calidad-precio.
Hombres y nombres: Jefe de cocina: Josetxo Arrieta auxiliado por Susana Núñez y José Antonio Piñero Rey. Jefe de sala y responsable de bodega: Ester Coy Vega.
Otros datos de interés: Un restaurante de referencia en Cáceres, bien ubicado en el centro de la capital, con una cocina profesional, en constante evolución y un servicio amable y atento.
Tarjetas: Todas excepto American Express.

ESPECIALIDADES LA TAHONA

Cocina tradicional y actualizada
Asados en horno de leña tradicional
(cordero, cabrito y cochinillo)
La carta cambia dos veces al año
Menú de la Casa: 30 €, Degustación: 40 €, Fin de Semana: 35 €
Coulant de morcilla "Guadalupe" con huevo de corral y patatas a lo pobre
Bogavante con crema de patata ahumada, frutos secos y jugo de carne
Milhojas de foie, queso de cabra y vinagreta de torreznos y almendra
Bacalao a la parrilla con aceite de pimentón y callos
Conejo guisado con turrón de foie
Pestiños de rosquilla y leche especiada
Torrija de coco y fresa
Cafés, tés, infusiones y aguardientes escogidos
(Calvados, Armagnacs, Cognacs, Maltas, Ginebras...)

Hotel Alfonso VIII ****

Gastronomía

En Extremadura, la gastronomía ocupa un lugar preferente. Los fogones del restaurante de este histórico hotel placentino marcan la diferencia. Esta cocina presenta en la actualidad formulaciones aligeradas, tan deliciosas como sorprendentes, poniendo al día y depurando el recetario tradicional extremeño. La técnica al servicio del producto con el objetivo de estimular los sentidos. Se ha convertido en una de las referencias culinarias más atractivas de la provincia.

Alojamiento

Su categoría de 4 estrellas confiere a este emblemático hotel un carácter único en Plasencia. La dedicación y profesionalidad de su personal, su situación privilegiada (a 50 m. de la Plaza Mayor), su funcionalidad y servicios tecnológicos hacen que sea el hotel adecuado para quien busca algo más. Cuenta con 55 habitaciones de las cuales dos son suites, todas están equipadas con la última tecnología: acceso a Internet Wifi, T.V. vía satélite y un exclusivo servicio de habitaciones. Una excelente opción en pleno centro de la ciudad.

SPECIALITIES OF HOTEL ALFONSO VIII

Updated recipes from Extremadura and market cuisine
Tasting menu (6 courses plus dessert: about 40 €)
Shallow-fried foie gras on a caramelised apple layer with balsamic vinegar
Galician scallops with braised desert truffles
Hake in two ways with vegetable ravioli and sea urchin caviar
Baked turbot with crushed tomatoes and chive oil
Escalope of neck-end of Iberian pork with Torta-del-Casar cheese
Roast shoulder of goat kid in the style of Las Hurdes
Fig parfait with warm chocolate sauce
Chestnut custard cup with red berries from La Vera

Hotel Restaurante Alfonso VIII

Localidad: Plasencia (10600 Cáceres).
Dirección: C/ Alfonso VIII, 34 (centro ciudad)
Teléfonos: 927 410 250 (5 líneas) - Fax: 927 418 042
www.hotelalfonsoviii.com
Parking: Cerca del Hotel (garaje próximo).
Propietario: Caja de Extremadura.
Días de cierre y vacaciones: Abierto todo el año.
Decoración: Clásica.
Ambiente: Selecto.
Bodega: Muy extensa: Riojas, Rueda, Ribera del Duero, Penedés y Navarros.
Hombres y nombres: Directora: María Jesús Rodríguez González. Chef de cocina: José Crespo. Jefe de restauración y eventos: Manuel Llave Fernández.
Otros datos de interés: Hotel recientemente renovado, ha obtenido la cuarta estrella. Dispone de comedores privados de 25 a 80 comensales, así como salones de banquetes y convenciones hasta 400 personas.
Tarjetas: Todas.

ESPECIALIDADES HOTEL ALFONSO VIII

Recetario extremeño actualizado y cocina de mercado

Menú-degustación (6 platos y postres: alrededor de 40 €)

Foie a la plancha con camita de manzana caramelizada y módena

Vieira gallega con criadillas de tierra estofada a la importancia

Merluza en dos tiempos con ravioli de verduritas y caviar de erizo de mar

Rodaballo al horno con tomate concassé y aceite de cebollino

Escalopin de presa de ibérico con Torta del Casar

Paletilla de cabrito asada al modo de Las Hurdes

Biscuit de higo de Almoharin con chocolate caliente

Flan de castañas con frutos rojos de La Vera

Plasencia, punto de encuentro

Plasencia, la bella ciudad del norte de Extremadura, fue fundada por Alfonso VIII en 1186, bajo el lema de "Ut placeat deo et hominibus" (Para que agrade a Dios y a los hombres). Concebida desde sus orígenes como ciudad fortaleza y defensiva recibe desde hace muchos años la visita de numerosos viajeros que desean conocer sus bellezas arquitectónicas y naturales.

Historia y tradición se funden en la "muy noble, leal y benéfica" ciudad de Plasencia. Buena muestra de ello son sus dos catedrales, la Vieja y la Nueva, que se unen a través del claustro, enlazándose el románico y el gótico. La Catedral Nueva, sin duda, es el templo de más rica ornamentación de Extremadura.

Existen también numerosos palacios como el de Monroy o Casa de las dos Torres -la mansión señorial más antigua de la ciudad-, el del Marqués de Mirabel, etc, casas señoriales, iglésias y otros monumentos: puentes, el acueducto, la muralla... Todo ello hace que la villa placentina vaya haciéndose un hueco en las rutas turísticas del interior de la Península Ibérica.

Además, su estratégica situación geográfica hace comodísimo el desplazamiento hasta el Parque Natural de Monfragüe -máximo exponente de la flora y fauna mediterránea-, el Valle del Jerte con la incomparabe visión de la floración del cerezo, la Vera, Valle del Ambroz y Las Hurdes, comarcas de incalculable belleza y riqueza, y de características únicas en lo social y en lo geográfico.

Plasencia, la Perla del Valle, la ciudad del Jerte, bien merece una visita, el Rincón Extremeño es el lugar apropiado para saborear una cocina regional documentada, varios menús con excelente relación calidad-precio.

El Rincón Extremeño ha sido galardonado con el Premio Nacional al Mérito Hostelero, categoría de plata, otorgado por la Federación Española de Restauración.

RINCÓN EXTREMEÑO'S SPECIALITIES

Regional cooking
Regional soup
Scrambled eggs with small red capsicums and wild green asparagus
Products of Iberian pork with quality label "Extremadura"
Frog's legs
Ragoût speciality from Extremadura
Fried kid with garlic
Barbecued rack of kid
Fried suckling pig
Tench from the pond
Home-made desserts
Regional custard cream
Fried creams
Kirsch

EXTREMADURA

Hotel Rincón Extremeño

Localidad: Plasencia (10.600 Cáceres).
Dirección: C/Vidrieras, 8 (junto Pza. Mayor-zona Monumental).
Teléfonos: 927 411 150 - 927 411 154 Fax: 927 420 627
E-mail: recepcion@hotelrincon.com
www.hotelrincon.com
Parking: Público y a 50 m.
Días de cierre y vacaciones: Abierto todo el año.
Decoración: Regional moderna.
Ambiente: Público medio-alto.
Bodega: Vinos Extremeños "Privilegio de Romale", "Monasterio de Tentudía", "Lar de Lares", "Sol de Soles" y "Jaloco", todos con denominación de origen "Ribera del Guadiana",además de selección de vinos de Rioja y Ribera del Duero.
Hombres y nombres: Maitre Francisco Antonio Gil Iglesias.
Otros datos de interés: Casa fundada en 1930. Salones "Venecia" para banquetes hasta 160 personas. Se imparten cursos de hostelería para camareros de restaurante y bar. Hotel Rincón Extremeño con 14 hab. dobles con todos los servicios (baño completo, calefacción, aire acondicionado, teléfono, TV vía satélite y Canal Plus). Servicio de cafetería con tapas de cocina regional.
Tarjetas: Todas

ESPECIALIDADES RINCÓN EXTREMEÑO

Cocina regional
Sopa extremeña
Revuelto de piquillo y triguero
Productos ibéricos con D.O. Extremadura
Ancas de rana
Caldereta extremeña
Cabrito al ajillo
Chuletero de cabrito a la brasa
Cochinillo frito
Tencas de charca
Tasajo de venao
Postres caseros
Crema extremeña
Leche frita
Aguardiente de cerezas

Bodegas Las Granadas Coronadas

Enoturismo, vinos y gastronomía

La bodega esta situada en Herguijuela, a 13 km. de Trujillo en la Sierra de los Lagares. Con un microclima muy especial, suelos pizarrosos y a una altitud de 800 m., se obtienen producciones de bajo rendimiento que otorgan a las uvas una excelente calidad.

Desde sus inicios, la historia de esta bodega ha estado marcada por una mejora continua y un progresivo reconocimiento del mercado.

El proceso de modernización y mejora ha culminado con la finalización de un gran proyecto, creando un nuevo concepto de bodega fusionando el mundo del vino con el turismo y los negocios. En la actualidad, la bodega ofrece salones para bodas, banquetes y congresos con capacidad hasta 400 personas, además de un comedor privado para otras 50 (siempre con reserva previa).

Un verdadero complejo de enoturismo que cuenta con instalaciones completas: restaurante, salas de cata, vinoteca, museo enológico, salas de juntas, sala de convenciones, laboratorio y jardines.

Ctra. Trujillo-Guadalupe, km. 89,3. 10230 Herguijuela – Trujillo.
Tel. 927 312 048. Fax. 927 312 035.
E-mail: info@bodegalasgranadas.com. www.bodegalasgranadas.com

SPECIALITIES OF HOTEL LAS CIGÜEÑAS

Traditional cookery
Gazpacho from Extremadura with garnish
Cured ham of acorn-fed Iberian pigs with Origin Label
"Torta del Casar" (ewe's milk cheese)
Salad of roasted peppers with white tuna in marinade
Scrambled eggs with Swiss chards, wild green asparagus or truffles (acc. to season)
Lamb's sweetbreads in sherry sauce
Grilled prawns from Huelva
Hake, caught with rod and line, prepared at choice
Sea bass baked in a salt coat (for 2/3 persons)
Roast shoulder of lamb with thyme
Partridge, marinated and fried or stewed
Cottage cheese mousse with strawberries
Cooked cream with lukewarm chocolate

Hotel Las Cigüeñas

Localidad: Trujillo (10200 Cáceres).
Dirección: Avda. de Madrid, s/n.
Teléfonos: 927 321 250 - Fax: 927 321 300.
E-mail: granada@ctv.es
Parking: Propio.
Propietario: José María Cancho.
Días de cierre y vacaciones: Abierto cada día.
Decoración: Luminoso comedor en un estilo clásico.
Ambiente: Acogedor y confortable.
Bodega: Bien surtida. Vinos de elaboración propia "Bodega Las Granadas" (tinto reserva, tinto crianza y vinos del año) y selección de las principales denominaciones de origen.
Hombres y nombres: Director: José María Cancho. Jefe de cocina. Juan María Jiménez Pablo.
Otros datos de interés: Hotel ***, 80 habitaciones con todos los servicios y salones de banquetes hasta 500 personas. Selección de puros habanos.
Tarjetas: Todas.

ESPECIALIDADES HOTEL LAS CIGÜEÑAS

Cocina tradicional
Gazpacho extremeño con guarnición
Jamón ibérico de bellota D.O.
Torta del Casar
Ensalada de pimientos asados naturales con bonito en escabeche
Revuelto trujillano de temporada (cardillos, espárragos trigueros o criadillas)
Landrillas o mollejas de cordero al Jerez
Gambas blancas de Huelva a la plancha
Merluza de pincho al gusto
Lubina a la sal (para 2/3 personas)
Paletilla al aroma del tomillo
Perdíz escabechada o estofada
Mousse de queso fresco con fresas
Nata cocida con chocolate templado

Receta **Corral del Rey**

Medallón de solomillo de ternera lechal con bogavante

Ingredientes para 4 personas: 2 bogavantes de 400/500 gr., 1 solomillo de ternera lechal, salsa española, salsa americana y 1 vasito de nata.

Elaboración: Cocer los bogavantes, separar la carne del resto. Con las patas y carcasas, confeccionar una salsa americana. Salpimentar los medallones y dorar en mantequilla. Reservar.

Juntar mitad salsa americana, mitad salsa española y añadir la nata. Reducir.

Emplatado: Emplatar el medallón, napar con la salsa, disponer por encima de la carne el medallón de bogavante y decorar con las patitas del bogavante.

Guarnición: Un molde de arroz blanco o una patata al vapor.

CORRAL DEL REY'S SPECIALITIES

Regional gastronomic menu (about 40 €)

Barbecued and roasted meat cuts (kid, lamb, "Retinto", beef, veal)

Fish baked in a salt crust

Medallion of fillet of veal with lobster

Scrambled eggs with elvers and black truffles

Wild partridge from Toledo's mountains in sauce

Oxtail stew with wild mushrooms

Beef with label quality "Valle del Esla"

Sautéed sweetbreads with truffles

Home-made desserts

Corral del Rey

Localidad: Trujillo (10200 Cáceres)
Dirección: Plazuela Corral del Rey, 2 (junto Plaza Mayor)
Teléfonos: 927 323 071 - 927 321 780
E-mail: corraldelrey@corraldelrey.com
www.corraldelrey.com
Parking: En los alrededores de la plaza, a cinco minutos
Propietario: Sánchez Giraldo S.L.
Días de cierre y vacaciones: Noches de domingos y miércoles.
Decoración: Rústica, actualizada.
Ambiente: Selecto.
Bodega: Extensa, con acento en los vinos de la región, Rioja y Ribera del Duero.
Hombres y nombres: Jefe de cocina: Antonio Sánchez y su equipo.
Otros datos de interés: La buena mesa de Trujillo. Cuidadas instalaciones ubicadas en antiguas dependencias del Palacio de Piedras Albas (S. XVII). Tres salones con diferentes ambientes (de 12 hasta 30 personas) y terraza de verano.
Tarjetas: Todas.

ESPECIALIDADES CORRAL DEL REY

Menú degustación regional (alrededor de 40 €)
Todo tipo de carnes a la brasa y asados
(cabrito, cordero, retinto, buey, ternera blanca lechal, añojo)
Pescados a la sal
Medallón de solomillo de ternera lechal con bogavante
Revoltillo de angulas y trufa negra
Pepitoria de perdiz de los montes de Toledo
Rabo de toro retinto estofado con setas
Carnes de buey D.O. Valle del Esla
Landrillas salteadas con criadillas de tierra
Postres artesanos

BADAJOZ

LOS MONJES. Paseo de Castelar, s/n. Tel. 924 001 400. Fax: 924 220 142

Situado en el Hotel Husa Zurbarán es uno de los restaurantes más emblemáticos de la ciudad. Un salón recogido, ambientado con gusto y suavemente iluminado ofrece a sus comensales una presentación esmerada de sus sabrosos platos, así como un servicio impecable.

LA TOJA. Sánchez de la Rocha, 22. Tel. 924 273 477.
www.restaurantelatoja.com

Histórico local de la ciudad que fusiona platos gallegos y extremeños de indiscutible calidad, basados en unas materias primas fresquísimas y de temporada. Paco Blanco y su hijo aportan diariamente lo mejor del mercado y utilizan las nuevas técnicas para una cocina sencilla y natural. Postres típicos, servicio agradable y bodega con aproximadamente un centenar de caldos.

Almendralejo: **EL PARAÍSO. Ctra. Sevilla, 154. Tel. 924 661 001.**
Fax: 924 670 255 - www.restauranteelparaiso.net

En una luminosa sala con numerosas fotografías, podemos degustar el amplio recetario del sur de Extremadura, tratado con apuntes innovadores. En enero organiza la popular matanza del cerdo. Salón de banquetes y carpa a modo de terraza de invierno. Una de las más extensas listas de vinos de la región con más de 400 reseñas.

CACERES

TORRE DE SANDE. De los Condes, 3. Tel. 927 211 147.
reservas@torredesande.com - www.torredesande.com

Palacio del S.XV ubicado en el centro histórico de la Villa, con un hermoso patio interior y terraza-jardín en verano. César Ráez y la magnífica aportación de su equipo de profesionales consolida la trayectoria del establecimiento, cuidada cocina de perfil vanguardista, con elaboraciones plenas de sabor.

Perales del Puerto: **LA TABERNA ENCANTADA. Avda. Sierra de Gata, 96. Tel. 927 514 161.**

En la bellísima comarca de la Sierra de Gata, este restaurante con "encanto" prepara recetas de gran personalidad y elegante presentación con los espléndidos productos de la inacabable despensa extremeña. No deje de probar su menú degustación y la estupenda repostería.

Plasencia: **VIÑA LA MAZUELA. Avda. Las Acacias, 1. Urb. La Mazuela. Tel. 927 425 752. info@restaurantelamazuela.es**
www.restaurantelamazuela.es

En un acogedor comedor neoclásico con detalles regionales, se confirma como una de las mejores mesas de la región. Platos de reminiscencias vascas bien resueltos. Eficiente personal de sala bajo la batuta de María José Platero. Concurrida barra a la entrada.

Galicia

Galicia es siempre una sorpresa, porque esta esquina del noroeste español choca con la estampa tópica que fuera de nuestras fronteras se tiene de España. Galicia pertenece a la Europa verde, atlántica, con la particularidad de que su costa de las Rías Baixas es la más soleada del litoral español.
En su ondulado relieve apenas se encuentran llanuras, pero sus montes y montañas forman sugestivos lugares y parques naturales y se alzan hasta los dos mil metros en los macizos de Ancares, Courel o Manzaneda.
Los 1200 km. de costa sinuosa y recortada con sus 750 playas y 23 puertos deportivos ofrecen múltiples posibilidades para desarrollar cualquier clase de deporte náutico. Otros como el piragüismo o el rafting unen el ocio con la contemplación de un paisaje único.
En Galicia, encontrará el foráneo a cada paso ocasiones de asombro: Una arquitectura de fabulosos episodios como Santiago de Compostela, con su afamada Catedral, declarada Patrimonio de la Humanidad y el reconocimiento del Camino de Santiago como Primer Itinerario Cultural Europeo; de una tipología netamente galaíca con su amplísimo catálogo de pazos o decididamente modesta -los horreos-.

La Coruña

Fiestas Patronales: Nuestra Señora del Rosario, 7 de Octubre. San Roque, del 14 al 18 de Agosto, Sada
Museos y Monumentos: Santiago de Compostela, Ciudad Vieja, Torre de Hércules, Museo Arqueológico e Histórico.
Oficina de Turismo: Dársena de la Marina, s/n. Tel. 981 221 822

Lugo

Fiestas Patronales: San Froilán, del 2 al 12 de Octubre, de la Santa Cruz, primer domingo de Agosto, Ribadeo. San Lorenzo, 10 de Agosto.
Museos y Monumentos: Murallas, Catedral, Museo Provincial.
Oficina de Turismo: Plaza Mayor, 27 (Galerías). Tel. 982 231 361

Orense

Fiestas Patronales: Fiesta del Pulpo de Carballino, Feria-Exposición de exaltación del vino de la zona del Ribeiro de Rivadavia.
Museos y Monumentos: Puente Romano, Las Burgas, Museo Arqueológico
Oficina de Turismo: Curros Enríquez, 1. Tel. 988 372 020

Pontevedra

Fiestas Patronales: Fiestas de la Peregrina 2º domingo de Agosto, San Benitiño de Lérez 11 de julio.
Museos y Monumentos: Santa María La Mayor, La Peregrina.
Oficina de Turismo: Gutiérrez Mellado, 1. Tel. 986 850 814

La cocina gallega

Debido al secular aislamiento de Galicia, la gastronomía gallega apenas tuvo influencias foráneas y mantuvo siempre una cocina auténtica, rica y variada. Es una cocina tradicional, sencilla, de sabores naturales, vigorosa en sus platos de montaña y tenue en sus preparaciones marineras.

La cocina gallega goza de merecida fama como una de las más completas sobre todo, por la enorme calidad de sus materias primas, tanto en los productos del mar (mariscos y pescados) como por los de la tierra (verduras, carnes, vinos, etc.)

La enumeración exhaustiva de los elementos de la despensa gallega resulta casi imposible por su extensión: grandes panes, embutidos variados, los mariscos y pescados de las Rías Gallegas: ostras de Arcade, almejas de Carril, lamprea de Arbo, pulpo a feira, las sabrosas verduras, los guisos de pote, las empanadas, las tiernas y sonrosadas carnes de los terneros y un singular tratamiento del cerdo.

Los productos gallegos se elaboran de forma natural y en gran medida artesanal, como los deliciosos quesos de Cebreiro o el de tetilla o la exquisita miel de Galicia. Sus licores son también muy solicitados como los vinos de Ribeiro, Albariño, Valdeorras o Monterrey o su tradicional aguardiente de orujo.

Entre los postres son universalmente conocidos las filloas, la tarta de Santiago o la de Mondoñedo.

La Coruña

FINISTERRE*****	Pº del Parrote, 2-4	981 205 400	www.hesperia-finisterre.es
NH ATLÁNTICO****	Méndez Núñez, s/n	981 226 500	www.nh-hoteles.es
En Santiago			
PALACIO DEL CARMEN*****	Oblatas, s/n	981 552 444	www.ac-hotels.com
En Calo-Teo (a 4 km. de Santiago)			
PAZO DE ADRÁN****	Ctra. Santiago-Pontevedra	981 570 000	www.pazodeadran.com

Lugo

GRAN HOTEL LUGO****	Ramón Ferreiro, 21	982 224 152	www.gh-hoteles.com
En Nadela			
CASA GRANDE NADELA	A-6, salida Sarriá-Monforte	982 305 940	www.casagrandenadela.com
En Cervo			
POUSADA O ALMACEN	Ctra. Sargadelos, 2	982 557 836	

Orense

G.H. SAN MARTÍN****	Curros Enríquez, 1	988 371 811	www.gh-hoteles.com
AURIENSE****	Alto Do Cumial, 12	988 234 900	www.eurostarsauriense.com

Pontevedra

GALICIA PALACE	Avda. de Vigo, 3	986 864 411	www.hotelhusagaliciapalace.com
PT DE PONTEVEDRA***	Barón, 19	986 855 800	www.paradores.es

Receta Coral

Turbante de marisco

Ingredientes: 250 gr, de marisco fresco cocido, una cucharada de aceite, un diente de ajo picado, media copa de brandy, una copa de salsa americana, una copa de salsa de tomate, una rama de perejil picado, un molde de arroz blanco, una guindilla y un decilitro de nata.

Preparación: Picamos el marisco y lo fondeamos con el aceite, la guindilla, el ajo y el perejil. Flambeamos con coñac e incorporamos el tomate y la salsa americana.

Dejamos reducir a la mitad y añadimos la nata. Servimos en el medio del molde de arroz. Para servir decoramos al gusto con endivias, etc,

Casa con más de 50 años de trayectoria (fundada en 1954). A lo largo del año celebra Jornadas Gastronómicas: angulas y lamprea, lacón con grelos, bonito del norte, carnes rojas, caza... Se han actualizado este año las instalaciones de cocina y los aseos.

CORAL'S SPECIALITIES

All kind of crustaceans and shellfish from the Rías Gallegas
Lobster salad
Sole delights
Fillet of wild sea bass on a layer of confit turnip tops
Seafood crown
Fillet of hake with elvers (tiny baby eels)
Lamprey à la Bordelaise (seasonal)
Big and small game during the hunting season
Fillet steak with foie-gras and cherry sauce
Tartare steak
Apple & pear "Tatín" tart (upside-down caramelised tart)
Home-made yogurt mousse
Mille feuille gateau with custard
Desserts from the trolley

Coral

Localidad: La Coruña (15001).
Dirección: Av. de la Marina-Callejón de la Estacada, 9.
Teléfonos: 981 200 569 - 981 223 199. Fax: 981 229 104.
www.restaurantemarisqueriacoral.com
Parking: Cercano (a 20 metros).
Propietario: César Gallego Pita.
Días de cierre y vacaciones: Cerrado domingos. No cierra por vacaciones.
Decoración: Elegante, típica gallega: piedra y madera.
Ambiente: Selecto, empresarial y político.
Bodega: Amplia carta con representación de todas las denominaciones de origen.
Hombres y nombres: Director: Andrés Gallego. Jefe de comedor: Martín Gallego.
Otros datos de interés: Situado en la arteria principal de la ciudad de La Coruña. Premio Nacional de la Pyme. Premio Claudio San Martín por la Cámara Oficial de Comercio, Indústria y Navegación de La Coruña, como mejor empresa del año. Condecorado con la Medalla de Bronce de Galicia impuesta por S.S.M.M. los Reyes.
Tarjetas: Todas.

ESPECIALIDADES CORAL

Toda clase de mariscos de las rias gallegas
Ensalada de bogavante
Delicias de lenguado
Lomo de lubina salvaje en cama de grelos confitados
Turbante de marisco
Lomos de merluza con angulas
Lamprea a la Bordalesa (en temporada)
Caza mayor y menor en temporada
Solomillo al foie con salsa de guindas
Steack Tartare
Tarta "Tatín" de manzana y de pera
Mousse de yogour casero
Milhojas de crema
Los postres de nuestro carro

Marisquería El-10

Caldeirada de rape y rodaballo

Ingredientes para 2 personas: ½ kg. de patata gallega, 1 cucharada sopera de pimentón dulce, 1 cebolla, 1 tomate, 1 pimiento verde, 2 cucharadas de vino blanco, 2 cucharadas de aceite de oliva, 2 trozos de rape de 300 gr., 2 trozos de rodaballo de 300 gr.

Elaboración: En un recipiente poner la patata cortada en rodajas, la cebolla cortada en aros, el tomate en rodajas, el pimiento verde en aros, los 2 trozos de rape y los 2 trozos de rodaballo.

Añadir el pimentón, el aceite, el vino blanco, 1 hoja de laurel y un poco de caldo de pescado. Dejar cocer a fuego lento durante aproximadamente treinta minutos.

SPECIALITIES OF MARISQUERÍA EL-10

Traditional Galician cookery
Shellfish and crustaceans from The Galician Ría
(assortment for at least 2 persons)
Clams after our own recipe
Small scallops cooked in the oven
Rice and lobster pot
Fish casserole or grilled fish assortment
Cuts of beef and heifer from Galicia
Fried creams, almond cake, cheese cake

Marisquería El-10

Localidad: A Coruña (15001)
Dirección: Plaza de España, 8 (bajo)
Teléfonos: 981 207 153 y 981 213 700 (tlf. y fax)
www.marisqueriael10.com
Parking: Aparcamientos cercanos (Maria Pita y Zalaeta)
Propietario: Narciso Domínguez Díaz
Días de cierre y vacaciones: Cerrado jueves, excepto festivos.
Vacaciones: 15 días en mayo y 15 días en Navidad
Decoración: Acogedora, piedra y estuco
Ambiente: Concurrido restaurante llevado con profesionalidad
Bodega: Variada, casi todas la denominaciones. Todos los Albariños, Godellos y Mencias
Hombres y nombres: Jefe de cocina: Esperanza Quintian. Sala: Domingo Cedeño
Otros datos de interés: Con sus treinta años de experiencia, es un restaurante tradicional en A Coruña. Modernidad y clasicismo se mezclan en este establecimiento que renueva el concepto de marisquería, ofreciendo composiciones sencillas, aunque innovadoras.
Tarjetas: Todas

ESPECIALIDADES MARISQUERÍA EL-10

Cocina tradicional gallega
Todos los mariscos de la ría gallega
(bandejas variadas a partir de 2 personas)
Almejas al estilo de la casa
Zamburiñas al horno
Arroz con bogavante
Caldeiradas o parrilladas de pescados
Carnes de buey y ternera gallega
Leche frita, tarta de almendras, de queso...

O Larpeiro

La cocina sabrosa

Larpeiro significa goloso. Los propietarios de este restaurante, José Domínguez y Eva Marta definen un estilo que da nombre a la casa por sus exquisitos postres de elaboración propia. Ofrecen una cocina elaborada con materias primas de calidad y una especial atención al concepto de sabroso que caracteriza todos sus platos.

A José Domínguez, le gusta la hostelería. Estuvo trabajando en París, ascendiendo en el escalafón: de camarero a maitre, de maitre a encargado... En 1994, abrió su primer local en A Coruña (también Larpeiro) donde fue pionero para la promoción de los vinos, se servían vinos de calidad por copas antes de hora, así como una cocina de tapas (cocina en miniatura).

Después de ocho años de andadura, en su afán de mejorar, se trasladó a Cambre como restaurante.

En la actualidad, O Larpeiro ofrece una mesa refinada, realzada por una selecta bodega y la atención a todos los detalles como cuidadas presentaciones, iluminación, música de fondo y un trato siempre atento y amable.

Una dirección a tener en cuenta para el gastrónomo experimentado y un lugar para sibaritas. Cada visita se recuerda con placer.

O LARPEIRO'S SPECIALITIES

Elaborated cuisine with first-choice produce
Octopus tossed with prawns and oyster mushrooms
Flaky pastry slice with green asparagus and prawns
Fillet steak with truffle sauce
Roast shoulder of lamb
Salt cod in garlicky olive oil emulsion
Monkfish on seafood coulis
Caramel soufflé on custard cream with almond ice cream
Cottage cheese mousse

O Larpeiro

Localidad: Cambre – Anceis (15181 A Coruña)
Dirección: A Cabana, 10
Teléfonos: 981 655 263
Parking: Fácil aparcamiento
Propietario: José Domínguez y Eva Marta
Días de cierre y vacaciones: Cerrado domingos noches y martes todo el día. Vacaciones: 15 días en abril y 15 días en septiembre.
Decoración: Una casa de piedra, rústica y acogedora con un pequeño jardín
Ambiente: Iluminación suave y agradable música
Bodega: Cuidada y muy controlada. Selección de un centenar de vinos de calidad a precios atractivos
Hombres y nombres: Jefa de cocina: Eva Marta. Sala: José Domínguez
Otros datos de interés: Este restaurante, situado a 12 kms. de A Coruña, pertenece a la asociación de sumilleres Gallaecia. Capacidad interior reducida: 36 comensales. Comidas al aire libre y banquetes con menús por encargo hasta 40 personas.
Tarjetas: Las principales

ESPECIALIDADES O LARPEIRO

Cocina elaborada y productos de calidad
Salteado de pulpo con langostinos y setas
Hojaldre de espárragos trigueros y langostinos
Solomillo de buey en salsa de trufa
Paletilla de cordero lechal al horno
Bacalao al pil-pil
Lomo de rape sobre crema de marisco
Soufflé de caramelo, fondo de natillas, helado de turrón
Mousse de requesón

Velay

Faro culinario

En el año 1956, José Velay Fernández, de profesión panadero, junto con su esposa Esmeralda Fernández, excelente cocinera, tomaron la decisión de montar una pequeña cantina en el bajo de su casa y anexa a la tahona. El objetivo era satisfacer la demanda de pequeños platos y vinos que solicitaban los marineros que provenían de otros puertos. Así fue como comenzó en 1958 la trayectoria del actual restaurante Velay, uno de los estandartes de la gastronomía local de Fisterra.

Situado al final del Puerto, frente a la playa Da Ribeira, con unas hermosas vistas al Castillo de San Carlos y al mar, Velay presenta una cocina tradicional gallega con livianos toques de modernidad. La excepcional despensa galaica nutre los fogones de esta casa. Pescados y mariscos recién salidos del mar garantizan calidad y frescura, sabrosas carnes gallegas y otros productos de esta bendecida tierra conforman una culinaria de raíces para satisfacción del comensal.

Fisterra

Su singularidad geográfica atrajo la atención de numerosos pueblos desde los tiempos más remotos. Denominada antiguamente como "el fin del mundo", su impresionante costa es de una belleza inigualable. Aquí es "donde muere el sol". El cabo de Fisterra está rodeado de excelentes playas, unas de mar abierto y fuerte oleaje, apropiadas para la práctica del surf, y otras de aguas tranquilas y cristalinas.

Símbolo de la población es el famoso Faro de Fisterra, el lugar más visitado de Galicia después de la Catedral de Santiago. Otro de sus monumentos más importantes es el Castillo de San Carlos, fortificación defensiva mandada construir por el rey Carlos III para defender la costa de los ataques de los barcos enemigos. Actualmente se ha reconvertido en Museo de la Pesca. En la Iglesia de Nosa Señora das Areas, declarada Monumento Histórico-Artístico, está la imagen del Santo Cristo de Fisterra "O Cristo da Barba Dourada" ante el que se postran los miles de peregrinos que llegan aquí para **finalizar el Camino de Santiago** tras visitar la tumba del Apóstol.

VELAY'S SPECIALITIES

Updated traditional Galician cookery
Fresh fish, shellfish and crustaceans from our coast
Foie gras mi-cuit with apple and goat cheese
Savoury beef or scorpion fish pudding
Rice & lobster pot
Brown crab in sauce
Grilled seafood assortment
Baby squids in sauce
Cuts of Galician heifer
Delightful home-made desserts
Pineapple tart or Tatin tart with warm cream
Foamy lemon soup
Cream with honey and strawberry coulis
Tiramisù in a glass

Velay

Localidad: Fisterra (15155 A Coruña)
Dirección: Paseo da Ribeira - C/ La Cerca, 1
Teléfonos: 981 740 127 E-mail: casavelay@gmail.com
www.casavelay.es
Parking: Fácil aparcamiento.
Propietario: Familia Velay.
Días de cierre y vacaciones: Abierto cada día del año.
Decoración: Casa tradicional frente al mar con un comedor panorámico.
Ambiente: Hospitalario y acogedor. Inaugurado en 1958, punto de encuentro en Fisterra.
Bodega: Selección de vinos gallegos, Ribera del Duero y Rioja.
Hombres y nombres: Jefa de cocina: Yolanda López Velay. Jefe de sala: Fernando López Velay.
Otros datos de interés: Dispone de cinco habitaciones con vistas al mar, al lado de la Playa da Ribeira, frente al Castillo San Carlos. En junio, participa en las jornadas gastronómicas de Costa da Morte.
Tarjetas: Todas.

ESPECIALIDADES VELAY

Cocina gallega tradicional actualizada
Pescados y mariscos de la ría
Foie micuit con manzana y rulo de cabra
Pastel de buey o de cabracho
Arroz con bogavante
Buey de mar en salsa
Parrilladas de mariscos
Chipirones en salsa
Carnes de ternera gallega
Deliciosos postres, todos de elaboración propia
Tarta de piña o tatin con nata caliente
Sopa-espuma de limón
Crema con miel y coulis de fresa
Tiramisú en copa

Receta A Cabana

Lubina al horno

Ingredientes para 4 personas: 1 lubina de 1 kg. o 1 1/2; cebolla; 1 pimiento; 1 tomate; 1/2 kg. de patatas; pan rallado; perejil; ajo; "fumé" de pescado y salsa española (reducción de jugo de carne).

Preparación: Se pone la lubina en raciones o en una sola pieza y seguidamente se sazona con sal. Se pone una placa, se unta el fondo con aceite, añadiendo las patatas, el tomate, el pimiento y la cebolla.

Se remueve todo y seguidamente se coloca la lubina. Se mezcla el pan rallado, el ajo y el perejil y se le añade por encima de la lubina. Se mete al horno fuerte sobre unos 10 minutos para que se dore y seguidamente se procede a echarle la salsa española y el "fumé" de pescado. Se deja en el horno durante 15 minutos.

Comedor privado hasta 60 personas y terraza de verano. Carta de cigarrillos y puros habanos (más de 50 vitolas para disfrutar en el salón habilitado para ello). Del 23 de Octubre al 31de Diciembre se celebran renombradas jornadas gastronómicas dedicadas a la caza mayor y menor.

A CABANA'S SPECIALITIES

Updated traditional Galician cookery, elaborated with first-choice produces, putting emphasis on presentation
Wide range of shellfish and crustaceans from the Rías
Savoury pancakes with spider crab filling
Layered slice of octopus Galician style
Grilled Norway lobster tails
Scrambled eggs with turnip tops and Norway lobster
Baked sea-bass
Turbot with sea-urchin coral
Fillets of hake with elvers
Fillet with duck liver
Chateaubriand
Homemade desserts

A Cabana

Localidad: Fiobre-Bergondo (15165 La Coruña).

Teléfonos: 981 791 153 Fax: 981 791 428.

www.acabana.com

Parking: Propio.
Propietario: Maria del Carmen Alvarez Dieguez.
Días de cierre y vacaciones: Cerrado lunes noche y martes noche. Vacaciones la 2ª quincena de enero.
Decoración: Amplio comedor en dos niveles con magníficas vistas a la ria de Betanzos.
Ambiente: Políticos, empresarios, deportistas, y "gente del mundo".
Bodega: Propia. 300 referencias: 14 denominaciones de origen españolas y vinos de Francia, Portugal, Hungria, Chile y Estados Unidos.
Otros datos de interés: Sede de la Asociación de Sumilleres Gallaecia.
Tarjetas: Todas.

ESPECIALIDADES A CABANA

Cocina gallega tradicional actualizada, elaborada con productos gallegos de primera calidad, cuidando las presentaciones
Amplia selección de mariscos de las rias gallegas
Filloas rellenas de centollo
Milhoja de pulpo a la gallega
Colas de cigalas a la plancha
Revuelto de grelos con cigalas
Lubina al horno
Rodaballo con erizos de mar
Lomos de merluza con angulas
Solomillo muriles al hígado de pato
Chateaubriand
Postres caseros

Comei Bebei

Comer bien y beber mejor

Comei Bebei es una parada obligada en la ruta gastronómica de las Rías Altas, a tan sólo 10 km. de la ciudad de A Coruña. Este restaurante sabe conjugar como nadie la buena mesa con el mundo del vino en un **ambiente contemporáneo y siempre amistoso**. Comer bien y beber mejor podría ser su lema. Esta casa tradicional fue cosechando fidelidades en su época anterior, gracias a la irreprochable cocina de Justina Lameiro.

Desde la reforma integral del restaurante (reabierto el 12 de mayo 2004), la cocina se ha visto reforzada. El empuje y los aires nuevos aportados por sus hijos Antonio y Manuel Calvo se han traducido en una importante evolución que se deja notar tanto en la decoración y ambientación del local como en la adaptación de la cocina a las tendencias actuales. Un ejemplo de armonía entre la gastronomía tradicional y la nueva cocina, novedosas fórmulas y combinaciones sin perder las esencias de la culinaria gallega de siempre con los extraordinarios géneros de su despensa.

Es el lugar ideal para los amantes del vino y disfrutar de **"maridajes" entre comida y vino**, uniones de hecho, muchas veces fugaces, casi siempre sorprendentemente adecuadas. Nueva zona de tapeo, vinos por copas, chacinas, tostas, quesos,...

COMEI BEBEI'S SPECIALITIES

Traditional and modern cookery
The à la carte menu changes according to the season
Classical menu: 26 € and gastronomic menu: 35 €
Stews in winter
Assorted patties (sardines, small scallops, salt cod with raisins)
Braised octopus and creamy potatoes with paprika oil
Toast of anchovies, regional cheese, roasted peppers and vegetable kebabs
Game specialities during the hunting season: venison, wild boar, partridge
Bull tail braised in the traditional way
Layered slice of minced pork meat and boulangère potatoes
Crustaceans and shellfish from the Rías Altas
Cheese cake with raspberries
Pancake filled with caramelised custard
Tart of rich cream caramel
Liqueurs, brandies and grape refuse liquors

Comei Bebei

Localidad: Oleiros (15173 A Coruña)
Dirección: Avda. Ramón Núñez Montero, 20 (centro población)
Teléfonos: 981 611 741 **E-mail:** comeibebei@hotmail.es
www.comeibebei.blogspot.com
Parking: Aparcamiento propio
Propietario: Antonio y Manuel Calvo Lameiro
Días de cierre y vacaciones: Cerrado domingos noche y lunes todo el día. Vacaciones 3 semanas en Septiembre.
Decoración: Completamente renovada en el año 2004, siguiendo las últimas tendencias urbanas. Pizarra gallega, cristal y madera
Ambiente: Una buena mesa en un ambiente joven y desenfadado
Bodega: Un punto fuerte de la casa. Carta de vinos con más 500 etiquetas, seleccionadas por su buena relación calidad-precio, perfectamente referenciadas y comentadas. Posibilidad de tomar vinos por copas con caldos recomendados por la casa
Hombres y nombres: Jefe de sala: Manuel Calvo. Sumiller: Antonio Calvo. Cocina: Justina Lameiro
Otros datos de interés: Este restaurante familiar ha sabido evolucionar con los tiempos actuales, tanto en sus instalaciones como en su cocina. Dos comedores y barra con vinoteca. Antonio Calvo, después de una sólida formación, ostenta el título de sumiller por la Cámara de Comercio de Madrid.
Tarjetas: Todas

ESPECIALIDADES COMEI BEBEI

Cocina tradicional y moderna
La carta cambia según la estación
Menú Clásico: 26 € y Menú Gastronómico: 35 €
Platos de cuchara en invierno
Variación de empanadas (xoubas, zamburiña, bacalao con pasas...)
Pulpo braseado con crema de patata y aceite de pimentón
Tosta de anchoa con queso del país, pimientos asados y brochetas de verduras
Platos de caza en temporada: venado, corzo, jabalí, perdiz...
Rabo de toro al estilo tradicional
Milhojas de zorza con patatas panaderas
Mariscos de las Rías Altas
Tarta de queso fresco del Cebreiro con frambuesas
Filloa rellena de crema caramelizada
Tocinillo de cielo en tarta
Digestivos, aguardientes y orujos

Receta Manel

Chipirones de anzuelo de la ría

Ingredientes para 2 personas: 1 dl. de aceite de oliva, 1 cebolla, 6 chipirones frescos y arroz blanco.

Preparación: en frío, echamos el aceite, la cebolla y los chipirones, damos fuego fuerte y tapamos la sartén para que no salte. A los 3 minutos bajar el fuego al mínimo, darles la vuelta y dejar tapado pochando 5 minutos más. Apagar, sacar el aceite y añadir el arroz blanco, guardado aparte y calentar el arroz a fuego lento con este aceite.

Servir y comer. Buen proveito.

Jornadas gastronómicas del cocido gallego, la lamprea (en temporada), el "pateiro" (centolla pequeña), la raya, el bonito, chipirones de anzuelo, caza y el bacalao.

MANEL'S SPECIALITIES

Galician cookery, specially fish, seafood and rib of beef
Spider crab, goose barnacles and Norway lobsters
Toast assortment
Grilled octopus
Rice specialities
Fish in different preparations
Ray fish (seasonal)
John dory, sole, hake and cod
Sea bass baked in a salt cod
Monkfish in clam sauce
"Caldeiradas"; Galician fish stews
Red meat cuts
Braised tenderloin of Iberian pork with sauce of Arzua cheese
Orange soup with white chocolate ice cream
Layered slice of chocolate and cheese & lemon cream
Sorbet with Cava (Spanish champagne)

Manel

Localidad: Sada (15160 La Coruña)
Dirección: Avda. del Puerto, 35
Teléfonos: 981 622 895 Fax: 981 622 478
www.resmanel.com
Parking: Fácil aparcamiento.
Propietario: María Isabel Cabanas.
Días de cierre y vacaciones: Abierto cada día al mediodía, también cenas viernes y sábado. En verano abierto cada día. Vacaciones: Del 9 de diciembre al 5 de enero.
Decoración: Los comedores han sido renovados y actualizados en 2010.
Terraza acristalada con vistas a la Ría de Sada y al Puerto Deportivo.
Ambiente: Gentes de buen comer.
Bodega: Variada, vinos gallegos, Riojas, Riberas del Duero y Somontanos.
Hombres y nombres: Jefa de cocina: Gloria.
Otros datos de interés: Abierto desde septiembre de 1995. Posibilidad de tapeo y comidas informales. 2 salones para 40 y 22 p. Pertenece a las Asociaciones de Restaurantes Gallegos y Rías Altas.
Tarjetas: Las principales.

ESPECIALIDADES MANEL

Cocina gallega con acento en pescados, mariscos y chuletón de buey
Centolla, percebes y cigalas
Variedad de tostas
Pulpo a la brasa
Arroces
Pescados guisados o en cazuela
Raya (en época)
Sanmartiño, lenguado, merluza y bacalao
Lubina a la sal
Rape en salsa de almejas
Caldeiradas (pescados a la gallega)
Carnes rojas
Solomillo de cerdo ibérico braseado con salsa de Arzua
Sopa de naranja con helado de chocolate blanco
Milhojas de chocolate con crema de queso y limón
Sorbete al cava

Los Manzanos

Gastronomía y naturaleza

El restaurante Los Manzanos, en la localidad de Santa Cruz, goza de una situación privilegiada, a tan sólo 9 km. de A Coruña y a escasos minutos de las mejores playas e infinidad de calas solitarias. Es uno de los restaurantes más reconocidos de los alrededores de A Coruña. Rodeado de naturaleza, destaca por su especial ambientación y el aliciente de contemplar la obra pictórica y escultórica de reconocidos artistas gallegos.

Dispone de cuatro comedores, bien diferenciados. Dos exteriores: Porche y Alpendre y dos interiores: Chimenea y Galería. La casa elabora una placentera cocina de mercado con sugerencias diarias que reflejan el fluir de las estaciones del año. Esta oferta gastronómica tiene el mérito de poder satisfacer a todos los gustos y apetitos con platos tradicionales como los asados en horno de leña y otros más innovadores presentados bajo la denominación "sugerencias del chef".

Camping, Bungalows y Arte

El Camping Los Manzanos de 1ª categoría se ubica en un delicioso entorno natural. Estas amplias instalaciones cuentan con innumerables servicios: 11 bungalows (1 de madera y 10 de piedra) para 2 y 4 personas, piscina, zona wifi, tienda, parque infantil, cuidado césped, abundante vegetación y sombra proporcionada por una gran variedad de árboles autóctonos que lo convierten en auténtico jardín botánico, en perfecta armonía con **exposiciones rotativas de creadores gallegos como Julio Sanjurjo**.

Escultura y pintura son los territorios plásticos en los que se mueve este autor, pasando del uno al otro con total naturalidad. El hecho de que sea la escultura su primer ámbito de creatividad estética señala ya algo sobre su obra pictórica, que resulta recia, concebida con la solidez de quien argumenta a partir de composiciones bien estructuradas y, en su caso, académicamente acertadas. Con estos enunciados, concibe y construye un mundo soñado que tiene mucho de real.

LOS MANZANOS' SPECIALITIES

Market cookery
Recommendations of the day, renewed every week
Air-dried beef with Parmesan cheese and salad with truffle oil
Cannelloni filled with spinach and Parmesan with mushroom sauce
Artisan pizzas baked in the wood-fired oven
Fresh fish of the day
Salt cod "Los Manzanos"
Galician patty with small scallops
Rice pot with lobster, prawns and clams
Beef cuts from the wood-fired oven
Home-made desserts
Pancake filled with cream and ice cream
Chestnut cake with cream and marron glacé

Los Manzanos

Localidad: Santa Cruz-Oleiros (15179 A Coruña)
Dirección: Ctra. de Meiras, s/n, a 9 km. de A Coruña
Camping Los Manzanos, Rua das Maceiras, 2
Teléfonos: 981 627 240 www.campinglosmanzanos.com
Parking: Amplio aparcamiento propio.
Días de cierre y vacaciones: Abierto cada día del año.
Decoración: Rústica. Cuatro comedores, dos interiores y dos exteriores, ideal para comidas de empresas.
Ambiente: Privacidad, tranquilidad y naturaleza.
Bodega: Alrededor de medio centenar de etiquetas, vinos gallegos y selección de las principales D.O.
Hombres y nombres: Los hermanos Campaña Novo están al frente de esta casa. Maitre: Mercedes. Jefes de cocina: Juan Ramón y Manuel.
Otros datos de interés: Rodeado de naturaleza, este restaurante fundado en 1992 ofrece una opción diferente a 9 km. de A Coruña y camino al Pazo de Meiras que ya se puede visitar. En temporada, abierto desde las 9 hasta las 24 h. para desayunos, comidas y cenas.
Tarjetas: Todas, excepto American Express.

ESPECIALIDADES LOS MANZANOS

Cocina de mercado
Sugerencias del día, cambian cada semana
Cecina de León con queso parmesano y ensalada al aceite de trufas
Canelón relleno de espinacas y parmesano con salsa de champiñones
Pizzas artesanas al horno de leña
Pescados del día
Bacalao "Los Manzanos"
Empanada de zamburiñas
Arroz con bogavante, langostinos y almejas
Carnes de ternera y buey en horno de leña
Postres caseros
Filloas rellenas de crema con helado
Tarta de castañas con nata y marrón glacé

Receta Don Quijote

Arroz con mariscos

Ingredientes para 4 personas: 500 gr. de arroz, 5 cucharadas de aceite, 3 dientes de ajo, 2 tomates maduros pelados y despepitados, un poco de pimentón, ½ kg. de gambas, ½ kg. almejas, ½ kg. de cigalas, ½ kg. de mejillones, caldo de pescado azafranado, sal.

Elaboración: Poner la cazuela al fuego y dorar las cigalas y las gambas con un poco de aceite. Cuando estén doradas, reservar.

Añadir los ajos trinchados y dorar en el mismo aceite. Seguido, poner un poquito de pimentón, cortar su fritura añadiendo casi de inmediato, añadir los tomates picados; sofreír el conjunto e incorporar el arroz, rehogar durante un momento dándole vueltas. Mojar con el caldo o agua hirviendo, y cuando lleve cociendo diez minutos incorporar los mejillones abiertos al vapor, las almejas crudas y el resto del marisco que teníamos reservado.

Nota: Para que el arroz quede en su punto la cantidad de caldo que hay que echar es justo el doble del volumen del arroz puesto

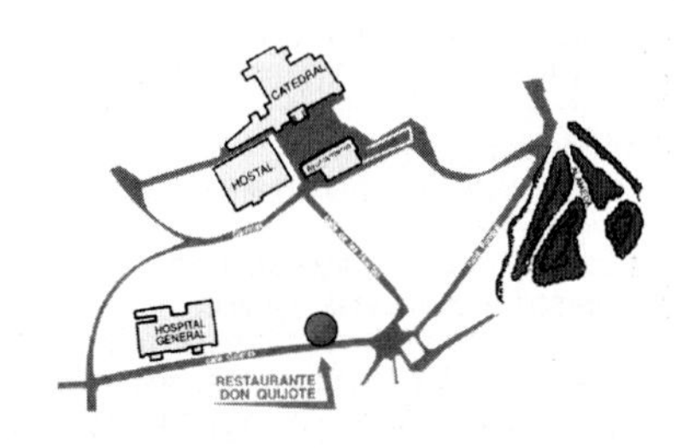

DON QUIJOTE'S SPECIALITIES

Traditional cooking (large portions)

Fresh crustaceans and shellfish from the Rías Gallegas

Crustacean and shellfish soup

Fish and seafood casserole

Boiled hake sprinkled with garlicky oil with paprika and vinegar

Turbot "Don Quijote"

Roast lamb and suckling pig Segovian style

"Filloas" (stuffed galician pancakes) Don Quijote

Santiago's almond tart

Don Quijote

Localidad: Santiago de Compostela (15705 A Coruña).
Dirección: Galeras, 20 (junto hospital general y catedral).
Teléfonos: 981 586 859 Fax: 981 572 969.
E-mail:info@quijoterestaurante.com
www.quijoterestaurante.com
Parking: Sin problemas.
Propietario: Manuel García García.
Días de cierre y vacaciones: Abierto todo el año.
Decoración: Típica.
Ambiente: Empresa, familiar y político.
Bodega: Extensa bodega, nacionales, Gallegos y extranjeros.
Hombres y nombres: Director, Manuel García; Jefe de sala, Richard García; Jefe de cocina, Matilde Rodríguez.
Otros datos de interés: Organizador de semanas gastronómicas sobre caza en temporada. Gran vivero de mariscos a la vista del público.
Tarjetas: Todas.

ESPECIALIDADES DON QUIJOTE

Cocina tradicional con raciones abundantes

Toda clase de mariscos de las Rías gallegas

Sopa de marisco

Zarzuela de pescado y marisco

Merluza a la Gallega

Rodaballo estilo Don Quijote

Cordero y cochinillo asado estilo Segovia

Filloas Don Quijote

Tarta de Santiago

Pazo de Adrán

Restaurante y Hotel ****

A cinco minutos de Santiago de Compostela, en la carretera de Santiago a Pontevedra, goza de una situación privilegiada, tanto por la cercanía al núcleo urbano como por el hecho de no estar integrado en él, lo que le dota de un confort suplementario.
En un histórico pazo de 1786, primorosamente rehabilitado, se ofrecen las más modernas instalaciones hoteleras dentro del respeto a la construcción original. Una de sus principales bazas es el paraje natural que constituye la finca base, con zonas ajardinadas, hórreo, fuentes y palomar destinado a bodega. En esta extensión se habilitan zonas de paseo con pérgolas y cenadores como área de estancia y esparcimiento.
Las habitaciones, totalmente actualizadas con las máximas comodidades, ofrecen la más completa gama de servicios propios de este tipo de establecimientos. Además, el huésped puede disfrutar de otras instalaciones como restaurante, cafetería, bar, salas de reuniones, piscina y terrazas.

Un lugar ideal para celebraciones y banquetes

El hotel cuenta con una edificación anexa destinada a la celebración de bodas, banquetes y reuniones con comedores modulables en función de la superficie o número de plazas requeridas y con una capacidad superior a los 400 comensales. Impecablemente decorados se pueden dividir en tres secciones, aisladas acústicamente entre sí, mediante tabiques móviles de avanzada tecnología.
La cocina es rica y variada, con múltiples especialidades de la espléndida gastronomía autóctona. Bodega exquisita.

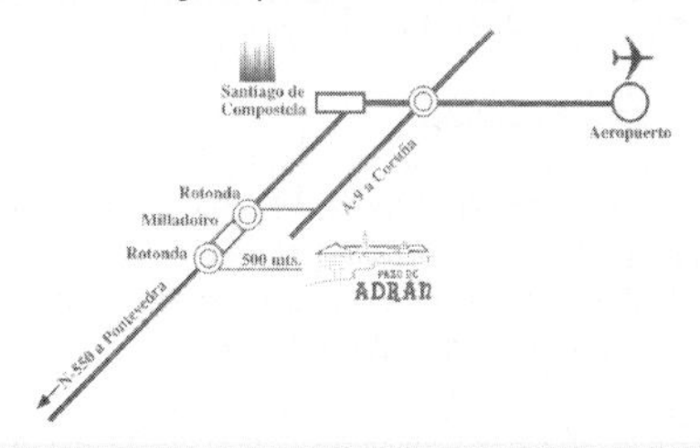

PAZO DE ADRÁN'S SPECIALITIES

Classical cookery enriched with nowadays techniques
Foie gras with tender salad leaves
Croquettes of spider crab and scarlet shrimps
Octopus timbale with paprika and olive oil
Juicy rice pot with lobster or seasonal vegetables
Medallion of hake in green herb sauce with asparagus
Roast turbot with seasonal wild mushrooms and pearl onions
Roast lamb shoulder with potato y carrot purée
Duckling breast with cabbage and spring onions in orange sauce
Ravioli of rice pudding and fruit soup with sorbet
Chocolate soufflé with coconut ice cream

Pazo de Adrán

Localidad: Santiago de Compostela (15895 A´Coruña)
Dirección: Calo Teo (Ctra. de Santiago a Pontevedra)
Teléfonos: 981 570 000. Fax: 981 548 883
E-mail: pazo@pazodeadran.com www.pazodeadran.com
Parking: Propio.
Propietario: Pazo de Adrán S.L.
Días de cierre y vacaciones: Abierto cada día del año excepto lunes. Vacaciones en enero.
Decoración: Pazo del siglo XVIII realzado por una soberbia decoración contemporánea.
Ambiente: Selecto.
Bodega: 162 referencias, todos los vinos gallegos y nacionales.
Hombres y nombres: Director: José Manuel Antelo Dubra. Maitre: Miguel Castro. Jefa de cocina: Ángela Oliveira.
Otros datos de interés: Inauguradas en diciembre 2003, estas espléndidas instalaciones constituyen un lugar exclusivo: jardines, terrazas, piscina, zonas de reposo y esparcimiento. Piedra, madera y buen gusto. Once habitaciones con todas las comodidades y el mejor servicio.
Tarjetas: Todas.

ESPECIALIDADES PAZO DE ADRÁN

Cocina clásica enriquecida con las técnicas actuales
Tarrina de foie con ensalada de hojas tiernas
Croquetas de centollo y carabineros
Timbal de pulpo con pimentón al aceite de oliva
Arroz caldoso con bogavante o con verduras de temporada
Lomo de merluza en salsa verde con espárragos
Rodaballo asado con setas de temporada y cebollitas
Paletilla de lechazo asada con puré de patatas y zanahoria
Magret de pato con repollo y cebolleta asada al jugo de naranja
Ravioli de arroz con leche y sopa de frutas con sorbete
Soufflé de chocolate con helado de coco

La Tacita d'Juan

A mitad de camino entre el casco antiguo y el moderno Santiago, este restaurante goza de un reconocido prestigio en la capital de Galicia.

Desde hace diez años, su propietario, Juan Pérez, acude a horas muy tempranas al Mercado Central de Santiago a comprar los productos más frescos y de mejor calidad, con los que su mujer, María Soledad, al frente de los fogones, elabora una carta equilibrada, sabia mezcla de cocina tradicional y la más sofisticada creación moderna. En este santuario del buen comer, se renueva la carta cada estación del año incorporando los productos que la amplia despensa galaica brinda.

Sus acogedores comedores, sobrios en su decoración pero a la vez confortables, ofrecen al comensal un ambiente cálido y agradable con exposiciones permanentes de pintores: bodegones, paisajes, retratos, pintura vanguardista..., toda una sinfonía de colores y luz que sus visitantes agradecen por su belleza y originalidad

LA TACITA'S SPECIALITIES

Market cookery with daily specialities

Shrimp croquettes

Fried prawns coated in batter

Deep-fried tiny fishes

"Cocochas" (part of the hake collar} in green herb sauce

Fillets of sole

Boiled hake sprinkled with garlicky oil with paprika and vinegar

Roast knuckle of pork

Knuckle of veal

Home-made desserts

La Tacita d'Juan

Localidad: Santiago de Compostela
Dirección: Horreo, 31 (entre Pza. Galicia y Parlamento).
Teléfonos: 981 563 255 - 981 562 041 Fax: 981 560 418
Parking: Cercano en pza. Galicia.
Propietario: Juan José Pérez Fernández y Soledad Riveira
Días de cierre y vacaciones: Domingo.
Decoración: En madera de cerezo, muy agradable. Obra realizada por María Martínez Otero.
Ambiente: Gente encantadora.
Bodega: Todos los españoles, especialmente Riojas.
Hombres y nombres: Director: Juan José Pérez Fernández, Jefe de cocina: Soledad Riveira Porta (esposa del director), Jefe de sala: Abel Montero Devesa.
Otros datos de interés: Salón privado para 25 personas. Carta de puros y Armario de estilo: humidificador, conservador de puros.
Tarjetas: American Express, Eurocard, Mastercard, Visa.

ESPECIALIDADES LA TACITA

Cocina de mercado con sugerencias diarias
Croquetas de camarones
Gambas con gabardina
Fritura de pescaditos
Cocochas en salsa verde
Lenguado en filetes
Merluza a la gallega
Codillo al horno
Jarretes de ternera
Todos los postres son caseros

Receta Casa Grande de Nadela

San Martiño Galicia verde con espuma de patata

Ingredientes para 4 personas: 1 kg de San Martiño limpio y deshuesado, 6 dientes de ajo, 2 cebollas, 1 cabeza de rape, 50 g de maizena, 4 patatas, 2 lonchas de jamón de jabugo, sal y azúcar.

Preparación: Cortamos el ajo y la cebolla muy picadita, la dejamos pochar lentamente con un vaso de Albariño. Una vez pochada le echamos el fumet, que hicimos con la cabeza de rape.
Rectificamos de sal, espesamos con maizena y un poco de azúcar.

Espuma de patata: 4 patatas muy cocidas, 2 cucharadas de aceite, jamón de jabugo y sal. La pasamos por termomix y al sifón.

SPECIALITIES OF CASA GRANDE DE NADELA

Nouvelle cuisine with first-choice regional products
The à la Carte menu changes every three months
Lobster salad after Maria's idea
Seafood ravioli
Cream of vegetable soup with crustaceans
Hake Galician style
Sea-bass, catched with rod and line, with lamb's sweetbreads
Farmyard chicken with young vegetables
Cheeks of Iberian pig with potato puree
Fillet steak of Galician veal with sauce "San Simón"
Galician poor knights with spirit
Almond parfait
Assorted pastries and confectionery
Special menu for sweet wines, coffees, brandies, spirits, whiskies and cigars

Casa Grande de Nadela

Localidad: Nadela (27.160 Lugo)
Dirección: Autovía A6, salida 488 a Sarriá- Monforte
Teléfonos: 982 305 915 - 917 Fax: 982 305 918
E-mail: restaurante@casagrandenadela.com
www.casagrandenadela.com
Parking: Propio
Días de cierre y vacaciones: Cerrado domingos noche y lunes todo el día.
Decoración: Antigua casa centenaria de labranza rehabilitada, en la que predomina la piedra y la madera. Conserva muchos elementos originales de la época: lareira, pozo, horno de cantería, de piedra...
Ambiente: Selecto y elegante.
Bodega: Más de 500 referencias. Vinos gallegos, españoles e internacionales.
Hombres y nombres: Director y Maitre: Ignacio Rodríguez Carballeira. Jefa de cocina: María Asunción Carballés.
Otros datos de interés: Impresionantes instalaciones. Comedor a la carta, salones privados, salón para banquetes, cafetería y extensa finca ajardinada a 5 minutos de Lugo. Diez habitaciones, todas diferentes, amuebladas con antigüedades y la mayoría con duchas de hidromasaje de última generación.
Tarjetas: Todas

ESPECIALIDADES CASA GRANDE DE NADELA

Nueva cocina con productos autóctonos de calidad
La carta cambia cada tres meses
Ensalada de bogavante como dice María
Ravioli de mariscos
Crema de vegetales con crustáceos
Merluza a la Galicia verde
Lubina de anzuelo con mollejas de lechazo
Pollo de corral con verduritas
Carrilleras de ibérico con parmentier
Solomillo de ternera gallega con salsa San Simón
Conxuro de chulas (torrijas con aguardiente)
Perfecto de turrón
Surtido de repostería
Carta de vinos dulces, cafés, brandies, aguardientes, whiskies y cigarros puros

Receta La Palloza

Lomos de merluza al queso do Cebreiro y crema de fabas de Lourenza

Ingredientes: 4 lomos de merluza, 300 gr. de queso do Cebreiro, 200 gr. de fabas de Lourenza, 100 gr. de mantequilla, aceite de oliva virgen extra, fumé de pescado, 2 puerros, 1 cebolla, 1 calabacín, 1 zanahoria, sal y brandy.

Preparación: Crema de fabas de Lorenza: las fabas deberán estar 14 horas a remojo. Las pondremos a estofar en agua fría. Añadiremos la zanahoria, el puerro, una pizca de sal y aceite. Durante 2 horas y media tendrá una cocción muy lenta. Y por último las pasamos por el turmix.

Salsa de queso do Cebreiro: Se ponen a pochar las verduras en la mantequilla. Cuando estén bien pasaditas, flambeamos con el brandy. Añadimos el fumé de pescado. Lo pasamos todo por el turmix y rectificamos de sal.

Marcamos la merluza en la plancha, la colocamos en una rustidera sobre la salsa de queso y la dejamos en el horno 4 minutos.

Pasamos la merluza al plato haciendo dos medias lunas con la salsa de queso y fabas. Se puede añadir una patata al vapor y brecol.

LA PALLOZA'S SPECIALITIES

Updated Galician cookery
Lukewarm octopus salad with turnip tops
Pancakes filled with seafood and cheese
Stewed white beans from Lourenza with clams
Home-made foie-gras of duck
Sea bass in white wine "Godello de la Ribeira Sacra"
Red mullets with "pisto" (Spanish ratatouille) and cured ham
Hake Galician style (boiled, then sprinkled with paprika and olive oil)
Baked salt cod au gratin
Fillet steak of Galician veal with sauce of cheese from Cebreiro and vegetables
Lamb festival with grilled kidneys and sweetbreads
Shin of Galician heifer braised in Amandi wine
Pancake with mirabelle plum fillling
Regional cheese cake with blueberries

La Palloza

Localidad: Lugo (a 5 km. del centro y a 2 km. de la autovía N-VI a Madrid).
Dirección: Ctra. Vegadeo-Pontevedra, km 78.
Teléfonos: 982 303 032. Fax 982 303 084
E-mail: rest-palloza@terra.es
Parking: Gran aparcamiento privado.
Días de cierre y vacaciones: Cerrado domingos noche, lunes y martes todo el día.
Decoración: Gallega tradicional con materias nobles. Hermoso edificio tipo pazo gallego, combinación de estilos clásicos y modernos.
Ambiente: Público medio alto.
Bodega: Amplia. Vinos gallegos: Mencias, Godellos, Albariños... y denominación de origen de Lugo; Ribeira Sacra. Selección de vinos españoles y extranjeros.
Hombres y nombres: Director: Ramiro López López. Jefe de cocina: Matilde Vila Veiga.
Otros datos de interés: Restaurante climatizado. Salones para banquetes hasta 1.100 personas. Parque infantil, zonas ajardinadas, cafetería y salones privados. Más de 30 años de tradición y buen hacer. Casa fundada en 1969.
Tarjetas: Todas.

ESPECIALIDADES LA PALLOZA

Cocina gallega actualizada
Ensalada templada de pulpo con grelos
Filloas rellenas de marisco y queso do cebreiro
Fabas de Lourenza con almejas
Bloc de hígado de pato hecho en casa
Lubina al Godello de la Ribeira Sacra
Salmonetes con pisto y jamón
Merluza a la gallega
Bacalao gratinado al horno
Solomillo de ternera gallega con salsa de Cebreiro y torre vegetal
Festival de lechazo con riñones y mollejas a la plancha
Jarrete de ternera gallega al vino de Amandi
Filloa rellena de mirabelles
Tarta de queso del Cebreiro con arándanos

Verruga

Desde el 1 de abril de 1951, día en que el Verruga abrió sus puertas bajo la dirección de Emilia Vázquez Cadahía y Cándido Real Arias, este restaurante no ha dejado de avanzar hasta convertirse en el buque insignia de la hostelería lucense. El secreto del éxito de Verruga está en la insuperable calidad de sus productos, su cocina, un atento servicio y una familia al frente del negocio desde hace más de 50 años.

Calidad, sencillez y honradez son tres de los principios más importantes que se han respetado durante medio siglo. El completo equipamiento, en el que destacan dos acuarios, para mariscos y bivalvos, garantiza una frescura insuperable, manteniendo todo el sabor y la calidad que han convertido a Galicia en general, y a Lugo en particular en un punto de referencia gastronómico.

Durante todo este tiempo, Verruga ha demostrado que crecer no es el fin último de un negocio de hostelería, su comedor ha mantenido su modesta capacidad: 14 mesas son un término medio, donde la sabiduría popular dice que está la virtud.

"La pacienca" (del gran pintor gallego Patiño)

VERRUGA'S SPECIALITIES

Capsicums with spider-crab stuffing

Crustaceans and shellfish from the Cantabrian coast

Red scorpion fish pudding

Hake with clams

Hake with elvers

Sea-bass in "Ribeiro"-wine sauce

Monkfish kebab

Fillet steak with cheese sauce

Châteaubriand "Verruga"

Stuffed "Filloas" (kind of pancakes)

Chocolate truffles

Verruga

Localidad: Lugo (27001)
Dirección: Cruz, 12 (zona monumental).
Teléfonos: 982 229 572 - 982 229 855 Fax: 982 229 818
E-mail: restaurante@verruga.es www.verruga.es
Parking: A 150 m. gratuito, solicite ticket.
Propietario: Emilia Vázquez Cadahía.
Días de cierre y vacaciones: Domingos noche y lunes.
Decoración: Castellana.
Ambiente: Familiar y negocios.
Bodega: Todos los vinos gallegos y Riojas, Ribera del Duero y catalanes.
Hombres y nombres: Director Gerente, Luís Latorre; Cocinera, Miluca Real.
Otros datos de interés: Vivero de mariscos.
Tarjetas: Todas.

ESPECIALIDADES VERRUGA

Pimientos rellenos de centollo
Mariscos del Cantábrico
Paté de Cabracho
Merluza con almejas
Merluza con angulas
Lubina al Ribeiro
Brocheta de rape
Solomillo al queso
Chateaubriand "Verruga"
Filloas rellenas
Trufas de chocolate

Turismo rural en Galicia

En Galicia, por medio de la secretaría Xeral de Turismo, surge un nuevo concepto de Turismo Rural, nacido para los amantes de la naturaleza, la paz y el sosiego. Este nuevo concepto fue denominado por la Xunta de Galicia como" Red de pazos y casas de labranza", ubicadas en grandes casonas rurales, pazos o castillos feudales.

Este es el caso de La Pousada o Almacen, en el Concello de Cervo (Lugo), primer establecimiento de turismo rural abierto en Galicia (1987). Bañada por las aguas del río Xunco, arrastrándonos hasta la hermosa playa de Rueta, antiguo refugio de piratas.

Este viejo almacén de coloniales está situado a los pies del rico, histórico y artístico Valle de Sargadelos, con sus viejos altos hornos, de los primeros de España, ruinas de la Real Fábrica de loza, Casa de la Administración, paseo de los enamorados y el Gran Pazo del Marqués de Sargadelos, D. Raimundo Ibáñez, artífice de este emporio.

La Pousada o Almacen se halla ubicada en un estratégico lugar de cruzadas y en el corazón de este municipio. montes, playas próximas, gastronomía tradicional con diferentes jornadas gastronómicas a lo largo del año. jornadas micológicas de Septiembre a Noviembre, caza mayor y menor en Diciembre, sin olvidar las grandes queimadas.

En definitiva, un establecimiento que ofrece una gama completa de servicios para la práctica del turismo verde, tan de moda en el resto de Europa.

POUSADA O ALMACÉN'S SPECIALITIES

Traditional galician cookery
Seasonal crustaceans and shellfishes
Fish and octopus "Caldeiradas": boiled with potatoes, sprinkled with garlicky oil with paprika and vinegar
Galician meat: veal (heifer) and beef
Game specialities in season:
Partridge with ceps (boletus mushrooms), pigeon with turnip tops, hare with beans, venison with ceps, loin of venison with wild mushrooms
Home-made confectionery and pastries
Curd cheese with honey

Pousada o Almacén

Localidad: Cervo (27891 Lugo).
Dirección: Carretera de Sargadelos, 2
Teléfonos: 982 557 836 - 982 557 894 (Teléfono y Fax).
Parking: Propio.
Propietario: Rafael Blas Basanta.
Días de cierre y vacaciones: Abierto todos los días del año excepto el 4 de junio, 24 y 25 de julio y 24 y 25 de diciembre.
Decoración: Antiguo almacén de coloniales del siglo pasado con diseño y ambientación de turismo rural. Conserva utensilios y artilugios del almacén original: molinillos, medidores de aceite, juego de barritas talladas,...
Ambiente: Público medio, amantes de lo auténtico.
Bodega: Amplia, vinos gallegos, selección de catalanes, Riberas del Duero y Riojas.
Hombres y nombres: Jefe de cocina: Fernando Blas; Encargado de comedor: Santiago Blas.
Otros datos de interés: Hotel familiar con 7 habitaciones dobles. Salón para convenciones y reuniones. Pub El Molino, en un edificio del siglo XVII restaurado (sólo noches). Actividades complementarias: Paseos ecuestres, bicicletas, "Viajes turísticos en diligencia".
Tarjetas: American Express, Visa, Diner's Club.

ESPECIALIDADES POUSADA O ALMACÉN

Cocina gallega tradicional

Mariscos de temporada

Caldeiradas de pescado y de pulpo

Carnes de Galicia: ternera y buey

Platos de caza mayor y menor en temporada

(Perdiz con boletus edulis, pichón con grelos, liebre con fabas, venado con boletus, lomo de ciervo con champiñón silvestre)

Repostería casera

Requesón con miel

Monforte de Lemos

Situado en el sur de Lugo, presenta un núcleo urbano con fuerte contenido histórico que conforma uno de los conjuntos monumentales más representativos de Galicia. Destaca el Castillo de San Vicente convertido recientemente en Parador Nacional de Turismo, la fachada neoclásica del Monasterio de San Vicente del Pino, el Palacio de los Condes de Lemos y la Torre del Homenaje, desde donde se contempla una amplia panorámica de la zona. Otros monumentos son el Puente Medieval, el Museo de Arte Sacro del Convento de las Clarisas y su símbolo más representativo, el Colegio de Nuestra Señora de la Antigua, de estilo herreriano, conocido popularmente como “El Escorial Gallego”.

Ribeira Sacra

La amplia zona que abarcan los ríos Sil y Miño en su discurrir hasta su confluencia forma un paisaje de singular belleza que se conoce como “Ribeira Sacra”. Este nombre deriva de la gran cantidad de ermitas, iglesias y monasterios que se asientan en las riberas de los cursos fluviales. Es una tierra de afrutado y sabrosos tintos jóvenes que bajo la denominación de origen Ribeira Sacra han sido galardonados en numerosos certámenes.

O GRELO'S SPECIALITIES

Seasonal cookery with typical Galician specialities
The à la carte menu changes every season
Scrambled eggs with turnip tops and prawns
Boiled octopus Galician style, with paprika and olive oil
Baked fillet of sea bass
Boiled knuckle of pork with turnip tops
Rib of beef steak from Monforte
Game specialities all year round:
Venison with chestnuts
Wild boar braised in red wine from Amandi
Partridge hunter's style
Delightful desserts, combining tradition and nowadays trends

O Grelo

Localidad: Monforte de Lemos (27400 Lugo)
A 25 min. de Orense y 40 de Lugo
Dirección: Campo de la Virgen s/n (zona monumental)
Teléfonos: 982 404 701 Fax: 982 403 600
E-mail: ogrelo@resgrelo.com www.resgrelo.com
Parking: Gran aparcamiento
Propietario: Emilio Rodríguez Díaz
Días de cierre y vacaciones: Abierto todo el año
Decoración: Estas nuevas instalaciones combinan todo el sabor de antaño con elementos actuales
Ambiente: Variado, con predominio del público de empresas
Bodega: Excepcional, en sótano, excavada en la roca. Temperatura constante de 13º todo el año. Gran selección de vinos: 4.000 botellas. Vino de la casa: Amandi, Ribeira Sacra (Don Bernardino) de cosecha propia
Otros datos de interés: Restaurante situado en la zona monumental de Monforte, al lado del Parador de Turismo. Tres comedores (10, 20 y 120 p.) y 3 terrazas con vistas paronámicas sobre el Valle de Lemos. Premio Nacional de Gastronomia.
Tarjetas: Todas

ESPECIALIDADES O GRELO

Cocina de temporada con platos típicos gallegos
La carta cambia en cada temporada
Revuelto de grelos con gambas
Pulpo a la gallega
Lomo de lubina al horno
Lacón con grelos
Chuletón especial de Monforte
Platos de caza todo el año:
Venado con castañas
Jabalí al vino tinto de Amandi
Perdiz a la cazadora
Deliciosos postres, combinando la tradición con las tendencias más actuales

Receta Durán

Caldeirada marinera

Ingredientes: 4 toros de rape, 4 toros de rodaballo, 4 patatas en rodajas, 8 almejas, 2 dientes de ajo picados, 1/2 cebolla mediana en juliana, 1 tomate maduro picado, 1/4 pimiento morrón rojo picado, 100 gr. de guisantes cocidos, 2 sobres de azafrán, una pizca de perejil, 25 cl. de fumet de pescado, 20 cl. de aceite de oliva 0.4° y 25 cl. de vino Albariño.

Elaboración: Salar el pescado y reservar. Dorar las patatas. Salar y reservar. En una tartera de barro, calentar el aceite y agregar la cebolla, el ajo y el pimiento. Dejar pochar durante 10 minutos para incorporar el tomate y el perejil. Agregar 5 minutos después el fumet, las patatas y el pescado. Pasados 12 minutos incorporamos las almejas y cuando se abran, añadir el vino y los guisantes.
En una taza, poner un cucharón del líquido del guiso y disolver el azafrán para devolver a la tartera. Reposar cinco minutos.

Este restaurante abierto desde el año 1987 consta de dos comedores para 45 comensales (arriba), 20 (abajo) y una pequeña terraza para comidas y cenas en verano. Ubicado entre la playa del Vao y Canido, con un pequeño puerto pesquero que abastece al restaurante.

DURÁN'S SPECIALITIES

Traditional Galician cookery
based on fresh fish, shellfish and crustaceans according to catch and season
Spectacular sardine patty
Boiled octopus with paprika and olive oil Galician style
Spider crabs, shrimps, velvet crabs
Thick vermicelli with clams
Rice with "cocochas" (morsel of the hake throat)
Fried sole
Baked brill
Grilled cutlets of suckling lamb
Fillet steak of Galician yearling beef
Home-made desserts:
Pancakes filled with hot chocolate sauce
Cheese cake with caramel

Durán

Localidad: Vigo (36390 Pontevedra)
Dirección: Canido Playa, 129
Teléfonos: 986 490 837 (tlf. y fax) y 986 490 827
E-mail: reservas@restauranteduran.com
www.restauranteduran.com
Parking: Fácil aparcamiento.
Propietario: Mauricio Durán.
Días de cierre y vacaciones: Cerrado domingos noche y lunes todo el día. Vacaciones: 20 días en Navidades.
Decoración: Clásica, con techos altos de madera.
Ambiente: Empresas durante la semana, grupos y gente joven los fines de semana.
Bodega: Muy amplia y variada. Priorato, Toro, La Mancha, Rioja, Ribera del Duero y todos los vinos más representativos de Galicia.
Hombres y nombres: Jefe de cocina: Jaime Misa. Jefe de sala y sumiller: Mauricio Durán.
Otros datos de interés: Pertenece a la Asociación Gallega de Sumilleres.
Tarjetas: Todas.

ESPECIALIDADES DURÁN

Cocina tradicional gallega
basada en pescados y mariscos según lonja y temporada
Espectacular empanada de xoubiñas (sardinas)
Pulpo a la gallega
Centolla, camarón, nécora...etc.
Fideos con almejas
Arroz con cocochas
Lenguado frito
Corujo al horno
Chuletillas de lechal
Solomillo de buey gallego
Postres caseros:
Filloas rellenas con chocolate caliente
Tarta de queso con caramelo

Receta Ébano

Carrillera de buey estofada con salsa de Oporto

Ingredientes: 6 zanahorias, 4 puerros, 2 cebollas, 20 carrilleras, 20 cebolletas, coles de bruxelas, puré de patata, 20 zanahorias con rama, 1 botella de Oporto.

Elaboración: Limpiar las carrilleras y una vez preparadas, sazonarlas con sal y pimienta negra. Dorarlas en aceite de oliva en una sartén y reservar. En un rondón con aceite, rehogar las 6 zanahorias, 2 puerros y 2 cebollas cortadas en dados y cuando estén rehogadas, añadirle las carrilleras previamente doradas; después añadir ¾ de la botella de Oporto. Dejar reducir y cuando haya reducido lo suficiente, cubrir con agua.

Emplatado: Cuando las carrilleras estén estofadas, servirlas acompañadas de cebolletas, coles y zanahorias previamente cocidas y puré de patata; salsear la carne con la reducción de Oporto.

EBANO'S SPECIALITIES

Market and seasonal cookery

Salt cod salad with sea urchins and confit potato

Scrambled eggs with small scallops and seaweed

Octopus with molluscs

Monkfish medallions in green herb sauce with clams

Wild sea bass with tomato and sea urchin sauce

Slice of fresh duck liver with apple and sauce of sweet Pedro Ximénez sherry

Braised veal cheeks

White chocolate soup with citrus fruit ice cream

Mousse of Galician cheese with red berry sauce

Ébano

Localidad: Vigo (36201 Pontevedra)
Dirección: Luis Taboada, 27
(frente Hotel América y al lado Hotel Ciudad de Vigo y Hotel NH Palacio de Vigo)
Teléfonos: 986 224 540 www.ebano.com.es
E-mail: RestauranteEbano@mundo-r.com
Parking: Dos aparcamientos cercanos.
Propietario: Gustavo Fragueiro y Amador Lorenzo.
Días de cierre y vacaciones: Cerrado domingos todo el día y Lunes noche. Abierto todo el año.
Decoración: Actual y minimalista, mucho espacio entre las mesas.
Ambiente: Un restaurante de moda en Vigo. Público medio-alto y alto.
Bodega: Muy bien surtida y a precios asequibles. Vinos gallegos y del Bierzo, La Mancha, Rioja, Toro, Somontano, Priorato, Ribera del Duero, Cataluña, Portugal, Argentina, Chile, vinos de autor y de alto expresión, cavas y champagnes.
Hombres y nombres: Directora: Victoria Fernández.
Otros datos de interés: La filosofía de este restaurante de última generación es el equilibrio entre la tradición y las tendencias más actuales. Excelente relación calidad-precio, precio medio a la carta: 35 €. Dispone de acceso para minusválidos.
Tarjetas: Todas.

ESPECIALIDADES ÉBANO

Cocina de mercado y temporada

Ensalada de bacalao con erizos y patata confitada

Revuelto de zamburiñas y algas

Pulpo guisado con moluscos

Medallones de rape en salsa verde con almejas

Lubina salvaje con tomate salteado y salsa de caviar de erizos

Escalope de foie fresco con manzana y salsa de P.X.

Carrilleras de ternera estofadas

Sopa de chocolate blanco con helado de cítricos

Mousse de queso gallego con salsa de frutos rojos

Receta Casa Moncho

Guiso de Rodaballo

Ingredientes para 2 personas: 600 gr. de rodaballo, cebolla, pimiento rojo y verde, tomate, patatas, aceite, caldo de pescado, guisantes, un poquito de pimentón, azafrán y sal.

Elaboración: En una cazuela de barro con aceite, poner cebolla, pimiento picadito y unas patatas cortadas (un dedo de gordo). Dorar las patatas, añadir 1 tomate maduro, pelado y troceado. Dar dos vueltas y que dore también. Incorporar un puñadito de guisantes y remover un poco.

Añadir un poco de azafrán y pimentón para dar color y sabor. Añadir sal. Seguir removiendo. Añadir caldo de pescado, cuando esté la patata a punto, lista para comer, añadir el pescado, rectificar de sal y dejar 2 ó 3 minutos más, agitando siempre suavemente la cazuela para ligar la salsa. Se sirve en la misma cazuela de barro.

CASA MONCHO'S SPECIALITIES

Market cookery on fish basis
(up to 14 different fishes every day)
Traditional Galician cookery prepared with the best products
Eel patty (seasonal)
Garlicky scallop casserole with prawns and small red capsicums
Shellfish and crustaceans from the Ría
Skate and turnip top pot
Monkfish with garlic and prawns
Sirloin steak with Galician "tetilla" cheese
Home-made desserts
Chocolate gateau or cheese cake

Casa Moncho

Localidad: Vigo (36204 Pontevedra)
Dirección: Méjico, 61(esq. Bolivia, a espaldas Corte Inglés)
Teléfonos: 986 483 478
E-mail:casamoncho@yahoo.es
Parking: Aparcamiento del Corte Inglés a 5 minutos.
Propietario: José Ramón Hermida Fernández "Moncho".
Días de cierre y vacaciones: Cerrado domingos todo el día y lunes noche, Semana Santa y agosto.
Decoración: En un estilo moderno con ladrillo de galleta, maderas claras de cerezo y agradable luz natural.
Ambiente: Público medio-alto, con predominio de empresas, ejecutivos y profesiones liberales.
Bodega: Climatizada. Un punto fuerte de la casa: 253 referencias (vinos gallegos, Albariños, Rioja, Ribera del Duero, con acento en vinos de reserva y de autor).
Hombres y nombres: Jefa de cocina: Gemma Núñez Collazo. Jefe de sala: José Ramón Hermida.
Otros datos de interés: Restaurante ubicado en pleno centro de Vigo. Estas instalaciones modernas y cálidas disponen de un salón reservado con capacidad para 18 comensales y facilidades para minusválidos. Cava de puros.
Tarjetas: Todas.

ESPECIALIDADES CASA MONCHO

Cocina de mercado con base en pescados
(hasta 14 clases de pescados frescos cada día)
Cocina tradicional gallega con las mejores materias primas
Empanada de anguilas (en temporada)
Cazuela de vieiras al ajillo con langostinos y piquillos
Mariscos de la Ria
Caldeirada de raya pinta con grelos
Rape al ajillo con langostinos
Entrecot de ternera a la tetilla gallega
Postres caseros
Tarta de chocolate o de queso

Receta O Forno

Cochinillo asado

Ingredientes: Laurel, sal gorda, ½ l. de agua, manteca de cerdo y ajo.

Elaboración: Poner el cochinillo en una cazuela de barro encima de unas ramas de laurel y salar con sal gorda. Echar el agua y meter al horno a 200 grados. Mantener una hora y media y transcurrido este tiempo, sacar el cochinillo del horno, darle la vuelta y untarle con manteca de cerdo y ajo. Tapar las orejas con papel de aluminio y pinchar el cochinillo con un tenedor para que no se formen bolsas.

Meter en el horno otra hora y después, sacar y comprobar si se puede cortar con el borde de un plato, en cuyo caso está listo para servir.

Bajo la misma dirección: CASA RURAL OS FERREIROS en Forcarey (Carballeira, 2), a 30 km de Pontevedra, dirección a Lalín, Ctra. de Orense. T. 986 75 45 08 en un entorno de hermosos paisajes de la Galicia interior.

O FORNO'S SPECIALITIES

Fish, crustaceans and shellfish from the Ria

Hake in green herb sauce

Specialities from the barbecue or roasted in

a wood-fired oven: suckling pig and lamb

Grilled fish and meat assortments

Peppered sirloin steak

Home-made desserts

Fried pastry rolls with cream filling, almond tart, cheese cake

O Forno

Localidad: Vigo
Dirección: Mantelas, 10 (semiesquina Gran Vía, cerca de Pl. de España)
Teléfonos: 986 412 954 - 986 482 223
www.asador-oforno.com
Parking: Propio
Propietario: Constante Fernández Villaverde
Días de cierre y vacaciones: Abierto todos los días. Vacaciones segunda quinzena de julio
Decoración: Gallega. Elegante y funcional.
Ambiente: Comidas de empresas, más íntimo los fines de semana.
Bodega: Extensa. Vinos gallegos, Riojas, Riberas del Duero, portugueses, franceses, italianos...
Hombres y nombres: Jefe de cocina: Constante.
Otros datos de interés: Restaurante situado muy cerca del centro de Vigo. Parrilla y horno de leña. El patrón está en los fogones. En noviembre-diciembre se organizan jornadas gastronómicas de caza.
Tarjetas: Las principales.

ESPECIALIDADES O FORNO

Pescados y mariscos de la Ría

Merluza a la gallega en salsa verde

Asados a la parrilla y al horno de leña: cochinillo y cordero

Parrilladas de pescados y carnes

Entrecot a la pimienta

Postres caseros

Cañas de crema, tarta de almendra, tarta de queso...

Receta Casa Pinales

Corujo al horno

Ingredientes para 2 personas: 2 lomos de corujo (familia del rodaballo), cebolla, pimiento rojo en juliana, brandy, fumet de pescado, sal, un poco de pimentón, un poco de azafrán (una cucharadita), patatas y aceite.

Elaboración: Pochar la cebolla y el pimiento y freír ligeramente las patatas cortadas en rodajas.

En una tartera de barro, colocar el pimiento y la cebolla ya pochada, por encima las patatas.

Salar el pescado y colocarlo encima. Regar con medio vaso de brandy y flambear. En medio vaso de fumet de pescado mezclar el pimentón y el azafrán. Regar el pescado con ello.

Meter al horno durante 25 minutos aproximadamente a 250º. Retirar y listo para servir.

CASA PINALES' SPECIALITIES

Traditional Galician cookery, taking care of the presentation
Rice specialities prepared at the moment:
with scallops and hake tongues, with lobster, monkfish or prawns
Fillet steak in port sauce with red berries
Rib steak of beef (grilled at your table)
Fresh fish of the day from Vigo's fish market
Baked brill
Monkfish Galician style (boiled, sprinkled with paprika and olive oil)
Hake tongues
Spotted red bream, turbot, sole, sea bass
Delicious home made desserts
Cheese cake, yogurt cake with white chocolate
Mousse of "tetilla" cheese with liquid quince jelly

Casa Pinales

Localidad: Chapela-Redondela (36320 Pontevedra)
Dirección: Avenida Redondela, 108
Teléfonos: 986 450 242
Parking: Aparcamiento propio
Propietario: Cándido Martínez Ribeiro y Margarita Rey Taboada.
Días de cierre y vacaciones: Cerrado domingos noche y lunes todo el día. Vacaciones: 15 días después de Semana Santa y la segunda quincena de septiembre.
Decoración: Amplio y diáfano comedor con madera, motivos marineros y espectaculares vistas de la Ría de Vigo.
Ambiente: Una mesa de referencia para saborear los excelsos productos de la ría.
Bodega: Todos los Albariños, gran surtido de otros vinos de Galicia y selección de diferentes denominaciones de origen.
Hombres y nombres: Jefa de cocina: Margarita Rey. Sala: Cándido Martínez.
Otros datos de interés: A diez minutos del centro de Vigo capital, uno de los mejores restaurantes de la zona. Gran calidad de la materia prima, cuidadas elaboraciones y servicio eficaz y profesional
Tarjetas: Todas

ESPECIALIDADES CASA PINALES

Cocina tradicional gallega
con atención a las presentaciones
Arroces preparados al momento:
de vieiras con cocochas de merluza, de bogavante, de rape con langostinos...
Solomillo al Oporto con frutos rojos
Chuletón de buey (se termina al brasero en la mesa)
Pescados del día de la lonja de Vigo
Corujo al horno
Rape a la gallega
Cocochas de merluza
Besugo, rodaballo, lenguado, lubina...
Deliciosa repostería casera
Expositor con deliciosas tartas:
de queso fresco, yogur con chocolate blanco...
Mousse de tetilla con membrillo líquido

Los Abetos

Centro de convenciones

Los Abetos es un lugar ideal para celebraciones de empresas, sociales o personales, siempre con la mejor atención y el servicio más exquisito.

Además de su famoso restaurante, Los Abetos ha ampliado sus instalaciones con un modernísimo centro de convenciones dotado de amplios y lujosos salones equipados con los medios técnícos más avanzados.

Estas nuevas instalaciones han sido pensadas, diseñadas y realizadas para la organizacíón de reuniones de empresa, seminarios, asambleas, congresos y presentaciones que requíeran óptímas condiciones de comodidad, servicio y representativídad.

LOS ABETOS' SPECIALITIES

Galician and international cookery
Spit-roasted meat
Suckling lamb and pig
Grilled fish and meat specialities
Turbot, hake...etc.
Galician yearling beef and other meat specialities
From the kitchen
Monkfish medallions à la marinière
Fish barbels with scallops and seaweed
Terrine of foie gras with grapes
Wide range of home-made desserts

Restaurante Asador Los Abetos

Localidad: Nigrán (36.350 Pontevedra)
Dirección: Avda Val Miñor, 89. Carretera Vigo-Bayona
(a 12 km de Vigo y 8 de Bayona)
Teléfonos: 986 383 028 986 368 147 Fax: 986 365 567
E-mail: losabetos@losabetos.com www.losabetos.com
Parking: Aparcamiento propio con aparcacoches
Director-gerente: Jose Pérez Gil
Días de cierre y vacaciones: Abierto todo los días del año.
Decoración: Extraordinaria.
Ambiente: Muy agradable.
Bodega: Muy amplia, climatizada, con gran variedad de vinos donde predominan las D.O., Rioja, Ribera del Duero, Penedés, Costers del Segre, Borgoñas, Burdeos, Argentinos, Californianos, Chilenos y los mejores blancos y tintos de Galicia. Amplia carta de Cavas y Champagnes.
Otros datos de interés: Situado en un entorno de gran belleza natural, cercano a las magníficas playas de Nigrán y abierto desde 1982, **es el asador de Galicia por excelencia**. Capacidad para 250 comensales, dos comedores privados y amplios salones para convenciones y reuniones de empresa, con distintas capacidades y los más modernos métodos audiovisuales.
Tarjetas: Todas

ESPECIALIDADES LOS ABETOS

Cocina gallega e internacional
Carnes al ruedo
Cordero lechal y cochinillo
Pescados y carnes a la parrilla
Rodaballo, merluza...etc.
Ternera gallega y toda la variedad de carnes rojas
Platos elaborados
Medallones de rape a la marinera
Cocochas con vieiras y algas
Terrina de foie con uvas
Amplia variedad de postres caseros

Receta Asador Manolo

Arroz con rape y langostinos

Ingredientes para 6 personas: 450 gr. de arroz, 300 gr. de rape, 7 cucharadas de aceite de oliva, 1 cebolla mediana, sal, ½ taza de tomate natural triturado, 1 guindilla, 12 langostinos, 1 diente de ajo, pimienta molida y 5 tazas de caldo de pescado.

Elaboración: Calentar el aceite en una cazuela y rehogar el ajo y la cebolla, previamente pelados y picados. Añadir la salsa de tomate. Agregar el arroz y la guindilla y freír ligeramente, removiendo con una cuchara de madera.

Incorporar el caldo caliente y cocinar hasta que el arroz esté casi en su punto. Añadir los langostinos y el rape cortados en trozos, remover y terminar de cocer unos minutos más.

ASADOR MANOLO'S SPECIALITIES

Traditional cookery
Salmon smoked by ourselves
Oyster mushrooms with small scallops
Shellfish and crustaceans from the Ría
Salt cod "Asador"
Cod tongues with vegetable sauce
Monkfish in green herb sauce
Oven-baked wild sea bass
Rib steak of Galician beef (grilled on a cast iron plate at the table)
Roast sucking lamb
Rice & lobster pot
Rice pot with monkfish and prawns
Custard-filled pancakes
Pastries and confectionery of the day

Asador Manolo

Localidad: Porriño (36400 Pontevedra)
Dirección: C/ Antonio Palacios, 101 (Autovía Vigo-Orense, salida 305).
Teléfonos: 986 333 404. Fax: 986 336 773
www.asadormanolo.com
Parking: Amplio aparcamiento propio.
Propietario: José Manuel Fernández Sanjuán.
Días de cierre y vacaciones: Abierto todo el año excepto lunes y una semana en Navidad.
Decoración: Instalaciones señoriales distribuidas en 2 plantas y rodeadas de jardines.
Ambiente: Selecto. Predominan las comidas de empresa.
Bodega: Excepcional. Más de 800 cosechas reposan en su bodega subterránea. Toda la historia del vino de España con algunas botellas únicas. También cava de puros.
Hombres y nombres: Director: José Manuel Fernández. Jefa de cocina: Josefina Sanjuán.
Otros datos de interés: Restaurante con 25 años de tradición, un referente en la provincia situado a 10 minutos de Vigo y 20 de Pontevedra. Instalaciones en constante evolución. Dos comedores –fumadores, no fumadores- y varios salones privados con diferentes capacidades para eventos pequeños o grandes.
Tarjetas: Todas.

ESPECIALIDADES ASADOR MANOLO

Cocina tradicional
Salmón ahumado de elaboración propia
Setas con zamburiñas
Mariscos de la Ría
Bacalao "Asador"
Cocochas de merluza en salsa de verduritas
Rape en salsa verde
Lubina salvaje al horno
Chuletón de carne gallega (se termina en la mesa al hierro)
Cordero lechal asado al horno
Arroz con bogavante
Arroz con rape y langostinos
Filloas rellenas de crema
Repostería del día

LA CORUÑA

CASA PARDO. Novoa Santos, 15. Tel. 981 280 021. Fax: 981 174 678. casapardo@casapardo-domus.com - www.casapardo-domus.com

Ana Gago en la cocina y Eduardo Pardo en la sala mantienen el nivel de este restaurante remodelado en marzo 2007 con un toque vanguardista y minimalista. Una de las buenas mesas de Galicia, especializada en cocina gallega tradicional. Materia prima de indiscutible calidad y maneras culinarias muy cuidadas, que se reflejan también en el mimo que ponen en sus presentaciones.

PLAYA CLUB- Andén de Riazor, s/n. Tel. 981 257 128. Fax: 981 148 594. playaclub@playaclub.net - www.playaclub.net

Su cocina combina los productos y los sabores galaicos típicos con las elaboraciones más actuales, siempre atenta a la disponibilidad del mercado y de la temporada. Su oferta se ve complementada por su privilegiada situación: vistas sobre la playa de Riazor y el paseo marítimo coruñés.

Oleiros: **EL REFUGIO. Plaza de Galicia, 11. Tel. 981 610 803. Fax: 981 63 14 80. www.restaurante-elrefugio.com**

Exponente de la restauración clásica gallega donde se pueden degustar los mejores pescados y mariscos de las rías en sus preparaciones más populares y exitosas. Fermín Fuentes y Alfredo Castelo se decantan por materias primas sobresalientes, confeccionadas en platos sencillos que nunca decepcionan. Bodega muy amplia y bien seleccionada.

Santiago de Compostela: **CASA MARCELO. Rua Hortas, 1. Tel. 981 558 580. Fax: 981 554 762. restaurante@casamarcelo.net www.casamarcelo.net**

Desde su recóndito e íntimo comedor, con los fogones a la vista, Marcelo Tejedor ofrece una apuesta innovadora de cocina creativa, de excelente técnica, con un único menú para todos, de precio fijo y que cambia a diario. Su fórmula consiste en sorprender al comensal con productos cotidianos a los que siempre da un toque de auténtica gastronomía de autor.

LUGO

Viveiro: NITO. Playa de Area, 1. Tel. 982 560 987. Fax: 982 561 762 info@hotelego.com www.hotelego.com

Situado cerca de la ría con una espectacular panorámica sobre el Cantábrico, ocupa un puesto de honor en la restauración gallega gracias a su fidelidad a la magnífica despensa de pescados, mariscos y carnes rojas de la zona. Cocina de calidad plenamente consolidada, riquísimos postres y bodega bien elegida.

ORENSE

Santa Baia. Pereiro de Aguiar: **GALILEO. Ctra. Ourense-Trives. Tel. 988 380 425. info@restaurantegalileo.com - www.restaurantegalileo.com**

Antigua casa de piedra y cristal cuidadosamente rehabilitada donde se rinde homenaje a la materia prima autóctona con excelentes productos locales. Cocina de fusión, entre la clásica e innovadora, con influencias mediterráneas. Flavio Morganti, con sus audaces propuestas e imaginativas composiciones, renueva la oferta de la región.

PONTEVEDRA

ALAMEDA 10. Alameda, 10. Tel. 986 857 412. www.restaurantealameda10.com

Referente gastronómico de la ciudad en un bonito local dirigido con eficacia por Camilo Pardo. Comida típica de la zona, excelentes pescados y mariscos como la lamprea o las angulas del Miño en temporada. Gran variedad de vinos, comedor privado en la bodega y ajustada relación calidad-precio.

Vigo: **MARUJA LIMON. Victoria, 4 (Pza. Compostela). Tel. 986 473 406. www.marujalimon.es**

Ubicado en el centro neurálgico de Vigo, cerca del Casco Viejo, este restaurante dirigido por Rafael Centeno Moyer presenta una visión limpia y personal de la gastronomía gallega. Cocina actual y contemporánea donde la plasticidad, sencillez y originalidad de las creaciones evocan a los más profundos e intensos sabores de la culinaria galaica. Menú Degustación como eje central e hilo conductor del proceso creativo.

San Salvador de Poio: **CASA SOLLA. Avda. Sineiro, 7. Tel. 986 872 884. correo@restaurantesolla.com - www.restaurantesolla.com**

La estupenda labor de Pepe Solla ha convertido este restaurante en uno de los máximos estandartes de la nueva cocina gallega. Los platos tradicionales son rediseñados con sensibilidad respetando plenamente los sabores originales. Diáfano comedor con una decoración sorprendente y minimalista, en un pazo con un vistoso ventanal hacia las montañas.

Raxo - Poio: **PEPE VIEIRA. Camino de Serpe, s/n. Tel. 986 741 378. www.pepevieira.com**

Una construcción muy moderna integrada en el paisaje, escondida entre los montes de Armenteira y elevada sobre la ría de Pontevedra, es el enclave singular elegido por los hermanos Cannas, Xosé (cocina) y Xoan (sumiller), para crear una cocina contemporánea que entronca con la tradición, inspirada en las raíces de la tierra. Jardín de plantas aromáticas y huerto ecológico.

Sanxenxo: **LA TABERNA DE ROTILIO. Avda. del Puerto, 7-9. Tel. 986 720 200. hotelrotilio@hotelrotilio.com - www.hotelrotilio.com**

En pleno puerto de Sanxenxo, corazón de la ría de Pontevedra, es un ejemplo de la transición de la cocina de la tierra a otra envuelta en aires más modernos. Los pescados y mariscos de las costas, junto con las verduras y las carnes del interior, se presentan en recetas muy bien rematadas, siempre respetuosas con las leyes de la estación.

Madrid

Situada en el centro mismo de la península, Madrid ha sido desde siempre encrucijada y cruce de caminos. La primera imagen que ofrece a sus visitantes es la de una ciudad bulliciosa, llena de vida y de gente, una ciudad, en definitiva, de grandes alicientes, cosmopolita y moderna, en la que todo el mundo se siente a gusto.
Madrid ofrece multitud de posibilidades al turista: se puede hacer un recorrido por su historia a través de sus museos y monumentos, conocer la zona más moderna y de negocios (Azca), disfrutar la noche madrileña, ir de compras o asistir a los numerosos cines, teatros o salas de música que existen en la capital.
Pero Madrid no es solamente Madrid. Ni siquiera como unidad turística. La idea de Madrid la integran también otros pueblos y ciudades que configuran la oferta turística de la Comunidad Autónoma madrileña: Chinchón, Aranjuez, Alcalá de Henares, Navacerrada, Buitrago del Lozoya, Manzanares El Real, San Lorenzo del Escorial, los valles del Alberche, Tajuña o Jarama, los paisajes del Guadarrama, los pueblos de la Sierra Norte...
Madrid y su Comunidad Autónoma comienzan a redescubrirse como destino turístico, por lo que ya son muchas las personas que procedentes del resto de España y de buena parte del extranjero deciden viajar a la capital de España y a su agradable entorno.

Madrid

Fiestas patronales: San Isidro, 15 de mayo. Verbena y feria taurina. Virgen de la Almudena, 9 de noviembre.
Museos y monumentos: Jardín Botánico, Madrid de los Austrias, Museo del Prado, Museo Arqueológico, Museo de Cera, Museo Thyssen, Centro de Arte Reina Sofía, Palacio Real, Plaza Mayor, Plaza de Oriente, Parque del Retiro, Palacio de El Pardo, Catedral de La Almudena, Iglesia de los Jerónimos, Fuentes de Cibeles y Neptuno, Muralla Árabe.
Oficina de Turismo de Madrid: Plaza Mayor, 3. T. 91 588 16 36
Oficina de Turismo Comunidad de Madrid: Duque de Medinaceli, 2.
T. 91 429 49 51

La cocina madrileña

Igual que sucede con sus gentes en lo que al apartado culinario se refiere, Madrid es un conglomerado de estilos y materias primas procedentes de todas las cocinas de España, así es posible degustar la fabada asturiana, el cocido maragato, el marmitako vasco o la paella valenciana.

Madrid también es capital desde el punto de vista gastronómico pues por sus calles se sintetizan todas las cocinas de España y muchas internacionales, las propuestas tradicionales y las de autor, la gastronomía exótica y popular. Conscientes de esto, muchos de los grandes restauradores del resto del país intentan echar raíces en la capital abriendo sucursales de sus establecimientos.

El plato más representativo de la cocina madrileña es el cocido. Un guiso de garbanzos, carnes, embutidos, patatas y verduras que tiene que cocer a fuego lento durante dos o tres horas. Se puede degustar en multitud de tascas y restaurantes de toda la capital.

Madrid pasa por ser el mejor puerto de España gracias a la rapidez con que los frutos del mar llegan a la ciudad. Es incuestionable la devoción que los madrileños sienten por el pescado y el marisco.

La repostería madrileña está tradicionalmente ligada a las fiestas típicas: las torrijas como dulce de Semana Santa, las rosquillas en San Isidro, los huesos de santo y los buñuelos, turrón, mazapanes y el roscón del Día de Reyes. Por último, el vino de Madrid empieza a abrirse camino no sólo en las mesas madrileñas sino también en las del resto de España.

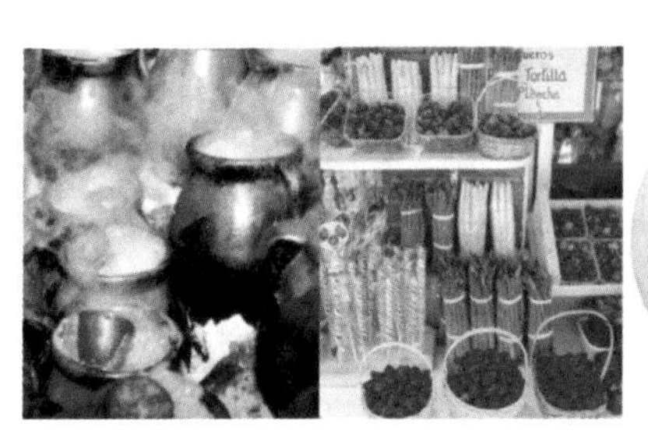

Madrid

PALACE*****	Pza. Cortes, 7	91 360 80 00	www.westinpalacemadrid.com
RITZ*****	Pza. Lealtad, 5	91 701 67 67	www.ritz.es
VILLA MAGNA*****	Pº Castellana, 22	91 587 12 34	www.villamagna.es
MIGUEL ANGEL*****	Miguel Ángel, 29-31	91 442 00 22	www.miguelangelhotel.com
WELLINGTON*****	Velázquez, 8	91 575 44 00	www.hotel-wellington.com
PALACIO DEL RETIRO*****	Alfonso XII, 14	91 523 74 60	www.ac-hotels.com
URBAN*****	Car. San Jerónimo, 34	91 787 77 70	www.derbyhotels.com
EUROSTARS TOWER*****	Pº Castellana, 259-B	91 334 27 00	www.eurostarsmadridtower.com
PUERTA AMERICA*****	Avda. América, 41	91 744 54 00	www.hoteles-silken.com
MONTE REAL*****	Arroyofresno, 17	91 736 52 73	www.ac-hotels.com
EUROBUILDING****	Padre Damián, 23	91 353 73 00	www.nh-hoteles.es
En Moralzarzal			
CENADOR DE SALVADOR	Avda. España, 30	91 857 60 24	www.elcenadordesalvador.es

Arce

Un clásico actual

Situado en el corazón del barrio de Chueca, Arce es uno de los restaurantes más consolidados de Madrid. Con una gran creatividad y rigor en su trabajo, el carismático y original Iñaki Camba, vasco afincado desde hace muchos años en Madrid, dirige personalmente este gran restaurante que ofrece una cuidada cocina de mercado basada en la rigurosa selección de las mejores materias primas. A lo largo del año, renueva la carta según la temporada y dispone de varios menús degustación, siempre equilibrados y sorprendentes.

Arce es un restaurante distinto, siempre especial, tanto en lo que se refiere a la cocina como al servicio. El propio Iñaki Camba se sentará a su mesa y confeccionará, según las preferencias del comensal, el menú a degustar, proponiendo una serie de productos y sus posibles elaboraciones. Déjese aconsejar gastronómicamente por este gran chef y gozará de una experiencia única, de exquisitas especialidades siempre con el toque personal y creativo de este excelente profesional de la cocina.

Su esposa, Maite Camarillo, dirige el servicio con amabilidad y ejerce, a su vez, la labor de sumiller de una bien surtida bodega, con unas 800 referencias de vinos, cavas, champagnes y licores.

ARCE'S SPECIALITIES

Home-smoked specialities

Terrine of foie-gras of duck

Fresh vegetables prepared at choice

Fresh fish of the day

Salt cod after our own recipe

Game and wild mushrooms (seasonal)

Red meats cuts

Home made pastries and confectionery from the trolley

Arce

Localidad: **Madrid (28004)**
Dirección: Augusto Figueroa, 32.
Teléfonos: **91 522 04 40 - 91 522 59 13 (Tel. y Fax).**
E-mail: info@restaurantearce.com
www.restaurantearce.com
Parking: Sí.
Propietario: Iñaki Camba - Mª Teresa Camarillo.
Días de cierre y vacaciones: Cerrado domingos noche. En agosto, cerrado sábados y domingos.
Decoración: Acogedor comedor con cuadros y botellas.
Ambiente: Gourmets.
Bodega: Más de 800 referencias de vinos españoles y extranjeros. Gran surtido de licores.
Hombres y nombres: Jefe de cocina: Iñaki Camba. Sommelier: Mª Teresa Camarillo.
Otros datos de interés: "La tradición en estos tiempos". Comedor privado para 12 personas. Mª Teresa e Iñaki atienden personalmente a sus comensales y amigos.
Tarjetas: American Express, Visa y Diner's.

ESPECIALIDADES ARCE

Ahumados caseros

Terrina de Foie de Pato

Verduras frescas al gusto

Pescados del día

Bacalao a nuestro estilo

Caza y setas en temporada

Carnes rojas

Carro de repostería casera

Casa Lucio

Gastronomía y hospitalidad castiza

Casa Lucio es símbolo de la gastronomía más castiza. Desde su apertura en noviembre 1974, el trato cordial y afectuoso con los clientes ha sido la filosofía que ha dado celebridad a esta casa.

Lucio Blázquez, tan buen relaciones públicas como restaurador, ejerce como magnífico anfitrión en su afamado restaurante situado en la Cava Baja, en el Madrid de los Austrias.

Infinidad de celebridades locales e internacionales que recalan en la capital de Reino tienen como visita obligada Casa Lucio. Reyes, presidentes, políticos, empresarios y los más diversos representantes de la vida social han disfrutado durante todos estos años de esta cocina tan genuina y proverbial hospitalidad.

Este restaurante con solera encarna como pocos los valores más tradicionales de la restauración madrileña. Su éxito se basa en la excelente materia prima, la profesionalidad de su servicio y una bodega muy bien surtida.

Después de una vida dedicada en cuerpo y alma a la gastronomía, y de recibir todos los reconocimientos posibles, Lucio va cediendo la dirección de sus negocios a sus hijos. Su fama ha traspasado fronteras, conseguir una mesa en sus típicos comedores se ha convertido en un ritual de la vida madrileña. Todos aprecian la desbordante simpatía del más carismático de los mesoneros de postín de la villa.

"No hay huevos en toda España y me los juego contigo, como los huevos de Lucio y no exagero en decirlo. Estos huevos que destaco están con patatas fritas, pero con raro misterio que excitan el apetito"

CASA LUCIO'S SPECIALITIES

Cured ham and cured loin of pork from Jabugo
(of acorn fed iberian pigs)
Potatoes with eggs "Casa Lucio"
Frizzy endive salad (seasonal)
Fricassée of capon
Scrambled eggs with prawns and spinach
Tripe Madrid style
Baked hake "Casa Lucio"
Beans with pheasant (seasonal)
"Churrasco" of beef
Spring lamb, suckling pig
Fillet steak, sirloin steak
Rice pudding

Casa Lucio

Localidad: **Madrid (28005)**

Dirección: Cava Baja, 35.

Teléfonos: **91 365 32 52 - 91 365 82 17**

www.casalucio.es

Parking: Aparcacoches.

Propietario: Sociedad familiar (Lucio Damián Blázquez e hijos).

Días de cierre y vacaciones: Sábados por la mañana y mes de agosto.

Decoración: Castellana.

Ambiente: Selecto. Muchas personalidades.

Bodega: Rioja, Ribera del Duero y Penedés.

Hombres y nombres: Maitre: Teodoro Martín, Cocineros: Aurelio Calderón, Pedro Hernández y Aurelio García. Director y alma: Lucio Damián Blázquez, auxiliado por sus hijos.

Tarjetas: American Express, Visa y Diner's.

ESPECIALIDADES CASA LUCIO

Jamón de Jabugo y lomo de Jabugo
Patatas con huevo "estilo Lucio"
Ensalada de escarola (temporada)
Capón en pepitoria
Revuelto de langostinos con espinacas
Callos a la madrileña
Merluza al horno "estilo Lucio"
Judias con faisán (en temporada)
Churrasco de buey
Cordero lechal, cochinillo
Solomillo y entrecot
Arroz con leche

El Chaflán

Nuevos tiempos

El Chaflán ha dado un giro radical tanto a sus cartas como a su servicio de sala y espacio con un firme objetivo: adaptarse a las nuevas necesidades y gustos del público actual. Tras una etapa adscrito a la experimentación y a la más absoluta vanguardia culinaria, Juan Pablo Felipe recupera el regusto tradicional de sus recetas primigenias y apuesta por platos más sencillos, equilibrados y contundentes que, como siempre, se nutren de una materia prima de excepcional calidad.

Se trata de una cocina sincera y muy personal, exenta de artificios, que recuerda a la mejor etapa creativa de este prestigioso chef, Premio Nacional de Gastronomía 2001. Ahora se puede disfrutar de un servicio más cercano en un entorno más informal, moderno y colorista. A lo largo de su trayectoria, Juan Pablo Felipe ha conseguido elevar la cocina tradicional española a sus cotas más altas.

Comenzó su andadura profesional con 24 años en la localidad gaditana de Vejer de la Frontera, donde heredó el respeto por los sabores y aromas de la naturaleza. En 1993, regresa a Madrid, su ciudad natal, para tomar las riendas de El Chaflán. Aquí, influenciado por el toque sureño de sus primeras creaciones, comenzó a desarrollar una cocina española de propio cuño, original y creativa, pero fiel a las raíces más profundas de la tradición culinaria nacional.

Aris Bar, el nuevo bar de tapas de Juan Pablo Felipe, se convierte en el lugar perfecto para disfrutar del after-work.

EL CHAFLÁN'S SPECIALITIES

Colourful Russian salad
Lentil stew with foam of Idiazabal cheese
Ceviche of octopus with passion fruit foam
Andalusian bouillabaisse with rock fish and mussels
Chunk of red tuna with garlicky tomato & olive oil emulsion
Leg of lamb with quince purée
Venison ragout
Free-range chicken with almond royale and couscous of rice
Brownie with vanilla ice cream
Crêpes Suzette

El Chaflán

Localidad: **Madrid (28016)**
Dirección: Avda. Pío XII, 34 (Hotel Aristos)
Teléfonos: **91 350 61 93. Fax: 91 345 10 23**
E-mail: restaurante@elchaflan.com www.elchaflan.com
Parking: Aparcacoches
Días de cierre y vacaciones: Abierto cada día. Vacaciones: Semana Santa y 15 días en agosto.
Decoración: Vanguardista en tonos verdes grisáceos, acogedora y cálida. Como único adorno en el comedor destaca su emblemático olivo y en el techo un lucernario acristalado que deja pasar la luz.
Ambiente: La mejor cocina al mejor precio.
Bodega: 80 referencias, vinos modernos de las mejores denominaciones, tanto clásicas como emergentes.
Hombres y nombres: Chef: Juan Pablo Felipe. Jefe de sala y sumiller: Miguel Ángel Benito
Otros datos de interés: Ubicado en el Hotel Aristos, en una de las zonas empresariales más importantes de Madrid, a pocos metros de las autovías M-30 y M-40 y a tan solo 15 minutos del aeropuerto y del recinto ferial Juan Carlos I.
Tarjetas: Todas

ESPECIALIDADES EL CHAFLÁN

Ensaladilla rusa, versión a color

Lentejas estofadas con espuma de Idiazábal

Pulpo en cebiche con espuma de maracuyá

Pez de roca en bullabesa andaluza con mejillones

Taco de atún rojo con pil pil de tomate

Jarretes de cordero lechal con puré de membrillo

Ragú de ciervo al punto

Pollo de corral con royal de pepitoria y cous-cous de arroz

Brownie con helado de vainilla

Crepes de naranja clásica suzette

La Cocina de María Luisa

Lo mejor de Soria

Este restaurante ha llegado a Madrid con la misma sencillez y los mismos platos que le han dado renombre en Navaleno, en pleno corazón de los pinares sorianos. Aquí están las mejores setas, la trufa negra, la caza, los guisos de legumbres, las truchas sorianas, etc.

La cocina de María Luisa Banzo, desafiantemente autóctona, atractiva y placentera, algo barroca, pero siempre bien sabrosa, se basa en productos naturales de la tierra y de cada estación. En su elaboración se refleja el cariño, el mimo y la originalidad que María Luisa aprendió de su madre.

Los platos de setas, el tesoro micológico soriano, son su principal especialidad. Los montes sorianos son unos de los mayores productores nacionales de hongos, boletus edulis y níscalos. Mención aparte merece la trufa, el condimento culinario más exquisito, según muchas opiniones.

María Luisa imprime su lema en todos y cada uno de sus platos, buen ejemplo de ello son sus manitas rellenas de carne y trufa, plato original suyo, donde culmina todo el saber y experiencia de esta cocinera autodidacta. Los postres caseros elaborados artesanalmente ponen el broche final a una comida que gusta y satisface.

LA COCINA DE MARÍA LUISA'S SPECIALITIES

Mycological specialities: wild mushrooms, cèpes, truffles
Game specialities: updated traditional recipes
Pig's trotters stuffed with meat and black truffle from Soria
Pulses and green vegetables
Foie gras mi-cuit of duck with warm sauce of dried figs and muscatel
Braised wild boar in the style of Navaleno
Venison with apples
Partridges with vegetable sauce
Cèpe mushrooms, sautéed or au gratin
Scrambled eggs with genuine black truffles
Blackberry tart and seasonal fruit
Banana fritters

La Cocina de María Luisa

Localidad: **Madrid (28001)**
Dirección: Jorge Juan, 42 (entre Velázquez y Principe de Vergara)
Teléfonos: **91 781 01 80 (varias líneas)**
E-mail: reservas@lacocinademarialuisa.es
www.lacocinademarialuisa.es
Parking: Aparcacoches y aparcamientos públicos en Principe de Vergara y Velázquez
Propietario: Promociones Pinariegas El Maño S.L.
Días de cierre y vacaciones: Cerrado domingos y festivos
Decoración: Actual y de buen gusto, con espacios abiertos y luminosos donde predomina el azul añil. Se pueden admirar cocinas antiguas que Mª Luisa heredó de su madre
Ambiente: Al mediodía, gentes de negocios de la zona; más romántico por las noches
Bodega: Aproximadamente 50 referencias seleccionadas con criterio. Representación de las principales denominaciones y vinos de postres con precios que invitan a consumir
Hombres y nombres: Maestra Guisandera: Mª Luisa Banzo Amat
Otros datos de interés: El restaurante El Maño de Navaleno, pequeño pueblo soriano, se convirtió en una referencia culinaria de Soria. El equipo, con su cocinera Mª Luisa Banzo a la cabeza, ha desembarcado en Madrid, en pleno barrio de Salamanca.
Tres comedores con capacidad total hasta 70 comensales.
Tarjetas: Todas

ESPECIALIDADES LA COCINA DE MARÍA LUISA

Caprichos micológicos: setas, hongos y trufas
Platos de caza: recetas tradicionales puestas al día
Manitas de cerdo rellenas de carne y trufa negra de Soria
Legumbres y verduras
Mi-cuit de pato con salsa caliente de higos secos y moscatel
Jabalí estofado como en Navaleno
Venado con manzanas
Perdices en salsa hortelana
Boletus edulis salteados o gratinados
Revuelto de trufa negra (tuber melanosporum)
Tarta de mora y frutas de estación
Buñuelos de plátano

Receta **Criado**

Cocochas en salsa verde

Ingredientes para 4 personas: 800 gr. de cocochas, 4 dientes de ajo, 2 cucharadas de aceite de oliva, 1 taza de caldo de pescado, 2 ramitas de perejil picado, sal y un poco de harina.

Elaboración: Picar los ajos muy finos. Calentar el aceite en una cazuela y dorar los ajos cuidando de que no se quemen. Cuando estén dorados, añadir las cocochas sazonadas con la parte más oscura hacia el fondo de la cazuela y un poco de harina.

Dejar cocer a fuego lento durante unos seis minutos, sin dejar de remover. Incorporar el caldo de pescado, subir el fuego y cocer unos tres minutos más.

Antes de servir, espolvorear las cocochas con el perejil picado fino.

Bajo la misma dirección, justo enfrente:
TRES MARES. Corazón de Maria, 77. T. 91 416 05 31 y 91 519 45 45.
Aparcamiento y gran terraza.

CRIADO'S SPECIALITIES

Traditional fish & seafood restaurant with meat specialities
Fresh shellfish and crustaceans:
White prawns, Norway lobsters, king-size prawns, velvet crabs, scarlet prawns, goose barnacles, clams, oysters, small scallops, shrimps, spider crab, lobster, spiny lobster
Sole, salt cod, red tuna, sea bass, gilthead bream
Medallions of hake Basque style
Roast rack of lamb
Grilled sirloin steak
Mille-feuille gateau with almond ice cream
Cheese cake with ice cream of meringue milk
To take away: Seafood plate for two persons with a bottle of Ribeiro wine: 39 €

Marisquería Criado

Localidad: **Madrid (28002)**
Dirección: López de Hoyos, 198 (metro Alfonso XIII)
Teléfonos: **91 413 35 51 y 91 416 06 37**
Parking: Aparcacoches y aparcamiento gratuito para los clientes
Propietario: Familia Criado
Días de cierre y vacaciones: Abierto cada día
Decoración: Clásica y elegante, tres salones con capacidad total para 140 comensales.
Ambiente: Un restaurante de toda la vida, muy popular en Madrid.
Bodega: Blancos gallegos y catalanes, tintos de Ribera del Duero y Rioja, vinos de Madrid, cavas y champagnes.
Hombres y nombres: Director: Alfredo Criado con una plantilla estable de profesionales.
Otros datos de interés: Casa muy tradicional fundada en 1961 por D. Gerardo Criado. La familia es oriunda de Astorga (León). Es el lugar apropiado para darse un homenaje a precio justo.
Tarjetas: Todas

ESPECIALIDADES CRIADO

Marisquería tradicional con pescados frescos y carnes
Toda la gama de mariscos:
gamba blanca, cigalas de tronco, langostinos, nécoras, carabineros, percebes
almejas, ostras, zamburiñas, camarones, centollo gallego, bogavante, langosta
Lenguado, balacao, atún rojo, lubina, dorada
Lomos de merluza a la vasca o a la cazuela
Paletilla de cordero
Lomo de buey a la parrilla
Hojaldre de la casa con helado de turrón
Tarta de queso con helado de leche merengada
Para llevar, mariscada para dos personas y botella de Ribeiro: 39 €

Dantxari

La cocina vasca de siempre

El restaurante Dantxari nace en 1997 tras la exitosa trayectoria profesional de sus tres socios procedentes de restaurantes de reconocido nombre y prestigio. Ángel Alonso en la cocina y Eduardo Navarrina junto a Jesús Medina en la sala, avalados por su conocimiento de la gastronomía, deciden unir sus caminos para iniciar una nueva etapa en esta casa.

Muy pronto, el éxito avala esta unión, sus comedores se llenan de clientes ávidos por degustar su cocina vasco-navarra que se fundamenta en dos pilares básicos: materia prima de calidad suprema y una culinaria de corte casero, sabores reconocidos y auténticos: excelentes verduras, impecables carnes, inmejorables pescados y deliciosos postres caseros. Una gastronomía seria y documentada que siempre agrada.

Las instalaciones, decoradas al más típico estilo vasco, se dividen en dos plantas. Un ambiente clásico, acogedor y entrañable recibe a los comensales. En la planta baja, el comedor principal con detalles y rincones de mucho encanto. En la planta superior, tres zonas diferenciadas: Salón de Vidrieras, Salón de los Relojes y Salón del Balcón. El marco ideal para todo tipo de celebraciones o reuniones de empresa.

Dantxari representa el arte de la cocina auténtica que nunca defrauda.

DANTXARI'S SPECIALITIES

Classical Basque cookery with first-choice products
Cold lasagne filled with spider crab meat
Homemade terrine of foie-gras
Beans from Tolosa with chorizo and blood sausage
Mushroom mix with foie-gras
Hake with sauce of giant red prawns
Salt cod with spider crab
Sea bass with tomato compote
Roast farmyard pigeon
Oxtail stew
Tripe, snout and trotters after our recipe
Fillet steak "Dantxari"
Grilled rib of beef (for 2 persons)
Homemade desserts and confectionery
Fruits in wine jelly with Marsala ice-cream
Toffee ice cream with liquorice sauce
Bitter-chocolate sponge with custard cream
Seasonal recommendations: Mousseron mushrooms, Morels stuffed with foie-gras, Truffle in port sauce

Dantxari

Localidad: **Madrid (28008).**
Dirección: Ventura Rodriguez, 8.
Teléfonos: **91 542 35 24 y 91 547 40 29 Fax: 91 547 40 29.**
E-mail: restaurante@dantxari.com www.dantxari.es
Parking: Servicio de aparcacoches y aparcamientos públicos cercanos.
Propietario: Eduardo Navarrina, Jesús Medina y Angel Alonso.
Días de cierre y vacaciones: Domingos noches. Vacaciones en agosto.
Decoración: Al estilo de un asador vasco tradicional.
Ambiente: De caserío. Gentes de buen comer en un ambiente familiar.
Bodega: Gran variedad de etiquetas, alrededor de 150 referencias y cavas.
Hombres y nombres: Chef: Ángel Alonso. Maitres: Eduardo Navarrina y Jesús Medina (sumiller).
Otros datos de interés: Abierto desde el verano de 1997 y regentado por profesionales de la restauración con más de 30 años de experiencia. Comedor principal hasta 80 personas y un salón privado para 12 personas. Facilidades para minusválidos. Colección de relojes antiguos.
Tarjetas: Todas.

ESPECIALIDADES DANTXARI

La cocina vasca de siempre con excelentes materias primas
Lasaña fría rellena de centollo
Terrina de foie hecho en casa
Alubias de Tolosa con chorizo y morcilla
Menestra de setas con foie
Lomo de merluza con salsa de carabineros
Capricho de bacalao con centollo
Lubina con compota de tomate
Pichón de caserío asado
Estofado de rabo de buey
Callos, morros y patas al estilo de la casa
Solomillo "Dantxari"
Chuletón de buey (2 pers.)
Repostería propia
Plato de frutas con jalea de vino y helado de Marsala
Helado de toffe con salsa de regaliz
Bizcocho de chocolate amargo con natillas
Sugerencias de temporada: Perretxicos de Orduña y Colmenillas rellenas de foie gras y trufa en salsa de Oporto

Diverxo

Joven y exitoso

David Muñoz es un cocinero rompedor e innovador, inquieto y viajero. Discípulo aventajado de Abraham García en Viridiana se formó posteriormente en el Hakkasan londinense, uno de los mejores restaurantes europeos de la cocina china y de fusión.

En la primavera de 2007, David Muñoz inaugura el antiguo Diverxo -juego de palabras con el nombre de la salsa XO, a base de soja, muy frecuente en el sur de China-, un pequeño restaurante situado en una bocacalle de Bravo Murillo. Tras unos inicios difíciles, su original propuesta de fusión de las cocinas de Oriente y Occidente tuvo pronto un éxito fulminante convirtiendo a su establecimiento en una de las principales novedades gastronómicas de los últimos años en la capital.

En el verano de 2009, se traslada a un local más céntrico y amplio, un escenario más adecuado y coherente con su filosofía que pretende condensar lo mejor de las cocinas del mundo, una culinaria global y compleja, llena de matices, que el propio David define como "un estado de crisis controlado".

Diverxo es un excitante laboratorio de sabores para divertir y sorprender. Cada plato es fruto de la genialidad creativa de David Muñoz, pero tiene detrás muchas horas de trabajo y reflexión, una constante investigación para lograr la mejor armonía entre los múltiples ingredientes combinados con enorme habilidad.

Esta original fórmula funciona a la perfección, su cocina heterogénea e incomparable pero a la vez refinada, siempre fresca y de sabores nítidos, ha situado a Diverxo en la cumbre de la restauración española.

DIVERXO'S SPECIALITIES

Fusion cookery

Three tasting menus:

ExpresXo, ExtenXo, DiverXo

Chilled soup of green coconut and macadamia nuts
with half-smoked salmon tongues

Chilli Crab

Dim Sum of rabbit and 5 carrots

Fried prawn reverse side with soy, yusu and warm mayonnaise

Skate on coal with Xo sauce Iberian style

Chinese bread, bun of horn-of-plenty mushrooms in cream sauce, milk skin,
dove and black horseradish

Custard of syrup and yolks with mango, rosé pepper, rhubarb and coconut curd

Diverxo

Localidad: Madrid (28020)
Dirección: C/ Pensamiento, 28
Teléfonos: 91 570 07 66
www.diverxo.com
Días de cierre y vacaciones: Cerrado domingos y lunes. Vacaciones: Semana Santa y dos semanas en Agosto.
Decoración: Elegante y luminoso comedor en la zona noble del barrio de Tetuán.
Ambiente: Un local de moda en Madrid con llenos diarios.
Bodega: En constante evolución.
Hombres y nombres: Chef: David Muñoz. Sala: Ángela Montero. Sumiller: Javier Arroyo.
Otros datos de interés: Premio Nacional de Gastronomía 2009. Comedor para un máximo de 30 comensales. Local accesible para personas con dificultades motrices.
Tarjetas: Las principales.

ESPECIALIDADES DIVERXO

Cocina de fusión
Tres Menús Degustación:
ExpresXo, ExtenXo, DiverXo
Sopa fría de coco verde y nuez de macadamia
con cocotxas de salmón semi ahumadas
Chili Crab
Dim Sum de conejo y 5 zanahorias
Gamba frita al revés, con soja, yusu y mayonesa caliente
Raya al carbón con salsa xo en versión ibérica
Mollete chino, bun de trompetas a la crema, piel de leche, tórtola y rábano negro
Tocino de cielo de mango con pimienta rosa, ruibarbo y cuajada rota de coco

Receta Don Pelayo

Filetes de lenguado con espinacas y mariscos

Ingredientes para 4 personas: 4 lenguados en filetes, 1 kg. de espinacas, 1/4 kg. de langostinos, 1/4 kg. de gambas, 1/4 kg. de carabineros, mantequilla, cava, sal, pimienta, salsa holandesa, nata, escalonia y brandy.

Preparación: Cocemos las hojas de espinacas, escurrimos y apartamos. Pelamos el marisco y lo cortamos en trozos pequeños, cocinándolo luego del modo siguiente: doramos la escalonia (finamente picada) en mantequilla, añadimos el marisco, flambeamos con brandy e incorporamos la nata, dejando cocer un buen rato, salpimentamos luego y mezclamos con esto las espinacas, retirando en cuanto den el primer hervor.

Los filetes de lenguado se doblan por la punta ancha y se ponen en un sauté untado de mantequilla, calentamos y tapamos con cava, dejando que se cuezan en ese vino.

Para terminar los platos: Echamos en el fondo de los mismos las espinacas con mariscos, y sobre esto hacemos un abanico con los filetes de lenguado; cubrimos la parte estrecha del abanico con salsa holandesa y decoramos el plato a nuestro gusto.

DON PELAYO'S SPECIALITIES

Cured ham "Don Pelayo"
Seafood-stuffed artichoke bottoms
Prawn salad with fresh pasta and tomato with basil
Hake in cider sauce
Salt cod with its barbels in garlicky sauce
Monkfish with prawns
Beef rib steak
Bull tail
Tripe Madrid style
Every day a different stew: white beans, hot pot, juicy rice pot, lentils
White chocolate & yoghurt mousse with sauce of tropical fruits
Cottage cheese foam with raisins and pine nuts

Don Pelayo

Localidad: **Madrid**

Dirección: C/Alcalá, 33

Teléfonos: **91 531 00 31 - 91 531 11 15**

E-mail:info@donpelayo.net www.donpelayo.net

Parking: Aparcacoches. Parking Sevilla.

Propietario: Hnos. Marrón.

Días de cierre y vacaciones: Domingos.

Decoración: Clásica.

Ambiente: Selecto.

Bodega: Amplia.

Hombres y nombres: Director: Tino Marrón.

Otros datos de interés: Noches de viernes y sábados, Menú-Degustación y música en vivo.

Tarjetas: Todas.

ESPECIALIDADES DON PELAYO

El jamón Don Pelayo

Fondos de alcachofas rellenos de mariscos

Ensalada de langostinos con pasta fresca y tomate a la albahaca

Merluza en su salsa a la sidra

Bacalao al pil pil con sus cocochas

Pixín (rape con langostinos)

Chuletón de buey

Rabo de toro

Callos a la madrileña

Cada día, un plato de cuchara: fabada, cocido, arroz caldoso, lentejas

Mousse de chocolate blanco y yoghourt, salsa de fruta tropical

Espuma de requesón con pasas y piñones

Gobolem

Una saga familiar

Hace más de 35 años, en el año 1972, Madrid recibía, entre otros aportes de modernismo y energía, el flujo de geniales inventores de la vida... Nuevos talentos, que revitalizaban las generosas expansiones ciudadanas.

Desde entonces, los cinco hermanos Asenjo, nos regalaron su conocimiento en tradiciones y mágicas formas culinarias de la extensa cultura castellana, haciendo alcanzable el gusto de las carnes campesinas, horneando las de Segovia y Galicia, recreando las tiernas sanabresas..., adornando los frutos de la huerta, con la medida justa de curados ibéricos y el justo rehogado al paladar de todas las escalas... Tocando con sabia habilidad manjares de la mar y caprichos de pastor... Cinco hermanos Asenjo, despertaron entonces, como hoy los cinco sentidos que empleamos al disfrutar aquello que con amor trabajan... ¡La cocina!.

Y un detalle curioso: Asenjo viene de Ajenjo, planta que los griegos dedicaron a Artemisa, Diosa de la Fecundidad... Quizá de ahí venga a ser menos chocante, la fecundidad de ideas en base a tradiciones de estos hermanos restauradores.

GOBOLEM'S SPECIALITIES

Market cookery and traditional Castilian specialities
Large à la carte menu
Menus for special events
Shellfish and crustaceans
Salad of peppers and salt cod
Stewed white beans from La Granja
Seafood-stuffed hake
Grilled sole
Roast suckling lamb Segovia's style
Beef rib steak on the hot stone
Home-made desserts

Gobolem

Localidad: **Madrid (28003)**
Dirección: C/ Julián Romea, 5
Teléfonos: **91 553 98 51 y 91 534 36 27**
Parking: Servicio de aparcacoches
Propietario: Hermanos Asenjo
Días de cierre y vacaciones: Abierto cada día.
Decoración: Estilo castellano
Ambiente: Las instalaciones ofrecen muchas facilidades para banquetes y mesas grandes.
Bodega: Amplia, a precios muy asequibles
Hombres y nombres: Dirección: Hermanos Asenjo
Otros datos de interés: Un valor seguro en el panorama gastronómico de la capital. Horno de leña y parrilla, expositores con los mejores géneros del mercado, gran barra y cafetería, 3 comedores (25, 60 y 100 p.) y un reservado (12 p.). Bajo la misma dirección, Cafetería y Restaurante Gobolem en San Francisco de Sales, 11: barra con raciones y canapés, cocina casera y gran terraza de verano.
Tarjetas: Todas

ESPECIALIDADES GOBOLEM

Cocina de mercado y cocina castellana tradicional
Amplia carta
Menús a medida para comidas de empresa y banquetes
Mariscos de temporada
Ensalada de pimientos con bacalao
Judiones de La Granja estofados
Merluza rellena de marisco
Lenguado a la parrilla
Lechazo asado estilo Segovia
Chuletón de buey a la piedra
Postres caseros

Goizeko Wellington

Unión de un gran hotel y un incansable restaurador

De la unión del Hotel Wellington y el restaurante Goizeko Kabi Madrid nace el restaurante Goizeko Wellington, ubicado en las lujosas instalaciones del hotel, dirigido por el restaurador Jesús Santos que lleva más de cuarenta años de trabajo e investigación sin fin en los fogones.

Esta inquietud culinaria queda plasmada en su alta cocina de raíces vascas con pequeños guiños a la modernidad, que prima, sobre todo, la magnífica calidad del producto. Su carta combina platos más tradicionales con otros más innovadores que nos transportan a nuevos aromas, sabores y texturas.

La inquietud gastronómica del restaurador Jesús Santos es sabiamente reinterpretada por el chef David Marcano, que ha colaborado con prestigiosos cocineros como Juan Mari Arzak. El resultado es un valor sólido en el panorama gastronómico madrileño que cuenta con una fiel clientela en el ambiente social y empresarial de la capital.

GOIZEKO WELLINGTON'S SPECIALITIES

Modern Basque haute cuisine with seasonal produce
Oyster salad with granité of gin tonic
Terrine of goose liver from the pan with Casta Diva wine pearls
Tempura-fried prawns marinated in curry with young vegetables à la Vichy
Tuna tartare with Beluga caviar
Fried baby squids with onion compote
Turbot cooked at low temperature with Santurce sauce
Braised knuckle of sucking lamb
Carpaccio of beef with Parmesan cheese shavings
Wild duck, its juice and bitter-orange marmalade
White chocolate soup, yoghurt sponge and cocoa sorbet
Mocha cream with ginger bread and Macadamia nut ice cream

Goizeko Wellington

Localidad: **Madrid (28001)**
Dirección: C/ Villanueva, 34 (Hotel Wellington)
Teléfonos: **91 577 01 38.**
E-mail: wellington@goizekogaztelupe.com
www.goizekogaztelupe.com
Parking: Aparcacoches
Días de cierre y vacaciones: Domingo. En julio y agosto, cerrado también sábados mediodía.
Decoración: De aires minimalistas. Madera de bilinga, iroco, bambú y seda natural.
Ambiente: Etiqueta.
Bodega: Una de las mejores bodegas de Madrid. Alrededor de 1000 referencias vinícolas, con una climatización específica que asegura su perfecta conservación y su buena temperatura de servicio.
Hombres y nombres: Director: Jesús Santos. Chef: David Marcano. Maitre: Mario Serrano.
Otros datos de interés: Situado en el Barrio de Salamanca, en las instalaciones del famoso Hotel Wellington. Comedor de dos plantas, capacidad máxima de 90 comensales. Salón privado para 40.
Tarjetas: Todas

ESPECIALIDADES GOIZEKO WELLINGTON

Alta cocina vasca de vanguardia y de temporada
Ensalada de ostras con su granizado de Gin Tonic
Terrina de foie de oca a la plancha, con perlas de Casta Diva
Langostinos en tempura, marinados al curry con verduritas Vichy
Tartar de atún con caviar beluga
Txipirón a la plancha y compota de cebolla
Rodaballo cocido a baja temperatura con salsa Santurce
Jarrete de cordero lechal estofado
Carpaccio de buey, con virutas de queso parmesano
Pato salvaje, su jugo y confitura de naranja amarga
Sopa de chocolate blanco, bizcocho de yogur y sorbete de cacao
Crema de café con pan de especias y helado de nueces de Macadamia

Horcher

Alta cocina centroeuropea

El restaurante Horcher se encuentra ubicado frente al Parque del Retiro, cerca de la Puerta de Alcalá, el Museo del Prado y el Jardín Botánico.

La historia de esta casa se remonta al año 1904, cuando su fundador Gustav Horcher abre el primer restaurante en Berlín. Su hijo Otto se haría cargo más adelante de expandir el negocio familiar hasta instalarse en España, donde en 1943 abrió Horcher en Madrid. Cien años después del primer Horcher en la calle Martin Lutherstrasse, un nieto suyo, Gustavo, dirige el Horcher español. La cuarta generación, su bisnieta Elisabeth, también está presente en el emblemático establecimiento.

Desde aquel lejano año, muchas cosas han cambiado en Europa y en todo el mundo. Numerosos protagonistas de la historia de este último siglo han pasado por estos salones. Otras cosas han permanecido inalterables: la esencia y alma de los inicios de Horcher, su cocina centroeuropea de inspiración alemana como estandarte, servicio de alta escuela y refinamiento en la atención al cliente.

El prestigio de Horcher continúa con el paso del tiempo, el mundo de los negocios o la política frecuenta este espacio de distinción: decoración lujosa, refinada porcelana, detalles cuidadísimos...La cocina del chef Carlos Horcher permite saborear la mejor caza de Madrid, una culinaria que conjuga felizmente tradición y modernidad.

HORCHER'S SPECIALITIES

Carpaccio of venison with mustard seeds and spicy figs

Tuna tartare

Crab salad

Artichoke bottoms filled with lobster and truffle

Scallop & scarlet prawn kebab

Truffled lobster ragout with Chartreuse scent

Hare saddle à la presse

Venison ragout

Wiener apple strudel

Crêpes "Sir Holden"

Horcher

Localidad: **Madrid (28014)**

Dirección: Alfonso XII, 6

Teléfonos: **91 522 07 31** **www.restaurantehorcher.com**

Parking: Aparcacoches.

Propietario: Familia Horcher.

Días de cierre y vacaciones: Sábados mediodía y domingos. Agosto y Semana Santa.

Decoración: Lujosos salones de estilo centro-europeo.

Ambiente: Uno de los restaurantes más importantes de Madrid.

Bodega: De las mejores de España.

Hombres y nombres: Chef: Carlos Horcher y Aquilino García.

Otros datos de interés: Servicio de alta escuela, emplata a la vista del cliente. Valiosas porcelanas vienesas con piezas de museo.

Tarjetas: American Express, Diner's.

ESPECIALIDADES HORCHER

Carpaccio de venado con granos de mostaza e higos picantes

Tartar de atún

Ensalada de cangrejos

Fondos de alcachofas rellenos de bogavante y trufa

Brocheta de vieiras y carabineros

Ragout de bogavante al chartreuse con trufas

Rable de liebre a la prensa

Ragout de corzo

Strudel a la vienesa

Crêpes "Sir Holden"

Receta La Huerta de Lleida

Bacalao a la llauna

Ingredientes para 4 personas: 4 trozos de bacalao remojado a punto de sal, aceite de oliva virgen, 8/10 dientes de ajo, 4 hojas de laurel, 1 vaso de vino blanco oloroso o rancio muy seco, pimentón dulce y 1 vaso pequeño del agua de remojar el bacalao.

Elaboración: Enharinar y freír el bacalao previamente desalado y apartar. En otro recipiente, freír los diente de ajo y retirar cuando empiecen a dorar. Agregar una cucharada ó una cucharada y media de pimentón, las hojas de laurel, un vaso y medio de vino blanco seco y dejar que evapore el alcohol del vino, incorporar un vasito de remojo del bacalao y reducir un poco. Colocar el bacalao en una plancha, al ser posible de hierro, agregar el fondo elaborado previamente, colocar en el horno calentado a 200 ºC durante 7/8 minutos y servir.

Emplatado: Se puede acompañar con unas patatas asadas.

LA HUERTA DE LLEIDA'S SPECIALITIES

Genuine traditional Catalonian cookery
Seasonal specialities and dishes on request
Snails, roasted vegetables, salad
The best of each season: wild mushrooms, grilled artichokes or young onions
Barbecued meat: beef, rabbit with garlic mayonnaise, sausage, farmyard chicken
Catalonian sausages
Duck specialities: breast and confit
Wide range of salt-cod specialities after ancient recipes
Monkfish à la marinière or with artichokes and clams
Typical desserts: cottage cheese with honey, Catalonian crème brûlée, figs with cream, apple crêpes with melted black chocolate, sorbets...

La Huerta de Lleida

Localidad: Madrid (28.013)
Dirección: Cuesta de Santo Domingo, 16
Teléfonos: 91 542 90 44 y 91 547 80 80
E-mail: restaurante@lahuertadelleida.com
www.lahuertadelleida.com
Parking: Aparcamiento público en plaza Santo Domingo
Propietario: Valentín y Ángel
Días de cierre y vacaciones: Abierto cada día
Decoración: Clásica, de buen gusto
Ambiente: Negocios y familiar. Restaurante frecuentado por actores y artistas.
Bodega: Principalmente vinos catalanes (Costers del Segre), Somontano, Rioja y Ribera del Duero. Todos entre 12 y 45 €
Hombres y nombres: Jefe de cocina: Valentín Botargues.
Relaciones Públicas: Ángel Font
Otros datos de interés: El restaurante catalán más joven de Madrid. Abrió sus puertas el año 2000 para ofrecer al público madrileño lo mejor de la cocina catalana de siempre. Precio medio a la carta: 38 €. Dos salones y comedor-cava.
Tarjetas: Todas

ESPECIALIDADES LA HUERTA DE LLEIDA

La auténtica cocina tradicional catalana
Especialidades de temporada y elaboraciones por encargo
Caracoles, escalivada, esqueixada
Lo mejor de la temporada: setas, alcachofas a las brasas, calçots...
Carnes a la barbacoa: ternera, conejo con ali-oli, butifarra, pollo de corral...
Embutidos catalanes
Del pato: magret y confit
Gama de bacalaos preparados a la antigua usanza:
a la llauna, a la lledetana (con frutos secos y miel)
al horno, al romescu o con setas
Rape a la marinera o con alcachofas y almejas
Postres típicos: mel i mató, crema catalana,
higos a la crema, crêpes de manzana con chocolate negro fundido,
sorbetes...

Receta Jaizkibel

Chipironcitos encebollados

Ingredientes para 4 personas: 200 gr. de chipirones, 3 cebollas, 4 pimientos verdes, 1 taza de aceite de oliva y sal.

Elaboración: Limpiar con cuidado los chipirones y reservar las patas. Trocear la cebolla muy fina y rehogar lentamente en una cazuela con aceite de oliva. No debe dorarse, sino quedar casi como una compota. En otra sartén, con un poco de aceite, sofreír los pimientos cortados finos y, cuando estén tiernos, añadir los chipirones. Rehogar bien y, cuando hayan tomado color, añadir las patas y a continuación, la cebolla pochada. Remover, rectificar de sal y retirar del fuego cuando se observe que los chipirones estan tiernos.

JAIZKIBEL'S SPECIALITIES

Basque cookery with first-choice produce, prepared by artisan cooks
Tasting menu of organic produce
Artichokes filled with spider crab
Fresh anchovies from Guetaria
Jaizkibel's lukewarm lobster salad
Stews: tuna, tripe, pork cheeks, beans…
Rice Basque style with baby squids, prawns and clams
Hake in the style of Ondarra
Salt cod: grilled, in garlicky olive oil emulsion or Basque style
Sole from the Bay of Biscay, spotted red bream or white tuna
Braised rack of goat kid
Grilled rib steak of beef
Traditional Basque desserts

Jaizkibel

Localidad: **Madrid (28037)**
Dirección: Albasanz, 67 (cerca de Miguel Yuste)
Teléfonos: **91 304 16 41 - 91 304 30 89**
www.jaizkibelartesanoscocineros.com
Parking: Aparcamiento propio y aparcacoches.
Propietario: Cipriano Sánchez.
Días de cierre y vacaciones: Cerrado domingos.
Decoración: La barra y el comedor dividen a partes iguales este espacio, elegante y contemporáneo.
Ambiente: Esta casa para gastrónomos cuida el producto, guisa con gusto y ajusta los puntos de cocción.
Bodega: Carta de vinos con una amplitud poco habitual, 1800 entradas, cargada de interesantes referencias.
Hombres y nombres: Jefes de cocina: Cipriano Sánchez y Antonio Muñoz.
Otros datos de interés: Trae diariamente sus productos frescos del Puerto de Ondarroa. Expositor con los pescados del día y vivero de mariscos. Carta de pintxos y raciones en la barra. Bajo la misma dirección: **Sidrería Asador Gaztelu**. C/ Julián Camarillo, 50. Madrid. Reservas: **91 440 03 47**.
Tarjetas: Todas.

ESPECIALIDADES JAIZKIBEL

Cocina vasca con materias primas de calidad, elaborada por artesanos cocineros
Menú Degustación con productos ecológicos
Alcachofas rellenas de txangurro
Antxoas frescas de Guetaria
Ensalada templada de bogavante Jaizkibel
Guisos: marmitako, callos, carrillada, alubias...
Arroz vasco con txipirones, gambas y almejas
Merluza a la ondarresa
Bacalao a la brasa, pil-pil o vizcaína
Lenguado del Cantábrico, besugo o bonito a la brasa
Carré de cabrito braseado
Chuletón de buey a la parrilla
Postres tradicionales vascos

Receta El Jamón y El Churrasco

Espárragos rellenos de gambas

Ingredientes para 4 personas: 12 piezas de espárragos calibre 6-8, 250 gr. de gambas, fumet de pescado, pimienta blanca, brandy, maicena, harina de trigo, huevo, aceite de oliva, mantequilla y cebolla.

Preparación: fondear la cebolla con mantequilla, incorporar las gambas previamente picadas en trocitos, flambear con el brandy y añadir el fumet de pescado; llevar a ebullición y espesar con la maicena.

Abrir los espárragos por la mitad, con una manga pastelera pasar un cordón con el relleno previamente realizado, cerrar el espárrago, pasar por harina y huevo, y freir.

Emplatado: disponer en el fondo del plato una salsa Aurora (salsa base de pimientos del piquillo), los espárragos por encima u una ramita de perejil para decorar.

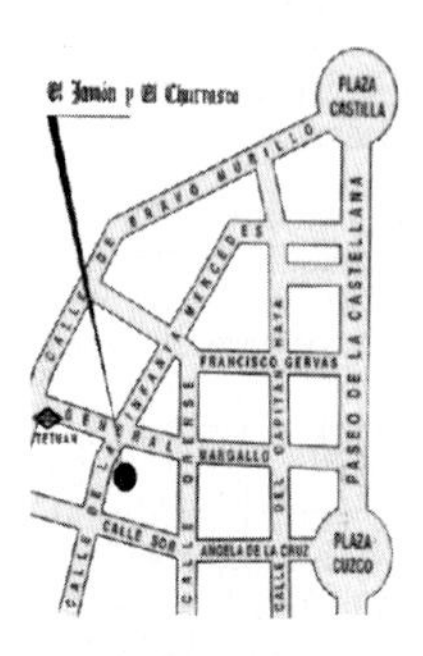

SPECIALITIES OF EL JAMÓN Y EL CHURRASCO

Cured ham of Iberian pig

Boiled octopus sprinkled with olive oil and paprika, boiled potatoes

Asparagus with shrimp stuffing

Wild mushrooms in breadcrumbs, garlic mayonnaise

Gilthead bream baked in a salt coat

Fillets of hake with sea-urchin sauce

Rib steak of Galician beef on the hot stone

Churrasco Galician style

Home made tart with "orujo" scent (Galician grappa, grape spirit)

El Jamón y El Churrasco

Localidad: **Madrid (28020).**
Dirección: C/Infanta Mercedes, 64.
Teléfonos: **91 570 03 19 y 91 579 03 50 (y fax)**
www.jamonychurrasco.com
Parking: Servicio de aparcacoches.
Propietario: Manuel Pérez Iglesias.
Días de cierre y vacaciones: Domingos noches y lunes todo el día.
Decoración: Rústica y campestre.
Ambiente: Selecto.
Bodega: Completa. Todas las denominaciones de origen.
Hombres y nombres: Chef de cocina: Manuel Pérez Iglesias.
Otros datos de interés: Organiza jornadas gastronómicas a lo largo del año (consultar). Tres salones privados de 10 a 30 personas, barra y mesón para tapeo y comidas informales. Buena relación calidad-precio. Servicio de catering.
Tarjetas: Todas.

ESPECIALIDADES EL JAMÓN Y EL CHURRASCO

Jamón ibérico

Pulpo a la gallega con cachelos

Espárragos rellenos de gambas

Setas empanadas con salsa ali-oli

Dorada a la sal gorda

Lomos de merluza con salsa de erizos de mar

Chuletón de buey gallego a la piedra

Churrasco a la gallega

Tarta casera al aroma de orujo blanco

Jockey

Savoir-faire

Tras la renovación de sus instalaciones, Jockey mantiene su esencia intacta. Fondo y forma se han remozado inteligentemente para mantener el espíritu de su fundador, Clodoaldo Cortés, que inauguró este restaurante en 1945, en plena posguerra española, con el objetivo de reunir en sus comedores a la flor y nata de la vida social madrileña.

El conocido interiorista Ignacio García de Vinuesa ha sido el encargado de la transformación de la sala, una delicada reforma que mantiene las señas de identidad de la casa, no pueden faltar las boiseries de antaño, los espejos en las paredes o el famoso banco corrido, todo tratado con materiales de última generación.

El restaurante cuenta con el asesoramiento de Miguel Ángel García que pretende recuperar el concepto de restaurante de lujo y ambiente de club inglés adaptando su oferta gastronómica a un establecimiento del S.XXI. Los platos emblemáticos de la cocina clásica de Jockey, prácticamente inamovibles por petición expresa de los clientes, se combinan con propuestas más actualizadas. También coctelería, gin & tonics y los domingos brunch a la carta.

En sus más de 60 años de trayectoria, Jockey se ha convertido en parte de la historia de Madrid, con un indiscutible sello personal donde predominan calidad y lujo, un esmerado y especializado servicio de sala que realiza preparaciones ante el cliente y una culinaria de base tradicional e influencia francesa, donde las salsas tienen una gran importancia.

El servicio de catering, uno de los más prestigiosos de España, dispone de sus recetas de siempre elaboradas con las mejores materias primas de temporada y menús personalizados preparados en el acto.

JOCKEY'S SPECIALITIES

Cuisine on a traditional basis with French influence
Tempura-fried prawns with sweet & sour sauce
Poached eggs with truffle mousseline
Snails Bourguignonne
Scallops with cured ham
Lobster ragout with pasta and truffle julienne
Turbot with raspberry sauce
Kidneys in sherry sauce
Stuffed cockerel Jockey's style
Fillet steak à la broche
Rack of lamb à la Provençale
Apple mille feuille with Calvados
Caramelised crêpes with Amaretto liqueur

Jockey

Localidad: Madrid (28010)
Direcci n: Amador de los Ríos, 6
Tel fonos: 91 310 04 11 - 91 319 24 35 (y fax)
E-mail: jockey@restaurantejockey.net
www.restaurantejockey.net
Parking: Servicio de aparcacoches.
Propietario: Familia Cortés.
D as de cierre y vacaciones: Vacaciones en agosto.
Decoraci n: Nuevo interiorismo manteniendo las señas de identidad: telas, moqueta, apliques, piezas de plata,...
Ambiente: Elegancia y refinamiento, conservando el protocolo en los modales y en la mesa. Los clientes masculinos deben llevar americana y corbata.
Bodega: Más de 700 referencias con representación de los mejores caldos españoles e internacionales. Champagnes, cavas, olorosos, licores, destilados y aguardientes.
Hombres y nombres: Chef: Esteban Sánchez. Maitre: Miguel Pozo.
Otros datos de inter s: Inaugurado en 1945 por Clodoaldo Cortés, Jockey es toda una institución de la alta restauración madrileña. Salones privados con capacidad entre 2 y 100 personas.
Tarjetas: Las principales.

ESPECIALIDADES JOCKEY

Cocina de base tradicional con influencias francesas
Tempura de langostinos con salsa agridulce
Huevos escalfados con muselina de trufa
Caracoles de Borgoña
Vieiras asadas con jamón
Ragout de bogavante con pasta y juliana de trufa
Rodaballo a la frambuesa
Riñones al Jerez
Pollito picantón relleno Jockey
Solomillo de cebón asado a la broche
Carré de cordero a la provenzal
Milhojas de manzana con Calvados
Crêpes de amaretto caramelizadas

Lhardy

Desde 1839

Fundado en 1839 por el suizo Emilio Lhardy, este restaurante ha sido testigo de muchos acontecimientos históricos a lo largo de su extensa trayectoria lo que le convierte en una referencia indiscutible de la gastronomía y la historia de Madrid. Como dijo Azorin "No podemos concebir Madrid sin Lhardy".

Inaugurado inicialmente como pastelería, pocos meses después el negocio se amplio a restaurante. En sus aristocráticos salones se dieron cita escritores, políticos, banqueros, nobles, periodistas, hombres de ciencia..., por ello es el restaurante más veces mencionado en la literatura española. Numerosos testimonios bibliográficos nos hablan de sucesos acontecidos en sus salones, sociedades nacidas al calor de sus tertulias o conspiraciones fraguadas en sus dependencias.

Lhardy fue el primer restaurante de lujo de Madrid. La fachada, diseñada por Rafael Guerrero, se realizó con madera de caoba traída de Cuba. El edificio conserva exactamente su identidad, los mismos espejos, las mismas cortinas, los mismos fruteros cincelados en plata...todo se mantiene intacto a pesar del paso del tiempo.

En la actualidad, Lhardy conserva la tradición gastronómica sin renunciar a los gustos contemporáneos. Hoy en día sigue siendo típico degustar una taza de caldo o tomar unos deliciosos aperitivos en la tienda situada en su planta baja.

LHARDY'S SPECIALITIES

Consomé "Lhardy"
Cream of crustacean soup
Hot-pot of Madrid (hen, knuckle, sausages, chickpeas)
Tripe Madrid style
Partridge
Veal Prince Orloff
Pheasant in sauce with grapes
Sole in champagne sauce
Baked sea-bass
Parfait with chocolate sauce
Surprise soufflé

Lhardy

Localidad: **Madrid (28014)**

Dirección: Carrera de San Jerónimo, 8

Teléfonos: **91 521 33 85 - 91 522 22 07 www.lhardy.com**

Parking: Gratuito en Sevilla.

Propietario: Sucesores Feito y Aguado.

Días de cierre y vacaciones: Domingos noche y festivos noche. Vacaciones en agosto.

Decoración: Estilo isabelino

Ambiente: Selecto y cosmopolita. Restaurante fundado en 1839. Es el más antiguo de España en su categoría.

Bodega: Extensa en vinos nacionales. Vinos internacionales.

Hombres y nombres: Chef de cocina: Ricardo Quintana; Chef de repostería: José Mª Monje Monje; Maitres: Segundo Salvador y Valentín Monje Rello.

EPECIALIDADES LHARDY

Consomé Lhardy
Crema de mariscos
Cocido madrileño
Perdiz
Ternera Principe Orloff
Faisán a las uvas
Lenguado al champagne
Lubina al horno
Biscuit glacé con salsa de chocolate
Soufflé sorpresa

La Manduca de Azagra

El restaurante del futuro

Manducar: comer, tomar alimentos. El diccionario de la Real Academia Española se ha quedado corto en el caso del restaurante La Manduca de Azagra.

Al sur de Pamplona, en Azagra, un pequeño pueblo de la Navarra agraria y profunda, el restaurante inicial con su espectacular decoración vanguardista ha sido considerado en los últimos años el más moderno de la comunidad foral.

Su propietario, Juan Miguel Sola, un entusiasta del diseño y de los fogones, decidió trasladarse a Madrid y abrir un nuevo establecimiento con los mismos criterios gastronómicos y arquitectónicos del original.

En las plantas sótano y baja de un edificio del siglo XIX situado en la calle Sagasta, se ha establecido, desde la entrada, una sucesión abierta de espacios con distintos comedores.

Aquí se ofrece una cocina navarra clásica realzada con grandes dosis de creatividad y basada en una rigurosa selección de las mejores materias primas de cada estación del año. El restaurante se ha convertido en un obligado lugar de referencia de la gastronomía navarra en la capital.

Patxi Mangado ha creado un armonioso espacio con una decoración que incluye piezas de los más renombrados diseñadores mundiales, y una luz halógena escondida tras las paredes que discurre por los bordes superior e inferior de éstas, otorgándole el aspecto de lienzos flotantes.

Los comensales se encuentran con el valor añadido de la original vajilla, la mantelería de hilo y una profusión de detalles en los cuales se aprecia la preocupación estética de este local.

Juan Miguel Sola afirma que **"cocinamos para emocionar, no para alimentar"**. A renglón seguido adelanta uno de los puntales filosóficos de la Manduca: "no buscamos el éxito, que es algo efímero, sino el prestigio de las cosas bien hechas. Creemos en el ingenio y en el atractivo emocional de nuestra cocina. Y sólo así lograremos crear la sorpresa y la sonrisa que son la razón de ser de nuestra actividad. Seguiremos en vanguardia, porque es lo que se espera de nosotros ".

SPECIALITIES OF LA MANDUCA DE AZAGRA

Creative and traditional cookery
Fresh vegetable speciality
(vegetables from our own garden)
Potato slices with foie gras and fresh truffle
Cream of pumpkin soup with poached egg and truffle oil
Dice of duck liver on glazed shallots and essence of sweet Pedro Ximenez sherry
Salt-cold "cocochas" (part of the collar)
Fillets of sea-bass
Barbecued rib of beef steak
Boneless bull's tail timbale with cèpes and aubergines
Cheese terrine with quince on cheese curd

La Manduca de Azagra

Localidad: **Madrid (28.004)**
Dirección: C/ Sagasta, 14
Teléfonos: **91 591 01 12 Fax: 91 591 01 13**
E-mail: manduca@lamanducadeazagra.com
www.lamanducadeazagra.com
Parking: Dos aparcamientos a 100 metros, Bilbao y Barceló
Propietario: Manduca 97 S.L.
Días de cierre y vacaciones: Cerrado domingos. Vacaciones en agosto
Decoración: Expresionismo, máximo nivel arquitectónico. Ha sido merecedor de varios premios nacionales e internacionales
Ambiente: El mundo de los negocios y la arquitectura, cenas de sociedad
Bodega: Vinos de Navarra, Riojas, Ribera del Duero, Somontano, Cataluña y vinos del mundo
Hombres y nombres: Regentado familiarmente por: Anabel Arriezu, Raquel Sánchez y Juan Miguel Sola
Otros datos de interés: Espectaculares instalaciones de última generación: "el restaurante del siglo XXI". Cuatro salones, capacidad total hasta 110 personas y varios comedores privados.
Tarjetas: Todas

ESPECIALIDADES LA MANDUCA DE AZAGRA

Cocina creativa y tradicional
Verduras naturales en su máxima expresión
(provienen del huerto familiar de Azagra)
Patata laminada con foie y trufa natural
Crema de calabaza con huevo escalfado y aceite de trufa
Taco de foie sobre chalota glaseada y reducción de Pedro Ximénez
Cocochas frescas de bacalao
Lomos de lubina
Chuletón a la brasa
Timbal de rabo de toro deshuesado, con hongos y costrada de berenjena
Terrina de queso con membrillo sobre fondo de cuajada natural

O'Pazo

Puerto de mar madrileño

El restaurante O'Pazo, auténtico santuario de los productos del mar en Madrid, ha realizado una completa remodelación de sus instalaciones, adaptándolas al siglo XXI. El feliz resultado es un local de diseño, un espacio muy acogedor distribuido en dos comedores sobrios de colores blancos y pardos, con una luminosidad adecuada y gran amplitud entre las mesas. Para ello se han utilizado materiales innovadores: metal, cristal, abundancia de maderas pulidas, terciopelos y frontales retroiluminados.

Un renovado O'Pazo, en plan fashion, pero con los exquisitos géneros de siempre. Los mejores pescados y mariscos, traídos de todo el litoral español, conservan toda la esencia de su sabor natural gracias a presentaciones depuradas, sin condimentos, guarniciones, salsas o aliños que puedan desvirtuar las condiciones originales de pescados fresquísimos y mariscos vivos.

Aquí se ofrece puro producto, una materia prima extraordinaria, puntos de cocción milimétricos con una mínima elaboración que enaltece el sabor, olor, matiz y texturas de los que son los mejores pescados y mariscos del mundo.

Al frente del restaurante se ha situado Marta García, hija de Don Evaristo. La incorporación de Antonio García como jefe de sala, un profesional de contrastada categoría, afianza un impecable servicio a la altura de lo que exige el nivel de cocina y las instalaciones primorosamente rehabilitadas.

O'PAZO'S SPECIALITIES

Striking offer of first choice fish, shellfish and crustaceans
(Sea bass, grouper, monkfish, smoked salmon, scarlet prawns, Norway lobsters, spiny lobsters, oysters, goose barnacles)
Sizzling spicy garlic elvers
Season's salad with Norway lobster tails
Sautéed cèpe mushrooms with small scallops
Sole Evaristo's style
Baked turbot
Custard-filled pancakes
Almond tart from Santiago de Compostela

O'Pazo

Localidad: **Madrid (28020)**
Dirección: C/ Reina Mercedes, 20
Teléfonos: **91 553 23 33 – 91 534 37 48. Fax: 91 554 90 72**
E-mail: opazo@opazo.es
www.pescaderiascoruñesas.es/restaurantes
Parking: Aparcacoches.
Propietario: Evaristo García Gómez.
Días de cierre y vacaciones: Cerrado domingos. Vacaciones en agosto.
Decoración: La espectacular reforma de las instalaciones ha transformado este clásico en un espacio muy actual.
Ambiente: Políticos y personalidades del mundo de las artes, las letras y empresas.
Bodega: Nueva bodega climatizada. Gran selección de vinos Gallegos, Catalanes, Riojas, Cacabelos y Grandes Reservas en tinto.
Hombres y nombres: Directora: Marta García. Jefe de cocina: Francisco Monje Lara. Maitre y sumiller: Antonio García.
Otros datos de interés: Evaristo García, propietario también del restaurante El Pescador y de las prestigiosas Pescaderías Coruñesas, ha convertido sus establecimientos en los mejores puertos de mar en la capital.
Tarjetas: Todas

ESPECIALIDADES O'PAZO

Impresionante despliegue de pescados y mariscos de primera calidad (lubina, mero, rape, salmón ahumado, carabineros, cigalas, langostas, ostras, percebes...)

Angulas a la bilbaína

Ensalada de temporada con colitas de cigalas

Hongos salteados con zamburiñas

Lenguado Evaristo

Rodaballo al horno

Filloas rellenas de crema

Tarta de Santiago

Paulino de Quevedo

Sensibilidad culinaria

Desde hace más de cincuenta años, Paulino es sinónimo de cocina auténtica en Madrid. El local propiedad de la familia Ramos en la calle Alonso Cano ha sentado cátedra en la culinaria popular madrileña. Sus llenos diarios para degustar recetas de base tradicional, sustentadas en productos de temporada de calidad, así lo reflejan. Desde que Paulino Ramos hijo tomó las riendas del negocio a principios de los ochenta, su cocina evolucionó hacia una renovación sin perder las raíces.

Paulino de Quevedo es una prolongación de la antigua casa -que sigue con la misma vitalidad de siempre- y, sobre todo, la culminación de un sueño del propietario. Un local amplio, espaciosa cocina y moderna decoración, con estructura de madera y muros de ladrillo a la vista del comensal. Aquí, Paulino Ramos refleja la creatividad culinaria que atesora desde sus años de formación.

La carta se renueva mensualmente, incorporando lo mejor del mercado. Sobre una base de cocina casera tradicional, se configuran creaciones contemporáneas. En la barra de la entrada se puede optar por una comida informal, delicadas tapas, aperitivos y vinos. La bodega, acondicionada tras una cristalera, acoge etiquetas seleccionadas por sus relación calidad-precio.

PAULINO DE QUEVEDO'S SPECIALITIES

The small appetizers
Large choice of imaginative kebabs, cold and warm
and the traditional cookery served in small portions
The imaginative cookery
Baby squids stuffed with crunchy vegetables
Carpaccio of sturgeon with truffle oil and sunflower seeds
Grilled turbot with savoury Greek pudding and green oil
Grilled tournedos of red tuna with chutney and red wine sauce
Layered slice of oxtail and parsnip & carrot purée
Guinea fowl breast with foie gras & truffle sauce
Glass of liquefied coconut-rice-pudding with cinnamon jelly

Paulino de Quevedo

Localidad: **Madrid (28.010)**
Dirección: C/ Jordán, 7 (junto a la glorieta de Quevedo)
Teléfonos: **91 591 39 29**
Parking: Aparcamiento público a 100 metros, en Plaza de Olavide
Propietario: Paulino Ramos
Días de cierre y vacaciones: Cerrado lunes. Vacaciones en agosto
Decoración: Edificio industrial de finales del siglo XIX, donde se ha llevado a cabo una feliz rehabilitación con toques minimalistas y postmodernos
Ambiente: Gastronómico, lúdico y moderno
Bodega: Surtida selección de vinos perfectamente cuidados en condiciones óptimas
Otros datos de interés: Después de más de 50 años de trayectoria familiar en la entrañable casa de comidas de la calle Alonso Cano, Paulino se ha instalado también en este espectacular local, que antes fue taller de madera, muy espacioso con elevadísimos techos y lienzos abstractos. Dos ambientes: la taberna para aperitivos, vinos, tapas de cocina y el restaurante a la carta.
Tarjetas: Todas

ESPECIALIDADES PAULINO DE QUEVEDO

La cocina de las tapas
Gran variedad de pinchos imaginativos, fríos y calientes
y su cocina tradicional servida en pequeñas raciones
La cocina imaginativa
Chipirones rellenos de verduras crujientes
Carpaccio de esturión con aceite de trufa y pipas de girasol
Rodaballo a la plancha con pastel griego y aceite verde
Tournedo de atún rojo a la plancha con chutney y coulis de vino tinto
Milhojas de rabo de buey con puré de chirivías y zanahorias
Suprema de pintada con salsa de foie y trufa
Copa de arroz con leche de coco y gelatina de canela

Piñera

En primera división

Los hermanos Marrón, de raíces asturianas, ostentan más de 30 años de experiencia en la hostelería madrileña. Como resultado de tantos años de maestría, en diciembre 2007 inauguraron este restaurante con la clara vocación de convertirlo en referente de la alta restauración madrileña.

Un restaurante de lujo de nueva planta, refinada cocina y elegante ambientación. Más de 400 m^2 distribuidos en dos niveles, magníficas instalaciones realzadas por la nobleza de los materiales escogidos: madera, acero, vidrio, telas, fachada de mármol...

Frecuentado por el "todo Madrid", es un restaurante a la última para un público exigente, cuidando discreción, privacidad y seguridad (posibilidad de acceso directo desde el aparcamiento).

A su servicio, un gran equipo de jóvenes profesionales, una plantilla de más de 20 personas eficazmente dirigidas por Jorge Dávila. A pesar de su juventud, posee una amplia formación profesional: ha trabajado en conocidos restaurantes como Zalacaín, realizado servicios en el Palacio Real y se ha perfeccionado en Paris.

Actualmente, Piñera ha consolidado su identidad en cocina. Apuesta por una alta culinaria de mercado, elegante equilibrio entre clasicismo y vanguardia, poniendo especial énfasis en la selección de las materias primas, suntuosos productos como la trufa de Soria o carnes de wagyu (kobe), la espléndida bodega a precios civilizados con posibilidad de menús-maridaje y la atención a todos los detalles como el carro de licores y puros. La extensa carta recoge la variedad de platos y estilos de toda nuestra geografía.

Piñera representa una de las opciones para gourmets más interesantes en el panorama capitalino. La distinción de sus instalaciones, en línea con los mejores restaurantes madrileños, el nivel de la propuesta gastronómica realzada por regias materias primas y el conjunto de mucho empaque le consolidan como uno de los grandes.

PIÑERA'S SPECIALITIES

Market haute cuisine in steady renovation
Egg à la Périgourdine with genuine truffle (seasonal)
Layered slice of scallops and salt cod
in garlicky olive oil emulsion with dried tomatoes
Rice with chicken from Les Landes and duck gizzard
Medallion of salt cod with camembert and dashi sauce
Caramelised monkfish with lemongrass essence
Roast loin of goat kid with leek sausage and cheese from Fuerteventura
Roast Bresse pigeon with strawberry jelly
Assortment of Spanish and foreign cheese served on a slate tray
Panna cotta of coconut milk with Aztec chocolate and mint granité
Chocolate potpourri

Piñera

Localidad: **Madrid (28020)**
Dirección: Rosario Pino, 12
Teléfonos: **91 425 14 25. Móvil: 609 054 941.**
E-mail: reservas@restaurantepinera.com
www.restaurantepinera.com
Parking: Servicio de aparcacoches y aparcamiento propio gratuito.
Propietario: Hermanos Marrón.
Días de cierre y vacaciones: Abierto todos los días.
Decoración: Refinada. Distinción, elegancia y clase.
Ambiente: Para gastrónomos exigentes. Cocina de alta calidad, impecable servicio y todas las comodidades.
Bodega: Propia en sótano. Más de 900 referencias con una gran selección de vinos del mundo sin olvidar las grandes denominaciones españolas y zonas más emergentes. Carta de champagnes y whiskies.
Hombres y nombres: Director: Jorge Dávila. Asesor de cocina: Benjamín Urdiaín. Chef de cocina: Oscar Portal. Sumiller: Mario García. Maitre: Oscar Marcos.
Otros datos de interés: Dos salones, fumadores y no fumadores, para 60 y 50 personas. Salones privados. Posibilidad de acceso directo desde el aparcamiento.
Tarjetas: Todas.

ESPECIALIDADES PIÑERA

Alta cocina de mercado en constante renovación
Huevo perigourdine con trufa melanosporum (temporada)
Lasaña de vieira con bacalao al pil pil y tomates secos
Arroz con pollo de Las Landas y molleja de pato
Lomo de bacalao con queso Camembert y salsa dashi
Rape de Celeiro caramelizado con esencia de lemon-grass
Lomo de cabrito asado con morcilla de puerros y majorero
Pichón de Bresse asado con jalea de fresa
Degustación de quesos españoles y del mundo en pizarra
Panna cotta de leche de coco con chocolate azteca y granizado de menta
Pasión por el chocolate

Ramon Freixa Madrid

De Madrid al cielo

Ramón Freixa tiene oficio desde la cuna, afinó el paladar en el restaurante familiar, en la Escuela de Hostelería de Sant Pol y en prestigiosos fogones al otro lado de los Pirineos. Tras catorce años en El Racó d'en Freixa desembarca en Madrid en este lujoso espacio gastronómico ubicado en el majestuoso marco del Hotel Único Madrid. Su padre se queda al frente del ahora denominado Freixa Tradició, desde donde seguirá amasando el pan artesano que a diario viaja a Madrid.

Para Ramon Freixa cocinar es un trabajo que requiere gusto por el riesgo, tanta observación como invención. Perfeccionista, innovador, arriesgado y divertido son cualidades que transmite a su cocina. Una culinaria muy personal, evolucionada y de raíces, con un producto meticulosamente elegido, donde resaltan los sabores y aromas mediterráneos. La inconfundible rúbrica del chef se refleja en propuestas sorprendentes, virtuosismo técnico y el inevitable golpe de humor en las presentaciones. Una obra lúdica-gastronómica, experimentada en total libertad, con guiños a las recetas populares.

La sala es concebida como un "espacio de felicidad" con una suntuosa puesta en escena: suelo en mármol con espectacular mosaico, perfecta iluminación, colosal espejo veneciano en el techo, grandes ventanales, celosía de vidrio, vajilla de Limoges, copas de Murano, mantelería de hilo...La separación entre las mesas garantiza un servicio personalizado. Un mural de la Gran Vía preside el comedor y certifica que se puede subir "de Madrid al cielo" a través de la gastronomía.

SPECIALITIES OF RAMON FREIXA MADRID

Fusion between traditional and creative cuisine

Tasting menu FRX

Scallop with Jerusalem artichokes and chestnuts, hazelnut veil and truffle foil

Juicy rice with cuttlefish and black sausage

Monkfish with a touch of paprika, garlic, olives, chicory, monkfish marrow with soil flavour

Roast lamb shoulder with spicy pork sausage spread and honey, cabbage, radish and salsifies, sweetbreads with pasta, potatoes

Selection of prepared cheeses

Warm white chocolate cake, cocoa cookie and sorbet

Ramon Freixa Madrid

Localidad: **Madrid (28001)**
Dirección: Claudio Coello, 67 - Hotel Único Madrid
Teléfonos: **91 781 82 62**
E-mail: info@ramonfreixamadrid.com
www.ramonfreixamadrid.com
Parking: Garaje privado con servicio de aparcacoches.
Días de cierre y vacaciones: Cerrado domingos y lunes. Vacaciones: Navidad, Semana Santa y Agosto.
Decoración: Confort, refinamiento y elegancia.
Ambiente: Moderno, sin audacias minimalistas.
Bodega: Carta de vinos enciclopédica. Las mejores etiquetas españolas e importante presencia internacional.
Hombres y nombres: Jefe de cocina: Ramón Freixa y Pere Patuel. Jefe de sala: Francisco Muñiz. Sumiller: Ismael Álvarez.
Otros datos de interés: En plena milla de oro de Madrid y con acceso directo desde la calle, este restaurante gastronómico se ubica en la planta baja del exclusivo Hotel Único Madrid*****, un edificio del S.XIX rehabilitado respetando su gran valor histórico. Comedor para 35 personas, privado para 10 y un delicioso patio ajardinado para cenar en verano.
Tarjetas: Las principales.

ESPECIALIDADES RAMON FREIXA MADRID

Fusión entre tradición culinaria y creación artística
Menú Degustación FRX
Vieira asada con tupinambas rotas y castañas, terciopelo de avellanas con papel de tartufo
Arroz meloso de sepia y butifarra negra
Rape de playa con toques de pimentón, ajo y aceitunas, endivia de raíz a punta, tuétano de rape con sabor a tierra
Paletilla de cordero al horno con sobrasada y miel, col, rábanos y salsifis, mollejas con pasta, patata brava
Selección de quesos cocinados
Pastel caliente de chocolate blanco, teja y sorbete de cacao

El Rincón de Esteban

Amor al oficio

En la calle Santa Catalina, pleno corazón artístico madrileño, en el barrio de las letras y la cultura, al lado del Congreso de los Diputados, en el triangulo de los hoteles más emblemáticos de Madrid, el restaurante El Rincón de Esteban es un selecto rincón gastronómico.

El director y propietario, Esteban González, personaje carismático como pocos, ostenta una inquebrantable vocación por la hostelería y lleva toda la vida dedicada a la restauración. En su afán de superación constante y ofrecer siempre el mejor servicio a sus clientes, ha llevado a cabo una ampliación y remodelación de sus instalaciones creando nuevos espacios. Estos nuevos salones y la deliciosa bodega-comedor privado configuran un marco único para celebraciones especiales en un ambiente señorial.

Aquí el comensal disfruta de una cocina española de mercado de alta calidad, tradicional en sus conceptos, sin olvidar las tendencias más actuales. La carta se renueva con sugerencias diarias según estación y mercado. Menús personalizados para eventos y exquisito tratamiento del vino, más de 500 referencias de caldos españoles y de resto del mundo.

A lo largo del año, Esteban González organiza diversos acontecimientos gastronómicos: en noviembre, Jornadas de la Caza; en febrero, Fiesta del Bacalao; en mayo, con motivo de la Feria de San Isidro, jornadas especiales con un menú degustación y concurridas tertulias para los aficionados al mundo del toro.

Palacete de Rosales

Después de una suculenta comida o cena en El Rincón de Esteban, puede disfrutar de un lugar privilegiado, junto al Parque del Oeste, en el Paseo de Pintor Rosales, frente al número 16, El Palacete de Rosales es una placentera terraza, a pocos metros del Templo de Debod. En un ambiente tranquilo y agradable, podrá encontrar todas las bebidas que solicite, cócteles de creación propia y un amplio surtido de tapas. La mejor opción en pleno centro de Madrid: T. 91 540 15 26.

EL RINCÓN DE ESTEBAN'S SPECIALITIES

Modern spanish cookery

Traditional cookery with seasonal specialities

Dishes of the day and recommendations according to the market offer

Chips, fried eggs, cured ham shavings and elvers

Home-made pastries and confectionery

El Rincón de Esteban

Localidad: **Madrid (28014).**
Dirección: Santa Catalina, 3 (entre Carrera San Jerónimo y C/ del Prado). Frente al Congreso de los diputados.
Teléfonos: **91 429 92 89 - Fax 91 429 25 16**
Parking: Gratuito para los clientes en Pza. de las Cortes.
Propietario: Sukalde S.A.
Días de cierre y vacaciones: Cerrado domingos noche. Vacaciones: segunda quincena de Agosto.
Decoración: Castellana moderna.
Ambiente: Relajado y amistoso.
Bodega: Extensa selección de vinos de todas las marcas españolas y algunos franceses, chilenos, italianos, etc...
Hombres y nombres: Esteban González Moreno atiende personalmente a sus numerosos amigos y fiel clientela.
Otros datos de interés: Nuevos salones y bodega-comedor privado para eventos especiales. Pertenece a la Chaine des Rotisseurs. Placa al Mérito Turístico.
Tarjetas: Todas.

ESPECIALIDADES EL RINCÓN DE ESTEBAN

Cocina española actual

Cocina tradicional con platos de temporada

Platos del día y sugerencias dependiendo del mercado

"Manda huevos"

Repostería artesanal de elaboración propia

Santceloni

Palabras mayores

Situado en pleno centro de Madrid, en el Paseo de la Castellana, se encuentra este restaurante de lujo dentro de las magníficas instalaciones del flamante Hotel Hesperia.

Un equipo competente, con el joven chef Óscar Velasco al frente, ejecuta a la perfección la cocina de autor y las exquisitas creaciones inspiradas en su maestro Santi Santamaría. El seleccionado género viaja, desde los principales puertos y mercados españoles, hasta llegar a su cocina con la primera luz del día. De este modo, frescura y sabor se mantienen intactos sin perder ninguna de las propiedades naturales de los alimentos. La carta de Santceloni es una interpretación de lo mejor de cada cultura de España.

Platos modernistas y aparentemente sencillos pero que encierran una gran complejidad, constituyen una oferta que le ha convertido en uno de los mejores restaurantes del panorama gastronómico de la capital.

El local elegido para el restaurante, en los bajos del hotel pero con puerta a la calle, es espectacular: grandes espacios, hermosas cristaleras y una moderna mezcla de vanguardismo con antigüedades. Todo se ha cuidado al detalle: cubertería, cristalería, vajilla de diseño... El servicio también está a la altura de la categoría del establecimiento.

SANTCELONI'S SPECIALITIES

Oysters in citrus fruit, cauliflower & rocket marinade

Terrine of beef, foie gras, pistachio nuts and purée of dried figs

Red mullet, smashed fried eggs, fried breadcrumbs and paprika oil

Scorpion fish, roasted vegetables and juice of the roasted bones with olives

Spotted red bream, courgette julienne, mussels and saffron

Roast lamb shoulder with confit shallots

Roast rack of sucking pig with thyme

Fruit salad with yogurt & mint sauce

Quince jelly with toffee ice cream

Santceloni

Localidad: **Madrid (28.046)**
Dirección: Paseo de la Castellana, 57 (Hotel Hesperia Madrid)
Teléfonos: **91 210 88 40 Fax: 91 210 88 92**
E-mail: santceloni@hesperia-madrid.com
www.restaurantesantceloni.com
Parking: Aparcacoches.
Propietario: Grupo Hesperia
Días de cierre y vacaciones: Sábados mediodía, domingos y festivos. Vacaciones en agosto y Semana Santa.
Decoración: Refinada y minimalista.
Ambiente: Selecto.
Bodega: Aproximadamente 600 referencias, las mejores añadas de las principales regiones vinícolas del mundo. Carta en constante rotación.
Hombres y nombres: Jefe de cocina: Óscar Velasco. Maitre: Abel Valverde. Sumiller: David Robledo.
Otros datos de interés: Ubicado en los bajos del Hotel Hesperia Madrid, un hotel cinco estrellas. Comedor privado de 6 a 20 comensales en mesa imperial.
Tarjetas: Todas

ESPECIALIDADES SANTCELONI

Ostras con escabeche de cítricos, coliflor y rúcula

Terrina de ternera, foie, pistachos y puré de higos secos

Salmonete, huevos estrellados, migas y aceite de pimentón

Cabracho, verduras escalibadas y el jugo de su espina asada con aceitunas

Besugo, fideos de calabacín, mejillones y azafrán

Espalda de cordero con las chalotas confitadas

Carré de cochinillo asado al momento al aroma de tomillo

Ensalada de fruta con salsa de yogur y menta

Bombón de membrillo con helado de toffee

Sergi Arola Gastro

Must madrileño

Sergi Arola pretende recuperar con este restaurante el espíritu y la relación con los comensales que se respiraba en su primer local madrileño, aquella Broche ya legendaria de la calle Doctor Fleming, sin las estrecheces en la cocina de ese primer establecimiento y en un marco más intimo y menos minimalista que el de su segunda etapa en el local del Hotel Miguel Ángel.

Sergi Arola desembarcó hace muchos años en Madrid y desde el inicio quedó claro que era uno de los chefs más importantes de cuantos habían pasado por la capital. Ahora alcanza su fecunda madurez como cocinero al presentar con excelentes resultados una técnica de vanguardia al servicio de sabores puros y diáfanos, reflejando al mismo tiempo su admiración y respeto por la humilde cocina casera.

Sergi Arola Gastro es fruto de las aspiraciones de una magnífica pareja de profesionales de la gastronomía, Sergi Arola y Sara Fort. Este restaurante supone la herramienta con la que pretenden transmitir a lo largo de un menú de degustación la complejidad de su mundo sensorial y culinario y por otro, más allá de modas o tendencias estéticas, recuperar la calidez y las texturas de ese trato de "Bistrot" ilustrado que tanto añoran de su primera etapa en la ciudad.

SERGI AROLA GASTRO'S SPECIALITIES

Tasting menus: Gastro, Sergi, Basic and Business
Sample of Gastro Menu: Appetizers, sushi sashimi,
Lightly-salted hake with vegetables in court-bouillon
Confit potatoes, tomato and aioli
Sardines, beans from Kenya and sobrasada sausage
Cauliflower emulsion, chanterelle mushrooms and bone marrow
Cream of tender onions shoots with fried egg and scallop
Loin of rabbit with snails
Sole on toast with sliced cèpe mushrooms and a light garlicky sauce au gratin
Medallion of salt cod with crumbs and egg of young hen
Loin of venison with caramelised apples and chestnuts, six-spice butter
Duck liver casserole with beans from Santa Pau
The Musician's dessert with almond ice cream
Liquorice dessert with wild berries and vanilla soup
Chocolate sphere filled with saffron mousse and Armagnac-flavoured chocolate soup

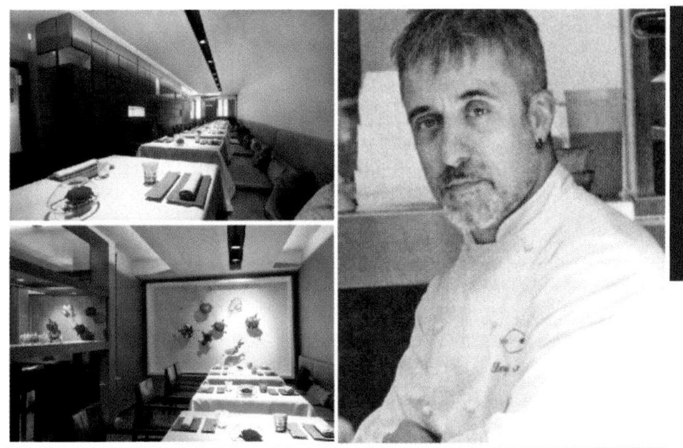

Sergi Arola Gastro

Localidad: **Madrid (28010)**
Dirección: C/ Zurbano, 31
Teléfonos: **91 310 21 69 - 91 310 03 94 - Fax: 91 413 72 19**
E-mail: info@sergiarola.es www.sergiarola.es
Parking: Aparcacoches.
Días de cierre y vacaciones: Cerrado sábados mediodía y domingos.
Vacaciones: Del 11 al 31 de agosto, del 24 de diciembre al 3 de enero y Semana Santa.
Decoración: Vanguardista, íntimo, cálido y delicado espacio, en tonos negro, beige, chocolate y malva.
Ambiente: Cómplice, tranquilo y confortable. Amable servicio de sala.
Bodega: 700 referencias escogidas. Las mejores denominaciones nacionales y foráneas con especial hincapié en los vinos de procedencia "biodinámica" y pequeños viticultores...sin olvidar las bodegas más emblemáticas. Cócteles clásicos e innovadores.
Hombres y nombres: Director: Sergi Arola. Directora de sala: Sara Fort. Jefe de cocina: Manuel Berganza. Sumiller: Dani Poveda.
Otros datos de interés: Capacidad 28 comensales, más una mesa en la cocina. En la planta baja, elegante lounge-bar donde disfrutar del soul, jazz, cócteles y un breve mini-menú, a modo de tentempié ilustrado.
Tarjetas: Todas.

ESPECIALIDADES SERGI AROLA GASTRO

Menús Degustación: Gastro, Sergi, Básicos y Ejecutivo.
Menú y Carta Coctelería
Ejemplo de Menú Gastro: Snacks, Sushisashimi,
Semi-salazón de merluza y nage de verduras
Fondos de patata confitados y frito, tomate y "all i oli"
Sardinas asadas, judías de Kenia y sobrasada
Emulsión de coliflor, guiso de rebozuelos y tuétano de ternera
Crema de calçots con huevo frito y vieira
Lomo de conejo con caracoles
Tosta de lenguado y láminas de boletus gratinado con una crema de ajo ligera
Lomo de bacalao frito con migas de pastor y huevo de gallina joven
Lomo de venado con manzanas y castañas caramelizadas, mantequilla de 6 especias
Escudella de hígado de pato con judías de Santa Pau
Postre de "Músico" y helado de Xixona
Pañuelo de regaliz con frutos del bosque y sopa de vainilla
Esfera de chocolate rellena de mousse de azafrán y sopa de chocolate al Armañac

La Terraza del Casino

Paco Roncero

Paco Roncero, chef ejecutivo y director, ha situado a este establecimiento en la cúspide de la gastronomía madrileña, con una cocina innovadora, sensitiva y original en un marco repleto de historia y tradición.

Tras una sólida trayectoria y pasar un año de formación en el restaurante El Bulli, Paco Roncero es nombrado Jefe de Cocina del Casino en el año 2000. Desde entonces, su prestigio no ha hecho más que crecer gracias a su propuesta de platos audaces y vanguardistas inspirados en el recetario mediterráneo, una cocina moderna con una rigurosa elección de las mejores materias primas del mercado.

La espectacular reforma del comedor realizada por el diseñador español afincado en Londres, Jaime Hayón, ha configurado un nuevo espacio que presenta ahora un aire de moderna sofisticación y luminosidad en el que destaca el acertado uso de los materiales más exclusivos: suelo ajedrezado, colores azulados, espejos, enormes lámparas, porcelanas de exclusivo diseño, vistosas columnas, ventanas transparentes y fotos realistas.

LA TERRAZA DEL CASINO'S SPECIALITIES

Creative cuisine

Lobster with soup of Arbequina-olive oil and rosé grapefruit
Nitro corn with black truffle jelly and airy foie gras
Prawns and rice with Parmesan cheese and sweet Pedro Ximénez sherry
Monkfish with broad beans and mint-scented tomato ravioli
Salt cod in a light garlicky olive oil emulsion with vegetables
Sole with asparagus and tangerine purée
Veal knuckle with vegetables en papillote
Fillet steak, ravioli of streaky of Iberian pork and potatoes
Gently-roasted sucking pig with mascarpone, mango and courgette salad
Sour strawberry soup, curd cheese ice cream and honey
Rose sabayon with cinnamon & tangerine ice cream
White-chocolate granité with mango and black olives

La Terraza del Casino

Localidad: **Madrid (28014)**
Dirección: Alcalá, 15. (Casino de Madrid)
Teléfonos: **91 532 12 75.**
E-mail: terraza.casino@nh-hotels.com
www.casinodemadrid.es
Parking: Aparcamiento y aparcacoches.
Días de cierre y vacaciones: Sábados mediodía, domingos y festivos. Vacaciones: Agosto.
Decoración: Impactante y postmoderno comedor en el histórico marco del Casino de Madrid, edificio del S.XIX.
Ambiente: Exquisito.
Bodega: Carta de vinos extensa.
Hombres y nombres: Chef: Paco Roncero. Sumiller: Maria José Huertas.
Otros datos de interés: Situado en el Casino de Madrid, singular edificio histórico, con numerosas obras de arte y aires palaciegos. Sus salones resultan ideales para la celebración de banquetes o cualquier tipo de evento. Encantadora terraza.
Tarjetas: Todas

ESPECIALIDADES LA TERRAZA DEL CASINO

Cocina innovadora
Bogavante al natural con sopa de aceite de arbequina y pomelo rosa
Nitro maiz con geleé de trufa negra y aire de foie-gras
Langostinos con arroz al parmesano y Pedro Ximénez
Rape con habas y raviolis de tomate a la menta
Bacalao con crema ligera de pil-pil y verduras
Lenguado con espárragos y puré de mandarina
Jarrete de ternera con papillote de verduras
Solomillo de buey con raviolis de panceta ibérica y patata
Cochinillo confitado con mascarpone, mango y ensalada de calabacín
Sopa de fresa ácida, helado de cuajada y miel
Sabayón de rosas con helado de canela y mandarina
Granizado de chocolate blanco con mango y olivas negras

La Trainera

Buque insignia

Desde su fundación en 1966, su propietario, Miguel García, siempre ha defendido la calidad de la materia prima y la profesionalidad en el servicio. Su extraordinaria trayectoria empresarial ha sido reconocida con la Medalla de Reconocimiento al Mérito Turístico como Gran Restaurador de la ciudad de Madrid. A sus 87 años, Don Miguel no piensa en jubilarse sino en levantarse cada día para ir a trabajar y continuar con su personalísimo sello al frente del restaurante.

La Trainera se encuentra en la zona noble de Madrid, en pleno barrio de Salamanca. Su decoración recrea un ambiente eminentemente marinero. Este nombre evoca los antiguos pescadores que con su trainera se desplazaban rápidamente por la costa para soltar la "traina", una red de malla muy tupida utilizada para la captura, sobre todo, de anchoas y sardinas. Una vez soltada la red rodeaban el banco de peces y posteriormente las recogían para llevar la pesca rápidamente a puerto.

La esencia del mar siempre está presente, esta casa traslada desde los distintos puertos pesqueros hasta Madrid el mejor pescado y marisco fresco, productos escogidos de primera calidad. En los puertos de origen, dispone de viveros y personal propio que seleccionan las mejores piezas para hacerlas llegar pocas horas después.

La Trainera se distribuye en dos plantas: una acoge la espléndida barra, comedor para 300 comensales y dos salones privados hasta 50 comensales. En la planta superior se pueden alojar hasta 75 personas en un marco que evoca los camarotes de los barcos de pesca.

Favorecida sin duda por el buen viento, La Trainera halló su amarre en el castizo varadero madrileño de la calle Lagasca. Los fieles clientes de esta casa así lo atestiguan, una de las mejores direcciones de Madrid para degustar los fastuosos productos del mar.

LA TRAINERA'S SPECIALITIES

Cured ham from Jabugo (of acorn-fed iberian pigs)

Fresh fish, crustaceans and shellfish

Spiny lobster and lobster à l'américaine

Hake and sole, shallow-fried in egg-coating or andalusian style

Grilled salmon

Grilled turbot

Fish and seafood soup

Cream of crustacean soup after our own recipe

Red sea-bream "Trainera"

Scalloped spider crab

La Trainera

Localidad: **Madrid (28001)**

Dirección: Lagasca, 60

Teléfonos: **91 576 80 35. Fax: 91 575 06 31**

E-mail: info@latrainera.es www.latrainera.es

Parking: Aparcacoches

Días de cierre y vacaciones: Domingo y Agosto.

Decoración: Marinera

Ambiente: Muy variado y cosmopolita.

Bodega: Muy completa. Albariños y blancos secos.

Hombres y nombres: Jefe de sala: Jesús Pérez.

Tarjetas: Visa, Amex, Diner's, Master, J.C.B..

ESPECIALIDADES LA TRAINERA

Jamón de Jabugo

Pescados y mariscos

Langosta y bogavante americana

Merluza y lenguado romana y andaluza

Salmón parrilla

Rodaballo plancha

Sopa de productos del mar

Crema de mariscos especial

Besugo Trainera

Changurro en concha de vieiras

Zalacaín

Cocina y servicio de alta escuela

Inaugurado en enero 1973, Zalacaín es un gran clásico de la restauración madrileña, un restaurante de lujo, donde conviven una excelente culinaria y un servicio impecable consiguiendo ese dificilísimo equilibrio de atención, cortesía y eficiencia.

Zalacaín debe su nombre al entusiasmo que profesaba Don Jesús Oyarbide, el fundador, por Pío Baroja; la fecha de apertura del restaurante coincidía con la celebración del centenario del nacimiento del genial escritor.

Sus majestades Don Juan Carlos I y Doña Sofia han visitado en numerosas ocasiones este templo de la gastronomía así como presidentes y ministros del Gobierno de España, premios Nobel y diferentes personalidades.

En Zalacaín se elabora una alta cocina, muy personalizada, poniendo especial énfasis en la selección de los mejores productos de temporada.

El restaurante destila exclusividad: vajilla de diseño único de la marca Villeroy&Boch, cubertería de Plata Meneses...y espléndidas instalaciones: 3 comedores contiguos decorados en color salmón y 4 salones privados (Dalí, Imperio, Vajilla y Urbasa), nueva sala con motivos de Salvador Dalí que se puede convertir en salón privado hasta 45 comensales y elegante bar de espera.

La bodega es ejemplar, dispone de grandes marcas nacionales y extranjeras puestas al día, distribuidas aproximadamente en 35.000 botellas.

ZALACAÍN'S SPECIALITIES

Lukewarm partridge salad with chestnuts and pomegranate
Belon oysters in port jelly with Beluga caviar
Ravioli stuffed with mushrooms and truffled goose foie gras
Saffrony lobster stew with crushed tomato
Sea bass in sauce of two different wines with fried spinach leaves
Baked grouper with balsamic vinegar dressing and small red "piquillos" capsicums
Roast rack of sucking lamb with the kidneys, garnished with sauté vegetables
Venison in black-pepper sauce with baby corncobs
Warm flaky pastry with apples
Chocolate volcano with four-spices and pistachio ice cream
Raspberries and mango au gratin

Zalacaín

Localidad: **Madrid (28006)**
Dirección: Alvarez de Baena, 4.
Teléfonos: **91 561 48 40 Fax: 91 561 47 32**
www.restaurantezalacain.com
Parking: Servicio de aparcador.
Propietario: Zalacaín S.A.
Días de cierre y vacaciones: Sábados mediodía, domingos y festivos. Vacaciones: Semana Santa y agosto.
Decoración: Sobria y elegante.
Ambiente: Distinguido.
Bodega: Extensa en vinos nacionales e internacionales.
Hombres y nombres: Dirección: Carmelo Pérez. Cocina: Juan Antonio Medina. Sala: José Luis Jiménez Sánchez. Sumiller: Custodio López Zamarra.

ESPECIALIDADES ZALACAÍN

Ensalada tibia de perdiz, castaña escabechada y granada
Ostras de "Belón" en gelatina al Oporto con caviar Beluga
Raviolis rellenos de setas e hígado de oca con trufas
Bogavante guisado al azafrán con tomate concasse
Lubina a los dos vinos con hoja de espinaca frita
Mero al horno con vinagreta de aceto balsámico y pimientos de piquillo
Costillar de lechal con su riñón y verdura salteada
Venado a la pimienta negra con mini mazorca de maíz
Hojaldre de manzana caliente
Volcán de chocolate a las cuatro especias con helado de pistacho
Gratinado de frambuesas y mango

La Cañada

Tradición familiar

El restaurante La Cañada está situado a pocos kilómetros de Madrid, en Boadilla del Monte cerca de un importante centro empresarial y de ocio, en plena naturaleza. Es un lugar perfecto para comidas de negocios y grandes acontecimientos sociales, ya que cuenta con amplios espacios, comedores privados, aparcamiento propio y jardines para pasear y dejar a los niños jugando.

El origen de la cocina que se practica aquí remonta al siglo pasado y a la tradición familiar, gran parte de las especialidades se cocinan como antaño. Especial mención merece el cocido madrileño que se prepara en puchero de barro individual sobre carbón de encina. La Cañada no sólo ofrece los platos más clásicos de la cocina española sino que la amplia carta cuenta también con innovaciones de cocina creativa.

La tradición de una familia, los Verdascos consigue que el rito del buen comer siga vivo en esta mesa, generación tras generación. Cuando se habla de la Familia Verdasco, surgen otros dos nombres:

La Bola y **El Café de Chinitas**, dos establecimientos donde tradición y buena mesa van de la mano. El primero es uno de los restaurantes más antiguos de Madrid y con él comenzó la larga andadura de esta familia junto al cocido madrileño. El segundo es uno de los tablaos flamencos más prestigiosos del mundo, por él han pasado los más grandes.

Tres ambientes diferentes, unidos por una familia que piensa que tradición y modernidad no están reñidas, buen ejemplo de ello son estos locales.

LA CAÑADA'S SPECIALITIES

Traditional and updated Castilian cookery
Pulses and fresh vegetables
Castilian hot-pot served in individual earthenware pots
Sucking lamb and pig roasted in the oak-fired oven
Barbecued sirloin and fillet steaks
Monkfish with pygmy squids
Salt cod mille-feuille with black-olive sauce
Apple fritters
Chocolate pancakes

La Cañada

Localidad: **Boadilla del Monte (28660 Madrid)**
Dirección: Ctra. Nacional M-501 km. 2,5
Teléfonos: **91 633 12 83 - 91 633 10 69 Fax: 91 632 11 86**
www.grupowamba.es
Parking: Amplio aparcamiento vigilado
Propietario: Familia Verdasco
Días de cierre y vacaciones: Abierto todo el año excepto noches de domingos y lunes
Decoración: Castellana. Gran casona rodeada de naturaleza
Ambiente: Tranquilo y señorial
Bodega: Propia. Vinos seleccionados para potenciar el sabor de los platos
Hombres y nombres: Dirección: Fernando Verdasco. Jefe de cocina: Salvador Rocha. Maitre: Santos Hernández
Otros datos de interés: Un restaurante emblemático de la Comunidad de Madrid, fundado en 1970. Varios comedores y salones privados desde 15 hasta 50 comensales, capacidad total hasta 700. Para el verano, carpa exterior para 200 personas, terraza y jardines. Instalaciones con gran flexibilidad organizativa, ideales para bodas y todo tipo de eventos.
Tarjetas: Las principales

ESPECIALIDADES LA CAÑADA

Cocina castellana tradicional y actualizada

Legumbres y verduras frescas

Cocido madrileño en pucheros individuales de barro

Lechazo y cochinillo de los campos de Castilla en horno de leña de encina

Lomo y solomillo de buey a la brasa

Rape con puntillitas

Milhojas de bacalao con salsa de aceitunas negras

Buñuelos de manzana

Filloas de chocolate

La Lonja de Boadilla

Tradición familiar

Este restaurante inaugurado en noviembre 2010 representa la tradición familiar de varias generaciones dedicadas al mundo del pescado y marisco. La experiencia acumulada durante más de 50 años avala el prestigio y reconocimiento de esta casa especializada en los más selectos frutos del mar. La Lonja de Boadilla es un referente gastronómico de la zona, selecciona los mejores pescados y mariscos frescos adquiridos cada mañana en el mercado para presentar elaboraciones sencillas, al horno, plancha, en salsa..., sin enmascarar los sabores originales, culminados con atinadas presentaciones. Destaca el magnífico horno para elaborar el pescado a la manera más tradicional. Mención aparte merecen el pescaíto frito, hasta su mesa llegan los aromas más tradicionales de la gastronomía andaluza, y las carnes del país adquiridas directamente a los distribuidores nacionales más prestigiosos.

La Lonja de Boadilla es un marco único para celebrar todo tipo de eventos: reuniones de empresa, presentaciones, banquetes...siempre con atención personalizada y esmerado servicio. Periódicamente organiza también jornadas gastronómicas y acontecimientos culinarios especiales. Además, se puede disfrutar del pescado y marisco exclusivo del restaurante, recibiendo cómodamente en casa estos exquisitos tesoros marinos, mediante el servicio de entrega 24 horas en toda España (T. 626 697 233).

Bajo la misma dirección: La Lonja de Boadilla en C/ García Noblejas, 5, casco urbano de Boadilla del Monte. T. 91 632 03 88.

LA LONJA DE BOADILLA'S SPECIALITIES

Fresh fish, shellfish and crustaceans
Goose barnacles from Roncado, king prawns from Vinaroz, prawns, Norway lobsters, scarlet prawns
Lobsters, velvet crabs, spider crabs, cockles, razor shells, clams
Tuna belly flaps
Fresh fish: baked, grilled or with sauce
Hake Basque style, head and neck of hake, hake tongues
Turbot roasted in the wood-fired oven
Shallow-fried meagre with garlic and a dash of vinegar
Small fish fry: anchovies, wedge soles, squids, baby octopuses, gobies
Rib steak of beef, fillet or sirloin steak
Homemade desserts
"Tocino de cielo": Cream caramel prepared with syrup instead of milk
Tiramisù, cheesecake
Mille feuille gateau with custard, cream and chocolate

La Lonja de Boadilla

Localidad: **Boadilla del Monte (28660 Madrid)**
Dirección: C/ Generalísimo, 31 (frente Palacio del Infante Don Luis)
Teléfonos: **91 633 02 39**
E-mail: contacto@restaurantelalonjaboadilla.es
www.restaurantelalonjaboadilla.es
Parking: Servicio de aparcacoches.
Propietario: Mª José, Susana y Luis Aparicio Nicolás.
Días de cierre y vacaciones: Cerrado domingos noche y lunes todo el día. Vacaciones en agosto.
Decoración: Elegante combinación de elementos tradicionales y modernos.
Ambiente: Un restaurante en un entorno único.
Bodega: Más de 200 referencias. Las etiquetas más prestigiosas y reconocidas de las denominaciones de Rioja, Ribera del Duero, Navarra, Albariños, Toro, La Mancha...a precio justo. Selección de vinos dulces, cavas y champagnes.
Hombres y nombres: Jefe de cocina: Robinson Vera. Jefe de sala: Eric Américo. Sumiller: Cristian Parxet.
Otros datos de interés: Situado en un emplazamiento privilegiado y con encanto, en una zona peatonal frente al monumental Palacio del Infante Don Luis, dispone de espaciosas instalaciones distribuidas en dos plantas: barra, dos salones-comedores independientes con capacidad hasta 170 comensales y amplia zona de terraza ajardinada.
Tarjetas: Todas excepto American Express.

ESPECIALIDADES LA LONJA DE BOADILLA

Pescados y mariscos frescos
Percebes del Roncado, langostinos de Vinaroz, gambas, cigalas, carabineros, bogavantes, nécoras, centollas, berberechos, navajas, almejas...
Ventresca de bonito
Pescados al horno, a la plancha, en salsa
Merluza bilbaína, Cogote de merluza donostiarra, Cocochas
Rodaballo al horno de leña
Corvina a la espalda
Pescaíto frito: boquerones, acedías, calamares, chopitos, chanquetes...
Chuletón, solomillo o entrecot
Postres caseros
Tocino de cielo, Tiramisú, Tarta de queso
Hojaldre de crema, nata y chocolate

El Rincón de la Abuela

Nuevas instalaciones

El Rincón de la Abuela está situado en Collado Mediano, preservado municipio de la sierra de Guadarrama, a 47 km. de Madrid. Tras la importante y larga rehabilitación realizada en un caserón justo al lado del establecimiento original, esta casa ha estrenado una nueva sede. Amplias e impecables instalaciones donde resaltan el diáfano y espacioso comedor con mucha luz natural y una terraza vanguardista.

La trayectoria de Máximo Ferruz se puede calificar de modélica. Después de su paso por el restaurante Sala de Guadarrama y sus años de experiencia en el local anterior, más modesto, en este nuevo y flamante escenario Máximo vuelve a apostar por su exitosa fórmula: la cocina tradicional y casera, siempre sencilla y natural, placentera y saludable, un servicio atento y profesional y precios contenidos.

La esposa de Máximo, Carmen, magnífica cocinera, oficia en los fogones interpretando y actualizando las recetas de la abuela -la madre de Máximo- son las recetas que ha guisado en casa de toda la vida puestas al día con buen gusto y buena mano: magníficos callos, delicados pimientos rellenos, generosa ensalada de salmón y bonito, gazpacho, caldo, etc. Uno de los grandes atractivos de la casa son las gambas a la plancha. Una apuesta muy tradicional basada en el producto, los platos y sabores de siempre, dispone de buena materia prima y Carmen sabe tratarla. En la carta, todo es sencillo y sabroso.

EL RINCÓN DE LA ABUELA'S SPECIALITIES

Traditional cookery with fresh produce
Recommendations of the day
Grilled prawns
Razor shells, cockles, Norway lobsters
Small red piquillo capsicums stuffed with meat or salt cod
Home made ham, seafood or fish croquettes
Tripe in the style of Madrid
Fresh fish of the day: tongs, sole, hake
Sucking lamb cutlets
Ice cream of milk caramel spread
Cheese with raspberries
Tiramisù
Cream & custard mille feuille

El Rincón de la Abuela

Localidad: Collado Mediano (28450 Madrid)
Dirección: C/ Alfredo Carneros, 3 (frente Polideportivo Municipal)
Teléfonos: 91 859 85 59
Parking: Fácil aparcamiento.
Propietario: Máximo Ferruz González.
Días de cierre y vacaciones: Cerrado martes. Vacaciones: mediados de octubre a mediados de noviembre.
Decoración: Noble caserón serrano felizmente reacondicionado.
Ambiente: Variado. Calidad a precios razonables.
Bodega: Completa. Crianzas, reservas y grandes reservas de las principales denominaciones de origen.
Hombres y nombres: Un joven equipo a su servicio, dirigido por Máximo.
Otros datos de interés: Nuevas y flamantes instalaciones inauguradas en junio 2009. Varios salones, agradable terraza y capacidad para 170 personas.
Tarjetas: Las principales.

ESPECIALIDADES EL RINCÓN DE LA ABUELA

Cocina tradicional y de producto
Sugerencias del día
Gambas a la plancha
Navajas, berberechos, cigalas
Pimientos de piquillo rellenos de carne o de bacalao
Croquetas caseras de jamón, marisco o pescado
Callos a la madrileña
Pescados según lonja: cocochas, lenguado, merluza
Chuletitas de cordero
Helado de dulce de leche
Queso con frambuesa
Tiramisú
Hojaldre de nata y crema

Madrigal

Nuevo referente en la Comunidad de Madrid

De la mano de Antonio Madrigal, joven emprendedor que durante siete años ha aprendido los secretos de su cocina en el País Vasco, ha nacido este selecto e impresionante espacio gastronómico donde primorosas materia primas, cocina de nivel, un servicio tan esmerado como personalizado y la atención a todos los detalles –obrador propio de panes de sabores, presentando en la carta hasta ocho variedades diferentes- le convierten en un restaurante emblemático de los alrededores de Madrid.

Esta casa empezó su andadura el 23 de noviembre 2008 marcando la diferencia y cosechando numerosos éxitos. La decoración moderna y minimalista realzada por grandes ventanales, abundante luz natural y la excepcional altura de los techos proporcionan tranquilidad, privacidad y sensación de amplitud. Una impresionante puesta en escena.

Madrigal se caracteriza por la maestría de los que interpretan la hostelería como un arte. Con periódicos cambios de carta donde no faltan pescados salvajes traídos a diario desde el País Vasco y sabrosos guisos, platos de cuchara elaborados con tiempo y cariño, merecen mención aparte las carnes de espectacular calidad llegadas de Galicia y reposadas durante semanas para alcanzar una textura óptima, jugosa y de delicado sabor.

Es el lugar apropiado para realizar todo tipo de eventos como reuniones de empresas, bodas, comuniones, bautizos y celebraciones que requieran un marco y condiciones inmejorables.

MADRIGAL'S SPECIALITIES

Market and creative cookery
The à la carte menu changes every one and a half month
Recommendations of the day
Fresh seafood: prawns, oyster, elvers
Tartare of raf tomatoes with tuna belly flaps
Homemade croquettes (every day different)
Young broad beans with truffled egg
Baked grouper
Baked spider crab
Rib steak of beef
Oxtail in the style of Cordoba with rissolé potatoes
Flageolet beans with scarlet prawns
Special menu for home made desserts

Madrigal

Localidad: Colmenar Viejo (28770 Madrid)
Dirección: C/ Salvadiós, 34 (Urbanización Santa Teresa de Ávila)
Teléfonos: 91 846 45 69
E-mail: info@restaurantemadrigal.com
www.restaurantemadrigal.com
Parking: Aparcamiento privado en el mismo edificio.
Propietario: Antonio y Francisco Madrigal.
Días de cierre y vacaciones: Abierto cada día del año.
Decoración: Nuevo complejo gastronómico de diseño contemporáneo y minimalista.
Ambiente: Un establecimiento de referencia en la Comunidad de Madrid con máximos estándares de calidad, comodidad y servicio.
Bodega: Propia, en sótano. 130 entradas en constante ampliación. Carta de aguas.
Hombres y nombres: Jefe de cocina y dirección: Antonio Madrigal.
Otros datos de interés: Excepcionales instalaciones de 1300 m2 distribuidas en dos plantas con techos altos. Cafetería abierta desde las 7,30 h., cocina con las últimas tecnologías, espacioso salón a la carta, salón privado (hasta 20 p), salón de banquetes (180 p.) y dos terrazas (exterior e interior).
Tarjetas: Todas

ESPECIALIDADES MADRIGAL

Cocina de mercado y de autor
La carta se renueva cada mes y medio
Sugerencias del día
Selección de mariscos frescos: gambas, ostras, angulas...
Tartar de tomate raf con ventresca de atún rojo de almadraba
Croquetas caseras (cambian a diario)
Habitas con huevo trufado
Mero al horno
Txangurro al horno
Chuletón de buey
Rabo de toro a la cordobesa con patata risolada
Verdinas con carabineros
Carta diaria de postres de elaboración propia

Receta La Santina

Fabes con almejas

Ingredientes: 800 grs, de fabes de La Granja, 1 puerro, 500 grs. de almejas, 1 cacillo de tomate (salsa), 1 cebolla, 1 cucharada de pimentón, 1 ajo, 100 gr de tocino, 1 zanahoria, perejil picado, pimienta blanca, 1 hueso de jamón, perris negra, azafrán bien desecho (poco), 1 hoja de laurel, 1 decilitro de aceite.

Elaboración: Ponemos las fabes en remojo en agua fría durante 10 horas. Estofamos las fabes con el puerro, 1/2 cebolla, la zanahoria, el hueso de jamón, un poco de aceite y la hoja de laurel, Durante la cocción cortaremos la ebullición con un poco de agua fría en 3 o 4 ocasiones, cuando están casi cocidas añadimos el azafrán bien molido (poco). Quitamos las legumbres. En una marmita, ponemos aceite, ajo picado, cebolla, Cuando la cebolla está, añadimos el pimentón y rehogamos. Añadimos las almejas, el tomate, un poco de caldo. Ya abiertas las almejas las mezclamos con las fabes, añadimos la pimienta blanca, un poco de perrís, rectificamos de sal, espolvoreamos de perejil y ya se puede servir.

Nuevo espacio para sidrería, tapas de cocina, vinos y comidas informales. Bajo la misma dirección: SIDRERÍA LA SANTINA. En Torrelodones (Pueblo). Plaza Epifanio Velasco, 5 (junto Iglesia). T. 91 859 31 73

LA SANTINA'S SPECIALITIES

Asturian family cooking
Spicy chorizo sausage in cider sauce
"Fabada" (white bean stew with meat, sausages)
Sean and clam stew
Juicy rice pot with lobster
Octopus
Monkfish in cider sauce
Sirloin steak with Cabrales-cheese sauce
Kid in cider sauce
Rice pudding
"Frixuelos" (pancakes)

La Santina

Localidad: Galapagar (28260 Madrid)
Dirección: Carretera Las Rozas-El Escorial. Km. 15,500.
Teléfonos: 91 858 02 44 - 91 858 63 73
E-mail: lasantina@lasantina.net www.lasantina.net
Parking: Propio.
Propietario: Juan Ignacio González Simón "Nacho".
Días de cierre y vacaciones: Abierto cada día.
Decoración: Rústica, con maderas claras, al estilo de un pabellón de caza. Espléndidas vistas a la sierra de Navacerrada.
Ambiente: Familiar y acogedor.
Bodega: Suficiente.
Propietario: Jefe de cocina: Florentino Torres
Otros datos de interés: Tres salones independientes para comidas de empresa. Terraza de verano y jardín arbolado. Extensa carta para raciones, tapas de cocina o comidas informales. Sidrería al estilo típico asturiano, con sidra natural.
Tarjetas: Visa y 4B.

ESPECIALIDADES LA SANTINA

Cocina asturiana casera
Chorizo a la sidra
Fabada
Fabes con almejas
Arroz con bogavante
Pulpo
Pixin a la sidra
Entrecot al Cabrales
Cabrito a la sidra
Arroz con leche
Frixuelos

Receta **Viva Galicia**

Lomos de merluza con cigalas

Ingredientes para 6 personas: 6 lomos de merluza (de aproximadamente 200 grs. cada uno), 12 ostras (2 piezas por persona), 12 vieiras (2 piezas por persona), 100 grs. de camarones, 12 cigalas (2 piezas por persona), ajo y sal, perejil y cebolla, zanahorias y puerros, pimientos verdes, aceite, 12 piezas de espárragos y fumet de pescado.

Preparación del fumet de pescado: en una cazuela poner a cocer la cabeza, cola y espina del pescado, los puerros, pimiento verde, zanahoria y un chorro de aceite y cuando todo eso está reducido, colarlo y así tenemos el fumet de pescado.

Preparación de los lomos: en una cazuela, echar un chorro de aceite y ajo picado, cuando esté un poco dorado, añadirle un poco de perejil y el fumet de pescado, remover y echarle un poco de harina para ponerlo más denso. Coger los lomos de merluza y abrirlos en el centro, ponerles las colas de cigala, sazonar e introducir en la cazuela, lo mismo que las ostras y la vieiras limpias, dejarlo cocer y lo vamos moviendo poco a poco durante 15 minutos.

Cuando comprobemos que está en su punto de cocción poner los espárragos, unas cestas de patatas que antes preparamos, rellenas de camarones y como final salpicar de perejil por encima, cada lomo de merluza.

Gran terraza al aire libre, ajardinada y rodeada de naturaleza,hasta 350 p.
Parque infantil con toboganes para tranquilidad de los padres.

VIVA GALICIA'S SPECIALITIES

Classical and updated Galician cookery
Deep-fried small green capsicums from Padrón, sprinkled with coarse salt
Boiled octopus, sprinkled with olive oil and paprika, boiled potatoes
Grilled sardines with the Chef's sauce
Scrambled eggs with alga or sea-urchin gonads
Juicy rice and lobster pot
Seafood: goose barnacles, small scallops, scallops, first-choice clams from Carril and oysters from Arcade
Salt cod specialities
Galician fish, butterfly-grilled with oil and garlic or in a salt coat: hake, sole, gilthead bream, sea-bass, spotted red bream...
"Villagodio" (big rib of beef steak) on the hot volcanic stone
Rib of beef steak
Home-made desserts:
Galician almond tart, pancakes, cheese cake

Viva Galicia

Localidad: **Galapagar (28.260 Madrid)**

Dirección: Urbanización El Guijo. Ctra de Galapagar a Guadarrama s/n

Teléfonos: **91 858 86 72** **E-mail:rte.vivagalicia@terra.es**

Parking: Aparcamiento propio.

Propietario: Plácido Jorge Carballo

Días de cierre y vacaciones: Abierto cada día.

Decoración: Amplias y cómodas instalaciones nuevas. Tres comedores.

Ambiente: Público medio-alto. Servicio a la carta y celebraciones (comuniones, bodas, convenciones...)

Bodega: Completa. Predominan los vinos gallegos, Rioja, Ribera del Duero, además de otras D.O.

Hombres y nombres: Jefe de cocina: Lucilia Díaz.

Otros datos de interés: Restaurante atendido personalmente por el propietario. Capacidad total hasta 350 personas.

Tarjetas: Todas.

ESPECIALIDADES VIVA GALICIA

Cocina gallega clásica y actualizada
Pimientos de Padrón
Pulpo a feira con cachelos
Xoubas a la plancha con salsa del chef
Revueltos de algas de mar o de erizos
Arroz con bogavante gallego
Mariscos: percebes, zamburiñas, vieiras, almejas de Carril y ostras de Arcade
Bacalaos
Pescados gallegos a la espalda o a la sal:
merluza, lenguado, dorada, lubina, besugo...
Villagodio de buey a la piedra volcánica
Chuletón de buey
Repostería casera:
tarta de Santiago, filloas, tarta de queso

El Mesón de Griñón

Noble cocina castellana

Con medio siglo de trayectoria, este restaurante tradicional es uno de los referentes culinarios del sur de Madrid. Su propietario, Claudio Sánchez Labrado, pertenece a una saga familiar que durante tres generaciones ha sabido mantener el buen nombre de esta casa.

Decorado al estilo de un elegante mesón castellano, con paredes cubiertas de iconografía taurina, cinegética y fotos de las muchas personalidades que lo frecuentan, El Mesón de Griñón dispone de tres salones para 70, 50 y 35 personas, terraza de verano con capacidad para 80 comensales, jardín con parque infantil, aparcamiento propio y acceso habilitado para personas con movilidad reducida. También existe la posibilidad de celebrar banquetes o cualquier tipo de evento con un esmerado servicio.

La oferta gastronómica es amplia, más de un centenar de platos inspirados en la cocina castellana y casera tradicional: ibéricos, guisos, arroz con bogavante, mariscos y pescados frescos, carnes rojas a la brasa, postres artesanos...además de sugerencias diarias elaboradas con escogidas materias primas y preparadas con el noble arte de la sencillez. Un restaurante donde se mima el producto, con el toque justo que realza y potencia su sabor, nunca lo enmascara. Su extensa bodega, con etiquetas de las principales denominaciones de origen, completa esta fórmula consolidada.

El Mesón de Griñón, situado a escasos 30 km. de Madrid en la denominada comarca de La Sagra, es un restaurante donde siempre se tiene la certeza de comer bien, una opción segura en el panorama gastronómico de la Comunidad.

EL MESÓN DE GRIÑÓN'S SPECIALITIES

Large à la carte menu with more than 100 dishes

Traditional stews

Rice pot with lobster

Game specialities

Partridge, braised or marinated and fried

Fresh crustaceans and shellfish

Cured specialities of iberian pig (ham, loin of pork, chorizo)

Beef cuts

Trushes, cèpes (boletus fungus)

Special dessert of the house

El Mesón de Griñón

Localidad: **Griñón (28971 Madrid)**

Dirección: C/ Mayor, 35

Teléfonos: **91 814 01 13 www.elmesondegrinon.com**

Parking: Aparcamiento propio en la misma entrada.

Propietario: Claudio Sánchez Labrado

Días de cierre y vacaciones: Cerrado lunes. Vacaciones en Julio.

Decoración: Elegante mesón castellano

Ambiente: Frecuentado por muchas personalidades: toreros, artistas, futbolistas, etc.

Bodega: Muy extensa, 10/12.000 botellas. Principalmente Riojas, Ribera del Duero y vinos de la Comunidad de Madrid.

Hombres y nombres: Jefe de cocina: Claudio Sánchez Labrado
Jefa de sala: Amparo. Maitre: Jesus Moreno González

Otros datos de interés: Restaurante tradicional, más de 40 años de trayectoria. Tres salones: 70,50 y 35 personas, posibilidad de banquetes. Jardín y terraza de verano.

Tarjetas: Todas

ESPECIALIDADES EL MESÓN DE GRIÑÓN

Extensa carta con más de 100 platos

Guisos al estilo tradicional

Arroz con bogavante

Especialidades de caza

Perdiz estofada o escabechada

Mariscos

Ibéricos

Carnes rojas

Platos especiales:

Zorzales, boletus edulis etc.

Postre especial de la casa

Cenador de Salvador

El Cenador de Salvador nació el 5 de julio de 1985 como negocio familiar conducido por Salvador Gallego y su esposa Toni. Todos los miembros de la familia: Antonia, Margarita, Salvador y Mónica han participado en el desarrollo de un establecimiento que, a través de los años, se ha convertido en un prestigioso complejo hostelero.

Restaurante de alta cocina.- Un auténtico referente en la sierra madrileña, cocina de alta escuela para recrearse en los sabores de la cocina tradicional a partir de los productos más oportunos de cada temporada, bien elegidos y elaborados de acuerdo con la sensibilidad culinaria actual. Las instalaciones cuentan con media docena de salones de ambientaciones íntimas y tres terrazas ajardinadas.

Hotel.- Situado en el que fuera el hogar de la familia Gallego, este precioso y coqueto hotel de estilo inglés afrancesado dispone de siete exclusivas habitaciones con una decoración exquisita y cuidada hasta en el más mínimo detalle. Es el lugar ideal para el descanso, el relax y el romanticismo, su chimenea invita a la conversación y a la pausa.

La Cupula.- Un espacio privilegiado dotado de servicios complementarios para la celebración de todo tipo de eventos: convenciones, presentaciones de productos, reuniones empresariales o celebraciones familiares con una capacidad de hasta 250 personas.

Escuela de cocina y servicio hostelero.- Aquí se imparte formación reglada y cursos monográficos donde Salvador Gallego vuelca su larga experiencia profesional mediante un avanzado programa pedagógico con prácticas concertadas en importantes establecimientos europeos.

CENADOR DE SALVADOR'S SPECIALITIES

Creative and personalized cuisine

Tasting menu – Gastronomic menu

Chilled clam & goose barnacle soup with wasabi royale

Lobster risotto with a crisp Parmesan flake

Lobster in sauce

Cannelloni of roast turtledove with rice lattice

Fillet of beef Stroganoff with mimosa rice

Caramel-flavoured fruit timbale

Sponge with wild strawberries

Cenador de Salvador

Localidad: **Moralzarzal (28411 Madrid)**
Dirección: Avda. de España, 30 (Ctra. Villalba a Cerceda).
Teléfonos: **91 857 77 22 - 91 857 77 10 - Fax: 91 857 77 80**
E-mail: cenador@infonegocio.com
www.elcenadordesalvador.es
Parking: Amplio aparcamiento propio.
Propietario y dirección de cocina: Salvador Gallego.
Días de cierre y vacaciones: Domingo noche, lunes y martes mediodía.
Decoración: Típico chateau francés.
Ambiente: Familiar y negocios.
Bodega: Extensa bodega con gran surtido de Riojas. Dispone de sommelier.
Hombres y nombres: Jefe de cocina: Salvador Gallego Jr. Jefa de Sala: María Hidalgo. Maitre: Margarita Gallego. Directora de alojamiento: Mónica Gallego.
Otros datos de interés: Dos terrazas ajardinadas. Salones privados y una cúpula con capacidad hasta 250 pax. Fundado por Salvador Gallego y Toñi Antolínez en 1985. Huerto propio. Pequeño hotel (7 habitaciones gran lujo) cada una con decoración diferente.
Tarjetas: American Express, Visa, Mastercard, Dinner's.

ESPECIALIDADES CENADOR DE SALVADOR

Cocina creativa de autor

Menú Degustación y Menú Gastronómico

Sopa fría de almejas y percebes con royal de wasabi

Risotto de bogavante con teja de parmesano

Bogavante en salmorejo

Canelones de tórtola asada a la brasa con celosía de arroz

Solomillo Strogonoff con arroz mimosa

Timbal de frutas con aromas de caramelo

Esponjoso de fresas del bosque

Felipe

Un clásico en constante evolución

Felipe del Olmo sigue capitaneando este buque insignia de la restauración. Después de casi treinta años de tradición y buen hacer, el restaurante Felipe se ha convertido en un destacado referente, no sólo de Navacerrada, sino de toda la Sierra de Madrid. Es un restaurante clásico en constante evolución. Las instalaciones ocupan las tres plantas de un edificio situado en el corazón de Navacerrada. En la planta de calle, el bar provisto de una generosa barra donde tomar el aperitivo y abrir boca con deliciosas tapas de cocina. Las otras plantas están dedicadas a los distintos comedores decorados con sobriedad y estilo.

Aquí, el comensal encuentra servicio y calidad, la obsesión de Felipe. En la cocina, tradición e imaginación van de la mano. Estos fogones siguen evolucionando y han incorporado formulaciones de la alta cocina más actual. Es en la actualidad, una dirección que resulta tan útil a los que quieren disfrutar de la mejor cocina de producto como a los más expertos gourmets.

Asador Felipe

No hay asador igual

El asador, situado a dos pasos del restaurante, resulta muy recomendable para la temporada estival. Es el lugar apropiado para degustar comidas o cenas más ligeras e informales, a base de tapas o a la carta, con la calidad de siempre y a precios imbatibles (alrededor de 30€ de media). Gran variedad de ensaladas, refrescantes e imaginativas como la de tomates rellenos de ventresca de bonito, magníficas carnes que transmiten al paladar todo el sabor de la brasa de carbón de encina, cordero y cochinillo asados en horno de leña. Los postres están a la altura de la fiesta como la piña especial de la casa.

ASADOR FELIPE'S SPECIALITIES

Strawberry and lobster gazpacho
Cèpe mushrooms with honey
White beans from Tolosa as Felipe likes
White bean and partridge stew
Salt cod salad with rosemary honey (salad, raisins, pine nuts, tomato and hard-boiled egg)
Meagre (fish) in sauce
Salt cod Basque style
Fresh fish according to catch
Duck with pears and rosemary
Venison fried with garlic, cèpe mushroom & foie gras sauce
Pig's trotter with lobster sauce
Fillet steak with foie gras, vinegar caramel and maize ravioli
Figs with liqueur and mint ice cream with chocolate
Almondy pyramid on a chocolate mirror and cream of rice pudding

Felipe

Localidad: **Navacerrada – Pueblo (Madrid)**
Dirección: Avenida de Madrid, 2
Teléfonos: **91 856 08 34 - 91 856 06 36**
Parking: Cercano y aparcacoches
Propietario: Felipe del Olmo
Días de cierre y vacaciones: Abierto todo el año. Cerrado lunes excepto festivos y verano.
Decoración: Tres plantas con diferentes estilos
Ambiente: Variado y agradable
Bodega: Muy surtida. Ribera del Duero y Riojas principalmente, otras denominaciones de origen y vinos dulces para postres.
Hombres y nombres: Director: Felipe del Olmo.
Otros datos de interés: Bajo la misma dirección: **Asador Felipe.** c/ Mayo, 4. Tlf. 91 853 10 41. Diferentes estilos de comedores, terraza y carpas cubiertas o abiertas en verano. La deliciosa terraza-jardín con una refrescante fuente bajo la sombra de un nogal centenario y el comedor de la planta baja, prácticamente situado en medio del jardín representa un conjunto único en la Sierra, muy apropiado para cualquier tipo de celebraciones.
Tarjetas: Todas

ESPECIALIDADES FELIPE

Gazpacho con fresas y bogavante
Boletus con foie a la miel de la Alcarria
Judías de Tolosa como le gustan a Felipe
Pochas con perdiz
Ensalada de bacalao con miel de romero (escarola, pasas, piñones, yema de tomate y huevo duro)
Corvina en salsa o al gusto
Bacalao a la bilbaína
Pescados de mar según lonja
Pato con peras y romero
Corzo al ajillo con salsa de boletus y foie gras
Pies de ministro con salsa de bogavante
Solomillo con foie gras, caramelo de vinagre, ravioli de maíz
Higos al licor con helado de menta al chocolate
Pirámide de turrón con fondo de chocolate y crema de arroz con leche

El Racó

Cocina catalana en la Sierra

El restaurante El Racó tiene el mérito de acercar al público de la sierra madrileña la auténtica cocina catalana tradicional, natural y saludable, utilizando productos artesanos con Indicación Geográfica Protegida (I.G.P.) y Denominación de Origen Protegida (D.O.P.). Una culinaria sencilla, "paisaje transformado en cazuela", donde no falta el pan con tomate, magníficos embutidos y sabrosas carnes a la brasa, un recetario fundamentado en las materias primas de la tierra.

Mención aparte merece aquí la famosa "calçotada" de Valls. Se llama "calçot" a cada uno de los bulbos de las cebollas blancas cultivados especialmente para ser cocidos a la llama viva de sarmientos. Se comen mojándolos en la salsa de la "calçotada", acompañados de un poco de pan y un buen trago de vino. Este típico manjar es motivo de reunión de grupos de amigos para disfrutar de los placeres gastronómicos más ancestrales. Esta casa se surte directamente en Valls del "calçot" amparado por la I.G.P. que regula su origen, medida y calidad. La "calçotada" es una fiesta, más que una simple comida, una fiesta familiar o amical. Esta costumbre tradicional ha despertado interés culinario más allá de las fronteras. Los "calçots" se recogen preferentemente entre los meses de noviembre y abril.

Ars Gaudeo

Esta empresa ubicada en Alcobendas, cuyo nombre en castellano "El arte de disfrutar" es toda una declaración de principios, organiza actividades empresariales donde el hilo conductor es la gastronomía: consejos de dirección, conferencias, ruedas de prensa, lanzamientos de nuevos productos, "coffee break", convenciones, "team building", gabinetes de prensa, cenas temáticas, jornadas formativas...

C/ Anabel Segura, 11, edif. A 1ª. 28108 Alcobendas (Madrid).
T. 91 184 64 14. www.arsgaudeo.com

EL RACO'S SPECIALITIES

Traditional Catalonian cookery
Bread of Catalonian tart dough
Grilled sweet new onions with sauce (seasonal)
From the barbecue: rabbit, chicken, lamb
Hand-cut hamburger
Assortment of dried sausages and cured ham
Baked snails
Salt cod in sauce
Cuttlefish balls
Braised small escalopes of beef with onions and mousseron mushrooms
Artisan cheese board
Chocolate coulant
Yogurt caprice

El Racó

Localidad: **Navacerrada (28491 Madrid)**
Dirección: Avda. de Madrid, 20
Teléfonos: **91 842 87 71** **www.arsgaudeo.com**
Parking: Fácil aparcamiento en las inmediaciones.
Propietario: Josep María Figueras Moya.
Días de cierre y vacaciones: Abierto sólo viernes noche, sábados todo el día y domingos mediodía. En Julio y Agosto, abierto cada día para comidas y cenas.
Decoración: Atractiva casona serrana con techos altos, muros de piedra originales y muebles de anticuario.
Ambiente: Novedad en la sierra de Madrid.
Bodega: Combina vinos clásicos y novedosos, Catalanes, Ribera del Duero, Rioja y cavas artesanos de calidad.
Hombres y nombres: Director: Josep María Figueras Moya. Dirección de cocina: Ana y Huertas García.
Otros datos de interés: Inaugurado el 15 de mayo 2010, día de San Isidro, es el restaurante catalán más joven de la Comunidad de Madrid. Cocina a la vista. Terraza de verano. Posibilidad de grupos reducidos previa reserva.
Tarjetas: Todas.

ESPECIALIDADES EL RACÓ

Cocina catalana tradicional
Pan de coca
Calçotadas en temporada
Carnes a la brasa: conejo, pollo, cordero
Hamburguesa de ternera cortada a cuchillo
Surtido de embutidos
Caracoles a la "llauna"
Bacalao con samfaina
Albóndigas con sepia
Fricandó con senderuelas
Tabla de quesos artesanos
Coulant de chocolate
Caprichos de yogur

La Taberna de Elia

Para los que saben de carne

Desde su apertura el 5 de noviembre 2007, La Taberna de Elia ha obtenido gran éxito de público y de crítica. Chuletones, solomillos y steak tartar son las estrellas de una carta que incluye las mejores carnes de la zona noroeste de Madrid.

Cata, trabajó y se perfeccionó en Valladolid. Busca la excelencia. Personaje carismático, ostenta una pasión sincera por su oficio. Omnipresente, está pendiente de todo. Elige personalmente el mejor producto disponible -el protagonismo está en los poderosos lomos altos de vacuno mayor con sabrosa grasa intramuscular que se derrite en los fuegos-, ejerce con arte en la parrilla y sabe conseguir puntos precisos.

Comer en esta casa que goza de merecida fama supone una experiencia memorable, aquí se encuentra una carne de lujo que se trata con cariño y con mimo en la parrilla, elaboraciones sencillas que no desvirtúan el producto. El resultado es una carne jugosa, fina y sabrosa.

La Taberna de Elia presenta un equipo estable, con poca rotación de personal, profesionales que conocen los gustos de la clientela. El ambiente y el trato es directo y desenfadado, el público se acoge con cariño y se hacen amigos de la casa. El objetivo es ofrecer un servicio familiar para que los comensales siempre repitan.

SPECIALITIES OF LA TABERNA DE ELIA

Beef cuts from the charcoal grill
Fried cheese
Porcini mushrooms
Seared foie gras with port and raisins
Foie gras in flaky pastry slice with apple and porcini reduction
Tartare steak
Several salt cod specialities
Rib or fillet steak
Cut of Iberian pork, duck magret, sucking lamb cutlets
Frozen milk with cinnamon
Cheese cake or apple tart, mille feuille gateau
"Tocinillo de cielo" (cream caramel with syrup instead of milk)

La Taberna de Elia

Localidad: **Pozuelo de Alarcón (28224 Madrid)**
Dirección: Vía de las Dos Castillas, 23
Teléfonos: **616 878 287 - 91 162 74 29**
www.latabernadeelia.es
Parking: Fácil aparcamiento.
Días de cierre y vacaciones: Cerrado domingos noche y lunes todo el día. Vacaciones: Semana Santa y 15/20 días en agosto.
Decoración: Vinoteca con barra para picotear, posibilidad de comprar el vino a precio de tienda, y agradable comedor con gran parrilla de carbón a la vista.
Ambiente: Un restaurante para los amantes de la carne.
Bodega: Un centenar de etiquetas a precios asequibles. Predominan los tintos, Ribera, Rioja, Priorato, Somontano, Madrid. Buena gama de vinos de postre.
Hombres y nombres: Director, alma y parrillero: Aurelian Catalin "Cata".
Otros datos de interés: Calidad, servicio atento y precios ajustados han fidelizado a una nutrida clientela. En el restaurante, se pueden degustar los vinos de la tienda con un precio de descorche de sólo 7 €. Amplia gama de whiskies, ginebras y rones, cava de cigarros puros y horario flexible.
Tarjetas: Visa, Mastercard, Maestro, Amex.

ESPECIALIDADES LA TABERNA DE ELIA

Carnes de vacuno a la parrilla de carbón vegetal
Queso frito
Boletus
Foie a la plancha con Oporto y pasas de Corinto
Foie en milhojas con manzana y reducción de boletus
Steak Tartar
Bacalao en varias preparaciones: dourado, al horno, en carpaccio...
Chuletón o solomillo
Secreto de ibérico, magret de pato, chuletillas de lechal
Leche helada con canela
Tartas de queso, manzana u hojaldre
Tocinillo de cielo

Urrechu

Pasión por la gastronomía

Iñigo Pérez, cocinero afamado gracias a sus intervenciones en programas de radio y TV y su faceta de escritor de libros de cocina, dirige este restaurante, un lugar donde el arte y el sabor se unen para ofrecer lo mejor de la gastronomía a los paladares más exquisitos.

El establecimiento cuenta con dos partes totalmente diferenciadas. El Lagar de Urrechu, en la planta baja, es una maravillosa recreación del ambiente de las sidrerías vascas, donde podrá disfrutar de buena comida, bebida y conversación. Este espacio, cuyo responsable es Antonio Menéndez, cuenta con una barra con gran variedad de pinchos creativos. Ya acomodado en las mesas logrará reconfortar el cuerpo con el plato de cuchara del día o los excelentes productos que salen de la parrilla de carbón.

En la planta superior, en un entorno amplio y elegante, el restaurante supone la plasmación de lo que Urrechu siempre deseó ofrecer a sus clientes. La carta refleja la personalidad e ideología gastronómica de Iñigo Pérez, en la que los sabores e ingredientes de toda la vida son tratados con las técnicas actuales, consiguiendo platos de incuestionable calidad, muy imaginativos y bien armonizados.

Dispone de servicios especiales para empresas y celebraciones. Los reservados, de distinta capacidad, se adaptan a las necesidades de cualquier reunión, desde la más íntima hasta una gran celebración familiar o empresarial.

Abierta al bosque que rodea Urrechu, pero alejada de las miradas, la terraza al aire libre es el lugar ideal para disfrutar con el buen tiempo de los aromas del carbón y de las carnes y pescados a la brasa de la parrilla, con un servicio esmerado y lejos del bullicio de la ciudad.

La bodega se encuentra abierta a las miradas, protegida de las temperaturas y olores gracias a su gran urna acristalada tras la que dormitan muchos de los mejores caldos del mundo. Déjese aconsejar por el sumiller, cuyos conocimientos le serán de gran utilidad para encontrar el maridaje perfecto.

URRECHU'S SPECIALITIES

Interesting tasting menu (five different dishes)
Salad of Galician scallops tossed with French beans, cheese and carrot cream
Layered slice of foie gras and pumpkin with apricot dressing and apple crystal
Ragout of Norway lobsters with green asparagus, artichokes, fried chickpeas and black olives
Grilled wild turbot with seafood sauce, red prawn and truffled tomato dressing
Fillets of sole with scallops, cockles and saffron sauce
Roast loin of venison with ragout of seasonal wild mushrooms and rosemary preserve
Roast pigeon on minestrone, ravioli, rocket oil and mango
Snout of calf with truffled potato round and crisp pork flakes
Caramel parfait with cinnamon ice cream and light soup of rice pudding
Brioche with crystallised fruit, milk-chocolate soup and white chocolate

Urrechu

Localidad: **Pozuelo-Somosaguas (28223 Madrid)**
Dirección: Centro Comercial Zoco de Pozuelo, (C/ Barlovento, 1)
Teléfonos: **91 715 75 59 Fax: 91 799 03 72**
E-mail: reservas@urrechu.com www.urrechu.com
Parking: Amplio aparcamiento
Días de cierre y vacaciones: Cerrado domingos noche y Semana Santa
Decoración: Amplias y elegantes instalaciones
Ambiente: Señorial y gastronómico
Bodega: Espectacular bodega acristalada, cientos de referencias de caldos nacionales e internacionales
Hombres y nombres: Alma mater y dirección de cocina: Iñigo Pérez. Chef: Juan Antonio Blas Ureña. Maitres: Jesús del Saz Manzano y Alfonso Rodríguez Bayo. Sumiller: Ignacio García.
Otros datos de interés: En la planta baja, el Lagar de Urrechu recrea el ambiente de las sidrerías vascas, con una amplia variedad de pinchos creativos, espléndidas chacinas ibéricas y quesos artesanos, servidos por el campeón de España de cortadores de jamón. Salones reservados para reuniones y comidas de negocios en total intimidad. Desde mayo hasta septiembre, terraza al aire libre.
Tarjetas: Todas

ESPECIALIDADES URRECHU

Interesante Menú Degustación (cinco platos distintos)
Ensalada de vieiras gallegas salteadas con judías verdes, queso y crema de zanahoria
Milhojas de foie-gras con calabaza, vinagreta de albaricoque y cristal de manzana
Ragout de cigalas con espárragos verdes, alcachofas y garbanzos fritos con olivas negras
Rodaballo salvaje a la plancha con crema de marisco, gamba roja y vinagreta de tomate natural con trufa
Lomos de lenguado con vieiras, berberechos de la ría y salsa de azafrán
Lomo de venado asado con menestra de setas de temporada y confitura de romero fresco
Pichón asado sobre base de minestrone, raviolis, aceite de rúcula y mango
Morritos de ternera guisados con tosta de patata trufada e ibéricos crujientes
Parfait de caramelo con crema helada de canela y sopita ligera de arroz con leche
Brioche con fruta escarchada, sopa de chocolate con leche y contraste de chocolate blanco

Zurito

Para gourmands

Inaugurado en octubre del año 2000, Zurito es uno de los restaurantes más prestigiosos de Pozuelo gracias al magnífico nivel de su cocina, sus amplias y confortables instalaciones y la **agradable terraza de verano con vistas a la sierra.**

Zurito dispone de una capacidad total para 130 comensales y **varios salones privados**: Salón Crema (8 personas), Salón Burdeos (12) y Salón Dorado (8), aptos para reuniones de empresa con todos los servicios, internet, pantalla de plasma... en comodísimos reservados para preservar su intimidad.

Elegante decoración, combinación de estilos clásico y moderno, con toques ingleses. El local se divide en dos ambientes, uno más informal, para aperitivos, raciones o pinchos y el restaurante a la carta dirigido por el chef Modesto Bargueño que apuesta por una **elaborada cocina tradicional** sin olvidar tendencias más actuales.

Su atractiva carta -cambia según la temporada- se nutre de una excepcional materia prima, **los mejores productos en su mejor momento**.

Tratamiento exquisito del vino, bodega climatizada y a vista del cliente, capacidad para unas 1600 botellas con 250 caldos españoles. Carta de whiskies y destilados de alta gama.

ZURITO'S SPECIALITIES

Well-elaborated seasonal cookery
The à la carte menu changes every 2 or 3 months
Caramelised foie gras of duck with green asparagus and sauce of sweet Pedro Ximénez sherry
Soft-boiled egg with Parmesan cream and beluga
Sweetbreads sautéed with garlic chives
Tripe Madrid style
Loin of red tuna, romesco sauce and potato foam
Salmon, lightly marinated and flamed
Braised bull tail
Rib steak of beef grilled on the oak-fired barbecue
Cheeks of Iberian pork with onions
Braised morels with foie gras and truffle from Tuscany
Apple tart with vanilla ice cream
Chocolate bomb with tangerine sorbet

Zurito

Localidad: **Pozuelo de Alarcón (28.223 Madrid)**
Dirección: C/ Lope de Vega, 2
Teléfonos: **91 352 95 43 Fax: 91 351 72 76**
E-mail: zurito@zurito.com (se puede reservar on line)
www.zurito.com
Parking: Fácil aparcamiento
Propietario-Gerente: Modesto Bargueño
Días de cierre y vacaciones: Abierto cada día excepto domingos noche. Vacaciones Semana Santa, 2ª y 3ª semana de agosto.
Decoración: Elegante combinación de estilos clásico y moderno, con toques ingleses
Ambiente: Selecto
Bodega: Unas 250 etiquetas en cava climatizada a la vista del público. Aproximadamente 1600 botellas. 40 referencias de gin-tonics con ginebras Premium.
Hombres y nombres: Jefe de cocina: Modesto Bargueño. RR.PP.: Lydia Bargueño. Maitre: Arturo Larramendi.
Otros datos de interés: Dos ambientes, tapeo y restaurante a la carta. Agradable terraza de verano y vistas a la Sierra.
Tarjetas: Todas

ESPECIALIDADES ZURITO

Elaborada cocina de temporada
La carta cambia cada 2 ó 3 meses
Hígado de pato caramelizado con trigueros salteados al P.X.
Huevo mollet con crema de parmesano y beluga
Mollejitas de lechal salteadas con ajetes tiernos
Callos a la madrileña
Lomo de atún rojo, salsa romescu y espuma de patata
Salmón ligeramente marinado y flameado
Rabo de toro estofado
Chuletón de buey a la brasa de encina
Carrillera de ibérico encebollada
Colmenillas estofadas con foie gras y trufa Toscana
Tarta fina de manzana con helado de vainilla
Bomba de chocolate con sorbete de mandarina

Gobolem

Restaurante-Chalet en Las Rozas

Es la última creación de la saga Gobolem, un lujo escondido en una preciosa zona de chalets, discreto y encantador. El marco es excepcional: una pequeña y elegante mansión rodeada de un exquisito jardín.

Si en invierno es una de las mejores opciones a la hora de salir a comer o cenar, es con la llegada del buen tiempo que su espléndido jardín está en su mejor momento. Es cuando este restaurante despliega todo su encanto al aire libre, entre árboles y macizos de flores en este jardín perfectamente cuidado, realzado por las noches con una iluminación muy agradable, acompañada por luces de velas y antorchas para que cualquier cena adquiera un valor especial.

Martín Asenjo nos invita a disfrutar de la buena cocina de Gobolem que sigue las tendencias actuales, sin olvidar en la carta algunos platos tradicionales y guisos. Aquí se cuidan todos los detalles, desde la presentación de los platos hasta la atención personal de Martín. Es el lugar apropiado para comidas de trabajo o cualquier reunión que exija calidad y representatividad.

GOBOLEM'S SPECIALITIES

Market cookery and updated Mediterranean specialities
Gastronomic menu
The à la carte menu changes according to the season
Blood sausage rolls on a sauce of small red capsicums with crisp leek flakes
Crunchy cheese, leek and prawn slice with sweet & sour red berry coulis
Roast hake with cuttlefish, clams and cèpe mushrooms
Turbot and clams cooked over Spanish champagne steam
Braised calf's cheeks in port sauce with apple and dates
Grilled fillet steak, cheese pudding, foie gras sauce with truffles
Red berries au gratin with black currant and vanilla ice cream
Apple rolls filled with citrus fruit custard, passion fruit sorbet

Gobolem

Localidad: **Las Rozas (28230 Madrid)**
Dirección: C/ La Cornisa, 18
Teléfonos: **91 634 05 44 y 91 634 33 56**
Parking: Aparcamiento propio y servicio de aparcacoches
Propietario: Hermanos Asenjo
Días de cierre y vacaciones: Cerrado domingo noche. Abierto todo el año
Decoración: Encantador chalet rodeado de un exquisito jardín con árboles y macizos de flores
Ambiente: Un lugar para disfrutar con todos los sentidos
Bodega: Propia,se puede acondicionar para comidas o cenas hasta 10-12 personas
Hombres y nombres: Dirección: Hermanos Asenjo
Otros datos de interés: Este restaurante - chalet, fundado en 1991 dispone de salón principal (hasta 65 p.), terraza cubierta (hasta 40 p.), salón privado con chimenea (hasta 25 p.) y un delicioso jardín para cenas de verano o celebraciones (hasta 150 p).
Tarjetas: Todas

ESPECIALIDADES GOBOLEM

Cocina de mercado y cocina mediterránea actualizada
Menú-Degustación
La carta cambia según la estación
Rollitos de morcilla sobre salsa de piquillos y chips de puerros
Crujiente de queso, puerro y gambas con agridulce de frutos rojos
Merluza asada con sepia, almejas y hongos
Rodaballo al vapor de cava y almejas
Carrillada de ternera estofada al oporto con manzana y dátiles
Solomillo a la plancha, pastel de queso, salsa de foie y trufas
Frutos rojos gratinados al cassis con helado de vainilla
Canelones de manzana rellenos de flan de cítricos, sorbete de maracuyá

Receta **Araceli**

Bacalao al ajo arriero

Ingredientes: 400 gr. de bacalao seco, 8 dientes de ajo, 3 patatas medianas, 4 tomates maduros, un pimiento rojo, un pimiento verde, aceite, vinagre, harina, perejil, pimentón y sal.

Preparación: Enharinar el bacalao seco y asarlo sobre las llamas hasta que quede bien tostado, lirnpiarlo de piel y espinas, dejarlo desalar bajo el grifo durante media hora, de forma que el agua se vaya renovando.

Pelar las patatas, cortarlas en daditos y freirlas en aceite. Asar los pimientos sobre las llamas hasta que la piel quede carbonizada, pelarlos y cortarlos en tiritas. Dorar en una cazuela, en un vasito de aceite, cuatro dientes de ajo, pelados y enteros. Añadir una ramita de perejil y después retirar ambos ingredientes. Cortar el ajo restante en laminitas finas y dorarlo en el mismo aceite. Añadir el bacalao bien escurrido y sazonar con una cucharadita de pimentón. Añadir los tomates pelados y picados y el pimiento. Dejar cocer a fuego lento cinco minutos.

Majar en el mortero los ajos y el perejil frito. Desleir con tres cucharadas de vinagre y agregar a la cazuela. Agregar también las patatas y cocer a fuego lento 10 minutos más. Comprobar de sal y añadir vinagre al gusto.

ARACELI'S SPECIALITIES

Potatoes in green herb sauce
Scrambled eggs with blood sausage
Minced meat speciality
Lamb and suckling pig roasted in a wood-fired oven (speciality)
Barbecued rib of galician beef
Salt-cod cooked with tomatoes, red and green peppers, garlic, paprika, diced potatoes and olive oil
Baked hake
"Kokotxas al Pil-Pil" (part of the hake collar) stired with garlicky olive oil until creamy
Baked head of hake
Egg custard cream, fried creams and curd cheese

Araceli

Localidad: **San Agustín del Guadalix (28750 Madrid)**
Dirección: C/ del Olivar, 8.
Teléfonos: **91 841 85 31 - 91 841 80 87**
E-mail: araceli@caserondearaceli.es
www.caserondearaceli.es
Propietario: Raúl Ronda Ortíz.
Días de cierre y vacaciones: Abierto todo el año.
Decoración: Castellana.
Ambiente: Selecto. Ejecutivos al mediodía, íntimo por la noche.
Bodega: Muy surtida.
Hombres y nombres: Director de Sala: Pascual de la Iglesia. Jefe de cocina: Manuel Troyano.
Otros datos de interés: Junto al restaurante y bajo la misma dirección: Hotel "El Figón de Raúl" (**). Avda. de Madrid, 19. Tel. 91 841 90 11. Servicio a domicilio para cocktails, fiestas, convenciones... Tel. 91 841 90 50 - 91 841 90 11. Catering Araceli. Agradable terraza en verano. El nuevo Araceli abrió sus puertas en este nuevo emplazamiento en diciembre de 1996.
Tarjetas: Todas.

ESPECIALIDADES ARACELI

Patatas en salsa verde
Revuelto de morcilla
Picadillo de matanza
Cordero y cochinillo al horno de leña (especialidad)
Chuletón de buey gallego a la parrilla de carbón
Bacalao al ajo arriero
Merluza al horno
Kokotxas al pil-pil
Cogote de merluza
Natillas, leche frita y cuajada

Anduriña

Nuevas instalaciones

En la calle Lanzarote de San Sebastián de los Reyes, a la altura del nº 20 (detrás de Antena 3), sorprende descubrir cómo un enorme barco emerge a nuestro encuentro. Es el nuevo restaurante Anduriña, el restaurante marinero de Madrid.

Tanto en su exterior como en su interior, el nuevo Anduriña es un barco amarrado a puerto: impresionante fachada, de 24 x 15 metros y cuatro plantas, dos de aparcamiento con acceso directo al interior del local, el restaurante y el salón para bodas y eventos.

Un enorme mural del municipio marinero de Burela (Lugo) envuelve a los comensales. En el nuevo Anduriña todo es espectacular. Lo único que no cambia es la cocina, tan exquisita como siempre y tan marinera como Manuel Núñez sabe hacerlo.

En este entorno único, nadie puede sustraerse a la sensación de estar al borde del mar en Madrid. El ambiente ayuda, incluida la exposición náutica abierta en el interior de este peculiar barco "botado" el 26 de marzo 2007. Se accede con una pasarela como procede para subir a bordo.

Para el verano, el nuevo Anduriña dispone de una terraza que amplia su capacidad y permite disfrutar de su cocina marinera bajo las estrellas.

ANDURIÑA'S SPECIALITIES

Octopus sprinkled with paprika and olive oil,
boiled potatoes
Small sardines with deep-fried green capsicums
Clams in Albariño-wine sauce
Monkfish with shrimps
Rice "O'Peregrino"
Salt cod with baby squids
Loin of veal or of beef
"Filloas" (pancakes) and "Queimada"

Anduriña

Localidad: San Sebastián de los Reyes (28700 Madrid)
Dirección: C/Lanzarote, 20 (detrás de Antena 3TV)
Teléfonos: 91 652 26 96 y 91 651 46 96
E-mail:andurina@andurina.es www.andurina.es
www.bodasandurina.com
Parking: Servicio de aparcacoches y aparcamiento propio en el mismo edificio
Propietario: Anduriña Cocina Gallega S.L.
Días de cierre y vacaciones: Cerrado domingos noches y lunes noches. Abierto todo el año
Decoración: Muy cuidada, elegante ambiente marinero con objetos antiguos de Galicia y frescos de paisajes.
Ambiente: Distendido, negocios y familiar
Bodega: Casi todos los vinos gallegos y selección de las mejores denominaciones de origen de toda España.
Hombres: Jefes de sala: Manuel Núñez y Pedro Vila. Jefa de cocina: Rosa Rodríguez
Otros datos de interés: En este impresionante restaurante se recibe a diario lo mejor de la tierra gallega para que la comida se convierta en una reunión de amigos. Zona de barra y tapeo, restaurante, salón de banquetes y terraza de verano.
Tarjetas: Todas

ESPECIALIDADES ANDURIÑA

Pulpo con cachelos

Xoubas con pimientos de Padrón

Almejas al Albariño

Rape con gambas

Arroz O´Peregrino

Bacalao con chipirones

Lomo de ternera y buey

Filloas y Queimada

El Orbayu

Talento y compromiso

Miguel Martínez nació en El Llano-Cangas de Narcea (Asturias) en septiembre de 1967. En su tierra natal, da los primeros pasos en el mundo de la restauración. Llega a Madrid en 1992 buscando nuevas metas y horizontes y se incorpora al famoso restaurante que representó la cocina andaluza en la Expo 92. Durante 18 años trabaja en el servicio de sala hasta ascender a maitre, cargo que ejerce durante 4 años.

En diciembre 2009, decide independizarse e inaugura El Orbayu en Torrelodones, un restaurante que destaca por la excelencia de su trato al cliente y un servicio de escuela clásica que sabe realizar preparaciones delante del comensal.

En los fogones de Orbayu se practica una cocina tradicional con toques asturianos, conjugando la calidad de las materias primas con una cuidada elaboración. Tiempo y esmero son ingredientes fundamentales. Un recetario siempre sustentado en una despensa bien servida: pescados, mariscos, carnes de primera, quesos artesanos y golosos dulces.

Las instalaciones ofrecen un salón privado hasta 40 personas con la posibilidad de reservarlo fuera del horario del restaurante para cualquier acto: desayunos, coffee-breaks, presentaciones...está equipado con medios audiovisuales.

Catering. Orbayu realiza servicios de catering en la zona noroeste de la Comunidad de Madrid. Cócteles, buffets y cualquier tipo de evento con menús a medida, mesas montadas, vajilla, cristalería y servicio de camareros. La comida se prepara in situ (cocina móvil) además de todos los servicios complementarios solicitados. También es posible entregar la comida a domicilio sin camareros.

EL ORBAYU'S SPECIALITIES

Traditional cookery with an Asturian touch
Recommendations of the day and seasonal stews
Tasting menu: 25 € including wine
Octopus L'Orbayu
Scorpion fish mousse with sweet Pedro Ximénez sherry
Salmon tartare with ginger
Spider-crab-stuffed hake
Turbot in cider sauce
Tartare steak
Fillet steak with foie gras
Meat speciality of the house for 2 persons
Rice pudding
"Tocino de cielo": cream caramel prepared with syrup instead of milk
"Tocino de cielo" and cheese

El Orbayu

Localidad: **Torrelodones - Colonia (28250 Madrid)**
Dirección: Ctra. Galapagar, 39
Teléfonos: **91 859 00 53** **www.restauranteorbayu.com**
Parking: Fácil aparcamiento.
Propietario: Miguel Martínez.
Días de cierre y vacaciones: Abierto cada día del año excepto domingos noche.
Decoración: Chalet señorial en la colonia de Torrelodones (zona residencial).
Ambiente: Momentos placenteros alrededor de una buena mesa.
Bodega: 60/70 etiquetas. Rioja, Ribera del Duero, Toro, Madrid, Tierra de Castilla, Bierzo, Mancha, Somontano...
Hombres y nombres: Director y Jefe de sala: Miguel Martínez.
Otros datos de interés: Elegante comedor interior con boiseries, comedor privado hasta 40 personas y terraza de verano ajardinada que se utiliza la mayor parte del año, un lugar para estar: copas, aperitivos, tertulias...Barra para aperitivos, vinos y tapas en un ambiente de sidrería asturiana con sidra natural de Gijón de excelente calidad.
Tarjetas: Todas excepto Diner's.

ESPECIALIDADES EL ORBAYU

Cocina tradicional con toques asturianos
Sugerencias del día y guisos de temporada
Menú Degustación: 25 €, bodega incluida
Pulpo L'Orbayu
Mousse de cabracho al Pedro Ximénez
Tartar de salmón al aroma de jengibre
Cachopo de merluza relleno de changurro
Pixin a la sidra
Steak Tartar
Solomillo de buey con foie
Carne "casa" (2 pax.)
Arroz con leche
Tocino de cielo
"Duetto" de tocino y queso

EL BODEGON. Pinar, 15. Tel. 91 562 31 37. www.grupovips.com

Asesorado por el cocinero Hilario Arbelaitz, del restaurante Zuberoa de Oiartzun, ofrece una alta cocina tradicional vasca con toques creativos. Inaugurado en 1956, los monográficos de recetas confeccionadas con materias primas de temporada, el servicio exquisito, la amplia y variada bodega y una magnífica colección de cuadros de arte distribuidos por su comedor conforman una experiencia inolvidable.

COMBARRO. Reina Mercedes, 12. Tel. 91 554 77 84. reservas@combarro.com www.combarro.com

Auténtica referencia de la cultura gastronómica gallega. También en su sucursal denominada Sanxenxo (Ortega y Gasset, 40. Tel. 91 577 82 72) se exponen los mejores pescados, mariscos, carnes y productos de la tierra, elaborados por manos artesanas que conservan los sabores más puros y tradicionales de Galicia. Lujo en las instalaciones y agradable barra con tapas de calidad.

CLUB ALLARD. Ferraz, 2. Tel. 91 559 09 39. www.elcluballard.com

Un espléndido edificio de corte modernista, la Casa Gallardo, acoge este lujoso restaurante de techos altos, enormes lámparas holandesas, escayolas de época y amplios ventanales a la arboleda de la Plaza de España. Diego Guerrero presenta una original cocina de autor que se refleja en diferentes menús degustación elaborados a partir de los mejores productos que el mercado ofrece a diario.

EUROPA DECÓ. Carrera de San Jerónimo, 34 (Hotel Urban) Tel. 91 787 77 70. www.derbyhotels.com

El restaurante del muy lujoso Hotel Urban se ha consolidado como uno de los mejores restaurantes de hotel de la capital madrileña. En el interior del vanguardista hotel, ofrece una elegante carta que recorre desde la cocina mediterránea y de mercado hasta otra de referencias más exóticas, un impecable servicio de sala, muy profesional y una gran carta de vinos con numerosas etiquetas nacionales e internacionales.

KABUKI WELLINGTON. Velázquez, 6. (Hotel Wellington). Tel. 91 577 78 77. www.restaurantekabuki.com

El buque insignia de Ricardo Sanz se mantiene en la cumbre de la restauración madrileña al ofrecer una impecable culinaria de origen japonés, con guiños a la despensa y sabores de la cocina mediterránea.Tecnología y memoria, buena materia prima y constante investigación se funden para ofrecernos un viaje gastronómico de primer nivel.

LA BROCHE. Miguel Ángel, 29-31 (Hotel Occidental Miguel Ángel). Tel. 91 399 34 37. www.labroche.com

Con entrada independiente del hotel Occidental Miguel Ángel, La Broche es un diáfano espacio de sofisticada decoración que incita a la serenidad. Calidad y creatividad son la base de la cocina del chef Ángel Palacios. Recetas realmente honestas y sorprendentes con una puesta en escena impecable. Bodega con más de 500 etiquetas, vinos nacionales y del mundo, grandes marcas y pequeñas joyas enológicas.

PEDRO LARUMBE. Serrano, 61 (C.C. ABC Serrano). Tel. 91 575 11 12. info@larumbe.com - www.larumbe.com

Instalado en la que fue la redacción del antiguo edificio del diario ABC, este gran profesional con muchos años de oficio, obtiene una cocina de mercado, influenciada por las recetas tradicionales, dando a éstas un carácter actual con una presentación muy estética. Los comedores, deliciosamente decorados, mantienen el clasicismo del histórico edificio.

PRINCIPE DE VIANA. Manuel de Falla, 5. Tel. 91 457 15 49

El restaurante de Javier Oyarbide es un clásico de la capital con una dilatada experiencia y una abundante clientela. La generosa materia prima que llega a diario desde Navarra da origen a una cocina vasco-navarra de corte popular, sabiamente renovada.

VIRIDIANA. Juan de Mena, 14. Tel. 91 523 44 78
viridiana@restauranteviridiana.com - www.restauranteviridiana.com

Abraham García no deja indiferente a nadie. Su arrebatadora personalidad propicia una cocina creativa con amplias dosis de improvisación y un afán de superación permanente. Su local, vivo ejemplo de sus vivencias y aficiones, su puesta en escena, a veces provocadora, y su extraordinaria bodega en completa armonía con la carta, va más allá de las modas.

Aranjuez: CASA JOSE. Abastos, 32. Tel. 91 891 14 88 www.casajose.es

Este restaurante familiar goza de una merecida fama. Fernando del Cerro practica una cocina equilibrada, sin estridencias, en la que se alternan platos novedosos, que cambian según la temporada con otras grandes recetas clásicas. En un comedor rústico actualizado, con un bello techo de madera, se desenvuelve con soltura un servicio de sala amable y profesional.

Humanes de Madrid: COQUE. Francisco Encinas, 8. Tel. 91 604 02 02
reservas@restaurantecoque.com www.restaurantecoque.com

La magnífica trayectoria de Mario Sandoval, su joven chef, ha situado a este establecimiento del sur de la comunidad de Madrid, en la cúspide de la restauración española. Esto ha sido posible gracias a su arte y oficio tanto en la creación de platos tradicionales como otros más vigentes, curiosas elaboraciones de cocina refinada y sugerente.

Majadahonda: ARS VIVENDI. Cristo, 23.
Tel. 91 634 02 87 www.grupoarsvivendi.com

Sin lugar a dudas, uno de los mayores exponentes de la culinaria italiana dentro del panorama gastronómico nacional. En una sala coqueta y acogedora, la verdadera protagonista es la creativa cocina de Mª Rosa García con una exquisita carta elaborada con los más sobresalientes productos transalpinos. La bodega, a cargo de su marido Dino Nanni, es muy completa con caldos españoles, italianos y franceses.

Murcia

Ubicada en pleno arco del Mediterráneo posee una enorme variedad ambiental. Puede sorprender que en tan solo once mil kilómetros cuadrados se pueda pasar de las áridas cuencas del sur peninsular, con paisajes esteparios, a las masas forestales de las sierras interiores, a las vegas del río Segura y de allí a la costa bañada por el Mediterráneo. Estas condiciones son la causa de singulares ecosistemas naturales como el Parque Regional de Sierra Espuña, las sierras de Moratalla, el cañón de los Almadenes, las salinas de San Pedro del Pinatar o el Parque Regional de Calblanque.

El litoral murciano cuenta con 250 km de franja litoral con paisajes muy diversos: la abrupta zona que se extiende entre Cabo de Palos y Águilas o la gran laguna del Mar Menor. Salinas, humedales, dunas y playas se suceden conformando espacios naturales de gran belleza.

Murcia también presenta un legado histórico y monumental de gran valor. Los enfrentamientos en esta zona entre cristianos y musulmanes propiciaron la construcción de numerosos castillos, fortalezas y torres defensivas que aparecen dispersos por todo el territorio murciano. El Siglo XVIII supuso una época de esplendor artístico y cultural, cuyos mayores exponentes están presentes en las dos ciudades barrocas por excelencia: Murcia y Lorca.

Murcia

Fiestas Patronales: Procesiones de Semana Santa de Cartagena, Lorca, Murcia y Jumilla, Carnavales de Águilas y Cabezo de Torres, Bando de la Huerta y Entierro de la Sardina (interesantes Cabalgatas el martes y el sábado de Pascua por la tarde, tienen lugar en Murcia). Fiestas de la Santísima Vera Cruz de Caravaca, de origen medieval, del 1 al 5 de mayo. Fiestas de la Virgen del Carmen de San Pedro de Pinatar. Fiestas de la Vendimia de Jumilla, el 31 de agosto.

Museos y monumentos: La Catedral, el Palacio Episcopal, las Iglesias de San Juan de Dios, del Carmen, de San Juan Bautista, de Santa Eulalia, el edificio de la Universidad, el Palacio de los Marqueses de Espinardo, el Monasterio de los Jerónimos, Museo de Bellas Artes, Museo de Salzillo, Museo de la Huerta, Museo de Murcia.

Oficina de Turismo: Santa Clara (detrás del Teatro Romea). T. 968 229 659

La cocina murciana

La región de Murcia ofrece al visitante unos paisajes muy diversos, desde las frescas huertas a terrenos de aridez casi extrema o de alta montaña. Esto tiene su reflejo en la cocina murciana, a su vez muy variada, por lo que tal vez sería más correcto hablar de cocinas murcianas: la de interior, la de huerta y la de mar.

Como características conjuntas de la gastronomía murciana podríamos citar la asombrosa diversidad y primerísima calidad de las verduras de regadío, que presentan unas posibilidades casi ilimitadas por su diversidad de texturas; de los productos del mar, siendo su mayor aportación los langostinos del Mar Menor, de sabor único y peculiar y de las cabañas ganaderas y sus máximos exponentes, la cabra murciana con cuya leche se elaboran los quesos al vino y el cordero segureño. Son memorables las chuletitas de lechal de la vega alta del Segura.

El plato rey de la culinaria local es el arroz al caldero elaborado con arroz de Calasparra y pescados de roca del litoral murciano. No podemos obviar la cualificada fruta murciana de temporada, por algo se considera a esta provincia como la huerta de España: limones, naranjas, albaricoques, melocotones, uvas, melones, sandías...

La repostería es de origen arábigo-andaluza destacando dulces como los pastelillos, mazapanes, alfajores, mieles, etc. Son también muy apetecibles los quesos de Caravaca.

Los vinos de Murcia poseen un prestigio fuera de su región contando con varias denominaciones de origen como Jumilla, Yecla y Bullas.

Murcia

ARCO DE SAN JUAN****	Plaza Ceballos, 10	968 210 455	www.arcosanjuan.com
SILKEN SIETE CORONAS****	Pº de Garay, 5	968 217 774	www.hotelsietecoronas.com
CONDE FLORIDABLANCA****	Princesa, 18	968 214 626	www.hoteles-catalonia.com
NH AMISTAD MURCIA****	Condestable, 1	968 282 929	www.nh-hoteles.es

Alborada

Un clásico renovado

En noviembre de 2006, el restaurante Alborada -toda una institución gastronómica en la capital murciana- ha cambiado de emplazamiento, inaugurando un nuevo local decorado en un estilo más actual, realzado por apuntes minimalistas. Este cambio no ha afectado al equipo que mantiene intacto su saber hacer, la calidad de su cocina y la excelencia de su servicio.

Al matrimonio formado por Puri y Antonio Muñoz se ha unido su hijo David Muñoz como jefe de cocina. Ha actualizado su propuesta culinaria sin renunciar a las fórmulas tradicionales que han convertido a este restaurante en una referencia ineludible a la hora de comer bien. Este joven cocinero ha cursado estudios de gastronomía durante tres años en la Escuela de Hostelería de Barcelona y realizado prácticas en Hyatt La Manga con Juan Naranjo.

La excelente trayectoria de Alborada se sustenta en una cocina de mercado, mediterránea y creativa, plena de sabores y sensaciones destacando la sorprendente originalidad de sus platos. Gastronomía sincera, pulcra y luminosa, basada en la calidad del producto y en unos puntos de cocción exactos.

Satisfacción asegurada para comidas de negocios, celebraciones familiares y amantes de la buena mesa en este restaurante en alza en el que conviene reservar.

ALBORADA'S SPECIALITIES

Market cookery
Crisp artichoke with spicy garlicky mock elvers and prawns
Wild sea bass on a layer of beans tossed with aioli of fruit
Monkfish cooked at 70 º in oil with cinnamon and thyme, on a potato layer with soy sauce
Fillet of venison with foie gras, sauce of boletus and horn of plenty mushrooms
Shoulder of Iberian pork, gat cheese sauce and truffled potato purée
Chilled pistachio soup with mascarpone ice cream
Chocolate cloud with bitter orange

Alborada

Localidad: Murcia (30001)
Dirección: C/ Andrés Baquero, 15 (junto Universidad)
Teléfonos: 968 232 323 Fax. 968 203 281
www.alboradarestaurante.com
Parking: Dos aparcamientos públicos al lado (Universidad y Plaza Europa)
Propietario: Antonio Muñoz Robles
Días de cierre y vacaciones: Cerrado domingos todo el día y lunes noches. En agosto cerrado sábados y domingos.
Decoración: Actual. Techos altos y combinación de tonos naranja y grises
Ambiente: Empresas principalmente
Bodega: Vinos de la región, selección de otras denominaciones de origen y algunos vinos franceses
Hombres y nombres: Jefe de cocina: David Muñoz Sánchez
Otros datos de interés: Nuevo emplazamiento de este restaurante desde el 15 de noviembre 2006. Salón principal para 45 comensales y 2 salones privados para 12 y 8. Precio medio a la carta: 45 €.
Tarjetas: Todas

ESPECIALIDADES ALBORADA

Cocina de mercado

Crujiente de alcachofas con ajillos de gulas y gambas

Lubina salvaje sobre lecho de judías salteadas y ali-oli de frutas

Rape confitado a 70º en aceite de canela y tomillo sobre lecho de patatas y salsa de soja

Solomillo de ciervo con foie, salsa de boletus y trompetas de la muerte

Presa paletilla de ibérico, salsa de queso de cabra y puré de patata al aroma de trufa

Sopa fría de pistachos con helado de queso mascarpone.

Nube de chocolate con naranja amarga

La Cabaña

El restaurante La Cabaña se encuentra dentro de un impresionante complejo, Finca Buenavista, en una construcción exclusiva inspirada en la arquitectura sudafricana. De forma octogonal y realizado con materiales importados de aquel país, como los largos juncos cocidos, la decoración fue realizada por un equipo de especialistas nativos que han sabido mantener su esencia más auténtica. La cuidada iluminación nocturna, los maravillosos estanques y jardines y, en general, todo el ambiente que lo rodea, configuran una postal de ensueño.

En este espléndido recinto brilla con personalidad propia la cocina de un chef de lujo como Pablo González que ha renovado con acierto la gastronomía murciana ahondando en sus raíces para modernizarla. En constante evolución y búsqueda de la excelencia, Pablo ha reducido la capacidad a veinte personas, incluyendo algunas mesas exteriores para fumadores. Tiene el privilegio de trabajar para emocionar y conseguir la máxima felicidad del comensal sin pensar en la rentabilidad, asegurada por los banquetes. Aquí todo es excepcional: cocina, servicio y marco. Amplios espacios, mesas de grandes dimensiones, techos altos, atención a todos los detalles: aperitivos, presentaciones, felices maridajes, cajita de petits fours, azúcares de colores...Un restaurante para grandes sibaritas y gastrónomos exigentes.

Finca Buenavista

Está situada en un lugar privilegiado, junto a la falda que lleva hasta Puerto de la Cadena, a la espalda de la Ciudad Sanitaria Virgen de la Arrixaca. Lo primero que llama la atención al llegar a este bello paraje son las espectaculares palmeras que custodian su entrada y el casi infinito aparcamiento, con capacidad para más de mil vehículos. Rodeada de unos evocadores jardines y unos originales estanques, donde toda la flora del lugar se rinde a los pies de un emblemático y octogenario olivo, es el marco ideal para la realización de congresos, reuniones, presentaciones y, en general, todo tipo de celebraciones con diferentes capacidades y múltiples posibilidades.

LA CABAÑA'S SPECIALITIES

Modern and dynamic cuisine with its own personality, regional roots and produce
Every day a different menu
Oyster Daniel Sorlut with Islay whisky, citric caviar and its pearl
Peeled broad beans with pig's trotters and Norway lobster
Juicy rice with confit dried red peppers and fish essence
Viceroy with Mediterranean landscape
Wild gilthead bream and squids cooked with their own ink
Loin of Galician cow with sweetbreads
Gently-roasted (14 h) lamb shoulder with roast potatoes and onion cream
Cheese trolley
Quince jelly, green apple and truffle honey
Apple tart with cider ice cream, raspberries and Calvados

La Cabaña

Localidad: El Palmar-Murcia (30120)
Dirección: Urbanización Buenavista s/n
Teléfonos: 968 889 006 **Fax:** 968 379 813
E-mail: comercial@fincabuenavista.net
www.fincabuenavista.net www.restaurantelacabana.com
Parking: Amplio aparcamiento propio
Propietario: Celeventos s.l.
Días de cierre y vacaciones: Abierto al mediodía de lunes a viernes y jueves noches. Vacaciones: en agosto, de Nochevieja a Reyes y festivos
Decoración: Etnica, 400 m2 para 40 cubiertos. De forma octogonal y techo cónico, este espacio perfectamente aislado ofrece un espacio generoso, mesas grandes y magníficas vistas a la ciudad
Ambiente: Predomina un público fiel
Bodega: Alrededor de 600 entradas compuestas por un 65% de vinos del mundo y 35% de españoles con representación de todas las regiones y tendencias. Presencia de grands crus franceses, las mejores añadas.
Hombres y nombres: Director y jefe de cocina: Pablo González. Maitre y sumiller: Sergio Serrano
Otros datos de interés: Abierto desde marzo 2004, es un restaurante con mucha personalidad. Un marco único realzado por la amplia finca con jardines, flores de temporada, oliveras centenarias y palmeras. Salón para banquetes y eventos hasta 900 comensales.
Tarjetas: Todas

ESPECIALIDADES LA CABAÑA

Cocina moderna y dinámica, con personalidad propia, raíces y productos de la región

La carta cambia cada día

Ostra Daniel Sorlut con whisky Islay, caviar cítrico y su perla

Habas repeladas con manitas y cigala

Arroz meloso con ñoras confitadas y esencia de pescado

Virrey con paisajes mediterráneos

Dorada salvaje con calamares en su tinta

Lomo de vaca gallega con mollejas

Paletilla de cabrito lechal 14 h., patatas asadas y crema de cebolla

Degustación de quesos de nuestro carro

Membrillo, manzana verde y miel de trufa

Tartas de manzana con helado de sidra, frambuesa y Calvados

Palacete Rural La Seda

Este restaurante se ubica en el corazón de la huerta murciana, en un edificio singular del siglo XVII, que nació como bodega y casa solariega dedicada a la producción y crianza de vinos a partir de sus propios viñedos que la circundaban hasta que la filoxera arrasó el viñedo. Con posterioridad, desde 1.902 a 1.968, el edificio se dedicó a manufacturación de seda y después de varios años de abandono, lo adquirió su actual propietario, Francisco Fuentes Huertas, que durante 12 años realizó una lenta y cuidadosa rehabilitación.

Se trata de un edificio singular de 4 plantas, con fachada de ladrillo jalonada de balcones, que ocupa 3.700 m2, rodeado de jardines y zona de huerta. En su interior se puede apreciar la armonía de su decoración en la que destacan, entre antigüedades de diferentes tipos: mobiliario, lámparas, tallas, cuadros, alfombras. etc., la colección de licoreras de cristal de Cartagena que reúne más de 100 ejemplares.

En octubre de 1.998 abrió sus puertas como restaurante y en la actualidad se considera a este establecimiento uno de los mejores representantes de la nueva gastronomía del sureste español. Su parte comercial sólo ocupa una cuarta parte del edificio y el resto acoge exposiciones de pintores y escultores murcianos de los siglos XIX y XX. Ha sido merecedor del XVI Premio Alimentos de España 2002 "Mejor Establecimiento en Manejo de los Vinos" (otorgado por el Ministerio de Agricultura, Pesca y Alimentación), Premio Calidad Agroalimentaria 2002 en "Mejor uso y promoción de productos regionales" y "Mejor cultura y promoción de vinos" (otorgado por la región de Murcia) y Accesit Decantar de Oro en el Salón Internacional del Vino.

Magistral bodega

Situada en la planta baja del edificio, se trata de una edificación de sillares y mampostería en un espacio de 160 m2 totalmente acondicionado en temperatura y humedad. En ellas reposan más de 1000 referencias y un volumen de 28.000 botellas, una gran bodega en la que es difícil no encontrar lo que se busca y que se ha enfundado en este edifico histórico como un guante. **Premio a la mejor bodega por Firavinum.**

En este establecimiento destacan la profesionalidad, el refinamiento en la atención al cliente, así como el asesoramiento en la elección de los vinos de acuerdo con las preferencias de los comensales para alcanzar el mejor maridaje con las sutilezas de múltiples combinaciones de la cuidada cocina elaborada a partir de los productos cultivados por el propio personal, en las parcelas aledañas al Palacete, con técnicas más naturales que las utilizadas por la agricultura convencional.

SPECIALITIES OF HOSTERÍA PALACETE RURAL LA SEDA

Gastronomic menu: 55 €, Tasting menu: 68 € and Big Gastronomic menu: 80 €
Surrealism of Murcia:
a lot of regional produces around a goat cheese cream
Cod sounds and dried tuna stomach with aioli of blood pudding, croutons and airy raspberry foam
Calasparra rice with summer vegetables under a gelatinous veil of French beans
Sirloin steak of Galician beef with soy, yolk and wasabi sauce
Turbot with glasswort and spinach, toasted maize powder and reduction of the bones
Thematic desserts served in two times
Oriental flavours: Chinese custard cup, soil of green Japanese tea and kumquats
Cold cocoa, salted lemon ice, meringue milk
Coffees, teas and liqueurs

Hostería Palacete Rural La Seda

Localidad: Murcia (30162).
Dirección: Santa Cruz. Vereda del Catalán (a 6,5 km. de Murcia).
Teléfonos: 968 870 848 (y fax). www.palacetelaseda.com
E-mail:hosteria@palacetelaseda.com
Parking: Propio, entre naranjos.
Propietario: Francisco Fuentes Huertas.
Días de cierre y vacaciones: Abierto todo el año excepto domingos
Decoración: Edificación que data de 1695 y complementada a principios del s. XVIII. en pleno corazón de la huerta murciana. Este edificio emblemático recuerda a las masías mallorquinas, pero sus dimensiones son de un palacete.
Ambiente: Empresas principalmente.
Bodega: Excepcional, perfecta armonía entre clasicismo y las tendencias más actuales. Más de 1000 referencias de vanguardia para disfrutar.
Hombres y nombres: Francisco Fuentes Huertas.
Otros datos de interés: Lugar adecuado para todo tipo de convenciones y congresos de empresas que exijan la máxima representación y comodidad. Cinco salones con diferentes capacidades y múltiples posibilidades. Exposiciones de arte permanentes. Establecimiento único en la región murciana. Restaurante a la carta abierto cada día, lujoso marco y refinado servicio de mesa. Huerta propia con cultivos de verduras y frutales cuidados con carácter ecológico.
Tarjetas: American Express, Visa y Mastercard.

ESPECIALIDADES HOSTERÍA PALACETE RURAL LA SEDA

Menú Gastronómico: 55 €, Menú Degustación: 68 € y Gran Menú Gastronómico: 80 €
Surrealismo murciano:
entorno a un cremoso de queso de cabra, infinidad de productos de la región
Tripas de bacalao y bull con ajoaceite de morcilla, crestones de pan y aire de frambuesas
Arroz de Calasparra de verduras de verano bajo velo de judías finas
Lomo bajo de vaca gallega de 9 años con salsa de soja, yema de huevo y wasabi
Rodaballo entre salicornias y espinacas, polvo de quicos y reducción de las espinas
Postres temáticos emplatados en dos servicios
Sabores de Oriente: flan chino, tierra de té verde japonés, kumquats
Copa de chocolate frío, hielo salado de limón, leche merengada
Cafés, tés y destilados

Receta El Mosqui

Arroz Nicolás

Ingredientes para 2 personas: 1,5 kg de pescado de roqueo "morralla", 4 ñoras, 2 tomates maduros, 1 cabeza de ajos, 1 pimiento rojo, 1 docena de gambas rojas peladas, 250 gr. de magra de cerdo troceada, 250 gr. de emperador troceado.

Elaboración: Sofreír las ñoras y el pimiento. Después los tomates pelados y partidos y el emperador. A continuación, sofreir las gambas ya peladas y la magra de cerdo. Picar la ñora sofrita junto con los ajos y el pimiento. Echar este picado en 2 litros de agua, colorante y sal.

Con este picado y el agua, hervir todo con el pescado durante quince minutos. Colar el caldo resultante y echar las proporciones de arroz y de caldo. Cuando al arroz le falten diez minutos, añadir la magra, las gambas y el emperador. Cuando el arroz éste al punto deseado, servir solo o acompañado de ali-oli.

Buen provecho.

EL MOSQUI'S SPECIALITIES

Our speciality: Rice hot-pot

Rice Nicolás: Rice hot-pot with fish and shrimps

Fish baked in a salt crust (gilthead bream, sea-bass)

Fish " a la espalda": split, then shallow-fried and sprinkled with garlic fried in olive oil and a dash of vinegar

Sirloin steak

Fillet steak

Home-made "Tocinillo del cielo" (kind of rich cream caramel)

Home-made "Pan de Calatrava" (custard-filled sponge)

El Mosqui

Localidad: **Cabo de Palos (30370 Murcia).**

Dirección: Subida el Faro, 50.

Teléfonos: **968 564 563 Fax: 968 145 184.**

Parking: Propio.

Propietario: Isidoro de la Orden Vera.

Días de cierre y vacaciones: En invierno: cerrado jueves y horario de 9h. a 17h. En verano: abierto todo el día.

Decoración: Marinera.

Ambiente: Muchos españoles.

Bodega: Muy amplia, climatizada.

Hombres y nombres: Jefe de cocina: José Faus Ibañez.

Otros datos de interés: Posee varios títulos y condecoraciones, entre ellas, la placa de Bronce al Mérito Turístico. Gran terraza de verano frente al mar. En verano: barbacoa por la noche. Cava de puros.

Tarjetas: Todas.

ESPECIALIDADES EL MOSQUI

Gran especialidad: Arroz caldero

Arroz Nicolás

Pescados a la sal (Dorada, lubina...)

Pescados a la espalda

Entrecot

Solomillo

Tocinillo de Cielo de la casa

Pan de Calatrava de la casa

Arqua

Técnica y armonía de sabores

Situado en las instalaciones del Museo Nacional de Arqueología Subacuática, el único museo estatal de estas características que existe en España, el restaurante Arqua representa la nueva generación gastronómica de Cartagena.

Desde su creación, el museo desarrolla una labor continuada de conservación, protección y documentación del Patrimonio Cultural Subacuático, constituye un referente de primer orden a nivel nacional e internacional. El edificio ha sido pensado para que el museo que alberga no sólo sea un espacio de exhibición sino un lugar de encuentro cultural, ubicado en el excepcional Paseo Marítimo, facilitando su integración en la vida de la ciudad de Cartagena, cuna y germen de la arqueología subacuática en España.

Abierto desde abril 2009, este restaurante gastronómico es un excelente complemento del museo, una culinaria de calidad que apuesta por la diferencia en un espacio de diseño, moderno y luminoso, firmado por el sevillano Vázquez Consuegra. El comedor se ha concebido como una gran ventana abierta al Mediterráneo. Arqua fundamenta su propuesta en una cocina pensada y realizada para sorprender, destaca la bondad de la materia prima adquirida a diario en el mercado o incluso a pie de barca en el caso de los pescados y moluscos.

Tras una amplia trayectoria profesional en destacados restaurantes de España -Atrio, Aldebarán, Rocamador, Sergi Arola- y del suroeste de Francia, el chef Pablo Martínez es el máximo responsable de los fogones de Arqua. Sus creaciones presentan siempre una sensibilidad especial, riqueza conceptual e imaginativa que conjuga con acierto técnica, armonía de sabores, colores y acertadas presentaciones.

Un equipo humano joven e ilusionado complementa esta seductora y distinguida fórmula en un entorno cultural.

ARQUA'S SPECIALITIES

Cookery with fresh produce and best flavours
Recommendations of the day according to the market offer
Tasting menu, renewed every week: 35 €
Garlicky beetroot purée thickened with bread and olive oil emulsion, with small scallops
Salad of marinated bonito fish with tomatoes and spring onions
Curried mussels with marinated vegetables
Rice specialities and stews of the day
Meagre with sweet potato purée and garlic chives
Grilled monkfish and risotto with citrus fruit
Sirloin steak with vegetable timbale
Roast loin of lamb with aromatic herbs
Chocolate soufflé with ice cream
Chilled mango soup with coconut & pineapple ice cream

Arqua

Localidad: **Cartagena (30202 Murcia)**
Dirección: Pº Muelle Alfonso XII, 22 - 1ª planta del 2º edificio del Museo Nacional de Arqueología Subacuática
Teléfonos: **968 121 120** **E-mail: info@arquaRestaurante.es**
www.arquaRestaurante.es
Parking: Aparcamiento público "Marina Cartagena" para 500 coches.
Días de cierre y vacaciones: Cerrado lunes. Abierto de martes a domingos al mediodía, también cenas viernes y sábados.
Decoración: Amplio y luminoso comedor contemporáneo con magníficas vistas a la bahía.
Ambiente: El restaurante emblemático de Cartagena.
Bodega: Lista de vinos adaptada a los tiempos.
Hombres y nombres: Dirección: Pablo Martínez y María Fernández.
Otros datos de interés: Ubicado en la zona nueva de Cartagena, que vuelve a mirar al mar. Dos ambientes: cafetería abierta ininterrumpidamente de 9'30 a 19'30 y restaurante gastronómico.
Tarjetas: Visa, Mastercard.

ESPECIALIDADES ARQUA

Cocina de producto y de sabores
Sugerencias del día según mercado
Menú Degustación, cambia cada semana: 35 €
Salmorejo de remolacha con zamburiñas
Ensalada de bonito marinado en casa, con tomates y cebolleta
Mejillones al curry con verduras escabechadas
Arroces y guisos del día
Corvina con puré de boniato y ajetes
Rape a la plancha con risotto de cítricos
Entrecot de buey con timbal de verduras
Lomo de cordero asado con hierbas aromáticas
Soufflé de chocolate con helado
Sopa fría de mango con helado de coco y piña

Paco Alfonso X

Convencer con razones

Después de 37 años en el anterior restaurante del Paseo Alfonso X, una céntrica arteria de la capital murciana, Paco García, junto a sus hijos, ha abierto este restaurante en una moderna y elegante zona empresarial al norte de la ciudad. Con la aportación de la fuerza innovadora de sus hijos: Mariano, maestro parrillero y Flori, en la sala, en este nuevo emplazamiento con más comodidades y abundante luz natural, conserva el mismo nivel de calidad, espíritu de servicio y atención a los clientes. Mariano se inició con Matías Gorrotxategui del famoso Julián de Tolosa (Guipúzcoa). También ha lucido su arte en jornadas gastronómicas: restaurante Teitu (Madrid), Parrillada Antonio (Lugo), La Gruta y Casa Marcial (Asturias).

La carne roja a la parrilla, auténtico buque insignia de la casa, es la protagonista indiscutible. Mariano García, maestro asador, domina el arte ancestral de someter a la acción del fuego y brasas las excelsas carnes que provienen de la empresa asturiana Trasacar. Carnes de primera, milimétricas preparaciones a la parrilla de carbón, controlando tiempos y distancias para conseguir un óptimo punto de sabor. Aparte de estas espectaculares carnes -chuletón de buey, entrecot, solomillo- también pasan por esta parrilla pulpitos, calamares, bacalao, cogote de merluza, rape...Para un final feliz, no dejen de probar el gin-tonic preparado según cánones ejemplares: máquina de "osmosis" para quitar el sabor y la cal del agua, ginebra en el congelador y un buen limón verde de Murcia, sólo la corteza.

SPECIALITIES OF PACO ALFONSO X

Grill fired with oak charcoal

Recommendations of the day according to the market offer

Confit small red "piquillo" capsicums

Roast octopus in the style of Murcia

Tripe in the style of Madrid

Stews and ragouts in winter

Salt cod in garlicky olive oil emulsion

Small monkfish with garlic sauce

Rib steak of beef, sirloin and fillet steak

Peach soufflé

Cinnamon sorbet

Paco Alfonso X

Localidad: **Espinardo (30100 Murcia)**
Dirección: C/ Central, 10. Polígono Empresarial Espinardo, junto a Torre Godoy
Teléfonos: **968 858 533** **E-mail: pacoalfonsox@hotmail.com**
www.pacoalfonsox.com
Parking: Aparcamiento público enfrente y algunas plazas propias.
Propietario: Francisco García y sus hijos Mariano y Flori.
Días de cierre y vacaciones: Cerrado domingos todo el día y noches de lunes y martes.
Decoración: Moderno y luminoso comedor.
Ambiente: Acertada combinación de tradición y modernidad.
Bodega: Sencilla y bien seleccionada. Acento en Ribera del Duero, Rioja y vinos de la tierra: Jumilla, Yecla y Bullas.
Hombres y nombres: Maestro parrillero y jefe de cocina: Mariano García. Jefa de sala: Flori García.
Otros datos de interés: Inaugurado el 10 de junio 2008, esta casa destaca por sus carnes de calidad y parrilla utilizada con maestría. Comedor para 50 comensales, dos salones reservados para 20 p. cada uno, zona de barra para tapas, vinos y comidas ligeras. Terraza. También servicio de cafetería y desayunos a partir de las 8 horas.
Tarjetas: Todas.

ESPECIALIDADES PACO ALFONSO X

Parrilla de leña de carbón de encina

Sugerencias según mercado diario

Pimientos de piquillo confitados

Pulpo asado a la murciana

Callos a la madrileña

Guisos y platos de cuchara en invierno

Bacalao al pil pil

Sapito al ajo pescador

Chuletón de buey, entrecot, solomillo

Soufflé de melocotón

Sorbete de canela

Receta Venezuela

Caldero Mar Menor

Ingredientes para 12 personas: 4'5 kg. de pescado fresco: mujol (insustituible), lubina, dorada y gallina o rascasa, 1 kg. de arroz, 10 ñoras, 2 tomates grandes, ½ litro de aceite, 1 cabeza y media de ajos y sal.

Elaboración: Limpiar el pescado y cortar en trozos grandes. Poner en sal gorda 30 minutos (ó 20 minutos en sal fina). Echar en el aceite frito las ñoras limpias y retirar cuando estén doradas. Pelar los ajos, trocear el tomate y añadir en el aceite. Picar el ajo en un mortero y machacar bien las ñoras. Frito el tomate, incorporar el caldo de las ñoras y añadir un poco de ajo picado. Mezclar todo bien en el fuego y llenar el caldero de agua hasta la mitad y empezar a echar el pescado.

Terminar de llenar el caldero con agua. Cuando empiece a hervir, contar 7 u 8 minutos y sacar el pescado con cuidado. Echar por encima el ajo picado y el caldo de pescado colado. Añadir el kilo de arroz entero, mover al principio y dejar 18 o 20 minutos. Tapar y dejar cocer.

Emplatado: A la hora de comer, servir primero el pescado y luego el arroz. Puede acompañarse de ajiaceite, también llamado alioli.

Pertenece a Restaurantes de Buena Mesa, Eurotoques y Jóvenes Restauradores de Europa. Galardonado con la Q de calidad.

VENEZUELA'S SPECIALITIES

Mediterranean cookery
Shellfish and crustaceans sold by weight, fish and rice specialities
Salt cod and salmon salad
Raf tomatoes with anchovies
Pygmy or baby squids
Fish roe and air-dried tuna
Grouper, turbot or monkfish à la marinière
Grilled fish & seafood assortment
Fried sea bass with garlic and a dash of vinegar or gilthead bream in a salt coat
Fish stew "Mar Menor"
Fillet steak in pepper sauce or hunter's style
Almond & cream gateau
Biscuit & chocolate tart

Venezuela

Localidad: Lo Pagán – San Pedro del Pinatar (30740 Murcia)
Dirección: Paseo Marítimo Lo Pagán
Teléfonos: 968 181 515 – 968 182 021. Fax: 968 181 909
E-mail: restvenezuela@terra.es
www.restaurantevenezuela.com
Parking: Aparcamiento del Puerto a 100 metros.
Propietario: Hermanos Jiménez.
Días de cierre y vacaciones: Cerrado domingos noche y lunes.
Vacaciones: 2ª quincena de octubre y 1ª quincena de noviembre.
Decoración: Actualizada. Elegante estilo marinero con privilegiadas vistas al Puerto.
Ambiente: Familiar, mucho público de Madrid.
Bodega: Muy surtida, 500 referencias escogidas por su buena relación calidad-precio.
Hombres y nombres: Director: José Antonio Jiménez. Jefes de cocina: Anastasio Jiménez y José Luis Jiménez.
Otros datos de interés: Actualmente, la tercera generación está al frente de este restaurante familiar fundado en 1961. Dos salones, planta baja: 100 personas y en planta alta: 80 personas con dos reservados modulables. Salón para eventos: 400 personas. Terraza de verano. Servicio atento y profesional con una plantilla estable formada en la casa.
Tarjetas: Todas excepto American Express.

ESPECIALIDADES VENEZUELA

Cocina mediterránea
Mariscos al peso, pescados y arroces
Ensalada de bacalao y salmón
Tomates raf con anchoas
Puntillas o chipirones
Surtido de hueva y mojama
Mero, rodaballo o rape a la marinera
Parrillada de pescado y marisco
Lubina a la espalda o dorada a la sal
Caldero Mar Menor
Solomillo a la pimienta o cazadora
Tarta de turrón y nata
Tarta de galletas y chocolate

ACUARIO. Plaza Puxmarina, 1. Tel. 968 219 955. Fax: 968 223 337
www.restauranteacuario.com

Junto a la Catedral y el Ayuntamiento, este céntrico restaurante ha recibido numerosos premios desde su fundación en 1987. Dani Marcos, cocinero con futuro, elabora una cuidada cocina de autor que sabe combinar las excepcionales materias primas de la huerta murciana, creando una conjunto armonioso de colores y sabores.

LA PLAZA. Plaza de San Juan, s/n. Tel. 968 221 200.
info@laplazarestaurante.com - www.laplazarestaurante.com

Ubicado en el centro turístico, histórico y comercial de Murcia, este restaurante comparte instalaciones del antiguo Palacio del Conde de Floridablanca con el Hotel Arco de San Juan. El talento de Juan Pedro Espinosa se refleja en una culinaria moderna, rica en matices e innovaciones, sin olvidar la tradición, el espíritu mediterráneo y el recetario murciano.

EL RINCON DE PEPE. Apóstoles, 34. Tel. 968 212 239.
restauranterincondepepe@orenesgrupo.com
www.restauranterincondepepe.com

Situado en el interior del Hotel NH Rincón de Pepe, en un acogedor comedor de amplias mesas, continúa siendo una referencia en la zona, gracias a su dilatada trayectoria y la calidad de su restauración. Su cocina reúne lo mejor del recetario tradicional murciano con platos clásicos y otros más actualizados, destacando las exquisitas verduras y los pescados del litoral.

HISPANO. C/ Radio Murcia, 3. Tel. 968 216 152. info@restaurantehispano.es - www.restaurantehispano.es

Goza de un gran prestigio en la ciudad. Primorosamente dirigido por la familia Abellán, apuesta por una cocina fiel a la gastronomía murciana de toda la vida, con valiosos productos tratados sin ningún tipo de artificio. Extenso surtido de tapas de la región y excelsa bodega con numerosas referencias, lideradas por los vinos de la tierra.

El Algar: **JOSE MARIA-LOS CHURRASCOS. Avda. Filipinas, 13. (a 15 km. de Cartagena) Tel. 968 136 144. info@loschurrascos.com - www.loschurrascos.com**

Local muy consolidado en la comarca con una clientela atraída por sus buenas materias primas y esmerado servicio. Cocina mediterránea, caracterizada por la maestría en el tratamiento de los pescados y mariscos del Mar Menor, productos de la huerta murciana y salazones. Completa bodega, más de 400 denominaciones de origen, 55.000 botellas.

Monteagudo: **MONTEAGUDO. Avda. Constitución, 93. (a 6 km. de Murcia) Tel. 968 850 064. www.restaurantemonteagudo.com**

A los pies del Castillo de Monteagudo, este restaurante, amplio y confortable, decorado con numerosas obras pictóricas, propone una cocina con personalidad propia. Al frente de los fogones, Juan Lax ejecuta recetas innovadoras y atrevidas. Sus postres merecen una mención aparte. Selecta lista de vinos, más de 300 referencias.

Navarra

Situada en el extremo occidental de los Pirineos, Navarra es una región llena de contrastes. En menos de 100 km en línea recta, se encuentra el bosque de Irati, que evoca la atmósfera de un cuento de hadas nórdico, y las estepas de las Bárdenas Reales, con sus altos cerros pelados que parecen sacados del espacio subsahariano.

Navarra ha conservado su personalidad diferenciada con el resto de la península y sus instituciones de autogobierno desde el s. XI.

Su entorno natural, extenso y bien conservado presenta una gran variedad de ecosistemas: los valles pirenaicos, excepcionales para la práctica de actividades de montaña, senderismo, escalada, esquí de fondo..., las sierras prepirenaicas con sus profundas gargantas en la roca conocidas con el nombre de foces, el país del Bidasoa y la Navarra atlántica, una región de colinas alfombradas de hierba con robustos caseríos de arquitectura tradicional.

Las principales muestras del patrimonio cultural navarro están relacionadas con el Camino de Santiago. El viajero que siga esta ruta se llevará en la memoria lo más interesante del arte monumental de la Comunidad.

Los tradicionales San Fermines, fiesta de universal atractivo, constituyen un ejemplo de hospitalidad en la que todos los participantes son bienvenidos.

Pamplona

Fiestas Patronales: Del 6 al 14 de julio. “Sanfermines”, San Francisco Javier, 3 de diciembre, los actos folklóricos de Navarra, con el “Olentzero” como máxima representación en la tarde-noche del 24 de diciembre.

Museos y monumentos: Catedral metropolitana, Iglesia de San Saturnino, Iglesia de San Nicolás, Iglesia de San Lorenzo, Cámara de Comptos, Palacio de Ezpeleta, Palacio de Navarra, Casa Consistorial, La Ciudadela, las Murallas, Monumento a los Fueros, Museo de Navarra, Museo Diocesano, Parque de la Taconera, Parque de la Media Luna, Palacio del Marqués de Rozalejo, Palacio del Condestable, Palacio de los Navarro Tafalla, Palacio de los Redín y Cruzat.

Oficina de Turismo: Eslava, 1. Tel. 948 206 540.

La cocina navarra

La región de Murcia ofrece al visitante unos paisajes muy diversos, desde las frescas huertas a terrenos de aridez casi extrema o de alta montaña. Esto tiene su reflejo en la cocina murciana, a su vez muy variada, por lo que tal vez sería más correcto hablar de cocinas murcianas: la de interior, la de huerta y la de mar.

Como características conjuntas de la gastronomía murciana podríamos citar la asombrosa diversidad y primerísima calidad de las verduras de regadío, que presentan unas posibilidades casi ilimitadas por su diversidad de texturas; de los productos del mar, siendo su mayor aportación los langostinos del Mar Menor, de sabor único y peculiar y de las cabañas ganaderas y sus máximos exponentes, la cabra murciana con cuya leche se elaboran los quesos al vino y el cordero segureño. Son memorables las chuletitas de lechal de la vega alta del Segura.

El plato rey de la culinaria local es el arroz al caldero elaborado con arroz de Calasparra y pescados de roca del litoral murciano. No podemos obviar la cualificada fruta murciana de temporada, por algo se considera a esta provincia como la huerta de España: limones, naranjas, albaricoques, melocotones, uvas, melones, sandías...

La repostería es de origen arábigo-andaluza destacando dulces como los pastelillos, mazapanes, alfajores, mieles, etc. Son también muy apetecibles los quesos de Caravaca.

Los vinos de Murcia poseen un prestigio fuera de su región contando con varias denominaciones de origen como Jumilla, Yecla y Bullas.

Pamplona

LA PERLA*****	Plaza del Castillo, 1	948 223 000	www.granhotellaperla.com
TRES REYES****	Jardines Taconera s/n	948 226 600	www.hotel3reyes.com
NH IRUÑA PARK****	Arcadio Mª Larraona, 1	948 197 119	www.nh-hoteles.es
En Sangüesa			
YAMAGUCHY	Ctra. a Javier, s/n	948 870 127	www.hotelyamaguchy.com

Alhambra

El tiempo...

...y buenos maestros son condimentos que exige el arte de la cocina, y que se han sabido mezclar en un lugar, el Restaurante Europa, y de la mano de un apellido, Idoate.

Es en Febrero de 1985 cuando Esther e Ignacio Idoate se imponen un reto: inaugurar otro restaurante capaz de ganar también el juicio diario de los paladares más exquisitos: El Restaurante Alhambra.

Hoy, el Alhambra tiene su propia familia, el chef Díaz Zalduendo y un equipo de profesionales que crean, sirven e interpretan mejor que nadie las notas de sabor de una cocina con apellido. Se ha convertido en referencia obligada cuando se habla de cocina navarra elaborada con técnica y estilo propio.

ALHAMBRA'S SPECIALITIES

The à la carte menu changes four times a year,

according to seasons.

Suggestions of the day according to the market offer.

Risotto with truffles and boletus mushrooms.

Pastry slice with salt-cod in garlicky sauce with Norway lobster.

Boned pigeon stuffed with pig's trotters.

Millefeuille gateau of rice pudding with cinnamon ice-cream.

Alhambra

Localidad: Pamplona (31003)
Dirección: Bergamín, 7.
Teléfonos: 948 245 007 Fax: 948 240 919
E-mail: info@restaurantealhambra.es
www.restaurantealhambra.es
Parking: A 30 metros (aparcamiento Merindades).
Propietario: Ignacio Idoate y Esther Idoate.
Días de cierre y vacaciones: Domingos. Semana Santa. No cierra por vacaciones.
Decoración: Clásica.
Ambiente: Empresarial principalmente.
Bodega: Vino recomendado: Gran Feudo Reserva de Chivita
Hombres y nombres: Jefe de cocina: Javier Díaz Zalduendo.
Otros datos de interés: Se aconseja reservar mesa. Dos salones modulables de 20 a 60 personas y luminoso bar.
Tarjetas: Todas.

ESPECIALIDADES ALHAMBRA

La carta cambia cuatro veces al año,

según la estación y la temporada.

Sugerencias del día según mercado.

Risotto de trufas y hongos.

Milhojas de bacalao al ajo arriero con cigalitas.

Pichón deshuesado y relleno de manitas de cerdo.

Milhojas de arroz con leche con helado de canela.

Josetxo

Un clásico en Pamplona

Alejandro Elizari y Felisa García inauguraron en 1955 el restaurante Josetxo en un primer piso de la calle Estafeta. Por allí pasaron personajes de la talla de Hemingway, Antonio Machín y muchas otras personalidades. Treinta años después, en 1985, se traslada al actual local, situado en la plaza Príncipe de Viana, en los dos primeros pisos de un edificio de finales del siglo XIX, declarado monumento histórico. Hoy conviven la segunda y la tercera generación en un restaurante que representa en parte la historia de una familia, herederos de una tradición que han sabido innovar y actualizar.

Josetxo es un espacio cálido, sosegado y confortable, accesible y céntrico. La mesa está dispuesta en los salones de un edificio modernista que guarda los detalles decorativos de una vivienda familiar: zócalos de madera noble, vidrieras, mosaicos, fina mantelería, vajilla inglesa, cubertería de plata...

Sus instalaciones presentan espacios diferenciados: salón principal con capacidad para 60 comensales, comedores privados adecuados para eventos sociales o reuniones de empresa y un elegante bar como lugar de cita y encuentro.

Josetxo apuesta por una cocina vasco-navarra que aúna tradición y vanguardia, la repostería es suave y diversa, el trato cercano y discreto y el servicio siempre diligente.

La bodega acoge una esmerada selección de vinos y champagnes de las principales denominaciones de origen además de vinos de colección atesorados a lo largo de las más de cinco décadas de vida del restaurante.

JOSETXO'S SPECIALITIES

Salad "Josetxo" with French beans, cured Jabugo ham and foie gras

Sautéed artichokes with Norway lobsteers

Eggs with grilled foie gras and wild mushrooms

Spider crab, after our own recipe, au gratin

Venison in wine sauce with preserved fruits

Coffee parfait on custard cream

Pear gateau with cream of braised figs

Josetxo

Localidad: Pamplona (31002 Navarra)
Dirección: Plaza Príncipe de Viana, 1.
Teléfonos: 948 222 097 - Fax: 948 224 157
E-mail:info@restaurantejosetxo.com
www.restaurantejosetxo.com
Propietario: Ricardo Eciolaza y Juan Oscáriz.
Días de cierre y vacaciones: Domingos. Agosto.
Decoración: Confortable.
Ambiente: Acogedor.
Bodega: De alto nivel.
Hombres y nombres: Jefes de cocina: Juan Oscáriz y Raquel Elizari.
Jefes de sala: Ricardo Eceolaza y Mª del Carmen Elizari.
Otros datos de interés: Más de 50 años de andadura. Dispone de comedores privados.
Tarjetas: American Express, Mastercard, Visa, Diner's.

ESPECIALIDADES JOSETXO

Ensalada "Josetxo" de judías verdes, Jabugo y foie

Salteado de alcachofas con cigalitas

Huevos rotos con foie a la parrilla y hongo beltza

Changurro de centollo gratinado a nuestro estilo

Corzo en salsa merlot con frutas confitadas

Parfait helado al café sobre crema inglesa

Pastel de pera con crema de higos braseados

Receta Beethoven

Tosta de manzana asada con foie a la plancha, muslito de pato confitado y coulis de grosella

Ingredientes para 4 personas: 4 rebanadas de pan bimbo, 200 gr. de foie, 2 manzanas, 4 muslos de pato confitados, coulis de grosella.

Preparación: Cortamos las rebanadas de pan bimbo con un molde circular y las tostamos. Asamos las manzanas.

Cortamos el foie. Elaboramos un puré con las manzanas asadas y lo ponemos encima de la tosta. Calentamos los muslitos de pato.

Hacemos el foie a la plancha y lo ponemos encima de la tosta. Colocamos los muslitos aliado de la tosta y decoramos con el coulis de grosella.

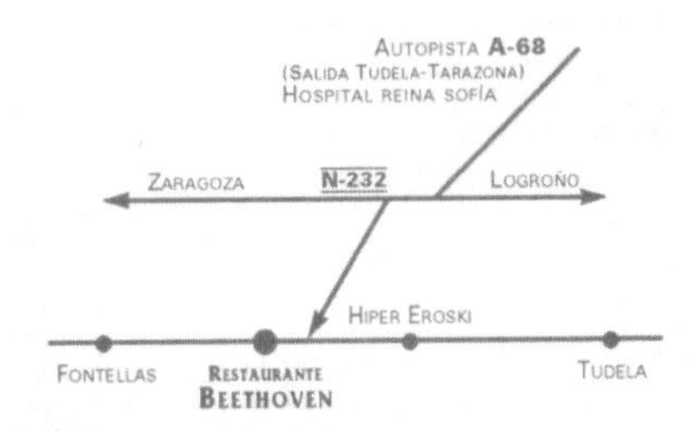

BEETHOVEN'S SPECIALITIES

Young broad stewed with spring onions and goose liver
Fresh vegetable mix of Tudela
Fresh asparagus with two sauces
Gently stewed pearl onions
Young broad beans, asparagus and artichokes with garlic shoots
Baked sea-bass with lukewarm tomato dressing
Grouper in cèpe mushroom sauce
Fillet of salt cod with red prawns and essence of their juice
Fillet steak stuffed with goose liver, porwine sauce and raisins
Baket baby monkfish on a potato and onion layer
Warm pastry horns filled with custard cream and raisins, chocolate sauce
Pine nut mille-feuille with burnt custard and mocha sauce
Cottage cheese ice-cream
Icecream with hot raspberries and cream
Stewed figs in Armagnac

Beethoven

Localidad: **Fontellas-Tudela (31512 Navarra)**
Dirección: Avda. de Tudela, 30 (salida Autovía Fontellas-Tudela Sur)
Teléfonos: **948 825 260 (y fax)** **E-mail: bethoven@can.es**
www.galeon.com/beethoven
Parking: Aparcamiento privado
Propietario: Virgilio Martínez Sanz
Días de cierre y vacaciones: Domingos. Vacaciones en Agosto.
Decoración: Clásica y elegante. Instalaciones amplias y cómodas.
Ambiente: Empresas y turismo, principalmente.
Bodega: Caldos nacionales: navarros, Riojas, catalanes y selección de Burdeos.
Hombres y nombres: Jefe de cocina: Virgilio Martínez. Maitre: Mª Pilar Gómez Pérez
Otros datos de interés: Dos comedores climatizados, uno para el servicio de carta (60 personas) y otro para banquetes (hasta 220-230 personas). Amplia zona de jardines. Es un establecimiento ideal para convenciones, bodas, comuniones,...
Tarjetas: Todas.

ESPECIALIDADES BEETHOVEN

Habitas del tiempo estofadas con cebollita fresca y foie
Menestra de verduras naturales típica tudelana
Espárragos naturales con dos salsas
Cebollitas confitadas
Salteado de habitas, espárragos y alcachofas con ajos frescos
Lubina al horno con vinagreta templada de tomate
Mero en salsa de boletus
Lomo de bacalao con carabineros y su jugo reducido
Solomillo relleno de foie sobre salsa de Oporto y pasas
Pequeño rape al horno sobre lecho de patatas encebolladas
Canutillos calientes a la crema pastelera con pasas y salsa de chocolate
Milhojas de piñones con crema tostada sobre salsa de café
Helado de queso quark
Helado con frambuesas calientes y flor de nata
Higos confitados al Armagnac

Hotel Restaurante Yamaguchi

Regentado por la familia Vinacua-Armendáriz desde 1977, el Hotel-Restaurante Yamaguchi es el referente en Sangüesa, capital de la comarca que recibe su nombre y cabeza visible de una de las cinco Merindades del Reino de Navarra. Un privilegiado enclave del Camino de Santiago, en la base de los Pirineos, muy cercano al Castillo de Javier.

Yamaguchi resulta una inmejorable opción para realizar un alto en el camino en la visita a esta histórica comarca. El hotel dispone de 40 espaciosas habitaciones (2 suites), salón social, bar-cafetería, amplios comedores, zona deportiva, parque infantil, garaje privado y aparcamiento exterior.

El restaurante, en constante evolución y perfeccionamiento, ofrece al visitante una generosa y bondadosa cocina de temporada, lo mejor de la gastronomía navarra. La carta cambia en cada estación: verduras de la Ribera, pescados, carnes y caza. Ha sido finalista del Concurso Semana del Pintxo de Navarra 2010, premiado por su "chilindrón tradicional en cilindro de papada ibérica y croqueta líquida de manitas y perretxicos en tempura de alubias pochas".

La amplitud de sus comedores posibilita la celebración de eventos con todos los servicios y menús adaptados para grupos, comidas de empresa, banquetes y acontecimientos sociales. El bar-cafetería destaca por su carta de tapas, cafés y cócteles. Además, espacio de esparcimiento para reposadas tertulias, lecturas o juegos y sala de televisión.

Sangüesa

Arte, historia, espiritualidad, paisaje, cultura, gastronomía...adentrarse en la Comarca de Sangüesa es sumergirse en la historia. Algunas de las joyas del arte navarro tienen aquí sus escenarios. Imprescindible resulta la visita a Sangüesa, antigua sede real. Su atractiva fisionomía urbana y hermoso patrimonio artístico se reflejan en casas palaciegas como la del Príncipe de Viana o la Iglesia de Santa María la Real, obra cumbre del románico. Igualmente recomendables son los cercanos Monasterios de Leyre y la fortaleza medieval del Castillo de Javier.

Bajo la misma dirección: Restaurante Yamaguchi II. Ctra. Confederación, s/n. T. 948 884 102. Yesa (Navarra).

YAMAGUCHI'S SPECIALITIES

Traditional and updated cookery of Navarre
Gastronomic menus (from 20 to 50 €)
Salad of crisp pig's trotters and duck liver
Gently-roasted sucking pig at low temperature with apple and grapefruit
Peppers from Lodosa stuffed with blood sausage and pine nuts
Salad of marinated partridge with foie gras mi-cuit of duck
White beans from Sangüesa
Fresh vegetables from Sangüesa
Artichokes with cèpe mushrooms (boletus)
Medallion of sea bass and Hollandaise sauce with scallops and leek
Pig's trotters with lamb tripe in sauce
Cheeks and snout of veal after our own recipe
Poor knights with hazelnuts and toffee sauce
Pudding of reinette apples with custard

Hotel RestauranteYamaguchi

Localidad: Sangüesa (31400 Navarra)
Dirección: Carretera de Javier, s/nº
Teléfonos: 948 870 127 y 948 870 700
E-mail: info@hotelyamaguchi.com
www.hotelyamaguchy.com
Parking: Propio y garage privado.
Propietario: Hermanos Vinacua-Armendariz.
Días de cierre y vacaciones: Abierto cada día, salvo Nochebuena y Nochevieja.
Decoración: Funcional.
Ambiente: Turismo y público local.
Bodega: Suficiente. Vinos de Navarra, Rioja, Ribera del Duero y Penedés.
Hombres y nombres: Jefes de cocina: Javier Fernandez Codina y Leonardo Vinacua-Armendariz. Maitre: Juan Vinacua-Armendariz.
Otros datos de interés: Hotel de 40 habitaciones dotado de una completa zona deportiva (frontones, tenis...), zonas ajardinadas y amplio aparcamiento. Excelente relación calidad precio. Empresa familiar con más de 35 años de experiencia, lugar idóneo para banquetes y convenciones hasta 265 personas. Instalaciones actualizadas: recepción, accesos y cocina con las últimas tecnologías.
Tarjetas: Todas.

ESPECIALIDADES YAMAGUCHI

Cocina navarra tradicional y actualizada
Menús Degustación (de 20 a 50 €)
Ensalada de manitas crujientes y foie
Gorrín confitado a baja temperatura con manzana y pomelo
Pimientos de Lodosa rellenos de morcilla con piñones
Ensalada de perdiz escabechada con micuit de pato
Alubias pochas de Sangüesa
Verduras de la huerta de Sangüesa
Alcachofas con hongos
Suprema de lubina con holandesa de vieiras y puerros
Manitas y callos de cordero lechal en su salsa
Carrilleras con morros de ternera a nuestro estilo
Torrijas de avellana con salsa de toffee
Pudding de manzana reineta con natillas

Tubal

Relevo generacional

Según la leyenda, Túbal fue el primer herrero de la historia, domesticador del fuego y padre de los forjadores. Golpeando el yunque, con el ritmo cadencioso de los martillos, creó la música. Fabricó después siete campanas de diferente espesor que, golpeadas con címbalos, dieron lugar a la escala musical. Fundó también ciudades, entre ellas, la muy ilustre Tafalla a la que trajo el dominio de las llamas de los fogones y el poder sobre los metales de las marmitas.

Muchos siglos más tarde, Demetrio y Ascensión iniciaron la saga culinaria de Túbal en un pequeño establecimiento con el nombre del patriarca fundador. Una de sus hijas, Atxen, heredó de sus padres la destreza en el arte de los fogones y los hornos. A sus dos hijos, Beatriz y Nicolás, les ha transmitido el buen gobierno del negocio hostelero y su amor por la cocina. Beatriz en la administración, Nicolás en la cocina y Marta -esposa de Nicolás- en la sala, dirigen junto a Atxen, el Túbal actual.

Túbal es un referente de la cocina navarra. Las verduras son las grandes protagonistas de la carta, renovada según la estación, aprovechando los mejores productos de la huerta. La arrolladora simpatía de Atxen se ve complementada con la figura de su hijo Nicolás. Los platos clásicos de la casa, de marcadas raíces, se alternan con creaciones más renovadoras e imaginativas.

En la planta baja del restaurante, se encuentra la Vinoteca-Delicatessen: selectos productos gastronómicos, referencias de vinos, licores, vinos dulces...de la propia carta del restaurante, géneros regionales -quesos, patés, embutidos…-, así como algunas de las recetas más representativas preparadas en raciones individuales para disfrutarlas en casa.

TUBAL'S SPECIALITIES

Partridge salad with cured ham from Jabugo and foie gras mi-cuit
Sautéed artichokes with cèpe mushrooms and foie gras
Seasonal vegetable mix
Roast lobster with fresh pasta, cured ham, cèpe mushrooms and truffle juice
Grilled sea bass or grouper
Wild turbot on garlic cream with parsley sauce
Foie gras with caramelised pineapple, crocanti and sorbet
Crunchy and juicy pig's trotters
Pigeon from Navarra with onions, prepared in a traditional way
Glass of meringue milk with almond foam and cinnamon crisp
Chocolate soufflé with ice cream of banana and white chocolate
Local cheese assortment: Roncal, Idiazábal, Manchego

Tubal

Localidad: Tafalla (31300 Navarra)
Dirección: Plaza de Navarra, 4
Teléfonos: 948 700 852 Fax: 948 700 050
E-mail:tubal@restaurantetubal.com
www.restaurantetubal.com
Parking: Sin problemas.
Propietario: Sra. Atxen Jiménez Esquiroz.
Días de cierre y vacaciones: Domingos noche y Lunes. Última semana de agosto, primera de septiembre y última semana de enero
Decoración: Con óleos de los mejores pintores navarros, antigüedades y plantas naturales.
Ambiente: Elegante y refinado. Amantes de la buena mesa.
Bodega: En sótano, más de 150 referencias de etiquetas nacionales e internacionales.
Otros datos de interés: Comedores con capacidad para 150 personas a la carta y 350 en congresos y banquetes, salones privados, sala de reuniones y conferencias y discoteca de uso exclusivo para los clientes.
Tarjetas: American Express, Visa, Dinner's Club.

ESPECIALIDADES TUBAL

Ensalada de perdiz con jabugo y micuit
Salteado de alcachofas con hongos beltza y foie
Menestra de verduras de temporada
Bogavante asado con pasta fresca, jabugo, hongos y jugo de trufa
Pescado del día (lubina o mero) a la parrilla
Rodaballo salvaje sobre crema de ajo y salsa de perejil
Foie con piña caramelizada, crocant y su sorbete
Manitas de cerdo crujientes y melosas
Pichón de Navarra encebollado a la manera tradicional
Copita de leche merengada con espuma de almendra y crujiente de canela
Souflé de chocolate con helado de plátano y chocolate blanco
Surtido de quesos del país: Roncal, Idiazábal, Manchego

PAMPLONA

ENEKORRI. Tudela, 14. Tel. 948 230 798 www.enekorri.com

Cocina creativa, cimentada sobre todo, en selectas materias primas. Su adoración por la cultura vinícola es innegable para lo que mima su bodega, organiza catas y dispone de tienda de vinos. Su oferta de licores tampoco deja indiferente.

EUROPA. Espoz y Mina, 11 (Hotel Europa). Tel. 948 221 800 europa@hreuropa.com - www.hreuropa.com

Junto a la Plaza del Castillo, la labor y el esfuerzo de los hermanos Idoate han situado a su local como una referencia obligada de la gastronomía navarra. Trato familiar y cocina sustentada en la nobleza del producto, con elaboraciones innovadoras, sin olvidar el recetario tradicional son las claves de su éxito.

EL MOLINO DE URDANIZ. San Miguel, s/n. Ctra. Francia por Zubiri, km 16,5. A 17 km. de Pamplona. Tel. 948 304 109. www.elmolinourdaniz.com

A pie de carretera, en una rústica casa rehabilitada, David Yárnoz continúa con su innovadora apuesta y sentido innato del buen gusto. En constante evolución, sus formulaciones modernas y reveladoras muestran una culinaria muy personal prestando atención a la calidad de la materia prima, la creatividad y el diseño de sus sugerentes presentaciones. La mejor manera de disfrutar de su gastronomía es a través de su Menú Degustación.

RODERO. Emilio Arrieta, 3. Tel. 948 228 035. Fax: 948 211 217. info@restauranterodero.com - www.restauranterodero.com

Empresa familiar con más de 40 años de experiencia. Ofrece una cocina creativa de alta escuela diseñada por Koldo Rodero, en la vanguardia de la restauración. Su ingenio y desbordante imaginación busca la experimentación de nuevos sabores y aromas con maridajes insospechados y audaces, una original estética, interesante reinterpretación del acervo culinario popular.

Cintruénigo: **MAHER. Ribera, 19. Tel. 948 811 150. gestion@hotelmaher.com - www.hotelmaher.com**

Con una cuidada decoración rústico regional, practica una cocina de autor basada en el producto, una carta dinámica adaptada a la temporada. El refinamiento y la técnica de Enrique Martínez se refleja en cada uno de sus platos. Un lugar para disfrutar en la ribera navarra con magníficas verduras, setas y caza.

Viana: **BORGIA. Serapio Urra, s/n. Tel. 948 645 781.**

Esta casa del casco antiguo de Viana, con fachada en piedra, hierro forjado y madera, cuenta con un comedor que combina detalles rurales con muestras de diseño. Dirigida por la familia Sabando, destaca por la originalidad en la elaboración de sus recetas, alejadas de las tendencias habituales. Excelente servicio de mesa.

La Rioja

No es fácil encontrar en tan reducido espacio, poco más de cinco mil kilómetros cuadrados una diversidad de paisajes, variados testimonios de arte, historia o tradiciones tan personales.
El Sur de la Comunidad Autónoma se encuentra ocupado por el extremo occidental del Sistema Ibérico, cordillera cuyos bosques y cumbres presentan algunos de los más bellos paisajes de todo el interior peninsular. La Rioja nos ofrece una oportunidad única para aproximarnos al medio natural, sin prisas, disfrutando del tranquilo paseo por los senderos acondicionados al efecto. Un excelente refugio al aire libre.
Ha sido desde siempre tierra de paso y de acogida. Su estratégica situación ha permitido que en sus tierras se sucedieran la presencia de pueblos y culturas que han ido dejando a su paso los mudos testimonios de su presencia. Lugar de obligada visita es Contrebia Leukade, impresionante ciudad celtíbera. Existen también restos romanos e innumerables monasterios que nos muestran sus tesoros, con el máximo esplendor del de San Millán de la Cogolla, donde a la belleza artística se suma el valor único y simbólico de ser la cuna del castellano.
La Rioja ha alcanzado fama mundial por uno de sus productos sinónimo de calidad y buen hacer: el vino. Decir Rioja es decir vino.

Logroño

Fiestas Patronales: San Bernabé, 11 de junio, fecha histórica para la ciudad. Procesión religiosa con reparto de la "cofradía del Pez" de peces, pan y vino. Vaquilla y festejos populares.
Museos y monumentos: Catedral de Santa María de la Redonda, restos conjunto amurallado, Museo Provincial de La Rioja, Iglesia de Santa María de Palacio, Pórtico de San Bartolomé, Iglesia de Santiago, Ayuntamiento.
Oficina de Turismo: Paseo de El Espolón, s/n. Tel. 941 291 260.

La cocina riojana

La Rioja es una preciosa región a lo largo del río Oja que le da nombre donde el colorido del campo impresiona por su belleza. Uno de los mayores valores de esta comunidad ha sido el de preservar la riqueza de su medio rural junto a una creciente y exquisita calidad en sus productos. Su cocina, que procede de una sabiduría milenaria, se surte de una completa despensa natural.

En La Rioja existen dos tipos de cocina: por un lado, la serrana y rural, y por otro, la de la huerta del Ebro.

La sierra proporciona con sus excelentes pastos las ricas carnes de vaca, cordero, cabrito, las innumerables setas de primavera y otoño y lo mejor de la caza. Estos pueblos serranos de vida pastoril exigen guisos recios y contundentes con el puchero como utensilio indispensable: caldereta riojana, migas, sopa serrana o patatas con chorizo. El aprovechamiento del cerdo es fundamental para soportar los rigores del invierno riojano.

La ribera del Ebro, con sus huerta y vegas, ofrece un amplio abanico de legumbres, hortalizas, verduras y frutas y la preparación de las carnes es mucho más elaborada, con la utilización de salsas. Platos típicos son la menestra riojana, caracoles a la riojana, chuletas al sarmiento, alubias, asadurillas...

Los postres son artesanos y rurales como el queso de cabra elaborado por los pastores de Cameros.

La sola mención de La Rioja evoca la internacionalidad de sus vinos. Vinos que poseen una buena composición aromática, frescos de robustez media, equilibrados y de excelente bouquet.

Logroño

CARLTON RIOJA****	Gran Vía Juan Carlos, I, 5	941 242 100	www.pretur.com
HUSA BRACOS****	Bretón Herreros, 29	941 226 608	www.husa.es
GRAN HOTEL LA RIOJA****	Madre de Dios, 21	941 272 350	www.ac-hotels.com

Receta **Kabanova**

Crujiente de manzana, pasas y piñones con helado de manzana asada

Ingredientes: Pasta filo, manzanas reinetas, pasas sin pepitas, piñones tostados, azúcar invertido, gelatina, azúcar, azúcar glass, mantequilla y claras.

Elaboración: Cortar la pasta filo en rectángulos, untar con mantequilla, espolvorear con azúcar glass y dorar en el horno. Cortar en dados unas manzanas, mezclarlas con pasas, piñones y unos dados de mantequilla y cocer en el microondas. Hacer el helado con unas manzanas asadas trituradas, el azúcar invertido, la gelatina, el azúcar normal y unas claras montadas.

Para servir, calentar los dados de manzana, pasas y piñones y entremezclarlos haciendo capas con las hojas de pasta filo. Espolvorear con azúcar glass y acompañar con una bola de helado. Adornar con unas rayas de toffee (caramelo rubio con nata).

KABANOVA'S SPECIALITIES

Modern cuisine on a traditional basis, with regional products
Gastronomic menu
Offer in steady evolution
Fresh duck liver with celery shavings, hazelnut pralin & syrup
Fired artichokes from La Rioja and ribbon pasta with foie gras
Baby squids with onions and cèpe mushrooms in black ink sauce
Salt cod with garlic foam, raisins and pine nuts
Pig's trotters stuffed with oxtail and reinette apples
Joint of Iberian pork with goat's milk cheese sauce
Crisp reinette apple shaving with ice cream of baked apple
Kephir soup with Campari ice cream

Kabanova

Localidad: **Logroño (26.005 La Rioja)**
Dirección: C/ Guardia Civil, 9
Teléfonos: **941 212 995 (tlf. y fax)**
E-mail: comedor@kabanova.com www.kabanova.com
Parking: Aparcamiento público en la Gran Vía (a 70 mts.)
Propietario: Katia Kabanova S.L.
Días de cierre y vacaciones: Cerrado domingos noche y lunes.
Decoración: Muy actual, galardonada con un premio de arquitectura del Colegio de Arquitectos de La Rioja
Ambiente: Elegante mezcla de estilos y géneros
Bodega: Alrededor de 50 referencias bien seleccionadas y a precios ajustados.
Hombres y nombres: Jefe de cocina: Emmanuel Barbier. Jefa de comedor y Sumiller: Ana Royo.
Otros datos de interés: Es un restaurante de moda en Logroño, desde su apertura en agosto 2002. Debe su nombre a una ópera checoslovaca elegida por la afición del propietario a la música clásica. Pertenece a Eurotoques y Rioja Calidad en la Mesa "Ricamesa". Debido a su capacidad reducida (40 p.), es aconsejable reservar mesa.
Tarjetas: Todas

ESPECIALIDADES KABANOVA

Cocina de técnica moderna
con base tradicional y productos riojanos
Menú-Degustación
Carta en constante evolución
Láminas de foie fresco con virutas de apio, praliné de avellana y jarabe de Rioja
Alcachofas de la Ribera riojana fritas y cintas cocidas con foie (pasta)
Chipirones encebollados con hongos en salsa negra
Bacalao con muselina de ajos, pasas y piñones
Manitas rellenas de rabo de ternera con reinetas
Pluma de ibérico con crema de queso de cabra
Crujiente de reinetas con helado de manzana asada
Sopa de keffir con helado de Campari

Beethoven III

Sabrosa cita con la historia

El más reciente establecimiento de la cadena Beethoven se asienta justo en lo que fue sede de la "Casa del Concejo, Justicia y Regimiento" (hoy conocida como Ayuntamiento) en 1530 y en la misma plaza donde está la Iglesia Parroquial de Santo Tomás (monumento nacional desde 1989) y el Palacio de los Condes de Haro.

En la actualidad, el edificio -cargado de arte e historia- ha sufrido una drástica remodelación respetando al máximo su estructura primitiva y se ha convertido en un precioso palacete donde se rinde culto al buen yantar riojano.

Tras un hall espacioso, a pie de calle, se abre un luminoso comedor -desde el que se divisa su bien dotada cocina- que elabora una carta remozada con muchos platos diferentes a los de sus hermanos Beethoven I y Beethoven II.

En los bajos o "calados" se encuentra el asador - con su comedor correspondiente - y una surtidísima bodega donde duermen en silencio caldos de las mejores añadas locales y otras denominaciones. En dicho asador se degusta un "menú típico", ciertamente económico, de apetitosas lindezas porcinas -morcilla, chorizo...- ricas cazuelitas y las sabrosas y casi legendarias chuletillas de cordero.

En la primera planta se brinda una exposición de vinos riojanos y otros productos tradicionales que pueden ser adquiridos por los visitantes, además de una sección dedicada a la venta de antigüedades.

Sus pétreas paredes, sus techos artesonados, su perfecta iluminación, su recio mobiliario, su decoración cuidada y la amabilidad del personal, hacen que el comensal crea estar viviendo un momento retrospectivo. Casi un sueño. No sólo se trata de comer excepcionalmente sino también de sentirse transportado a otras épocas, 500 años atrás, con la comodidad propia del mundo contemporáneo.

BEETHOVEN II'S SPECIALITIES

Gastronomic menus at reasonable prices (13-16 €)
Fresh vegetable stew
Lukewarm salad of seasonal vegetables
Meat hot-pot of the house
Wide range of seasonal forest mushrooms
Roast spring lamb
Rib of beef
Braised partridge in season
Lobster-like with shrimps and clams
Apple strudel
Mille-feuille gâteau with custard and cream
Cheese cake with raisins

Beethoven II

Localidad: **Haro (26200 La Rioja)**
Dirección: C/Santo Tomás, 3 y 5 (cerca del Ayuntamiento)
Teléfonos: **941 311 181 - 941 311 363. Fax: 941 311 181**
www.restaurantebeethoven.com
Propietario: Mª Ángeles Fresno Grandival
Días de cierre y vacaciones: Abierto cada día del año.
Decoración: Comedor coqueto, alegre y acogedor.
Ambiente: Variado. Negocios y familiar.
Bodega: Todos los vinos de la Rioja Alta. Más de 90 tipos de vino y cosecha propia para el vino de la casa.
Hombres y nombres: Jefa de cocina: Mª Ángeles Fresno . Jefe de sala: Valentín Fresno.
Otros datos de interés: Precio medio a la carta: 30/35 €. Enfrente del restaurante y bajo la misma dirección: BEETHOVEN I, un bar-restaurante con amplios comedores para bodas y banquetes. Decoración castellana con lámparas de estilo, forja y vigas de madera.
Tarjetas: Visa, Eurocard y Master Card.

ESPECIALIDADES BEETHOVEN II

Menús degustación a precios razonables (13-16 €)
Menestra de verduras frescas
Ensalada templadita de verdura del tiempo
Cocido de la casa
Gran surtido de setas de temporada
Cordero lechal asado
Chuletón de carne roja
Perdiz estofada en temporada
Merluza alangostada con gambas y almejas
Strudel de manzana
Hojaldre de crema y nata
Pastel de queso y pasas

LOGROÑO

CACHETERO. Laurel, 3. Tel. 941 228 463. restaurante@cachetero.com - www.cachetero.com

Sus cien años de historia le sitúan por méritos propios como uno de los restaurantes más destacados de la capital. Muy cerca del mercado de Abastos, en un comedor de estilo clásico y selecto mobiliario, elabora una cocina riojana tradicional y de mercado, con influencias también del recetario vasco.

LA CHATILLA DE SAN AGUSTÍN. San Agustín, 6. Tel. 941 204 545. lachatilla@lachatilla.com

Sorprende encontrar en este local de ambiente rústico, una cocina decididamente moderna y actual, de gran calidad, asentada en los sobresalientes productos de la región. Su fiel clientela puede disfrutar, además, de un impecable servicio y de una de las mejores cartas de vinos de la ciudad.

MESÓN EGÜES. La Campa, 3. T. 941 228 603. restaurante@mesonegues.com - www.mesonegues.com

Afamado asador capitaneado por el chef Fermín Lasa que prepara como pocos los platos de carne siempre en su punto, pescados y verduras a la brasa. Muy recomendables el chuletón de carne gallega, los pimientos y el rabo de buey estofado. Cuidadas instalaciones con un salón anexo para cata de vinos. Imprescindible reservar.

Calahorra: CHEF NINO. Padre Lúcas, 2. Tel. 941 133 104. www.chefnino.com

Restaurante de gran éxito donde Ventura Martínez confecciona recetas dotadas de una excelente técnica, basada en la evolución de especialidades clásicas. Magnífica carta que varía según la temporada, con las mejores materias primas de la inagotable huerta de Calahorra. También celebra banquetes y en el mismo edificio se encuentra un hotel con cuidadas habitaciones.

Ezcaray: ECHAURREN. Padre José García, 19 Tel. 941 354 047.
info@echaurren.com - www.echaurren.com

Este hotel-restaurante, regentado por la familia Paniego, es toda una institución en La Rioja. El comedor del hotel, gestionado con mimo por Marisa Sánchez, ofrece una cocina de toda la vida avalada por la calidad de los productos de la región. Como contrapunto, su hijo Francis Paniego, en el anexo El Portal, practica una culinaria de última generación con depurados sabores. Recientemente remodelado ha inaugurado El Gastrobar, para tapas y comidas informales.

San Vicente de la Sonsierra: CASA TONI. Zumalacárregui, 27.
Tel. 941 334 001. Fax: 941 308 128 reservas@casatoni.es - www.casatoni.es

Jesús Sáez propone una carta actualizada con innovadoras propuestas a partir de la revisión de algunos platos típicos riojanos. El menú degustación es una buena muestra de sus creaciones, a precios nada excesivos. Escogida bodega con denominaciones de origen tanto de La Rioja como del resto de España.

Com. Valenciana

Cuenta con los más bellos paisajes para disfrutar de la naturaleza: playas sin fin y recónditas calas, arrozales, salinas, bosques mediterráneos, profundos cañones tallados por los ríos...Sus 466 km. de costa son una formidable oferta para disfrutar del mar. Las aguas transparentes acarician extensas playas de arena o de fina grava, los acantilados dominan el horizonte azul y protegen sus calas solitarias. Benidorm, Gandía, Guardamar, Alicante, Peníscola...forman una variadísima costa con una característica común, la limpieza y los servicios de sus playas que convierten a la Comunidad Valenciana en uno de los destinos turísticos con más banderas azules de Europa.

Para los que quieran disfrutar del interior de la región, también presenta una magnífica oferta de alojamientos rurales.

Su patrimonio histórico-artístico es rico y extenso: pinturas rupestres, ruinas arqueológicas, monumentos romanos (Sagunto), castillos medievales, numerosos edificios religiosos y civiles y mas de 200 museos. La ciudad de las Artes y las Ciencias de Valencia es punto de referencia en la oferta cultural y de ocio del siglo XXI.

En la Comunidad Valenciana se celebran más de 600 fiestas populares al año, hechas para celebrarse en la calle, en donde los elementos claves son la luz, el fuego y la pólvora, como las mundialmente famosas Fallas de Valencia.

Alicante

Fiestas Patronales: Fogueres de Sant Joan (del 21 al 24 de Junio). De interés turístico nacional. Fiestas Locales: San Juan (24 de Junio), Santa Faz.
Museos y Monumentos: Museo de la Asegurada o Colección de Arte siglo XX, Castillo de Santa Bárbara, Iglesia de Santa María, Convento de la Sangre, Monasterio de la Santa Faz, Museo Bañuls, el Raval Roig.
Oficina de Turismo: Rambla de Méndez Núñez, 23. T. 965 200 000

Valencia

Fiestas Patronales: Las Fallas de San José (de interés turístico). Permanecen plantadas cuatro noches, siendo quemadas la noche del 19 de marzo. Corridas de Toros.
Museos y Monumentos: Museo de Bellas Artes, Casa Museo de José Benlliure, Museo Nacional de Cerámica "González Martí", Catedral, Torres de Quart, Lonja, Jardines de Monforte, del Real.
Oficina de Turismo: Calle de la Paz, 48. Tel. 963 986 422

La cocina valenciana

La Comunidad Valenciana sustenta su cocina en todo cuanto ofrecen sus feraces huertas y en aquello que se captura en casi sus quinientos kilómetros de costa. Su medio natural es muy variado encontrándose áreas geográficas tan distintas como los valles del litoral, con un clima muy benigno, mediterráneo, con numerosos cultivos que abarcan desde los cítricos, el arroz, frutas dulces, hortalizas; y zonas de interior, de tierras más altas con un clima continental y una cocina más recia: ollas, sopas, gazpachos de pastor, asados, guisos y embutidos.

Los menús populares incluyen ensaladas, verduras cocinadas, aves de corral y la universal paella elaborada con ayuda de pescados y mariscos de la costa. El arroz es el producto valenciano por excelencia y el número de preparados es casi infinito. Existen dos escuelas culinarias para la preparación de la paella: una antigua, que predomina en el medio rural, consistente en preparar todos los ingredientes muy lentamente y que requiere una hora u hora y media de elaboración; y otra más moderna, de zonas turísticas, que en veinticinco minutos la paella está lista para su degustación. Otro plato muy apreciado y sabroso es la famosa fideuá.

Los principales ingredientes de la repostería valenciana son los dulces dátiles del campo de Elche y las almendras, estas últimas transformadas en los conocidos turrones de Jijona y de Alicante.

Como acompañamiento a estos ricos manjares, la Comunidad Valenciana dispone de renombrados vinos como los de las denominaciones de origen de Alicante, Utiel-Requena y Valencia.

Alicante

SIDI SAN JUAN*****	Playa de San Juan	965 161 300	www.hotelessidi.es
HOSPES AMERIGO*****	Rafael Altamira, 7	965 146 570	www.hospes.com
ALICANTE GOLF&SPA****	Av. Naciones, s/n	965 235 000	www.husa.es

Castellón de la Plana

AC CASTELLON****	Carcagente, 3	964 723 825	www.ac-hotels.com
CASTELLON CENTER****	Ronda Mijares, 86	964 342 777	www.hotelcastelloncenter.com
NH MINDORO****	Moyano, 4	964 222 300	www.nh-hoteles.es

Valencia

LAS ARENAS*****	Eugenia Viñes, 22-24	963 120 600	www.hotelvalencialasarenas.com
VALENCIA PALACE*****	Pº Alameda, 32	963 375 037	www.hotel-valencia-palace.com
GRAN VALENCIA****	Valle de Ayora, 3	963 050 800	www.eurostarsgranvalencia.com
En Beniparrell			
CASA QUIQUET	Av. Levante, 45	961 200 750	www.casaquiquet.com
En Benisanó			
RIOJA	Av. Verge Fonament, 37	962 791 585	www.hotel-rioja.es

Receta Emilio

Arroz meloso de bogavante

Ingredientes para 4 personas: 1 kg. de bogavante, 250 gr. de gamba troceada, 100 gr. de rape troceado, ½ cebolla, 1 pimiento italiano, 1 diente de ajo, 4 cucharadas de aceite de oliva, 1 cucharadita de pimentón y 400 gr. de arroz.

Elaboración: Sofreír el bogavante, a continuación la gamba y el rape, y luego el ajo, la cebolla y el pimiento, por último el pimentón. Cubrirlo con agua y una vez hirviendo el agua, incorporar el arroz. Dejar unos 25 minutos para que quede meloso, añadiendo agua si fuese necesario.

Presentación: Presentar en la misma paella y decorar al gusto.

EMILIO'S SPECIALITIES

Market cookery and rice specialities
Recommendations of creative specialities of the day
Canapés of prawns with ham
Fresh shellfish and crustaceans from Denia
Creamy rice with grouper, prawns and clams
Rice and lobster pot
Braised monkfish with lard and bacon
Sea bass with cuttlefish sauce
Fillet steak in flaky pastry with blueberry sauce
Traditional oxtail stew
Layered slice of quince mousse with honey and cottage cheese
Coffee, almond ice cream, foam of white chocolate

Emilio

Localidad: Alicante (03015)
Dirección: Avda. Caja de Ahorros, 16 (Vistahermosa)
Teléfonos: 965 155 556 Fax: 965 262 750
Parking: Amplio aparcamiento propio
Propietario: Emilio Fernández
Días de cierre y vacaciones: Abierto todo el año excepto domingo noches
Decoración: Tres comedores de estilo clásico y cinco salones privados
Ambiente: Comidas de empresa principalmente
Bodega: Selección de las mejores bodegas y añadas, con acento en Riojas y Ribera del Duero. Todos los vinos de la Comunidad.
Hombres y nombres: Gerente: Mª José Fernández Soler. Jefe de cocina: Ángel Victoria Minguez.
Otros datos de interés: Este restaurante ofrece un trato directo con el cliente y toda la honestidad del buen producto. Después de haber trabajado como cocinero durante años, Emilio Fernández abrió su propio restaurante en el año 2000 y se ocupa personalmente del comedor con su hija Mª José.
Tarjetas: Todas

ESPECIALIDADES EMILIO

Cocina de mercado y arroces
Sugerencias del día de cocina de autor
Canapés de gamba con jamón
Mariscos frescos de Denia
Arroz meloso de mero, con gambas y almejas
Arroz de bogavante
Rape braseado con tocino y bacon al horno
Milhojas de lubina con salsa de sepionet
Solomillo al hojaldre con salsa de arándanos
Rabo de toro al estilo tradicional
Milhoja de mousse de membrillo con miel y queso fresco
Café, helado de turrón, espuma de chocolate blanco

Aldebarán

Un escaparate abierto al mar

Situado en unos de los enclaves más característicos de Alicante, dentro del recinto Real Club de Regatas, con libre acceso, en el Muelle de poniente del puerto, el primer espectáculo es el bosque de mástiles que se divisa, a través de sus miradores, un escaparate abierto al mar, decorado cálidamente con maderas claras y tejidos naturales en tonos crudos como si la cubierta de alguno de los balandros que se mecen en las tranquilas aguas del puerto se prolongará al interior del salón.
Una vez instalados, comienza la verdadera fiesta de los sentidos: erizo gratinado en su propio coral y picadillo de gambas y cigalitas; arroz sepia, almejas, alcachofas, habas y ajos tiernos; rape mechado con crema de nécoras y verduritas, pastelillo de turrón, chocolate y crema de café...
Todo ello servido por un selecto equipo de profesionales capitaneado por José Francisco García Llorens al frente de los fogones y Suniva Iglesias como jefe de sala. Dispone de salón hasta 220 comensales para celebrar banquetes, almuerzos o cenas de empresa.

En el muelle de Poniente
Dentro del recinto del Real Club de Regatas
Telf: 965 123 130 Fax: 965 984 043
Cerrado domingo noche

MAESTRAL'S SPECIALITIES

Oysters with crisp breadcrumbs and pumpkin cream

Blinis of tuna tartare and dressing of clams, tomato, shrimps, anchovies and olives

Croquettes of amberjack (fish) with vegetable ragout

Couch's sea bream with an herbed garlicky oil emulsion

Pigeon and wheat risotto with oyster mushrooms and parmesan cheese

Creamy cocoa and bitter-orange, almond brioche and chocolate infusion

Maestral

Localidad: **Alicante (03016)**

Dirección: Andalucía, 18 (Vistahermosa)

Teléfonos: **965 150 376 965 262 585 Fax: 965 161 888**

Parking: Propio

Días de cierre y vacaciones: Cerrado domingo noche

Decoración: Chalet señorial totalmente acondicionado con jardín

Bodega: Principalmente vinos de la región

Hombres y nombres: Jefes de cocina: José Manuel Varó y Jesús Muñoz.

Otros datos de interés: Cuatro salones privados de 10 a 30 personas en diferentes estilos. En temporada, cenas en el jardín al aire libre. Salón de banquetes (hasta 350 personas) y servicio de catering.

Tarjetas: Todas

ESPECIALIDADES MAESTRAL

Ostra con migas crujientes y crema de calabaza

Blinis de tartar de bonito, vinagreta de almeja, tomate, quisquilla, anchoas y aceitunas

Croqueta de lechola con ragout de verduras

Pargo con un pil pil meloso, matices marinos de la huerta

Pichón con risotto de trigo, setas y parmesano

Cremoso de cacao y naranja amarga, brioche de almendras y chocolate infusionado

Nou Manolín

Festival de productos

Durante sus más de 35 años de andadura, Nou Manolín se ha convertido en un restaurante de referencia en Alicante y ha adquirido un reconocido prestigio a nivel nacional gracias a su cocina de mercado caracterizada por emplear las mejores materias primas con la máxima frescura.

Los productos son seleccionados día a día en el mercado y la lonja de la ciudad: pescados que llegan vivos al restaurante, verduras recién cogidas...y su elaboración es mínima para que conserven todo su sabor y textura. Un auténtico festín gastronómico, el cliente que accede al local queda sorprendido por la gran cantidad y variedad de viandas.

Situado en la antigua casa donde nació el pintor Gabriel Miró, Nou Manolín presenta unas instalaciones muy completas: una afamada barra donde se ofrecen fuentes y bandejas cercanas y sugerentes, diversos salones, espléndida bodega con sala de catas y un comedor en el que disfrutar de platos caseros autóctonos de la región y de un cuidado surtido de arroces.

Vicente Castelló ha cedido las riendas del restaurante a su hija Silvia pero la casa conserva el sabor de siempre, por el que se ha convertido en patrimonio sentimental y gastronómico de varias generaciones.

NOU MANOLÍN'S SPECIALITIES

Soup "de la vila"
Fish and seafood paella
Fillet of sea-bass with shrimps
Fried tuna in marinade after our own recipe
Gilthead bream baked in a salt crust
Hot-pot
Crustaceans and shellfish from the alicantine coast
Rice pudding
Baked apple with walnuts
Custard cream with caramelised topping

Nou Manolín

Localidad: Alicante (03001)

Dirección: Villegas, 3 (esq. Castaños).

Teléfonos: 965 200 368 Fax: 965 217 007

E-mail: administracion@noumanolin.com

www.noumanolin.com

Parking: Cercano. Zona peatonal.

Propietario: Familia Castelló.

Días de cierre y vacaciones: Abierto todo el año.

Decoración: Típica levantina.

Ambiente: Negocios y familiares.

Bodega: Vinos de la zona y de toda España, principalmente Rioja, Valladolid y Cataluña.

Hombres y nombres: Directores: Familia Castelló; Chef: César Marquiegui; Maitres: Gregorio Jiménez y Casto Copete.

Otros datos de interés: Premio de la Generalitat Valenciana: "Gastronomía y Enología"

Tarjetas: Todas

ESPECIALIDADES NOU MANOLÍN

Sopa de "la vila"

Paella marinera

Lomo de lubina con gambas

Bonito en escabeche a nuestro estilo

Dorada a la sal

Olleta

Mariscos de Alicante

Arroz con leche

Manzana asada con nueces

Crema quemada

Denia

Con una ubicación privilegiada, a medio camino entre Valencia y Alicante y conexión marítima directa con las Baleares, Denia es un destino turístico por excelencia gracias a la bonanza de su clima (315 días de sol al año y una temperatura media anual de 19º) y la variedad y riqueza de su litoral.

Cuenta con 20 km. de playas a lo largo de la costa mediterránea. Las situadas al norte de la ciudad, en el área de Las Marinas, son de fina arena con diversas infraestructuras y servicios para cualquier tipo de actividad: windsurf, vela, pesca deportiva... En el área de Las Rotas, al sur, las recónditas calas de roca conforman un paraíso de formas caprichosas. Denia posee enormes atractivos en su fondo marino, ideal para buceadores ávidos de experiencias únicas.

Su entorno natural, huertos de naranjos y limoneros, está marcado por el Parque Natural El Montgó. Impresiona por su grandiosidad, con especies autóctonas únicas. Desde su cima se divisa un amplio horizonte, hasta Ibiza si el día es claro.

En pleno centro de la ciudad y en lo alto de una colina, se encuentra el Castillo, su conjunto patrimonial más emblemático. Entre sus muros se podrá descubrir las huellas de las civilizaciones que un día recalaron en esta tierra: fenicios, griegos, romanos y árabes. Otros monumentos destacables son el Museo Arqueológico, el Etnológico, las iglesias de la Asunción y San Antonio, el Convento de las Agustinas...

Denia lo ofrece todo, mar y montaña. Tradiciones de pueblo pescador con sus barrios marineros que conservan calles empedradas, casas encaladas y callejuelas que serpentean entre el sol y la sombra y, por otro lado, modernas instalaciones y servicios. A la orilla del mar, los paseos invitan a recorrerlos, a sentarse en sus terrazas bajo las palmeras.

Durante todo el año, diferentes celebraciones animan la vida de la ciudad: las fallas, las hogueras de San Juan, los Moros y Cristianos y en las fiestas patronales de Julio, los famosísimos Bous a la mar, un espectáculo único considerado Fiesta de Interés Turístico Nacional.

Can Broch

Localidad: Denia (03.700 Alicante)

Dirección: Plaça Drassanes, 4

Teléfonos: 966 421 784 (tlf y fax)

Propietario: Castarribas, C.B.

Días de cierre y vacaciones: Cerrado miércoles, excepto los meses de julio y agosto.

Decoración: Local temático con estilo portuario, situado frente al puerto de Denia con unas vistas inmejorables. Magnífica terraza.

Ambiente: Ofrece una alternativa diferente en la restauración local

Bodega: Amplia representación de las zonas vinícolas más emblemáticas del panorama nacional y regional.

Hombres y nombres: Jefe de cocina: Rafael Iturbe.

Otros datos de interés: Abierto desde 1997, es un edificio de nueva construcción con un estilo vanguardista. Precio medio: 42 €.

Tarjetas: Todas.

ESPECIALIDADES CAN BROCH

Pescados de la bahía de Dénia

Arroces de la zona y paellas

Carnes a la brasa de carbón

Repostería casera

Peix & Brases

Master en Denia

Tomas Arribas fundador de El Poblet entre otros muchos méritos, ha abierto un nuevo restaurante en Denia, un proyecto trascendental y certero escenificado al más puro concepto urbano contemporáneo. Tomas, omnipresente, capitanea este hermoso y glorioso barco desarrollando toda su experiencia y sabiduría. Oficia en la cocina, sale a la sala, toma comandas, enseña el género... El maestro despliega todos sus recursos técnicos y eruditos, a destacar por ejemplo las salsas que resultan tan ligeras como sabrosas.

Espectaculares instalaciones

Junto al Puerto de Denia, un edificio de dos plantas presidido por un gran ascensor central acristalado y tres ambientes diferenciados. A la entrada, el oyster bar para disfrutar de un lujo gastronómico: amplia variedad de ostras acompañadas por los mejores champagnes, un espacio de elegante interiorismo y vistosa ambientación que consta de un acuario de crustáceos, vitrina-escaparate con pescados y espléndida bodega a la vista.

En la planta baja también se sirven comidas informales con platos de cocina asiático-mediterránea: degustación de tapas, woks, noddles (fideos de arroz), tartas y exuberantes helados. Una fórmula para comer sin grandes dispendios disfrutando de la grandiosidad del marco (entre 12 y 25 €).

En la primera planta, se accede al santo-santorum de la casa: el amplio y luminoso comedor gourmet sin olvidar la terraza en ático, diseñada para proporcionar privacidad y confort.

Cocina de producto:

Aquí se trabaja una culinaria depurada y meticulosa, con "productos 10". Pescados y mariscos llegan directamente del Puerto de Denia. Las carnes y también algunas piezas marinas se trabajan sobre brasas de diferentes maderas. Una propuesta gastronómica libre de sofisticaciones, pensada y ejecutada para proporcionar placer y dejar buen sabor de boca. Es el tipo de cocina que gusta a todo el mundo.

Mención aparte merece la magnífica lista de vinos con todos los complementos: un delicioso recorrido por los vinos dulces, tés e infusiones, brandies y cognacs, whiskies y rones de casta, orujos y grappas, además de los cigarros puros. La casa reúne todas las condiciones para darse un homenaje de antología.

PEIX & BRASES' SPECIALITIES

Mediterranean cookery to be enjoyed
Several tasting menus from 30 €
Chargrilled red prawn from Denia and Norway lobster from Las Rotas
Lobster from the Bay of Biscay and Mediterranean spiny lobster
Fresh fish from Denia's fish market
Mediterranean rice specialities:
Brothy rice with small squids and prawns from Denia
Rice a band with fish belly flaps, grouper and monkfish
Rice with spiny lobster. Juicy rice with lobster and saffron
Fish ragouts:
Chickpeas, spiny lobster and salt cod. Fish casserole. Lobster casserole
Chargrilled meat cuts:
Rib of Galician heifer, cut of Iberian pork "Joselito"
Fillet of beef. Wagyu (Kobe beef)
Strawberries with three kinds of pepper, orange caramel and cottage cheese ice cream
Citrus fruit in different textures

Peix & Brases

Localidad: Denia (03700 Alicante)
Dirección: Plaza Benidorm – Puerto de Denia
Teléfonos: 965 785 083 **E-mail:** denia@peixibrases.com
www.peixibrases.com
Parking: Aparcamiento público en la explanada, justo enfrente.
Propietario: Tomás Arribas.
Días de cierre y vacaciones: Abierto cada día. Restaurante-gourmet, cerrado lunes (excepto julio y agosto)
Decoración: Impresionantes instalaciones distribuidas en tres plantas. Una obra de diseño avanzado.
Ambiente: Nuevo concepto de gastronomía integral.
Bodega: Fastuosa carta de vinos, apta a satisfacer todos los caprichos.
Hombres y nombres: Jefe de cocina:Tomás Arribas. Gerencia y responsable de sala: José Ignacio Arribas.
Otros datos de interés: Inaugurado en julio 2008, este buque insignia de la gastronomía presenta tres espacios con personalidad propia: oyster-bar (ostras y champagne), restaurante de cocina asiático-mediterránea para todos los públicos y regio comedor gourmet en planta alta con vistas al Puerto de Denia. Gran terraza en ático.
Tarjetas: Todas.

ESPECIALIDADES PEIX & BRASES

Cocima mediterránea para disfrutar
Varios Menús degustación, a partir de 30 €
Gamba roja de Denia al carbón vegetal y cigala de Las Rotas (de tronco)
Bogavante azul del Cantábrico y langosta rosa del Mediterráneo
Pescado de la lonja de Denia
Arroces mediterráneos:
caldoso con calamarcitos y gambitas de Denia,
a banda con tropezones de ventresca, mero y rape,
seco con langosta, meloso con bogavante y azafrán
Guisos marineros:
garbanzos con langosta y bacalao, suquet de pescado, caldereta de langosta
Carnes a las ascuas:
chuleta de ternera gallega, presa ibérica "Joselito",
solomillo de añojo, degustación de wagyu (kobe)
Fresas rotas con tres pimientas, caramelo de naranja y helado queso fresco
Texturas de cítricos valencianos

La Finca

Belleza, armonía y dedicación

La Finca ha realizado una reconstrucción integral de sus instalaciones consiguiendo una decoración muy atractiva e importantes novedades propias a seducir el gastrónomo más exigente.

Se han cuidado el confort, la calidez, la elegancia y la funcionalidad; el sabor original de esta bella casa de labranza se ve realzado por las tendencias del siglo XXI.

Se han utilizado materiales nobles: piedra de Travertino, madera de haya, acero y cerámicas. Lo más espectacular es sin duda el espacio de 250 m2 de tecnología punta dedicado a la cocina.

Al frente de los fogones, Susi Díaz encuentra su inspiración en los productos de la región y en formulaciones culinarias de toda la vida que reinterpreta con imaginación, exquisita estética y una esplendida madurez técnica.

José María García cuida de la impecable puesta en escena y de una impresionante bodega en constante evolución que atesora más de 300 referencias.

La Finca, gracias a su trayectoria ejemplar, ha entrado de pleno derecho en la cúpula de la restauración nacional.

LA FINCA'S SPECIALITIES

Market haute cuisine elaborated with care and imagination
Artichokes with onion, red prawn and garlic mayonnaise
Crushed fried eggs with spring onions and shallow-fried foie gras
Fresh pasta with cèpe mushrooms, filled with cottage cheese and truffle
Mackerel grilled on the oak-fired barbecue, with stock of white misho
Meagre, steamed cockles, oil and white bean cream
Fillet steak, escalope of foie gras, calvados sauce and apple jelly
Breast of Bresse pigeon with sauce and date caramel, shallow-fried foie gras
Braised goose breast with fruit ragout, sesame cream and soy sauce
Trio of fruit sorbets with custards, coconut, pineapple and tiger nuts
Tasting of bitter chocolate cold & warm, cake, ice cream, creamy, crisp
Cheese selection, desserts wines, coffees and teas

La Finca

Localidad: **Elche (03295 Alicante).**
Dirección: C/ Perleta, 1-7
Teléfonos: **965 456 007**
E-mail: info@lafinca.es www.lafinca.es
Parking: Propio
Propietario: José María García Vidal.
Días de cierre y vacaciones: Noches de domingo y martes y lunes todo el día.. Vacaciones: 2 semanas en enero, Semana Santa y una semana en octubre.
Decoración: Enmarcada por palmeras y un bello jardín, una casa centenaria típica del campo ilicitano, deliciosamente acondicionada en un estilo muy actual.
Ambiente: Negocios y público de entendidos.
Bodega: Recoge casi todas las denominaciones de origen de España y caldos franceses, italianos, californianos, chilenos o australianos. Vinos de postre, cavas y champagnes.
Hombres y nombres: Jefa de cocina: Susi Díaz Maitre: José María García Vidal
Otros datos de interés: La Finca ofrece a los amantes de la cocina una propuesta original desarrollada sobre la base de la tradición mediterránea. Importante renovación de cocina y sala con estilo minimalista y modernista.
Tarjetas: Todas, excepto Diner's Club.

ESPECIALIDADES LA FINCA

Alta cocina de mercado elaborada con buen gusto e imaginación
Alcachofa con cebolla, gamba roja y mayonesa de ajo
Huevos fritos y rotos con cebollitas y foie salteado
Pasta fresca con ceps, rellena de requesón con trufa
Caballa asada con leña de encina y mojada con caldo de misho blanco
Corvina, berberechos al vapor, aceite de viso y crema de alubias
Solomillo de ternera, escalopa de foie-gras, salsa de calvados y jalea de manzana
Suprema de pichón de Bresse con salsa y caramelo de dátiles, foie plancha
Pechuga de oca braseada con ragú de frutas, crema de sésamo y salsa de soja
Trio de sorbetes de frutas con sus cremas, coco, piña y chufa
Degustación de chocolate amargo frío-caliente, pastel, helado, cremoso, crujientes
Cartas de quesos con D.O., vinos de postre, cafés e infusiones

Serafines

Gastronomía y naturaleza

El Parque Natural San Pascual es un pintoresco lugar de esparcimiento con naturaleza virgen. Cuenta con Ermita (Misa los domingos) y paelleras.

Situado en este paraje natural de gran belleza, se encuentra el restaurante Serafines que ofrece al comensal un lugar donde degustar la más amplia y completa gastronomía de la comarca a precios moderados.

Un ambiente relajado y confortable, aire libre, naturaleza, amplios pinares y zonas de esparcimiento deportivo, hacen de este establecimiento, un punto de encuentro para aquellos que buscan algo diferente.

SERAFINES' SPECIALITIES

Traditional cookery from Foia de Castalla and Alcoiá
"Pericana": baked salt-cod with dried peppers and virgin olive oil
Blood pudding
Lukewarm goose or duck salad
Regional pot
Onion soup au gratin
Rice speciality (rabbit, wild mushrooms, vegetables, snails)
Stuffed lamb
Cutlets of kid
Duckling breast
Fillet steak with foie gras
Turbot, sea-bass, tuna
Tart of almond or orange mousse
Pudding of marron glacé or chestnut

Serafines

Localidad: Ibi (03.440 Alicante)
Dirección: Subida al Parque Natural San Pascual s/n (Autovía Alicante-Alcoy, salida Ibi Este)
Teléfonos: 966 554 091
Parking: Aparcamiento propio entre pinos.
Propietario: Restaurante Serafines S.L.
Días de cierre y vacaciones: Cerrado domingos noche y lunes. Cenas, sólo viernes y sábados. Vacaciones: Semana Santa y del 15 de agosto al 5 de septiembre.
Decoración: En pleno Parque Natural ,una edificación rústica tipo masía que conserva muchas estructuras originales.
Ambiente: Amistoso. Fabricantes, representantes y familias.
Bodega: 130 referencias. 80 en vinos tinto: Rioja, Priorat, Ribera del Duero, Somontano, Toro, Alicante...Blancos catalanes, Rueda y Alicante. Rosados de Navarra y catalanes. Cavas y champagnes.
Hombres y nombres: Jefes de cocina: José Luis Gregorio Pérez y Jose Luis Pérez Miró. Jefe de Sala: Carlos Gregorio Andrés.
Otros datos de interés: Cuenta con dos comedores (70 y 30 pax) y un salón privado (30 pax). Posibilidad de celebraciones y bodas hasta 150 pax.
Tarjetas: Todas, excepto American Express y Dinner´s Club.

ESPECIALIDADES SERAFINES

Cocina tradicional de la Foia de Castalla y el Alcoiá
Pericana
Pastel de morcilla
Ensalada tibia de oca o de pato
Llegumet o olleta
Sopa de cebolla gratinada
Arroz de Sierra o Serafines (conejo, setas, verduras y caracoles serranos)
Cordero relleno
Chuletitas de cabritillo
Magret de pato
Solomillo al foie
Rodaballo, lubina, atún de zorra o ijada
Tarta de mousse de turrón o de naranja
Pudding de marrón glacé o castaña

Los Remos La Nao

La profesionalidad convertida en arte

Este restaurante fue inaugurado en 1990 bajo la dirección de dos grandes profesionales: Tomás Franco y Daniel Tobarra. Tomás adquirió su profesionalidad en Bilbao, Madrid, Palma de Mallorca y París. Daniel cursó sus estudios en París y trabajó en París, Londres, Ginebra y Palma de Mallorca donde se conocieron en la inauguración de un restaurante, Tomás era el jefe de cocina y Daniel el gerente. Deciden asociarse y formar un tándem que, con el tiempo, se ha revelado perfectamente compenetrado.

En este lugar idílico, junto a la magnífica bahía de Javea, Tomás Franco desarrolla y perfecciona día a día su magistral oficio de cocinero elaborando una delicada y equilibrada cocina mediterránea. Debido a la afluencia de público y la gran rotación de géneros, la calidad está siempre garantizada.

Daniel Tobarra despliega todo su arte en la sala con elegancia y nobleza. En este lugar tan mediterráneo, ha sabido recrear el estilo de una brasserie parisina. Aquí se disfruta de un gran servicio de sala, siempre muy profesional: se cortan los pescados delante del comensal, los arroces llegan a la mesa en carritos y el personal es siempre diligente.

Las bellas vistas panorámicas sobre la bahía de Javea, la amplia terraza y el magnífico comedor contribuyen a hacer de la visita a este restaurante un recuerdo inolvidable.

Es tapa ti

Tapas con corazón

A 200 m. del restaurante Los Remos La Nao, en primera línea de la playa del Arenal, Tomás Franco y Daniel Tobarra han inaugurado este nuevo local de diseño, moderno y luminoso, con la cocina a la vista. Los visitantes de esta concurrida casa encuentran aquí una cocina joven y lúdica con una gran selección de exquisitas tapas y precios moderados. Ensaladas, arroces, pastas, carta de pinchos y de tapas de autor, deliciosos postres además de sandwiches, hamburguesas y bocadillos. También existe un comedor para comidas más formales. Una oferta de calidad asequible a todos los públicos y bolsillos, ideal para comer algo a cualquier hora, cocina ininterrumpida desde las 12 h. hasta las 24 h.

LOS REMOS LA NAO'S SPECIALITIES

Mediterranean and international cookery with a personal touch, rock fishes, fresh products according to market offer and season
Carpaccio of red prawns
Creamy truffled potato purée with egg cooked at low temperature
Juicy rice pot with scarlet prawns, cuttlefish and artichokes
Prawn-stuffed fillets of sole in champagne sauce
Turbot casserole
Scallops with fresh pasta and vegetable julienne
Seafood & lobster casserole
Roast rack of lamb
Chocolate bonbon
Warm apple tartlet

Los Remos La Nao

Localidad: Javea (03.730 Alicante)
Dirección: Paseo Amanecer ,10. Playa
Teléfonos: 966 470 776 www.losremoslanao.com
Parking: Fácil aparcamiento
Propietario: Tomás Franco y Daniel Tobarra
Días de cierre y vacaciones: Abierto todo el año (excepto martes desde octubre hasta junio).
Decoración: Espaciosas, cómodas y modernas instalaciones totalmente remodeladas, lineas rectas y grandes ventanales a la bahía de Javea. Terraza de invierno y de verano con techos deslizantes.
Ambiente: Predominan las empresas al mediodía. Público de Valencia y Madrid además de residentes en la Costa y francófonos.
Bodega: A la vista: un nuevo espacio acristalado y climatizado donde reposan en óptimas condiciones más de un centenar de caldos seleccionados. Vinos españoles, franceses, cavas y champagnes.
Hombres y nombres: Maitre: José Luis Pulido. Jefes de cocina: Tomás Franco y Rubén Franco.
Otros datos de interés: El restaurante emblemático de Javea, ha participado en numerosas jornadas gastronómicas en representación de la localidad. Todo el pescado se compra a diario en la Lonja de Javea.
Tarjetas: Todas, excepto American Express y Dinner´s.

ESPECIALIDADES LOS REMOS LA NAO

Cocina mediterránea e internacional con un toque personal,
pescados de roca y productos frescos según mercado y estación
Carpaccio de gambas rojas
Cremoso de patata trufada con su huevo a baja temperatura
Arroz meloso de carabineros, sepia y alcachofas
Filetes de lenguado al cava relleno de gamba
Suquet de rodaballo
Vieiras asadas con pasta fresca y juliana de verduras
Zarzuela de marisco con bogavante
Costillar de cordero al horno
Bombón de chocolate
Tartita de manzana caliente

Antoniet

El Mediterráneo en la mesa

Este restaurante tradicional y familiar nació en 1957 como merendero en la Playa de Moraira. Antonio Ramiro y Paquita Font inauguraron este local cuando la playa era un espacio casi virgen, apenas frecuentado por los primeros veraneantes y los pescadores.

En 1972 se reconvirtió en un restaurante reconocido por sus arroces y pescados. En 2001, por la Ley de Costas, se produjo el traslado forzoso a su actual ubicación, coincidiendo con la jubilación de sus fundadores que pasaron el testigo a sus hijos Antonio y Andrés. El nuevo restaurante goza de una elegante decoración marinera y moderna, con materiales nobles, fotografías históricas, grandes ventanales y una terraza que se asoma al mismo mar.

En este luminoso entorno, Antonio en los fogones y Andrés en la sala, mantienen el espíritu de sus progenitores. El restaurante Antoniet destaca por la autenticidad de su cocina marinera, el mar le suministra hoy como ayer los productos frescos que reciben una mínima elaboración, respetando y realzando sabores y nutrientes naturales.

Guisos marineros, salazones, pescados y mariscos frescos, arroces tradicionales y la deliciosa repostería casera conforman una oferta gastronómica tan completa como apetitosa, que ha convertido a Antoniet durante más de medio siglo en símbolo de calidad y buen hacer. Un restaurante de referencia en Moraira.

ANTONIET'S SPECIALITIES

Mediterranean and traditional cookery
Octopus and monkfish salad with cèpe mushrooms
Cured salted specialities with virgin olive oil
Prawns from Denia
Rock red mullets from Moraira cooked on coarse salt
Rice specialities
(juicy rice pot, rice with seafood served separately, rice and lobster pot)
Fish casserole
Monkfish in almond sauce
Roast shoulder of kid
First-choice beef
Pineapple with muscatel
Home-made pastries and confectionery

Antoniet

Localidad: Moraira-Teulada (03724 Alicante)
Dirección: Avda. de la Pau, 18
Teléfonos: 965 744 016 www.antoniet.es
Parking: Facilidades de aparcamiento en la inmediaciones.
Propietario: Hermanos Ramiro Font
Días de cierre y vacaciones: Cerrado miércoles. Vacaciones en noviembre.
Decoración: Mediterránea y actual, con vistas a la playa de Moraira.
Ambiente: Elegante, amplio y luminoso comedor frente al mar.
Bodega: Más de 100 referencias cuidadosamente seleccionadas.
Gran variedad en vinos tintos.
Hombres y nombres: Jefe de cocina: Antonio Ramiro. Sala: Andrés Ramiro
Otros datos de interés: Casa fundada en 1957 como merendero, luego restaurante de playa y ahora en su nueva ubicación desde el año 2001, una opción ineludible en Moraira.
Tarjetas: Las principales

ESPECIALIDADES ANTONIET

Cocina de género, mediterránea y tradicional
Ensalada de pulpo y rape con ceps
Salazones con aceite de oliva virgen
Gambas de Denia
Salmonetes de roca de Moraira asados sobre sal
Gran variación de arroces artesanos
(caldoso, a banda, con bogavante)
Suquet de pescado
Rape con salsa de almendras
Paletilla de cabrito
Carnes finas de ternera
Piña al moscatel
Repostería casera

Receta **El Puerto**

Langostinos al cava

Ingredientes para 4 personas: 800 gr. de langostinos, 4 bolas de mantequilla, 1 vaso de nata líquida, 4 hebras de azafrán, 40 gr. de harina, ½ botella de cava, ½ copa de cognac flambeado, sal y pimienta.

Elaboración: Una vez pelados los langostinos dejándoles sólo la cáscara de la cola, se salpimentan. En una cazuela plana se pone la mantequilla al fuego y se le añaden los langostinos con la harina, se rehogan un poco y se flambea con el cognac, se agregan las hebras de azafrán tostado y aplastado y el cava.

Una vez hervidos añadimos la nata y se deja reducir para que quede ligado y listo para servir.

Guarnición: Arroz pilé en medio del plato.

EL PUERTO'S SPECIALITIES

Mediterranean cookery
Fresh fish from the Bay
Shellfish and crustaceans
Meat with label quality
Rice specialities
Menu "Marinero" (about 40 €)
Monkfish casserole
John Dory (fish) prepared in different ways
Spiny lobster casserole on request
Fillet steak baked in a salt coat
Grilled loin of Retinto beef
Kid cutlets with spring onions
Fillet steak with pepper or roquefort sauce
Home-made desserts: pancakes, strawberry soup

El Puerto

Localidad: Torrevieja (03181 Alicante)
Dirección: Paseo Vista Alegre, s/n (junto a Real Club Náutico)
Teléfonos: 966 927 202 www.restaurante-elpuerto.com
Parking: Aparcamiento público en frente
Propietario: Familia Lozano.
Días de cierre y vacaciones: Abierto cada día del año
Decoración: Marinera, elegantes comedores y gran terraza con vistas al puerto deportivo y al paseo marítimo.
Ambiente: Variado y selecto.
Bodega: Medio centenar de etiquetas cuidadosamente seleccionadas y adaptadas al gusto de la clientela.
Hombres y nombres: Restaurante atendido por los hijos del fundador Domingo Lozano. Jefa de sala: Inma Lozano. Sumiller: Carlos Lozano.
Otros datos de interés: Modernas instalaciones en el corazón del puerto deportivo de Torrevieja, entrada por el paseo marítimo. Capacidad interior hasta 80 comensales y amplia terraza hasta 100.
Tarjetas: Todas excepto American Express

ESPECIALIDADES EL PUERTO

Cocina mediterránea
Pescados frescos de Bahía
Toda clase de mariscos
Carnes con D.O. Salamanca
Gran variedad de arroces
"Menú Marinero" (alrededor de 40 €)
Rape a la cazuela o al gusto
Gallo Pedro en diferentes preparaciones
Caldereta de langosta por encargo
Solomillo de ternera a la sal
Lomo de retinta a la parrilla
Chuletillas de cabrito con ajos tiernos
Solomillo a la pimienta o al roquefort
Postres caseros del chef:
Filloas, sopa de fresas...

Arbequina

Modesto Fabregat

Arbequina nació como un proyecto personal de Modesto Fabregat en diciembre 2000. Tras varios años en su antiguo emplazamiento, en julio 2006 se traslada a este nuevo local, más acogedor, más íntimo y más acorde con la afinada filosofía de su culinaria. Actualmente, este atractivo espacio gastronómico cumple su décimo aniversario y se ha consolidado como el máximo exponente de la restauración en Castellón capital. Una propuesta muy contemporánea pero sustentada en los sabores de toda la vida.

Modesto Fabregat ostenta 20 años de experiencia en restaurantes de postín. En Cataluña: Racó de Can Fabes y L'Hostal de La Gavina en S'Agaró; en Francia: L'Ostau de Baumanière (dos estrellas Michelín) y Taillevent (stage de perfeccionamiento) además de los añorados Mare Nostrum en El Grao y La Hacienda de Valencia. En formación permanente, realizó un curso de pastelería en Lenôtre.

En Arbequina se apuesta por la cocina de mercado. Todos los días, Modesto acude personalmente al mercado a escoger materias primas de indudable calidad. De este modo, su carta varía ligeramente para adaptarse al producto diario. Estos fogones saben combinar sabiamente sofisticación y tradición, una equilibrada y sugerente oferta gastronómica realzada por un servicio eficaz y con estilo.

A lo largo del año, Arbequina organiza diversas jornadas gastronómicas para degustar menús temáticos con géneros de temporada: setas en otoño, alcachofas de Benicarló en invierno-primavera o pescados azules y mariscos del Grao en verano. Eventualmente concierta catas con diferentes bodegas y menús-maridajes diseñados con armonía y criterio.

Modesto Fabregat considera la cocina como una experiencia global y dinámica. La premisa fundamental es conseguir la felicidad del cliente.

Bajo la misma dirección y a sólo 3 minutos: ***LE BISTROT. Vinos & Tapas****: tapas tradicionales y elaboradas con la filosofía culinaria de Arbequina. Muy recomendable el plato del día.*

ARBEQUINA'S SPECIALITIES

Creative Mediterranean market cookery with season's regional produce
Special menu with the according wines on request
Tasting menu: 42 €
Salad of artichokes and ewe's milk cheese from Almedijar
Balls of cuttlefish, butifarra sausage and horn-of-plenty mushrooms
Fillet of John Dory (fish) on juicy rice
Monkfish with stewed cod sounds
Sucking pig gently-roasted at low temperature during 24 hours
Hamburger of beef from Valle del Esla
Spanish & French cheese assortment
Our own version of a Piña Colada
Almond parfait with mocha ice cream

Arbequina

Localidad: Castellón (12002)
Dirección: Bartolomé Reus, 35
Teléfonos: 964 269 301
E-mail: info@restaurantearbequina.com
www.restaurantearbequina.com
Parking: Aparcamiento público "Mindoro" a 5 minutos.
Propietario: Modesto Fabregat.
Días de cierre y vacaciones: Cerrado domingos y lunes. Vacaciones: una semana a partir de lunes santo, segunda quincena de agosto y primera semana de septiembre.
Decoración: Contemporánea con instalaciones magníficamente equipadas. Amplitud y comodidad, insonorización, iluminación regulable...
Ambiente: Jóvenes gastrónomos, la mesa de referencia de Castellón capital.
Bodega: Propia y climatizada, 300 referencias. La mayoría provienen de las mejores zonas vinícolas españolas. Además, selección de vinos del mundo (Francia, Italia, Alemania, Chile, Australia, Oporto), nuevos vinos de autor y vinos dulces por copas.
Hombres y nombres: Jefe de cocina: Modesto Fabregat.
Otros datos de interés: Dos salones privados para 10 y 14 comensales, zona fumador y no fumador, acceso minusválidos.
Tarjetas: Visa.

ESPECIALIDADES ARBEQUINA

Cocina de autor, mediterránea y de mercado
con los productos autóctonos de cada estación
Posibilidad de menús-maridaje
Menú Degustación: 42 €
Ensalada de alcachofa con queso de Almedijar
Albóndigas de sepia, butifarra y trompetas de la muerte
Lomo de San Pedro, sobre arroz meloso
Rape con suquet de tripa de bacalao
Cochinillo asado a baja temperatura durante 24 h.
Hamburguesa de buey del Valle del Esla
Surtido de quesos españoles y franceses
Nuestra versión de la piña colada
Parfait de turrón con helado de café

Can Roig

Sabor Mediterráneo

A orillas del Mediterráneo, en la Costa del Azahar, Can Roig está situado a cien metros de la playa y a escasos veinte pasos de la huerta. Este entorno privilegiado presenta un paisaje diverso y lleno de contrastes, alternando bellas playas, naturaleza salvaje y una urbanización respetuosa con el medio ambiente. La localidad de Alcossebre es un importante núcleo turístico de la provincia de Castellón.

Joan Roig obtiene de este excepcional medio natural -mar y huerta- gran parte de la materia prima utilizada en sus fogones. Con estos frescos productos de temporada, elabora una cocina honesta y mediterránea, la tradición realzada por atractivos matices renovadores. Por un lado, se centra en clásicos arroces, pescados y mariscos del litoral. Una culinaria siempre sustentada en la despensa de la comarca. El trabajo minucioso del horno de leña para arroces, pescados, carnes, asados, repostería y pan es uno de los puntos fuertes de la casa. También apuesta por creaciones más modernas y evolutivas para satisfacer paladares exigentes.

Can Roig dispone de completas instalaciones: acogedor comedor interior, amplia terraza con jardines de estilo mediterráneo y pequeña huerta ecológica a escasos metros de la cocina. Fundado en 1984, más de 25 años al pie del cañón, Can Roig goza de una clientela fiel. La calidad de su propuesta gastronómica y el trato familiar son las bases del éxito de este joven clásico de la Costa del Azahar.

CAN ROIG'S SPECIALITIES

Updated regional cookery
The à la carte menu changes twice a year
Tasting menu: 45 € - Menu with rice: 25 €
Tartare of tuna with vegetable sprout salad, spaghetti of courgette and cucumber, ginger & lime dressing
Chargrilled octopus with creamy potatoes and oil of confit garlic
Juicy rice pot with rabbit, snails and vegetables
Fish casserole
Salt cod flakes on a dough round with peppers, tomato and garlicky oil emulsion
Duck magret with pears in wine
Gently-roasted lamb with herbs and vegetables
Sacher sponge with hazelnut praliné, peaches in Bourbon and white chocolate
Panna cotta, orange caramel, almond crumble and cocoa ganache

Can Roig

Localidad: **Alcossebre (12.579 Castellón)**
Dirección: Playa Mañetes
Teléfonos: **964 414 391 964 412 515**
E-mail: info@canroig.es www.canroig.es
Parking: Sin problemas
Propietario: Joan Roig Cucala
Días de cierre y vacaciones: Abierto cada día. Vacaciones: de mediados de diciembre hasta primeros de marzo.
Decoración: Mediterránea
Ambiente: Cálido y luminoso. Turismo nacional principalmente
Bodega: Completa, casi todas las denominaciones de origen españolas a precios atractivos
Hombres y nombres: Dirección: Joan Roig. Jefe de cocina: José Luis Menéndez. Jefa de sala: Sherezade Seco Martínez
Otros datos de interés: Agradable terraza de verano a la orilla de la playa. Las verduras y frutas provienen directamente de la huerta
Tarjetas: Todas

ESPECIALIDADES CAN ROIG

Cocina regional actualizada
La carta cambia dos veces al año
Menú Degustación: 45 € - Menú de arroz: 25 €
Tartar de atún con ensalada de brotes, espaguetis de calabacín y pepino, vinagreta de jengibre y lima
Pulpo a la brasa con crema de patata y aceite de ajo confitado
Arroz meloso de conejo, caracoles y verduras
Suquet de pescadores
Lascas de bacalao sobre coca de piperrada con tomate de "Penjar" y pil-pil
Magret de pato con peras al vino
Cordero confitado a las hierbas de Irta con verduras de la huerta
Bizcocho Sacher con praliné de avellana, salteado de melocotón al Bourbon y chocolate blanco
Panna-cotta, caramelo de naranja, crumble de almendra y ganache de cacao

Receta Sancho Panza

Lomos de bacalao con pimientos del piquillo

Ingredientes para 1 persona: 2 lomos de bacalao de unos 150 gr. cada uno aproximadamente (bacalao fresco o desalado), 4 pimientos del piquillo, 2 dientes de ajo, 1 cucharada de cebolla frita, 1 copa de vino blanco seco, 100 cl. de caldo de pescado, harina y aceite.

Elaboración: Pasar el bacalao por harina y freírlo un poco por ambas partes. Añadir los ajos cortados en láminas y freírlos. Incorporar los piquillos, mojar con el vino blanco, reducir, añadir el caldo de pescado y cocer a fuego lento. Una vez confitado, servir.

Emplatado: Espolvorear perejil picado por encima y acompañar de patatas al vapor.

SANCHO PANZA'S SPECIALITIES

Mediterranean cookery prepared
with fresh regional produce
"The updated traditional cookery"
Chicory and salmon salad, Roquefort sauce with walnuts
Prawn salad with tomato vinaigrette sauce
Tossed artichokes with garlic and baby squids
Paella with scarlet prawns and prawns
Sole with grapes and pineapple
Norwegian salmon with spinach, raisins and pine nuts in muscatel sauce
Turbot grilled in the oven with tartar sauce
Monkfish and prawns in sauce of garlic and paprika
Truffled fillet of beef with oyster mushrooms
Entrecôte steak in cava sauce with mustard
Thin slices of fillet of beef in Madeira sauce with apples
Papaya yoghurt on green-apple coulis
Artichoke emulsion on mango soup

Sancho Panza

Localidad: **Alcossebre (12579 Castellón).**
Dirección: C/ Jai-Alai, 3 C. Urb. Las Fuentes.Cerca del Puerto Deportivo.
Teléfonos: **964 412 265**
E-mail: info@restsancho.com www.restsancho.com
Parking: Aparcamiento enfrente.
Propietario: Manuel Herrera Cucala.
Días de cierre y vacaciones: Abierto todos los días. Vacaciones del 10 de enero al 10 de febrero
Decoración: Típica castellana.
Ambiente: Familiar y acogedor. Turismo español y extranjero.
Bodega: Muy amplia. Atesorando las mejores añadas: Riojas, Ribera del Duero, Albariño, Rueda.... Colección de whiskies de Malta, coñacs y brandys. Cavas y champagnes.
Hombres y nombres: Jefe de cocina: José Luis Herraiz Cañas. (40 años de profesión en investigación continua).
Otros datos de interés: Terrazas de verano. Restaurante con más de 30 años de trayectoria con la misma dirección. Recomendado por las guías gastronómicas más importantes. Se atiende en francés, italiano, alemán e inglés.
Tarjetas: Todas.

ESPECIALIDADES SANCHO PANZA

Cocina de raíces mediterráneas elaborada
con productos frescos de la región
"La tradición adaptada al gusto actual"
Ensalada de endibias y salmón con salsa roquefort y nueces
Ensalada de langostinos con vinagreta de tomate
Alcachofas del terruño salteadas al ajillo con chipirones
Arroz en paella con carabineros y gambas
Lenguado de playa con uvas y piña
Salmón noruego con espinacas, pasas y piñones al moscatel
Rodaballo grillé al horno con salsa tartare
All i pebre de rape con langostinos
Solomillo de ternera trufado, con setas
Entrecot de añojo, salsa de cava y mostaza suave
Escalopines de solomillo al vino de Madeira y manzanas
Yogur de papaya sobre coulis de manzana verde
Emulsión de alcachofa sobre sopa de mango

Receta El Cortijo Hnos. Rico

Pastel de lubina con alcachofas de Benicarló

Ingredientes para 4 personas: 900 gr. de corazones de alcachofas limpios, 500 gr. de cola de lubina fresca, 2 cebollas medianas peladas, 2 tomates maduros, 1 carlota pelada, 4 dientes de ajos, 2 huevos, ½ l. de nata líquida, sal, pimienta y aceite de oliva. Al gusto, un poco de mantequilla.

Elaboración: Freír las cebollas, los tomates, la carlota, los ajos y las alcachofas. Cocer la lubina y desespinarla. Pasar por el turmix la lubina, las verduras, los huevos y la nata. Salpimentar al gusto.

Colocar todo en un molde alargado untado con mantequilla. Ponerlo en baño maría al horno y cocer durante 30 minutos a 180º. Sacar y dejar enfriar. Desmoldar y listo para servir.

Bodega subterránea con salón reservado para ocasiones especiales, eventos, catas y comidas para amantes del vino (hasta 20 comensales)

Restaurante galardonado con el "Premio al Turismo" concedido por la Cámara de Comercio de Castellón y la Placa al Mérito Turístico-Gastronómico de la Costa del Azahar, otorgada por el Patronato de Turismo de la Diputación de Castellón.

EL CORTIJO'S SPECIALITIES

Mediterranean cookery
Crustaceans, shellfish and fish from our coast
Prawns and lemon sauce
Grilled artichoke hearts with elvers (tiny baby eels)
Rice specialities
Rice and lobster hot-pot
Rice pot with baby squids and artichokes from Benicarló
"Fideuà" with lobster
(a kind of paella prepared with thick vermicelli pasta instead of rice)
Sea cucumber (fresh trepang) with monkfish liver
Baked fish (turbot, hake, sea-bass, gilthead bream)
Fillet steack with roquefort or pepper sauce
Fillet steak with foie-gras
Flambé crêpes with orange
Soufflé "Cortijo"
Home-made ice creams, pastries and confectionery

El Cortijo Hnos. Rico

Localidad: Benicarló (12580 Castellón).
Dirección: C/ Méndez Núñez, 85.
Teléfonos: 964 475 038 Fax: 964 470 075
www.elcortijobenicarlo.com
Parking: Fácil aparcamiento.
Propietario: Hermanos Rico.
Días de cierre y vacaciones: Cerrado noches de domingo y lunes.
Decoración: Elegante y funcional.
Ambiente: Familiar. Público local y turismo.
Bodega: Amplia. Destacando Vega Sicilia, Remelluri Reserva , Enate Gewürz traminer y Rosado de Lágrima Ochoa.
Hombres y nombres: Jefe de cocina: Manuel Rico Ferrer. Director: José María Rico Ferrer.
Otros datos de interés: Amplios salones para banquetes y celebraciones. Instalaciones dotadas de todos los servicios. Gran jardín interior para cockteles, aperitivos y presentaciones. Casa con cuarenta años de tradición (2ª generación).
Tarjetas: Todas.

ESPECIALIDADES EL CORTIJO

Cocina mediterránea
Mariscos y pescado fresco de nuestra región
Langostinos al limón
Corazones de alcachofas a la plancha con angulas
Arroces
Arroz caldoso con langosta
Arroz con chipirones y alcachofas de Benicarló
Fideua con bogavante
Espardenyes con higaditos de rape
Pescados al horno: rodaballo, merluza, lubina, dorada
Solomillo al Roquefort o pimienta
Solomillo al foie
Crepe flambeado a la naranja
Soufflé "Cortijo"
Helados y pastelería de elaboración propia

La Regentamar

Privilegiado espacio gastronómico

Situado al final del Muelle Este de Burriana, La Regentamar es un espacio singular rodeado de barcos de recreo. Las inmejorables vistas al mar Mediterráneo que se convierten en el mejor compañero de mesa. Una nueva propuesta gastronómica resultado del trabajo bien hecho. Destaca por su distinción, calidad y servicio.

Raúl Barruguer ostenta una amplia trayectoria profesional en el mundo de la restauración. Tras estudiar en la Escuela de Hostelería Costa de Azahar y perfeccionarse en Francia: Escuela Cordon Bleu de París y Academia Accord de Evry, trabajó en la Costa Brava, Hostal de La Gavina en S' Agaró, y en el restaurante L'Auberge Bretonne en la Bretaña francesa (dos estrellas Michelin). Inauguró como jefe de cocina el Hotel Intur**** de Castellón, posteriormente ofició en el restaurante Mare Nostrum del Grao de Castellón y como gerente en el Hotel La Noria del Cabriel en Requena. Después de varios años dedicado a la docencia, dirige La Regentamar desde su inauguración y La Regenta como salón de banquetes.

En La Regentamar encabeza una propuesta coherente con el entorno, recurriendo a productos autóctonos y reinterpretando los guisos de la región. La calidad de los pescados, fuera de toda duda: Burriana es la segunda lonja más importante de Castellón. Las instalaciones combinan elegancia y funcionalidad. Comedor a la carta para 55 personas y en la planta superior, distinguido salón para celebraciones hasta 250 comensales con amplios ventanales y una terraza abierta al mar.

Bajo la misma dirección: **La Regenta. Ctra. de Nules, 125. T. 964 512 634.** Burriana. Amplios salones modulables para eventos y celebraciones para 1000 comensales distribuidos en mesas circulares de hasta 12 personas. Magníficas barras, aparcamiento privado para 200 vehículos y zonas infantiles junto a los salones.

LA REGENTAMAR'S SPECIALITIES

Traditional and creative cookery with fresh produce

A la carte menu in steady evolution

Business menu: 25 €

Tasting menu: 45 €

Gastronomic menu: 60 €

Ring dove terrine with flower preserve

Duck & eel speciality

Noah's ark shells

Grilled grouper, cured ham consommé and airy garlicky foam

Crisp-roasted Iberian sucking pig with glazed quince

Foam of Catalonian crème brûlée with sugared pistachio nuts

La Regentamar

Localidad: **Burriana (12530 Castellón)**
Dirección: Escollera de Poniente, s/n. Puerto Burriana
Teléfonos: **964 586 731. Fax: 964 510 074**
E-mail: info@laregenta.es www.laregenta.es
Parking: Aparcamiento propio.
Propietario: La Regenta Restauración, S.L.
Días de cierre y vacaciones: Cerrado domingos noche desde 16 de abril hasta 14 de septiembre. Resto del año cerrado domingos, festivos y noches de lunes a jueves.
Decoración: Moderna y elegante en un entorno privilegiado.
Ambiente: Contemporáneo, novedad gastronómica en Castellón.
Bodega: Vinos de Valencia (Utiel, Requena...), Alicante, las principales denominaciones de origen, novedades y vinos dulces de postre.
Hombres y nombres: Gerencia: Manuel Simarro. Dirección: Raúl Barruguer. Jefe de cocina: Manuel Molero. Maitre: Tania Gutiérrez. Sumiller: Pere Mercado.
Otros datos de interés: Inaugurado en abril 2008, este luminoso comedor con espléndidas vistas al puerto dispone de excelentes instalaciones: sala para 55 personas, salón en la planta alta para celebraciones hasta 250 y terraza de verano.
Tarjetas: Las principales.

ESPECIALIDADES LA REGENTAMAR

Cocina de producto, tradicional y creativa

Carta en constante evolución

Menú de trabajo: 25 €

Menú Degustación: 45 €

Menú Gastronómico: 60 €

Terrina de paloma torcaz con mermelada de flores

Espardenya de pato y anguila

Caixetes

Mero parrillado, consomé de jamón y aire de ajoarriero

Cochinillo ibérico crujiente con membrillo glaseado

Espuma de crema catalana con pistachos garrapiñados

Daluan

La tradición puesta al día

Situada en el extremo norte de la Comunidad Valenciana, Morella, capital de la comarca de Els Ports, aparece ante los ojos del visitante rodeada del encanto que le transmiten sus murallas centenarias y coronada por su robusto castillo, a más de mil metros de altura.

En pleno corazón del casco histórico de Morella, Daluan nace del entusiasmo de Jovita y Avelino, su marido. En mayo de 2007 comenzaron la apasionante aventura de dirigir su propio restaurante con la experiencia de 23 años de trabajo en los fogones de diferentes establecimientos de nuestra geografía.

Daluan se ha convertido en una mesa de referencia en cuanto a innovación gastronómica. Combina los productos de la tierra con un nuevo concepto de cocina atento a sabores y texturas, presentación e imagen.

Muy recomendable los diferentes Menús-Degustación: de junio a septiembre "Tapas" (25 €), de octubre a diciembre "Los Sabores del Otoño" (34 €), de febrero a abril "La Trufa" (35 €).

Un equipo joven utiliza las mejores materias primas de temporada para crear una culinaria en constante renovación con atención al más mínimo detalle. Sabrosas carnes, frescos pescados y una delicada repostería conforman una gastronomía siempre sana y natural.

Daluan es una inmejorable opción para el visitante de paso por la hermosa localidad de Morella. Cuidado comedor, servicio de trato afable y sin prisas, para que el cliente pueda disfrutar de las elaboraciones culinarias sin olvidar la mejor receta: trabajo y afán de superación por hacer las cosas bien.

DALUAN'S SPECIALITIES

Elaborated regional cookery on a traditional basis

Tasting menu, changing every season: 34 €

Egg, foie gras and truffle

Cod tongues with a warm light aioli

Goat kid shoulder roasted at low temperature

Cheese board

Dough round with almonds and a citrus fruit touch

Tea ice cream

Curd milk sorbet

Ice cream of "flaó" (kind of cheesecake)

Special list of herbal teas

Daluan

Localidad: Morella (12300 Castellón)
Dirección: Callejón Cárcel, 4 (al lado del ayuntamiento)
Teléfonos: 964 160 071 – 669 135 139
E-mail: info@daluan.es www.daluan.es
Parking: Aparcamiento público a cinco minutos.
Propietario: Jovita Amela Ferrer.
Días de cierre y vacaciones: Cerrado jueves. De junio a septiembre abierto cada día para comidas y cenas. En invierno, cenas sólo viernes y sábado. Vacaciones: 15 días después de Reyes.
Decoración: Estas nuevas instalaciones apuestan por una estética moderna sin estridencias.
Ambiente: Placentero. Un trato a la vez profesional y cercano.
Bodega: Alrededor de 80 entradas personalmente elegidas por el patrón, siempre atento a las novedades.
Hombres y nombres: Jefe de cocina: Avelino Ramón Andreu. Responsable de sala: Jovita Amela.
Otros datos de interés: Avelino Ramón ostenta un currículum envidiable: es profesor de cocina en Benicarló, siempre en formación permanente tanto en España como en Francia y ha sido merecedor de numerosos premios.
Tarjetas: Todas excepto American Express

ESPECIALIDADES DALUAN

Cocina elaborada sobre base tradicional, ligada al entorno
Menú Degustación, cambia en cada estación: 34 €
Huevo, foie y trufa
Cocochas con ajo-aceite suave en caliente
Paletilla de cabrito a baja temperatura
Tabla de quesos
Coca de almendras con toque de cítricos
Helado de té de roca
Sorbete de cuajada
Helado de flaó
Carta de infusiones

Vinatea

El cambio es vida

Vinatea es un restaurante clásico de Morella desde 1988. Juan Milián y Miriam Querol, junto con su hija Ángela, han iniciado esta nueva etapa llena de fuerza e ilusión con una magnífica rehabilitación de las instalaciones, un proceso de renovación total, de arriba a abajo, que ha tenido en cuenta hasta el último detalle: decoración, vajilla, cristalería...

Ubicada en la calle porticada más bella de Morella, auténtico pueblo medieval rodeado por una muralla de 1.500 metros de longitud y presidido por un robusto castillo, esta casa presenta una cocina autóctona realzada con chispas de modernidad. Aquí el comensal puede disfrutar de la famosa gastronomía tradicional de Morella y de creaciones más innovadoras, el nexo de unión es el producto de primera calidad de la comarca. Aquí late la vida en el campo, masías, huertas, ganaderías de vacuno, ovino y porcino, caza, un clima perfecto para las carnes, un entorno propicio para las hierbas aromáticas, setas, trufa, la producción de leche que permite conseguir inigualables quesos o cuajadas...ingredientes que conviven en una ancestral gastronomía de montaña transmitida de generación en generación.

Vinatea apuesta por un feliz ensamblaje entre la cocina tradicional y de producto, con la aportación de la cocina contemporánea. Las bondades de esta culinaria personal y el añadido de un servicio de sala siempre cordial aconsejan una inevitable parada gastronómica a Vinatea en su visita a esta histórica localidad de la comarca "Els Ports".

Francesc de Vinatea, mercader, hombre de leyes y Caballero, es el personaje más ilustre de Morella. Nació en esta localidad hacia 1273. Años más tarde fue elegido Jurat de la Villa. Señor de Todolella desde 1313, vendió, después de obtener la gracia del Rey, sus tierras y propiedades en Morella y se trasladó a la ciudad de Valencia donde se apreciaría su valía como jurista y hombre de acción. Vinatea formó parte de la historia del Reino de Valencia el día en que se responsabilizó frente al Rey Alfonso El Benigno de la defensa de la integridad de los Fueros y Privilegios del Reino ante las pretensiones de su segunda esposa Eleonor de Castilla. Esta defensa jurídica le convirtió en tutor de la Ley Valenciana y héroe de todos los valencianos. Murió en Valencia el año 1333 y en su testamento consta su voluntad de ser enterrado junto a sus padres en el Real Convento de San Francisco de Morella.

VINATEA'S SPECIALITIES

Traditional cookery from Morella with a personal touch
Menu of the day (between 12 and 15 €)
Menu Vinatea (22 €)
Tasting menu (25 €)
Thematic menus of wild mushrooms and truffles (seasonal)
Home made foie gras mi-cuit
Chickpeas with almond sauce
Boned pig's trotters with quail egg and foie gras sauce
Confit fresh cod with garlic cream
Roast goat kid
Entrecôte steak
Home made pastries
Ewe's milk curd

Vinatea

Localidad: Morella (12300 Castellón)
Dirección: C/ Blasco de Alagón, 17 (centro histórico)
Teléfonos: 964 160 744
E-mail: vinatea@hotmail.es www.vinatea.es
Parking: En las puertas de entrada del recinto amurallado, a cinco minutos.
Propietario: Juan Milián y Miriam Querol.
Días de cierre y vacaciones: Cerrado lunes.
Decoración: Clásica-moderna. Completa actualización de las instalaciones: comedor, cocina y bodega.
Ambiente: Familiar y amistoso.
Bodega: Moderna vinoteca subterránea. Medio centenar de referencias conservadas en perfectas condiciones.
Hombres y nombres: Jefe de cocina: Miriam Querol. Comedor: Juan Milián y su hija Ángela.
Otros datos de interés: Esta casa del siglo XII, ubicada en la calle porticada más bella de Morella, conserva su pozo original de la época mozárabe. Agradable terraza para comidas y cenas de verano.
Tarjetas: Las principales.

ESPECIALIDADES VINATEA

Cocina tradicional morellana con toques de autor
Menú del día (entre 12 y 15 €)
Menú Vinatea (22 €)
Menú Degustación (25 €)
Menús temáticos de setas y trufas en temporada
Foie micuit hecho en casa
Garbanzos con salsa de almendras
Manitas de cerdo deshuesadas con huevo de codorniz y salsa de foie
Bacalao fresco confitado con crema de ajo
Cabritillo al horno
Entrecot de buey
Tartas caseras
Cuajada de leche de oveja

Arrop Ricard Camarena

Cocina de autor en Valencia

En septiembre 2009, Ricard Camarena inicia un nuevo reto al inaugurar el restaurante gastronómico del Hotel Palacio Marqués de Caro, un espacio de ensueño, primer hotel-monumento de Valencia: edificio histórico con 27 habitaciones singulares y exclusivas en el mismo corazón de la urbe, a escasos cien metros de su núcleo fundacional. Un audaz ejercicio de interiorismo contemporáneo que ha imprimido un carácter ciertamente peculiar al conjunto arquitectónico.

En este sugerente escenario, Camarena continua con la propuesta que le hizo famoso en el Arrop de Gandía: una revisión digna, creativa y vitalista de la cocina tradicional valenciana y las raíces mediterráneas. Una cocina imaginativa, honesta y deliberadamente lúcida que aúna técnica, valentía y conocimiento en perfecta evolución, en línea con las mejores cocinas de vanguardia, aunque siempre sustentada en la tradición.

Nuevas ideas, cocciones precisas y combinaciones atrevidas garantizan la originalidad de esta culinaria muy actual: ligereza, riqueza de matices, cromatismo en la presentación de los platos, formulaciones innovadoras, refinamiento y sensibilidad conforman un estilo propio. Un ejercicio gastronómico intenso que despierta la emotividad gustativa.

Fudd Menú: Un nuevo concepto de restaurante con toda la calidad de la cocina de Ricard Camarena. Cocina de autor unida a la filosofía del "low cost" en un ambiente moderno y cosmopolita con un menú diferente cada día a precios asequibles.
Joaquín Costa, 27. T. 963 748 558. www.fuddmenu.com

ARROP RICARD CAMARENA'S SPECIALITIES

Creative cookery
Several menus: Business, à la carte, Arrop and Ricard Camarena
Potato, octopus and meringue milk
Crisp skin of roasted sucking pig with broad beans and eucalyptus
Salad of salted meat with lightly pickled vegetables
Rice pot with snails without the snails
Salt cod with juicy spinach
Grouper with a lukewarm salad of white vegetables, yeast and smoked sardines
Goat kid shoulder with spring onions
Hare à la royale, roasted pear and rocket salad
Sorbet of cherries with crystals, yogurt and pictolin candies
Cheese assortment from the trolley

Arrop Ricard Camarena

Localidad: Valencia (46003)
Dirección: C/ Almirante, 14
Teléfonos: 963 925 566 E-mail: arc@arrop.com
www.arrop.com
Parking: En el hotel y aparcamiento público cercano.
Días de cierre y vacaciones: Cerrado domingos y lunes.
Decoración: Armoniosa conjunción de restos históricos y el diseño más moderno.
Ambiente: Restaurante gastronómico de Valencia.
Bodega: Muy completa, alrededor de 800 referencias de vinos nacionales y del mundo. Cavas, champagnes, licores y destilados.
Hombres y nombres: Jefe de cocina: Ricard Camarena. Jefe de sala: Mari Carmen Bañuls.
Otros datos de interés: Situado en el Hotel Palacio Marqués de Caro, el primer hotel-monumento de Valencia, este restaurante conserva restos de la muralla árabe que protegía la ciudad.
Tarjetas: Todas.

ESPECIALIDADES ARROP RICARD CAMARENA

Cocina de autor
Varios menús: Laboral, A la carta, Arrop y Ricard Camarena
Patata, pulpo y su "leche merengada"
Piel crujiente de cochinillo ibérico con habas y eucalipto
Ensalada de salazones y verduras ligeramente encurtidas
Arroz de caracoles sin caracoles
Bacalao con guiso meloso de espinacas
Mero con ensalada tibia de verduras blancas, levadura y sardinas ahumadas
Paletilla de cabrito lechal infusionado al carbón con cebolletas a la llama
Liebre a la royal, pera escalibada y rúcula
Sorbete de cerezas con sus propios cristales, yogur y pictolín
Servicio de carro de quesos y sus contrastes

Receta Borja Azcutia

Paella valenciana

Ingredientes para 4 personas: 400 gr. de conejo cortado en trozos pequeños, 400 gr. de pollo cortado en trozos pequeños, 250 gr. de ferradura (judías verdes), 150 gr. de tabella (judía blanca), 150 gr. de garrofón (judía de Lima), 1 tomate maduro, 300 gr. de arroz, ½ taza de aceite, 1 cucharadita de pimentón dulce, unas hebras de azafrán y sal.

Elaboración: Poner una paellera a fuego medio, añadir el aceite y cuando esté caliente, dorar el conejo y el pollo troceados y salados previamente. Sofreír la carne hasta que se dore y entonces incorporar la ferradura, el garrofón y la tabella. Continuar la cocción durante unos 8-10 minutos más y añadir el tomate rallado. Remover hasta que pierda un poco del agua de vegetación y echar el arroz, el pimentón, el azafrán y, por último, el agua. Cuando empiece a hervir, rectificar de sal y continuar la cocción entre 15 y 20 minutos más hasta que el arroz quede seco.

BORJA AZCUTIA'S SPECIALITIES

Market cookery

Small bites to start with:

Shrimps, squid, marinated belly flaps, broad beans with baby squids...

Crisp garlicky flake

Rice specialities:

seafood, "a banda", spiny lobster, black with squid ink, lobster, paella valenciana and brothy rice pots (with chicken and rabbit...)

Fresh fish every day

Goat kid cutlets

Fillet of beef

Desserts from "La Rosa de Jericó" (the best pastry shop in Valencia)

Borja Azcutia

Localidad: Valencia (46005)
Dirección: C/ Almirante Cadarso, 16 (en el Ensanche)
Teléfonos: 96 316 12 70
Parking: Aparcamiento público enfrente.
Propietario: Borja Azcutia.
Días de cierre y vacaciones: Cerrado noches de domingos, lunes y martes. Vacaciones: 10 días después de Semana Santa y 10 días en septiembre.
Decoración: Moderno comedor con capacidad para 70 personas.
Ambiente: Restaurante de referencia para el público de Valencia: calidad y servicio.
Bodega: Selección de primeras marcas a precios razonables.
Hombres y nombres: Jefe de cocina: Borja Azcutia. Jefe de sala: Benjamín Azcutia.
Otros datos de interés: Cuidadoso tratamiento de los imprescindibles clásicos de la cocina valenciana, picaditas siempre frescas y un buen arroz para rematar. Una fórmula para satisfacer a todos los públicos.
Tarjetas: Todas.

ESPECIALIDADES BORJA AZCUTIA

Cocina de mercado
Picaditas de calidad para empezar:
quisquillas, calamar, ventresca en escabeche, habas con puntillas...
Crujiente de ajoarriero
Gran especialidad en arroces:
de marisco, abanda, de langosta, negro, de bogavante, paella valenciana
y arroces caldosos (de pollo y conejo...)
Cada día, un pescado fresco, de playa o de roca
Chuletitas de cabritillo lechal
Solomillo de añojo
Postres elaborados especialmente para esta casa
por "La Rosa de Jericó" (la mejor pastelería de Valencia)

Ca Sento

Un referente culinario en la capital del Turia

En 2005 el arrollador Vicente Alexandre "Sento" y su mujer, Mari, dieron el relevo generacional a un auténtico estudioso de los fogones, su hijo, Raúl Alexandre. El cambio en la titularidad no ha variado un ápice la filosofía del local. Producto, tradición y creatividad continúan siendo los pilares sobre los que se construye su cocina sabiamente conjugados por la sensibilidad de Raúl.

Desde entonces, la carta no ha perdido la sabiduría de la cocina de la madre conservando la sabrosa rusticidad de los platos marineros tradicionales y sí ha ganado una culinaria del mar más renovada, precisa y milimétrica, servida con generosidad.

Raúl practica una cocina de gran elegancia, minimalista, pero repleta de sabores profundos, donde la importancia de las cocciones es fundamental para lograr resultados admirables: platos de extraordinaria ejecución en una línea de cocina moderna pero con fundamentos tremendamente clásicos.

Los auténticos protagonistas de la carta son los mayores tesoros del Mediterráneo, con un impresionante derroche de buenos géneros (gambas rojas gigantes por volumen y cocción, cigalas bordadas a la sal, de las mejores del país, almejas, percebes...). Estos productos que siempre fueron santo y seña de la casa lo siguen siendo. Junto a este despliegue, coexiste un perfecto maridaje entre tradición y creatividad que tiene su clave en la pericia evolutiva de Raúl Alexandre, con especialidades de alta culinaria de autor sustentadas a su vez en excelentes materias primas.

En todos los casos se percibe una creciente madurez y un afán de superación que han convertido a Ca Sento en un lugar de obligada visita a su paso por la capital levantina.

CA SENTO'S SPECIALITIES

Modern cookery with sea produce
Oysters with lime and apple granité
Cinnamon-flavoured spiny lobster & potato stew
Clam & goose barnacle salad with water of Valencian tomatoes
Norway lobsters fried with coarse salt
Shallow-fried rice with prawns
Tuna belly flaps with juice of roasted peppers and ginger
Barbecued turbot with tapioca, tomato and mollusc juice
Baked sea bass and pearl onions cooked with cinnamon and clove
Gently-roasted sucking pig with its crisp skin, orange & clove sauce
Mascarpone sponge with caramelised pumpkin and rolled pine nut cookie
Pineapple in different textures with coconut sorbet

Ca Sento

Localidad: Valencia (46024)

Dirección: C/ Méndez Núñez, 17.

Teléfonos: 963 301 775. www.casento.net

Propietario: Vicente Aleixandre

Días de cierre y vacaciones: Domingos noche y lunes noche. Vacaciones: del 15 al 31 de marzo y del 1 al 15 de agosto.

Decoración: Moderna, comedor renovado con pinturas vanguardistas.

Ambiente: Amantes de la cocina de producto.

Bodega: Completa, más de 500 referencias.

Hombres y nombres: Chef: Raúl Aleixandre. Sumiller: Marcos Aleixandre.

Otros datos de interés: Ubicado cerca del Puerto de Valencia. Desde que en 2005 Vicente Alexandre "Sento" y su mujer, Mari, dejaron el restaurante, los designios de la casa han pasado a su hijo, Raúl, que llevaba más de una década de experiencia en Ca Sento, uno de los mejores exponentes de la cocina valenciana actual.

Tarjetas: Todas

ESPECIALIDADES CA SENTO

Cocina marinera moderna
Ostras con lima y granizado de manzana
Guiso de canela con langosta y patatas
Ensalada de almejas y percebes con agua de tomate valenciano
Cigalas a la sal
Arroz a la plancha con gambas de playa
Ventresca de atún con jugo de pimiento asado y jengibre
Rodaballo a la brasa con tapioca, tomate natural y jugo de moluscos
Lubina asada con cebollitas escabechadas al aroma de canela y clavo
Cochinillo confitado en su piel crujiente, salsa de naranja y clavo
Bizcocho de mascarpone con calabaza caramelizada y canutillo de piñones
Piña con texturas con sorbete de coco

Los Naranjos

Gastronomía y poesía

En Valencia, tierra de luz y color, de mares y montañas, corría el año 1992 cuando Ceferino Juárez y Francisca Pinto abrieron las puertas de este restaurante de ambiente familiar y alma sincera. La trayectoria incansable del Restaurante Los Naranjos le ha hecho evolucionar desde entonces tanto en cocina como en instalaciones. Ceferino, omnipresente y atento a todos los detalles, es un restaurador vocacional.

Francisca Pinto, al frente de la cocina, es un alma creativa que impregna todo lo que hace con sensibilidad y buen gusto. Su creatividad brota en su culinaria, relatos, cuadros, esculturas...Este raudal de inspiración se sentía encorsetado hasta que decidió publicar su primer libro de relatos "El Color de la Esperanza" y aquel fue sólo el inicio de un torrente de creación artística que madura ahora en su nueva obra "Paseos y Coplas": un gran caleidoscopio de conceptos, sentimientos y palabras. Una sucesión de versos en el que Francisca saca a la superficie sentimientos profundos definidos y descritos con palabras claras y sin artificios.

Manos delicadas envueltas en manjares del mar y la tierra.
Olores que describen ingredientes en las marmitas a fuego y lento.
Todo con esmero, todo con cariño. Un lugar para las finas hierbas
y el buen vino. Donde impera el respeto y el buen gusto.
¡Qué interesante tu mundo cocinillas!. Cuanto Amor impregnas en el aire
y como inspiras mi apetito.

LOS NARANJOS' SPECIALITIES

Mediterranean and market cookery
Recommendations of the week
Scallop bites with foie gras and wild mushrooms
Lukewarm or cold salads according to the season
Truffled egg with pommes allumettes
Mediterranean rice specialities
Baked rock fish old fashion style
Fresh fish, shellfish and crustaceans
Crisp fillet with five kinds of pepper and parmesan cheese
Crisp boned pig's trotters
Flaky pastry slice with pear and mascarpone cheese
Chocolate soufflé with orange sauce
Piña colada with caramelised mascarpone cheese

Los Naranjos

Localidad: Valencia (46022).
Dirección: C/ Justo y Pastor, 146 (junto al Puerto).
Teléfonos: 963 722 327
www.restaurantelosnaranjos.com. Posibilidad de reservas on-line
Parking: Fácil aparcamiento.
Propietarios: Ceferino Juarez González
Días de cierre y vacaciones: En verano, cerrado domingos; en invierno, lunes. Vacaciones: 15 días en verano.
Decoración: Acogedora y actual en un estilo desenfadado. Mucha luz natural.
Ambiente: Entrañable y amistoso.
Bodega: Propia, muy amplia. Principalmente vinos valencianos, Ribera del Duero y Rioja.
Hombres y nombres: Jefes de cocina: Francisco Juárez Pinto y Francisca Pinto.
Otros datos de interés: Atendido por los mismos propietarios. Salón privado para 20-25 personas. Amplia oferta de platos de temporada: pescados y caza.
Tarjetas: Todas.

ESPECIALIDADES LOS NARANJOS

Cocina mediterránea y de mercado
Sugerencias semanales
Bocadito de vieiras con foie y setas salvajes
Ensaladas templadas o frías según la estación
Huevo trufado con patatas allumette
Arroces mediterráneos según temporada
Pescados de roca hechos al horno, a la antigua
Mariscos y pescados del día
Crujiente de solomillo a las cinco pimientas y queso parmesano suave
Manitas deshuesadas crujientes
Hojaldre de pera con queso mascarpone
Soufflé de chocolate con crema de naranja
Copa piña colada con queso mascarpone caramelizado

Receta Sangonereta

Lubina de "Sorro"

Ingredientes para 4 personas: 4 lomos de lubina de 180 gr. cada uno, 4 manitas de cerdo, 80 gr. de hongos confitados en aceite, 250 gr. de chalotas, 1 diente de ajo, 1 copa de brandy, ½ l. de nata, 150/200 gr. de hongos y 200 gr. de cebolla.

Elaboración: Poner las manitas a cocer con cebolla, clavo, cilantro y ajo, durante 3 horas y deshuesarlas. Rellenar con los hongos confitados, confeccionar rulos con papel fino y enfriar en nevera. Por otro lado, pochar la chalota junto al ajo, reducir el brandy y agregar la nata. Dejar cocer 5 minutos y pasar por la termomix. Confitar unas cebollitas con azúcar y tomillo para hacer un ragut con los hongos restantes.

Pase: Marcar la lubina en la sartén por la piel, hasta crujir. Darle la vuelta y terminar con el calor de la sartén fuera del fuego. En un plato hondo, cortar una rodaja de las manitas rellenas, pasar por la plancha y colocar en un plato con un molde cilíndrico sobre el ragut de hongos y cebollas. Salsearlo con la salsa de hongos y colocar encima de todo, la lubina con la piel vista y 4 gotas de aceite de nuez.

SANGONERETA'S SPECIALITIES

Creative cookery with first-choice regional produce

and fresh Mediterranean fishes

Marinated tuna, tomato consommé, purée of dried tomatoes

Fresh fish, small octopuses, Bomba rice with stock of Venere rice, yogurt cream with cumin

Round of boned oxtail, its liquorice-scented juice, purée, sprouts, flakes and flowers

Ravioli of passion fruit in mango coat with almond ice cream

Sangonereta

Localidad: Valencia (46.004)
Dirección: C/ Sorni, 31 (en pleno barrio modernista)
Teléfonos: 963 738 170 (tlf. y fax)
E-mail: info@sangonereta.com www.sangonereta.com
Parking: 3 aparcamientos cercanos (Glorieta, Puerta del Mar y Mercado de Colón)
Propietario: Amparo Martínez y Javier Aznar
Días de cierre y vacaciones: Cerrado sábado mediodía y domingo.
Vacaciones: Semana Santa.
Decoración: Casa burguesa de principios del siglo XX, deliciosamente reacondicionada en un estilo contemporáneo.
Ambiente: Lugar de encuentro relajado, discreto y agradable, alrededor de una buena mesa. Se ha convertido en un "must" en Valencia.
Bodega: Con acento en vinos emergentes de Valencia y Alicante, además de brandies, maltas y puros con encendido artesano
Hombres y nombres: Restaurante atendido por la propiedad. Jefes de cocina: Amparo Martínez y Javier Aznar
Otros datos de interés: Dispone de 3 comedores privados de 2 a 14 comensales con gran flexibilidad organizativa.
Tarjetas: Todas excepto Diner's

ESPECIALIDADES SANGONERETA

Cocina creativa con atención a las materias primas de la región y pescados frescos del Mediterráneo

Atún marinado, consomé de tomate, puré de tomate deshidratado

Pescado de playa, pulpitos, arroz bomba con caldo de venere, crema de yogur y cominos

Rabo de toro deshuesado y prensado, con su jugo al aroma de regaliz y parmentier, brotes, chips y flores

Ravioli de fruta de la pasión envuelto en mango, con helado de almendras

Taberna Alkazar

Desde 1950

Taberna Alkazar es un emblemático restaurante-marisquería situado en el corazón de Valencia, una institución en la vida social de la ciudad. Han pasado ya 60 años desde que el recientemente desaparecido Agustín Álvarez Arrieta y su esposa Isabel cogieran las riendas de esta casa. Su legado perdura hoy en día, bajo la dirección de su hija Isabel Álvarez y su marido Jorge Fernández. Mantienen los valores que sustentan el notable éxito de Taberna Alkazar: placentera cocina mediterránea de mercado, donde destacan pescados y mariscos, arroces, parrilladas..., fidelidad al producto, relación estrecha y familiar con la devota clientela y estabilidad de una plantilla de comprometidos profesionales.

Su privilegiado enclave en el centro histórico de Valencia, tradición y confortables instalaciones, convierten a Taberna Alkazar en punto de encuentro idóneo para disfrutar de una comida o cena en cualquiera de sus espacios cuidados al más mínimo detalle: **Salón Alkazar**: ideal para celebraciones y actos sociales, capacidad hasta 80 comensales. **Salón Nelsón**: íntimo y lujoso camarote, ambiente marinero que simula la cabina de una gran embarcación -ojos de buey, nudos marineros, maderas nobles...-, capacidad para 20 personas. **Salón El Caserío**: agradable decoración veneciana y atención personalizada (hasta 35 p.). Una sala privada para reuniones familiares o de empresa complementa este espacio. **La Taberna**: tradición taurina, ideal para finos, manzanillas, selectas tapas, jamón ibérico...Cuenta con una gran barra, pequeñas mesas, vitrina con los productos frescos del día y terraza exterior.

Taberna Alkazar, santo y seña de la ciudad de Valencia, ha sabido evolucionar con el transcurrir del tiempo conservando el prestigio que le ha situado como uno de los restaurantes clásicos de la capital del Turia.

TABERNA ALKAZAR'S SPECIALITIES

Mediterranean cookery

Fresh crustaceans and shellfish

Cured ham (of acorn-fed iberian pigs) with bread, tomato and garlicky oil

or deep-fried fishbait

Baby squids with garlic shoots or grilled fresh vegetable assortment

Clams seaman's style

or "chanquetes" (transparent gobies) of the house

First-quality meat cuts

Spring lamb cutlets with sauté potatoes or sea-bass baked in a salt crust

Assorted desserts or fruit basket

Taberna Alkazar

Localidad: Valencia (46002)

Dirección: c/ Mossen Femades, 9-11 (zona peatonal)

Teléfonos: 963 529 575 - 963 515 551 - Fax 963 522 326

E-mail: reservas@tabernaalkazar.com www.tabernaalkazar.com

Parking: Cercanos en c/ Lauria y en C/ Colón.

Días de cierre y vacaciones: No cierra nunca.

Decoración: Elegantes espacios con diferentes ambientes.

Ambiente: Empresarial y familiar.

Bodega: Completa, más de 20.000 botellas. Caldos selectos, añejos, licores, grandes añadas.

Hombres y nombres: Jefe de sala: Nazario Tejedor; Jefa de cocina, Isabel Álvarez.

Otros datos de interés: Restaurante fundado en 1950, situado en el corazón de la ciudad. Salones privados.

Tarjetas: Todas

ESPECIALIDADES TABERNA ALKAZAR

Cocina mediterránea

Mariscos y pescados frescos

Jamón ibérico de bellota con pan, tomate y aceite de ajo

o pescaditos fritos

Chipirones con ajos tiernos o parrillada de verduras frescas

Almejas a la marinera o chanquetes al estilo Taberna

Carnes selectas

Chuletitas de lechal con patatas a lo pobre o lubina a la sal

Reposteria variada o fuente de frutas

Casa Quiquet - 125º Aniversario

Cinco generaciones preocupadas por la calidad

Este restaurante está ubicado en la localidad de Beniparrell, situada a 6/8 km. al sur de Valencia. Casa Quiquet se inauguró en 1885 y lleva 125 años gestionada por la misma familia. Actualmente, están al frente la cuarta y la quinta generación.

El punto de inflexión se produjo en 1973 con la creación del hotel y, en 1985 del Comedor Centenario. La zona demandaba un hotel de estas características, de ambiente familiar y cómodo, pero también requería un restaurante de calidad media-alta, para que los empresarios no tuviesen que desplazarse a Valencia para celebrar sus comidas o cenas de negocio.

En 15 años, esta casa pasó de tener un salón de 500 plazas a las instalaciones actuales: el Comedor Centenario (60 plazas), el Salón Imperio (200), el Salón Real (270), más el Salón Milenio, el Hotel y
nuevas terrazas con jardines para cócteles-recibimientos.

Distinguido con el Premio de Turismo otorgado por la Cámara de Comercio de Valencia, el certificado de calidad Aenor y la Q de Calidad Turística.

CASA QUIQUET'S SPECIALITIES

Traditional Valencian cookery with rice specialities
Recommendations of the day
Anchovy fillets
Paella Valenciana
Paella with vegetables
Juicy rice with lobster or monkfish
Brothy rice with rabbit and vegetables
Scrambled eggs with young broad beans, artichokes and cured ham
Medallions of fillet of beef with onions
Flambé apple fritters with ice cream

Casa Quiquet

Localidad: Beniparrell (46.469 Valencia)
Dirección: Avda. de Levante, 45-47
Teléfonos: 961 200 750 Fax: 961 212 677
E-mail: casaquiquet@casaquiquet.com
www.casaquiquet.com
Parking: Amplio aparcamiento propio
Propietario: Familia Tadeo Pons
Días de cierre y vacaciones: Abierto cada día del año
Decoración: Clásica con toques valencianos
Ambiente: Público medio-alto y empresarios de la zona
Bodega: Suficiente
Hombres y nombres: Director: Paco Tadeo. Adjunto Dirección: Vicente Tadeo. Jefes de Sala: Vicente Alcañiz y Beatriz Tadeo. Jefes de cocina: Julio Yubero y José Cebrián. Eventos: Inma Tadeo y Paco Valenzuela. Administración: José Celda y Ana Mª Baixauli.
Otros datos de interés: Este establecimiento más que centenario, en manos de la misma familia desde el año 1885, es un complejo formado por un restaurante a la carta, grandes espacios para celebraciones hasta 500 personas y 34 habitaciones con todos los servicios. Restaurante recomendado por la Guía Michelín como "Bib Gourmand".
Tarjetas: Todas

ESPECIALIDADES CASA QUIQUET

Cocina tradicional valenciana con acento en arroces

Sugerencias del día

Esgarrat con anchoas de salazón

Paella valenciana

Paella de verduras

Arroz meloso de bogavante con rape

Arroz caldoso valenciana con conejo y verduras

Revuelto de habitas, alcachofas y jamón

Medallones de solomillo encebollados

Buñuelos de manzana flambeados con helado

Rioja

Gastronomía y alojamiento

Benisanó: Es un pueblo apacible y tranquilo, con una ubicación privilegiada y entidad propia. Sus portales, murallas y castillo le convierten en la joya medieval de más relevancia de todo el Campo de Liria. Si al abrigo de sus muros y a la sombra de su castillo fue una población detenida en el tiempo, en la actualidad es una villa en constante expansión.

Gastronomía: El restaurante ha sido totalmente renovado, respetando el espíritu y la personalidad de la casa. Es una referencia del buen comer en la provincia de Valencia, así lo atestiguan las numerosas y célebres personalidades que visitan sus instalaciones.

La carta sigue la mejor tradición culinaria de la casa, transmitida de padres a hijos durante cuatro generaciones. La apuesta por una cuidada cocina de mercado, realzada por la utilización de las mejores materias primas, da lugar a una culinaria clásica en el concepto y tradicional en el producto, actual en la presentación y siempre pletórica de sabor. Cultura, memoria e imaginación emanan de sus fogones.

El despliegue de géneros es impresionante: el restaurante consume 100 kilos de arroz semanales, dispone de huerta propia con verduras, frutas y hortalizas en cultivo ecológico, gallinero con huevos de corral, la despensa se nutre también de agricultores y productores locales, dos barcos de la lonja de Moraira lo surten a diario de pescados salvajes... Organiza con gran éxito jornadas gastronómicas del arroz a finales de febrero-principios de marzo.

Las instalaciones cuentan con dos comedores principales para 40 y 60 personas (fumador y no fumador) y 5 salones reservados desde 6 hasta 22 comensales, el marco idóneo para celebrar cualquier tipo de evento empresarial o privado.

Alojamiento: Tras la flamante ampliación con la construcción de una tercera planta que consta de 10 habitaciones y la renovación de las otras con un diseño actual y funcional, el Hotel Rioja está pensado para ofrecer la máxima comodidad a sus huéspedes. Consta de 46 habitaciones, totalmente equipadas: wifi gratis para los clientes, TV vía satélite, aire acondicionado individual, cerradura electrónica y baño completo con todos los detalles.

RIOJA'S SPECIALITIES

Market cookery, traditional and creative
The à la carte menu changes three times a year
Stuffed artichokes
Fresh red shrimps, prawns, Norway lobsters
Foie gras of duck with artisan fig preserve and reduction of sweet sherry Pedro Ximénez
Selection of cured pork specialities from León
Rice specialities (also to take away)
The genuine Valencian paella (in a wood-fired oven)
Wild fish
Lobster and monkfish casserole
Fillet steak with foie gras
Home made desserts and confectionery prepared daily
Granny's ice creams

Rioja

Localidad: Benisanó (46181 Valencia)
Dirección: Avda. Verge del Fonament, 37
Teléfonos: 962 791 585 – 962 792 158. Fax: 962 780 788
E-mail: restaurante@hotel-rioja.es www.hotel-rioja.es
Parking: Fácil aparcamiento.
Propietario: Familia Rioja.
Días de cierre y vacaciones: Restaurante abierto cada día excepto 15 días en agosto y del 2 al 5 de enero. Hotel abierto siempre.
Decoración: Combina historia y modernidad, elementos nobles y clásicos (piedra y madera) con un diseño muy actual.
Ambiente: La mesa emblemática de la comarca, mucho público de Valencia capital.
Bodega: Propia, más de 100 referencias y 3000 botellas con aula del vino para catas, charlas y ponencias.
Hombres y nombres: Jefa de cocina: Elisa Pascual. Director-maitre y sumiller: Vicente Rioja. Responsable de alojamiento: Nieves Rioja.
Otros datos de interés: Casa con solera fundada en 1924. En la actualidad, dirigida por la cuarta generación. Innovación y tradición se funden en este establecimiento cargado de historia.
Tarjetas: Las principales.

ESPECIALIDADES RIOJA

Cocina de mercado, tradicional y creativa
La carta cambia tres veces al año
Alcachofas rellenas
Gamba roja fresca, langostinos, cigalas
Foie gras de canard con mermelada artesana de higos y reducción de P.X.
Selección de embutidos ibéricos selectos de León
Amplio surtido de arroces valencianos (también para llevar)
Auténtica paella valenciana "hecha a leña"
Pescados salvajes
Caldereta con bogavante y rape
Solomillo de ternera al foie
Postres caseros con repostería elaborada a diario
Helado de la abuela

Receta Casa Salvador

Paella de raya, cebolla y ajos tiernos

Ingredientes (para 2 personas): 1 raya de 750 gr., 1 cebolla pequeña, 4 ó 5 ajos tiernos, sal, fumé de raya, 4 cucharadas de aceite, azafrán, tomate. Para el fumé de raya. Hervimos las raspas de la raya con cebolla, laurel y pimienta en grano, durante una hora aproximadamente.

Preparación: Ponemos una paella al fuego con aceite y sal. Una vez caliente, echamos la raya, le damos un par de vueltas y añadimos la cebolla y los ajos tiernos. Continuamos la cocción y agregamos el tomate rallado, seguidamente el arroz, sofreímos y ponemos el caldo. Sazonar al gusto

CASA SALVADOR'S SPECIALITIES

Valencian cookery with our personal touch
Valencian paella
Paella with turbot and elvers
Rice, fish and seafood specialities
Paella with rabbit and fresh tuna
Paella with fresh anchovies and spinach
Rice with seafood
Brown paella
Paella with skate, onion and garlic shoots
Paella with cauliflower and salt-cod "Allipebra" of elvers
"Black rice" (with cuttlefish and their ink)
Rice and lobster hot-pot
Rice, rabbit and snail hot-pot
Rice "Senyoret" Rice, pork, turnip and bean hot-pot
Paella with duck
Home-made pastries and confectionery.

Casa Salvador

Localidad: Estany de Cullera (46400 Valencia)
Teléfonos: 961 720 136
Parking: Propio y vigilado.
Propietario: Hermanos Gascón.
Días de cierre y vacaciones: No cierra nunca.
Decoración: Típica valenciana. Dos grandes barracas mirando al Estany de Cullera. Grandes ventanales y magníficas vistas.
Ambiente: Variado. Todos los publicos.
Bodega: Una de las mejores de la comunidad valenciana. Más de 560 vinos en la carta, más de 40.000 botellas en la bodega.
Hombres y nombres: Cocina: Concha Gascón y Carlos Calero. Jefes de sala: Salvador Gascón e Inma Jover. Sommelier: Julián Bastidas.
Otros datos de interés: Restaurante familiar con 46 años de tradición, no cerró ningún día. Muchos premios y galardones (Cámara de Comercio de la Comunidad Valenciana, etc).Certificado ISO 9002 por su nivel de calidad. Dos comedores y terraza mirando al Estany. Huerta propia de 35.000 m para verduras y hortalizas.
Tarjetas: Todas, menos 4B.

ESPECIALIDADES CASA SALVADOR

Cocina valenciana con toque personal
Paella valenciana
Paella de rodaballo y angulas
Arroces, pescados y mariscos
Paella de conejo y atún fresco
Paella de boquerones y espinacas
Arroz marinero
Paella morena
Paella de raya, cebolla y ajos tiernos
Paella de coliflor y bacalao
Arroz negro
"Allipebra" de angulas
Arroz del Senyoret
Arroz caldoso con bogavante
Paella de pato
Arroz caldoso de conejo y caracoles
Arroz caldoso con cerdo, nabos y judias
Toda la reposteria es casera

Receta Eliana Albiach

Garrapiñado de langostinos y pistacho con crema de patata ratte

Ingredientes para 4 personas: 12 langostinos, 50 gr. de pistachos triturados, 2 dl. de aceite de oliva, 50 gr. de mantequilla, 300 gr. de patatas ratte, ½ cebolla picada, 100 gr. de puerro picado, sal, pimienta negra, nuez moscada, ½ litro de fondo blanco, hierba aromática y crujiente de patata.

Elaboración de los langostinos: Dorarlos con aceite de oliva y en caliente, garrapiñar con el pistacho. Reservar

Elaboración de la crema: Dorar con la mantequilla, la cebolla y el puerro en brunoise, seguidamente añadir la patata chascada. Adicionar el fondo blanco dejando cocer hasta el punto deseado. Pasar por el turmix y sazonar al gusto.

Emplatado: En plato hondo, colocar una base de crema, sobremontar los langostinos en forma de cruz y decorar con crujiente de patata, un cordón de aceite de oliva y la hierba aromática.

ELIANA ALBIACH'S SPECIALITIES

Updated traditional cookery
The à la carte menu changes according to the season
Three menus: Mediterranean menu (23.80 €),
Tasting menu (44.60 €), Menu Eliana Albiach (60 €)
Salad of tomatoes from Perelló and smoked salmon with herbs
Razor shells, oil and their juice
Tuna, citrus fruit and melon with Mediterranean dressing
Rice "bomba" with salt cod and seasonal vegetables
Rice "gleva" with mushrooms, octopus and scallops
Salt cod with creamy potatoes and Tahitian vanilla
Tournedos in the traditional way
Special menu for Mediterranean rice specialities, traditional and of nowadays
Banana with chocolate truffle
Parfait of yolks and oranges

Eliana Albiach

Localidad: Cullera (46400 Valencia)
Dirección: C/ Peset Alexandre, 2 (zona Racó Playa)
Teléfonos: 961 732 229 www.elianaalbiach.com
Parking: Fácil aparcamiento y en verano, aparcamiento público a 100 metros.
Propietario: Juan Giner Albiach.
Días de cierre y vacaciones: Cerrado lunes excepto festivos o vísperas. Vacaciones: un mes después de Reyes (en invierno, abierto sólo al mediodía, excepto viernes y sábados también noches).
Decoración: Actual con toques minimalistas.
Ambiente: Comidas de negocios durante la semana, más variado los fines de semana.
Bodega: Casi un centenar de etiquetas. Selección de cavas y algunos champagnes.
Hombres y nombres: Jefe de cocina: Juan Giner Albiach. 2º de cocina: Raúl Sala. Jefa de sala: Tatiana Belova.
Otros datos de interés: Restaurante de última generación, abierto el 7 de junio 2006. Capacidad reducida (40 personas) y terraza de verano. Juan Giner Albiach, después de una extensa formación profesional en restaurantes de postín: Girasol (Moraira), La Tour d´Argent (París) o Melbourne Park (Zurich), ha abierto su propia casa. Cada año en noviembre, organiza jornadas gastronómicas del arroz.
Tarjetas: Todas excepto American Express.

ESPECIALIDADES ELIANA ALBIACH

Cocina tradicional actualizada
La carta cambia en cada estación
Tres Menús: Mediterráneo (23,80 €),
Degustación (44,60 €), Eliana Albiach (60 €)
Ensalada de tomate del Perelló y salmón marinado con hierbas de ribera
Navajas, aceite del Maestrazgo, y su jugo
Atún, cítricos y melón con vinagreta mediterránea
Arroz bomba, de bacalao y verduras de temporada
Arroz gleva, setas, pulpo y vieiras
Bacalao con crema de patata y vainilla de Tahití
Tournedos al estilo tradicional
Carta de arroces mediterráneos, tradicionales y contemporáneos
Plátano trufado
Perfecto de yemas y naranjas

Manolo

Cocina de autor con vistas al Mediterráneo

La historia del restaurante Manolo se remonta a 1985 cuando la familia Alonso Fominaya, enamorada del sol del Mediterráneo, se instala en la playa de Daimús para iniciar este proyecto con todo su empeño e ilusión. Durante unos años, funcionó como chiringuito con gran éxito. En la actualidad, bajo la fina inspiración de Manuel Alonso Fominaya "Manolín", el saber hacer en los fogones de su hermano Juan Carlos, la atenta mirada de D. Manuel Alonso García y la aportación conciliadora de Dª Matilde Fominaya, el restaurante apuesta por la alta cocina. Reinterpretando y sublimando la generosa tradición marinera de la región con grandes dosis de creatividad y originalidad, sigue desplegando máxima exigencia en la selección de los productos mediterráneos. La evolución de esta casa ha sido espectacular con gran reconocimiento a nivel local y nacional.

Ha sido galardonado, entre otros, con el **Premio de la Cámara de Comercio de Valencia 2010**, el Plato de Oro a la Gastronomía Nacional y durante dos años consecutivos ganador del Certamen "Trufalia" (de noviembre a marzo ofrece platos a base de trufa). Pertenece también a Eurotoques y la Chaîne des Rotisseurs. Manolo se ha convertido en un referente en la Comunidad Valenciana. Amplias instalaciones, capacidad total hasta 150 comensales: comedor que literalmente se abre al mar, salón privado para 40 personas, amplia terraza exterior para fumadores, bodega acristalada y delicioso lounge para las noches de verano. Además, interesante cava de puros, bibliografía gastronómica y servicio de catering. Una escala natural donde todos los sentidos se despiertan.

MANOLO'S SPECIALITIES

Tasting menu: 50 €
Salt cod salad with mango dressing
Chargrilled spring onions with anchovies
Tripe "as my mother did"
(recommended by the specialised critic)
Lobster ragout with potato and cinnamon
"Rossejat": Noodle speciality
Fresh shellfish and crustaceans: elvers (tiny baby eels), Norway lobsters, shrimps, goose barnacles, clams, oysters, red prawns from Denia and spiny lobster
Chargrilled monkfish with confit vegetables
Gilthead bream with tapioca, tomato and olive oil
Cannelloni of beef cheeks and oyster mushrooms
Chocolate fritters with tea ice cream
Our homage to Ferrero Rocher

Manolo

Localidad: Playa Daimús (46.710 Valencia)
A 1,5 km de Gandía, dirección a Oliva por la carretera a Nazaret.
Dirección: Paseo Marítimo, 5
Teléfonos: 962 818 568
E-mail:restaurantemanolo@restaurantemanolo.com
www.restaurantemanolo.com
Parking: Aparcamiento propio gratuito.
Propietario: Familia Alonso Fominaya.
Días de cierre y vacaciones: Abierto cada día. En invierno (de noviembre a abril), cerrado noches de domingos a jueves.
Decoración: Marinera rústica con magníficas vistas al mar y a la playa.
Ambiente: Negocios, público local y turismo en temporada.
Bodega: Amplia carta de vinos, completa y actualizada. Importante presencia de vinos extranjeros, gran selección de champagnes, maltas y puros.
Hombres y nombres: Jefe de cocina: Juan Carlos Alonso. 2º de cocina: Abdelkrim. Jefe de sala: Antonio Marco. Sumiller: Manuel Alonso. Repostero: Marcos Acosta.
Jefe de Barra: Nicolás Marco.
Otros datos de interés: En constante evolución desde su apertura en 1985, ha pasado a ser un restaurante emblemático de la región. Nueva barra gastronómica.
Tarjetas: Todas.

ESPECIALIDADES MANOLO

Menú Degustación: 50 €
Ensalada de bacalao con vinagreta de mango
Cebolleta a la brasa con anchoa
Callos "como los hacía mi madre"
(recomendados por la crítica especializada)
Guiso de langosta, patata y canela
Rossejat de fideos
Marisco fresco: angulas, cigala, quisquilla, percebes, almejas, ostras, gamba roja de Denia y langosta
Rape a la brasa con verduras confitadas
Dorada de playa con tapioca, tomate natural y aceite de oliva
Canelones de "garreta" de ternera y setas
Buñuelos de chocolate con helado de té
Nuestro homenaje a Ferrero Rocher

Receta **Mesón del Vino**

Gazpacho manchego al estilo Requena

Ingredientes para 8 personas: 1 conejo de monte pequeño, 2 perdices, ¼ hígado de cerdo, 5 dientes de ajo, 3 ó 4 cucharadas de tomate frito, 2 tortas de gazpacho, ¼ litro de aceite de oliva, pimienta, clavo y sal al gusto.

Preparación: poner a cocer todas las carnes con el hígado en 3 litros de agua, hasta que estén todas las carnes tiernas. Sacar las carnes y el hígado, desmenuzar las carnes y picar los ajos con el hígado.

Poner en un gazpachero con el aceite de oliva, sofriendo el ajo, el tomate y el hígado. Añadir las carnes desmenuzadas, las especias y el caldo que tenemos de hervirlo todo.

Dejar hervir y añadir las tortas desmenuzadas (durante 10 a 15 minutos).

¡Detente...!
Detente aquí, caminante, en este
"Meson del Vino" y dale pausa al
camino de Castilla o de Levante.
Mira el rosado semblante de este
néctar valenciano...Requena pone
en tu mano el vaso para beber...
A gustarlo has de volver desde el
rincón más lejano.

Rafael Duyos (1959)

MESON DEL VINO'S SPECIALITIES

Typical regional cookery with fresh market products
"Gazpacho Manchego" (purée-like rabbit stew with snails and mushrooms)
"Ajo arriero" (garlicky purée of salt-cod and boiled potatoes)
Scrambled eggs with blood sausage
Juicy rice pot with rabbit (on request)
Fresh fish from Valencia's market
Barbecued beef cuts
Home-made desserts
Almond dessert
Chocolate and almond mousse

Meson del Vino

Localidad: Requena (46340 Valencia)
Dirección: Avda. Arrabal, 11
Teléfonos: 962 300 001
Parking: Aparcamiento al lado, gratuito para los clientes
Propietario: Luis Serrano
Días de cierre y vacaciones: Cerrado martes. Vacaciones en septiembre
Decoración: Valenciana y castellana, al estilo mesón
Ambiente: Muy variado
Bodega: Suficiente. Denominación de origen Requena, Utiel y selección de Riojas
Hombres y nombres: Jefa de cocina: Lupe Atienza. Jefe de sala: Luís Serrano
Otros datos de interés: Fundado en 1954, ha sido merecedor de la Placa de Bronce al Mérito Turístico. Dos comedores: 50 y 20 personas. Barra muy animada: tapas de cocina, raciones y vinos.
Tarjetas: Las principales, excepto American Express

ESPECIALIDADES MESON DEL VINO

Cocina típica de la zona y cocina diaria de mercado
Gazpacho manchego
Ajo arriero
Revuelto de morcilla
Arroz caldoso con conejo (por encargo)
Pescados frescos de la lonja de Valencia
Carnes rojas a la brasa
Postres caseros
Dulce de almendra
Mousse de chocolate y turrón

ALICANTE

MONASTRELL. Rafael Altamira, 7.. Tel. 965 146 575. reservas@monastrell.com - www.monastrell.com

En su nueva ubicación en las dependencias del Hotel Amérigo disponen de un servicio de barra y una sala más amplia y confortable. María José San Román conjuga vocación innovadora y compromiso con un recetario de innegables raíces mediterráneas. Sus platos aúnan el respeto absoluto por el producto autóctono, el refinamiento visual y el dominio de la técnica. Justo al lado, La Taberna del Gourmet, un comedor más informal.

Cocentaina. L'ESCALETA. Subida Estación Norte, 205. Tel. 965 592 100. lescaleta@ctv.es - www.lescaleta.com

En este lujoso chalet, en un bucólico entorno al pie del Montcabrer, la segunda generación de una casa fundada en 1980, Quico Moya y Alberto Redrado, chef y sumiller actuales, continúan con la labor emprendida por sus progenitores. Cocina de corte regional, atenta a la tradición y la novedad, servicio de sala exquisito y bodega de extraordinario nivel.

Denia:

QUIQUE DACOSTA. Ctra. Las Marinas, km. 3. Carrer Rascassa, 1. Urb. El Poblet. Tel. 965 784 179. Fax: 965 787 662. www.elpoblet.com

Enrique Dacosta es uno de los más importantes abanderados de la cocina de autor contemporánea, un estudioso de todo lo que ocurre en torno a los fogones. Da lugar a recetas de sabores naturales con un profundo respeto a la mejor materia prima de su entorno. Amplia terraza ajardinada, dos salas elegantemente decoradas con una atmósfera íntima y acogedora, espacio para aperitivo ó café y estudio de creación.

Moraira: LA SORT. Avda. Madrid, 1. Tel. 966 491 161. Fax: 965 745 135. restaurant@lasort.com - www.lasort-restaurante.com

La filosofía de los hermanos Moll no olvida la dietética, utilizando productos de primerísima calidad con platos de corte mediterráneo, minuciosa y pacientemente elaborados, aderezados con los siempre imprescindibles aceites de oliva virgen. Su lema, un poco de salud y un mucho de cocina, ha sido elogiado por el renombrado chef Joel Robuchon.

Petrer: LA SIRENA. Avda. de Madrid, 14. Tel. 965 371 718. info@lasirena.net - www.lasirena.net

La gastronomía de Mª Carmen Vélez está impregnada del sabor del Mare Nostrum. Por un lado, en su vertiente más tradicional: suculentos arroces y excelsas mariscadas y por otro, en su cara más vanguardista, actualiza el típico recetario alicantino. Todo ello en singular armonía, al igual que los deliciosos postres y la sobresaliente barra de tapas situada a la entrada con un sugerente expositor.

CASTELLON

El Grao: RAFAEL. Churruca, 28. Tel. 964 282 185 www.restauranterafael.com

La oferta clásica de este restaurante, una gran variedad de arroces y pescados y mariscos del litoral, continúa dando grandes satisfacciones a su extensa clientela. Un auténtico festín marinero que no deja indiferente a nadie, al igual que su buen surtido repostero y el atento servicio de sala.

VALENCIA

ALBACAR. Sorni, 35. Tel. 963 951 005. Fax: 963 956 055.
www.restaurantealbacar.com

De gran prestigio en la ciudad, Albacar apuesta por una renovada cocina mediterránea, vistosa y con acertadas dosis de creatividad. Su indiscutible calidad, avalada además por unos precios razonables, un efectivo servicio y una bien escogida carta de vinos aseguran el lleno diario.

LA SUCURSAL. Guillém de Castro, 118. Museo Ivam. Tel. 963 746 665
Fax: 963 924 154. info@restaurantelasucursal.com
www.restaurantelasucursal.com

Ubicado en el Instituto Valenciano de Arte moderno con una decoración minimalista, la orientación de la cocina dirigida por Javier Salvador está en consonancia con su emplazamiento: recetas mediterráneas contemporáneas, bien resueltas y ejecutadas con maestría.

TORRIJOS. Doctor Sumsi, 4. Tel. 963 732 949. info@restaurantetorrijos.com
www.restaurantetorrijos.com

En unas elegantes instalaciones de línea moderna, Josep Quintana brilla cada día más en el firmamento de la restauración valenciana con una carta de autor atractiva, platos innovadores y clásicos debidamente actualizados. Raquel Torrijos, su mujer, fue galardonada hace algunos años con "La Nariz de Plata" lo que la confirma como una acreditada sumiller.

Bocairent: PACO MORALES. Ctra. Ontinyent-Villena, km 16 (Hotel Ferrero). Tel. 962 355 175. info@hotelferrero.com - www.hotelferrero.com

Ubicado en el Hotel Ferrero, en plena Sierra Mariola, un espacio natural rodeado de arboledas, hierbas medicinales y agua. El chef Paco Morales demuestra su gran formación académica y claridad conceptual. Las recetas son fruto de un proceso de reflexión y el exhaustivo conocimiento de los ingredientes que maneja. Un conjunto armónico que aúna técnica y producto.

País Vasco

Es una tierra de contrastes: densamente poblada e industrializada pero también rabiosamente verde y virginal. Ambos paisajes se sitúan a escasos kilómetros de distancia, por lo que es posible encontrar espacios naturales y ecosistemas aún en su estado original muy cerca de las grandes urbes. La belleza e importancia de estos parques y reservas generan numerosas opciones para las excursiones, la práctica de deportes y el descanso.
El litoral vasco posee 200 km de costa, 22 playas, 7 rías y 15 puertos deportivos-pesqueros, magnífica plataforma para la práctica de deportes acuáticos, y un mar interior que no tiene fin.
Cuenta con espacios naturales protegidos, cuatro parques naturales y la Reserva de la Biosfera de Urdaibai, conformando un producto turístico de alta demanda con cerca de 300 establecimientos de agroturismo, casas rurales y pequeños hoteles.
El País Vasco tiene una variada oferta cultural que abarca desde las pinturas rupestres de Santimamiñe, Isturitz o Karbla al moderno Guggenheim, el Kursaal o el recientemente inaugurado Museo Chillida.
Vitoria, capital del Pais Vasco, con su casco histórico, uno de los mejores conservados de Europa, Bilbao, referente cultural indiscutible y San Sebastián, con una de las más bellas bahías del mundo completan el atractivo turístico.

Vizcaya

Fiestas Patronales: San Ignacio de Loyola, 31 de Junio, Patrono de la provincia, Nuestra Sra. de la Asunción, 1ª de Agosto, Patrona de Bilbao.
Museos y Monumentos: Museo Arqueológico, Etnográfico e Histórico de Vizcaya, el Santuario de Begoña, la iglesia de Santa María de la Asunción, Palacio de Chavarri, las Casas de Sota y la Plaza Nueva.
Oficina de Turismo: Plaza del Arenal, 1. T. 944 795 760

Guipuzcoa

Fiestas Patronales: San Sebastián, 20 de Enero, Semana Grande Donostiarra (15 de Agosto), Feria de Santo Tomás, 21 de diciembre.
Museos y Monumentos: Museo municipal de San Telmo, Monte Igueldo, Parte Vieja, Peine de los Vientos, Iglesia de San Vicente, Monte Urgull.
Oficina de Turismo: Erregina Erregentearen, 8. T. 943 481 166

La cocina vasca

La cocina vasca es fiel reflejo de su historia, sus costumbres y ese profundo respeto que sienten hacia la tierra. Tiene como característica principal su sencillez y simplicidad. Las excelentes materias primas que brotan y nacen de la alacena del Cantábrico ha permitido el desarrollo y la proyección de una cocina con sello de autor. Sin embargo, la alta cocina moderna representada por los grandes de la restauración vasca no ha desbancado la cocina tradicional y popular.

Son las salsas los pilares de esta gran cocina. La salsa verde es la base de todas las preparaciones de rodajas de lomos de pescado en cazuela, de las almejas a la marinera, de las cocochas y del bacalao al pil-pil. La salsa roja o vizcaína es muy sabrosa y se utiliza para el popular bacalao a la vizcaína, el bonito, las manitas y los morros de cerdo. La salsa negra de los chipirones, única en la cocina universal, es una delicia.

Las recetas marineras alcanzan su cumbre en el marmitako, antiguo almuerzo de los pescadores del Cantábrico. También el País Vasco disfruta de sabrosas carnes debido a los numerosos pastos.

Alguno de los mejores postres caseros son las tostadas de crema, los canutillos rellenos, el arroz con leche, la navideña intxaursalsa (crema de nueces), el franchipán, la pantxineta y la cuajada de oveja. El queso Idiazábal fresco es el gran queso del país y uno de los grandes quesos nacionales.

Alava

GRAN HOTEL LAKUA*****	Tarragona, 8	945 181 000	www.granhotelakua.com
BARCELO GASTEIZ****	Avda. Gasteiz, 45	945 228 100	www.barcelo.com
CIUDAD DE VITORIA****	Portal de Castilla, 8	945 141 100	www.hoteles-silken.com

Bilbao

LOPEZ DE HARO*****	Obispo Urueta, 2	944 235 500	www.hotellopezdeharo.com
CARLTON*****	Federico Moyúa, 2	944 162 200	www.hotelcarlton.es
DOMINE BILBAO*****	Alameda Mazarredo, 61	944 253 300	www.granhoteldominebilbao.com

San Sebastián

MARIA CRISTINA*****	República Argentina, 4	943 437 600	www.hotel-mariacristina.com
COSTA VASCA****	Pío Baroja, 15	943 317 950	www.barcelocostavasca.com
MONTE IGUELDO****	Pº Del Faro, 134	943 210 211	www.monteigueldo.com

Akelare

Pedro Subijana

Envuelto por los vientos del Cantábrico y el oleaje que choca contra el Monte Igueldo, Akelare ofrece un maravilloso mirador sobre la bahía donostiarra. Desde su apertura en 1980, Pedro Subijana, artista culinario y embajador de su tierra, lo ha convertido en uno de los más importantes emporios gastronómicos de la alta cocina vasca.

Su larga experiencia y amplios conocimientos de la cocina y el producto de su más cercano entorno consolidan una culinaria enraizada en la tradición y la memoria coquinaria pero realzada por una genial, sorprendente y sofisticada renovación. Es una cocina virtuosa y erudita, en constante ebullición, que cambia cada temporada,. Una carta atrevida e innovadora, con creaciones sorprendentes, capacidad de síntesis, frescura y un manejo excepcional de los sabores más intensos. Dispone de huerta propia que abastece de materias primas autóctonas a los fogones de este gran restaurante.

Aquí todo irradia excelencia y vanguardia, desde la confortable y refinada elegancia del local con impresionantes ventanales que otorgan una luminosidad envidiable hasta el escrupuloso esmero del siempre impecable servicio de sala.

Hotel de Akelare*****

El exclusivo hotel dispone de 21 habitaciones, todas con vistas al mar, spa y una serie de servicios complementarios: biblioteca, sala de arte y bar con terraza.

El cliente, además de comer o cenar en el restaurante, podrá dormir en una habitación amplia y moderna, hacerse un tratamiento en una de las cinco cabinas del spa, darse un principesco desayuno, pasear por los jardines de flores y hierbas aromáticas o sentarse a leer en un paraje inigualable.

AKELARE'S SPECIALITIES

Streaky of Iberian pork and gelatinous raw vegetable mix

Pilgrim and variegated scallops with artichokes

Roast lobster with spice balloon

Prawns and shrimps with powder of their peels

Turbot with braised mussel lentils, neck-end of Iberian pork, potato, onion and quince jelly

Boned lamb tail with vegetable macaroni

Carrot tiramisù

Apricot and cherries on the rocks of Igueldo Mountain

Akelare

Localidad: **San Sebastián (20008 Guipúzcoa)**
Dirección: Paseo Padre Orcolaga, 56, Barrio de Igueldo
Teléfonos: **943 311 209/943 214 086 Fax: 943 219 268**
E-mail: restaurante@akelarre.net www.akelarre.net
Parking: Aparcamiento propio.
Propietario: Pedro Subijana Reza
Días de cierre y vacaciones: Cerrado domingo noche, lunes y martes (de enero a junio). Domingo noche y lunes (de julio a diciembre).
Decoración: El comedor, espacioso, tiene una decoración moderna con diseños de Raúl Alonso y Luisa Montes.
Ambiente: Elegante y cordial.
Bodega: Extensa. Carta de vinos con más de 500 conceptos y todo tipo de explicaciones didácticas.
Hombres y nombres: Chef de cocina: Pedro Subijana Reza y Felix Echave. Maitre: Perfe Prol. Sommelier: Juan Carlos Muro.
Otros datos de interés: Comedores privados
Tarjetas: American Express, Visa Mastercard, 6000, Dinner club

ESPECIALIDADES AKELARE

Panceta de ibérico y gelatinosa menestra cruda

Vieira y zamburiñas con alcachofas

Bogavante asado con globo de especias

Gambas y camarones en polvo de su caparazón

Rodaballo con lentejas de mejillón estofadas, presa de ibérico, patata, cebolla y membrillo

Rabo de cordero deshuesado con macarrones de verduras

Tiramisú de zanahoria

Albaricoque y cerezas en las rocas de Igueldo

Arzak

Cocina vasca de autor, evolución y vanguardia

Arzak es uno de los precursores de la nueva culinaria española en el resto del mundo. Uno de sus grandes secretos es el cariño con el que prepara cada receta. Escolástica Arzak, abuela de Juan Mari, inculcó esta sencilla verdad a sus hijos y nietos. Siguiendo estos preceptos y utilizando las mejores materias primas de la tierra y del mar se confeccionan cada día viandas de una excepcional calidad.

Buena parte del prestigio internacional del restaurante se debe a la actividad que se desarrolla en su cocina de investigación. Cada día se investiga y experimenta con los sabores, las texturas y los procesos de elaboración. La carta, en constante evolución, cambia en función de los productos de cada temporada e incorpora nuevos y sugerentes conceptos. La creatividad, el ingenio y la inspiración deambulan con total libertad.

Esta importante tarea de investigación se desarrolla en un lugar tranquilo equipado con las más modernas instalaciones. Una de las grandes aportaciones de El Laboratorio es la lucha por encontrar el equilibrio exacto entre la vanguardia y las raíces de la tradición. Muy cerca coexiste un "Banco de Sabores" que contiene más de 1000 productos e ingredientes.

Juan Mari y su hija Elena dirigen un elenco de alquimistas que intentan descifrar los secretos del arte culinario. Este equipo humano es el responsable de que el restaurante Arzak se haya convertido en un punto de referencia para los amantes de la alta cocina.

ARZAK'S SPECIALITIES

Flower of egg and truffle in goose fat with date sausage
Graffiti of elliptic egg
Small squid inside out with cappuccino
Oyster soup and spinach & parsley juice with port
Lobster with oil of its coral and macaroni of fresh chives
Baked turbot with confit tomato, vegetables and brugnons (kind of peach)
Sea bass with scallops and leek ashes
Monkfish with bone marrow
Lamb with seaweed cake
Roast pigeon breast, the leg in brick parcel with cherries
Strawberry bubbles
Orangy poor knights with spinach

Arzak

Localidad: **San Sebastián (20015 Guipúzcoa)**
Dirección: Avda. Alcalde José Elósegui, 273
Teléfonos: **943 278 465 Fax: 943 272 753**
E-mail: restaurante@arzak.es www.arzak.es
Parking: Si, con aparcacoches
Propietario: Juan María Arzak Arratibel
Días de cierre y vacaciones: Domingos y lunes. Del 18 de junio al 5 de julio y del 5 al 29 de noviembre.
Decoración: Contemporánea
Ambiente: Cosmopolita
Bodega: Fastuosa
Otros datos de interés: Comedores privados
Tarjetas: American Express, 4B, Mastercard, 6000, Visa.

ESPECIALIDADES ARZAK

Flor de huevo y tartufo en grasa de oca con chistorra de dátiles
Graffiti de huevo elíptico
Txipirón al revés con capuchino
Sopa de ostras con zumo de espinacas y perejil con Oporto blanco
Bogavante con aceite de su coral y macarrones de cebollino fresco
Rodaballo al horno con tomate confitado, verduras y briñones
Lubina con vieiras y ceniza de puerro
Rape con hilos y medula
Cordero con bizcocho de algas
Pechuga de pichón asada y su muslo guisado en canutillo de brik con cerezas
Pompas de fresa
Torrijas anaranjadas con espinacas

Martín Berasategui

Entre los grandes

Martín Berasategui lleva toda una vida dedicada a la cocina. En sus primeros años de cocinero, tras heredar el negocio de su madre y forjar su temperamento gastronómico en el contacto con otros artesanos de las provincias vasco-francesas y Las Landas, recrea un recetario extensísimo, muy elaborado y con grandes dosis de técnica, algo muy poco habitual en su entorno.

Con el paso de los años perfecciona hasta cotas insospechadas su culinaria creando nuevas propuestas basadas en la calidad del producto. Infatigable recolector de la mejor materia prima del planeta y precursor del trabajo en equipo en los fogones, desde su restaurante de Lasarte sorprende a los comensales por su imaginación e ingenio.

Perfeccionista hasta la extenuación, Martín Berasategui es una auténtica enciclopedia de la gastronomía que deja a las generaciones posteriores un legado portentoso que desgrana, según la despensa de la temporada, en sus incomparables menús degustación. Esta síntesis magistral de su obra y su indudable calidad le encumbra como uno de los grandes de la alta restauración.

La constante búsqueda de nuevas recetas y la permanente reinvención de su repertorio no deja indiferente a nadie. Una visita a su establecimiento se convierte en un acontecimiento único e irrepetible.

MARTÍN BERASATEGUI'S SPECIALITIES

Stock of sauté baby squids with a crisp flake and creamy ravioli with the ink

Temperate chunk of foie gras, horseradish cream, raw cauliflower shavings and pod, red grape infusion

Sea-urchin & soy curd with the beans, creamy mocha with cinnamon and curry

Baked sole with oil of clams, citrus fruit, black mint, powdered with walnuts and dried tangerines

Baked sea bass with mollusc essence and root vegetables

Barbecued fillet steak with potato terrine, lard and cèpe mushroom preserve

Stuffed pig's trotters with toast of cèpe mushrooms and artisan Manchego cheese

Lukewarm cake with toasted almonds and honey ice cream

Chocolate soufflé with ice cream of caramel, cinnamon and cocoa juice

Martín Berasategui

Localidad: **Lasarte-Oria (20160 Guipúzcoa)**
Dirección: Loidi, 4
Teléfonos: **943 366 471 y 943 361 599. Fax: 943 366 107**
E-mail: info@restaurantemberasategui.com
www.martinberasategui.com
Parking: Amplio
Propietario: Martín Berasategui
Días de cierre y vacaciones: Domingo noche, lunes y martes.
Vacaciones: Mediados diciembre a mediados de enero
Decoración: Elegante mansión situada en plena naturaleza
Ambiente: Amantes de la más alta e imaginativa gastronomía
Bodega: Insuperable carta de vinos estructurada por climas (atlántico, meridional...)
Hombres y nombres: Jefe de cocina: Martín Berasategui, Jefe de sala: Oneka Arregui, Sumiller: Steve Labbé
Otros datos de interés: Capacidad a la carta: 60 comensales. Terraza estival de ensueño con vistas a la finca hortofrutícola familiar. Gran Menú Degustación (ocho o diez creaciones legendarias de la casa en pequeños bocados más cuatro o cinco nuevas propuestas)
Tarjetas: Todas

ESPECIALIDADES MARTÍN BERASATEGUI

Caldo de txipirón salteado con su crujiente y raviolis cremosos de su tinta

Taco de foie-gras atemperado, crema raifort, láminas crudas de coliflor y vaina, infusión de uva tinta

Cuajada de erizos y soja con sus brotes, cremoso de café, canela y curry

Lenguado asado con aceite de almejas, cítricos, menta negra, espolvoreado de nueces y mandarinas secas

Lubina asada con extracto de moluscos y tubérculos

Solomillo a la brasa con terrina de patata, tocineta ibérica y mermelada de hongos

Manitas de cerdo rellenas, con tosta de hongos y Artequeso manchego

Almendra tostada en pastel tibio, con sorbete de miel

Soufflé de chocolate con crema helada de caramelo, canela y jugo de cacao

Mugaritz

Pasión e investigación

Desde su apertura hace más de diez años, Mugaritz se ha confirmado como uno de los mejores restaurantes de España y uno de los diez mejores a nivel mundial, gracias al talento de Andoni Luis Adúriz, Premio Nacional de Gastronomía, uno de los cocineros más experimentales del norte de la península. Su enorme capacidad a la hora de combinar sabores e investigación con ingredientes que rescata del olvido o descubre en su entorno conforman platos sugestivos y perturbadores.

Observador culto y sensible, el perfeccionismo y la elementalidad son los cimientos del proyecto culinario de Adúriz que practica una cocina lúcida y cerebral pero absolutamente perceptible, de armoniosa belleza. Técnica, sacrificio, disciplina y un producto de excepción hacen de la culinaria de Mugaritz una propuesta sensorial y única.

Este restaurante de cocina de autor y creativa apuesta por las degustaciones, ofrece sólo dos menús degustación que se pueden personalizar con especialidades emblemáticas de la carta, previo aviso con dos días de antelación.

MUGARITZ' SPECIALITIES

Creative cuisine
Two tasting menus
Roasted and raw vegetables, shoots & leaves, hazelnut butter dressing and Emmental cheese
Crushed potatoes and eggs with vegetable coal
As pasta, amaranth cooked in a sardine stock with Norway lobster tails
Baby squid grilled on the vine-shoot-fired barbecue
Braised skate with fowl juice and chestnuts
Braised pig's trotters with a savoury toffee and fresh cream
Roast woodcock on a stew of Iberian pork with vegetables
Poor knight old-fashion style, browned in the pan and caramelised
Iced white-chocolate sphere on a dried fruit praline
Soft chocolate gateau of the house

Mugaritz

Localidad: **Rentería (20100 Guipúzcoa)**
Dirección: Aldura Aldea, 20. Caserío Otzazulueta (a 13 km. de San Sebastián)
Teléfonos: **943 518 343 - 943 522 455. Fax: 943 518 216**
E-mail: info@mugaritz.com www.mugaritz.com
Parking: Aparcamiento propio
Días de cierre y vacaciones: Cerrado domingos noche, lunes y martes todo el día. De mayo a septiembre, abierto también martes noche.
Decoración: Bucólico caserío ubicado en plena naturaleza. Elegante comedor, fusión de estilo contemporáneo y rural, con obras de autores vascos y una zona social en anexo.
Ambiente: Acogedor y cálido, un restaurante para sentir. Joven equipo de sala que maneja el ritmo del servicio con naturalidad.
Bodega: Magnífica carta de vinos, los mejores vinos españoles y de otras zonas vinícolas del mundo agrupados por características.
Hombres y nombres: Director y chef de cocina: Andoni Luis Adúriz. Sala: José Ramón Calvo.
Otros datos de interés: Situado a 20 minutos de San Sebastián, en el enclave de Landarbaso. Capacidad para 50 personas a la carta y 200 con menú concertado. Terraza de verano y jardín de hierbas aromáticas con más de cien variedades.
Tarjetas: Las principales.

ESPECIALIDADES MUGARITZ

Cocina creativa de autor
Dos Menús-Degustación
Verduras asadas y crudas, brotes y hojas, aliñadas con mantequilla avellana, aderezo generoso de queso Emmental
Patatas aplastadas, huevos rotos y carbón vegetal
A modo de pasta, amaranto guisado con un caldo de sardinas y colas de cigalitas
Chipirón asado a la brasa de sarmiento
Estofado de raya con jugo de ave y castañas
Manitas de cerdo estofadas en un toffe salado y crema fresca
Becada asada recostada sobre un guiso de cerdo ibérico y verduras
Torrija a la antigua, tostada a la sartén y caramelizada
Esfera helada de chocolate blanco sobre un guirlache roto de frutos secos
Pastel jugoso de chocolate con crema fría de leche, fondos dorados, pompas y cacao

Azurmendi

Eneko Atxa

Eneko Atxa estudió en la Escuela de Hostelería de Leioa y comenzó su trayectoria en la alta cocina de la mano de Martín Berasategui. Su pasión por los fogones nace de la admiración que sentía por la comida casera de la infancia. En Azurmendi se ha consolidado como uno de los más firmes valores de la cocina nacional e internacional gracias a su culinaria innovadora, basada en el legado histórico de la gastronomía del País Vasco y sus siempre generosos productos de la tierra. Fórmulas ingeniosas y laboriosas fruto de una mente despierta que no para de crear y unas manos que trabajan con destreza, precisión y dulzura. Con su profunda formación técnica consigue platos visualmente llamativos, cromáticos y preciosistas.

Emplazado en una ubicación privilegiada que reúne la belleza del paisaje vizcaíno con la comodidad de un rápido acceso a través de la Autovía del Txorierri, el complejo Azurmendi constituye un conjunto arquitectónico de extraordinario atractivo diseñado por el prestigioso arquitecto Iñaki Aspiazu. Un espacio apto para presentaciones y reuniones de empresa que requieran profesionalidad, modernidad, competitividad e innovación. Cuenta con un gran salón multiusos de 650 m^2 apto para 500 personas y diversas salas totalmente equipadas para conferencias con servicios que marcan la diferencia: cóctel en la bodega de txacolí más grande de Vizcaya, cursos de cata, cocina y maridaje de vinos. Además, estas edificaciones que combinan de forma equilibrada madera y piedra son también el marco ideal para celebraciones y banquetes.

AZURMENDI'S SPECIALITIES

Creative and market cuisine
Menu Bertako and Menu Geroko
Roast lobster with herbs and smoked-tea scent
Oyster with sea jelly, glasswort and natural scents from the sea
Wild mushroom soup with flowers and croutons
Confit & glazed dewlap or Iberian pork, ham croquette
with a liquid core and juice of roasted pepper
Baked turbot, baby squid coated with ink ashes, garlic cream
Salt cod, red onion stock and creamy pumpkin
Foie gras of duck with txakoli wine and crunchy vegetables
Crispy-roasted boned lamb, its juice and micro vegetables
Passionate chocolate

Azurmendi

Localidad: **Larrabetzu (48195 Vizcaya)**
Dirección: Barrio Leguina, s/n - Corredor del Txorierri, salida 25
Teléfonos: **944 558 866. Fax: 944 558 860.**
E-mail: info@azurmendi.biz www.azurmendi.es
Parking: Aparcamiento propio.
Días de cierre y vacaciones: Noches de lunes a jueves y domingos todo el día. Vacaciones: Semana Santa, Agosto y festivos en Navidad.
Decoración: Imponente y ecléctica arquitectura que fusiona la estética industrial con el estilo tradicional de los caseríos.
Ambiente: Rodeado por el verdor de los montes vascos, un entorno natural que transmite silencio y tranquilidad.
Bodega: Gran variedad de etiquetas.
Hombres y nombres: Chef: Eneko Atxa.
Otros datos de interés: A 7 km. del Aeropuerto y 10 de Bilbao, el restaurante Azurmendi forma parte de un flamante complejo enogastronómico junto con la bodega de txacoli Gorka Izaguirre.
Tarjetas: Las principales.

ESPECIALIDADES AZURMENDI

Cocina creativa y de mercado
Menú Bertako y Menú Geroko
Bogavante asado con refrito de hierbas y aromas de té ahumado
Ostra con gel de mar, salicornia y aromas naturales extraídos del mar
Sopa de setas, flores y picatostes
Papada de ibérico, confitada y glaseada con croqueta líquida de jamón y jugo de pimiento asado al carbón
Rodaballo asado, chipirón envuelto en ceniza de tinta y fina crema de ajo
Bacalao, caldo de cebolla morada de Zalla y untuoso de calabaza
Foie de pato asado al txakoli, espiral y crocantes vegetales
Cordero guisado y deshueado, crujiente, su jugo y micro-vegetales
Chocolate apasionado

ALAVA

Vitoria:

IKEA. Avda. Portal de Castilla, 27. Tel. 945 144 747.
ikea@restauranteikea.com - www.restauranteikea.com

Tras la reforma del local efectuada por el famoso diseñador Mariscal, IKEA se ha transformado en un local más amplio y moderno. Ofrece una innovadora cocina de mercado utilizando materias primas de calidad. Bodega muy completa con diferentes denominaciones, tanto nacionales como extranjeras.

ZALDIARAN. Avda. Gastéiz, 21. Tel. 945 134 822
contacto@restaurantezaldiaran.com - www.restaurantezaldiaran.com

Situado en el centro de Vitoria, cuenta con una dilatada trayectoria que le erige como un auténtico defensor de la alta cocina moderna. La carta en constante transformación expone platos evolutivos sin perder las señas de identidad, trabajando con los mejores productos del mercado.

GUIPÚZCOA

San Sebastián. **ARBELAITZ. Pº Mikeletegui, 53 (Parque Tecnológico Miramón) Tel. 943 308 220. arbelaitz@arbelaitz.com - www.arbelaitz.com**

En el corazón del Parque Miramón a las afueras de San Sebastián, José María Arbelaitz, mano derecha de su hermano Hilario del restaurante Zuberoa, es un chef muy experimentado con muchas virtudes culinarias. Destaca por la ambición de algunas de sus construcciones que ofrecen ingeniosas salsas y guarniciones, provocando llamativas armonías.

Hernani: **FAGOLLAGA. Ereñozu Auzoa, 68 (Barrio Fagollaga).**
Tel. 943 550 031. fagollaga@fagollaga.com - www.fagollaga.com

Isaac Salaberría es uno de los mejores baluartes de la joven cocina vasca, con un gran raudal de creatividad. Sus recetas son un derroche de sabiduría, técnica y virtuosismo, aunque también tienen cabida los platos clásicos del extenso recetario vasco. Rodeado de un hermoso y verde paraje tiene una amplia y bella terraza acristalada.

Oiartzun: **ZUBEROA JATETXEA. Pza. Besokoro, 1 (Barrio Iturriotz).**
Tel. 943 491 228. zuberoa@zuberoa.com - www.zuberoa.com

Instalado en un regio caserón con una agradable terraza, Hilario Arbelaitz se encuentra en el podio de la restauración española. Cada plato creado por este cocinero de reconocido prestigio, es una interpretación personal, ejemplar y actual de los sabores de la gastronomía vasca. Sus cocciones, tan cortas como sabias, logran siempre una jugosidad plena y un gusto inmejorable.

VIZCAYA

Bilbao:

ETXANOBE. Avda. Abandoibarra, 4 (Palacio Euskalduna). Tel. 944 421 071. etxanobe@etxanobe.com - www.etxanobe.com

En una dependencia del Palacio Euskalduna, con acceso mediante ascensor panorámico, se encuentra este establecimiento de gran éxito comercial. Fernando Canales apuesta por una cocina equilibrada, rica e intensa en aromas y una estética cuidada. La materia prima se convierte en la auténtica protagonista.

Amorebieta: **BOROA. Caserío Garay, 11. Barrio Boroa. Tel. 946 734 747. Fax: 946 309 397. boroa@boroa.com - www.boroa.com**

En un antiguo caserío del siglo XV, rodeado de robles centenarios y espectaculares vistas, este restaurante dispone de una taberna típica y varios comedores rústicos con vanguardistas obras de artistas vascos. En sus fogones están presentes el marisco gallego, pescados del Cantábrico asados a la brasa, las mejores carnes del país y recetas innovadoras que recogen las nuevas tendencias de la cocina más creativa.

GUGGENHEIM. Avda. Abandoibarra, 2 (Museo Guggenheim). Tel. 944 239 333. info@restauranteguggenheim.com www.restauranteguggenheim.com

En el interior del célebre museo, con una decoración contemporánea acorde al emplazamiento, Josean Martínez Alija prepara una cocina muy imaginativa con interesantes recetas vanguardistas. Se ha convertido por méritos propios en una referencia obligada en el ambiente gastronómico bilbaíno.

ZORTZIKO. Alameda de Mazarredo, 17. Tel. 944 239 743 zortziko@zortziko.es - www.zortziko.es

Es uno de los restaurantes más emblemáticos de Bilbao, situado en un céntrico y selecto palacete. La espléndida cocina de autor de Daniel García con modernas y refinadas creaciones de una técnica admirable, se ve acompañada por la impecable atención de un servicio atento y profesional y una decoración en la que la elegancia y el estilo se refleja en todos los detalles.

Galdakao: **ANDRA MARI. Bº Elexalde, 22. Tel. 944 560 005. andramari@andra-mari.com - www.andra-mari.com**

En este local, la cocina vasca tradicional adquiere una nueva dimensión. A partir de la inacabable despensa autóctona y con el recetario vasco como guía, la carta evoluciona hasta conseguir platos impactantes que recrean los sentidos, sin perder el eslabón con las raíces de siempre. Rincón del vino en el sótano, con una prensa de txacoli.

Andorra

Es el país de los Pirineos. La riqueza de su medio natural, con sus paisajes de montaña, convierte a Andorra en un lugar idóneo para disfrutar de la naturaleza. El caminante puede hacer por su idílico entorno recorridos pausados o rutas excitantes en busca de la aventura. Posee la mayor superficie esquiable de los Pirineos con 5 estaciones de esquí, 117 pistas que representan 286 km, 105 remontes y 1083 cañones de nieve que garantizan la práctica del deporte blanco durante toda la temporada. Por su situación geográfica y oferta turística, es el sitio ideal para el ocio y el descanso con numerosas zonas naturales o instalaciones para la tranquilidad, lejos del ruido y del estrés.

Su patrimonio arquitectónico, fruto de sus mil años de historia, es de enorme riqueza: iglesias románicas, capillas, puentes...así como sus tradiciones ancestrales que contribuyen a una identidad común.

Para los amantes de las compras, Andorra disfruta de un régimen privilegiado que permite vender sus productos de calidad a precios muy competitivos. Dispone de más de 1500 comercios con una gran variedad de marcas y de una amplia oferta hotelera que le sitúa como el marco adecuado para la celebración de congresos, reuniones o seminarios.

Oficinas de turismo de Andorra

ANDORRA LA VELLA. Plaça de la Rotonda. T. 00 376 827 117
CANILLO. Plaça del Telecabina (Soldeu). T. 00 376 851 002
ENCAMP. Plaça del Consell, 1. T. 00 376 731 000
ESCALDES-ENGORDANY. Plaça Coprínceps. T. 00 376 820 963
LA MASSANA. Plaça del Quart. T. 00 376 835 693
ORDINO. C/ Nou Vial, s/n. T. 00 376 737 080
PAS DE LA CASA. Plaça de l'esglesia. T. 00 376 855 292
SANT JULIA DE LORIA. Plaça de la Germandat. T. 00 376 844 345

La cocina andorrana

Las raíces de la gastronomía andorrana están claramente influenciadas por su accidentada orografía que ha marcado profundamente el modo de vida de sus habitantes. Las especialidades son las típicas de un país de montaña, que vivía fundamentalmente de la ganadería. Rebaños de vacas y ovejas poblaban sus valles, proporcionando una dieta cuyas materias primas principales son la carne, la leche y el queso, como el denominado queso de tupí, fermentado en un recipiente de barro con ajo y aguardiente.

En invierno, con la matanza del cerdo, se obtienen una gran variedad de embutidos: la donja, la bringuera, el bull, el bisbe, la longaniza, la butifarra y el jamón, que servía de base para los torreznos con miel. Se pueden degustar también los civets de jabalí o de liebre cocinados con vino y aromatizados con chocolate, así como la trucha a la pizarra o frita con jamón, las cocas y la ensaladas de chicoria. El plato de verdura más típico es el trinxat, preparado con col verde, patatas y trozos de tocino, que suele acompañarse con arenques salados y guindillas.

En Andorra, sentarse a la mesa en uno de sus variados restaurantes, ya sea típico (una borda o casa de montaña propia del país) o de cocina internacional, es un auténtico placer.

Andorra

En Escaldes-Engordany

A CASA CANUT*****	Av. Carlemany, 107	00 376 739 900	www.casacanuthotel.com
ROC BLANC****	Plaza Coprinceps,5	00 376 871 400	www.rocblanchotels.com

En Andorra La Vella

CROWNE PLAZA*****	Prat de la Creu, 88	00 376 874 444	www.plazandorra.com
DIPLOMATIC****	Av. Tarragona, s/n	00 376 802 780	www.diplomatichotel.com
ANDORRA CENTER****	Dr. Nequi, 12	00 376 824 800	www.besthotels.es

Hotel A Casa Canut *****

Un restaurante gastronómico con habitaciones.

Casa Canut es un referente en gastronomía y alojamiento en Andorra. Situado en la Avenida Carlemany, en pleno centro comercial del país, muy cerca del centro termolúdico Caldea y con un fácil acceso a todas las pistas de esquí del Principado.

En Casa Canut se disfruta de **la restauración más selecta del país**. En sus restaurantes, La Grandalla dels set pètals y La Barra del Canut, Ramón Canut ha conseguido transmitir su pasión por la buena mesa con una oferta gastronómica basada en la cocina de mercado, el pescado fresco y el marisco.

En esta casa se encuentra la calurosa acogida de un pequeño hotel familiar que hace que la estancia sea inolvidable. Conjugando el estilo con el lujo de los pequeños detalles, cada una de las 32 habitaciones recrea un entorno único y personalizado con mobiliario de diseñadores de renombre internacional, que las dota de un carácter excepcional.

Las habitaciones de autor son:

Top Class: Temenos. Luís XVI, Mackintosh, Orixxonti, Raffaello, Simplice, Sozzi, Van der Rohe, Ceccotti, Tresserra.

Class Room: Tusquets, Tissettanta, Halifax, Flou, Canove, Bertoia, Magistretti, Forcolini, Dordoni, Karma, Landare, Luca Meda.

Junior Room: Citterio, Starck, Mendini, Stella, Segesta.
Jacuzzi Room: Favignana, Encert, Corretge, Valentino, Archimoon.

SPECIALITIES OF A CASA CANUT GASTRONÓMICO

First-choice shellfish and crustaceans, vivarium for spiny lobsters and lobsters
Wild mushrooms all year round
Elvers on toast with aioli
Morels stuffed with goose liver
Brothy rice specialities, seafood paella
Spiny lobster and Norway lobster casseroles
Rice "a banda" with Norway lobsters
Fresh ravioli with prawns and black truffle
Wild sea bass and gilthead bream in a salt coat
Fillet and rib steak of French beef in a salt coat
Tartare of beef prepared in front of you
Shallow-fried duck liver with sauce of old port
Daily fresh pastries and confectionery:
Apple tart, rum savarin, flambé strawberries with pepper,
crêpes Suzette, warm mi-cuit of black chocolate with mint sorbet

A Casa Canut Gastronómico

Localidad: Escaldes-Engordany (AD 700 Principat d'Andorra).
Dirección: Avda. Carlemany, 107.
Teléfono: 00 376 739 900. Fax: 00 376 821 937.
E-mail: hotelcanut@andorra.ad
www.casacanuthotel.com
Parking: Aparcamiento propio. 24 horas al día, cubierto y vigilado.
Propietario: Ramón Canut.
Días de cierre y vacaciones: Abierto todo el año.
Decoración: Personalizada, de corte clásico y elegante. Intimidad garantizada en los deliciosos salones privados, de 10 a 40 comensales.
Ambiente: Gourmets. Una institución de la hostelería andorrana.
Bodega: Excepcional carta de vinos, magníficamente presentada y estructurada, cuenta con 780 referencias, guardadas con mucha atención.
Hombres y nombres: Todos los componentes de la familia y un equipo de 22 profesionales se esfuerzan en dispensar el mejor trato.
Otros datos de interés: El interés de Ramón Canut por conseguir una cocina de calidad ha convertido su restaurante gastronómico en una parada obligatoria para los amantes de la buena mesa que visiten Andorra.
Tarjetas: Todas.

ESPECIALIDADES A CASA CANUT GASTRONÓMICO

Mariscos de calidad, con viveros de langosta y bogavante
Setas durante todo el año
Tostadas de angulas con alioli
Colmenillas rellenas al foie de oca
Arroces caldosos y secos de marisco
Calderetas de langosta y cigalas
Arroz a banda de cigalas
Raviolis de pasta fresca de langostinos a la trufa negra
Lubinas y doradas salvajes a la sal
Solomillos y chuletones de buey francés a la sal
Tartare de buey elaborado frente al comensal
Hígado de pato poêlé al vino de Oporto añejo
Repostería elaborada a diario:
tarta fina de manzana, savarin al ron y fresas flambeadas a la pimienta, crepes suzette, mi-cuit de chocolate negro caliente al sorbete de menta fresca

Receta Hotel Roc Blanc

Atadillo crujiente de rabo de buey en camisa de col china sobre puré suave de apio al coulis de San Emilion

Ingredientes para 6 personas: 2kg. de rabo de buey, aceite, harina, 2 l. de vino tinto, 1 l. de salsa española, 250 gr. de zanahorias, 500 gr. de cebolla, 300 gr. de setas de temporada, clavo de olor, laurel, tomillo, 1 puerro, 3 dientes de ajo, 6 hojas de col china, 500 gr. de bulbo de apio, 250 gr. de crema de leche, 50 gr. de mantequilla, 8 hojas de pasta filo.

Elaboración: Salpimentar la carne, enharinarla y freírla a fuego vivo no mucho tiempo. Una vez frita colocarla en una cazuela mezclándola con las verduras, pochadas previamente y con las setas, echar el vino tinto, dejar reducir un poco , incorporar la salsa española y un poco de agua hasta cubrir todo y dejar cocer todo durante una 2 horas aproximadamente. Una vez cocido y habiendo dejado enfriar un poco, deshuesar y envolver en las hojas de col china, previamente cocidas para envolver todo en la pasta filo, introducir en el horno a 180º, durante unos 5 minutos.

Mientras tanto cocer el apio con agua y sal, triturar y añadir la nata, la mantequilla y un poco de puré de patata para que coja cuerpo.

Emplatado: Con un aro colocaremos el puré de apio y encima el atadillo previamente horneado.

ROC BLANC'S SPECIALITIES

Carpaccio of fresh salmon with avocado shavings and green-apple dressing
Curly lettuce with garlicky croutons, bacon and mustard seed dressing
Aubergine rolls stuffed with white tuna, crisp parmesan flake with pesto
Medallion of foie gras of duck mi-cuit, stewed rabbit stuffed with prunes on a mirror of port gelatine
Cold fillet of hake on vegetable stew with crisp leek flake and beef vinaigrette
Turbot with spinach & mushroom compote, cured-ham essence
Salt cod with potato flakes and onion in green herb sauce with poached egg
Barbecued sirloin steak Roc Blanc with walnut salad and mustard
Pig's snout, cooked in duck fat, with warm vinaigrette and walnut crocanti
Layered slice of duckling breast with mango and pan-fried escalope of fresh foie gras with guava jelly
Crisp parcel of granny Smith apple baked with calvados and orange caramel
Nest of tropical fruit with vanilla ice cream and wild berry coulis

Hotel Roc Blanc

Localidad: Les Escaldes (Principat d'Andorra).
Dirección: Plaça Coprinceps, 5.
Teléfono: 00 376 871 400.
Parking: Propio.
Propietario: Familia Torm.
Días de cierre y vacaciones: Abierto todo el año.
Decoración: Elegante, predominan espacios abiertos combinados con exuberantes plantas y la luz natural.
Ambiente: Distinguido y acogedor.
Bodega: Extensa. Vinos de España y de Francia.
Hombres y nombres: Chef de cocina: Roger Biosca. Maitre: Alex Prats.
Otros datos de interés: El hotel ofrece un total de 157 habitaciones totalmente renovadas, 93 de las cuales son Superiores, 4 Juniors Suites con bañera de hidromasaje y 3 Suites con bañeras de hidromasaje con espacio individual para 2 personas. Centro termal con diferentes programas de Salud y Belleza. Ocho salones de diferentes capacidades para todo tipo de eventos.
Tarjetas: Visa y Mastercard.

ESPECIALIDADES ROC BLANC

Carpaccio de salmón fresco marinado con escamas de aguacate y vinagreta de manzana verde
Ensalada frisé con costrones de pan de ajo y bacón a la mostaza antigua
Rollitos de berenjena rellenos de bonito con su teja crujiente de parmesano al pesto
Medallón de foie de pato mi cuit con fricasé de conejo relleno de ciruelas sobre espejo de gelatina al Oporto
Suprema de merluza fría sobre samfaina de verduritas con crujiente de puerro al vinagre de buey
Pavé de rodaballo con compota de espinacas y setas al extracto de jabugo
Dado de bacalao con escamas de patata y cebolla en salsa verde con huevo poché
Entrecot de buey Roc Blanc a la brasa en su ensaladita de nueces y mostaza
Careta de cerdo confitadas en grasa de pato a la vinagreta caliente y crocante de nueces
Milhojas de magret con mango fondant y su escalope de foie gras fresco en grillé al dulce de Guayaba
Hatillo crujiente de manzana smith asada al calvados y caramelo de naranja
Nido de fruta tropicales con helado de vainilla al coulis de frutos del bosque

Marquet Gourmeterie

La máxima calidad, el mejor gusto

Jordi Marquet, formado en Francia, en Toulouse, es un gran conocedor de los productos más selectos del mundo y de los mejores vinos. En su nueva ubicación, en la céntrica Plaça Co-princeps frente al emblemático Hotel Roc Blanc, nos acoge en sus modernas instalaciones: tres plantas convertidas en el paraíso del gourmet.

Jordi Marquet, propietario y anfitrión recibe con amabilidad y en varios idiomas a sus fieles clientes y amigos. Es un hombre culto pero campechano, filósofo y sabio, muy amigo de sus amigos, un personaje auténtico, refinado, sentimental y catedrático en las cosas del comer y del beber. Destacan la diligencia, saber estar y profesionalidad de sus hijos Guillem y Amalia, hoy en día al frente del establecimiento.

Los visitantes de Can Marquet tienen la seguridad de una estancia placentera en este lugar para grandes sibaritas.

MARQUET'S SPECIALITIES

Genuine high quality products:
Cured ham, salmon, cheese, caviar….
Different creative salads
Cured ham "Joselito"
Smoked salmon "Carpier"
Caviar "Kaspia"
French cheese "Xavier" (from Toulouse)
Foie gras "Comtesse du Barry "
Tournedos Rossini
Beef Stroganoff
Home made cannelloni

Marquet Gourmeterie

Localidad: Escaldes-Engordany (AD 700 Principat d'Andorra)
Dirección: Plaça Co-princeps, 3.
Teléfono: 00 376 820 722 Fax: 00 376 860 694.
E-mail: gourmeteriemarquet@andorra.ad
Parking: Aparcamiento comunal al lado.
Propietario: Familia Marquet.
Días de cierre y vacaciones: Abierto todo el año, excepto tardes y noches de domingos.
Decoración: Tres plantas. Bodega en planta inferior, tienda gourmet y comedor degustación.
Ambiente: Gourmets y sibaritas, amantes de la mejor calidad en productos y vinos.
Bodega: Más de 4.000 referencias, la mayoría de vinos franceses, con algunas joyas y piezas de subasta.
Hombres y nombres: Dirección: Guillem y Amalia Marquet.
Otros datos de interés: Casa fundada en 1974 por Jordi y Frédèrique Marquet.
Tarjetas: Todas.

ESPECIALIDADES MARQUET

Productos auténticos de máxima calidad:
jamón, salmón, quesos, caviar....
Surtido de ensaladas creativas
Jamón Joselito
Salmón ahumado Carpier
Caviar Kaspia
Quesos Xavier (de Toulouse)
Foie-gras Comtesse du Barry
Tournedos Rossini
Boeuf Strogonoff
Canelones de la casa

La Tagliatella

Auténtico sabor italiano

Es un restaurante que ha conquistado la aceptación del público por su dirección familiar y el contacto diario con el comensal. Ante la proliferación de la oferta gastronómica, esta casa alcanza una notable puntuación por su justa relación calidad-precio.

En Andorra es el lugar idóneo para disfrutar de pastas frescas de máxima calidad, elaboradas artesanalmente utilizando productos naturales y pizzas creativas preparadas al momento con los mejores géneros e ingredientes.

Laura y Josep son los miembros visibles de la familia Sánchez, propietarios del restaurante La Tagliatella, que dispensan un trato exquisito en este rincón de Italia en Andorra.

LA TAGLIATELLA'S SPECIALITIES

Italian cookery
A la carte menu in steady evolution
Twenty different artisan pastas and forty sauces to be combined in a lot of delightful dishes
Carpaccio of beef
Crunchy and imaginative fresh salads
Risottos
Creative pizzas prepared with first-choice ingredients
Tiramisù
Panna cotta
Almond ice cream with lemon

La Tagliatella

Localidad: Escaldes-Engordany (AD 700 Principat d'Andorra)
Dirección: C/ del Feners, 9 (a espaldas del Hotel Delfos).
Teléfono: 00 376 866 177.
Parking: Aparcamiento público a 5 minutos.
Propietario: Familia Sánchez.
Días de cierre y vacaciones: Abierto cada día del año.
Decoración: Elegante y diferente.
Ambiente: Para satisfacer todos los gustos y sensibilidades.
Bodega: Vinos italianos, Rioja y Ribera del Duero.
Hombres y nombres: Dirección: Laura y Josep Sánchez. Maitre: Eduardo Paz.
Otros datos de interés: Abierto desde el año 2005, capacidad total hasta 200 comensales en varios comedores, cocina a la vista y excelente relación calidad-precio.
Tarjetas: Todas, excepto American Express.

ESPECIALIDADES LA TAGLIATELLA

Cocina italiana
Carta en constante evolución
Veinte variedades de pastas artesanas y cuarenta salsas para combinar una infinidad de posibilidades
Carpaccios de ternera
Ensaladas frescas e imaginativas
Risottos
Pizzas creativas con ingredientes de primera calidad
Tiramisú
Panna cotta
Helado de turrón con limón

Receta Celler d'en Toni

Civet de ciervo

Ingredientes para 6 personas: 2 kg. y medio de carne de ciervo, ¼ l. de aceite, 1 l. de caldo de ave, harina, sal y pimienta.

Maceración: 2 zanahorias, 2 cebollas, 2 puerros, ½ l. de vino tinto de buena calidad, canela en rama, pimienta negra en grano, laurel y tomillo.

Preparación: En un bol grande, preparar la maceración, poner la carne de ciervo, previamente limpia, cortada en dados grandes, incorporar las zanahorias, cebollas, puerros cortados en trocitos, añadir la pimienta negra en grano, el laurel, el tomillo, la canela en rama. Bañar con el vino tinto. Dejar macerar 24 horas en lugar fresco.

Pasado ese tiempo, colarlo todo y separar la carne de las verduras. Enharinar la carne y, en una sartén al fuego con aceite caliente, dejar dorar los pedazos de carne dándoles vueltas para que se doren por igual. Cuando esté toda la carne dorada, reservar en una cazuela de barro. Poner otra vez la sartén al fuego, y en el mismo aceite poner todos los elementos de la maceración, menos el vino. Dejar rehogar. Pasados unos 15 minutos, añadir el vino de la maceración, remover constantemente con espátula de madera.

En un cazo aparte, poner el caldo al fuego. Cuando esté caliente, añadir todo lo de la sartén, dejar hervir unos 15 minutos más. Retirar del fuego y pasar todo por el colador chino, incorporar a la cazuela de barro donde está la carne de ciervo, sazonar y dejar a fuego lento hasta que la carne esté tierna. Servir en la misma cazuela.

CELLER D'EN TONI'S SPECIALITIES

Market cookery
The à la carte menu changes 3 or 4 times a year
Cannelloni Maestro Toni's style
River trout Andorran style
Jugged venison
Partridge with vinaigrette dressing
Lobster gazpacho (in summertime)
Lukewarm monkfish salad with fresh fruits
Three filets mignons of veal wrapped in bacon from Jabugo
Risotto with black truffles
Turbot with garlic shoots
Fresh fish according to catch
Carpaccio of marinated salt-cod
Home-made pastries and confectionery
Apple tart, upside-down Tatin tart, rich cream caramel, tiramisú,...

Celler d'en Toni

Localidad: Andorra La Vella (Principat d'Andorra).
Dirección: C/ Verge del Pilar, 4.
Teléfono: 00 376 862 750.
Parking: Aparcamiento público enfrente (Galerías Plaza) y aparcamiento Comunal a 50 mts.
Propietario: Ramón Sasplugas y familia.
Días de cierre y vacaciones: Cerrado domingos noches, excepto los meses de diciembre y agosto. Vacaciones: la 1ª quincena de julio.
Decoración: Noble, techos altos abovedados y grandes frescos pintados por Florit.
Ambiente: Público local, el mundo de la política, la empresa y visitantes procedentes de Barcelona y Valencia principalmente.
Bodega: Excepcional, una de las mejores de Andorra. Gran selección de vinos españoles, franceses, cavas y champagnes. Vinos de colección. El celler denominado "l'Amagat" se usa como salón privado en ocasiones especiales (hasta 20-22 p.).
Hombres y nombres: Director-Maitre: Ramón Sasplugas. Jefe de sala: J. A. Piqué. Jefes de cocina: Jordi Guerrero y Ramón Sasplugas (hijo).
Otros datos de interés: Abierto desde 1964, es el buen restaurante de toda la vida, una refinada mesa con 40 años de tradición en pleno centro de Andorra La Vella (junto a S.T.A., la Telefónica de Andorra).16 habitaciones.
Tarjetas: Todas.

ESPECIALIDADES CELLER D'EN TONI

Cocina de mercado
La carta cambia 3 ó 4 veces al año
Canelones al estilo del Mestre Toni
Trucha de río a la andorrana
Civet de ciervo
Perdiz a la vinagreta
Gazpacho de bogavante (en verano)
Ensalada tibia de rape con frutas naturales
Tres filets mignon al bacon de jabugo (ternera francesa)
Risotto a la trufa negra (melanus porum)
Turbot al ajo tierno
Toda la gama de pescados frescos según la lonja
Carpaccio de bacalao marinado
Repostería propia
Coca de manzana, tatin, tocinillo de cielo, tiramisú,...

Francia

A orillas del Mediterráneo el Languedoc-Roussillon les ofrece:

300 días de sol por año, sus conocidas ciudades costeras, sus típicos pueblos de pesca, sus puertos deportivos, 200 km. de playas desde la frontera española hasta la Camargue, una laguna única en Europa con sus flamencos rosas, sus criaderos de ostras y sus deportes de vela.
Decididamente, la naturaleza y los hombres hicieron bien las cosas. La comarca del Roussillon es particularmente privilegiada: el visitante tiene al alcance de la mirada las cimas verdes o nevadas de los Pirineos, los viñedos donde crecen nuevos vinos de prestigio, los huertos de la planicie, las mimosas, las palmeras del litoral y preciosas poblaciones como Céret o Collioure.
Festivales de renombre, ferias tradicionales, acontecimientos deportivos, famosos museos ... podrán encontrar muchos pretextos para una estancia agradable o para un sólo día de paso. Descubra este arte de vivir, estos sabores desconocidos.
Aquí se respira un perfume raro, el del exotismo.

Languedoc-Roussillon

Región abierta al sol, rica en horizontes de una variedad inaudita, cumple con las promesas de un cambio radical. Se pueden lanzar todos los retos de la aventura gracias a la multitud de actividades y ocios propuestos. La costa ofrece los placeres náuticos que se pueden declinar al infinito: remo, kayak de mar, plancha de vela, submarinismo. La aventura está igualmente en el corazón de los valles, en las reservas naturales o en las cimas de las montañas. Otras tantas invitaciones a la conquista de nuevas libertades.
Euroregión entre España y Francia, cerca de Barcelona, Toulouse y Montpellier, con una red de vías ferroviarias, aéreas y de autopistas que aseguran la comunicación con las grandes ciudades europeas, dispone de infraestructuras y equipamientos a la medida de sus objetivos.

Oficina de turismo, representación en España:

Maison du Languedoc-Roussillon,
C/ Pau Claris, 77. 08010 Barcelona.
Telf. 93 412 04 28 - Fax: 93 301 05 65

Hotel Relais des Trois Mas****

Desde por la mañana Collioure es suya: disfrute del desayuno servido en la habitación, en una de las terrazas en verano o en uno de los salones en invierno.

Nuestros albornoces le permiten llegar a un gran jacuzzi (whirpool) que domina el mar y la bahía de Collioure: el agua permanece siempre a 37°, aún en invierno, ¡no se olviden el bañador!. Durante el día, disfrute del mar: acceso directo a la playa, piscina calentada y desde Semana Santa a los primeros fríos de Noviembre, solarium. Muy cerca, submarinismo y vela; en las proximidades: tenis, equitación, golf, 4X4, sin olvidar los viñedos (Banyuls, Collioure), las iglesias románicas, los castillos catharos y los Pirineos.

El hotel "Relais des Trois Mas" es el lugar ideal para hacer muchas cosas o no hacer nada en absoluto.

Bajo la misma dirección: *Hotel Restaurante L'ARAPÈDE****

(20 habitaciones) Route de Port-Vendres. Collioure. T.00 33 468 980 959

LA BALETTE'S SPECIALITIES

The à la carte menu changes according to the fresh produce and the season

Three tasting menus: "Balade", "Promenade" and "Voyage Gourmand"

Compression of foie gras of duck and cured Jabugo ham, apple preserve with white wine from Banyuls, toasted brioche

Sea bass from our coast gently cooked in olive oil, peppered artichoke ravioli, chicken juice with confit lemon

Fillet of veal grilled in the pan, green asparagus in different preparations, bonbon of foie gras, veal juice with red wine from Banyuls

Crisp pear-caramel round, light vanilla custard, pear & ginger sorbet

La Balette

Localidad: **Collioure (66190 Francia)**
Dirección: Route de Port-Vendres.
Teléfonos: **00 33 468 820 507** **www.relaisdestroismas.com**
E-mail: **contact@relaisdes3mas.com**
Propietario: Sarah Juan.
Días de cierre y vacaciones: Ninguno. Vacaciones del 16 de Noviembre al 18 de Diciembre.
Decoración: Diferentes terrazas o salón frente al mar portando nombres de pintores.
Ambiente: Acogedor.
Bodega: Completa.
Hombres y nombres: Chef: Frédéric Bacquié.
Otros datos de interés: 23 habitaciones (con 4 suites) todas diferentes. Pueden acogerles en individual o en familia, en desplazamiento de negocios o en grupo. Encontrarán: decoración personalizada al nombre de un pintor, bañera de hidromasaje, vista al mar, aire acondicionado, mini bar, caja fuerte, televisión satélite (Tv1, Tv2, Tv3, Canal 33), teléfono directo. Además, piscina climatizada, sauna, jacuzzi exterior con vistas a la iglesia de Collioure, jardines y acceso directo al mar.
Tarjetas: Visa, Mastercard y Eurocard.

ESPECIALIDADES LA BALETTE

La carta cambia según productos frescos y estaciones

Tres menús degustación: "Balade", "Promenade" y "Voyage Gourmand"

Compresión de foie de pato y jamón de Jabugo, mermelada de manzanas al vino blanco de Banyuls, tostada de brioche

Lubina de nuestra costa confitada en aceite de oliva, ravioli de alcachofa a la pimienta, jugo de pollo al limón confitado

Solomillo de ternera lechal del país en sartén, declinación de espárragos verdes, bombón de foie, jugo de la ternera al vino tinto de Banyuls

Crujiente pera-caramel, crema ligera a la vainilla, sorbete pera-jengibre

Hotel Les Templiers

Una historia de arte y amistad

Esta casa se abre como una "ventana sobre Collioure". Collioure, lugar de encuentro mítico al borde del Mediterráneo, al pie de los Pirineos. Collioure, ciudad de los pintores y los artistas que han dejado todos una huella de su paso y de su amistad por la hostería des Templiers.

Joya de esta costa, Collioure se beneficia de un marco auténtico y un entorno protegido. Seduce por la suavidad de su clima, la calidad de sus aguas transparentes y sus playas de bandera azul. Los inviernos son tan dulces y los veranos tan largos, que es un lugar ideal para pasar unos días de vacaciones en cualquier época del año, disfrutando del bienestar y el arte de vivir catalán en Rosellón.

De Picasso a Dufy, de Mucha a Survage, es aquí que han probado una copa de Banyuls esperando la bouillabaisse o el capón. Les Templiers es una historia de arte y amistad que continua de padres a hijos. Generaciones de pintores y escultores han pasado por este hotel "diferente" donde el público se entiende en todas las lenguas. Este templo del pescado fresco es también un museo sin prejuicio. Cada habitación, cada comedor, cada pasillo expone obras originales, testigos del agradecimiento a esta familia. Hoy en día, Jojo Pous y su hija Manée capitanean este bello navío cargado de memoria, fidelidad y fantasía.

LES TEMPLIERS' SPECIALITIES

Traditional Catalonian cookery

Menu "Les Templiers": 23 €

Anchovies from Collioure and roasted vegetables

Deep-fried squid rings in egg coating

Fish fry

Fresh fish according to the fish market offer

Gently-roasted lamb Catalonian style with garlic

Blanc-manger with fresh raspberries and coulis

Almond ice cream

Les Templiers

Localidad: **Collioure (66190 Francia).**
Dirección: Quai de l'Amirauté, 12.
Teléfono: **00 33 468 983 110.**
E-mail: info@hotel-templiers.com
www.hotel-templiers.com
Parking: Aparcamiento público a 5 minutos.
Propietario: Jojo y Manée Pous.
Días de cierre y vacaciones: Abierto cada día del 1 de Abril al 30 de Septiembre. Resto del año (excepto en vacaciones escolares), cerrado miércoles y jueves. Vacaciones: 4 semanas después de Reyes.
Decoración: Más de 1000 pinturas originales decoran esta casa.
Ambiente: Distendido y vacacional. Punto de encuentro de los artistas.
Bodega: Muy representativa de los vinos de la región: Collioure y Roussillon.
Hombres y nombres: A su servicio, un equipo estable en un ambiente familiar.
Otros datos de interés: Cuarta generación al frente del establecimiento. Terraza al pie del "Château Royal". Dispone de 24 habitaciones más un anexo.
Tarjetas: Visa, MasterCard y American Express.

ESPECIALIDADES LES TEMPLIERS

Cocina catalana tradicional

Menú "Les Templiers": 23 €

Anchoas de Collioure y escalibada (plato típico)

Calamares a la romana

Fritura de pescados

Pescados de la lonja del día al estilo de Pauline

Cordero catalán confitado al ajo

Manjar blanco con frambuesas frescas y coulis

Helado de turrón

Casino Font-Romeu

Jugar y ganar

El famoso Casino Font-Romeu estrenó nueva gerencia en el año 2007. Con la llegada de José María Giménez Maldonado y Jean Christophe Solere, los más jóvenes gerentes de casino de Francia, las instalaciones han sido convenientemente actualizadas creando espacios más modernos y adaptados a los tiempos. Una oferta de ocio completa que presenta numerosas actividades lúdicas: casino con juegos tradicionales y 44 máquinas recreativas (las máquinas francesas ofrecen una tasa de redistribución que alcanza hasta 90%, lo que deja más probabilidad de ganar para los jugadores), cine con una capacidad de 277 butacas, discoteca El Papagayo, de estilo barroco para disfrutar de todo tipo de música y el restaurante Le Llat, un acogedor chalet de madera donde se apuesta por una carta tradicional que se renueva según la temporada.

Font-Romeu

En Francia, a un paso de España, en el hermoso marco de los Pirineos Catalanes (Rosellón), en la histórica comarca de la Alta Cerdanya, Font-Romeu es una bella localidad de montaña idónea para visitar en cualquier época del año. Propone también un dominio esquiable de los más modernos y seductores del macizo, realzado por una naturaleza incomparable. Aire puro, luz intensa, Font-Romeu es conocida como la estación de esquí más soleada de Francia, con más de 3000 horas de sol al año. Verdadera joya de los Pirineos, es una de las estaciones de invierno mejor equipadas de Europa: 460 cañones de nieve, 54 km. de pistas esquiables y 100 de esquí de fondo perfectamente trazadas y balizadas con distintos niveles de dificultad.

CASINO FONT-ROMEU'S SPECIALITIES

Traditional cookery

Four menus (15, 19.50, 38 and 60 €)

Salmon tartare, tapenade (puree of black olives, capers, anchovies), light salad

Foie gras of the house, salad medley with pumpkin seed oil, bread roll with anchovies and lard

Risotto with prawns, cuttlefish and scallops

Pan-fried scallops, vegetable mix with olive oil, crouton with tapenade

Whole magret of duck with orange, sweet & sour sauce, couscous of raw artichokes

Entrecôte steak with morels

Lemon-vanilla Catalonian crème brûlée, almond cookie

Sorbet of goat cheese and honey, watermelon, orange & vanilla preserve

Gazpacho of strawberries, white chocolate ice cream, cocoa cookie

Casino Font-Romeu

Localidad: Font-Romeu (66120 Francia)
Dirección: Av. Emmanuel Brousse, 46
Teléfonos: 00 33 468 300 111. Fax: 00 33 468 303 374
E-mail: contact@casino-font-romeu.com
www.casino-font-romeu.com
Parking: Fácil aparcamiento.
Días de cierre y vacaciones: Abierto los 365 días del año.
Decoración: Actualizada. Nuevo marco elegante y moderno.
Ambiente: Variado y cosmopolita.
Bodega: Carta de vinos de la región.
Hombres y nombres: Gerentes: José María Giménez Maldonado y Christophe Solere.
Otros datos de interés: Casino con juegos tradicionales y 44 máquinas recreativas. Restaurante "Le Llat" (El Lago) con terraza, discoteca Papagayo y nueva sala de cine. Se atiende en castellano.
Tarjetas: Todas.

ESPECIALIDADES CASINO FONT-ROMEU

Cocina tradicional
Cuatro Menús (15, 19'50, 38 y 60 €)
Tartar de salmón, tapenade, ensalada ligera
Foie gras de la casa, mezclum al aceite de pepitas de calabaza, panecillo con anchoas y tocino
Risotto con gambas, sepia y vieiras
Vieiras a la sartén, méli mélo de legumbres al aceite de oliva, picatoste con tapenade
Magret entero a la naranja, salsa agridulce, cuscús de alcachofas crudas
Entrecot con colmenillas
Crema catalana limón-vainilla, teja de almendra
Sorbete de queso de cabra y miel, mermelada de sandía, naranja, vainilla
Gazpacho de fresas, helado de chocolate blanco, teja al cacao

Chez Pujol

Pasión por el pescado

Fundada en 1958, esta tradicional casa de Port-Vendres estrenó nueva propiedad en abril 2010. Desde su fundación, Chez Pujol es un clásico restaurante del Puerto, muy recomendable para saborear la completa gama de productos del mar: pescados, mariscos, crustáceos, siempre de frescas garantías...del mar a la mesa. El concepto es original, en la pescadería anexa los comensales pueden escoger la pieza deseada y degustarla en el restaurante con la preparación elegida: plancha, horno, a la sal...Las instalaciones gozan de inmejorables vistas sobre el Puerto, original decoración y sugerente atmósfera. El servicio despliega amabilidad y profesionalidad. Dispone también de una sala apropiada para fiestas y seminarios.

Bajo la misma dirección:
Le Jardin de Saint-Sébastien. Av. du Fontaulé, 10. **Banyuls-sur-Mer.** T. 00 33 468 552 264.
Este restaurante, instalado en el jardín de una gran finca vitícola, ofrece un marco idílico con vistas al "Cap Béar" y mesas a la sombra de los olivares. Los amantes de los buenos vinos estarán contentos, aquí se sirven exclusivamente los vinos producidos en esta finca, elaborados por el enólogo Romuald Perrone, propietario de la misma. La carta privilegia la parrilla: carnes y pescados.

Le Trémail. C/ Arago, 1. **Collioure.** T. 00 33 468 821 610. Pescado fresco, zarzuelas, parrilladas, mariscadas.
Le France. Muelle Forgas. **Port-Vendres.** T. 00 33 468 820 144. Pescado fresco, mariscos, tapas, pizzas, crepes, helados.

CHEZ PUJOL'S SPECIALITIES

Fish and seafood specialities
Traditional Catalonian cookery
Several menus from 18 till 48 €
Whole fish to share:
Sea bass, gilthead bream, turbot, John Dory (carved and flambé in the dining room)
Oysters from Oleron and Bouzigues (France)
First-choice cured ham "Pata negra"
Foie gras mi-cuit with fig chutney
Prawns flamed with whisky
Seafood platter
Grilled lobster and spiny lobster
Bouillabaisse of the house
Duck magret
Rack of lamb with herb crust and rosemary juice
Cheese board, home-made desserts and ice creams

Chez Pujol

Localidad: **Port-Vendres (66660 Francia)**
Dirección: Muelle Forgas, 17
Teléfonos: **00 33 468 820 139** **E-mail:chez.pujol@wanadoo.fr**
www.chezpujol.com
Parking: Aparcamiento público cercano.
Propietario: Franck y Florence Fulliquet.
Días de cierre y vacaciones: Abierto todo el año. Vacaciones: 5 semanas en enero y febrero.
Decoración: Magnífica terraza frente a los barcos y salón panorámico climatizado en primera planta.
Ambiente: Ideal para degustar pescado fresco o crustáceos con privilegiadas vistas sobre el Puerto.
Bodega: Bien diversificada, vinos de la región, Burdeos, Borgoña, la Loire...
Otros datos de interés: Casa tradicional fundada en 1958, nueva propiedad desde abril 2010. Frente al Puerto, la mejor terraza de Port-Vendres. En la pescadería anexa, de los mismos propietarios, el comensal puede escoger la pieza deseada, se pesa y se degusta en el restaurante. Comidas hasta las 15 h. Se habla catalán y español.
Tarjetas: Todas.

ESPECIALIDADES CHEZ PUJOL

Pescados y mariscos
Cocina tradicional catalana
Varios Menús desde 18 hasta 48 €
Pescados enteros para compartir:
lubina, dorada, rodaballo, San Pedro...cortados y flambeados en sala
Ostras de Oleron y Bouzigues
Jamón "Pata Negra"
Foie gras micuit, chutney de higos
Gambas flambeadas al whisky
Mariscada Real
Bogavante y langosta al grill
Bullabesa de la casa
Magret de pato
Carré de cordero en costra de hierbas, jugo de romero
Plato de quesos, postres caseros y helados

Hotel Restaurante Planes

Saga hostelera familiar

Siempre es una grata experiencia descubrir esta atractiva casa familiar con más de un siglo de historia, tradición y buen hacer. Aquí hospitalidad y buena cocina son los mayores protagonistas. Hace más de 115 años, la familia Planes, originaria de la localidad de Bellver de Cerdanya, descubrió la Cerdanya francesa y se instaló en 1895 en el molino de la cercana población de Err para después llevar las riendas de este establecimiento que fue casa de postas en sus inicios.

Hoy en día, la quinta generación, Jean-Luc y Eric Planes, dirigen el Hotel Planes y Planotel, ambos situados en la vieja villa de Saillagouse en el corazón del patrimonio románico, a 10 minutos de España, una hora de Andorra y dos de Barcelona. Una ubicación privilegiada en la magnífica Cerdanya francesa, a 1300 metros de altitud en los Pirineos catalanes, a dos minutos de los baños romanos de Llo, diez del Horno Solar de Odeillo y treinta del Parque Zoológico de "Les Angles".

Hotel Planes y Planotel son lugares idóneos durante los 365 días del año para disfrutar de verdaderos momentos de relajación en contacto con la naturaleza. Las instalaciones disponen de confortables habitaciones bien acondicionadas, parque de 1400 m^2, piscina cubierta y climatizada, sauna y gimnasio para ponerse en forma, antes o después de un día de excursión por los bellos parajes circundantes o practicar esquí en las pistas de las cercanas estaciones de "Les Angles" o Font-Romeu.

Es indispensable probar la cocina del restaurante Planes, un restaurante gastronómico donde saborear típicos platos de montaña y refinadas especialidades catalanas con buenos productos de temporada. Una cocina generosa, siempre cuidada y regular, elaborada con tiempo y cariño. Además, fórmulas rápidas en La Brasserie: menú a precio reducido y pequeña carta.

CAN PLANES' SPECIALITIES

Traditional cookery

Typical dishes from the Catalonian Pyrenees

The à la carte menu changes according to the season

Different menus: Brasserie, delight and tasting

Home made terrine of foie gras

Regional cod cuts

Fondues and raclettes

Boned pig's trotters with mustard cream

Beef, lamb and game specialities

Duck with raisins

Apple tart with caramel sauce and honey ice cream

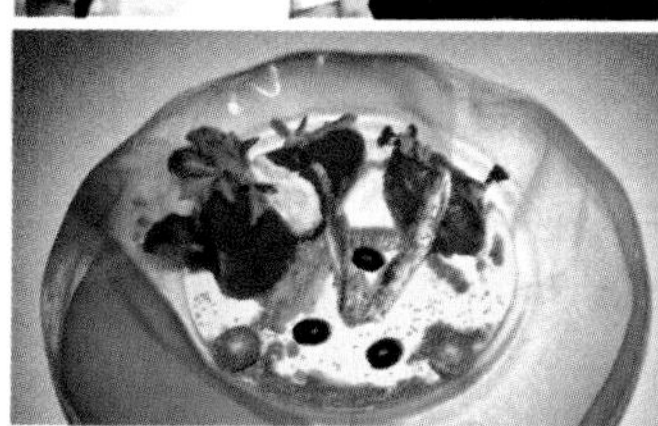

Can Planes

Localidad: **Saillagouse (66800 Francia)**
Dirección: Place de Cerdagne, 6
Teléfonos: **00 33 468 047 208. Fax: 00 33 468 047 593**
E-mail: hotelplanes@wanadoo.fr
www.planotel.fr
Parking: Aparcamiento gratuito enfrente.
Propietario: Familia Planes.
Días de cierre y vacaciones: Restaurante cerrado domingos noches y lunes todo el día. Hotel abierto cada día.
Decoración: Rústica, con chimenea y techos altos.
Ambiente: Mucho público catalán, de Barcelona y del sur de Francia. Un clásico de la comarca.
Bodega: Más de 150 referencias. 80 de vinos de la región y otras zonas vinícolas de Francia.
Hombres y nombres: Director General: Eric Planes. Jefe de cocina: Jean-Luc Planes.
Otros datos de interés: Regentado por la misma familia desde 1895, esta antigua casa de postas ha atendido a varias generaciones de clientes. Capacidad hasta 120 comensales.
Tarjetas: Todas.

ESPECIALIDADES CAN PLANES

Cocina tradicional

Platos típicos del Pirineo catalán

La carta cambia según la temporada

Varios Menús: Brasserie, Placer y Degustación

Terrina de foie gras hecha en casa

Embutidos de la región

Fondues y raclettes

Pies de cerdo deshuesados con crema de mostaza

Carnes de buey, cordero, caza...

Pato con uvas pasas

Tarta de manzana con salsa caramelo y helado de miel

Receta **Chavant**

Bogavante "brûleur de loup"

Ingredientes para 4 personas: 4 bogavantes vivos (400/500 gr. c/u.), 1 vaso de vino blanco, 3 cl. de cognac, 150 gr. de salsa bearnesa y 1 cl. de Chartreuse.

Elaboración: Echar el vino blanco en el fondo de un plato con los bogavantes vivos e introducir en el horno a 200º C durante 12 minutos.

Sacar los bogavantes del horno y cortarlos en dos a lo largo, romper y pelar las pinzas y colocarlas sobre la parte del coral.

Preparar la bearnesa con 1 cl. de Chartreuse, napar la carne de los bogavantes, pasar al horno a 240º C para dorarla.

Montar en un plato de metal pasado por encima del fuego para calentarlo.

Al último momento, echar el cognac sin salpicar la carne de los bogavantes, prender una cerilla y flambear los bogavantes.

CHAVANT'S SPECIALITIES

Fricassee of wild mushrooms with escalope of duck liver

Smoked salmon of the house

Tempura-fried asparagus with sweet & sour sauce

Juicy rice with freshwater crayfish

Lobster "brûleur de loup"

Lamb's sweetbreads with morels

Quail Emile Chavant

Lobster à la Rossini

Charolais beef with potatoes en cocotte and béarnaise sauce

Artisan desserts form the trolley

Chavant

Localidad: **Bresson-Grenoble (38320 Francia).**
Dirección: C/ Emile Chavant, 2.
Teléfono: **00 33 476 252 538.** **Fax: 00 33 476 620 655.**
E-mail: chavant@wanadoo.fr **www.chavanthotel.com**
Parking: Aparcamiento privado.
Propietario: Jean Pierre y Danièle Chavant.
Días de cierre y vacaciones: Cerrado sábados al mediodía, domingos noche y lunes todo el día, excepto grupos. Vacaciones: de Navidad al 1 de enero.
Decoración: Rústica, con maderas nobles.
Ambiente: Intimidad, refinamiento, convivencia, autenticidad.
Bodega: Seleccionada por el sommelier, degustación y venta a precios de bodegas.
Hombres y nombres: Chef de cocina: Jean Pierre Chavant. Sommelier: Jean Charles. Jefa de sala: Danièle Chavant.
Otros datos de interés: Establecimiento familiar desde 1852. A 7 km. de Grenoble, un pequeño paraíso gastronómico con salones privados, terraza, siete suites, jardines, piscina y espacios verdes. Golf internacional al lado. Organiza semanas gastronómicas temáticas a lo largo del año, como la "noche rusa".
Tarjetas: Todas.

ESPECIALIDADES CHAVANT

Fricassée de setas del bosque y su escalopa de foie de pato

Salmón ahumado de la casa

Espárragos en tempura con salsa agridulce

Risotto meloso con cangrejos de río

Bogavante "brûleur de loup"

Riz de veau a las murgulas

Codorniz Emile Chavant

Bogavante asado a la rossini

Charolais con patatas cocotte a la bearnesa

Carro de postres artesanos

Portugal

En el extremo suroeste de la Península Ibérica, su situación, 850 km. de costa atlántica desde las aguas más batidas del norte a las más cálidas y tranquilas del Algarve, determinó desde tiempos antiguos su vocación marítima.
Las ventajas naturales de un país de cielo azul, sol brillante y sorprendente variedad geográfica hacen de Portugal un destino ideal para la práctica de deportes náuticos y otros como el golf, dotado de modernas infraestructuras turísticas.
Oporto, Sintra, Obidos, Setúbal, Coimbra, Aveiro, Nazare, Viana do Castelo, Evora, El Algarve, los archipiélagos de las Azores y Madeira son lugares que no se pueden dejar de visitar al igual que las opulentas Estoril y Cascáis, la Riviera portuguesa, una costa de magníficas playas con unas fabulosas temperaturas durante todo el año, repleta de palacetes románticos, palmeras, terrazas solariegas y el soberbio Casino de Estoril.
El agradable clima portugués, la belleza de su costa marítima, el idílico paisaje del interior con verdes y exuberantes valles y altas cadenas montañosas, su rica historia y cultura, sus monumentos... atraen cada vez a un mayor número de visitantes convirtiendo Portugal en un importante centro del turismo mundial.
Portugal, miembro de la Unión Europea desde 1986, es hoy una nación emergente que ha sabido conservar a través de los siglos su mayor tesoro: la identidad de un pueblo hospitalario que hace de su país un puerto de simpatía y seguridad.

Oficinas de turismo de Portugal

LISBOA. Palácio Foz. Praça dos Restauradores. 1250-187 Lisboa
T. 00 351 213 466 307
TURISMO DE LISBOA. Rua do Arsenal, 15. 1100-547 Lisboa
T. 00 351 210 312 800
AEROPUERTO DE LISBOA. T. 00 351 218 494 323
OPORTO. Praça D. Joao I, 43. 4000-295 Oporto. T. 00 351 222 057 514
AEROPUERTO DR. FRANCISCO SA CARNEIRO. 4470 Maia/Oporto.
T. 00 351 229 412 534
FARO. Aeropuerto de Faro. 8000-701 Faro. T. 00 351 289 818 582

La cocina portuguesa

La gastronomía portuguesa merece la visita de todos aquellos que gustan del sabor de lo auténtico y sepan apreciar los placeres de la buena mesa. Con una vasta costa, el pescado y el marisco son sus principales atractivos. Cocina con sabor a mar, de una excepcional calidad, con el bacalao –preparado de mil sabrosas maneras- como uno de los platos fuertes de su culinaria. Durante siglos ha sido el pescado favorito y de mayor consumo en todo Portugal. Las mariscadas, caldeiradas, sardinas, lulas (calamares) o el arroz con marisco son también platos muy típicos.

La cocina portuguesa es sencilla y variada, arraigada en tradiciones seculares y en armonía con su entorno natural, combinando recetas del interior y de la costa. Caldos como el de grelos o el de gallina, el cocido portugués realizado con alubias, la feijoada - similar a la fabada española- , el bife con patatas o la chanfana –guiso de cordero cocido con vino- son algunos de los platos más populares de la gastronomía tradicional lusa.

Los viejos dulces gozan de una gran fama, los más célebres son los pasteles de Belém (tartaletas de hojaldre con crema) y las queijadas de Sintra (masa de harina y manteca rellena de requesón y queso duro). Los ovos moles es una creación a base de yema de huevo y azúcar.

El queijo (queso) da Serra y el de Serpa, ambos de leche de oveja, son los más apreciados del país.

Portugal también es tierra de excelentes vinos, dos de ellos han alcanzado justamente notoriedad mundial: el Oporto y el Madeira, sin olvidar el singular vinho verde.

LISBOA

DOM PEDRO LISBOA *****, Av. Eng. Duarte Pacheco, 24. T. 00 351 213 896 600
LISBOA SHERATON & TOWERS *****. Rua Latino Coelho, 1. T. 00 351 213 120 000
FOUR SEASONS-RITZ *****. Rua Rodrigo da Fonseca, 88. T. 00 351 213 811 400
LAPA PALACE *****. Rua do Pau de Bandeira, 4. T. 00 351 213 949 494
TIVOLI LISBOA *****. Avenida da Liberdade, 185. T. 00 351 213 198 900
FÉNIX ****. Praça Marquês de Pombal, 8. T. 00 351 213 862 121
YORK HOUSE ****. Rua das Janelas Verdes, 32. T. 00 351 213 962 544
EDUARDO VII ***. Avenida Fontes Pereira de Melo, 5. T. 00 351 213 568 822
En Cascais: ALBATROZ *****. Rua Frederico Arouca, 100. T. 00 351 214 847 380
En Coimbra: QUINTA DAS LÁGRIMAS ****. Santa Clara. T. 00 351 239 802 380
En Sintra: TIVOLI PALACIO DE SETEAIS. ***** Rua Barbosa do Bocage, 10. T. 00 351 219 233 200

Lisboa

Una de las ciudades más bellas de Europa

Capital de Portugal desde 1255 es una ciudad legendaria con más de 20 siglos de historia. Su emplazamiento, en la desembocadura norte del río Tajo a 19 km. del mar, es de una enorme belleza.

Erguida sobre siete colinas disfruta de magníficos miradores que muestran un panorama soberbio de la ciudad y del puerto. Tal vez el mejor sea el del Castelo de San Jorge, con vistas sobre el puente de Salazar (actualmente 25 de abril) que une las dos costas de Lisboa.

Entre sus monumentos destacan la Torre de Belém, las ruinas del convento carmelita destruido por el terremoto de 1755, el elevador Santa Justa, la Praça do Comercio, la Baixa con sus tres arterias principales, la Rua Augusta o la Plaza de Don Pedro IV, centro de la ciudad.

Saturada de historia pero, a la vez, llena de vida. Restaurantes, bares, discotecas y mucha vida nocturna la ha situado como una de las ciudades más de moda en todo el continente.

La luminosa ciudad posee todo lo necesario para encantar. Recorrer Lisboa en sus eléctricos (tranvías) amarillos y ascensores o en metro, cuyas estaciones son verdaderas obras de arte subterráneas, es un auténtico gozo. Podremos contemplar con detenimiento los añejos barrios con sabor medieval, los grandes monumentos que reflejan el periodo de los descubrimientos, la "calçada portuguesa" que hace que las aceras lisboetas sean únicas en el mundo, las pintorescas casas tapizadas de azulejos y balcones de forja, la canción del Fado cantado en la noche a la luz de las velas...

PORTUGAL

Clara

Localidad: **Lisboa (1150-225 Portugal)**
Dirección: Campo dos Mártires da Pátria, 49
Teléfonos: **00 351 218 853 053 Tlm.: 00 351 969 019 898**
E-mail: clararestaurant@mail.telepac.pt
www.lisboa-clara.pt
Parking: Aparcamiento público a 50 metros y servicio de aparcacoches
Propietario: Célia Vargas Pimpista
Días de cierre y vacaciones: Cerrado sábado mediodía y domingos y la primera quincena de agosto
Decoración: Palacete de finales del siglo XVIII, acondicionado en un elegante restaurante
Ambiente: Público capitalino
Bodega: Principalmente, vinos portugueses de todas las regiones (más de 300), aguardientes portugueses de la zona de vinos verdes y selección de champagnes franceses
Hombres y nombres: Director: Armando Paiva. Jefe de cocina: Fernando Lima. Maitre: Francisco Jesús
Otros datos de interés: Un clásico de Lisboa, instalaciones completas: salón principal con capacidad hasta 130 comensales, salón privado (14 p.) y agradable terraza ajardinada para comidas, cenas y recepciones, además del bar inglés. Totalmente climatizado, chimenea de invierno y música de piano cada noche. Buena relación calidad-precio.
Tarjetas: Todas

ESPECIALIDADES CLARA

Cocina portuguesa e internacional

Sugerencias del chef, cambian cada día

Bacalao à la Clara

Pulpo con aceite y ajo

Lomo de cherne a la portuguesa

Tournedo Clara, preparado en la sala

Silla de cordero a la menta (2 p.)

Lomo de ibérico con aceite y cilantro

Carro de quesos y carro de postres

Repostería tradicional portuguesa

la selección del gourmet

MAPA DE DISTRIBUCIÓN

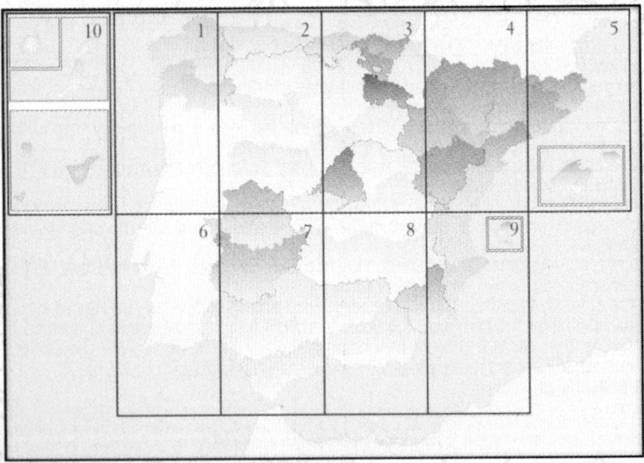

Base Cartográfica Numérica del Instituto Geográfico Nacional

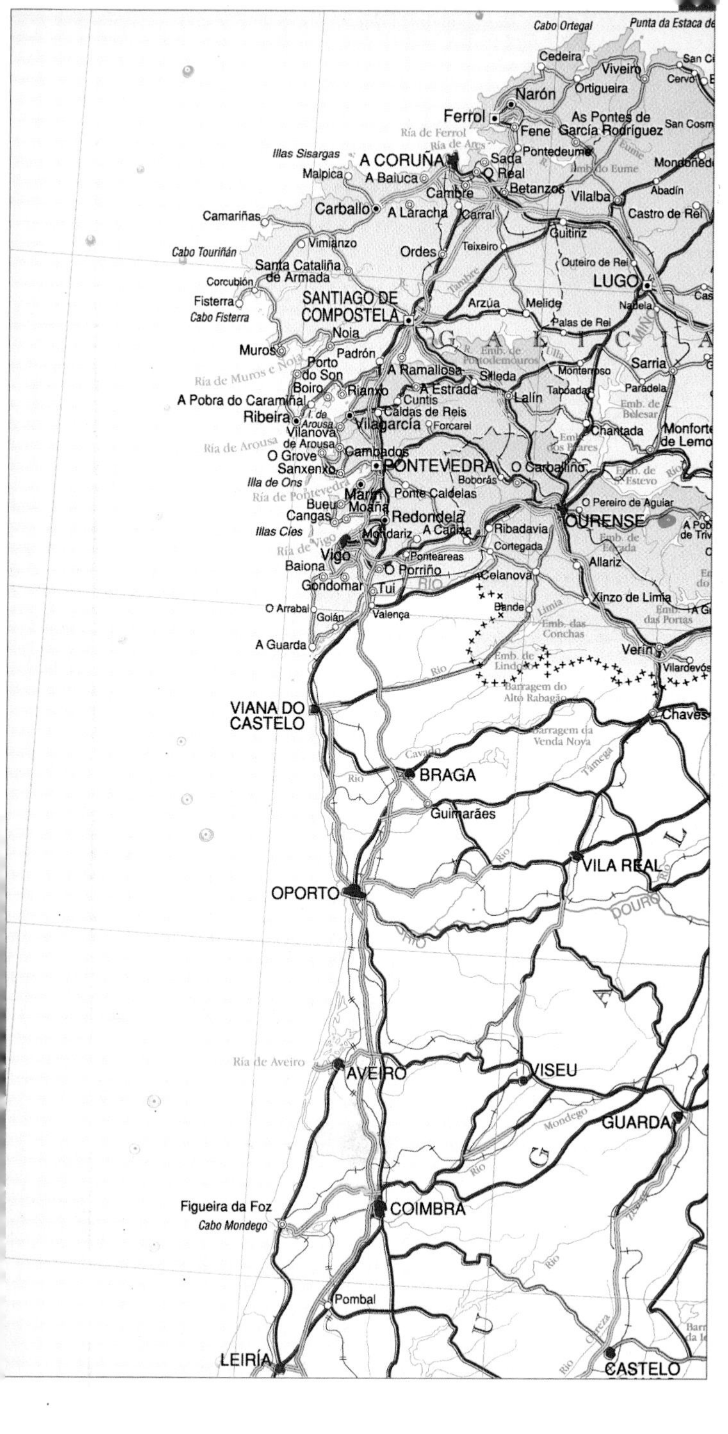

Cabo Ortegal
Punta da Estaca de
Cedeira
Viveiro
Narón
Ortigueira
Ferrol
Fene
As Pontes de García Rodríguez
Ría de Ferrol
Ría de Ares
Illas Sisargas
A CORUÑA
Pontedeume
Sada
O Real
Malpica
A Baiuca
Cambre
Betanzos
Vilalba
Abadín
Camariñas
Carballo
A Laracha
Carral
Castro de Rei
Guitiriz
Cabo Touriñán
Vimianzo
Ordes
Teixeiro
Outeiro de Rei
Santa Cataliña de Armada
Corcubión
LUGO
Fisterra
Cabo Fisterra
SANTIAGO DE COMPOSTELA
Arzúa
Melide
Nadela
Palas de Rei
Noia
Muros
Padrón
Ría de Muros e Noia
Porto do Son
A Ramallosa
Silleda
Monterroso
Sarria
Boiro
Rianxo
A Estrada
Paradela
A Pobra do Caramiñal
Cuntis
Lalín
Taboada
Ribeira
Caldas de Reis
Vilagarcía
Forcarei
Chantada
Vilanova de Arousa
Ría de Arousa
O Grove
Cambados
Sanxenxo
PONTEVEDRA
O Carballiño
Illa de Ons
Boborás
Ría de Pontevedra
Marín
Ponte Caldelas
O Pereiro de Aguiar
Bueu
Moaña
Cangas
Redondela
Illas Cíes
Mondariz
A Cañiza
Ribadavia
OURENSE
Vigo
Ponteareas
Cortegada
Baiona
O Porriño
Celanova
Allariz
Gondomar
Tui
O Arrabal
Xinzo de Limia
Golán
Valença
Bande
A Guarda
Verín
VIANA DO CASTELO
Chaves
BRAGA
Guimarães
VILA REAL
OPORTO
DOURO
Ría de Aveiro
AVEIRO
VISEU
GUARDA
Mondego
Figueira da Foz
Cabo Mondego
COIMBRA
Pombal
LEIRÍA
CASTELO

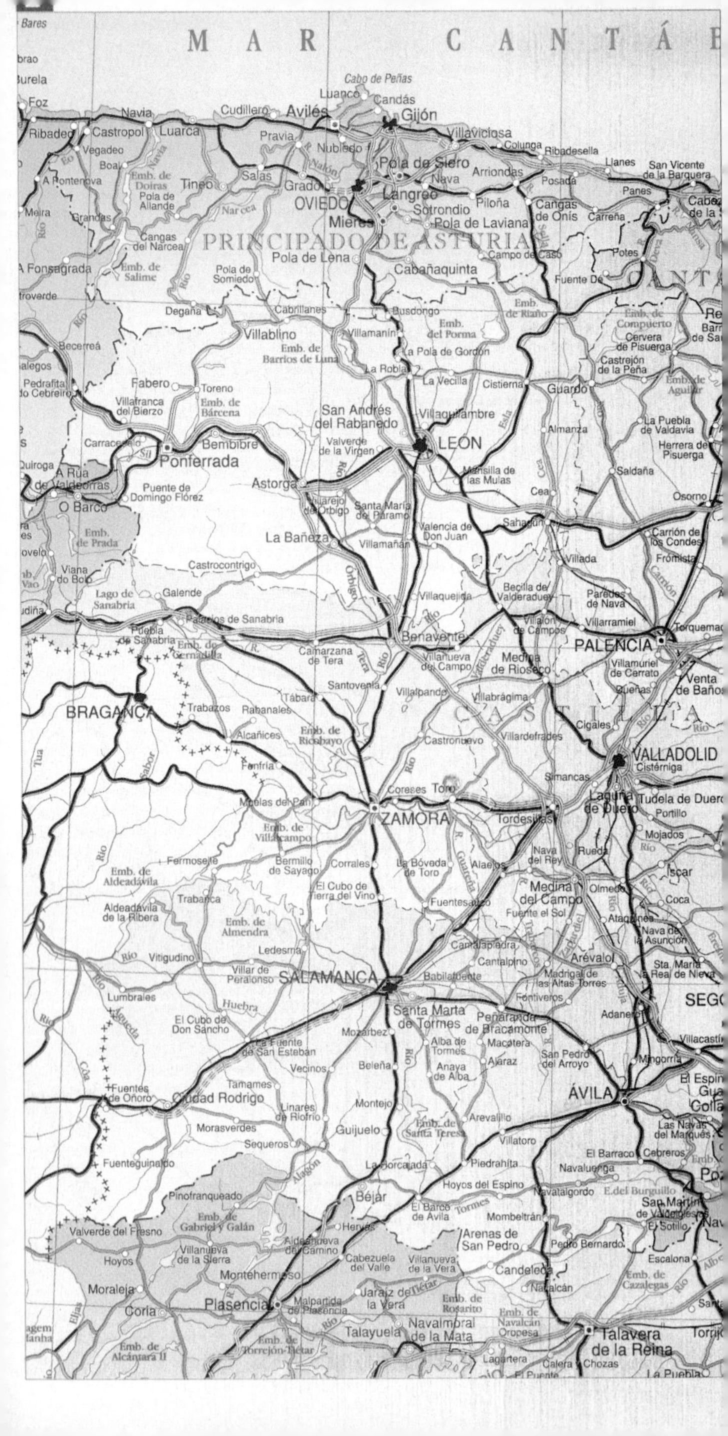

MAR CANTÁB
Bares
Burela
Foz
Cabo de Peñas
Luanco
Candás
Navia
Cudillero
Avilés
Gijón
Ribadeo
Castropol
Luarca
Pravia
Villaviciosa
Vegadeo
Nubledo
Colunga
Ribadesella
Boal
Pola de Siero
Arriondas
Llanes
San Vicente de la Barquera
A Pontenova
Emb. de Doiras
Tineo
Salas
Grado
Nava
Posada
Panes
Pola de Allande
OVIEDO
Langreo
Piloña
Cangas de Onís
Carreña
Meira
Grandas
Narcea
Mieres
Sotrondio
Pola de Laviana
Cangas del Narcea
PRINCIPADO DE ASTURIAS
Campo de Caso
Potes
A Fonsagrada
Emb. de Salime
Pola de Somiedo
Pola de Lena
Cabañaquinta
Fuente Dé
Degaña
Cabrillanes
Busdongo
Emb. de Riaño
Emb. de Compuerto
Villablino
Villamanín
Emb. del Porma
Cervera de Pisuerga
Becerreá
Emb. de Barrios de Luna
La Pola de Gordón
Castrejón de la Peña
La Robla
La Vecilla
Cistierna
Guardo
Pedrafita do Cebreiro
Fabero
Toreno
Villafranca del Bierzo
Emb. de Bárcena
San Andrés del Rabanedo
Villaquilambre
La Puebla de Valdavia
Almanza
Herrera de Pisuerga
Carracedelo
Bembibre
Valverde de la Virgen
LEON
Quiroga
Ponferrada
Mansilla de las Mulas
A Rúa de Valdeorras
Astorga
Saldaña
Puente de Domingo Flórez
Cea
Osorno
O Barco
Hospital de Órbigo
Santa María del Páramo
Sahagún
Emb. de Prada
La Bañeza
Valencia de Don Juan
Villamañán
Carrión de los Condes
Villada
Frómista
Castrocontrigo
Viana do Bolo
Lago de Sanabria
Galende
Villaquejida
Becilla de Valderaduey
Paredes de Nava
Palacios de Sanabria
Villalón de Campos
Villarramiel
Puebla de Sanabria
Benavente
Torquemada
Emb. de Cernadilla
Camarzana de Tera
Villanueva del Campo
Medina de Rioseco
PALENCIA
Villamuriel de Cerrato
Santovenia
Venta de Baños
Villalpando
Dueñas
Tábara
Villabrágima
BRAGANÇA
Trabazos
Rabanales
CASTILLA
Alcañices
Emb. de Ricobayo
Castronuevo
Villardefrades
Cigales
Fonfría
VALLADOLID
Cistérniga
Simancas
Coreses
Toro
Muelas del Pan
Laguna de Duero
Tudela de Duero
ZAMORA
Tordesillas
Portillo
Emb. de Villalcampo
Mojados
Fermoselle
Bermillo de Sayago
Corrales
La Bóveda de Toro
Alaejos
Nava del Rey
Rueda
Íscar
Emb. de Aldeadávila
El Cubo de Tierra del Vino
Medina del Campo
Olmedo
Trabanca
Fuentesaúco
Coca
Aldeadávila de la Ribera
Fuente el Sol
Ataquines
Emb. de Almendra
Nava de la Asunción
Ledesma
Cantalapiedra
Vitigudino
Cantalpino
Arévalo
Villar de Peralonso
SALAMANCA
Babilafuente
Madrigal de las Altas Torres
Sta. María la Real de Nieva
Lumbrales
Fontiveros
SEG
Santa Marta de Tormes
Peñaranda de Bracamonte
Adanero
El Cubo de Don Sancho
Mozárbez
Alba de Tormes
Macotera
La Fuente de San Esteban
Villacastín
Alaraz
San Pedro del Arroyo
Vecinos
Beleña
Anaya de Alba
Mingorría
Fuentes de Oñoro
Tamames
ÁVILA
Ciudad Rodrigo
Linares de Riofrío
Montejo
Morasverdes
Guijuelo
Emb. de Santa Teresa
Arevalillo
Las Navas del Marqués
Sequeros
Villatoro
El Barraco
Cebreros
Fuenteguinaldo
La Horcajada
Piedrahíta
Navaluenga
Hoyos del Espino
Pinofranqueado
Béjar
Navatalgordo
E. del Burguillo
El Barco de Ávila
Tormes
San Martín de Valdeiglesias
Emb. de Gabriel y Galán
Mombeltrán
Valverde del Fresno
Hervás
Arenas de San Pedro
El Sotillo
Aldeanueva del Camino
Pedro Bernardo
Hoyos
Villanueva de la Sierra
Cabezuela del Valle
Villanueva de la Vera
Escalona
Montehermoso
Candeleda
Emb. de Cazalegas
Moraleja
Jaraíz de la Vera
Nabalcán
Plasencia
Malpartida de Plasencia
Emb. de Rosarito
Coria
Emb. de Navalcán
Navalmoral de la Mata
Talayuela
Oropesa
Talavera de la Reina
Emb. de Torrejón-Tiétar
Emb. de Alcántara II
Lagartera
Calera y Chozas
El Puente
La Puebla

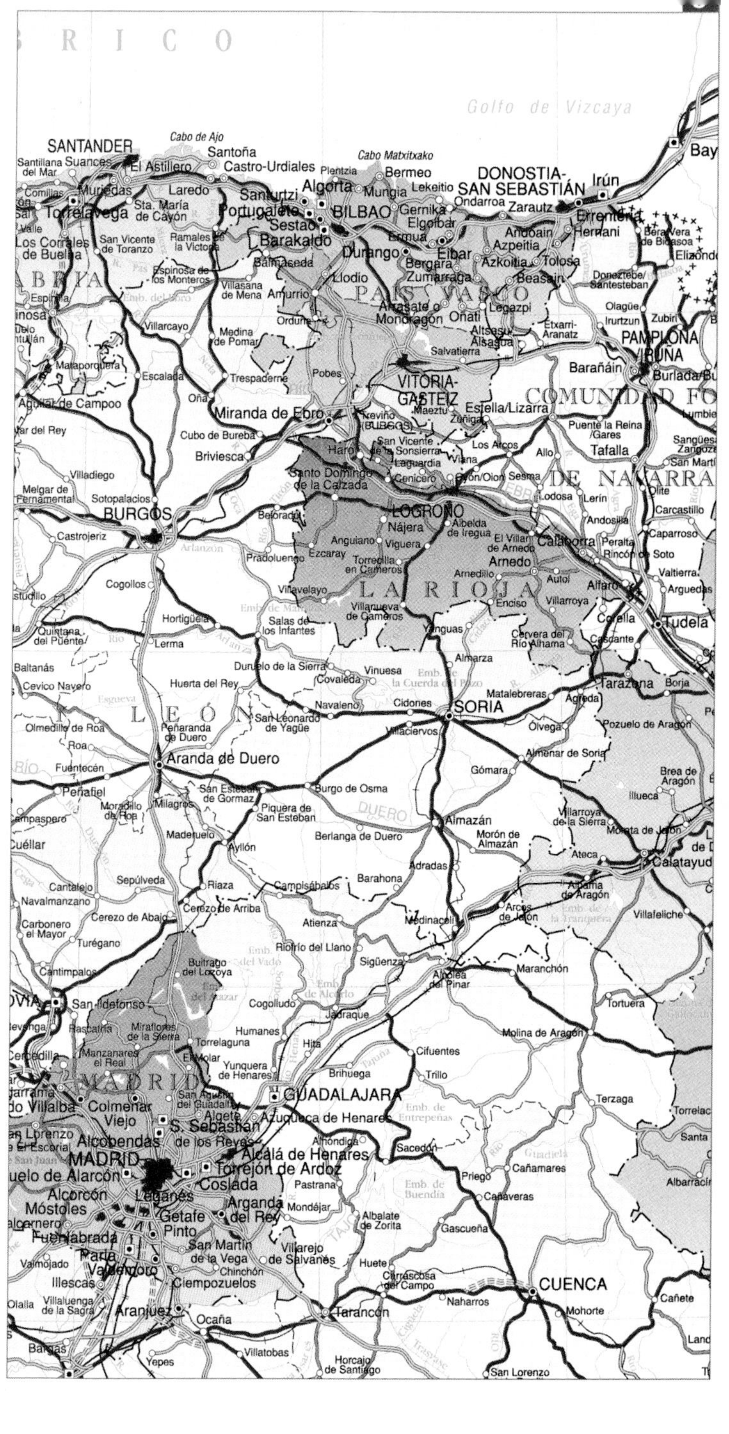

Golfo de Vizcaya
Cabo de Ajo
Cabo Matxitxako
SANTANDER
Santillana del Mar
Suances
El Astillero
Santoña
Castro-Urdiales
Plentzia
Bermeo
DONOSTIA-SAN SEBASTIÁN
Irún
Comillas
Muriedas
Laredo
Algorta
Mungia
Lekeitio
Ondarroa
Zarautz
Torrelavega
Sta. María de Cayón
Santurtzi
Portugalete
BILBAO
Gernika
Errenteria
Sestao
Elgoibar
Andoain
Hernani
Los Corrales de Buelna
San Vicente de Toranzo
Ramales de la Victoria
Barakaldo
Ermua
Eibar
Azpeitia
Durango
Bergara
Azkoitia
Tolosa
Balmaseda
Espinosa de los Monteros
Llodio
Zumarraga
Beasain
Doneztebe/ Santesteban
Elizondo
Villasana de Mena
Amurrio
PAÍS VASCO
Espinilla
Arrasate o Mondragón
Oñati
Legazpi
Olagüe
Orduña
Irurtzun
Zubiri
Villarcayo
Medina de Pomar
Etxarri-Aranatz
Altsasu/ Alsasua
PAMPLONA /IRUÑA
Salvatierra
Mataporquera
Barañáin
Burlada
Escalada
Trespaderne
Pobes
VITORIA-GASTEIZ
Aguilar de Campoo
Oña
COMUNIDAD
Miranda de Ebro
Treviño (BURGOS)
Maeztu
Estella/Lizarra
Cubo de Bureba
Puente la Reina /Gares
Tafalla
Briviesca
Haro
San Vicente de la Sonsierra
Laguardia
Los Arcos
Allo
Viana
Villadiego
Santo Domingo de la Calzada
Cenicero
Oyón/Oion
Sesma
DE NAVARRA
Melgar de Fernamental
Sotopalacios
Lodosa
Lerín
Olite
BURGOS
Belorado
LOGROÑO
Carcastillo
Nájera
Albelda de Iregua
Andosilla
Castrojeriz
Anguiano
Viguera
El Villar de Arnedo
Calahorra
Peralta
Caparroso
Ezcaray
Pradoluengo
Torrecilla en Cameros
Arnedo
Rincón de Soto
Valtierra
Cogollos
Arnedillo
Autol
Alfaro
Arguedas
Viniegra (sic)
Villavelayo
LA RIOJA
Villanueva de Cameros
Enciso
Villarroya
Corella
Tudela
Hortigüela
Salas de los Infantes
Quintana del Puente
Yanguas
Cervera del Río Alhama
Cascante
Lerma
Baltanás
Almarza
Duruelo de la Sierra
Vinuesa
Cevico Navero
Huerta del Rey
Covaleda
Emb. de la Cuerda del Pozo
Tarazona
Borja
Matalebreras
Navaleno
Cidones
Ágreda
SORIA
San Leonardo de Yagüe
Olmedillo de Roa
Peñaranda de Duero
Villaciervos
Ólvega
Pozuelo de Aragón
Roa
Aranda de Duero
Almenar de Soria
Fuentecén
Gómara
Brea de Aragón
Peñafiel
San Esteban de Gormaz
Burgo de Osma
Illueca
Moradillo de Roa
Milagros
Piquera de San Esteban
DUERO
Villarroya de la Sierra
Almazán
Maderuelo
Berlanga de Duero
Morata de Jalón
Morón de Almazán
Cuéllar
Ayllón
Ateca
Adradas
Calatayud
Cantalejo
Sepúlveda
Barahona
Campisábalos
Alhama de Aragón
Riaza
Navalmanzano
Cerezo de Abajo
Cerezo de Arriba
Arcos de Jalón
Villafeliche
Carbonero el Mayor
Atienza
Medinaceli
Turégano
Riofrío del Llano
Buitrago del Lozoya
Sigüenza
Maranchón
Cantimpalos
Alcolea del Pinar
San Ildefonso
Cogolludo
Tortuera
Rascafría
Jadraque
Miraflores de la Sierra
Humanes
Molina de Aragón
Torrelaguna
Manzanares el Real
Hita
Cifuentes
El Molar
Yunquera de Henares
Brihuega
Trillo
MADRID
GUADALAJARA
Colmenar Viejo
San Agustín del Guadalix
Terzaga
Algete
Azuqueca de Henares
Emb. de Entrepeñas
S. Sebastián de los Reyes
Alcobendas
Almoguera
Alhóndiga
Sacedón
Alcalá de Henares
Cañamares
Torrejón de Ardoz
Priego
Coslada
Pastrana
Emb. de Buendía
Cañaveras
Alcorcón
Leganés
Argamasilla
Arganda del Rey
Móstoles
Mondéjar
Getafe
Albalate de Zorita
Gascueña
Pinto
Fuenlabrada
San Martín de la Vega
Villarejo de Salvanés
Parla
Valdemoro
Huete
Valmojado
Chinchón
Carrascosa del Campo
Illescas
Ciempozuelos
CUENCA
Cañete
Naharros
Olalla
Villaluenga de la Sagra
Aranjuez
Tarancón
Mohorte
Ocaña
Bargas
Villatobas
Yepes
Horcajo de Santiago
San Lorenzo

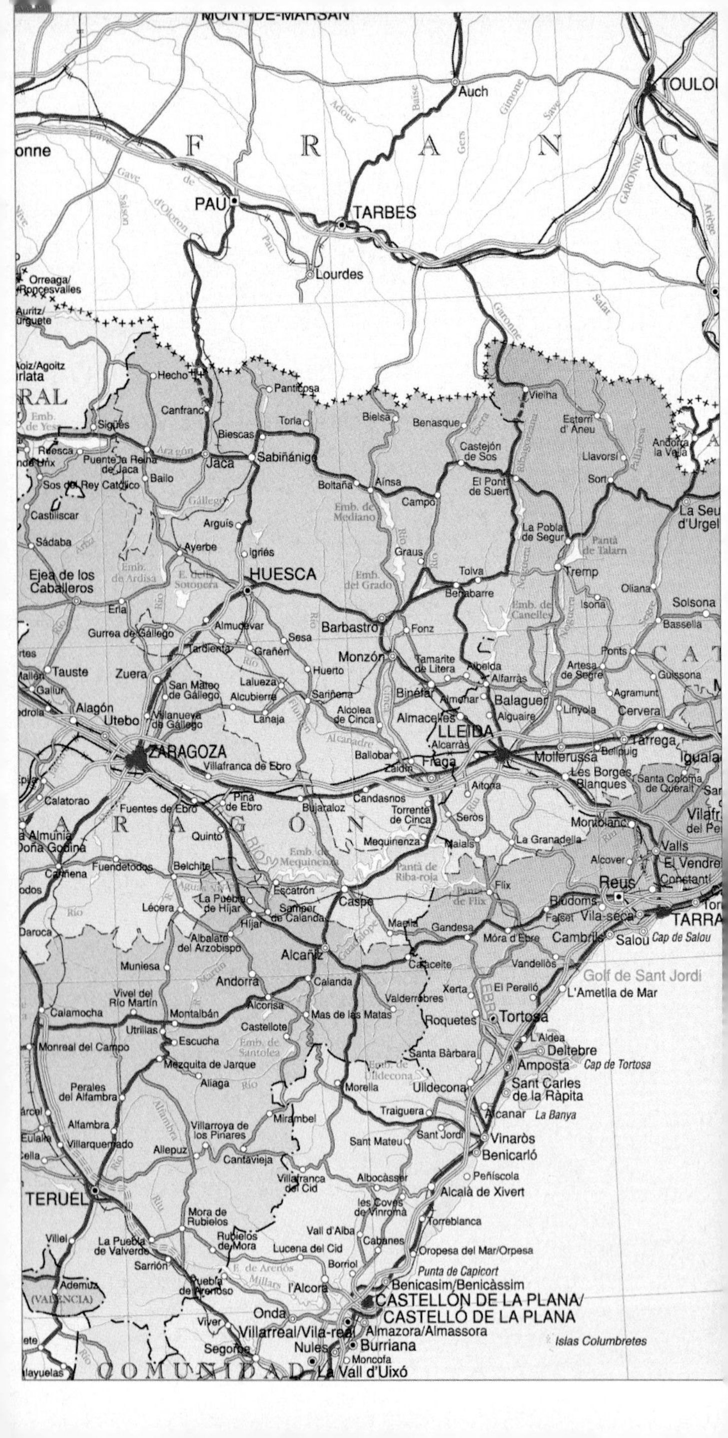

MONT-DE-MARSAN
Auch
TOULOU
F R A N C
Pau
TARBES
Lourdes
Orreaga/
Roncesvalles
Hecho
Canfranc
Panticosa
Torla
Bielsa
Benasque
Vielha
Esterri
d' Aneu
Biescas
Sigüés
Jaca
Sabiñánigo
Puente la Reina
de Jaca
Bailo
Sos del Rey Católico
Castejón
de Sos
Llavorsí
Andorra
la Vella
Boltaña
Aínsa
El Pont
de Suert
Sort
Campo
La Seu
d'Urgell
Castiliscar
Arguís
La Pobla
de Segur
Sádaba
Ayerbe
Igriés
Graus
Ejea de los
Caballeros
HUESCA
Tolva
Tremp
Benabarre
Oliana
Erla
Barbastro
Fonz
Isona
Solsona
Bassella
Almudévar
Gurrea de Gállego
Sesa
Tardienta
Grañén
Monzón
Tamarite
de Litera
Albelda
Alfarràs
Ponts
Artesa
de Segre
Guissona
Tauste
Zuera
San Mateo
de Gállego
Lalueza
Huerto
Alcubierre
Sariñena
Binéfar
Almenar
Balaguer
Agramunt
Alagón
Utebo
Villanueva
de Gállego
Lanaja
Alcolea
de Cinca
Almacelles
Alguaire
Linyola
Cervera
LLEIDA
Alcarràs
Tàrrega
Bellpuig
Mollerussa
ZARAGOZA
Villafranca de Ebro
Ballobar
Zaidín
Fraga
Les Borges
Blanques
Santa Coloma
de Queralt
Calatorao
Pina
de Ebro
Candasnos
Aitona
Fuentes de Ebro
Bujaraloz
Torrente
de Cinca
Seròs
Montblanc
A R A G Ó N
Quinto
Mequinenza
Maials
La Granadella
Valls
Alcover
El Vendrell
Cariñena
Fuendetodos
Belchite
Escatrón
Flix
Reus
Constantí
La Puebla
de Híjar
Caspe
Riudoms
Lécera
Samper
de Calanda
Falset
Vila-seca
TARRA
Daroca
Híjar
Maella
Gandesa
Móra d'Ebre
Cambrils
Salou
Cap de Salou
Albalate
del Arzobispo
Alcañiz
Caseres
Vandellòs
Muniesa
Andorra
Calanda
Golf de Sant Jordi
Vivel del
Río Martín
Valderrobres
Xerta
El Perelló
L'Ametlla de Mar
Calamocha
Montalbán
Alcorisa
Mas de las Matas
Roquetes
Tortosa
Utrillas
Castellote
L'Aldea
Monreal del Campo
Escucha
Santa Bàrbara
Deltebre
Mezquita de Jarque
Amposta
Cap de Tortosa
Aliaga
Morella
Ulldecona
Sant Carles
de la Ràpita
Perales
del Alfambra
Traiguera
Alcanar
La Banya
Alfambra
Mirambel
Villarroya de
los Pinares
Sant Mateu
Sant Jordi
Vinaròs
Villarquemado
Allepuz
Cantavieja
Benicarló
Peñíscola
Villafranca
del Cid
Albocàsser
TERUEL
Alcalà de Xivert
les Coves
de Vinromà
Mora de
Rubielos
Torreblanca
Vall d'Alba
Villel
La Puebla
de Valverde
Rubielos
de Mora
Cabanes
Lucena del Cid
Oropesa del Mar/Orpesa
Sarrión
Borriol
Punta de Capicort
Benicasim/Benicàssim
Ademuz
(VALENCIA)
Puebla
de Arenoso
l'Alcora
CASTELLÓN DE LA PLANA/
CASTELLÓ DE LA PLANA
Onda
Viver
Villarreal/Vila-real
Almazora/Almassora
Burriana
Islas Columbretes
Segorbe
Nules
Moncofa
C O M U N I D A D
La Vall d'Uixó

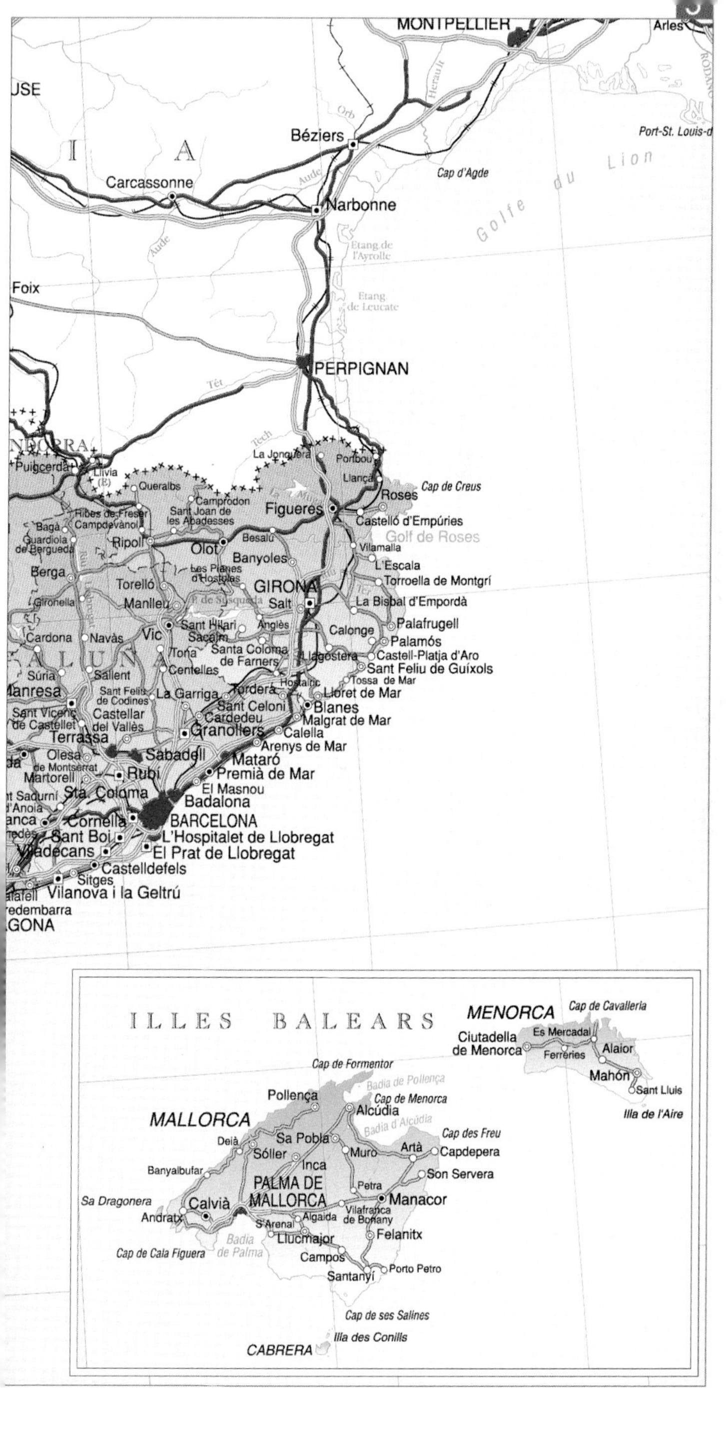
MONTPELLIER
Arles
RODANO
USE
Hérault
Orb
Béziers
Port-St. Louis-d
I A
Cap d'Agde
Golfe du Lion
Carcassonne
Aude
Narbonne
Etang de l'Ayrolle
Foix
Etang de Leucate
PERPIGNAN
Têt
Tech
La Jonquera
Portbou
Llançà
Cap de Creus
Roses
Puigcerdà
Llívia (E)
Queralbs
Camprodon
Sant Joan de les Abadesses
Figueres
Castelló d'Empúries
Ribes de Freser
Campdevànol
Bagà
Guardiola de Berguedà
Ripoll
Besalú
Golf de Roses
Vilamalla
Olot
Banyoles
L'Escala
Berga
Torelló
Les Planes d'Hostoles
GIRONA
Torroella de Montgrí
Gironella
Manlleu
Salt
La Bisbal d'Empordà
Sant Hilari Sacalm
Anglès
Palafrugell
Cardona
Navàs
Vic
Calonge
Palamós
Tona
Santa Coloma de Farners
Llagostera
Castell-Platja d'Aro
Centelles
Sant Feliu de Guíxols
Súria
Sallent
Hostalric
Tossa de Mar
Manresa
Sant Feliu de Codines
La Garriga
Tordera
Lloret de Mar
Sant Celoni
Blanes
Sant Vicenç de Castellet
Castellar del Vallès
Cardedeu
Malgrat de Mar
Terrassa
Granollers
Calella
Arenys de Mar
Olesa de Montserrat
Sabadell
Mataró
Martorell
Rubí
Premià de Mar
El Masnou
Sta. Coloma
Badalona
Cornellà
BARCELONA
Sant Boi
L'Hospitalet de Llobregat
Viladecans
El Prat de Llobregat
Castelldefels
Sitges
Vilanova i la Geltrú
ILLES BALEARS
MENORCA
Cap de Cavalleria
Ciutadella de Menorca
Es Mercadal
Ferreries
Alaior
Mahón
Sant Lluís
Illa de l'Aire
Cap de Formentor
Badia de Pollença
Pollença
Cap de Menorca
Alcúdia
MALLORCA
Badia d'Alcúdia
Cap des Freu
Sa Pobla
Deià
Sóller
Muro
Artà
Capdepera
Inca
Banyalbufar
Son Servera
PALMA DE MALLORCA
Petra
Sa Dragonera
Calvià
Manacor
Andratx
Algaida
Vilafranca de Bonany
S'Arenal
Felanitx
Badia de Palma
Llucmajor
Cap de Cala Figuera
Campos
Porto Petro
Santanyí
Cap de ses Salines
Illa des Conills
CABRERA

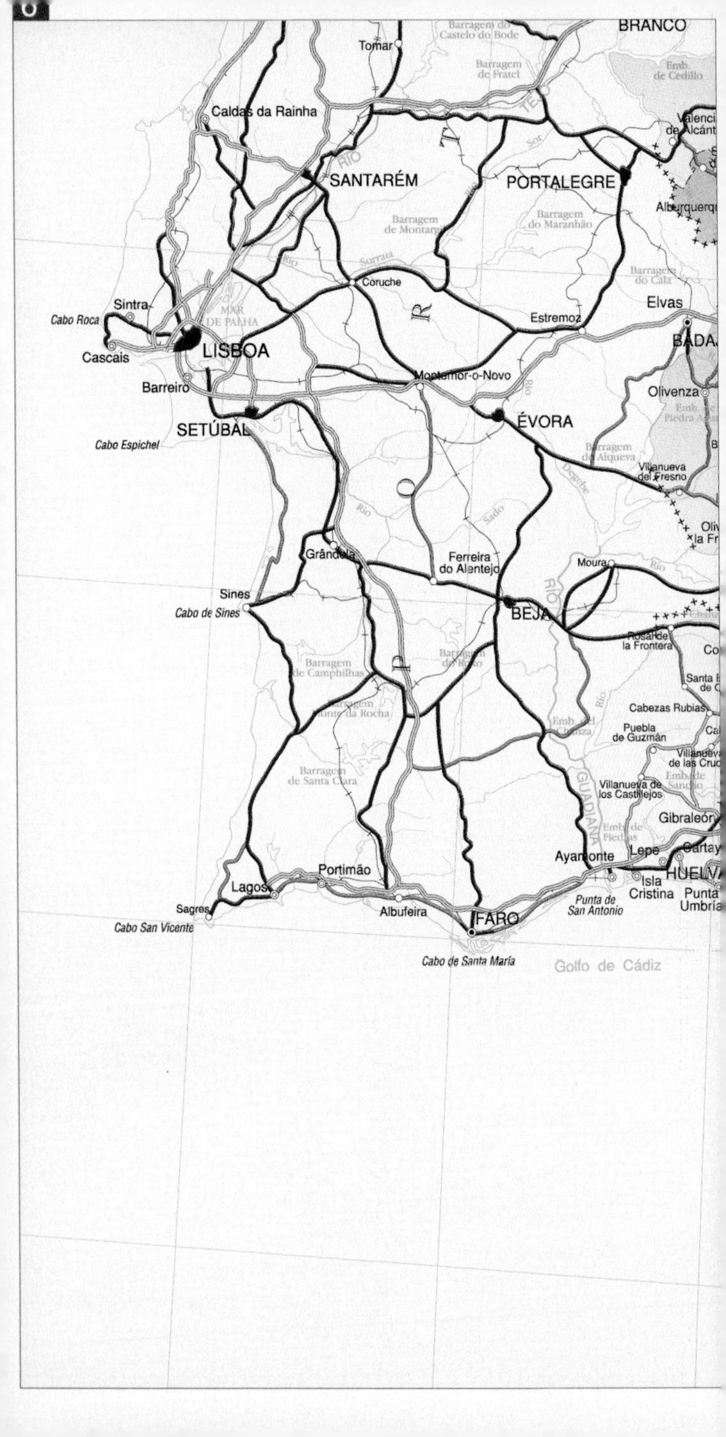

Tomar
Barragem do Castelo do Bode
Barragem de Fratel
BRANCO
Emb. de Cedillo
Caldas da Rainha
SANTARÉM
PORTALEGRE
Barragem de Montargil
Barragem do Maranhão
Alburquerque
Coruche
Sorraia
Barragem do Caia
Elvas
Sintra
Cabo Roca
Cascais
LISBOA
MAR DE PALHA
Estremoz
Barreiro
Montemor-o-Novo
Olivenza
SETÚBAL
ÉVORA
Cabo Espichel
Barragem de Alqueva
Villanueva del Fresno
Degebe
Sado
Grândola
Ferreira do Alentejo
Moura
Sines
Cabo de Sines
BEJA
Rosal de la Frontera
Barragem de Camphilhas
Barragem do Roxo
Barragem Monte da Rocha
Cabezas Rubias
Puebla de Guzmán
Emb. del Chanza
Barragem de Santa Clara
Villanueva de las Cruces
Villanueva de los Castillejos
GUADIANA
Emb. de Sancho
Gibraleón
Emb. de Piedras
Ayamonte
Lepe
Portimão
Lagos
Isla Cristina
Sagres
Albufeira
FARO
Punta de San Antonio
Punta Umbría
Cabo San Vicente
Cabo de Santa María
Golfo de Cádiz

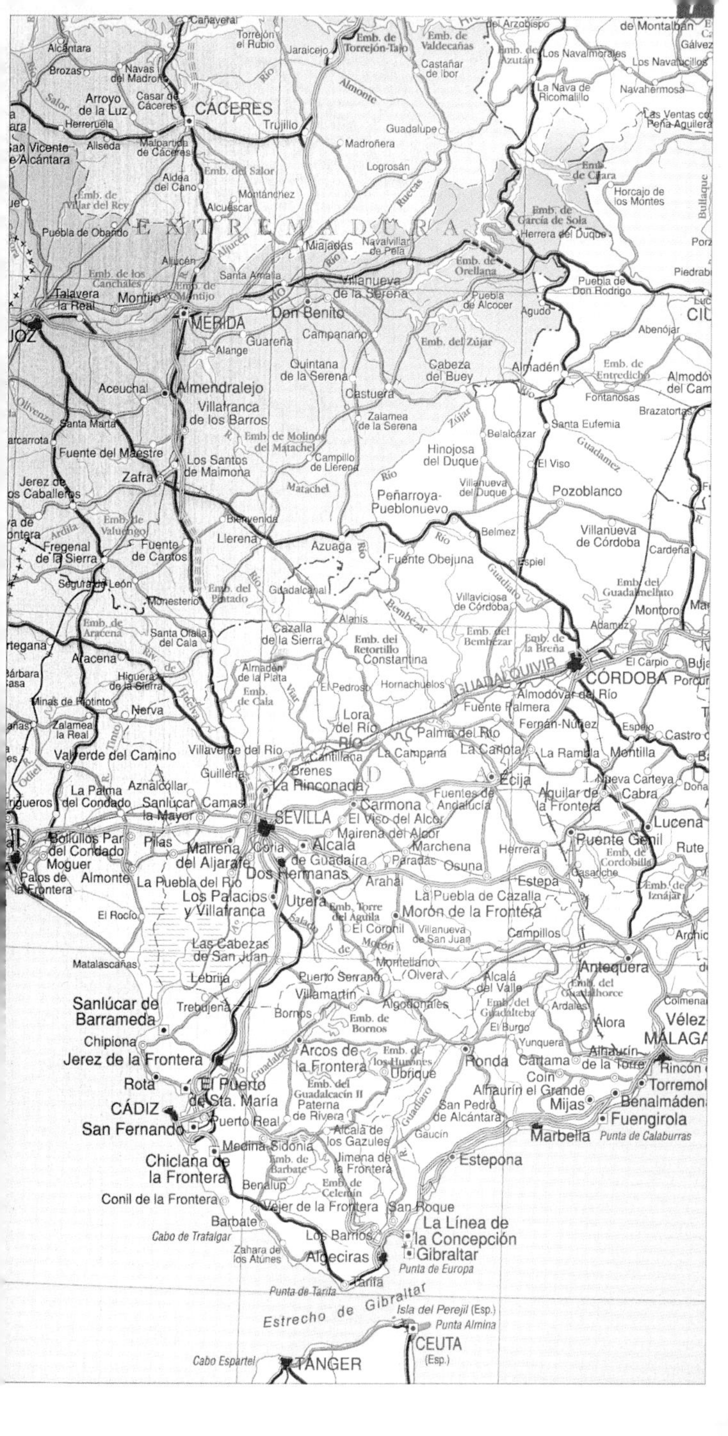

Cañaveral
Torrejón el Rubio
Jaraicejo
Emb. de Torrejón-Tajo
Emb. de Valdecañas
del Arzobispo
de Montalbán
Gálvez
Alcántara
Brozas
Navas del Madroño
Castañar de Ibor
Emb. de Azután
Los Navalmorales
Los Navalucillos
Arroyo de la Luz
Casar de Cáceres
CÁCERES
Trujillo
Almonte
La Nava de Ricomalillo
Navahermosa
Salor
Herreruela
Guadalupe
Las Ventas con Peña Aguilera
San Vicente de Alcántara
Aliseda
Malpartida de Cáceres
Madroñera
Emb. del Salor
Logrosán
Emb. de Cíjara
Aldea del Cano
Montánchez
Ruecas
Horcajo de los Montes
Emb. de Villar del Rey
Alcuéscar
Emb. de García de Sola
Bullaque
Puebla de Obando
EXTREMADURA
Herrera del Duque
Miajadas
Navalvillar de Pela
Aljucén
Emb. de los Canchales
Santa Amalia
Emb. de Orellana
Puebla de Don Rodrigo
Piedrabuena
Villanueva de la Serena
Emb. de Montijo
Talavera la Real
Montijo
Puebla de Alcocer
Agudo
MÉRIDA
Don Benito
Campanario
Abenójar
Guareña
Alange
Emb. del Zújar
Quintana de la Serena
Cabeza del Buey
Almadén
Emb. de Entredicho
Aceuchal
Almendralejo
Castuera
Fontanosas
Villafranca de los Barros
Olivenza
Zalamea de la Serena
Brazatortas
Santa Marta
Zújar
Santa Eufemia
Emb. de Molinos del Matachel
Belalcázar
Fuente del Maestre
Los Santos de Maimona
Campillo de Llerena
Hinojosa del Duque
El Viso
Guadamez
Jerez de los Caballeros
Zafra
Matachel
Villanueva del Duque
Pozoblanco
Peñarroya-Pueblonuevo
Ardila
Emb. de Valuengo
Bienvenida
Belmez
Villanueva de Córdoba
Fregenal de la Sierra
Fuente de Cantos
Llerena
Azuaga
Fuente Obejuna
Cardeña
Espiel
Segura de León
Emb. del Pintado
Guadalcanal
Emb. del Guadalmellato
Monesterio
Villaviciosa de Córdoba
Montoro
Bembézar
Guadiato
Emb. de Aracena
Alanís
Adamuz
Santa Olalla del Cala
Cazalla de la Sierra
Emb. del Retortillo
Emb. del Bembézar
Emb. de la Breña
Aracena
Constantina
El Carpio
Higuera de la Sierra
Almadén de la Plata
Hornachuelos
GUADALQUIVIR
CÓRDOBA
El Pedroso
Almodóvar del Río
Emb. de Cala
Viar
Huelva
Minas de Riotinto
Nerva
Lora del Río
Fuente Palmera
Zalamea la Real
Tinto
Palma del Río
Fernán-Núñez
Espejo
Castro
Villaverde del Río
Cantillana
La Campana
La Carlota
La Rambla
Montilla
Valverde del Camino
Guillena
Brenes
Odiel
La Palma del Condado
Aznalcóllar
La Rinconada
Écija
Nueva Carteya
Trigueros
Sanlúcar la Mayor
Camas
Carmona
Fuentes de Andalucía
Aguilar de la Frontera
Cabra
SEVILLA
El Viso del Alcor
Lucena
Bollullos Par del Condado
Pilas
Mairena del Alcor
Puente Genil
Rute
Moguer
Mairena del Aljarafe
Coria
Alcalá de Guadaíra
Marchena
Herrera
Emb. de Cordobilla
Palos de la Frontera
Almonte
Dos Hermanas
Paradas
Osuna
Casariche
La Puebla del Río
Arahal
Estepa
Emb. de Iznájar
Los Palacios y Villafranca
Utrera
La Puebla de Cazalla
El Rocío
Emb. Torre del Águila
Morón de la Frontera
Salado
El Coronil
Villanueva de San Juan
Campillos
Las Cabezas de San Juan
Matalascañas
Montellano
Antequera
Lebrija
Puerto Serrano
Olvera
Alcalá del Valle
Emb. del Guadalhorce
Villamartín
Sanlúcar de Barrameda
Trebujena
Bornos
Algodonales
Emb. del Guadalteba
Ardales
Colmenar
Emb. de Bornos
El Burgo
Álora
Vélez
Chipiona
Arcos de la Frontera
Emb. de los Hurones
Yunquera
MÁLAGA
Jerez de la Frontera
Ronda
Cártama
Alhaurín de la Torre
Rota
El Puerto de Sta. María
Ubrique
Coín
Rincón
Emb. del Guadalcacín II
Alhaurín el Grande
Torremolinos
CÁDIZ
Paterna de Rivera
San Pedro de Alcántara
Mijas
Benalmádena
Puerto Real
Guadiaro
Fuengirola
San Fernando
Alcalá de los Gazules
Gaucín
Marbella
Punta de Calaburras
Medina Sidonia
Chiclana de la Frontera
Emb. de Barbate
Jimena de la Frontera
Estepona
Benalup
Emb. de Celemín
Conil de la Frontera
Vejer de la Frontera
San Roque
Barbate
La Línea de la Concepción
Cabo de Trafalgar
Los Barrios
Zahara de los Atunes
Algeciras
Gibraltar
Punta de Europa
Tarifa
Punta de Tarifa
Estrecho de Gibraltar
Isla del Perejil (Esp.)
Punta Almina
CEUTA (Esp.)
Cabo Espartel
TÁNGER

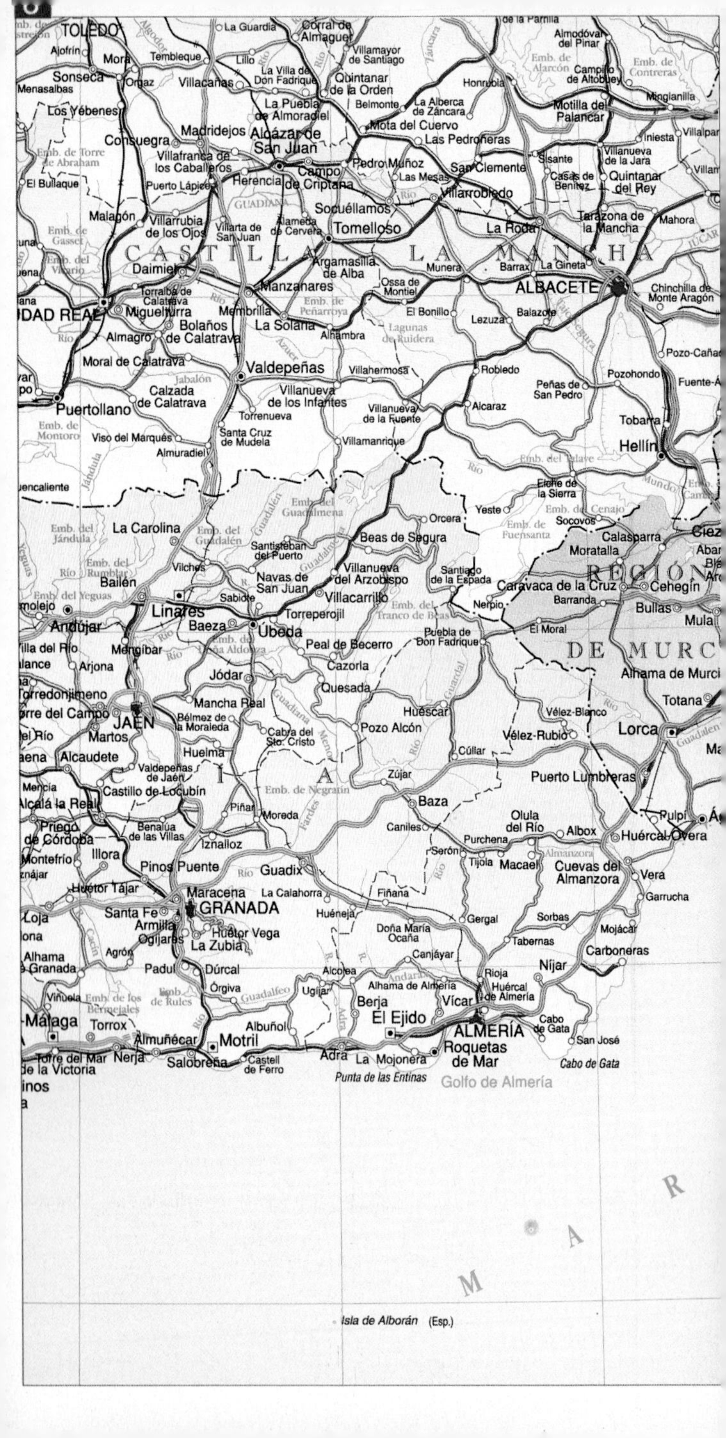
TOLEDO
La Guardia
Corral de Almaguer
Almodóvar del Pinar
Ajofrín
Mora
Tembleque
Lillo
Villamayor de Santiago
Emb. de Alarcón
Emb. de Contreras
Sonseca
Orgaz
Villacañas
La Villa de Don Fadrique
Quintanar de la Orden
Honrubia
Campillo de Altobuey
Menasalbas
La Puebla de Almoradiel
Belmonte
La Alberca de Záncara
Motilla del Palancar
Minglanilla
Los Yébenes
Mota del Cuervo
Consuegra
Madridejos
Alcázar de San Juan
Las Pedroñeras
Iniesta
Emb. de Torre de Abraham
Villafranca de los Caballeros
Campo de Criptana
Pedro Muñoz
San Clemente
Sisante
Villanueva de la Jara
El Bullaque
Puerto Lápice
Herencia
Las Mesas
Casas de Benítez
Quintanar del Rey
Villarrobledo
Malagón
Villarrubia de los Ojos
Villarta de San Juan
Alameda de Cervera
Socuéllamos
Tomelloso
La Roda
Tarazona de la Mancha
Mahora
Emb. de Gasset
Emb. del Vicario
CASTILLA LA MANCHA
Daimiel
Argamasilla de Alba
Munera
Barrax
La Gineta
Torralba de Calatrava
Manzanares
Ossa de Montiel
ALBACETE
Chinchilla de Monte Aragón
CIUDAD REAL
Miguelturra
Membrilla
Emb. de Peñarroya
El Bonillo
Lezuza
Balazote
Bolaños de Calatrava
La Solana
Lagunas de Ruidera
Almagro
Alhambra
Pozo-Cañada
Moral de Calatrava
Valdepeñas
Villahermosa
Robledo
Pozohondo
Fuente-Álamo
Peñas de San Pedro
Calzada de Calatrava
Villanueva de los Infantes
Puertollano
Villanueva de la Fuente
Alcaraz
Torrenueva
Tobarra
Emb. de Montoro
Viso del Marqués
Santa Cruz de Mudela
Villamanrique
Almuradiel
Hellín
Emb. del Talave
Elche de la Sierra
Fuencaliente
Emb. del Guadalmena
Yeste
Emb. del Cenajo
Orcera
Socovos
Emb. de Fuensanta
Emb. del Jándula
La Carolina
Emb. del Guadalén
Santisteban del Puerto
Beas de Segura
Calasparra
Moratalla
Cieza
Emb. del Rumblar
Vilches
Navas de San Juan
Villanueva del Arzobispo
Santiago de la Espada
REGIÓN
Bailén
Caravaca de la Cruz
Cehegín
Emb. del Yeguas
Sabiote
Villacarrillo
Barranda
Bullas
Linares
Nerpio
Andújar
Baeza
Torreperojil
Emb. del Tranco de Beas
Mula
Úbeda
El Moral
Villa del Río
Mengíbar
Emb. de Doña Aldonza
Peal de Becerro
Puebla de Don Fadrique
DE MURCIA
Arjona
Cazorla
Jódar
Alhama de Murcia
Quesada
Torredonjimeno
Mancha Real
Totana
Torre del Campo
Huéscar
Vélez-Blanco
JAÉN
Bélmez de la Moraleda
Cabra del Sto. Cristo
Pozo Alcón
Lorca
Martos
Vélez-Rubio
Huelma
Alcaudete
Cúllar
Valdepeñas de Jaén
ANDALUCÍA
Zújar
Puerto Lumbreras
Castillo de Locubín
Emb. de Negratín
Alcalá la Real
Baza
Piñar
Moreda
Olula del Río
Pulpí
Priego de Córdoba
Benalúa de las Villas
Caniles
Albox
Huércal-Overa
Iznalloz
Purchena
Montefrío
Illora
Serón
Tíjola
Macael
Cuevas del Almanzora
Pinos Puente
Guadix
Vera
Huétor Tájar
Maracena
La Calahorra
Fiñana
Garrucha
GRANADA
Loja
Santa Fe
Huéneja
Gergal
Sorbas
Armilla
Ogíjares
Huétor Vega
Doña María Ocaña
Mojácar
La Zubia
Tabernas
Alhama de Granada
Agrón
Canjáyar
Carboneras
Padul
Dúrcal
Níjar
Alcolea
Rioja
Órgiva
Alhama de Almería
Huércal de Almería
Viñuela
Emb. de los Bermejales
Emb. de Rules
Ugíjar
Berja
Vícar
Málaga
Torrox
Albuñol
El Ejido
Cabo de Gata
Almuñécar
Motril
ALMERÍA
San José
Torre del Mar
Nerja
Salobreña
Castell de Ferro
Adra
La Mojonera
Roquetas de Mar
Cabo de Gata
Punta de las Entinas
Golfo de Almería
MAR
Isla de Alborán (Esp.)

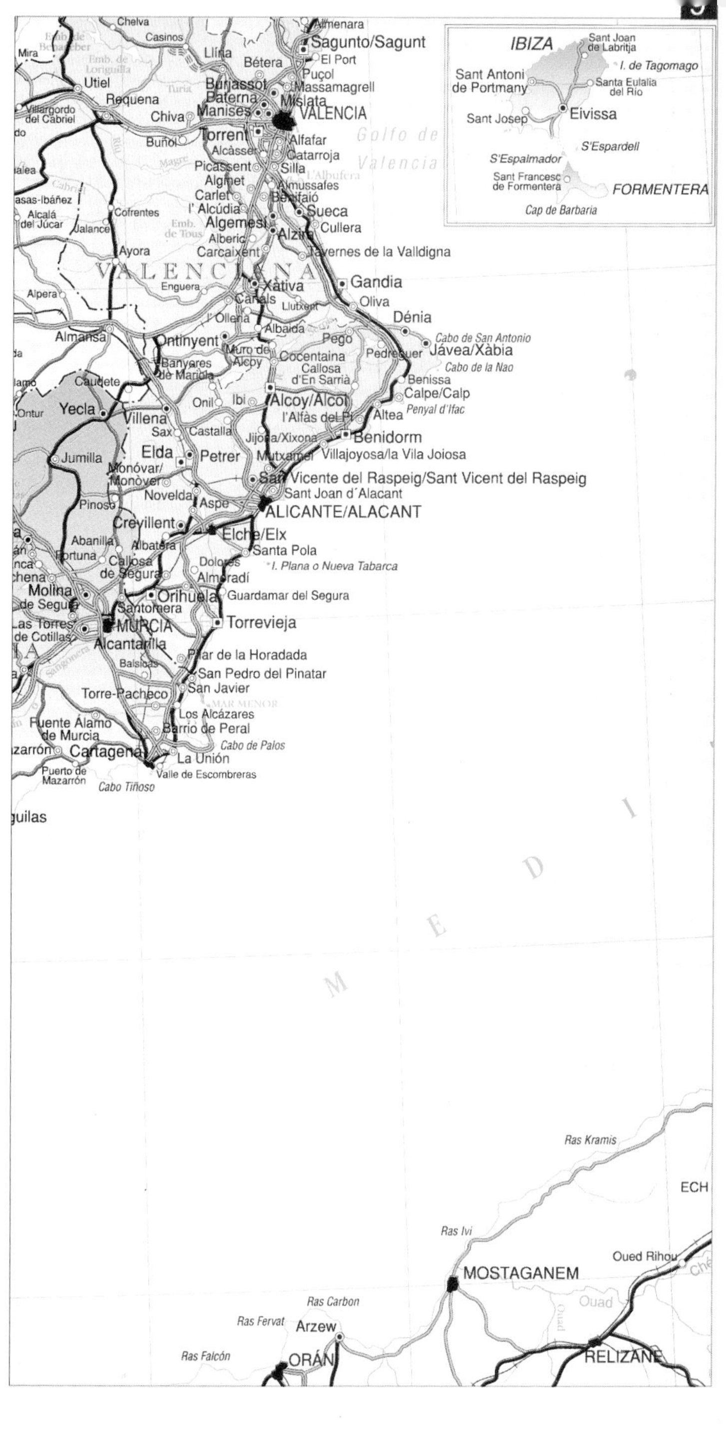
Chelva
Almenara
Sagunto/Sagunt
Mira
Casinos
Llíria
Bétera
El Port
Puçol
Massamagrell
Utiel
Burjassot
Paterna
Mislata
Requena
Villargordo del Cabriel
Chiva
Manises
VALENCIA
Buñol
Torrent
Alfafar
Golfo de Valencia
Alcàsser
Catarroja
Picassent
Silla
L'Albufera
Algimet
Almussafes
Carlet
Benifaió
Casas-Ibáñez
L' Alcúdia
Sueca
Alcalá del Júcar
Cofrentes
Jalance
Algemesí
Alzira
Cullera
Alberic
Ayora
Carcaixent
Tavernes de la Valldigna
VALENCIANA
Gandia
Enguera
Xàtiva
Alpera
Canals
Lluxent
Oliva
l'Ollería
Dénia
Albaida
Almansa
Pego
Cabo de San Antonio
Ontinyent
Muro de Alcoy
Pedreguer
Jávea/Xàbia
Cocentaina
Banyeres de Mariola
Callosa d'En Sarrià
Cabo de la Nao
Caudete
Benissa
Onil
Ibi
Alcoy/Alcoi
Calpe/Calp
Yecla
l'Alfàs del Pi
Altea
Penyal d'Ifac
Ontur
Villena
Sax
Castalla
Jijona/Xixona
Benidorm
Elda
Jumilla
Petrer
Mutxamel
Villajoyosa/la Vila Joiosa
Monóvar/Monòver
San Vicente del Raspeig/Sant Vicent del Raspeig
Novelda
Sant Joan d´Alacant
Pinoso
Aspe
ALICANTE/ALACANT
Crevillent
Elche/Elx
Abanilla
Albatera
Santa Pola
Fortuna
Callosa de Segura
Dolores
I. Plana o Nueva Tabarca
Almoradí
Molina de Segura
Orihuela
Guardamar del Segura
Santomera
Las Torres de Cotillas
MURCIA
Torrevieja
Alcantarilla
Pilar de la Horadada
Balsicas
San Pedro del Pinatar
San Javier
Torre-Pacheco
MAR MENOR
Los Alcázares
Fuente Álamo de Murcia
Barrio de Peral
Cabo de Palos
Cartagena
La Unión
Puerto de Mazarrón
Valle de Escombreras
Cabo Tiñoso
IBIZA
Sant Joan de Labritja
I. de Tagomago
Sant Antoni de Portmany
Santa Eulalia del Río
Sant Josep
Eivissa
S'Espardell
S'Espalmador
Sant Francesc de Formentera
FORMENTERA
Cap de Barbaria
M E D I
Ras Kramis
Ras Ivi
Oued Rihou
MOSTAGANEM
Ras Carbon
Ras Fervat
Arzew
Ras Falcón
ORÁN
RELIZANE

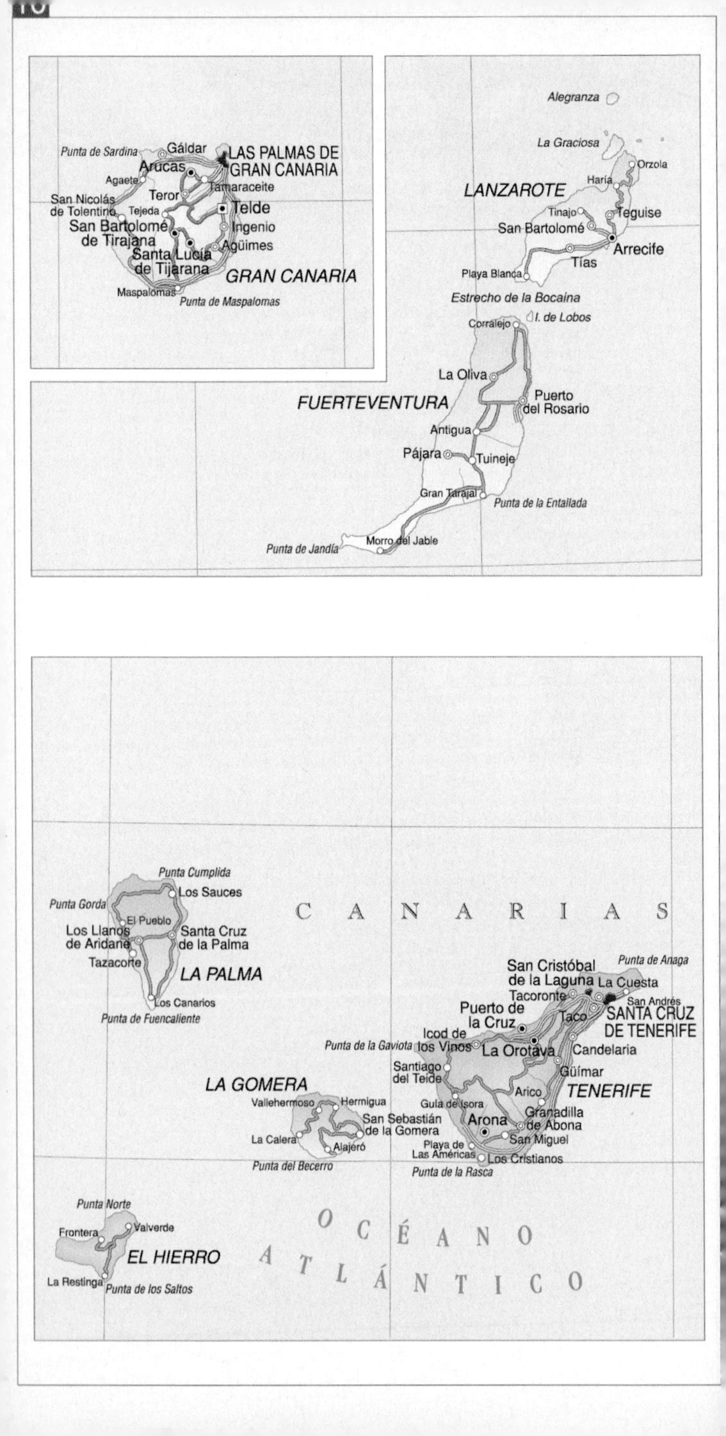

Punta de Sardina
Gáldar
LAS PALMAS DE GRAN CANARIA
Arucas
Agaete
Tamaraceite
San Nicolás de Tolentino
Teror
Tejeda
Telde
San Bartolomé de Tirajana
Ingenio
Agüimes
Santa Lucía de Tijarana
GRAN CANARIA
Maspalomas
Punta de Maspalomas
Alegranza
La Graciosa
Orzola
Haría
LANZAROTE
Tinajo
Teguise
San Bartolomé
Arrecife
Tías
Playa Blanca
Estrecho de la Bocaina
Corralejo
I. de Lobos
La Oliva
Puerto del Rosario
FUERTEVENTURA
Antigua
Pájara
Tuineje
Gran Tarajal
Punta de la Entallada
Morro del Jable
Punta de Jandía
Punta Cumplida
Los Sauces
Punta Gorda
El Pueblo
Los Llanos de Aridane
Santa Cruz de la Palma
Tazacorte
LA PALMA
Los Canarios
Punta de Fuencaliente
C A N A R I A S
Punta de Anaga
San Cristóbal de la Laguna
La Cuesta
Tacoronte
San Andrés
Puerto de la Cruz
Taco
SANTA CRUZ DE TENERIFE
Icod de los Vinos
Punta de la Gaviota
La Orotava
Candelaria
Santiago del Teide
Güímar
LA GOMERA
Arico
TENERIFE
Vallehermoso
Hermigua
Guía de Isora
Granadilla de Abona
San Sebastián de la Gomera
Arona
La Calera
Alajeró
San Miguel
Playa de Las Américas
Los Cristianos
Punta del Becerro
Punta de la Rasca
Punta Norte
Frontera
Valverde
EL HIERRO
La Restinga
Punta de los Saltos
OCÉANO ATLÁNTICO

la selección del
gourmet

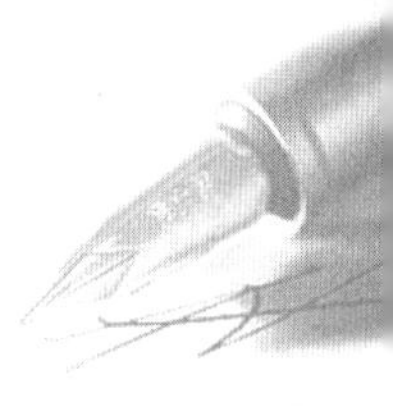

la selección del
gourmet

La felicidad no es hacer lo que quieres,
sino querer lo que haces.

Jean-Paul Sartre